QUÉBEC

Pays : Canada
Capitale : Québec
Capitale fédérale : Ottawa
Superficie : 1 356 367 km^2
Population : 7 546 131 habitants
Monnaie : dollar canadien
Langue officielle : français

Collection sous la responsabilité d'Anne Teffo

Ont contribué à l'élaboration de ce guide :

Édition	Nicolas Peyroles, Marylène Duteil
Rédaction	Gwen Cannon, Marylène Duteil, Alexandra Forterre, Cynthia Ochterbeck
Cartographie	Valentina Alecu, Stéphane Anton, Cristina Bragaru, Michèle Cana, Teodora Coroiu, Thierry Lemasson, Alexandru Iorga, Claudiu Spiridon
Conception graphique	Laurent Muller (couverture), Agence Rampazzo (maquette intérieure)
Relecture	Isabelle Karcenti-Garnier
Régie publicitaire et partenariats	michelin-cartesetguides-btob@fr.michelin.com
	Le contenu des pages de publicité insérées dans ce guide n'engage que la responsabilité des annonceurs.
Remerciements	Yvonne Simard de Destination Québec à Paris, les Associations touristiques régionales du Québec.
Contacts	Michelin Cartes et Guides
	Le Guide Vert
	46, avenue de Breteuil 75324 Paris Cedex 07
	✆ 01 45 66 12 34 – Fax : 01 45 66 13 75
	www.cartesetguides.michelin.fr
	www.ViaMichelin.fr

Parution 2009

Votre avis nous intéresse
Vous souhaitez donner votre avis sur nos publications ou nous faire part de vos expériences ?
Rendez-vous sur **www.votreaviscartesetguides.michelin.fr**

Note au lecteur
L'équipe éditoriale a apporté le plus grand soin à la rédaction de ce guide et à sa vérification. Toutefois, les informations pratiques (prix, adresses, conditions de visite, numéros de téléphone, sites et adresses Internet…) doivent être considérées comme des indications du fait de l'évolution constante des données. Il n'est pas totalement exclu que certaines d'entre elles ne soient plus, à la date de parution du guide, tout à fait exactes ou exhaustives. Elles ne sauraient de ce fait engager notre responsabilité.

Le Guide Vert,
la culture en mouvement

Vous avez envie de bouger pendant vos vacances, le week-end ou simplement quelques heures pour changer d'air ? Le Guide Vert vous apporte des idées, des conseils et une connaissance récente, indispensable, de votre destination.

Tout d'abord, **sachez que tout change**. Toutes les informations pratiques du voyage évoluent rapidement : nouveaux hôtels et restaurants, nouveaux tarifs, nouveaux horaires d'ouverture… Le patrimoine aussi est en perpétuelle évolution, qu'il soit artistique, industriel ou artisanal… Des initiatives surgissent partout pour rénover, améliorer, surprendre, instruire, divertir. Même les lieux les plus connus innovent : nouveaux aménagements, nouvelles acquisitions ou animations, nouvelles découvertes enrichissent les circuits de visite.

Le Guide Vert **recense** et **présente ces changements** ; il réévalue en permanence le niveau d'intérêt de chaque curiosité afin de bien mesurer ce qui aujourd'hui vaut le voyage (distingué par ses fameuses 3 étoiles), mérite un détour (2 étoiles), est intéressant (1 étoile). Actualisation, sélection et appréciation sur le terrain sont les maîtres mots de la collection, afin que Le Guide Vert soit à chaque édition le reflet de la réalité touristique du moment.

Créé dès l'origine pour **faciliter et enrichir vos déplacements**, Le Guide Vert s'adresse encore aujourd'hui à tous ceux qui aiment connaître et comprendre ce qui fait l'identité d'une région. Simple, clair et facile à utiliser, il est aussi idéal pour voyager en famille. Le symbole ♟♙ signale tout ce qui est intéressant pour les enfants : zoos, parcs d'attractions, musées insolites, mais également animations pédagogiques pour découvrir les grands sites.

Ce guide vit pour vous et par vous. N'hésitez pas à nous faire part de vos remarques, suggestions ou découvertes ; elles viendront enrichir la prochaine édition de ce guide.

Anne Teffo
Responsable de la collection
Le Guide Vert Michelin

ORGANISER SON VOYAGE

COMPRENDRE LE QUÉBEC

VILLES ET SITES

À l'intérieur du premier rabat de couverture, la carte générale intitulée « **Les plus beaux sites** » donne : une **vision synthétique** de tous les lieux traités ; les **sites étoilés** visibles en un coup d'œil ; les **circuits de découverte**, dessinés en vert, aux environs des destinations principales.

Dans la partie « **Découvrir les sites** » : les **destinations principales** sont classées par région ; les **destinations moins importantes** leur sont rattachées sous les rubriques « Aux alentours » ou « Circuits de découverte » ; les **informations pratiques** sont présentées dans un encadré vert dans chaque chapitre.

L'**index** permet de retrouver rapidement la description de chaque lieu.

SOMMAIRE

DÉCOUVRIR LES SITES

*Le Vieux-Port avec vue sur le quartier
du Vieux-Montréal.*

QUAND ET OÙ PARTIR

Au fil des saisons

Si le Québec se visite en toutes saisons, la différence entre l'hiver et l'été est particulièrement marquée. Venir au Québec en décembre ou en juillet, c'est découvrir deux pays résolument différents : la température peut monter au-delà de 30 °C en été et descendre en deçà de - 25 °C en hiver !

À vous donc de choisir entre les lacs gelés, la pêche blanche, les promenades en motoneige et en raquettes, ou le canotage, le camping et la pêche, et les lunettes de soleil !

La magie de l'hiver – La première saison associée au Québec, c'est bien sûr l'**hiver**. « Mon pays n'est pas un pays, disait Gilles Vigneault, c'est l'hiver. » Annoncé parfois dès le mois de novembre par d'importantes chutes de neige, il se maintient jusqu'en mars, voire avril-mai, selon les régions. Les températures descendent fréquemment en dessous de 0 °C, et, aux mois de janvier et février, peuvent être inférieures à - 25 °C. Pour l'anecdote, le 15 janvier 1957, il faisait - 37,8 °C à Montréal !

L'air est alors sec et froid, et le ciel connaît d'importantes périodes d'ensoleillement. C'est l'une des caractéristiques de l'hiver québécois, qui fait toute sa beauté !

Outre la beauté du paysage – un manteau blanc immaculé sous un ciel limpide –, l'hiver propose de nombreuses activités : de décembre à mars (voire avril-mai), ski, randonnée en raquettes et motoneige. La saison permet aussi de découvrir les joies d'une balade en traîneau à chiens. Compte-tenu de la rudesse du climat, un voyage clés en main favorisera au maximum la sécurité des déplacements.

Le **printemps** – C'est la période des fameuses « parties de sucre », lors desquelles on célèbre la récolte du sirop d'érable. Cette courte saison s'étale de fin mars à fin mai. Elle accompagne la fonte des neiges et le réveil de la nature. Les journées sont encore fraîches et les soirées froides.

L'été – La saison touristique estivale s'étend de mi-mai (fête de Dollard) à début septembre (fête du Travail), et bat son plein en juillet et en août. Dans la partie sud du Québec, l'**été** peut être chaud et humide (à la latitude de Montréal). C'est la saison des festivals en tout genre et des terrasses qui ne désemplissent pas. Une période touristique presque parfaite… si l'on oublie les moustiques !

Prévoyez des vêtements légers, mais conservez avec vous une petite veste pour les soirées plus fraîches et les promenades sur les lacs.

L'automne – Durant cette saison, qui court de septembre à novembre, vous profiterez des splendides couleurs de l'**été indien**, variant du vert au rouge écarlate en passant par le jaune ocre et l'orange. Sublime !

Du climat et des régions – Le nord du Québec subit des températures arctiques, tandis que les régions proches du Saint-Laurent jouissent d'un climat plus tempéré (☞ Voir « Climat », dans Comprendre le Québec).

Propositions d'itinéraires

RIVE SUD DU SAINT-LAURENT : CHAUDIÈRE-APPALACHES ET BAS-SAINT-LAURENT

Depuis Québec, prenez le traversier conduisant à Lévis, où vous visiterez le lieu historique national du Canada des Forts-de-Lévis, vestige de l'architecture

TEMPÉRATURES SAISONNIÈRES								
	Avril		Juillet		Octobre		Janvier	
	mini.	maxi.	mini.	maxi.	mini.	maxi.	mini.	maxi.
Saguenay	-4	7	12	24	1	-23	-10	-8
Gaspé	-3	5	11	23	1	11	-16	-6
Kuujjuarapik	-13	-2	5	15	-1	5	-28	-8
Montréal	1	11	16	26	4	13	-15	-6
Québec	-2	7	13	25	2	11	-17	-8
Sherbrooke	-2	10	11	25	0	12	-17	-6

militaire du 19e s. Reprenez ensuite la route 132 et traversez les villages de Beaumont, Montmagny, et **Berthier-sur-Mer** où vous partirez à la découverte de l'**archipel de l'Île-aux-Grues**. Cette oasis de paix, visitée au printemps et à l'automne par des milliers d'oies blanches, satisfera tous les amateurs de calme et de nature. Autre île, autre possibilité, toujours au départ de Berthier : **Grosse-Île**, et son **Mémorial des Irlandais**. Au programme, l'histoire du Québec et celle des immigrants européens arrivés dans les années 1830, alors que Grosse-Île était un centre de quarantaine. De retour sur la terre ferme, suivez la route 132 jusqu'à **L'Islet-sur-Mer**, qui accueille le musée maritime du Québec, puis gagnez **Saint-Jean-Port-Joli**, aux nombreuses boutiques d'artisanat et de sculpture sur bois. À **Saint-Roch-des-Aulnaies**, ne manquez pas la visite de la seigneurie des Aulnaies, somptueuse maison victorienne. Le village suivant, **La Pocatière**, qui marque la frontière entre la région de Chaudière-Appalaches et celle du Bas-Saint-Laurent (dans laquelle vous entrez), signale le point de départ de la **route touristique des Navigateurs** : s'ouvrent trois siècles d'histoire touchant les pêcheurs, les navigateurs et les constructeurs de goélettes. En chemin, arrêtez-vous à **Kamouraska** et **Rivière-du-Loup** : la première se distingue par ses battures (parties du rivage laissées à découvert par la marée, pour le plus grand bonheur des oiseaux !) et la seconde, par les chutes de la rivière du Loup.

À **L'Isle-Verte**, faites étape à la Réserve nationale de faune avant de rejoindre, à trente minutes au large, l'enchanteresse île Verte, la seule île du Bas-Saint-Laurent habitée toute l'année.

Trois-Pistoles, elle aussi, possède son île : **l'île aux Basques**, refuge d'oiseaux migrateurs, aujourd'hui protégée mais accessible au public (en été). Enfin, et ce sera peut-être votre point de chute : le **Parc national du Bic**. Situé dans l'estuaire du Saint-Laurent, il doit sa renommée à ses magnifiques paysages : caps, baies, anses, îles et montagnes en font une véritable carte postale ! Hiver comme été, y sont proposées toute une gamme d'activités et diverses formules d'hébergement (camping, refuge, yourtes). De **Rimouski**, vous pourrez ensuite rallier **Sainte-Luce** et poursuivre en direction de la Gaspésie, ou prendre le traversier pour accoster, 55 minutes plus tard, sur la rive nord : partez alors à la découverte de la Côte-Nord ou, revenant vers Québec, de la côte de Charlevoix.

QUÉBEC - RIVE NORD DU SAINT-LAURENT : CÔTE DE CHARLEVOIX

De **Québec**, capitale de la province, cité fortifiée classée à l'Unesco, peu de questions se posent : tout est fait pour satisfaire et charmer le visiteur le plus exigeant. Prenez le temps de la découvrir, puis rejoignez **Beaupré** par la route 360, également appelée avenue Royale. Elle appartient à la **Route de la Nouvelle-France**, qui s'étend jusqu'au **cap Tourmente** et à laquelle les maisons ancestrales confèrent un cachet unique. En toile de fond : la chaîne des Laurentides, le **mont Sainte-Anne**, le Saint-Laurent et l'île d'Orléans (⌖ *Côte de Beaupré*). Aux alentours de Beaupré, ne manquez pas **le canyon Sainte-Anne** et **les Sept-Chutes**, deux très beaux sites naturels, puis partez à la découverte de **Baie-Saint-Paul**, ravissante petite ville nichée au creux d'une baie et connue pour ses peintres et ses maisons anciennes. Poursuivez alors jusqu'à **Saint-Joseph-de-la-Rive**, où vous embarquerez pour l'**île aux Coudres**. Au programme : marche, visite du musée des Voitures d'eau et contemplation du paysage ! Reprenez la route 362 et gagnez **La Malbaie-Pointe-au-Pic**, berceau du tourisme québécois, aux splendides villas plongées dans une végétation luxuriante. À 35 km au nord s'étend le **parc des Hautes-Gorges-de-la-Rivière-Malbaie**, étape vivement conseillée. Avec ses montagnes de plus de 1 000 m d'altitude dominant la vallée de la rivière des Martres et les gorges encaissées de la rivière Malbaie, il fait partie des plus beaux parcs du Québec ! De retour sur la côte, suivez la route 138 jusqu'à Saint-Siméon : un peu plus loin, profitez de la **baie des Rochers** dont une petite île est accessible à marée basse. À 20 km, Baie-Sainte-Catherine marque la frontière nord de Charlevoix et clôt l'itinéraire. C'est, avec Tadoussac, un des hauts lieux d'observation des baleines. Le village se trouve aussi au sein du parc marin du Saguenay-Saint-Laurent et à l'embouchure du splendide fjord du Saguenay qui constitue, comme la Côte-Nord sur l'autre rive, un nouvel itinéraire.

MONTRÉAL - LAC SAINT-JEAN - FJORD DU SAGUENAY

Après deux ou trois jours de découverte de **Montréal**, capitale économique du Québec et deuxième agglomération du pays, rejoignez **Trois-Rivières**. Vous allez traverser la **Mauricie**, ancienne région des coureurs des bois, des bûcherons et des draveurs. **Shawinigan, Grand-Mère, le parc de la Mauricie** (considéré comme l'un des plus beaux du Québec) : tout invite à prolonger son séjour ! (*Pour plus de détails, voir le circuit proposé dans Mauricie*).

Sur la route 155 en direction du nord, les villages se raréfient, les lacs se multiplient. Après une étape à **La Tuque** (n'oubliez pas le plein d'essence), continuez jusqu'au **lac Saint-Jean**, véritable mer intérieure dont vous ferez le tour en visitant **Val-Jalbert** pour découvrir le village historique, **Roberval**, Saint-Félicien, Dolbeau-Mistassini, le parc de la Pointe-Taillon et Alma (*Pour plus de détails, voir le circuit proposé dans Lac Saint-Jean*). Descendez ensuite vers le Saint-Laurent en empruntant les rives de la **rivière Saguenay**, jusqu'à Tadoussac. La ville de **Saguenay** est une étape idéale à mi-chemin entre le lac Saint-Jean et le fjord du Saguenay. Au programme, toutes les activités proposées par le **parc du Saguenay et le parc marin du Saguenay-Saint-Laurent**. Un seul thème ou une seule star : la nature, avec l'observation des baleines à Tadoussac ou à L'Anse-Saint-Jean, la découverte du fjord en kayak ou en bateau de croisière, de la randonnée entre Rivière-Éternité et Petit-Saguenay, etc. De **Tadoussac** ou **Baie-Sainte-Catherine**, retour sur Québec en traversant la très belle région de **Charlevoix**. Si la côte de Charlevoix mérite toute votre attention (*Pour plus de détails, voir le circuit proposé dans Côte de Charlevoix*), n'hésitez pas à entrer dans l'arrière-pays, en passant, par exemple, quelques jours dans le **parc des Grands-Jardins**. Pourquoi ne pas repartir pour une semaine en Gaspésie plutôt que de rentrer prendre l'avion ?

LA GASPÉSIE

À l'évocation de son nom, c'est tout un univers sauvage et marin qui se dessine. Avec une pointe de mystère, propre à toute péninsule et accentuée par un arrière-pays traversé par seulement trois routes (dont la 299, de Sainte-Anne-des-Monts à New-Richmond) et si peu de villages…

Depuis **Sainte-Flavie**, porte d'entrée de la Gaspésie, la route 132 qui longe la péninsule se sépare en deux. Ou vous longez la péninsule **par le nord** jusqu'à Gaspé (*Pour plus de détails sur cette option, voir le circuit proposé dans Gaspésie*), ou vous traversez, **au sud, la vallée de la Matapédia**, pour rejoindre ensuite la **baie des Chaleurs**. Dans les deux cas, vous ferez le tour de la péninsule, et ne manquerez sous aucun prétexte **Causapscal** et ses rivières à saumon, les fossiles du **parc de Miguasha,** les fous de Bassan de l'**île Bonaventure**, le rocher **Percé**, le **parc Forillon** et le **cap Gaspé**, la route panoramique entre **Rivière-au-Renard** et **La Martre**, le **parc de la Gaspésie** où vous pouvez rester quelques jours afin de rentrer dans les terres sauvages de la péninsule, **Matane**, et les merveilleux **jardins de Métis**.

LA CÔTE-NORD, DE BAIE-COMEAU À NATASHQUAN

Aller jusqu'au bout de la route 138, pénétrer dans des régions encore sauvages, s'enfoncer dans des terres peu peuplées, être au plus près de la nature et à 1 270 km de Montréal !

Cet itinéraire longe la rive sud du Saint-Laurent sur environ 1 000 km jusqu'à la **Minganie**. Les principales étapes de cette découverte de la Côte-Nord sont **Baie-Comeau, Godbout, Port-Cartier, Sept-Îles, Longue-Pointe-de-Mingan, la réserve du parc national de l'Archipel-de-Mingan, Havre-Saint-Pierre** et **Natashquan**. (*Pour plus de détails voir nos Séjours à thème, « Aller jusqu'au bout de la route », ainsi que le circuit proposé dans Côte-Nord*.

LES LAURENTIDES ET L'OUTAOUAIS

Cap vers l'ouest et l'une des régions les plus visitées du Québec, les **Laurentides**, pour finir par la visite de Gatineau, face à Ottawa.

Après avoir goûté quelques jours à l'effervescence de **Montréal**, rejoignez **Sainte-Adèle** et **Sainte-Agathe-des-Monts**. Vous êtes au cœur des Laurentides, région de lacs (près de 9 000) et de montagnes, de détente et de plaisir en toutes saisons. Vous suivez la route 117 jusqu'au **Mont-Tremblant**. Le **parc national du Mont-Tremblant** offre de nombreuses formules d'hébergement et d'activité 100 % nature. 106 km séparent Mont-Tremblant, secteur Saint-Jovite de **Mont-Laurier**. Vous rejoignez progressivement les Hautes-Laurentides, plus sauvages et moins fréquentées. Si d'aller « jusqu'au bout de la route » vous tente, suivez la 309 jusqu'à **Sainte-Anne-du-Lac**. À partir du lac Tapani, la route s'arrête… Retour à Mont-Laurier et direction plein est jusqu'à **Val-Limoges** pour rejoindre la 105, et descendre jusqu'à

Gatineau. En chemin, vous vous arrêterez dans le **parc de la Gatineau** pour y découvrir le domaine Mackenzie-King, ancienne propriété du Premier ministre William Lyon Mackenzie King (de 1921 à 1930). Avec les enfants, vous emprunterez le **train à vapeur de Hull-Chelsea-Wakefield**. La ville de **Gatineau**, qui regroupe aujourd'hui les villes de Hull, Gatineau et Aylmer, se trouve face à la capitale fédérale du Canada, Ottawa. Un programme hautement culturel et architectural vous attend avec la visite de l'incontournable musée canadien des Civilisations. Retour sur Montréal par la 148, avec plusieurs arrêts possibles : Montebello, Carillon (à proximité de la 327), Saint-André-d'Argenteuil, la réserve de Kanesatake, le **parc national d'Oka** et Laval (*Pour plus de détails, voir Les Laurentides, Gatineau, Parc de la Gatineau, Saint-André et Laval*).

L'ABITIBI ET LA BAIE-JAMES

Fermez les yeux et prononcez ces mots : Abitibi-Témiscamingue, Baie-James. Mondes à part, destinations mythiques, auréolées de clichés aussi éculés que puissants : la ruée vers l'or, les Algonquins et les Cris, les trappeurs, les fourrures, la chasse à l'ours, les explorateurs ? Ouvrez les yeux et partez pour une très longue route à la découverte de ces deux régions qui ont su préserver les belles images de leur peuplement, tout en s'ouvrant à l'industrie et à la technologie jusqu'à faire des prouesses, comme le complexe hydro-électrique La Grande. Départ de Montréal et direction **Val-d'Or** à environ 500 km au nord, par la 117. Vous y visiterez la Cité de l'Or et un centre-ville en pleine expansion. Cap ensuite sur **Amos**, à 68 km, toujours au nord, et étape au refuge Pateau, refuge d'animaux blessés, et au **village cri de Pikogan**. Les plus téméraires iront ensuite jusqu'à **Matagami**, porte d'entrée de la **route de la Baie-James**. La centrale hydro-électrique de **Radisson-La Grande** se trouve à 619 km. C'est une destination en soi, un projet de voyage, qui ne laissera personne indifférent. L'immensité des paysages, la puissance et la force sauvage qui s'en dégagent donnent certainement une idée juste du sublime. D'Amos, il est plus facile de suivre la direction de **La Sarre**, en passant à hauteur du **parc national d'Aiguebelle** (par la 111), pour rejoindre ensuite, vers le sud, **Rouyn-Noranda** (*voir ce nom*) ville minière fière de son Festival du cinéma international et de sa communauté artistique dynamique.

La route 101 longe les limites de l'Abitibi et de l'Ontario jusqu'à **Ville-Marie** (*voir ce nom*) et suit la rivière des Outaouais jusqu'à **Témiscamingue**. Retour sur Montréal *via* l'Ontario (par l'autoroute 17).

Séjours à thème

ALLER JUSQU'AU BOUT DE LA ROUTE

Allez jusqu'au bout de la route, là où l'asphalte s'arrête pour laisser place à un éventuel chemin de bûcheron et à la forêt : c'est le fantasme, de tout citadin normalement constitué, de tout Européen habitué à des pays entièrement occupés. Le Québec offre de nombreuses occasions d'assouvir ce fantasme. En voici une : aller jusqu'au bout de la route 138, en mettant le cap sur Natashquan à 1 270 km de Montréal.

De **Baie-Comeau** (Manicouagan), la route 138, encore appelée **route des Baleines,** longe la côte, traversant les villages de **Godbout**, **Rivière-Pentecôte** dans le Manicouagan, puis **Port-Cartier** et **Sept-Îles**, dans le Duplessis. Une douzaine d'espèces de baleines, dont le rorqual bleu, se donnent rendez-vous au large de la côte pendant la belle saison. 368 km séparent Sept-Îles de Natashquan. De grandes et belles rivières au milieu d'infinies forêts de conifères se desservent le long du littoral, qui se fait de plus en plus sauvage. Après un arrêt à **Sept-Îles**, poursuivez vers **Longue-Pointe-de-Mingan**. Vous pouvez y visiter le Centre de recherche et d'interprétation de la Minganie et partir à la rencontre des cétacés sur le golfe du Saint-Laurent ! Vous pouvez également aller admirer, à partir de **Havre-Saint-Pierre**, les fascinants monolithes de l'archipel de Mingan ou vous embarquer pour l'immense île d'Anticosti. Mais ne perdez pas votre cap : aller jusqu'à Natashquan. De Havre-Saint-Pierre, il vous reste 148 km avant de découvrir le village natal de Gilles Vigneault. Terre du bout du monde, située à la limite de la toundra, la **Minganie** est un enchantement. Peu visitée, elle donne encore le sentiment de fouler un sol quasiment vierge. Le bout de la route 138 se situe précisément à 7 km de Natashquan, à **Pointe-Parent**.

Pour ceux qui veulent malgré tout « poursuivre la route », un navire côtier peut vous conduire vers les villages s'égrenant jusqu'aux confins du Labrador. (*Pour plus de détails, voir le circuit proposé dans Côte-Nord*).

SÉJOURNER DANS UN PHARE DU SAINT-LAURENT

Louer la maison des anciens gardiens du phare, s'y restaurer, longer la côte du Saint-Laurent, séjourner sur une île, dormir dans son phare : c'est possible. Parmi les 43 phares traditionnels que recense le Québec, beaucoup ont été transformés en musée, en auberge ou en chalet.

La visite des phares du Saint-Laurent constitue un parcours extraordinaire pour les amateurs de paysages, d'architecture et d'histoire.

Phares proposant un hébergement : Les phares du Pot à l'Eau-de-Vie, sur une île face à Rivière-du-Loup, celui de l'île Verte, au large de Trois-Pistoles, ou encore ceux de Cap-d'Espoir, au sud de Percé en Gaspésie, de Pointe-des-Monts à 4 km à l'ouest de Baie-Trinité, enfin de Cap-de-Rabast et de la pointe Carleton sur l'île d'Anticosti. L'hébergement est parfois limité à une nuit ou deux, parfois encadré par des forfaits proposant la restauration et des activités.

Se renseigner auprès **du Québec maritime** – 84 r. Saint-Germain Est, bureau 205 - Rimouski - ℘ *514-873-2015* - www. quebecmaritime.ca.

SÉJOUR HIVERNAL AVEC UN CIRCUIT EN TRAÎNEAU À CHIENS

Utilisé par les Inuits et les Amérindiens, puis par les marchands de fourrures, missionnaires et prospecteurs d'or pour se déplacer en forêt, le traîneau à chiens a été le mode de transport traditionnel dans le Grand Nord. Il est devenu aujourd'hui une activité de loisir prisée.

Comptant généralement de quatre à neuf chiens, les attelages sont le plus souvent composés de huskies, originaires de Sibérie, et de malamutes, originaires d'Alaska. Aucun enfant ne résiste à ces chiens…

De nombreuses régions proposent des formules clés en main avec des circuits plus ou moins longs en traîneau à chiens. La région Saguenay-Lac-Saint-Jean s'y prête particulièrement. La traversée de lacs gelés dans un silence complet vous procurera des sensations de liberté et de pureté inoubliables. Après une journée d'initiation, on vous confie la conduite d'un attelage de chiens, que vous pourrez mener à travers des paysages boisés, sous la conduite d'un guide, malgré tout ! Au détour d'un sentier, vous surprendrez la perdrix des neiges, le renard, le lynx. Vous pourrez également skier, faire des promenades en raquettes, découvrir la pêche blanche (au-dessus de la glace des lacs gelés), faire de la motoneige, etc : autant de manières d'apprivoiser la culture et les différents aspects de la nature québécoise.

Se renseigner sur **www. bonjourquebec. com** et auprès de la **Fédération des pourvoiries du Québec** - www. fpq.com (nombreuses formules proposées).

À FAIRE AVANT DE PARTIR

Où s'informer ?

Pour mieux organiser votre voyage, rassemblez la documentation nécessaire et vérifiez certaines informations ; adressez-vous à l'ambassade du Canada la plus proche de votre lieu de résidence.

En contactant les bureaux suivants, vous pourrez également obtenir de précieux détails sur le Québec et son infrastructure touristique (cartes routières, plans de villes et brochures détaillées comportant les principales curiosités à voir, événements, types de séjour, formules d'hébergement, sports et loisirs).

AU QUÉBEC

Tourisme Québec – C.P. 979, Montréal (PQ) H3C 2W3, 800-266-5687 - ✆ 877-266-5687- www.bonjourquebec.com.

👁 Le Québec compte **22 régions touristiques** (distinctes, dans certains cas, des régions administratives). Chaque région édite un guide touristique officiel, qu'il est possible de télécharger sur leur site Internet ou de commander gratuitement par courrier.

Bon à savoir – Le second numéro donné pour chaque région est sans frais (depuis le Québec uniquement).

Abitibi-Témiscamingue – 155 av. Dallaire, bureau 100, Rouyn-Noranda (QC) J9X 4P7 - ✆ 819-762-8181 ou 800-808-0706 - www.48nord.qc.ca.

Bas-Saint-Laurent – 148 r. Fraser, Rivière-du-Loup (QC) G5R 1C8 - ✆ 418-867-1272 ou 800-563-5268 - www.tourismebas-st-laurent.com.

Cantons de l'Est – 20 r. Don-Bosco Sud, Sherbrooke (QC) J1L 1W4 - ✆ 819-820-2020 ou 800-355-5755 - www.cantonsdelest.com.

Centre-du-Québec – 20 bd Carignan Ouest, Princeville (QC) G6L 4M4 - ✆ 819-364-7117 ou 888-816-4007 - www.tourismecentreduquebec.com.

Charlevoix – 495 bd de Comporté, C.P. 275, La Malbaie (QC) G5A 1T8 - ✆ 418-665-4454 ou 800-667-2276 - www.tourisme-charlevoix.com.

Chaudière-Appalaches – 800 autoroute Jean-Lesage, Saint-Nicolas (QC) G7A 1C9 - ✆ 418-831-4411 ou 888-831-4411 - www.chaudiereappalaches.com.

Duplessis – 312 av. Brochu, Sept-Îles (QC) G4R 2W6 - ✆ 418-962-0808 ou 888-463-0808 - www.tourismecote-nord.com et www.tourismeduplessis.com.

Gaspésie – 357 rte de la Mer, Sainte-Flavie (QC) G0J 2L0 - ✆ 418-775-2223 ou 800-463-0323 - www.tourisme-gaspesie.com.

Îles de la Madeleine – 128 chemin Principal, C.P. 1028, Cap-aux-Meules (QC) G0B 1B0 - ✆ 418-986-2245 ou 877-624-4437 - www.tourismeilesdelamadeleine.com.

Lanaudière – 3568 r. Church, C.P. 1210, Rawdon (QC) J0K 1S0 - ✆ 450-834-2535, ou 800-363-2788 - www.lanaudiere.ca.

Laurentides – 14142 r. de la Chapelle, RR 1, Mirabel (CQ) J7U 2C8 - ✆ 450-436-8532 ou 800-561-6673 - www.laurentides.com.

Laval – 2900 bd Saint-Martin-Ouest, Laval (QC) H7T 2J2 - ✆ 450-682-5522 ou 877-465-2825 - www.tourismelaval.com.

Manicouagan – 337 bd La Salle, bureau 304, Baie-Comeau (QC) G4Z 2Z1 - ✆ 418-294-2876 ou 888-463-5319 - www.tourismecote-nord.com et www.tourismemanicouagan.com.

Mauricie – 795, 5e Rue, local 102, Shawinigan (QC) G9N 1H1 - ✆ 819-536-3334 ou 800-567-7603- www.tourismemauricie.com.

Montérégie – 2001 bd Rome, Brossard (QC) J4W 3K5 - ✆ 450-469-0069 ou 866-469-0069 - www.tourisme-monteregie.qc.ca.

Nord-du-Québec

Nunavik/Association touristique – C.P. 779, Kuujjuaq (QC) J0M 1C0 - ✆ 888-594-3424 - www.nunavik-tourism.com.

Nunavik/Centre d'informations – 1204 cours du Général-de-Montcalm, Québec, (QC) G1R 3G4- ✆ 418-522-2224 - www.nunavik.ca.

Baie-James – 1252 rte 167 Sud, C.P. 134, Chibougamau (QC) G0W 1H0 - ✆ 418-748-8140 ou 888-748-8140 - www.tourismebaiejames.com.

Eeyou Istchee – 203 r. Opémiska-Medkino, C.P. 1167, Oujé-Bougoumou (QC) G0W 3X0 - ✆ 418-745-2220 - www.creetourism.ca.

Outaouais – 103 r. Laurier, Gatineau (QC) J8X 3V8 - ✆ 819-778-2222 ou 800-265-7822 - www.tourismeoutaouais.com.

Région de Montréal – 1555 r. Peel, angle r. Ste-Catherine, Montréal (QC) H3A 1X6 - ✆ 514-873-2015 - www.tourisme-montreal.org.

Région de Québec – 399 r. St-Joseph Est, Québec (QC) G1K 8E2 - ✆ 418-641-6578 - www.regionquebec.com.

Saguenay – Lac-Saint-Jean – 455 r. Racine Est, bureau 101, Saguenay (QC) G7H 1R9 - ✆ 418-543-9778 ou 877-253-8387 - www.saguenaylacsaintjean.net.

EN EUROPE

Belgique

Délégation générale du Québec – 46 av. des Arts, 1040 Bruxelles - ✆ 02-512 00-36 - www.gouv.qc.ca/portail/quebec/international/belgique.

Ambassade du Canada – 2 av. de Tervuren, 1040 Bruxelles - ✆ 02-741-06-11

France

Division du tourisme de l'ambassade – 35 av. Montaigne, 75008 Paris - ✆ 01 44 43 29 00/94 - www.international.gc.ca/canada-europa/france.

Délégation générale du Québec à Paris – 66 r. Pergolèse - 75116 Paris - ✆ 01 40 67 85 00 - www.gouv.qc.ca/portail/quebec/international/france.

Destination Québec – appel gratuit ✆ 0800 90 77 77, jeu.-mar. 15 h-23 h ; mer. 16h-23h.

Suisse

Ambassade du Canada – Kirchenfeldstrasse 88, CH-3005 Berne - ✆ 031 357-32-00.

SUR INTERNET

www.bonjourquebec.com
Site touristique officiel du gouvernement du Québec.

www.gouv.qc.ca
Portail officiel du gouvernement québécois.

www.quebecweb.com
Portail du Québec.

www.canada.travel
Site officiel de la Commission canadienne du tourisme.

www.sepaq.com
Site de la société gestionnaire des parcs et réserves du Québec.

www.pc.gc.ca
Site des parcs nationaux du Canada.

www.quebecregion.com
Site officiel de l'office du tourisme de Québec (ville et région).

www.tourism-montreal.org
Site officiel de la ville.

www.montreal-cam.com
Site du réseau Montréal WebCam pour voir Montréal en direct.

www.staq.net
Société touristique des autochtones du Québec.

AGENCES SPÉCIALISÉES

En allant sur le site de ces agences, vous obtiendrez toutes les informations nécessaires pour la réservation de votre voyage.

Allibert (Montagnes et déserts) – www.allibert-trekking.com.

Aventuria – www.aventuria.com.

Authentik Canada – www.authentik-canada.com.

Back Roads – www.backroads.fr.

Compagnie des États-Unis et du Canada – www.compagniesdumonde.com.

Comptoir du Canada – www.comptoir.fr.

Globe-Trotters – www.globe-trotters.be.

Jetset voyages – www.jetset-voyages.fr.

Natural Habitat adventures – www.nathab.com.

Québec Aventures - www.quebec-aventure.com.

Terre Canada - www.terrecanada.com.

USA et Canada Conseil – www.usaconseil.com.

Vacances Fabuleuses – www.vacancesfabuleuses.fr.

Formalités

ENTRÉE AU CANADA

Avoir un **passeport en cours de validité** suffit pour les visiteurs belges, français et suisses, mais par mesure de précaution, assurez-vous auprès de l'**ambassade du Canada** la plus proche de votre lieu de résidence que vous disposez des documents nécessaires avant d'entreprendre tout voyage.

Pour une liste complète des ambassades et missions du Canada à l'étranger : **www.dfait-maeci.gc.ca**.

Belgique, 2 av. de Tervuren, 1040 Bruxelles - ✆ 02-741-06-11.

France, 35 av. Montaigne, 75008 Paris, ✆ 01 44 43 29 00/16.

Suisse, 88 Kirchenfeldstrasse, 3005 Berne - ✆ 031-357-32-00.

Pour les ressortissants de pays autres que la France, la Belgique et la Suisse, allez sur le site : **www.cic.gc.ca/francais/visiter/visas.asp**.

Aucune vaccination n'est obligatoire.

Sachez encore que les enfants peuvent être inscrits sur le passeport de leurs parents jusqu'à l'âge de 14 ans.

ENTRÉE AUX ÉTATS-UNIS

Si vous envisagez, lors d'un séjour au Québec, de faire un saut aux États-Unis, informez-vous avant sur les règlements en vigueur et les documents requis aux douanes auprès de l'ambassade américaine la plus proche de votre lieu de résidence. Sachez tout de même que le visa n'y est plus exigé pour les ressortissants français, suisses et belges faisant un voyage de tourisme ou d'affaires de moins de 90 jours.

Pour la France, aller sur le site **http:// french.france.usembassy.gov**.

DOUANES CANADIENNES

L'importation de **tabac** en détaxe est limitée à 200 cigarettes ou 50 cigares par adulte ; celle d'**alcool** à 1,5 l de vin (en pratique on tolère deux bouteilles de vin par personne), 1,14 l de spiritueux ou 24 bouteilles ou canettes de 355 ml de bière.

Tout produit pharmaceutique doit être clairement étiqueté *(en cas de traitement médical, se munir de l'ordonnance)*.

Les liquides, gels, crèmes, dentifrices sont restreints en cabine et doivent être conditionnés dans des flacons ou des tubes de 100 ml maximum et placés dans une pochette plastique, type sac de congélation.

L'importation d'**armes à feu** est sévèrement contrôlée. Certaines, n'ayant aucun usage sportif ou récréatif légitime, sont tout bonnement interdites ; d'autres nécessitent un permis spécial.

Pour de plus amples informations, s'adresser au **Centre des armes à feu** - www.cfc-cafc.gc.ca/default_f.asp.

Enfin, pour les **animaux domestiques**, l'obtention préalable d'un certificat de vaccination contre la rage est obligatoire. La vaccination de l'animal devra avoir été faite au moins 30 jours avant le départ et ne pas dépasser un an d'ancienneté.

S'informer auprès de l'**Agence canadienne d'inspection des aliments** - ℰ 800-442-2342 - www. inspection.gc.ca.

ASSURANCES INDIVIDUELLES

Les frais de santé étant très élevés pour les touristes étrangers, il est conseillé de souscrire, avant votre départ, une assurance fournissant des garanties spéciales d'assistance (frais de consultation et d'hospitalisation, etc.) auprès d'organismes de type **Europ Assistance** (www. europ-assistance.com) ou **Mondial Assistance** (www.mondial-assistance. fr).

La Croix bleue (550 r. Sherbrooke-Ouest, Montréal (QC) H3A 3S3 - ℰ 1-877-909-7686 - www.qc.croixbleue. ca) propose également une assurance

En cas d'**urgence médicale**, composez le 911.

(durée maximum : 6 mois) qui s'achète soit avant le départ, soit dans les cinq jours qui suivent l'arrivée au Canada.

SANTÉ

Les voyageurs étrangers doivent régler eux-mêmes les frais médicaux. Par conséquent, il est important de détenir une police d'assurance avant votre départ (*voir ci-dessus Assurances individuelles*).

Si vous prévoyez de transporter des médicaments, informez-vous des formalités douanières auprès de l'Agence des services frontaliers du Canada.

Dans les pharmacies, les médicaments sont remis uniquement sur ordonnance d'un médecin membre du Collège des médecins du Québec.

TOURISME ET HANDICAP

Les structures facilitant la vie quotidienne des personnes handicapées, notamment celles circulant en fauteuil roulant, sont nombreuses et efficaces. Sur ce point, le Québec est en avance sur beaucoup d'autres pays.

L'association **Kéroul** propose un répertoire touristique pour les personnes à capacité physique restreinte, intitulé *Le Québec accessible*. Publié en collaboration avec les Guides de Voyage Ulysse, il est complété par l'encart *La Route accessible*, coûte 24,95 $ (HT) et peut être envoyé en Europe.

Association Kéroul – 4545 av. Pierre-de-Coubertin, Montréal (QC), H1V 3R2 - ℰ 514-252-3104 - www.keroul.qc.ca. En France, l'APF, Association des paralysés de France (9 bd Blanqui, 75013 Paris - www.apf.asso.fr) pourra également vous renseigner.

Se rendre au Québec

AVION

Depuis l'Europe – Des vols réguliers directs jusqu'à Montréal sont assurés par les deux principales compagnies canadiennes :

Air Canada – www.aircanada.com et www.aircanada.ca - Belgique ℰ 0032-70-220-100 ; France ℰ 0825 880 881 ; Suisse ℰ 0848-247-226.

Air Transat – www.airtransat.com - France ℰ 0825 325 825 ; Belgique ℰ 0032-390-065.

Autres compagnies :
Air France – www.airfrance.com - ✆ 0820 820 820 ou 36 54.
SN Brussels Airlines – www.brussel-sairlines.com - Belgique ✆ 070-351-111 ; France ✆ 08 26 10 18 18 ; Suisse ✆ 084-841-4111.
Swiss – www.swiss.fr ou .com - Suisse ✆ 084-885-2000 ; Belgique ✆ 02-723-23-33 ; France ✆ 0820 04 05 06.
Corsairfly – www.corsairfly.com - France ✆ 0820 042 042 ou 3260.
Des vols réguliers non directs sont également possibles *via* Bruxelles (SN Brussels Airlines), Londres (British Airways), Amsterdam (KLM), Francfort (Lufthansa) et Zurich (Swiss).
De mai à octobre, Air Transat, Corsair assurent des vols au départ de Nantes, Bordeaux, Toulouse, Marseille, Nice, Lyon et Mulhouse/Bâle.

Aéroports

Le Québec possède deux aéroports internationaux, l'un situé à Montréal, l'autre à Québec :
Aéroport **Pierre-Elliott-Trudeau** (communément appelé Montréal-Trudeau) – Montréal ✆ 514-394-7377 ou 800-465-1213 - www.admtl.com.
Aéroport **Jean-Lesage** – Québec ✆ 418-640-2600/2700 - www.aeroportdequebec.com.
Pour effectuer le trajet aéroport - centre-ville, sachez que la plupart des compagnies de taxis de Montréal et de Québec offrent un tarif fixe :
• De Pierre-Elliott-Trudeau vers Montréal : 35 $
• De l'aéroport de Québec vers Québec : 27 $
• De l'aéroport de Québec vers Sainte-Foy : 12 $
Les bagages ne sont généralement pas comptés en supplément.

Argent

MONNAIE

L'unité monétaire est le dollar canadien ($ CA), divisé en cents.
1 $ CA = 100 cents.
Il existe des pièces de 1, 5, 10, 25 cents et de 1 et 2 $.
Les billets en circulation sont de 5, 10, 20 et 50 $. Il existe aussi des billets de 100 $, plus difficiles à écouler dans les petits commerces.
Dans la conversation, il n'est pas rare d'entendre les Québécois parler de piastre (prononcez « piasse ») pour un dollar et de « sous » pour les cents.

CHANGE

Taux de change au 28 juillet 2008 :
1 $ *CA* = 0,6247 €
1 € = 1,6 $ *CA*
Les bureaux de change sont nombreux dans les principales villes du Québec. Les aéroports offrent également des services de change.
Préférez les agences spécialisées dans les transactions internationales, telles que Thomas Cook.
Le change est également possible dans les banques et les Caisses d'épargne.

CARTES DE CRÉDIT

Elles sont utiles pour retirer de l'argent dans les distributeurs automatiques et de plus en plus incontournables pour louer une voiture ou réserver une chambre dans un hôtel.
Les cartes de crédit **Visa, MasterCard et American Express** sont largement acceptées.

CHÈQUES DE VOYAGE

Les chèques de voyage sont généralement honorés dans les grands hôtels, dans certains restaurants et dans les grands magasins. Autrement, il faut les encaisser dans un bureau de change ou une banque.

BUDGET

Dans l'ensemble, le coût de la vie au Québec n'est pas plus élevé qu'en France. Il coûte moins cher de vivre à Montréal qu'à Paris.
Les prix indiqués s'entendent toujours hors taxes. Ces dernières représentent en moyenne 14 % et sont ajoutées à la caisse au moment de payer.

Hébergement

Le camping est une formule très économique et largement répandue, notamment dans les parcs et les réserves fauniques. Il faut compter entre 21 et 37 $ pour une nuit.
Les formules « Prêt à camper » en tente-roulotte ou tente Huttopia (entièrement équipées) coûtent entre 88 et 99 $ CA la nuit.
Les gîtes et motels proposent des prix moyens variant entre 80 et 110 $ CA la nuit pour deux, petit déjeuner – toujours copieux dans les gîtes – inclus.
👁 Les gîtes de moins de cinq chambres sont exonérés de taxes.
Les hôtels et les auberges sont nettement plus chers avec des prix rarement en dessous de 100 $ CA, et une moyenne de 180 $ CA la nuit.
Pour plus de détails sur les formules d'hébergement, voir Le Québec pratique.

Restauration

Outre les innombrables formules rapides d'inspiration américaine (hot-dog, poulet frit) et internationale (grec, asiatique), parfois végétarienne (soupe), on trouve, parmi les deux types de menus (« menu ou spécial du jour » le midi et « table d'hôte » le soir), des prix bas (entre 10 et 15 $ CA), moyens (entre 15 et 25 $ CA) et plus élevés (supérieurs à 25 $ CA).

👁 Les tarifs proposés le midi sont souvent deux à trois fois moins élevés que ceux du soir, à la même adresse. Profitez-en et n'oubliez pas de laisser le pourboire (voir Québec pratique).

Tous les parcs et musées sont payants. Les prix que nous indiquons correspondent au **droit d'accès du parc** et, pour les musées, au tarif d'un adulte de plus de 18 ans (tarif le plus élevé).

Des réductions sont accordées en fonction des tranches d'âges : aînés ou plus de 65 ans (« âge d'or »), enfants de 3 à 12 ans, enfants de moins de 3 ans (gratuité).

👁 Sachez encore que dans les régions du nord du Québec comme Baie-James, Eeyou Istchee et le Nunavik, les prix sont nettement supérieurs ; une différence expliquée par les frais élevés de transport (les marchandises étant acheminées exclusivement par avion, notamment au Nunavik). Toute excursion dans ces régions demeure très onéreuse.

Qu'emporter ?

En hiver

Compte tenu des températures hivernales très basses (voir Climat, p. 48), mieux vaut bien s'équiper !

Si les vêtements de ski vendus en Europe conviennent, sachez que vous trouverez, à votre arrivée à Québec et Montréal, des équipements mieux adaptés.

En été

Pensez à vos chaussures de marche et à de **bons produits antimoustiques**. Des vêtements couvrants et, dans les zones les plus humides, une mini-moustiquaire attachée à votre casquette, sont une bonne protection naturelle contre les moustiques et autres insectes piqueurs qui sont légion dans ce pays de lacs et de rivières.

MINI LEXIQUE

À mettre dans votre tête, et pas seulement dans vos bagages, le sens de certains termes et expressions québécois :

Bar-laitier : marchand de glaces
Un bec : un petit baiser
Beurre de pinotes : de cacahuètes
Bienvenue : de rien, en réponse à un remerciement
Bibittes ou bebittes : insectes
Blé d'inde : maïs
Blonde : petite amie
Boisson : boisson alcoolisée uniquement
Breuvage : boisson chaude ou froide, non alcoolisée
Caméra : appareil photo
Cannes : conserves
Change : monnaie
Char : voiture
Charger : facturer ou faire payer
Chum : petit ami
Congestion : embouteillage
Déjeuner : petit-déjeuner
Dépanneur : petite épicerie de proximité
Dîner : déjeuner
Dispensieux : cher
Fun : super
Gaz : essence
Jaser, placoter : bavarder
Liqueur : boisson gazeuse
Magasiner : faire des courses
Mouiller : pleuvoir
Présentement : maintenant
Tabagie : bureau de tabac
Tanker son char : faire le plein d'essence
Tannant : fatigant
Tip : pourboire
Ustensiles : couverts
Tomber en amour : tomber amoureux

Avec les Cartes et Guides Michelin, donnez du relief à vos voyages

Avec les cartes Michelin, choisissez la route de vos vacances.
Avec le guide vert et les guides Voyager Pratique, découvrez notre dernière sélection des sites étoilés Michelin et les plus beaux itinéraires.
Avec le guide MICHELIN, dans toutes les catégories de confort et de prix, savourez les bonnes adresses.

Une meilleure façon d'avancer

LE QUÉBEC PRATIQUE

Adresses utiles

AMBASSADES ET CONSULATS

Ambassades étrangères au Québec

Les ambassades se trouvent dans la capitale canadienne, **Ottawa**.

France – 42 Sussex Dr., Ottawa K1M 2C9 - ℘ 613-789-1795.

Belgique – 360 rue Albert, bureau 820 Ottawa K1R 7X7 - ℘ 613-236-7267.

Suisse – 5-Marlborough Av., Ottawa K1N 8E6 - ℘ 613-235-1837.

Consulats de pays européens francophones au Québec

En cas de vol ou de perte de papiers, les adresses suivantes pourront se révéler fort utiles :

Belgique – 999 bd Maisonneuve-Ouest, suite 1 600, Montréal (QC) H3A 3L4 - ℘ 514-849-7394.

France – 1501 McGill College, bureau 1 000, Montréal (QC) H3A 3M8 ℘ 514-878-4385 ou 25 rue Saint-Louis, Québec (QC) G1R 3Y8 ℘ 418-266-2500.

Suisse – 1572 av. Docteur-Penfield, Montréal (QC) H3G 1C4 ℘ 514-932-7181.

Se déplacer

EN AVION

Au Québec, outre les grandes compagnies ainsi que leurs filiales qui assurent des vols à l'intérieur du pays, diverses compagnies de charters desservent les régions les plus reculées.

Pour obtenir les numéros de téléphone des **transporteurs aériens locaux**, adressez-vous à votre agence de voyages ou à l'office de tourisme de la région concernée.

Enfin, pour le service aérien vers le Nunavik, consultez les renseignements pratiques du chapitre en question.

Air Canada et Air Canada Jazz – ℘ 888-247-2262 - www.aircanada.ca.

Air Inuit – ℘ 800-361-2965 - www. airinuit.ca.

Air Creebec – ℘ 800-567-6567 - www. aircreebec.ca.

First Air – ℘ 800-267-1247 - www. firstair.ca.

EN TRAIN

Contrairement au réseau français, celui du Québec est peu développé, hormis sur l'axe Québec-Montréal-Toronto.

À l'intérieur de la province, **VIA Rail** propose des tarifs raisonnables et un confort satisfaisant. Première classe (Via 1) et couchettes sont disponibles sur les longs trajets : pour rejoindre la Gaspésie depuis Montréal, comptez 19h.

Le **Canrailpass** *(période de pointe de juin à mi-oct. 879 $; reste de l'année 549 $)* donne droit à des trajets à volonté en train sur tout le réseau VIA Rail pendant 12 jours *(au cours d'une période de 30 jours ; extension de 3 jours possible à raison de 75 $/jour)*, avec réductions pour les jeunes et les personnes âgées. Il est conseillé de faire ses réservations à l'avance, surtout en été.

La carte **Corridorpass** permet de voyager pendant 10 jours dans le sud du Québec et dans l'Ontario. Prix classe confort : 314 $.

Pour tout renseignement complémentaire, adressez-vous à **VIA Rail**, 895 r. de la Gauchetière, Montréal (QC) H3B 4G1 - www.viarail.com - ℘ 514-989-2626 ou 1-888-842-7245 (sans frais). Pour vous procurer des billets ou forfaits VIA Rail, contactez votre agence de voyages ou des représentants agréés de VIA Rail à l'étranger.

Pour **vous rendre du Québec aux États-Unis** (New York et Washington), notez qu'**AMTRAK** propose une liaison quotidienne au départ de Montréal.

Pour plus de détails, composez (du Canada et des États-Unis) le 800-872-7245 ou consultez **www.amtrak.com**.

AUTOCAR

Au Québec, l'autocar est un moyen de transport plus pratique et plus rapide que le train. De plus, les tarifs sont souvent plus avantageux.

Orléans Express – 505 bd Maisonneuve Est, Montréal (QC) H2L 1Y4 - ℘ 514-842-2281 (Montréal) et ℘ 418-525-3000 (Québec) - www.orleansexpress.com.

La compagnie dessert Montréal, Laval, Québec, la Mauricie, le Bas-Saint-Laurent, la Montérégie, le Centre-du-Québec, Chaudière-Appalaches, Lanaudière et la Gaspésie.

Intercar – 5675 r. des Tournelles, Québec (QC) G2J 1P7 - ℘ 1-888-861-4592 - www.intercar.qc.ca.

Intercar dessert le Saguenay-Lac-St-Jean, Charlevoix et la Côte-Nord.

Limocar – 4243 r. Marcel-Lacasse, Boisbriand (QC) J7H 1N3 - ℘ 1-866-692-8899 - www.limocar.ca.

Limocar relie Montréal, la Montérégie et les Cantons de l'Est en passant, entre autres, par Rougemont, Granby, Bromont et Sherbrooke.

Plusieurs départs de Montréal et Québec s'effectuent à partir des terminus suivants :

Station centrale de Montréal – 505 bd de Maisonneuve Est - ✆ 514-843-4231 - Métro : Berri-UQAM.

Terminus de Longueuil (Montréal) – 1175 r. Saint-Charles - ✆ 450-670-3422 - www.rtl-longueuil.qc.ca.

Gare d'autobus de Québec – 320 r. Abraham-Martin - ✆ 418-525-3000.

Gare d'autobus de Sainte-Foy (Québec) – 3001 chemin Quatre-Bourgeois - ✆ 418-650-0087.

Si vous prévoyez plusieurs trajets consécutifs entre mai et décembre, procurez-vous le laissez-passer d'autocar **RoutPass** (*www.routpass.com*). Durant 7, 14 ou 18 jours, il vous permettra de vous déplacer partout au Québec, en Ontario et jusqu'à New York (forfait 18 jours seulement).

Ce forfait est vendu en Europe par l'intermédiaire de représentants agréés dont vous pourrez vous procurer la liste en contactant l'ambassade du Canada la plus proche de votre lieu de résidence.

VOITURE

Le Québec dispose d'un réseau routier bien entretenu, mais dans le nord et hors des grandes artères, les routes n'étant pas toujours revêtues, il convient de faire preuve d'une **grande prudence** au volant. L'**essence** se vend au litre, et son prix varie selon les régions. Les stations-service sont nombreuses sauf, bien sûr, dans les régions les plus isolées. L'hiver, **pneus neige** et **trousse d'urgence** sont impératifs. La plupart des autoroutes sont déblayées, mais il est préférable de vérifier les conditions de circulation avant le départ.

Pour obtenir des renseignements actualisés sur les conditions routières, l'automobiliste pourra consulter les pages bleues de l'annuaire local ; celles-ci comportent les coordonnées d'organismes officiels susceptibles de le renseigner. Deux numéros à retenir :

Service météorologique d'Environnement Canada : www.meteo.gc.ca. **État du réseau routier** : www.inforoutiere.qc.ca - ✆ 888-355-0511.

Location de voitures

Les principales sociétés de location de voitures sont généralement représentées dans les grands aéroports et dans les gares principales.

L'âge minimum requis pour conduire une voiture de location dépend du véhicule et de la destination. En effet, si vous comptez vous rendre aux États-Unis ou utiliser un véhicule de type monospace, vous devrez être âgé de 21 ans ou plus (selon la compagnie). En outre votre permis (de préférence international) doit être obtenu depuis plus d'un an.

Notez qu'au Québec, les permis de conduire étrangers sont valables pour une durée de six mois. Au-delà de cette période, le permis international est obligatoire.

Les sociétés de location offrent pratiquement toutes des réductions saisonnières ou des forfaits spéciaux, parfois en conjonction avec une compagnie aérienne ou une chaîne hôtelière. Comme les prix varient énormément d'une compagnie à l'autre, pensez à bien vous renseigner pour obtenir les meilleurs tarifs.

Pour réserver une voiture depuis l'Europe, contactez votre agence de voyages avant le départ.

Le **mode de paiement** le plus pratique est **la carte de crédit** (de type Visa, American Express ou MasterCard/Eurocard), faute de quoi le loueur exigera une forte caution en argent liquide.

Le prix de la location ne couvre pas l'assurance collision. Pour un supplément, la compagnie fournira une assurance tous risques. Pour tout renseignement complémentaire, informez-vous auprès du **Bureau d'assurance du Canada**, 500 r. Sherbrooke Ouest, Montréal (QC) H3A 3C6 - ✆ 514-288-4321 (région de Montréal) et 1-877-288-4321 (autres régions du Québec) - www.bac-quebec.qc.ca.

Les locations se font à la journée, à la semaine ou au mois, et le kilométrage est le plus souvent illimité. Seule la personne ayant signé le contrat de location est autorisée à conduire le véhicule en question, mais pour un supplément, et sous présentation de papiers en règle, l'agence de location autorisera plus d'un individu à utiliser le véhicule. Il est possible de déposer sa voiture dans une ville autre que celle d'origine, mais il faut alors s'attendre à payer une prime de rapatriement. Juste avant de rendre votre voiture, n'oubliez pas de faire le plein, sinon la compagnie de location le fera pour vous, mais à un taux beaucoup plus élevé que le taux commercial moyen.

Voici les coordonnées des principales agences de location de voitures que vous trouverez au Québec :

Avis – ✆ 800-331-1084 - www.avis.com

Budget – ✆ 800-268-8970 - www.budget.ca

Discount – ✆ 418-780-4000 - www.discountcar.com

Hertz – ✆ 800-263-0678 - www.hertz.com

National – ✆ 800-227-7368 - www.nationalcar.com

Thrifty – ✆ 800-367-2277

Tilden-National – ✆ 800-227-7368

Location de véhicules récréatifs (camping-cars)

Pour découvrir le Québec, familles ou groupes de quatre à six personnes préféreront peut-être louer un véhicule aménagé (couchettes, coin cuisine, douche, W.-C., etc.). Mais attention, cette formule de voyage étant très prisée, il est conseillé de réserver plusieurs semaines, voire plusieurs mois à l'avance auprès d'organismes (voyagistes, agents de voyages) chargés des locations depuis l'Europe, ou de se renseigner auprès de votre agence de voyages.

Une fois sur place, le voyageur intéressé pourra également consulter la rubrique *Véhicules récréatifs* dans les pages jaunes de l'annuaire local.

Législation routière

Faites attention de bien respecter les limitations de vitesse ! Au Québec, on roule moins vite qu'en France. Sauf indication contraire, la **limite de vitesse** est de **100 km/h sur autoroute**, de **90 km/h sur la plupart des routes secondaires** et de **50 km/h en ville**.

Les panneaux de signalisation « ARRÊT » sont à respecter scrupuleusement. Vous devez immobiliser complètement votre véhicule même s'il vous semble n'y avoir aucun danger apparent.

Attention, il n'y a **pas de priorité à droite**. Ce sont les panneaux de signalisation qui indiquent la priorité. En revanche, le **virage à droite au feu rouge est autorisé**, sauf sur l'île de Montréal et aux intersections affichant une interdiction. L'arrêt complet du véhicule reste toutefois obligatoire et le piéton garde la priorité.

👁 Les autoroutes québécoises sont gratuites.

Le port de la ceinture de sécurité est obligatoire, à l'arrière comme à l'avant, et l'utilisation de détecteurs de radar est interdite.

Quand un car de ramassage scolaire (toujours jaune) fait un arrêt, clignotants allumés, la circulation doit s'arrêter dans les deux sens pour permettre aux enfants de traverser en toute sécurité.

Les places de stationnement portant le symbole ♿ sont réservées aux personnes handicapées. Leur utilisation abusive est passible d'amende ou de mise en fourrière.

Accidents

De manière générale, les postes de secours sont bien indiqués sur les grandes routes. En cas d'accident avec dégâts matériels et/ou blessures corporelles, alertez la police locale et ne quittez pas les lieux avant d'y être autorisé par les agents chargés de l'enquête (toujours se munir des papiers du véhicule et du contrat de location).

Pour toute question complémentaire, contactez le centre de renseignements de la **Société de l'assurance automobile du Québec** – 800 pl. Victoria, C.P. 392, Montréal (QC) H4Z 1L8 - ✆ 514-873-7620 ou 1-800-361-7620 - www.saaq.gouv.qc.ca.

L'**Association canadienne des automobilistes** (CAA Québec) – 1180 r. Drummond, Montréal (QC) H3G 2R7 - ✆ 514-861-1917 et 444 r. Bouvier, Québec (QC) G2J 1E3 - ✆ 418-624-8222 - **www.caaquebec.com**, met à la **disposition de ses membres** un précieux **service des urgences de la route** (✆ 1-800-222-4357) et leur propose différents services : renseignements sur le voyage, état des routes, météo, cartes et guides de tourisme, réservations d'hôtel, assurances, conseils techniques et juridiques, etc. Peuvent notamment bénéficier de ces services (sur présentation des papiers nécessaires) les membres de clubs affiliés à l'Alliance internationale de tourisme (AIT) et la Fédération internationale de l'automobile (FIA), parmi lesquels l'Automobile Club national de France (ACN), le Touring Club royal de Belgique (TCB) et le Touring Club suisse (TCS).

BATEAU

Le Québec dispose d'un vaste réseau de « **traversiers** » (*ferries*). Pour tout renseignement, adressez-vous à Tourisme Québec ou à l'office de tourisme de la région concernée ou encore à la **Société des traversiers du Québec** – ✆ 1-877-787-7483 ou 418-643-2019 - www.traversiers.gouv.qc.ca.

NOUVELLES CARTES MICHELIN
Laissez-vous porter par votre imagination.

Avec les nouvelles cartes Michelin, voyager est toujours un plaisir :
- Nouveau : carte Départements à relief image satellite
- Nouveau : carte Région en papier indéchirable
- Qualité des informations routières, mises à jour chaque année
- Richesse du contenu touristique : routes pittoresques et sites incontournables
- Maîtrise de l'itinéraire : votre route selon vos envies

www.cartesetguides.michelin.fr

MICHELIN
Une meilleure façon d'avancer

Se loger, se restaurer

NOS SELECTIONS

Les **lieux d'hébergement** proposés dans les carnets pratiques ont été sélectionnés pour leur atmosphère, leur situation et/ou leurs tarifs. Les prix indiqués correspondent à ceux d'une chambre double standard, en haute saison, taxes non comprises. Certains hôtels proposent des tarifs réduits le week-end. Les prix peuvent être très variables selon la saison. La présence d'une piscine est indiquée par le symbole ⚓ et celle d'un centre de remise en forme par le symbole **Spa**.

Les **restaurants et autres lieux de restauration** ont été sélectionnés d'après les mêmes critères. Les prix indiquent le coût moyen d'un repas comprenant une entrée, un plat et un dessert pour une personne (taxes, pourboire et boissons non compris).

La majorité des restaurants sont ouverts tous les jours (sauf mention contraire) et acceptent la plupart des cartes de crédit. Téléphonez pour connaître les horaires d'ouverture.

👣 *Pour les catégories de prix, voir tableau ci-dessus.*

DIFFÉRENTS TYPES D'HÉBERGEMENT

Le Québec propose de nombreuses formules d'hébergement, de l'hôtel de luxe au terrain de camping en passant par les **pourvoiries** *(voir le chapitre Activités récréatives)* ou les **Gîtes du passant**.

Les offices de tourisme québécois mettent gracieusement à la disposition du public toutes sortes de brochures fournissant une description détaillée des différents types d'établissements avec tarifs, adresses, numéros de téléphone et services proposés.

De manière générale, il est conseillé de réserver à l'avance, surtout en haute saison. En dehors des grands centres urbains, beaucoup d'installations touristiques risquent d'être fermées durant certains mois de l'année. Pour éviter toute surprise, il est donc fortement recommandé de contacter l'organisme intéressé ou l'office de tourisme local avant d'entreprendre un déplacement important. Et mieux vaut garantir sa réservation au moyen d'une carte de crédit, bien que ce mode de paiement ne soit pas toujours accepté, surtout dans les lieux les plus éloignés.

NOS CATÉGORIES DE PRIX		
	Se restaurer (déjeuner)	**Se loger** (chambre double)
🍽	moins de 20 $	moins de 75 $
🍽🍽	de 20 à 35 $	de 75 à 125 $
🍽🍽🍽	de 35 à 50 $	de 125 à 200 $
🍽🍽🍽🍽	plus de 50 $	de 200 à 300 $

Hôtels

Les chaînes hôtelières mentionnées ci-dessous possèdent des établissements dans les grandes villes du Québec. Ces établissements mettent à la disposition de leur clientèle une gamme complète de services et d'équipements, tant pour un voyage d'affaires que pour un séjour d'agrément. Les prix varient énormément selon la saison, l'emplacement et le type de prestations offertes. Certains hôtels proposent des forfaits intéressants et des prix spéciaux pour les week-ends *(renseignez-vous auprès de votre agence de voyages)*.

Best Western International – ☎ 1-800-780-7234 - www.bestwestern.com.

Fairmont/Canadian Pacifique – ☎ 1-800-257-7544 - www.fairmont.com.

Hilton – ☎ 800-221-2424 - www.hilton.com.

Holiday Inn – ☎ 800-465-4329 - www.holidayinn.com.

Hôtel des Gouverneurs – ☎ 888-910-1111 - www.gouverneurs.com.

Radisson – ☎ 800-333-3333 - www.radisson.com.

Ramada Inn – ☎ 800-311-5192 - www.ramadainn.com.

Sheraton – ☎ 800-325-3535 - www.sheraton.com.

Motels

On trouve aussi, le long des grandes routes et des voies d'accès aux villes, des motels de type **Comfort Inn** et **Quality Hotel & Suites** – réservations par l'intermédiaire de **Choice Hotels** (☎ 1-877-424-6423 - www.choicehotels.com) ou **Days Inn** (☎ 1-800-329-7466 - www.daysinn.com), offrant un hébergement à prix abordable. Ce genre d'établissement propose à sa clientèle des chambres équipées d'une salle de bains et d'une télévision, et dispose parfois d'une cafétéria ou d'un restaurant, voire d'une piscine.

Auberges de jeunesse

Elles proposent, pour les petits budgets, tout un réseau d'étapes bon marché *(de 9 à 36 $/nuit)* à travers la province.

...hébergement est simple : *dor*toirs (couverture et oreillers *fournis)* ou chambres individuelles *(moyennant* un *supplément)*, douches, ma*chines* à laver, cuisine en libre accès et p*arfois* même programmes d'interpré*tation* et autres services. Pour plus de dé*tails,* contactez le **Regroupement Tourisme Jeunesse** – 205 av. Mont-Royal-Est, Montréal (QC) H2T 1P4 - ℘ 514-844-0287 ou 1-800-461-8585 - www.tourismej.qc.ca.

ou **Hostelling International-Canada** – 400-205 Catherine St., Ottawa (ON) K2P 1C3 - ℘ 613-237-7884 - www.hihostels.ca.

En Europe :

Belgique : Les Auberges de Jeunesse – r. de la Sablonnière, 28 - 1000 Bruxelles - ℘ 32-02-219-5676 -www.laj.be.

France : Fédération unie des Auberges de Jeunesse – 27 r. Pajol - 75018 Paris - ℘ 01 44 89 87 27 - www.fuaj.org.

Suisse : Auberges de Jeunesse suisses - Schaffhauserstrasse 14 - 8042 Zürich - ℘ 41 (44) 360 14 14 - www.hihostels.com.

Gîtes du passant et auberges rurales

Ces deux formules promettent un hébergement chaleureux, en ville ou à la campagne, dans des maisons souvent pleines de caractère : il peut s'agir aussi bien d'une chambre d'hôte dans une maison victorienne, d'un cottage au fond d'un jardin, d'un phare aménagé ou d'une jolie maison de ville dans une rue pittoresque. Nous vous les conseillons vivement !

Les tarifs, en moyenne 80-100 $/la nuit, incluent le petit-déjeuner. Le niveau de confort peut aller du plus sophistiqué (avec vue sur la mer, entrée particulière, etc.) au plus modeste (ni téléphone ni salle de bains dans la chambre). Particulièrement adaptées aux familles avec enfants, les vacances à la ferme permettent aux visiteurs, en tant qu'hôtes payants, de participer aux activités agricoles quotidiennes et de prendre les repas avec la famille d'accueil.

Deux coordonnées à retenir :

Fédération des agricotours du Québec – 4545 av. Pierre-de-Coubertin, C.P. 1000, succursale M, Montréal (QC) H1V 3R2 - ℘ 514-252-3138 - www.giteetaubergedupassant.com et www.agricotours.qc.ca.

Elle édite le guide *Gîtes du passant au Québec* (28,75 $ et depuis l'Europe 40,80 $, taxes et frais de port inclus).

Hôtellerie Champêtre – 1255 r. ...versity, bureau 430, Montréal (C... H3B 3B6 - ℘ 1-800-861-4024 - www... hotelleriechampetre.com.

Terrains de camping

Le Québec dispose d'une abondance *de te*rrains de camping, certains privés, *d'autres* gérés par le gouvernement. Les tarifs *vont* de 20 à 35 $ la nuit, selon les services *proposés* (tables de pique-nique, bornes *eau/*électricité, salles de bains avec *douches,* restaurants, machines à laver, *équipeme*nts de loisirs, épiceries, etc.). Certains *campings* ferment l'hiver, selon la région.

Pour plus *de détails,* s'adresser à la **Fédération québécoise de camping et de caravaning** – 1560 r. Eiffel, bureau 100, Boucherville (Q) J4B 5Y1 - ℘ 450-650-3722 et 1-877-650-3722 (sans frais)- www.campingquebec.com/fqcc. Et pour se procurer un exemplaire gratuit du *Guide du camping Québec*, contacter l'**Association des terrains de camping du Québec** – 2001 r. de la Métropole, bureau 700, Longueuil (QC) J4G 1S9 - ℘ 450-651-7396 et 1-800-363-0457 (sans frais) - www.campingquebec.com.

Stations de sports d'hiver

Les principales stations de ski des Laurentides, de l'Outaouais, de Charlevoix et des Cantons de l'Est offrent différentes formules d'hébergement : hôtels, gîtes, locations d'appartements et de chalets. Pour plus de détails, renseignez-vous auprès de l'**Association des stations de ski** – 7665 rue Larrey, bureau 100, Anjou (QC) H1J 2T7 - ℘ 514-493-1810 - www.maneige.com.

Universités et lycées

Pendant les vacances d'été *(mai-août)*, certains établissements scolaires et universitaires louent des dortoirs aux voyageurs pour une somme modique, mais il est conseillé de réserver à l'avance. Informez-vous auprès de Tourisme Québec ou de l'établissement en question. À titre indicatif : **Montréal** (Université McGill ℘ 514-398-5200 ; Université de Montréal ℘ 514-343-6531 ; Université Concordia ℘ 514-848-4757) ; **Québec** (Université Laval ℘ 418-656-2131) ; **Trois-Rivières** (Université du Québec ℘ 819-376-5016) ; **Rimouski** (Université du Québec ℘ 418-723-4311).

SE RESTAURER

Son large éventail de cuisines – notamment dans les grandes villes – ne trompe pas : le Québec aime les plaisirs de la table ! Et le choix est vaste : cuisine d... terroir ou mets exotiques, libre-s...

elais gastronomique, restau-
'Pide ou familiale, il y en a pour
les bourses, pour tous les goûts.
Uccès de la cuisine québécoise? Une
se gastronomique française enrichie
d'influences amérindiennes, de produits
régionaux (bières, cidres et vins du pays,
fromages – une centaine de variété –,
homard des îles de la Madeleine, gibier
d'élevage, pommes, bleuets et les nombreux dérivés de l'érable), de recettes
traditionnelles vivantes et réinterprétées
au goût du jour par les chefs de grands
restaurants. Résultat : une tradition culinaire unique en Amérique!

👁 Quelques points à connaître :
Le petit-déjeuner s'appelle ici le déjeuner ; le déjeuner : le dîner ; et le dîner :
le souper!
Le dîner (déjeuner) se prend vers 12h et
le souper, entre 17h30 et 19h.
« La table d'hôte » est la formule pro-
posée le soir. Elle comporte un choix
d'entrées et de plats, un dessert et un
café. Elle est toujours plus chère que la
formule du midi.
Certains restaurants (n'ayant pas la
licence de vente d'alcool) acceptent
que les clients apportent eux-mêmes
leur **bouteille de vin**. Ils affichent en
vitrine « apportez votre vin » ou BYOW
(« bring your own wine », en anglais).
Les **cabanes à sucre**, établissements
de restauration familiale, servent au
printemps et parfois toute l'année
des produits de l'érable et des repas
confectionnés à partir de ces produits.
Ce sont toujours de bonnes adresses
gourmandes. Pour plus de renseignements : **Association des restaurateurs
de cabanes à sucre du Québec** - www.
laroutedessucres.com.

Vie quotidienne

ALCOOLS ET VINS

L'âge légal de consommation d'alcool
au Québec est de 18 ans, et le taux
d'alcoolémie maximum légal est de
0,08 %.
Les vins et spiritueux s'achètent uniquement dans les magasins de La Société
des Alcools du Québec ou SAQ.
À Montréal et à Québec, la Maison des
vins propose par ailleurs toute une
sélection d'alcools.
Les bières, les cidres locaux et quelques
vins bas de gamme sont vendus chez les
dépanneurs (épiceries de proximité).
👁 Les bons vins étrangers sont très
chers (surtout les vins français). Préférez
les vins chiliens ou californiens.

ARGENT

Le dollar canadien se divise en 100 cents
ou **sous**.
Il existe des pièces de 1 cent = 1 « penny »
(désignation familière : 1 sou), de 5 cents =
1 nickel (5 sous), de 10 cents = 1 dime
(10 sous), de 25 cents = 1 quarter (25 sous),
de 1 dollar (familièrement appelé une
piastre, à prononcer piasse) et de 2 dollars, et des coupures de 5, 10, 20, 50, 100,
500 et 1 000 $.
Mode de paiement très répandu au Québec (sauf dans les régions les plus isolées),
les **cartes de crédit** de type **American
Express, Carte Blanche, Visa/Carte
bleue, Diners Club et MasterCard/
Eurocard** sont souvent considérées
comme une garantie, pour louer une
voiture par exemple.
L'un des moyens les plus simples de se
procurer des dollars canadiens est sans
doute d'utiliser des **chèques de voyage**.
Ces derniers sont acceptés dans la plupart
des hôtels, restaurants et commerces,
mais attention : certaines banques prélè-
vent une commission pour les encaisser.
Autre alternative, les **guichets automatiques de banque**, situés un peu partout
(aéroports, gares, attractions touristiques,
supermarchés, etc.), permettent de retirer des dollars 24 heures sur 24 avec une
carte bancaire ou une carte de crédit. Il est
également possible, en cas de besoin, de
se faire virer de l'argent liquide au Canada
par l'intermédiaire de **Western Union**,
qui possède des bureaux dans plus d'une
centaine de pays (France et autres pays
d'Europe compris).

COURRIER

L'affranchissement au tarif de première
classe (carte postale ou lettre) coûte
52 cents (jusqu'à 30 g).
Courrier international : 1,60 $ (jusqu'à
30 g).
Pour connaître les codes postaux des
différentes villes du Québec ou localiser
les services postaux qui sont disséminés
dans des boutiques de toute la province,
consultez le site **www.canadapost.ca**
ou composez le 514-344-8822 ou 800-
267-1177.
Le courrier en recommandé est conservé
15 jours avant d'être renvoyé à son expé-
diteur, et doit être retiré par le destina-
taire en personne.
De grosses boîtes rouges accueillent
votre courrier à proximité des bureaux
de poste, pharmacies et dépanneurs. Les
délais de livraison sont plus longs qu'en
France : il est très rare de voir une lettre
postée le mardi arriver le mercredi.

Pour vos escapades en chambre d'hôtes

Découvrez les plus belles
adresses du guide MICHELIN

- 330 adresses choisies pour leur charme, partout en France.
- 129 chambres d'hôtes ou maisons d'hôtes à moins de 100 euros.
- Plus de 650 photos.
- 1001 informations pour bien choisir

28

DÉCALAGE HORAIRE

Il faut compter 6h de moins entre la France, la Belgique ou la Suisse, et le Québec, qui vit à l'heure de l'**Eastern Standard Time** (EST), à l'exception des îles de la Madeleine (heure de l'Atlantique). La majeure partie de l'année, quand il est 9h à Montréal, il est par conséquent 15h à Bruxelles, Paris ou Genève. La province adopte l'heure d'été (montres et horloges avancées d'une heure) du premier dimanche d'avril au dernier dimanche d'octobre.

ÉLECTRICITÉ

Au Canada comme aux États-Unis, le courant alternatif est de 110 V et 60 Hz. Les appareils européens nécessitent des adaptateurs à fiches plates, disponibles chez les spécialistes de l'électronique ou du voyage.

HANDICAP

Les curiosités accessibles aux personnes handicapées sont signalées par le symbole ♿ dans les renseignements pratiques accompagnant chaque description du guide. Au Canada, tout lieu public (hôtels et restaurants compris) se doit, dans la mesure du possible, d'être équipé de rampes facilitant l'accès des personnes en fauteuil roulant, et de leur réserver des places de parking. Certaines compagnies de transport, comme **Orléans Express** (*www.orleansexpress.com ; voir le chapitre Se déplacer - Autocar*), proposent par ailleurs des services répondant aux besoins des personnes à mobilité réduite.

Pour plus de renseignements, contactez l'**Association Kéroul** – 4545 av. Pierre-de-Coubertin, Montréal H1V 3R2 - ℘ 514-252-3104 - www.keroul.qc.ca.

Publié en collaboration avec les Guides de Voyage Ulysse, le guide *Accessible Québec*, complété par l'encart *La Route accessible*, coûte 24,95 \$ (sans les taxes) et peut être envoyé en Europe.

HORAIRES D'OUVERTURE

Au Québec, les **bureaux** sont généralement ouverts du lundi au vendredi de 9h à 17h, et les **magasins** du lundi au vendredi de 9h à 18h (jusqu'à 21h le jeudi et le vendredi), le samedi de 9h à 17h. Dans les grandes villes, certains commerces ouvrent aussi le dimanche de 12h à 17h.

Il n'est pas rare de trouver des supermarchés ouverts 7 jours/7 jusqu'à 23h. Les centres commerciaux sont ouverts jusqu'à 21h, du lundi au vendredi.

Les grands **bureaux de poste** sont ouverts du lundi au vendredi de 9h à 17h. De nombreux petits bureaux de poste peuvent ouvrir beaucoup plus tard.

Quant aux **établissements bancaires**, leurs heures d'ouverture varient selon la ville ou la région. À titre indicatif : Montréal (du lundi au vendredi de 9h à 17h) ; Québec (lundi, mardi et vendredi de 9h30 à 15h, mercredi et jeudi de 9h30 à 18h). Dans les grands aéroports, les banques ont des horaires plus étendus et des guichets de change.

JOURS FÉRIÉS

Banques, administrations et bâtiments publics risquent fort d'être fermés les jours suivants :

Jour de l'an et le lendemain : 1er et 2 janvier.

Vendredi saint : précédant le dimanche de Pâques.

Lundi de Pâques : suivant le dimanche de Pâques.

Fête des Patriotes : lundi précédant le 25 mai.

Fête nationale du Québec : 24 juin.

Fête du Canada ou fête de la Confédération : 1er juillet.

Fête du Travail : 1er lundi de septembre.

Fête de l'Action de Grâce : 2e lundi d'octobre.

Jour du Souvenir : 11 novembre.

Noël et le lendemain : 25 et 26 décembre.

TAXES ET POURBOIRES

Au Canada comme aux États-Unis, **les prix sont généralement mentionnés hors taxes, celles-ci étant ajoutées au moment du paiement**. Aussi, la première fois que l'on se présentera à la caisse d'un magasin, sera-t-on surpris de s'entendre énoncer un prix supérieur à celui inscrit sur l'étiquette… En plus de la taxe fédérale sur les produits et services (TPS) de 5 %, le Québec prélève une taxe provinciale (TVQ) de 7,5 %. Il faut donc majorer de 14 % les prix affichés pour la majorité des produits ainsi qu'au restaurant.

Il existe par ailleurs une taxe de 2 % propre à l'hébergement de 2 \$.

Pourboire – Dans les restaurants, il est d'usage de laisser un pourboire de 12 à 15 % du total de la note pour le service, car celui-ci n'est pratiquement jamais compris dans l'addition. Ne l'oubliez pas ou on vous y fera penser ! Les chauffeurs de taxis, les chasseurs d'hôtel et les coiffeurs reçoivent généralement un pourboire au gré du client. Pas de pourboire dans les cinémas et les théâtres.

TÉLÉPHONE

Le Québec comporte désormais quatre indicatifs régionaux :

514 : communauté urbaine de Montréal et île Perrot ;

450 : Laval, Rive-Nord, Rive-Sud, Laurentides, région du Richelieu ;

418 : ville de Québec, Gaspésie et est de la province ;

819 : Cantons de l'Est, Hull, régions du Nord.

Pour effectuer un **appel interurbain** à l'intérieur du Canada ou aux États-Unis, composez le 1 + indicatif régional (3 chiffres) + numéro du correspondant (7 chiffres).

Pour **appeler l'Europe**, composez le 011 + indicatif du pays (Belgique : **32** ; France : **33** ; Suisse : **41**) + numéro du correspondant sans le premier 0.

Pour **appeler le Québec depuis un autre pays** : composez le code d'accès international de votre pays (Belgique, France, Suisse : 00) suivi de l'indicatif 1, de l'indicatif régional et du numéro à 7 chiffres.

Pour obtenir l'**aide d'un téléphoniste**, composez le 0.

Pour obtenir des **renseignements** concernant un numéro à l'intérieur de sa zone d'appel, composez le 411.

Pour une **information sur un numéro relevant d'une autre zone d'appel**, composez le 1 + indicatif régional + 555-1212.

Beaucoup d'hôtels majorant les appels, il est plus avantageux de téléphoner d'une cabine publique.

> 👁 **Bon à savoir**
> Les **numéros** commençant par **800**, **888** et **877** sont **gratuits.**
> Toute communication locale coûte 0,25 $, quelle que soit sa durée.

Les **cartes** « Allô !™ » et « LaPuce™ », en vente dans les magasins Téléboutique™ de Bell Canada, les principales chaînes hôtelières, les aéroports, les auberges de jeunesse et les bureaux de tourisme, permettent d'utiliser les cabines publiques sans se soucier d'avoir sur soi la monnaie nécessaire à un appel. D'autres cartes s'utilisent depuis les appareils privés (celui de votre chambre d'hôtel par exemple).

À FAIRE ET À VOIR

Activités récréatives

Pour plus de détails concernant les activités énumérées ci-dessous, et pour toute question relative aux loisirs et aux sports, contacter **Regroupement Loisir Québec** – 4545 av. Pierre-de-Coubertin, Montréal (QC) H1V 3R2 – ✆ 514-252-3126 ou 1-800-932-3735 (sans frais)- www.loisirquebec.qc.ca ou s'adresser directement aux associations en question.

ACTIVITÉS HIVERNALES

Grâce à des conditions d'enneigement exceptionnelles, la pratique des sports d'hiver s'étale, au Québec, sur de longs mois *(mi-nov.-mi-avr. ou mi-mai, selon la région)*. La plupart des grandes villes se trouvent à proximité d'une ou de plusieurs stations de ski, les parcs nationaux et provinciaux proposent toutes sortes d'activités hivernales, et de nombreuses municipalités disposent de patinoires à l'intention des hockeyeurs et patineurs. Pour plus de détails, se renseigner auprès des offices de tourisme régionaux, des stations de ski ou de Tourisme Québec.

Motoneige

Plus de 263 clubs locaux relevant de la **Fédération des clubs de motoneigistes du Québec** – ✆ 514-252-3076 - www.fcmq.qc.ca - offrent, à travers la province, environ 32 000 km de pistes balisées. Hébergement (refuges chauffés, etc.) et services de réparation sont disponibles le long du réseau Trans-Québec.

Pour conduire une motoneige, il faut être titulaire d'une **carte d'inscription** délivrée par la Fédération, sur demande écrite. Il est également conseillé de souscrire une assurance spéciale.

Parmi les nombreuses règles à respecter, rappelons qu'il est essentiel de garder ses phares allumés en permanence, de voyager par paire, et de faire preuve d'une grande prudence à la traversée de toute voie publique.

La FCMQ publie chaque année *Sentiers de motoneige FCMQ* (centres de services et de réparation, location de motoneiges, excursions organisées). Elle distribue également une *Carte des sentiers de motoneige*.

PISTES							
	Information ✆	Dénivelé (m)	Pistes (total)	Facile	Difficile	Plus difficile	Remontées mécaniques	Chambres
Bromont	450-534-2200	405	45	8	5	12	4	305
Gray Rocks	800-567-6767	189	22	4	10	8	4	230
Le Chantecler	888-916-1616	183	22	7	10	5	8	260
Le Massif	418-632-5876	770	36	5	4	11	2	
Mont-Bellevue	819-821-5872	81	6	3	3		3	
Mont-Blanc	819-821-25872	300	36	8	11	17	7	92
Mont-Gabriel	450-227-1100	200	17	2	4	6	7	140
Mont-Grand-Fonds	877-665-0095	335	14	3	5	6	2	
Mont-Orford	819-843-6548	549	52	19	17	16	8	1100
Mont-St-Bruno	450-653-3441	134	14	2	7	6	8	
Mont-St-Sauveur	514-871-0101	213	35	5	9	15	10	85
Mont-Ste-Anne	418-827-4561	625	56	13	26	17	12	1500
Mont-Ste-Marie	819-467-5200	381	24	5	6	6	3	40
Mont-Sutton	450-538-2545	460	53	17	15	21	9	750
Owl's Head	450-292-3342	540	41	8	12	7	7	66
Stoneham	418-848-2411	420	30	10	12	8	9	160
Tremblant	819-681-3000	650	92	15	29	48	12	1200
Val St-Côme	450-883-0701	305	24	6	8	10	4	66

STATIONS DE SKI AUTOUR DE MONTRÉAL ET QUÉBEC

Ski alpin

En 1993, les finales de slalom et de slalom géant de la Coupe du monde se sont tenues sur les pentes du mont Stoneham, au Québec. La province offre donc, en matière de sports d'hiver, de quoi satisfaire les plus difficiles. Les Laurentides, les Cantons de l'Est, Charlevoix et la région de Québec constituent l'essentiel du domaine skiable québécois. Les stations des Laurentides, à moins d'une heure en voiture de Montréal, bénéficient d'un enneigement favorable (300 cm en moyenne). On y trouve des écoles de ski renommées, une excellente infrastructure touristique au pied des pistes, et la possibilité de faire du ski de nuit. Fort réputées, les imposantes montagnes appalachiennes, qui traversent les Cantons de l'Est, offrent elles aussi des conditions d'enneigement satisfaisantes (350 cm en moyenne). Quatre grandes stations situées à une heure de Québec proposent par ailleurs des pistes agréées par la Fédération internationale de ski. L'enneigement moyen y est de 375 cm. Renseignements : **Association des stations de ski du Québec** – 7665 r. Larrey, bureau 100, Anjou (Québec). **H1J 2T7** - ✆ 514-493-1810 - www.maneige.com et **Fédération québécoise de ski (RLQ)** - www.skiquebec.qc.ca.

Ski de fond

Le Québec possède un réseau bien entretenu de pistes de ski de fond totalisant plusieurs milliers de kilomètres. Des compétitions nationales et internationales, telle la Coupe du monde des maîtres (1989 et 1993), s'y tiennent régulièrement.

Les pistes, de difficultés variables, sont surveillées et jalonnées de refuges chauffés. Dans beaucoup de régions, on trouvera des écoles, des parcours guidés et des services de location de ski. Renseignements : **Ski de fond du Québec** – ✆ 514-252-5282 - www.skidefondquebec.ca.

Autres activités

Le patin – Nombreuses, les patinoires sont parfois aménagées sur les rivières ou sur les lacs, dans les parcs.

La raquette – Inventée par les Amérindiens, elle est aujourd'hui un sport de loisir populaire, pratiqué dans les centres de ski de fond et dans les parcs.

La pêche sur glace – Pêcher le poisson sur la glace, installé dans une petite cabane afin de pouvoir patienter, est un loisir très répandu dans les Cantons de l'Est, la Mauricie, et le Saguenay-Lac-Saint-Jean.

Traîneau à chiens – Depuis quelques années, les formules d'initiation à la conduite d'attelage de chiens se multiplient. Pour tous les âges, de quelques heures à plusieurs jours. Une expérience inoubliable ! (*Voir Séjours à thème p. 12*).

ACTIVITÉS ESTIVALES

Doté d'innombrables lacs et rivières, de parcs, de réserves et d'un relief remarquablement varié, le Québec se prête, en été, à toutes sortes d'activités récréatives. En voici les plus courantes.

Canot

Cette activité se pratique sur la plupart des rivières, sauf – bien sûr – celles qui servent au flottage du bois.

La plupart des parcs et des réserves sont le point de départ d'excursions en canot d'un ou plusieurs jours. Des emplacements de camping rustiques sont alors mis à la disposition des canoteurs. Voir les formules **Canot-Camping**.

Cyclotourisme

Au Québec, les pistes cyclables, bien entretenues, ne manquent pas, et les occasions de louer des vélos sont nombreuses. Les intéressés s'adresseront à **Vélo-Québec** – 1251, rue Rachel Est, Montréal (PQ) H2J 2J9 - www.velo.qc.ca - ✆ 514-521-8356.

Équitation

Les Cantons de l'Est, la Gaspésie, les Laurentides et le Bas-Saint-Laurent offrent un grand nombre de centres équestres. Certains ranches d'accueil proposent des forfaits hébergement - leçons d'équitation. Contactez **Québec à cheval** – www. cheval.qc.ca - ✆ 450-434-1433.

Randonnée

Les amoureux de la nature peuvent partir en randonnée sur les nombreux sentiers balisés qui sillonnent les montagnes et les forêts ou qui longent la côte. Les randonneurs plus aventureux préféreront sans doute sortir des sentiers battus et emprunter les pistes moins fréquentées. Renseignements : **Fédération québécoise de la marche** (RLQ) – www. fqmarche.qc.ca, ✆ 514-252-3157.

Kayak

Descente de rivières et/ou kayak de mer sont particulièrement populaires dans des régions du Nord telles que l'Abitibi-Témiscamingue, le Saguenay et le Nunavik, où des camps ont été mis en place. Plusieurs organismes proposent des excursions organisées, parmi lesquels **CÉPAL** – CP 963, 3350, rue Saint-Dominique, Jonquière (QC) G7X 7W8 ✆ 418-547-5728 ; **Nouveau Monde Expéditions en Rivière** – 100, chemin Rivière-Rouge, Calumet (QC) J0V 1B0, www.newworld.ca, ✆ 800-361-5033.

Golf

Les passionnés de golf disposent d'environ 300 terrains, essentiellement concentrés dans les Cantons de l'Est, dans les Laurentides, en Mauricie-Bois-Francs et dans l'Outaouais. Certains, privés, n'acceptent pas de visiteurs extérieurs. Pour plus de détails, adressez-vous à l'**Association de golf du Québec** – 415, Bourke, suite 110, Dorval (QC) H9S 3W9 – ✆ 514-633-1088 – www.golfquebec.org, ou consultez les publications distribuées par les offices de tourisme régionaux ; dans ces dernières figurent les différents endroits où pratiquer ce sport (avec coordonnées, prestations, tarifs, conditions d'entrée).

Plongée sous-marine

Les îles Bonaventure et celles de la Madeleine, le parc national Forillon et la Côte-Nord offrent de quoi satisfaire les amateurs de plongée. Ces derniers s'adresseront, pour de plus amples détails, à la **Fédération des activités subaquatiques du Québec (RLQ)** – ✆ 514-252-3009 et 1-866-391-8835 - www.fqas.qc.ca.

Voile et planche à voile

Grâce à ses nombreux lacs (Duplessis, Charlevoix, Laurentides, Manicouagan, région de Montréal), le Québec fournit maintes occasions de faire de la voile.

La planche à voile est un sport très prisé sur les lacs, dans les parcs provinciaux et dans la péninsule gaspésienne.

Pleine de difficultés, la remontée du Saint-Laurent s'adresse aux sportifs les plus expérimentés.

La saison commence mi-juin et s'achève fin août.

Pour tout renseignement complémentaire, s'informer auprès de la **Fédération de voile du Québec** (Montréal) – ✆ 514-252-3097 - www.voile.qc.ca.

CHASSE ET PÊCHE

L'ensemble du territoire québécois regorge de poissons et de gibier. Il suffit de s'éloigner des grands centres urbains pour pouvoir pratiquer ces activités en milieu naturel. Les régions les plus renommées pour la pêche et la chasse sont l'Abitibi-Témiscamingue, la Côte-Nord, la Mauricie – Bois-Francs, l'Outaouais, le Saguenay – Lac-Saint-Jean et le Nunavik.

Faune québécoise

Le sud du Québec est renommé pour la **pêche au saumon**. Les rivières de la Gaspésie regorgent également de **truites mouchetées et de perches**. Le centre du Québec compte à son actif un grand nombre d'**orignaux**, d'**ours noirs**, de **gélinottes** et de **cerfs de Virginie**. La région est par ailleurs réputée pour sa variété de poissons. L'île d'Anticosti est le lieu de prédilection des amateurs de pêche sportive au saumon. Enfin, dans le nord du Québec, au-dessus du 52e parallèle, le gros gibier est le **caribou**.

Règlements

La chasse est interdite dans les parcs ; par contre, **les réserves fauniques** sont ouvertes à tout chasseur muni du permis nécessaire, sauf dans les régions où la chasse contingentée de l'original est réservée à la population québécoise. Formalité obligatoire, l'**enregistrement** du gibier doit s'effectuer dans les 48 heures suivant le départ de la zone de chasse ; les centres d'enregistrement se trouvent généralement sur les routes principales et dans les aéroports des régions isolées. Les **règlements de sécurité** sont strictement appliqués, et tout chasseur est invité à collaborer à la répression du braconnage (les activités suspectes pouvant être reportées 24 heures sur 24 au ministère de l'Environnement et de la Faune).

La pêche est quant à elle autorisée dans beaucoup de parcs qui attirent autant les passionnés que les dilettantes heureux de tremper le fil pour se délasser. Les **permis** de chasse et de pêche (obligatoires pour la pêche en eau douce) s'obtiennent dans la plupart des magasins d'équipement de sport ou auprès des pourvoiries et/ou des bureaux des parcs des régions concernées. Leur coût varie en fonction de la saison, du lieu et du type de gibier/poisson. Pour toute information complémentaire, s'adresser au ministère de l'Environnement et de la Faune du Québec – www.mrnf.gouv. qc.ca/faune/chasse.

Spectacles et distractions

Musique, danse, fêtes en tout genre : les occasions de se divertir ne manquent pas !

MUSIQUE

Le Québec possède deux orchestres symphoniques professionnels : l'**Orchestre symphonique de Montréal** (℘ 514-842-9951 et 1-888-842-9951 - www.osm.ca), dirigé par Kent Nagano, et l'**Orchestre symphonique du Québec** (℘ 418-643-8486 et 1-877-643-8486 - www.osq.qc.ca), le plus ancien du Canada. Particulièrement riche, la scène artistique montréalaise offre aux mélomanes de nombreuses occasions de s'adonner à leur passion. Le complexe de la Place des Arts, qui comporte à lui seul cinq salles polyvalentes, compte parmi ses prestigieux résidents l'**Opéra de Montréal** (℘ 514-985-2222 - www.ope rademontreal.com). L'Université McGill possède un **Orchestre de chambre** réputé (℘ 514-487-5190), qui se produit également Place des Arts. Située sur le campus même, la **salle de concert Pollack** (℘ 514-398-8993) propose des programmes de musique classique, de musique de chambre et de jazz. Le **Festival international de jazz** (℘ 1-888-515-0515, www.montrealjazzfest. com) qui se tient en juin dans le quartier

du complexe de la Place des Arts, est un événement musical majeur. Enfin, le **Centre Bell** (ancien Centre Molson) (1260 r. de la Gauchetière - ℘ 514-932-2582) organise toute l'année différentes manifestations, notamment des concerts de rock.

DANSE

Célèbres dans le monde entier pour leur répertoire classique, les **Grands Ballets canadiens de Montréal** (℘ 514-849-8681 - www.grandsballets.com) se produisent au Canada comme à l'étranger. Manifestations culturelles et festivals divers permettent par ailleurs d'applaudir des danseurs traditionnels et folkloriques à travers la province.

THÉÂTRE

Le théâtre, et particulièrement le théâtre d'été, est une forme d'expression artistique populaire au Québec. Les journaux (numéros de fin de semaine, section Arts et spectacles), les brochures gratuites disponibles dans les hôtels et les publications touristiques spécialisées comme *Voir* fournissent généralement la liste des pièces et l'endroit où elles se jouent.

MANIFESTATIONS SAISONNIÈRES

À chaque saison correspondent, au Québec, toutes sortes de traditions et de fêtes développées au cours des siècles.

Printemps

C'est à la fin de mars que la sève des érables commence à couler, annonçant le printemps et les fêtes associées à la confection du sirop d'érable. On recueillait traditionnellement cette « eau » sucrée dans des seaux suspendus aux becs verseurs plantés dans les troncs de l'érable, puis on la faisait bouillir jusqu'à l'obtention du fameux sirop d'érable. De nos jours, si le **temps des sucres** reste une tradition québécoise toujours très vivante, les seaux ont souvent disparu, remplacés par de longs tubes de plastique qui acheminent la sève jusqu'à un évaporateur central.

Pour fêter la récolte du sirop, familles et amis se rassemblent pour des « parties de sucre ». On consomme pour l'occasion des mets cuits dans le sirop d'érable et de savoureux desserts arrosés de ce nectar. Du sirop chaud est également versé dans la neige où il se transforme en « tire », une substance semblable à du caramel, que l'on enroule prestement sur un bâtonnet.

Les pourvoiries

Au cœur de paysages sauvages et variés, les 675 pourvoiries du Québec **proposent de nombreuses activités de plein air** : pêche, chasse, marche, découverte, canot, motoneige ou encore observation de la nature, avec des formules pour les familles.

Deux types de pourvoiries se distinguent : certaines exploitent des territoires dont elles ont l'usage exclusif ; d'autres concentrent leurs services dans des zones gouvernementales, c'est-à-dire accessibles à tous.

Transport aérien, hébergement, équipement, accompagnement (recours à des guides qualifiés) et obtention des permis nécessaires : **les pourvoiries se chargent de tout** ! Quelques-unes proposent même des services de conservation, de réfrigération et de transport du poisson et du gibier.

Relativement coûteux, ces séjours n'en sont pas moins très prisés. Il faut donc réserver longtemps à l'avance ! Un **répertoire des pourvoiries** est disponible dans les kiosques à journaux et auprès de la **Fédération des pourvoiries du Québec** – 5237 bd Hamel, Québec (PQ) G2E 2H2 - ✆ 418-877-5191 et 1-800-567-9009 - www.fpq.com.

Été

Jour dédié à saint Jean-Baptiste, le 24 juin est aussi la fête nationale du Québec. Son origine tant nationaliste que religieuse fait de la **Saint-Jean-Baptiste** l'un des principaux événements annuels, célébrée avec liesse et ferveur à travers toute la province pour bien marquer l'identité québécoise. Chars allégoriques, défilés de drapeaux, feux de bois et spectacles musicaux sont au programme.

Automne

À l'été chaud et humide succède la plus belle saison du Québec, l'automne. Les érables se parent alors de couleurs flamboyantes : rouge écarlate, orange brûlé et jaune d'or. C'est l'époque des randonnées dans les Laurentides et dans les Cantons de l'Est. Dans les régions de pomoculture, c'est aussi l'époque de la récolte. De nombreux vergers, ouverts au public, retentissent de la voix des cueilleurs.

Hiver

Les premiers flocons tombent généralement dès fin novembre, et forment un beau tapis blanc jusqu'en avril. Les journées, froides et courtes, sont souvent très ensoleillées et lumineuses grâce à la neige qui scintille.

Les rigueurs d'un hiver souvent cruel ne découragent en rien les Québécois. Parmi les manifestations hivernales les plus marquantes, on notera le fameux **Carnaval de Québec** durant lequel la « vieille capitale » bourdonne d'activités : course en canot sur le Saint-Laurent, concours de sculpture sur glace, parades en ville et autres. Concours de pêche à la morue et de sculpture sur glace et défilés divers ont également lieu à Sainte-Anne-de-la-Pérade (Mauricie – Bois-Francs). Montréal célèbre quant à elle sa **Fête des neiges** par plus de 125 manifestations différentes. À Gatineau (secteur Hull), les fêtes du **Bal de neige** gagnent les berges de la rivière des Outaouais, avec des activités de plein air pour toute la famille. Et dans des lieux aussi nordiques que Chicoutimi (Saguenay – Lac-Saint-Jean), l'hiver est animé par toute une série de pièces de théâtre, d'opérettes, d'expositions et de compétitions diverses.

ⓘ *Pour plus de détails sur les manifestations d'une ville ou d'une région en particulier, voir la rubrique Événements (p. 37).*

Tourisme et nature

FORMULES DE DÉCOUVERTE

Pour découvrir le Québec, en solitaire ou en groupe, vous ne manquerez pas de choix : excursions en bus ou en voiture, visites guidées d'une ville et de ses quartiers, promenades en bateau et bien d'autres.

Voyages CAA propose une série de guides (notamment *Les Guides de la Route*) permettant d'organiser au mieux ses vacances. De nombreuses informations peuvent être téléchargées depuis leur site.

Adressez-vous à **Voyages CAA** – ✆ 514-861-1917 ou 1-866-827-8801- www.caaquebec.com.

Les activités d'**observation de la nature** sont particulièrement populaires. La Société zoologique de Montréal organise des excursions (généralement un ou deux jours) sur un thème particulier dans toute la région de Montréal. Pour tout renseignement ou réservation s'adresser à la **Société zoologique** – 2055 r. Peel, Montréal (QC) H3A 1V4 - ✆ 514-845-8317, www.zoologicalsocietymtl.org.

On peut aussi observer des phoques du Groenland avec leurs blanchons (bébés phoques pour les Européens) près des îles de la Madeleine dans le golfe du Saint-Laurent *(fin fév. – mi-mars)*.

Ces excursions, menées par des experts, durent six jours ; les places étant limitées, il convient de réserver six à neuf mois à l'avance.

Pour tout renseignement complémentaire, adressez-vous à **Natural Habitat Wildlife Adventure** – www.nathab. com, ✆ 303-449-3711 ou 800-543-8917.

Destiné au sportif expérimenté, le **tourisme aventure** propose une gamme étendue d'activités toutes aussi passionnantes les unes que les autres : ski de montagne ou de fond, expéditions en traîneau à chiens, randonnées en motoneige, escalade de glaciers, canot-camping, cyclotourisme et bien d'autres encore. Ces expéditions d'un type bien particulier nécessitent une bonne préparation physique ainsi qu'un accompagnement spécialisé. Plusieurs organismes proposent de telles activités, parmi lesquels :

Voyages Loisirs – 4545 av. Pierre-de-Coubertin, CP 1000, succursale M, Montréal (QC) H1V 3R2 ✆ 514-252-3126 et 1-800-932-3735 - www.loisirquebec. qc.ca.

Passe Montagne (escalade en montagne et glacier) – 1760 Montée 2e rang, Val-David (PQ) J0T 2N 0 - ✆ 819-322-2123 et 1-800-465-2123 - www. passemontagne.com.

Quebec Adventures – ✆ 410-750-6473 ou 888-678-3232 - www.quebecadv. com.

Randonnée aventure – C.P. 1102, Snowdon Stn, Montréal (QC) H3X 3Y2 - ✆ 514-489-0339 - www.randonnee. ca.

Aventure écotourisme Québec – www.aventurequebec.ca.

PARCS NATIONAUX

En vous adressant à **Parcs Canada** - Bureau national - 25, r. Eddy-Gatineau (Québec) K1A 0M5 - ✆ 888-773-8888 et 514-335-4813- **www.pc.gc.ca** - vous obtiendrez toutes sortes de renseignements, brochures et cartes relatives aux **trois parcs nationaux du Québec** *(liste ci-dessous)*.

Créés pour préserver dans leur état naturel des sites exceptionnels tout en les rendant accessibles au public, ces trois parcs disposent de programmes d'interprétation (randonnées guidées, diaporamas, films vidéo, expositions et cycles de conférences saisonniers) visant à faire découvrir l'environnement natu-

rel. Ils sont équipés de terrains de camping, mais ces derniers se remplissent vite en été. Les tarifs (droit d'entrée, camping, activités proposées) et les horaires d'ouverture variant d'un parc à l'autre, il est conseillé de s'adresser au bureau d'information du parc concerné avant d'entreprendre toute visite.

Archipel-de-Mingan (Duplessis) – District de Mingan, 1340 r. de la Digue, Havre-Saint-Pierre (QC), G0G 1P0 - ✆ 418-538-3331 et 1-888-773-8888. Activités : camping, croisières en mer, randonnée pédestre, voile.

Forillon (Gaspésie) – 122 bd Gaspé, Gaspé (QC), G4X 1A9 - ✆ 418-368-5505 et 1-888-773-8888.

Activités : baignade, camping, croisières, cyclisme, équitation, pêche, plongée sous-marine, randonnée pédestre, ski de fond.

Mauricie (Mauricie – Centre-du-Québec) -- 702, 5e rue, CP 160, Shawinigan (QC) G9N 6T9 - ✆ 819-538-3232 et 1-877-737-3783.

Activités : baignade, camping, canot, pêche, randonnée pédestre, ski de fond.

PARCS PROVINCIAUX ET RÉSERVES FAUNIQUES

Dans les **23 parcs provinciaux** du Québec *(ci-dessous)*, le visiteur peut, à longueur d'année, profiter d'une grande variété d'activités de plein air (baignade, canot, cyclotourisme, escalade, pêche, ski alpin ou de fond, etc.), le tout dans un cadre naturel protégé. La brochure *Découvrez votre vraie nature* (gratuite) dresse la liste complète de ces parcs et des activités et aménagements qui y sont offerts.

Pour tout renseignement, contactez le site de la **Sépaq**, la société des établissements de plein air du Québec, qui gère les parcs et les réserves fauniques, et contrôle l'organisation des activités et découvertes proposées : ✆ 800-665-6527 et à l'extérieur du Canada et des États-Unis : 418-890-6527 - **www. sepaq.com**.

Pour réserver et obtenir des informations générales, un seul numéro de téléphone : **1-800-665-6527**.

Pour des informations supplémentaires :

Aiguebelle (Abitibi-Témiscamingue) – ✆ 819-637-7322.

Anticosti (Duplessis) – ✆ 418-535-0156 et 418-890-0863.

Bic (Bas-Saint-Laurent) – ✆ 418-736-5035.

♣♣ SITES OU ACTIVITÉS À FAIRE EN FAMILLE			
Chapitre du guide	Nature	Musée	Loisirs
Amos	Refuge Pateau (animaux)		
Côte du Bas-Saint-Laurent		Musée maritime du Québec à L'Islet-sur-Mer	
Côte de Beaupré	Parc de la Chute-Montmorency		
Chambly	Les écluses du canal		
Côte de Charlevoix	Centre d'observation des baleines		
Côte-Nord	Observation des baleines aux Grandes-Bergeronnes		
Drummondville		Le village québécois d'antan	
Parc de la Gaspésie			Randonnées et observation des orignaux
Parc de la Gatineau			Train à vapeur de Wakefield
Gatineau		Musée canadien des Enfants	
Granby	Zoo		
La Prairie		Musée ferroviaire	
Longueuil			Parc des Îles-de-Boucherville
Îles de la Madeleine		Aquarium des îles sur l'île du Havre-Aubert	
Magog			Promenade sur le lac Memphrémagog
Mauricie		Les forges du Saint-Maurice et la cité de l'Énergie	
Lac Mégantic		La visite de l'Astrolab	
Parc de Miguasha		Les fossiles du musée d'Histoire naturelle	
Archipel-de-Mingan	Les monolithes, la faune et la flore		
Parc national du Mont-Tremblant	Les oiseaux, les cerfs, les loups, les castors, les ours…		
Île Perrot		Moulin à vent du parc de la Pointe-du-Moulin	
Montréal	Animaux du Biodôme, Insectarium	Centre des Sciences, expositions de la Biosphère	Parc du Mont-Royal
Île de Montréal	Animaux de l'Ecomuseum de Sainte-Anne-de-Bellevue	Histoire du Commerce-de-la-Fourrure-à-Lachine	
Québec	Parc Aquarium	Parc de l'Artillerie	Site de Wendake
Île aux Noix		Fort-Lennox	
Percé	L'île Bonaventure et sa colonie de fous de Bassan		
Vallée du Richelieu	Parc Safari, près de Hemmingford		
Rivière-du-Loup	Passer une nuit sur l'île aux Lièvres		
Roberval		Le musée amérindien de Mashteuiatsh et village historique de Val-Jalbert	
Fjord du Saguenay	Observation des baleines, beauté du fjord		
Saguenay		Musée du Fjord	
Saint-André-d'Argenteuil			Parc récréatif de Carillon
Saint-Félicien	Zoo sauvage		
Sherbrooke		Musée de la Nature et des Sciences	
Tadoussac	Observation des baleines		
Trois-Rivières	Île Saint-Quentin	Vieille prison	

Frontenac (Cantons de l'Est) – ✆ 418-486-2300, poste 228.

Gaspésie (Gaspésie) – ✆ 418-763-7494.

Grands-Jardins (Charlevoix) – ✆ 418-439-1227.

Hautes-Gorges-de-la-Rivière-Malbaie (Charlevoix) – ✆ 418-439-1227.

Île-Bonaventure-et-Rocher-Percé (Gaspésie) – ✆ 418-782-2240.

Îles-de-Boucherville (Montérégie) – ✆ 450-928-5088.

Jacques-Cartier (région de Québec) – ✆ 418-848-3169 (été) et 418-528-8787 (hiver).

Miguasha (Gaspésie) – ✆ 418-794-2475.

Mont-Mégantic (Cantons de l'Est) – ✆ 819-888-2941 (centre d'accueil).

Mont-Orford (Cantons de l'Est) – ✆ 819-843-9855.

Mont-Saint-Bruno (Montérégie) – ✆ 450-653-7544.

Mont-Tremblant (Laurentides) – ✆ 819-688-2281.

Monts-Valin (Saguenay – Lac-Saint-Jean) – ✆ 418-674-1200.

Oka (Laurentides) – ✆ 450-479-8365.

Pingualuit (Nunavik) – www.nunavikparks.ca.

Plaisance (Outaouais) – ✆ 819-427-5334.

Pointe-Taillon (Saguenay – Lac-Saint-Jean) – ✆ 418-347-5371.

Saguenay (Saguenay – Lac-Saint-Jean) – ✆ 418-272-1556.

Parc marin du Saguenay-Saint-Laurent (plusieurs régions couvertes) – ✆ 418-272-1509 et www.parcmarin.qc.ca.

Yamaska (Cantons de l'Est) – ✆ 450-776-7182.

Le Québec compte également **15 réserves fauniques** (renseignements auprès de la Sépaq - www.sepaq.com).

QUELQUES CONSEILS

Attention : moustiques !

N'oubliez pas les dangers et les inconvénients de la nature. Malgré les rigueurs de l'hiver québécois, insectes et piqûres marquent l'été dans certaines régions. Les **maringouins** (ou moustiques) sont parfois si nombreux en forêt et au bord de l'eau que tout amateur de plein air doit s'équiper en conséquence. Et ne croyez pas leur échapper en vous enfonçant dans les solitudes du Nord : au contraire, ils vous y tourmenteront davantage, au point que parfois, des sportifs aguerris doivent porter une moustiquaire sur le visage pour s'en protéger. Fin mai et juin sévissent les **mouches noires** (ou brûlots), petits moucherons voraces qui peuvent fondre par centaines sur les malheureux promeneurs sans défense. Dans les deux cas, on s'en protège en s'enduisant la peau et les vêtements d'une **lotion insectifuge**, disponible dans beaucoup de supermarchés.

Plante des sous-bois particulièrement prolifique au Québec, le **sumac vénéneux** secrète un suc extrêmement toxique qui peut causer démangeaisons, éruptions de boutons et forte fièvre. Ces symptômes sont parfois déclenchés de façon indirecte, en touchant par exemple un objet effleuré par le suc empoisonné. Il convient donc de faire très attention (certains parcs où cette plante est répandue mettent en garde les visiteurs).

Que rapporter ?

L'incontournable sirop d'érable, évidemment, et tous ses dérivés ! Mais aussi l'artisanat inuit et amérindien (réclamer la vignette d'authenticité délivrée par le gouvernement canadien), des vêtements traditionnels en peau d'animaux, en fourrure ou en cuir (peu onéreux et de grande qualité), de la musique ou de la littérature locale et, si vous le pouvez, rapportez avec vous **l'accent québécois** : vous le rencontrerez à chaque coin de rue, gratuitement et, vous verrez, il vous plaira beaucoup…

Le Québec en famille

Le Québec est une destination idéale pour des voyages en famille, été comme hiver. Le niveau de confort des lieux d'hébergement, même dans les parcs, la facilité des transports, la diversité des activités et la prédominance de la nature ne peuvent qu'encourager les parents à emmener leurs enfants.

Le tableau ci-contre met en avant les attraits pouvant particulièrement séduire les enfants.

Événements

Certaines des manifestations mentionnées ci-dessous durent plusieurs semaines, voire plusieurs mois, et leurs dates varient parfois d'une année à l'autre. Pour plus de détails, adressez-vous aux offices de tourisme régionaux, contactez la **Société des fêtes et festivals du Québec** – 4545 av. Pierre-de-Coubertin, CP 1000, succursale M, Montréal (QC) H1V 3R2 - ✆ 514-252-3037 ou 1-800-361-7688 - www.festivals.qc.ca ou consultez sur Internet le site officiel de Tourisme Québec : www.bonjourquebec.com.

Mars

Saint-Georges (Chaudière-Appalaches) – Festival beauceron de l'érable

Mi-avril

Laval – Exposition horticole « l'Effleure-printemps ! » - www.lavaltechnopole. qc.ca

Mai

Plessisville (Centre-du-Québec) – Festival de l'érable

Victoriaville (Centre-du-Québec) – Festival international de musique actuelle de Victoriaville

Montréal – La Féria du vélo - www.velo. qc.ca

Juin

Taboussac (Manicouagan) – Festival de la chanson

Île Notre-Dame (Montréal) – Grand Prix Air Canada - www.grandprix.ca

Saint-Gabriel-de-Brandon (Lanaudière) – Maski-Courons International - www.maski-courons.com

Québec – Grand rire - www.grandrire. com

Juin - mi-juillet

Île Sainte-Hélène (Montréal) – International Benson & Hedges Fireworks (concours d'art pyrotechnique) - www.parcjeandrapeau.com

Fin juin

Matane (Gaspésie) – Festival de la crevette - www.festicrevette.com

Baie-Comeau (Manicouagan) – Symposium de peinture - www.ville.baie-comeau.qc.ca/symposium

Montréal – Festival international de jazz de Montréal - www.montrealjazzfest. com

Fin juin-début juillet

Salaberry-de-Valleyfield (Montégérie) – Régates Molson Ex de Valleyfield - www.mmic.net/regates

Fin juin-début août

Joliette (Lanaudière) – Festival de Lanaudière - www.lanaudiere.org

Fin juin-mi-août

Magog (Cantons de l'Est) – Festival Orford - www.arts-orford.org

Saguenay - La Baie (Saguenay-Lac-Saint-Jean) – La fabuleuse histoire d'un royaume - www.d4m.com. grandsspectacles

Orford (Cantons de l'Est) – Musique classique -www.arts-orford.org

Fin juin - fin août

Saint-Irénée (Charlevoix) – Festival international du domaine Forget (musique classique et jazz) - www. domaineforget.com

Grand-Métis (Gaspésie) - Festival international de jardins - www. jardinsmetis.com

Début juillet

Saguenay - Alma (Saguenay – Lac-Saint-Jean) – Festirame - www.sagamie. org/alma : festivalma

Québec – Festival d'été de Québec du Maurier - www.infofestival.com

L'Étang-du-Nord (îles de la Madeleine) – Festival du pêcheur

Drummondville (Centre-du-Québec) – Mondial des cultures de Drummondville - www.mondialdescultures. com

Mi-juillet - fin juillet

Québec – Festival d'été de Québec du Maurier

Magog (Cantons de l'Est) – Traversée internationale du lac Memphrémagog - www.traversee-memphrema-gog.com

Dolbeau (Saguenay – Lac-Saint-Jean) – Festival des dix jours western de Dolbeau-Mistassini

Sherbrooke (Cantons de l'Est) – Fête du lac des Nations - www.fetedulacdes-nations.com

Ville-Marie (Abitibi-Témiscamingue) – Régates internationales

Tremblant (Laurentides) - Festival international du blues - www.tremblant. ca

Montréal – Festival Juste pour rire - www.hahaha.com et Festival international nuits d'Afrique - www. festivalnuitsdafrique.com

Trois-Rivières (Mauricie – Bois-Francs) – Grand Prix de Trois-Rivières (course automobile) - www.gptr.qc.ca

Roberval (Saguenay – Lac-Saint-Jean) – Traversée internationale du lac Saint-Jean - www.traversee. qc.ca

Montréal – Francofolies de Montréal - www.francofolies.com

Août

Saguenay (Saguenay – Lac-Saint-Jean) – Festival international des rythmes du monde - www.rythmesdumonde. com

Lévis (Chaudière-Appalaches) – Festivent (montgolfières) - www.festivent.ca

Bergeronnes (Manicouagan) – Festival de la baleine bleue

Mistassini (Saguenay – Lac-Saint-Jean) – Festival du bleuet de Dolbeau-Mistassini - www.festivaldubleuet.qc.ca

Québec – Fêtes de la Nouvelle-France - www.nouvellefrance.qc.ca

Baie-Saint-Paul (Charlevoix) – Symposium de la nouvelle peinture au Canada - www.symposium-baie-saintpaul.com

Montréal – Fêtes gourmandes internationales de Montréal - www. lesfetesgourmandes.com

Havre-Aubert (îles de la Madeleine) – Concours de châteaux de sable - www.ilesdelamadeleine. com/chateaux

Montréal (Omnium du Maurier) Internationaux de tennis féminin du Canada - www.tenniscanada.com

Saint-Jean-sur-Richelieu (Montérégie) – Festival de montgolfières de Saint-Jean-sur-Richelieu - www.montgolfieres.com

Fin août-début septembre

Montréal – Festival des films du monde - www.ffm-montreal.org

La Tuque (Mauricie – Bois-Francs) – Classique internationale de canots de la Mauricie

Rimouski (Bas-Saint-Laurent) – Festival de jazz international - www. festijazzrimouski.com

Septembre

Gatineau (Outaouais) – Festival de montgolfières de Gatineau - www. ville.gatineau.qc.ca

Montmagny (Chaudière-Appalaches) – Carrefour mondial de l'accordéon - http://accordeon.montmagny. com

Magog (Cantons de l'Est) – Fête des vendanges - www.fetedesvendanges.com

Saint-Tite (Mauricie – Bois-Francs) – Festival western de Saint-Tite - www. festivalwestern.com

Octobre

Trois-Rivières (Mauricie) – Festival international de la poésie - www. fiptr.com

Montmagny (Chaudière-Appalaches) – Festival de l'oie blanche - www.festivaldeloie.qc.ca

Montréal – Festival Black and blue - www.bbcm.org

Rouyn-Noranda (Abitibi-Témiscamingue) – Festival du cinéma international - www.festivalcinema.ca

Fin novembre-mi-janvier

Rivière-Éternité (Saguenay – Lac-Saint-Jean) – Exposition internationale de crèches

Décembre

Montréal - Féeries de Noël - www.lesfeeriesduvieuxmontreal. info

Sainte-Anne-de-la-Pérade (Mauricie – Bois-Francs) – Carnaval des petits poissons des chenaux (jusqu'à mi-février)

fin janvier - mi-février

Montréal – Fête des neiges - www. fetedesneiges.com

Février

Québec – Carnaval de Québec - www. carnaval.qc.ca

Gatineau (Outaouais) – Bal de neige - www.capitaleducanada.gc.ca/baldeneige

Valcourt (Cantons de l'Est) – Grand Prix de Ski-Doo - www.grandprixvalcourt. com

Saguenay Chicoutimi (Saguenay – Lac-Saint-Jean) – Carnaval-Souvenir

POUR PROLONGER LE VOYAGE

Quelques livres de littérature contemporaine

Agonie, Jacques Brault *(Boréal, 1984)*

Les Aurores montréales, Monique Proulx *(Boréal, 1997)*

L'Avalée des avalés, Réjean Ducharme *(Gallimard « Folio », 1966)*

Bonheur d'occasion, Gabrielle Roy *(Boréal, 1993)*

Le Dernier Été des Indiens, Robert Lalonde *(Éd. du Seuil, Points série roman, 1982)*

Dévadé, Réjean Ducharme *(Gallimard « Folio », 1990)*

L'Homme gris, Marie Laberge *(Boréal, 1986)*

L'Ingratitude, Ying Chen *(Actes Sud/Leméac, 1995)*

L'Oiselière, Jean Charlebois *(L'Hexagone, 1998)*

La Démarche du crabe, Monique Larue *(Boréal, 1995)*

La Nuit des princes charmants, Michel Tremblay *(Actes Sud/Leméac, 1995)*

Chronique du Plateau-Mont-Royal, Michel Tremblay *(Actes Sud, 2000)*

La Rage, Louis Hamelin *(Typo, 1989)*

La Vie en prose, Yolande Villemaire *(Typo, 1980)*

Laura Laur, Suzanne Jacob *(Éd. du Seuil, 1983)*

Le Pavillon des miroirs, Sergio Kokis *(XYZ Éditeur, 1994)*

Le Poids des ombres, Marie Laberge *(Boréal, 1994)*

Le Sens apparent, Nicole Brossard *(Flammarion, 1980)*

Les Fous de Bassan, Anne Hébert *(Éd. du Seuil, Points série roman, 1982)*

Kamouraska, Anne Hébert *(Éd. du Seuil, Points série roman, 1970)*

Lumière des oiseaux. Histoires naturelles du Nouveau Monde, Pierre Morency *(Boréal/Seuil, 1992)*

Maryse, Francine Noël *(Bibliothèque québécoise, 1994)*

Parlez-moi d'amour, Suzanne Jacob *(Boréal, 1998)*

Quelques adieux, Marie Laberge *(Boréal, 1992)*

Salut Galarneau!, Jacques Godbout *(Éd. du Seuil, Points série roman, 1967)*

Soifs, Marie-Claire Blais *(Boréal, 1995)* *(Éd. du Seuil, 1995)*

Une histoire américaine, Jacques Godbout *(Éd. du Seuil, 1986)*

Vamp, Christian Mistral *(Typo, 1988)*

Volkswagen Blues, Jacques Poulin *(Babel Actes Sud, 1998)*

Quelques films

Les titres suivants illustrent les tendances du cinéma québécois de 1949 à nos jours.

Un Homme et son péché (1949), Paul L'Anglais

Tit-Coq (1952), René Delacroix et Gratien Gélinas

À tout prendre (1963), Claude Jutra

Pour la suite du monde (1963), Michel Brault et Pierre Perrault

Le Chat dans le sac (1964), Gilles Groulx

La Vie heureuse de Léopold Z. (1965), Gilles Carle

Entre la mer et l'eau douce (1967), Michel Brault

Le Règne du jour (1967), Pierre Perrault

Les Mâles (1970), Gilles Carle

Un Pays sans bon sens (1970), Pierre Perrault

Mon oncle Antoine (1971), Claude Jutra

L'Acadie, l'Acadie (1972), Michel Brault et Pierre Perrault

La Vraie Nature de Bernadette (1972), Gilles Carle

Kamouraska (1973), Claude Jutra

Les Ordres (1974), Michel Brault

J.A. Martin, photographe (1976), Jean Beaudin

L'Homme à tout faire (1980), Micheline Lanctôt

Les Bons Débarras (1980), Francis Mankiewicz

Crac! (1982), Frédéric Back

La Bête lumineuse (1983), Pierre Perrault

Les Fleurs sauvages (1983), Jean-Pierre Lefebvre

Maria Chapdelaine (1983), Gilles Carle

La Femme de l'hôtel (1984), Léa Pool

La Guerre des tuques (1984), André Melançon

Le Crime d'Ovide Plouffe (1984), Denys Arcand

Bach et Bottine (1986), André Melançon

Le Déclin de l'empire américain (1986), Denys Arcand

Pouvoir intime (1986), Yves Simoneau

Un Zoo la nuit (1987), Jean-Claude Lauzon

L'homme qui plantait des arbres (1988), Frédéric Back

Les Portes tournantes (1988), Francis Mankiewicz

Jésus de Montréal (1989), Denys Arcand

La Grenouille et la Baleine (1989), Jean-Claude Lord

Au chic resto pop (1990), Tahani Rached

La Liberté d'une statue (1990), Olivier Asselin

Les Noces de papier (1990), Michel Brault

Une histoire inventée (1990), Marc-André Forcier

Léolo (1992), Jean-Claude Lauzon

Eldorado (1995), Charles Binamé

Le Confessional (1995), Robert Lepage

Thirty-two short films about Glenn Gould (1995), François Girard

Les Boys (1997), Louis Saia

Le Violon rouge (1999), François Girard

Maelstrom (2000), Denis Villeneuve

Retrouver le Québec en France

LIBRAIRIES

Librairie du Québec – 30 r. Gay-Lussac, 75005 Paris - ℘ 01 43 54 49 02 - www.librairieduquebec.fr. Édition québécoise et canadienne francophone : littérature, histoire, tourisme, livres pour enfants, psychologie, sciences humaines et sociales, sciences et techniques. Disques, journaux et magazines. Des rencontres avec des écrivains sont organisées périodiquement certains jeudis soir. Se renseigner sur place.

The Abbey Bookshop – 29 r. de la Parcheminerie, 75005 Paris - ℘ 01 46 33 16 24. La librairie canadienne de Paris. Un endroit plein de charme. Livres sur le Canada, en anglais et en français.

Îles de la Madeleine.

NATURE

Presque trois fois plus grand que la France et légèrement plus vaste que l'Alaska, le Québec représente – avec une superficie de 1 540 680 km² – environ 15 % du territoire canadien. Cette immense province, qui atteint 1 500 km d'est en ouest et 2 000 km du nord au sud, permet la coexistence d'une multitude de formes et de climats, sans parler d'une faune et d'une flore très caractéristiques.

S. Deschênes / www.tourismeduplessis.com

Vue sur le lac Walker.

Grandes régions naturelles

De la toundra nordique aux espaces émaillés de lacs du Bouclier canadien, des terrasses cultivées des montagnes appalachiennes aux basses terres du Saint-Laurent, où se concentre la majorité de la population, le Québec recèle une gamme étonnante de paysages !

LE BOUCLIER CANADIEN

Élément dominant de la charpente physique du Canada, le Bouclier couvre 80 % de la superficie provinciale. Les roches de granit et de gneiss de cette immense région forment le soubassement d'une très ancienne chaîne de montagnes qui, pendant des milliards d'années, fut soumise à un constant travail d'érosion. Durant l'ère paléozoïque, presque toute la surface du Bouclier était recouverte d'eau peu profonde et ensevelie sous d'épaisses couches de sédiments marins. Cette étendue, plutôt plate et monotone, atteint à peine 600 m au-dessus du niveau de la mer. Les paysages du Bouclier se composent essentiellement de plateaux étendus, interrompus çà et là par quelques massifs montagneux. Sur les bords, on trouve cependant des terrains profondément entaillés par des rivières s'écoulant en direction des basses terres environnantes.

Les plateaux nordiques

À la fin de la dernière glaciation, il y a environ 6 000 ans, seule cette région – célèbre pour ses nombreux lacs – était encore prise par les glaces. La moitié sud du plateau est dominée par le massif des monts Otish, dont les sommets dépassent 1 000 m d'altitude. Au sud-est, le réservoir Manicouagan comble aujourd'hui le cratère formé par l'impact d'un météore. Phénomène assez remarquable à cette latitude, les précipitations annuelles atteignent, grâce aux vents d'ouest venus de la baie d'Hudson, une hauteur de plus d'un mètre, dont presque la moitié en neige.

Les imposants monts Torngat, dont le mont Iberville (1 622 m) est le point culminant du Québec, séparent la baie d'Ungava de la mer du Labrador.

L'Abitibi-Témiscamingue

Cette région du Bouclier s'étire le long de la frontière avec l'Ontario, entre la rivière des Outaouais et la plaine d'Eastmain, au sud de la baie James. Plus au sud, la boucle de la rivière des Outaouais délimite la région de Témiscamingue, connue pour ses fermes laitières nichées au cœur de collines couvertes d'épinettes.

Les Laurentides

Contemplée d'un point suffisamment élevé, cette véritable mer de crêtes arrondies paraît relativement élevée (600 à 800 m). De l'autre côté du fjord du Saguenay s'étend la Côte-Nord, rive peu peuplée du golfe du Saint-Laurent. Déployée sur plus de 1 000 km, cette plaine côtière battue par les vents gît face à l'escarpement laurentien, à travers lequel de puissantes rivières ont creusé d'étroites vallées jonchées de rocs.

Le Saguenay – Lac-Saint-Jean

Véritable oasis au sein du Bouclier, la cuvette contenant le lac Saint-Jean – qui s'écoule, par l'intermédiaire du Saguenay, dans l'estuaire du Saint-Laurent – possède de vastes étendues fertiles et bénéficie d'un été relativement chaud (même si, comparativement aux régions côtières du sud, il est plus court) ainsi que d'un fort potentiel hydro-électrique, nourri par la présence de nombreuses rivières.

Les à-pic rocheux du cap Éternité et du cap Trinité s'élancent, telles les parois d'un canyon, à plusieurs centaines de mètres au-dessus de la surface de l'eau.

LA PLAINE DU SAINT-LAURENT

Située entre le Bouclier canadien au nord et les Appalaches au sud-est, la plaine du Saint-Laurent épouse la forme d'un triangle, avec la ville de Québec à son sommet. Comme elle s'élève progressivement vers le nord-est, les terres situées aux environs de Montréal (dont l'altitude dépasse rarement 70 m) sont plus basses que celles de la région de Québec (100 m au-dessus du niveau de la mer).

À l'est, entre Montréal et les premières arêtes des Appalaches, un chapelet de buttes massives et isolées, les **collines Montérégiennes**, domine un paysage uniformément plat.

Grâce à un sol fertile et un climat modéré, les basses terres bénéficient d'une réputation agricole bien méritée.

LES APPALACHES

Séparées de la plaine du Saint-Laurent par la **faille Champlain**, les Appalaches courent vers le nord-est, le long de la frontière américaine, du Vermont et du New Hampshire à la province du Nouveau-Brunswick. Les hauteurs sont couvertes de forêts d'arbres feuillus, tandis que les plus grandes vallées se prêtent à une agriculture mixte. Vers le nord-est et la péninsule gaspésienne, les forêts de conifères prédominent et l'agriculture se fait plus marginale.

Les Cantons de l'Est et la Beauce

Il s'agit là des deux régions les plus peuplées du Québec appalachien. Les Cantons de l'Est occupent la portion sud-ouest, comprise entre la frontière américaine et le bassin de la Chaudière. La Beauce s'étend de part et d'autre de cette rivière. Vergers, vignobles, pâturages et fermes laitières caractérisent la partie ouest du pays beauceron, le reste de la région étant dominé par une forte concentration d'érablières.

Les paysages estriens ressemblent à ceux du nord de la Nouvelle-Angleterre. En passant la frontière, les Green Mountains du Vermont se prolongent vers les monts Sutton, eux-mêmes suivis des basses collines du bassin de la rivière Bécancour, près de Thetford Mines.

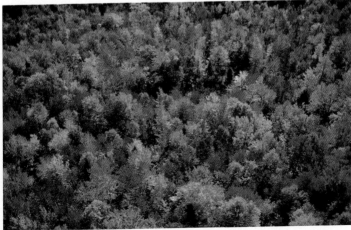

J. Du Boisberranger / hemis.fr

L'été indien dans la région de Charlevoix.

LE RELIEF

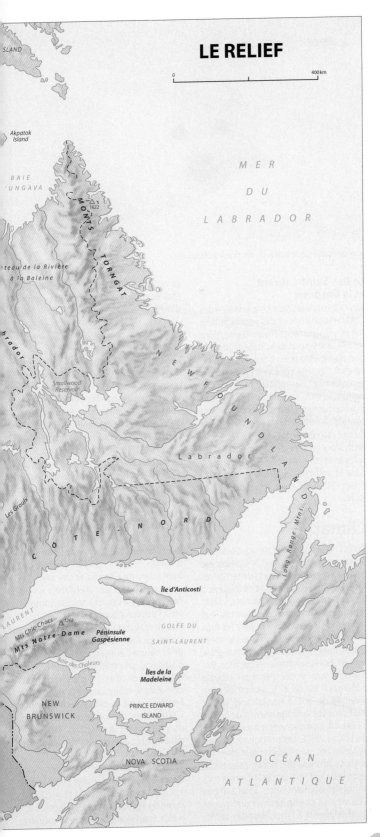

0   400 km

SLAND

Akpatok Island

MER

DU

LABRADOR

BAIE D'UNGAVA

MONTS TORNGAT

△ 1622

teau de la Rivière à la Baleine

brador

Smallwood Reservoir

NEWFOUNDLAN D

Labrador

Les Groulx

C O T E - N O R D

Long Range Mtns.

Île d'Anticosti

LAURENT

Mts Chic-Chocs △ 1268

Mts Notre-Dame **Péninsule Gaspésienne**

GOLFE DU

SAINT-LAURENT

Baie des Chaleurs

Îles de la Madeleine

NEW BRUNSWICK

PRINCE EDWARD ISLAND

NOVA SCOTIA

OCÉAN

ATLANTIQUE

Jeune phoque sur la banquise des îles de la Madeleine.

D.I. Jeske / www.tourismeilesdelamadeleine.com

Le Bas-Saint-Laurent et la Gaspésie

Au nord-est de la Chaudière, la chaîne des Green Mountains et des monts Sutton fait place aux monts Notre-Dame, dont les versants nord descendent jusqu'à une plaine étroite en bordure du Saint-Laurent. Protégée des vents polaires par le renflement des monts Chic-Chocs, la région, autrefois qualifiée de « Québec méditerranéen », est réputée pour son agréable microclimat.

Au sud et à l'est de la Gaspésie, les Appalaches présentent des alignements de schiste et de grès rouge qui forment, dans le golfe du Saint-Laurent, l'île du Prince-Édouard et les îles de la Madeleine.

Climat

Du fait de sa latitude et de sa position en bordure orientale du pays, le Québec est soumis à d'extrêmes écarts de température. Des hivers rigoureux succèdent à des périodes estivales chaudes, caractéristiques d'un climat continental. Plus l'on remonte vers le nord, plus les étés se rafraîchissent et les hivers deviennent glacés, mais l'amplitude thermique entre les variations saisonnières persiste. Par exemple, la moyenne thermique estivale à Montréal est de 22°C, et la moyenne hivernale de - 9°C. À Kuujjuarapik, village inuit situé sur le rivage oriental de la baie d'Hudson, les moyennes respectives sont de 11°C et - 23°C. Les précipitations sont abondantes, particulièrement dans les régions voisines de l'océan Atlantique et de la baie d'Hudson, et les moyennes annuelles oscillent entre 35 et 110 cm. Ces mêmes précipitations diminuent généralement à l'intérieur des terres et vers le nord, et sont équitablement étalées entre les pluies d'été et les neiges d'hiver.

Faune

Le territoire québécois, bien qu'immense, possède une faune relativement restreinte, dont la diversité diminue au fur et à mesure que l'on remonte vers le nord. On dénombre tout de même plus de 50 espèces de mammifères, 350 espèces d'oiseaux (dont 5 à 7 % hivernent sur place) et 120 espèces de poissons.

La partie sud du Québec est le terrain de prédilection des chasseurs. Dans les réserves fauniques abondent toutes sortes d'animaux : orignal, caribou, cerf de Virginie, ours noir, mais aussi oiseaux de proie (buse à queue rousse, faucon émerillon, crécerelle et grand-duc d'Amérique). La province se situe par ailleurs sur la route migratoire des bernaches du Canada et des oies des neiges, et beaucoup d'endroits sur les rives du Saint-Laurent sont renommés pour l'observation des oiseaux.

Plus au nord, la taïga abrite d'importants troupeaux de **caribous**, comme celui de la rivière Georges, au sud de la baie d'Ungava, qui compte à lui seul plus de 300 000 individus. Le plus important demeure le troupeau de la rivière aux Feuilles, estimé au dernier recensement à 628 000 têtes. Une partie de sa migration, et notamment la mise bas, s'effectue dans le parc national des Pingualuit, dans le Nunavik, au nord du Québec.

La région est ponctuée d'une myriade de lacs et de cours d'eau riches en saumons, éperlans, brochets, truites et perches. Parmi les espèces animales adaptées aux rudes conditions de vie de la toundra, on trouve le lièvre arctique, le renard et l'ours polaire, ainsi que le faucon gerfaut et le harfang des neiges. Beaucoup de **mammifères marins** (phoque, béluga, rorqual à bosse, rorqual commun et petit rorqual) fréquentent les eaux du Saint-Laurent lors des périodes migratoires. L'observation des **baleines** est d'ailleurs populaire au Québec, surtout sur les rivages de la Côte-Nord et dans la région du Saguenay (*Côte Nord, Fjord du Saguenay, Saguenay*).

Flore

La latitude est un facteur important dans la répartition de la couverture végétale, puisqu'elle détermine la durée et la température moyenne de la saison de croissance. Ainsi, dans le nord de la province, la période durant laquelle les conditions météorologiques se prêtent à la croissance des plantes est inférieure à 40 jours, alors qu'elle dure 180 jours dans la région de Montréal. L'altitude par rapport au niveau de la mer, la proximité de l'Océan et les microclimats créés par des reliefs particuliers (comme la cuvette du lac Saint-Jean) sont autant de facteurs susceptibles de modifier le schéma latitudinaire de la couverture végétale.

La **forêt à feuilles caduques**, essentiellement présente dans la partie sud du Québec, est dominée par toutes sortes d'érables, mais elle comprend aussi d'autres feuillus à bois durs, tels que le hêtre, le caryer, le tilleul d'Amérique, le frêne et le chêne. Répandue des Laurentides méridionales aux régions côtières de la Gaspésie, cette forêt compte de plus en plus de sapins baumiers et de bouleaux blancs ou jaunes au fur et à mesure que l'on remonte vers le nord ou que l'on prend de l'altitude.

Couvrant les vastes régions d'Abitibi, du Saguenay – Lac-Saint-Jean et de la Côte-Nord, l'épaisse **forêt boréale** est dominée par des conifères aux troncs droits et élancés. Répartis en masses homogènes, ces arbres aux bois tendres sont adaptés aux saisons de croissance plus courtes. Parmi les espèces communément observées, on notera le sapin, le bouleau blanc, l'épinette noire ou encore le pin de Banks. Afin de protéger cette précieuse ressource naturelle, le gouvernement a lancé, en 1984, un ambitieux programme visant à replanter 36 millions d'arbres par an.

Plus au nord commence la **taïga**, vaste formation végétale soumise au climat subarctique et composée d'espèces à bois tendre. Des bouquets d'épinettes noires, de bouleaux blancs ou de mélèzes laricins font peu à peu place à une végétation rampante de lichens et de mousses arctiques. Deux facteurs restreignent la croissance et la reproduction des arbres : la moyenne très basse des températures estivales et le manque d'eau. Le dégel de l'été n'est que superficiel, car en profondeur, le sol reste gelé en permanence : c'est le **pergélisol**, caractéristique des espaces nordiques.

La **toundra** est la zone de végétation située la plus au nord. Épars entre des affleurements de lits pierreux et des éclats de roches, un fin tapis de mousses, de lichens, de graminées et d'herbes s'accroche au sol. Quelques rares arbrisseaux (saules ou bouleaux) arrivent à survivre dans des endroits abrités des éléments, mais de façon générale, le manque d'humidité et les étés trop courts et trop froids ne permettent pas la croissance des arbres. Ici, le sol – gelé en permanence – empêche l'infiltration des maigres précipitations, ce qui provoque à la surface du sol une couche mal drainée : le « muskeg ». Durant les quelques longs jours d'été, la toundra herbeuse, bouclant son cycle annuel de floraison, explose en une myriade de couleurs intenses.

Le bouleau jaune

Depuis 1993, le bouleau jaune, ou *Betula alleghaniensis Britton*, constitue l'emblème du Québec. Connu aussi sous le nom de merisier, il fait figure de symbole économique, social et culturel.

Économique car, utilisé en ébénisterie et pour le revêtement, il possède une haute valeur commerciale. Et les forêts méridionales québécoises comptent parmi les plus importantes concentrations de merisiers au monde. D'une hauteur moyenne de 28 m, les troncs atteignent généralement 70 cm de diamètre.

Lors des premières colonies déjà, ce bois était exploité : de là vient sa valeur sociale et culturelle. Car depuis cette époque où les hommes ont commencé à le sculpter pour en faire des meubles et divers objets du quotidien (commodes, bols, vases…), le savoir-faire s'est transmis, de génération en génération. Aujourd'hui encore, la tradition perdure *(voir le carnet pratique de Québec)*.

HISTOIRE

C'est dans l'histoire de la Nouvelle-France, province créée près d'un siècle après l'exploration du Saint-Laurent par Jacques Cartier (16e s.), que le Québec d'aujourd'hui trouve, pour bonne part, ses racines. La colonie française a alors supplanté le peuplement amérindien, puis cohabité non sans heurts avec les Anglais avant d'être cédée à l'empire britannique, en 1763. Depuis, la Belle-Province francophone revendique et cultive son particularisme.

Bataille des plaines d'Abraham.

Période pré-coloniale

REPÈRES CHRONOLOGIQUES

Av. J.-C.

- **v. 20000-15000** – Premières migrations humaines de l'Asie vers le continent nord-américain.
- **v. 5000-1000** – Les chasseurs nomades de la culture archaïque occupent le territoire.
- **v. 1000** – Développement de la culture sylvicole : recours à des produits alimentaires cultivés, utilisation de la céramique et sédentarisation progressive.

Apr. J.-C.

- **v. 1000** – Séjours des Vikings sur la côte orientale du Canada (Terre-Neuve).
- **v. 1100** – Les Thulés, ancêtres des Inuits d'aujourd'hui, pénètrent dans la péninsule d'Ungava.
- **1492** – Christophe Colomb « découvre » l'Amérique.

APERÇU HISTORIQUE

Les toutes premières migrations humaines de l'Asie vers le continent américain s'effectuèrent par vagues successives, il y a quelque 15 000 ans, peut-être même plus, lorsque des peuplades venues de Mongolie et des steppes sibériennes franchirent le détroit de Béring alors émergé, ouvrant ainsi la voie au peuplement humain.

Deux grandes cultures marquèrent la longue période séparant l'arrivée des premiers occupants du Canada de celle des Européens. La première, dite « archaïque » (5000-1000 av. J.-C.), se composait de nomades vivant des produits de la cueillette et de la chasse. Durant la seconde, dite « sylvicole » (1000 av. J.-C.-1500 apr. J.-C.), le nomadisme s'infléchit au profit d'une sédentarité caractérisée par la fabrication de poteries et le développement de l'agriculture. On estime que les populations autochtones d'Amérique du Nord s'élevaient à plus de trois millions de personnes avant l'arrivée des Européens.

Après les brefs séjours des Vikings, vers l'an 1000, sur les côtes de Terre-Neuve *(voir le guide Canada)*, l'Europe oublia semble-t-il pendant plusieurs siècles l'existence du continent américain, à l'exception des Basques et des Anglais qui fréquentaient déjà les eaux poissonneuses de l'Atlantique Nord. Au 16e s., les tribus indigènes du Québec entrèrent ainsi en contact avec des pêcheurs de morue venus s'aventurer sur le Saint-Laurent, au-delà des riches bancs de Terre-Neuve. L'arrivée des missionnaires et trappeurs modifia profondément leur mode de vie. Bénéficiant déjà d'un système très complexe de croyances et de coutumes, ces tribus résistèrent aux tentatives de l'Église qui entendait les convertir à la foi catholique, comme en témoignent les célèbres *Relations*, écrits historiques décrivant l'œuvre des missionnaires jésuites en Nouvelle-France. Le bouleversement des alliances politiques et des réseaux d'échange traditionnels, les guerres meurtrières, les maladies endémiques venues d'Europe et les effets dévastateurs d'une ardente colonisation eurent toutefois raison des Premières Nations d'Amérique du Nord.

Nouvelle-France

REPÈRES CHRONOLOGIQUES

1534 - **Jacques Cartier** prend possession du Canada au nom de François Ier.

1534-1608 – Les Hurons et les Algonquins chassent les Iroquois de la vallée du Saint-Laurent.

1535 – Second voyage de Cartier, qui remonte le Saint-Laurent jusqu'à Hochelaga, site actuel de Montréal.

1608 – Fondation de la ville de **Québec** par **Samuel de Champlain**.

1609-1633 – Alliance des Hurons et des Français contre les Iroquois.

1610 – Alors qu'il cherchait la route des Indes par l'ouest, l'Anglais **Henry Hudson** découvre le détroit et la baie qui porteront son nom.

1627 – Fondation de la Compagnie des Cent-Associés.

1642 – Fondation de Ville-Marie, aujourd'hui **Montréal**, par **Maisonneuve**. Début des **guerres iroquoises**.

1648-1649 – Destruction de la Huronie par les Iroquois qui reprennent le contrôle de la vallée du Saint-Laurent.

1670 – Fondation de la **Compagnie de la Baie d'Hudson**.

1673 – Exploration du Mississippi par le père Marquette et Louis Jolliet.

1701 – Paix de Montréal : fin des guerres iroquoises.

v. 1730-1750 – La famille La Vérendrye explore l'Ouest canadien.

1744 – Pierre-François-Xavier de Charlevoix publie sa célèbre *Histoire et description générale de la Nouvelle-France*.

1755 – Déportation des Acadiens.

1756-1763 – Guerre de Sept Ans opposant la France, l'Autriche, la Russie et l'Espagne à la Grande-Bretagne et à la Prusse.

1759 – Défaite française à la **bataille des plaines d'Abraham**. Reddition de Québec aux Anglais.

1760 – Capitulation de Montréal.

1763 – Le **traité de Paris** cède la Nouvelle-France à l'Angleterre.

APERÇU HISTORIQUE

Fourrures et guerres iroquoises

Au 15e s., l'espoir de découvrir la fameuse « route des Indes » lança à l'assaut des océans bien des explorateurs, parmi lesquels Christophe Colomb qui, en 1492, prit possession de l'île de San Salvador au nom de la Couronne espagnole. La présence coloniale française en Amérique du Nord débuta avec les expéditions de **Jacques Cartier** (1491-1557), échelonnées de 1534 à 1542, mais ne s'affirma réellement qu'avec la fondation de la ville de Québec par **Samuel de Champlain** (v. 1570-1636) en 1608. La **traite des fourrures** devait jouer un rôle décisif dans l'histoire du Québec en poussant les Européens, attirés par le lucratif commerce des peaux, à explorer le continent à la recherche des fourrures de castor et de vison.

Au début du 17e s., l'administration et le développement de la colonie furent confiés à des compagnies comme celle des Cent-Associés (1627), composée de marchands et d'aristocrates soucieux de tirer bénéfice du Nouveau Monde et de ses fabuleuses richesses naturelles. Néanmoins, le peuplement ne se faisait que lentement : environ 3 000 habitants en 1663, dont moins de la moitié nés sur place. L'évangélisation des populations autochtones par les jésuites eut peu de succès, et le commerce des fourrures fut marqué par les terribles **guerres iroquoises**. Champlain s'était en effet attiré la haine implacable des Iroquois, partenaires commerciaux des Anglais. Entre 1627 et 1701, cette nation attaqua régulièrement les tribus amérindiennes de langue algonquienne (Hurons, Montagnais, Algonquins) qui s'étaient rangées du côté français. En 1642, la France riposta en construisant des forts et en fournissant des armes à ses alliés. Pourtant, les attaques continuèrent jusqu'en 1701, époque à laquelle les Iroquois signèrent la Paix de Montréal qui établissait leur neutralité.

Une colonie royale (1663-1763)

Sous le règne de Louis XIV (1643-1715), l'administration de la colonie se calquait sur celle des autres colonies françaises : un gouverneur, responsable des affaires militaires et extérieures ; un intendant, chargé de la justice et des finances ; des propriétaires terriens ou seigneurs ayant plusieurs fonctions administratives. Le seigneur rendait aussi la justice, construisait les moulins, percevait des redevances (cens, rente, banalités) et, le cas échéant, levait des corvées.

Les seigneurs-administrateurs, les militaires et les communautés religieuses concédaient des parcelles de terre à des censitaires selon un mode de distribution et d'occupation appelé le **système seigneurial**. Dispersées en « rangs », les exploitations agricoles ainsi créées formaient un sage alignement de longues bandes parallèles, perpendiculaires à un cours d'eau ou à une route. À l'époque, les paysans représentaient 80 % de la population qui passa de 20 000 habitants au début du 18ᵉ s. à environ 70 000 habitants vers 1760.

Aux 17ᵉ et 18ᵉ s., dans une véritable épopée, les explorateurs poussèrent plus loin les frontières géographiques de la Nouvelle-France et traversèrent une bonne partie du continent. Entre les années 1730 et 1740, les La Vérendrye se rendirent par exemple dans les régions du Manitoba, de la Saskatchewan, du Wyoming et du Dakota, et furent les premiers Européens à contempler les Rocheuses dans le Montana d'aujourd'hui, ouvrant ainsi la voie à de nombreux successeurs.

Les candidats au départ

En 1627, la Nouvelle-France ne compte que 240 habitants, et 2 500 en 1663. Les migrants préfèrent à cette époque embarquer pour les Indes occidentales (Antilles), réputées plus faciles à vivre. On constate néanmoins une augmentation sensible du peuplement grâce à l'implication de l'État qui envoie, en 1665, un régiment d'environ 1 200 hommes, le Carignan-Salières, et oblige les navires marchands à transporter des colons. Au total, entre 10 000 et 14 000 Français traverseront l'Atlantique vers le Canada aux 17ᵉ et 18ᵉ s.

Ces migrants viennent de toutes les régions de France, et de tous les horizons sociaux, avec toutefois des dominantes. 14,5 % d'entre eux arrivent de Normandie, presque autant de l'Île-de-France, 9,8 % du Poitou, 8,9 % de l'Aunis, 6 % de Bretagne, 5,3 % de la Saintonge… Si le Perche n'a fourni que 250 membres, ils ont été parmi les premiers à faire souche, d'où des liens encore très étroits qui unissent le Québec à cette région française (*création en 2006 de la maison de l'émigration française au Canada à Tourouvre, en France*).

Ces colons étaient pour la plupart artisans et pour un bon quart, paysans. Le reste de la société se répartissait entre les manœuvres (14 %), les bourgeois (12 %), les nobles (3 %) et le clergé (3,7 %). La grande majorité était célibataire, jeune (entre 15 et 29 ans) et masculine. D'où l'envoi, entre 1665 et 1673, de 900 « filles du Roy », des jeunes orphelines élevées par des religieuses aux frais du roi dans les grands couvents et les maisons d'éducation de Paris, Dieppe, Honfleur et La Rochelle (ces ports assuraient les liaisons avec les colonies). La natalité a ainsi contribué à augmenter les chiffres du peuplement et à attacher les hommes au territoire.

En 1763, c'est donc une société à part entière, parfaitement cohérente et profondément attachée à ses racines françaises, qui intègre l'empire britannique. Son identité catholique la distingue aussi des autres Nord-Américains (un décret de 1668 avait interdit l'immigration des huguenots vers l'Amérique française).

La Conquête anglaise

L'ancienne rivalité franco-anglaise, aggravée par les conflits d'intérêt résultant de la traite des fourrures, aboutit à de nombreuses guerres entre la Nouvelle-France et les colonies britanniques, puis à la prise de Québec (1629). En 1632, par le traité de Saint-Germain, la ville revint aux Français. Le traité d'Utrecht (1713) apporta une paix temporaire ; celle-ci ne dura que jusqu'à la guerre de Sept Ans (1756-1763) qui opposait, en Europe et dans les colonies, l'Autriche, la Russie, la France et l'Espagne à la Grande-Bretagne et à la Prusse. Le 13 septembre 1759, les troupes du général Wolfe défirent celles du marquis de Montcalm à la célèbre bataille des plaines d'Abraham, marquant la fin de la colonie française. Le 8 septembre 1760, la ville de Montréal tomba à son tour aux mains des Anglais. En 1763, le traité de Paris cédait la Nouvelle-France à la puissance britannique.

Régime anglais

REPÈRES CHRONOLOGIQUES

1774 – L'**acte de Québec** organise la nouvelle colonie anglaise. Il reconnaît les lois civiles françaises et garantit aux Canadiens le libre exercice de leur religion.

1775-1783 – Guerre d'Indépendance américaine. L'armée américaine prend Montréal (1775 et 1776), mais échoue devant Québec (1776).

1783 – Reconnaissance de l'indépendance des États-Unis par la Grande-Bretagne. Arrivée des premiers loyalistes (fidèles à la Couronne britannique) au Canada.

1789 – Révolution française et diffusion de nouvelles idées. Après la mort de Louis XVI, retournement contre-révolutionnaire.

1791 – L'**Acte constitutionnel** crée le Haut-Canada (Ontario) et le Bas-Canada (Québec), et octroie à chacun une Chambre d'assemblée.

1806 – Fondation du *Canadien*, premier quotidien francophone, à Montréal.

1812-1814 – Guerre anglo-américaine. Défaite américaine à la bataille de la Châteauguay.

1837-1838 – **Rébellion des Patriotes**. Suspension de la Constitution de 1791.

1841 – L'**Acte d'Union** crée le Canada-Uni.

1845-1848 – François-Xavier Garneau publie son *Histoire du Canada*. Arrivée d'un important contingent d'immigrants irlandais.

1852 – Fondation de l'Université Laval, première institution francophone d'enseignement supérieur en Amérique du Nord.

1854 – Abolition du régime seigneurial.

APERÇU HISTORIQUE

L'ère des constitutions (1760-1791)

La conquête militaire mettait en présence des Français catholiques, sujets d'une monarchie absolue, et des Anglais protestants, sujets d'une monarchie constitutionnelle. La loi constitutionnelle de 1774 (connue sous le nom d'acte de Québec) reconnut à la majorité francophone le droit de maintenir son système seigneurial, les lois civiles françaises et le libre exercice de la religion catholique. La fin du 18e s. fut « l'ère des constitutions » : les habitants des 13 colonies américaines gagnèrent leur indépendance vis-à-vis de l'Angleterre en 1776, invitant vainement les Canadiens à se joindre à eux lors d'une invasion qui échoua finalement devant Québec. Des loyalistes, Américains fidèles à la Couronne britannique, vinrent en partie se réfugier dans les Cantons de l'Est. Le Québec se montra favorable à la Révolution française de 1789 jusqu'au régicide de Louis XVI en 1793.

Les autorités britanniques coloniales voyaient d'un mauvais œil l'abolition de la monarchie et de son symbole royal, tandis que l'Église catholique romaine, constatant le renversement de l'autorité royale et ecclésiastique, alimentait un courant contre-révolutionnaire par des gazettes et des sermons. Malgré ces tentatives, qui visaient à maintenir le *statu quo*, une bourgeoisie aux idées libérales commença à voir le jour. En 1791, le Parlement britannique donna une nouvelle constitution à ses colonies d'Amérique du Nord. Le Québec, ou Bas-Canada, et l'Ontario, ou Haut-Canada, se virent chacun octroyer une Assemblée législative. Le Québec fit ainsi sa première expérience d'une démocratie parlementaire.

Des luttes constitutionnelles aux luttes insurrectionnelles (1791-1840)

Dès le début du 19e s., les Canadiens français, qui s'étaient rapidement familiarisés avec les institutions britanniques, obtinrent la majorité à la Chambre, et tentèrent ainsi de faire valoir leurs aspirations et leurs revendications. Le Parti patriote, connu sous le nom de « Parti canadien » jusqu'en 1826, était dirigé par **Louis-Joseph Papineau** (1786-1871). Il fut vite confronté à l'autorité d'un gouverneur anglais et d'un Conseil législatif qui rejetaient souvent les lois présentées à la Chambre par les représentants du peuple.

L'impasse constitutionnelle et la politique coloniale des Anglais, doublées d'une crise sociale généralisée et de l'exaspération nationaliste des Canadiens français, menèrent en 1837 et 1838 à la **Rébellion des Patriotes**. Ces insurrections, qui touchèrent particulièrement la région de Montréal, étaient suscitées par un profond sens démocratique, mais aussi par un sentiment anti-anglais et anti-colonial et par le désir de se libérer du pouvoir seigneurial et ecclésiastique. À la suite de l'échec de ces rébellions, le gouverneur général Lord Durham fut chargé d'enquêter sur les causes de ces troubles. En 1839, pour tenter de rétablir l'harmonie au sein des colonies et d'en favoriser l'essor, il proposa, dans son fameux *Rapport sur les affaires de l'Amérique septentrionale britannique*, l'union des deux Canadas.

L'Acte d'Union (1840-1867)

Passé en 1841, l'Acte d'Union réunit le Bas et le Haut-Canada en une province : le Canada-Uni. À l'époque, la population du Bas-Canada s'élevait à 750 000 habitants (dont 510 000 Canadiens français), celle du Haut-Canada se limitant alors à 480 000 habitants. Le Haut-Canada était beaucoup plus endetté que le Bas-Canada. Pourtant, la dette publique des deux Canadas fut additionnée, et l'Assemblée législative adopta même la langue anglaise. Au milieu du 19e s., une très forte natalité entraîna plusieurs mouvements migratoires, vers des régions de colonisation comme la Mauricie, le Saguenay-Lac-Saint-Jean et le Bas-Saint-Laurent, et vers les villes industrielles de la Nouvelle-Angleterre.

Affaiblie par un clergé limité et par sa non-reconnaissance légale, l'Église catholique témoigna, de 1763 à 1840, d'un indéfectible loyalisme à l'égard du pouvoir politique britannique, même à l'époque de la Rébellion des Patriotes ; en retour, elle acquit sa reconnaissance légale après 1840 et fut alors autorisée à conserver ses biens. À mesure qu'elle prenait du pouvoir sur la scène politique et se rapprochait du parti de **Louis-Hippolyte Lafontaine** (1807-1864), l'Église s'impliquait davantage en matière d'éducation. Lafontaine, allié aux réformistes du Haut-Canada, obtint pour le pays un « gouvernement responsable », c'est-à-dire aux mains du parti majoritaire au Parlement de la colonie. Un deuxième souffle de libéralisme marqua le début de l'Union après l'échec des insurrections, mais celle-ci s'acheva par la montée d'un conservatisme idéologique et politique. Les crises fréquentes menèrent à un nouveau projet politique, la Confédération, à laquelle les libéraux canadiens français s'opposèrent vainement.

Confédération canadienne

REPÈRES CHRONOLOGIQUES

1867 – L'acte de l'Amérique du Nord britannique crée la **Confédération canadienne** (Ontario, Québec, Nouveau-Brunswick et Nouvelle-Écosse).

1870 – Cession de la Terre de Rupert à la Confédération canadienne.

1892 – Début de la construction du **château Frontenac** à Québec.

1900 – Fondation de la première caisse populaire par A. Desjardins.

1910 – Fondation du quotidien *Le Devoir* par Henri Bourassa.

1912 – Le Canada octroie à la province de Québec une partie de la Terre de Rupert, connue par la suite sous le nom de Nouveau-Québec.

1918 – Obtention du droit de vote des Québécoises aux élections fédérales.

1927 – Après des années de dispute, la frontière territoriale entre le Québec et le Labrador est officiellement fixée, mais le Québec n'en reconnaît pas la légitimité.

APERÇU HISTORIQUE

Entériné par le gouvernement britannique, l'**acte de l'Amérique du Nord britannique** (aujourd'hui connu sous le nom d'acte de Constitution, 1867) établit la Confédération canadienne. Cette nouvelle entité politique comprenait alors le Québec, la Nouvelle-Écosse, le Nouveau-Brunswick et l'Ontario. La **Constitution de 1867** séparait les pouvoirs du gouvernement fédéral et ceux des provinces, confiant notamment à ces dernières la charge de l'éducation. Dans le but de garantir les droits des minorités (protestante au Québec, catholique dans les autres provinces), l'**article 93**, très controversé, prévoyait un système scolaire fondé sur la religion plutôt que la langue. La Constitution lança alors le terme de « Canada français » pour se référer tout d'abord aux francophones du Québec, du Nouveau-Brunswick et de l'Ontario, puis à ceux du Manitoba. Ce fut à cette époque que **Sir Wilfrid Laurier** (1841-1919) devint le premier Canadien français à occuper le poste de Premier ministre (1896-1911) du pays, alors que l'Empire britannique atteignait son apogée. Parmi les autres événements importants du début des années 1900, on notera l'opposition du Québec à la conscription militaire imposée par le gouvernement fédéral, et hors du Québec, la perte progressive des droits scolaires et linguistiques des minorités catholiques francophones.

Un renouveau nationaliste

Cette perte de droits acquis, le débat sur l'autonomie du Canada, ainsi que la menace que faisaient peser sur la langue française le commerce, la publicité et l'industrialisation, engendrèrent un double mouvement nationaliste. Le premier, incarné par **Henri Bourassa** (1868-1952), fondateur du quotidien francophone

Parc Olympique (Montréal).

montréalais *Le Devoir* (créé en 1910), préconisait une plus grande autonomie du Canada au sein de l'Empire britannique et une plus grande autonomie des provinces au sein de la Confédération canadienne. Le second, celui de l'historien **Lionel Groulx** (1878-1967), mettait en avant une idéologie nationaliste basée sur la triple identité des Canadiens français : catholique, francophone et rurale. La campagne de l'abbé Groulx commença au moment où la culture rurale tendait à disparaître, pour s'achever au moment où le catholicisme s'estompait au sein de la société québécoise. La crise de 1929 dura, au Québec, jusque dans les années 1940, où elle devait se conjuguer avec les convulsions de la Seconde Guerre mondiale. Ces deux facteurs concoururent à une série d'interventions économiques et sociales soutenues pour la plupart par le gouvernement fédéral. Alors commença une période de centralisation fédérale à laquelle s'opposa vivement **Maurice Duplessis**, Premier ministre du Québec de 1944 à 1959.

Québec moderne

REPÈRES CHRONOLOGIQUES

1948 – Le Québec adopte son drapeau provincial.

1959 – Ouverture de la **voie maritime du Saint-Laurent**.

1960 – Début de la **Révolution tranquille** sous l'impulsion du Premier ministre Jean Lesage.

1967 – Exposition universelle de Montréal. Publication du rapport de la Commission royale sur le bilinguisme et le biculturalisme au Canada.

1968 – Fondation du Parti québécois.

1969 – Adoption de la loi 63, première loi visant la promotion de la langue française au Québec.

1970 – Crise d'octobre (troubles sociopolitiques liés à la prise d'otages par le Front de libération du Québec) et déclaration des mesures de guerre.

1976 – **Jeux olympiques** d'été de Montréal. Élection du Parti québécois (premier parti nationaliste souverainiste à accéder au pouvoir), avec à sa tête **René Lévesque**.

1977 – Adoption de la **loi 101**.

1980 – Référendum sur la souveraineté du Québec : le « non » obtient 60 % des votes, le « oui », 40 %.

1982 – Rapatriement (de Londres) de la Constitution canadienne de 1867. Le Québec est la seule province canadienne à ne pas signer l'**acte de Constitution, 1982**.

1985 – Le Vieux-Québec devient le premier centre urbain nord-américain à être inscrit sur la prestigieuse Liste du patrimoine mondial de l'Unesco.

1987-1990 – Échec des **accords du lac Meech** : la proposition d'attribution d'un statut distinct pour le Québec n'obtient pas l'unanimité des provinces canadiennes. Conséquence : le Québec maintient son refus d'adhérer à la Constitution de 1982.

1988 – Création officielle du **Nunavik**, patrie des Inuits à l'extrême nord de la province.

1990 – Crise amérindienne d'Oka.

1992 – Échec du référendum national sur l'attribution d'un statut spécial pour le Québec. Montréal fête le 350e anniversaire de sa fondation.

1993 – Le Bloc québécois devient l'opposition officielle à la Chambre des communes. La loi 86 assure la prédominance du français dans l'affichage bilingue.

1994 – Élection du Parti québécois, avec à sa tête Jacques Parizeau, qui sera remplacé par Lucien Bouchard en janvier 1996.

1995 – Référendum sur la souveraineté du Québec : le « non » obtient cette fois 50,6 % des votes, le « oui », 49,4 %.

1996 – De violentes inondations dévastent la région du Saguenay.

1998 – Une tempête de verglas sans précédent s'abat sur le sud-ouest du Québec, ravageant le réseau hydroélectrique et plongeant des millions de personnes dans le noir.

B. Desjardins /

2000 – Montréal devient le siège de la première filiale du NASDAQ (Bourse américaine des valeurs technologiques), installée au Canada.

2003 – Retour du parti libéral au pouvoir, sous la houlette de Jean Charest.

2007 – Fin de l'alternance libéraux-péquistes à la Chambre avec l'arrivée dans l'opposition officielle de l'Action démocratique du Québec. Pauline Marois devient la première femme élue à la tête du Parti québécois. La Chambre des communes du Canada reconnaît le Québec comme nation.

2008 – Québec fête le 400ᵉ anniversaire de sa fondation.

APERÇU HISTORIQUE

La Révolution tranquille

Les changements socio-économiques qui caractérisèrent le début des années 1960 parurent d'autant plus radicaux qu'ils contrastaient avec le conservatisme social et idéologique des gouvernements successifs de M. Duplessis. Parmi les événements qui allaient mener à la Révolution tranquille, on retiendra la prospérité économique engendrée par l'essor minier de la Côte-Nord, l'entrée des Québécois dans la société de consommation et le durcissement du mouvement ouvrier.

Le gouvernement du Québec lança, dans les années 1960, une série de mesures économiques et sociales. En 1962, il nationalisa l'industrie hydro-électrique en créant Hydro-Québec. En 1965, il instaura la Caisse de dépôt et placement afin de gérer les actifs d'un nouveau régime de retraite, et vint en aide à l'entreprise québécoise francophone. Il intervint également au plan social en prenant en mains la gestion des domaines de la santé et des services sociaux. Au plan culturel, il prit le contrôle de l'instruction publique, créant de surcroît un ministère des Affaires culturelles (1961).

Un État souverain ?

Cette croissance du rôle de l'État se fit parallèlement à la montée du courant nationaliste. La souveraineté du Québec allait bientôt être au cœur d'un brûlant débat entre les tenants du fédéralisme, personnifié par **Pierre Elliott Trudeau**, Premier ministre du Canada de 1968 à 1979 et de 1980 à 1984, et les partisans de la souveraineté, incarnée par **René Lévesque** (1922-1987), chef du Parti québécois et Premier ministre du Québec de 1976 à 1985. Celui-ci transforma ce qui n'avait été jusqu'alors qu'un nationalisme culturel en une véritable idéologie politique. Pourtant, le 20 mai 1980, le Parti québécois perdit le référendum sur l'indépendance, 60 % des habitants se prononçant contre la séparation.

Les tensions entre la province et le gouvernement fédéral atteignirent leur paroxysme lorsque le Québec refusa de signer la **Constitution canadienne de 1982**, assortie d'une charte des Droits et Libertés, principalement parce qu'elle ne prévoyait pas le transfert des pouvoirs législatifs du gouvernement fédéral à celui de la province. Pierre Elliott Trudeau se retira du monde politique en 1984, au moment où le Parti progressiste conservateur de Brian Mulroney, Québécois d'origine, accédait au pouvoir à Ottawa. À son tour, René Lévesque fit ses adieux à la scène politique en 1985. Six mois plus tard, le Parti québécois fut défait par le Parti libéral du Québec, dirigé par Robert Bourassa. Ce dernier annonça qu'il poserait cinq conditions à la signature de la Constitution de 1982.

Les Premiers ministres du Canada et des dix provinces s'entendirent sur ces conditions lors des **accords du lac Meech** (30 avril 1987), qui prévoyaient pour le Québec un statut spécial de « société distincte ». Ces accords, qui devaient être unanimement entérinés par le Parlement fédéral et les Assemblées législatives des dix provinces canadiennes avant le 23 juin 1990, n'aboutirent pas, et l'échec qui s'ensuivit remit en cause l'adhésion du Québec à la Constitution du Canada.

Aucune solution n'est encore venue résoudre cette délicate question, et malgré l'échec, en octobre 1995, du second référendum sur la souveraineté de la province (50,6 % de « non »), l'indépendance du Québec et ses relations avec les autres provinces du Canada continueront vraisemblablement à dominer la scène politique durant les années à venir.

ART ET ARCHITECTURE

Le Québec peut se prévaloir d'un patrimoine unique, fruit des influences françaises et anglo-saxonnes. L'architecture témoigne de manière évidente de ces héritages successifs, parfois syncrétisés. Peintures et sculptures s'inscrivent de même dans les grands mouvements de l'histoire de l'art moderne et contemporain, avec une prédilection longtemps conservée pour l'art religieux. Mais le Québec se reconnaît aussi aujourd'hui une autre source culturelle historique avec l'art amérindien et inuit.

S. Poulin / © Tourisme Montréal

Ancienne gare Viger (Montréal).

Architecture

Influencé tant par la France que l'Angleterre ou les États-Unis, le paysage architectural du Québec constitue un héritage culturel unique en Amérique du Nord.

LE 17ᵉ SIÈCLE

En raison de la nature éphémère des constructions amérindiennes, il ne reste au Québec que très peu de vestiges architecturaux antérieurs aux établissements européens. Les structures les plus anciennes datent par conséquent du milieu du 17ᵉ s. La forme simple de ces bâtiments, construits par des ouvriers et des architectes venus de France, fut influencée par des styles régionaux européens, plus particulièrement bretons et normands. L'administration coloniale, soucieuse de défendre et de protéger les positions stratégiques de Québec, Montréal et Trois-Rivières, encouragea la construction d'enceintes fortifiées. Les bourgs qui se formaient établirent ainsi la trame urbaine qui se développa par la suite. Le vieux magasin à poudre et la redoute du Cap-Diamant, deux bâtiments inscrits dans l'enceinte de la Citadelle de Québec, sont des exemples représentatifs de l'architecture militaire du Régime français. La pénurie d'ouvriers qualifiés généra une architecture domestique aux formes simples et à l'ornementation dépouillée. Construite en pierre et surmontée d'une toiture à forte pente, la maison Jacquet, à Québec, illustre bien cette architecture austère.

Vers la fin du siècle, les premiers architectes français, dont **Claude Baillif** et **François de la Joüe**, introduisirent en milieu urbain une architecture classique plus monumentale. Ils construisirent d'imposants bâtiments administratifs et religieux. Le château Saint-Louis et la cathédrale de Québec figuraient parmi les premiers édifices évoquant la grandeur du règne de Louis XIV en Nouvelle-France. Ces constructions ont malheureusement disparu.

L'arrivée de plusieurs ordres religieux (ursulines, augustines et jésuites) donna naissance à une architecture institutionnelle reflétant l'influence du classicisme français. Les bâtiments les plus notables de cette époque sont le monastère des Ursulines de Québec, dont l'agencement évoque un château du 16ᵉ s., et le Vieux Séminaire de Saint-Sulpice, à Montréal. Ces bâtiments, tout comme beaucoup de maisons bourgeoises de l'époque, furent érigés sur des voûtes de pierre.

LA PREMIÈRE MOITIÉ DU 18ᵉ SIÈCLE

Plusieurs incendies dévastateurs, notamment celui de la Basse-Ville de Québec, poussèrent les administrateurs locaux à créer de nouvelles réglementations visant à « canadianiser » l'architecture. Plus adaptées au contexte climatique nord-américain, ces réglementations donnèrent naissance à une architecture traditionnelle à l'origine de la fameuse « maison québécoise ». De strictes ordonnances imposaient donc l'utilisation de toitures à couverture d'ardoises, de voûtes de pierre, et interdisaient même l'emploi d'ornements de bois, susceptibles de prendre feu en cas d'incendie. La maison du Calvet, construite en 1798 à Montréal, illustre ce type de maison urbaine en pierre de taille, surmontée d'un toit à deux versants, protégée de ses voisines par des murs coupe-feu et dotée de larges souches de cheminée.

La famille Baillairgé

Une importante famille d'architectes, de peintres et de sculpteurs fit son apparition au 18ᵉ s. **Jean Baillairgé** (1726-1805) avait quitté la France pour travailler sur de nouveaux projets canadiens sous la direction de l'ingénieur **Chaussegros de Léry** (1682-1756). Après la Conquête, Baillairgé fut choisi pour participer à la reconstruction de plusieurs bâtiments, dont la cathédrale de Québec.

Son fils **François** (1759-1830) étudia quelque temps à Paris à l'Académie royale de peinture et de sculpture. Il se rendit à Québec et élabora le décor intérieur de la cathédrale et de plusieurs églises de la province. **Thomas** (1791-1859) étudia la sculpture avec son père François. Il dressa non seulement les plans d'une nouvelle cathédrale pour Québec, mais aussi ceux de la plupart des églises québécoises construites entre 1820 et 1850, et développa un style original mêlé d'influences néo-classiques venues d'Angleterre. Très vite reconnu comme l'un des plus grands architectes de son temps, Thomas Baillairgé s'associa à son père pour réaliser, entre 1815 et 1825, le très bel intérieur de l'église de Saint-Joachim. **Charles** (1826-1906), le neveu de Thomas, devint ingénieur de la ville de Québec en 1866. Il fut l'auteur d'édifices monumentaux, dont l'imposant pavillon central de l'Université Laval, et travailla à l'aménagement de parcs, de places et d'escaliers.

Basilique Notre-Dame-de-Québec.

LA FIN DU 18ᵉ SIÈCLE

La Conquête anglaise avait laissé beaucoup de villes et de villages en ruine. Le style traditionnel typique du Régime français réussit tout de même à prévaloir jusque vers 1800, mais l'influence britannique modifia peu à peu le paysage architectural québécois. Le palladianisme anglais *(ci-dessous)* allait en effet définir de nouveaux critères esthétiques. L'architecture domestique emprunta au modèle anglo-saxon de la maison unifamiliale, caractérisée par la présence de cheminées massives s'élevant au-dessus de toits peu pentus à quatre versants. Le développement du commerce et la relative prospérité économique occasionnèrent la création de nouvelles zones urbaines concentrées autour de pôles industriels majeurs tels que Sherbrooke et Saint-Hyacinthe. Des villages comme Chambly, Sorel et Vaudreuil se développèrent en dehors des enceintes fortifiées. Les Anglais introduisirent également un goût nouveau pour la nature et les compositions pittoresques. À partir des années 1780, les rives du Saint-Laurent devinrent ainsi des lieux de villégiature appréciés d'une bourgeoisie aisée.

LE 19ᵉ SIÈCLE

Le **style palladien** continua à dominer l'architecture québécoise durant le premier quart du 19ᵉ s. Avec ses frontons et ses pilastres, ses colonnes doriques et ioniques, ses corniches moulurées et ses chaînages d'angle, ce style – emprunté à l'architecte italien du 16ᵉ s. Andrea Palladio – s'inspirait de l'architecture classique de l'Antiquité. Les façades étaient généralement de pierre taillée à assises régulières. La cathédrale anglicane de la Sainte-Trinité, à Québec, est, par ses lignes sobres et symétriques, une version coloniale du style palladien. Un néo classicisme plus rigoureux apparut vers 1830. Le marché Bonsecours, à Montréal, en est un bon exemple.

Équivalent au Québec du cottage anglais, la **maison québécoise** s'imposa comme un type architectural original à partir des années 1830-1840. Synthèse harmonieuse entre l'héritage français (la maison de l'habitant) et l'influence anglaise (le style néoclassique), ce type d'habitation présentait une silhouette agréable rehaussée d'ornements, et offrait à ses occupants un confort insoupçonné (grandes fenêtres, balcons, pièces de réception, mode de chauffage, etc.).

L'architecture de la seconde moitié du 19e s. subit l'influence de styles très variés. De nombreuses églises furent ainsi érigées dans le **style néogothique**, déjà populaire en France grâce à l'œuvre de l'architecte et restaurateur Viollet-le-Duc. Selon que l'église à construire était catholique ou protestante, le modèle était français ou britannique. L'architecture intérieure de la basilique Notre-Dame de Montréal, réalisée d'après les plans de l'architecte Victor Bourgeau, et celle de l'église Chalmers-Wesley de Québec, due à John Wells, sont représentatives de ce renouveau stylistique.

Le **style néo-Renaissance**, inspiré des palais et villas italiens, fut adopté par la bourgeoisie aisée et employé dans beaucoup d'édifices à caractère commercial. L'hôtel Ritz-Carlton, à Montréal, est caractéristique de ce style, avec ses larges corniches et son ornementation flamboyante.

Le **style Second Empire**, à la mode durant le règne de Napoléon III, fut adopté à partir des années 1870. L'architecte **Eugène-Étienne Taché** (1836-1912), à la recherche d'un modèle architectural distinct pour les édifices gouvernementaux de la nouvelle province de Québec, s'inspira de ce style français pour créer l'Hôtel du Parlement, à Québec. Ce style, reconnaissable à son toit mansardé percé de lucarnes, introduisit également des fenêtres à linteaux cintrés et d'élégantes crêtes faîtières en fer forgé. Partie intégrante du Centre canadien d'architecture, la maison Shaughnessy, à Montréal, en possède les caractéristiques.

Après avoir créé plusieurs édifices de style néogothique, l'architecte **Victor Bourgeau** (1809-1888) se mit à adop-

Architecture de Montréal, dans le carré de Saint-Louis.

ter le **style néobaroque**. Son œuvre majeure, la basilique-cathédrale Marie-Reine-du-Monde, à Montréal, illustre ce style par ses proportions massives, son large dôme et son intérieur très élaboré, orné d'un impressionnant baldaquin doré à l'or fin.

Alors qu'il imposait un style Second Empire à Québec, E.-É. Taché créait plusieurs œuvres dont le style évoquait l'époque de la Nouvelle-France et de ses découvreurs : Cartier et Champlain. Il dessina à cet effet des édifices monumentaux ornés de tours et de tourelles et coiffés de toits coniques et de mâchicoulis. L'exemple le plus connu du **style château** est bien sûr le célèbre château Frontenac, construit en 1892 par l'architecte américain **Bruce Price** (1843-1903).

Autre interprétation de l'architecture médiévale, le **style néoroman** fut, peu avant 1900, principalement utilisé dans la construction des édifices religieux. Caractérisé par des arcs en plein cintre, des contreforts, des colonnes, des arcades, de profondes fenêtres et un appareil de pierres à bossages rustique et sombre, ce style, développé par l'architecte américain H.H. Richardson, trouve toute son expression dans la gare Windsor, à Montréal.

LE 20e SIÈCLE

Au début du siècle, de nombreux architectes partirent puiser de nouvelles sources d'inspiration à l'École des beaux-arts de Paris. Le **style Beaux-Arts**, qui mettait à contribution le vocabulaire classique dans des compositions monumentales, devint le style institutionnel

C. Degrandmaison / © Palais des congrès, janvier 2002

Le Palais des congrès de Montréal.

par excellence sous le gouvernement de Louis-Alexandre Taschereau. Le musée des Beaux-Arts de Montréal, avec son escalier monumental et son portique-colonnade, illustre particulièrement bien cette influence académique basée sur la symétrie et les effets de monumentalité.

Introduit dans la province durant une période de prospérité économique, ce style allait symboliser au Québec le pouvoir et le faste d'une époque. Somptueux hôtel particulier, le château Dufresne, à Montréal, reflète le goût nouveau d'une bourgeoisie opulente pour les élégantes colonnes jumelées, les balustrades ouvragées et les éléments décoratifs les plus raffinés.

La mise au point, aux États-Unis, d'ossatures métalliques adaptées à la construction, annonça l'ère des gratte-ciel et des immeubles de plus de dix étages. Influencées par l'École de Chicago, ces gigantesques structures d'un nouveau genre marquaient une rupture totale avec les courants architecturaux précédents. L'emploi de matériaux nouveaux et le recours à des techniques révolutionnaires permirent aux architectes d'élargir leur champ d'action.

Vint la vogue du **style Art déco** dont l'édifice Price, à Québec, est un exemple éloquent. Né de l'Exposition des Arts décoratifs de Paris en 1925, ce style alors osé était caractérisé par l'emploi d'éléments géométriques, gravés sur des matériaux précieux tels le marbre ou le bronze.

Après une période de récession suivie de la Seconde Guerre mondiale, les années 1950 marquèrent le début d'un renouveau urbanistique et la montée d'une architecture moderniste, développée par Le Corbusier et Gropius. Des lignes simples et fonctionnelles définirent un style épuré qui ne devait rien aux périodes antérieures. L'architecte Mies van der Rohe, partisan du **style International**, fit usage dans ses constructions de murs-rideaux en verre et de métal noir. Le complexe de Westmount Square, à Montréal, porte son empreinte. La place Ville-Marie, construite par l'architecte I.M. Pei, et l'ensemble Habitat'67, dessiné par l'architecte **Moshe Safdie**, illustrent également, à Montréal, le courant moderniste des années 1960-1970. L'architecture ecclésiastique connut elle aussi un nouvel élan grâce à l'œuvre du moine bénédictin **Dom Paul**

Le quartier international de Montréal

Inauguré en 2004, le quartier international de Montréal (secteur compris entre le square Victoria, le Palais des congrès et la rue Mc Gill) offre un visage à la fois futuriste et respectueux de la ville ancienne. Les travaux de réaménagement lancés en 2000 ont abouti à la couverture de l'autoroute Ville-Marie, à l'agrandissement du Palais des congrès et à la création de la place Jean-Paul-Riopelle. Trottoirs et éclairage public ont été revus et modernisés. Le square Victoria a retrouvé ses proportions originales. L'ensemble a gagné plusieurs prix de l'ordre des Architectes du Québec. À son image, les anciens quartiers industriels offrent aujourd'hui de fantastiques terrains d'expérimentation architecturale.

Bellot (1876-1944), qui tirait son inspiration de l'œuvre de Viollet-le-Duc. Ses recherches, basées sur la modernité en architecture religieuse, introduisirent au Québec un style nouveau : le gothique moderne, illustré par l'abbaye de Saint-Benoît-du-Lac et par l'architecture intérieure de l'oratoire Saint-Joseph à Montréal.

Plus récemment, le courant **postmoderne** est venu rompre la monotonie architecturale des années 1960-1970. Des frontons, des arcs en ogive et bien d'autres motifs égayent les édifices et les singularisent dans le paysage urbain. La place de la Cathédrale et la maison Alcan, toutes deux à Montréal, sont d'excellents exemples d'une expression architecturale nouvelle. Situé lui aussi à Montréal, le Centre canadien d'architecture, construit par les architectes **Phyllis Lambert** et **Peter Rose**, est un remarquable édifice contemporain.

QUELQUES TERMES D'ARCHITECTURE

Baldaquin – Ouvrage décoratif d'architecture ou de menuiserie couronnant un autel.

Bas-relief – Ensemble de sculptures en faible saillie sur fond uni.

Bastion – Ouvrage bas et pentagonal faisant avant-corps sur un front fortifié.

Blockhaus – Petit ouvrage militaire défensif.

Charpente – Assemblage d'éléments de bois, de fer ou d'acier constituant l'ossature d'une construction ou supportant le matériau de couverture du toit.

Chœur – Partie de l'église où se trouve le maître-autel.

Console – Pièce en saillie servant de support ou d'ornement à un élément d'architecture (corniche, balcon).

Contrefort – Ouvrage de renforcement épaulant un mur porteur.

Corniche – Ensemble de moulures en saillie couronnant un mur, un entablement de colonne, un piédestal.

Créneaux – Ouvertures rectangulaires successives pratiquées dans un parapet à des fins défensives, ou utilisées comme élément décoratif.

Fronton – Ornement d'architecture de forme généralement triangulaire, surmontant et couronnant une entrée principale, une fenêtre, un haut de façade.

Glacis – Pente douce précédant un ouvrage fortifié.

Lucarne – Petite ouverture pratiquée dans un toit pour éclairer les combles.

Mâchicoulis – Créneaux verticaux au sommet des châteaux ou des portes des villes, d'où l'on jetait des projectiles sur l'ennemi.

Mansarde – Fenêtre percée dans un toit mansardé, c'est-à-dire comportant un comble brisé.

Mur-rideau – Mur de façade non porteur.

Nef – Partie de l'église s'étendant du chœur au portail.

Pinacle – Élément en forme de cône ou de pyramide, couronnant les parties verticales d'un édifice.

Portique – Galerie dont la couverture est soutenue par des colonnes, des arcades ou des piliers.

Redoute – Petit ouvrage extérieur à l'enceinte fortifiée.

Retable – Partie postérieure d'un autel, surmontant la table et présentant généralement une œuvre d'art.

Voûte en berceau – Voûte dont la courbure interne adopte la forme d'un arc de cercle.

Art amérindien

Les nations amérindiennes ont développé, au cours des siècles, une remarquable expression artistique inspirée par leur mode de vie et leurs croyances.

L'ART TRADITIONNEL

Les groupes nomades de langue algonquienne (Abénaquis, Algonquins, Cris, Micmacs, Montagnais-Naskapis) se sont spécialisés dans l'artisanat perlier (os, pierre, coquillage ou graines) et dans la broderie au crin d'orignal ou de caribou, ou aux piquants de porcs-épics. Vestes et mocassins en peau de caribou et objets en écorce de bouleau portaient des motifs géométriques incisés et peints. Le rouge, symbole de la continuité et du renouveau, était la couleur dominante. Les fameuses ceintures de **wampum** (perles faites de coquillages), ornées de motifs illustrant les grands événements dans la vie d'un peuple, s'échangeaient lors de la signature des traités ou des cérémonies de paix.

Peu nombreux au Québec, les groupes quasi sédentaires de langue iroquoise (Hurons, Mohawks, Onondagas, Sénécas) formaient des communautés agricoles semi-permanentes composées de « maisons longues », habitations occupées par plusieurs familles. Cette sédentarité donna naissance à une production artistique libre des contraintes imposées par le nomadisme. Parmi leurs plus belles œuvres, mentionnons d'exquises broderies au crin d'orignal. On reconnaissait surtout aux Huronnes la maîtrise de cet art délicat ; elles utilisaient avec beaucoup d'habileté des techniques dont la complexité n'a jamais été égalée. Sont également remarquables les inquiétants masques de bois médicinaux aux « faux visages ».

L'ART CONTEMPORAIN

L'art amérindien connaît, depuis maintenant plusieurs années, une profonde transformation. Il privilégiait autrefois l'utilisation de matières naturelles telles que les peaux et l'écorce. Aujourd'hui cependant, les artistes font appel à de nouvelles matières (toile, acrylique, fusain), et donc à de nouveaux procédés artistiques, tout en s'inspirant de leur patrimoine socioculturel. On assiste ainsi à l'émergence d'un art autochtone alliant la mémoire du passé à une vision artistique résolument contemporaine.

Art inuit

Les populations des terres arctiques d'Amérique du Nord ont, elles aussi, élaboré une forme d'art qui leur a valu une grande renommée.

LES ORIGINES

Les objets les plus anciens produits par les habitants des régions septentrionales du Québec sont de petits projectiles de pierre attribués aux cultures pré-dorsétiennes et dorsétiennes. C'est ainsi que l'on a retrouvé des pétroglyphes gravés dans le roc des collines de stéatite, à Kangiqsujuaq. Le peuple de Thulé, ancêtre des Inuits actuels, fabriquait des objets plus raffinés, notamment des peignes et des statuettes. Généralement de petite taille, ces objets restaient intimement mêlés aux croyances et aux pratiques religieuses de ce peuple. Au début du 19e s., de nombreuses pièces miniatures sculptées dans la pierre, l'ivoire (défenses de morse) et l'os de baleine furent fabriquées en échange des produits de base (sel, armes) que fournissaient les Européens. Avec le déclin du mode de vie traditionnel qui résulta du contact entre Inuits et populations allochtones, la sculpture et les autres formes d'art

traditionnel perdirent peu à peu de leur signification magique ou religieuse, et devinrent une nouvelle source de revenus pour la population inuit.

L'ART INUIT AU 20e SIÈCLE

Aujourd'hui, l'art inuit évoque avant tout des sculptures façonnées dans la « pierre à savon » ou **stéatite**, une roche tendre, abondante dans les régions septentrionales du Canada. Cependant, d'autres roches plus dures telles que la serpentine verte, l'argilite, la dolomite ou le quartz sont également employées. Les sculptures modernes, qui peuvent atteindre des dimensions impressionnantes, illustrent presque toujours le Grand Nord, sa faune et ses hommes. Parmi les autres formes d'art inuit, il conviendra de mentionner la gravure, la sculpture en bois de caribou, la gravure sur pierre et la tapisserie. Afin d'empêcher l'exploitation des artistes inuits par des revendeurs peu scrupuleux, des **coopératives** locales se sont

R. Corbel / MICHELIN

Sculpture en stéatite

constituées à partir des années 1960. Elles sont, depuis 1967, regroupées sous la tutelle de la Fédération des coopératives du Nouveau-Québec. Les centres artistiques les plus renommés sont les villages de Povungnituk et Inukjuak, en bordure de la baie d'Hudson, et ceux de Salluit et Ivujivik. Trois artistes ont eu une influence marquante sur l'évolution de la sculpture inuit : Joe Talirunili (1893-1976), Davidialuk (1910-1976) et Charlie Sivuarapik (1911-1968). Parmi les grands noms de la relève, citons Joanassie et Peter Ittukalak, de Povungnituk, Eli Elijassiapik, Lukassie Echaluk et Abraham Pov, d'Inukjuak.

⟳ La **collection d'art inuit Brousseau du musée national des Beaux-Arts du Québec** expose des pièces exceptionnelles dont celles de Judas Ullulaq, Toonoo Sharky ou Joanasie Korgak.

Paysage d'automne par Cornelius Krieghoff.

Peinture et sculpture

LES 17e ET 18e SIÈCLES

Sujets religieux et études topographiques constituent deux des caractéristiques les plus originales de l'art québécois aux 17e et 18e s.

L'art religieux

En Nouvelle-France, la religion était le pivot de la vie quotidienne ; aussi chaque village était-il dominé par une petite église, à laquelle on consacrait de grands efforts de décoration. Les toiles arrivaient de France, ce qui explique la production très limitée d'œuvres votives locales. Parmi les exceptions, on notera les tableaux attribués à un célèbre récollet, le frère Luc (1614-1685). Au tout début de la colonisation, autels, retables, baldaquins (dais) et statues étaient, comme les tableaux, envoyés de France. Ces pièces étant toutefois plus difficiles à transporter, on forma petit à petit des artisans au Québec. La sculpture, toujours de bois, était travaillée en relief au canif, puis dorée. Elle s'inspirait du style baroque alors en faveur en France, un style qui dura jusqu'au milieu du 19e s. L'art de la décoration d'église se transmettait de génération en génération, assurant la renommée de certaines familles. Ainsi, dans les années 1650, les frères Jean et Pierre **Levasseur** furent à l'origine d'une véritable lignée de sculpteurs qui se perpétua au 18e s. avec leurs descendants Noël et Pierre-Noël. Les Levasseur sont avant tout reconnus pour leur œuvre d'inspiration religieuse, mais ils sculptèrent aussi de très belles figures de proue et d'autres décorations pour les navires.

Dans les années qui suivirent la Conquête anglaise (1759), très peu fut accompli dans le domaine de l'art religieux ; mais à la fin du 18e s., la construction d'églises reprit à un rythme accéléré. À Québec, c'est à cette époque que la famille **Baillairgé** atteignit une grande renommée. Trois générations, représentées par Jean (1726-1805), François (1759-1830), puis Thomas (1791-1859), perpétuèrent la tradition de la sculpture sur bois. À cette même époque, **Philippe Liébert** (1733-1804) se faisait un nom dans la région de Montréal, notamment en raison de la décoration de l'église du Sault-au-Récollet, qui abrite aussi les sculptures de son disciple, **Louis-Amable Quévillon** (1749-1823). Entrepreneur de sculpture ornementale, Quévillon décora durant le premier quart du 19e s. plusieurs églises du Québec dans un style Louis XV communément appelé « quévillonage », caractérisé par des rinceaux, des arabesques et des voûtes à petits caissons. Les élèves du maître contribuèrent à la diffusion de son art, formant ainsi l'« École de Quévillon ». Avec les années, une nouvelle forme de statuaire religieuse faite de stuc et produite au moule apparut et ruina le marché traditionnellement détenu par les sculpteurs sur bois. Si les artistes se tournèrent peu à peu vers de nouvelles formes d'art, le sculpteur **Louis Jobin** (1845-1928) fit exception. Il réalisa, en 1881, l'impressionnante statue de bois et de métal de **Notre-Dame-du-Saguenay**. Créé en 1912, son *Saint-Georges* équestre, dans l'église de Saint-Georges-de-Beauce, sera la dernière pièce produite par un sculpteur sur bois traditionnel. Toutefois, ce type d'artisanat s'est perpétué dans certains endroits du Québec, notamment à Saint-

Jean-Port-Joli, mais c'est avant tout un art populaire à caractère folklorique, et non plus un art sacré.

L'art topographique militaire

La période qui suivit la Conquête vit l'arrivée d'officiers de l'armée britannique, chargés de produire des vues topographiques à des fins militaires. Ces soigneux relevés des lieux, inspirés du mouvement romantique qui prévalait alors en Angleterre, dénotent beaucoup de créativité. Parmi les œuvres les plus intéressantes de ces officiers-peintres, notons celles de Thomas Davies (1737-1848), de George Heriot (1759-1839) et de James Cockburn (1779-1847).

LE 19e SIÈCLE

À la fin du 18e s., époque à laquelle la province jouissait d'une économie florissante, l'art québécois connut son âge d'or. Les artistes, pour la plupart formés en Europe, peignaient des **paysages** et des **portraits**, commandés par une bourgeoisie aisée. Véritables autodidactes, Louis Dulongpré (1754-1843), François Beaucourt (1740-1794) et **Jean-Baptiste Roy-Audy** (1778-1848) créèrent des œuvres un peu naïves. Cependant, les portraitistes de la génération suivante allèrent généralement en France chercher une formation qui leur donna un style plus classique. Le plus connu de ces artistes est sans doute **Antoine Plamondon** (1804-1895), qui produisit aussi des œuvres sacrées. Il fut suivi de Théophile Hamel (1817-1870). À la même époque, **Joseph Légaré** (1795-1855) essayait de rompre avec la tradition des portraitistes en dépeignant des événements contemporains sur fond de paysages dramatiques, comme son *Incendie du quartier Saint-Roch*.

Tout au long du 19e s., l'influence européenne en peinture demeura forte, avec l'arrivée au Québec d'artistes venus d'outre-Atlantique. Né en Irlande, Paul Kane (1810-1871) voyagea beaucoup et développa son talent en Europe. Ses superbes tableaux d'Amérindiens présentent aujourd'hui un grand intérêt historique. **Cornelius Krieghoff** (1815-1872) figure parmi les peintres qui s'intéressaient particulièrement aux thèmes régionaux. Cet artiste d'origine hollandaise reproduisit des scènes de la vie quotidienne de la région montréalaise avec une précision de détails qui est restée, à l'époque, inégalée.

Vers 1860, Montréal était devenue une ville sophistiquée et suffisamment prospère pour prêter son appui financier à une association dont l'objectif serait de promouvoir les arts, d'organiser des expositions et de bâtir une collection permanente. Ainsi naquit l'Association d'art de Montréal, ancêtre du fabuleux musée des Beaux-Arts d'aujourd'hui. La fin du 19e s. vit l'émergence de la photographie. Reconnu mondialement pour ses interprétations du paysage urbain de Montréal, **William Notman** (1826-1891) figure parmi les photographes les plus renommés du Canada.

LE 20e SIÈCLE

À l'aube du 20e s., l'influence de l'École de Paris commence à se faire sentir dans l'art québécois. Ceci est particulièrement visible dans l'œuvre de Wyatt Eaton (1849-1896) et celle du professeur montréalais William Brymner (1855-1925). Ces deux artistes seront suivis par les peintres d'inspiration impressionniste **Marc-Aurèle de Foy Suzor-Côté** (1869-1937), Maurice Cullen (1866-1934), Clarence Gagnon (1881-1942), et par le moderniste à tendance fauviste **James Wilson Morrice** (1865-1924).

Les œuvres d'**Ozias Leduc** (1864-1955), natif de Mont-Saint-Hilaire, offrent un contraste saisissant avec les toiles marquées par l'influence pointilliste lumineuse de l'École de Paris. Ses natures mortes et ses paysages dénotent un symbolisme d'inspiration mystique qui transcende leur sujet, reflétant l'union consacrée par le temps qui, au Québec, lia l'art et la religion. On peut admirer ses fresques dans l'église de Mont-Saint-Hilaire, et dans le baptistère de la basilique Notre-Dame à Montréal. Ses œuvres figurent également dans plusieurs musées de la province.

Son dernier grand projet est visible à l'église Notre-Dame-de-la-Présentation de Shawinigan.

Sculpture

La sculpture québécoise perd peu à peu son caractère exclusivement religieux. L'apparition d'œuvres commémoratives monumentales caractérise la fin du 19e s. et le début du 20e s. Parmi les sculpteurs dignes d'attention, il faut alors citer l'artiste-architecte Napoléon Bourassa (1827-1916), et surtout le grand **Louis-Philippe Hébert** (1850-1917), dont le monument de Maisonneuve et les statues de Jeanne Mance et monseigneur Ignace Bourget, à Montréal, révèlent clairement les techniques du réalisme français.

Lui emboîtant le pas, **Alfred Laliberté** (1878-1953) tente d'appliquer à ses sculptures les lignes fluides de l'Art nouveau tout en conservant une facture académique. L'une de ses œuvres les plus connues est le monument dédié à Dollard des Ormeaux. Marc-Aurèle de Foy Suzor-Côté, grand ami de Laliberté, utilise, pour sa série de bronzes, ces mêmes techniques.

La Contemporary Arts Society

Durant les années 1930, les artistes montréalais s'insurgent contre le « nationalisme des paysages sauvages » des peintres torontois du Groupe des Sept. **John Lyman** (1886-1967) tente un réalignement de l'art canadien sur l'École de Paris, et s'oppose vigoureusement au Groupe des Sept dont les membres se considèrent comme les véritables créateurs d'une peinture typiquement canadienne. En 1939, il fonde la Contemporary Arts Society (Société des arts contemporains) et organise le groupe des modernistes. Parmi ses membres, on retrouve André Biéler, **Marc-Aurèle Fortin** (1888-1970), Goodridge Roberts (1904-1974), Stanley Cosgrove et **Paul-Émile Borduas**. L'influence de l'Art déco se fait aussi sentir dans le domaine de la sculpture, en particulier dans les œuvres de Sylvia Daoust et de Louis-Joseph Parent.

Automatistes et Plasticiens

La rupture provoquée par la Seconde Guerre mondiale marque un tournant décisif dans l'évolution de l'art au Québec. En 1940, Alfred Pellan (1906-1988) retourne au pays après un long séjour en France pour exposer des œuvres fortement influencées par Picasso et le cubisme. **Paul-Émile Borduas** (1905-1960) et plusieurs autres jeunes artistes, dont **Jean-Paul Riopelle** (1923-2002), Pierre Gauvreau, Fernand Leduc et Jean-Paul Mousseau, fondent le groupe dit des **Automatistes** dont la peinture s'inspire d'une volonté surréaliste de transcrire les impulsions du psychisme. En 1948, ils publient leur célèbre manifeste, le **Refus global**, dont les virulentes attaques contre les valeurs et les règles établies de la société québécoise auront une influence qui débordera largement les milieux artistiques.

En réaction à la spontanéité et au lyrisme des Automatistes, Guido Molinari et Claude Tousignant fondent le groupe des **Plasticiens** (1955), libérant la peinture de sa facture surréaliste à l'aide d'un vocabulaire géométrique abstrait. La primauté est alors accordée à la forme et à la couleur. Cependant, aucune école ne parviendra réellement à s'imposer dans le foisonnement des inspirations et la recherche de créativité de l'art contemporain. Plusieurs peintres montréalais, dont Charles Gagnon, Yves Gaucher et Ulysse Comtois, de même que les sculpteurs Armand Vaillancourt, Charles Daudelin et Robert Roussil, ont toutefois élaboré un langage très personnel.

L'art actuel

Depuis les années 1970, le Québec a vu un renouveau d'intérêt pour l'art public. Les entrepreneurs sont tenus, par la loi (1978), de consacrer 1 % des coûts de construction de tout nouvel édifice public à des œuvres artistiques dans les villes du Québec. Il arrive fréquemment que les sculpteurs travaillent de concert avec les architectes pour intégrer leurs œuvres dans le plan général. L'exemple le plus remarquable est celui du métro de Montréal dont les stations ont été individuellement conçues par des architectes différents en incorporant art pictural et sculpture. Citons, entre autres, l'œuvre de Marcelle Ferron à la station Champ-de-Mars, et celle de Jordi Bonet (1932-1976) à la station Pie-IX.

Ces dernières années, l'art du Québec s'est inscrit dans les grands courants internationaux, en prenant des distances par rapport à la peinture traditionnelle et en privilégiant des formes et des techniques plus diverses, notamment « l'installation », qui parle un langage sculptural tout en réunissant des prestations d'autres disciplines. Parmi les adeptes de cette tendance, notons Betty Goodwin, Barbara Steinman, Geneviève Cadieux, Jocelyne Alloucherie et Dominique Blain. En ce qui concerne la sculpture, signalons l'important travail de Michel Goulet et de Roland Poulin, et celui de l'architecte-urbaniste Melvin Charney, dont le jardin du Centre canadien d'architecture, à Montréal, est sans doute l'œuvre maîtresse.

CULTURE

Seul espace francophone d'Amérique du Nord, le Québec a trouvé le moyen de préserver son identité linguistique à travers la culture. Le théâtre, la littérature, la musique ou le cinéma ont été de puissants vecteurs d'affirmation. Ils reflètent aujourd'hui le dynamisme de la société québécoise qui se trouve à la croisée de différentes influences, européenne et américaine notamment. Elles s'ajoutent aux traditions et au folklore local, toujours vivaces, contribuant à faire de la culture québécoise un champ d'expression et de découverte unique.

© Festival Juste pour Rire

Le Festival Juste pour rire de Montréal.

Littérature

À l'époque de l'exploration et de la colonisation, la littérature de la Nouvelle-France se limite aux récits de voyage (Cartier, Champlain), aux histoires et descriptions (Sagard, Charlevoix) et aux *Relations* des jésuites, célèbres écrits historiques décrivant la vie et l'œuvre des missionnaires au Nouveau Monde.

NAISSANCE D'UNE LITTÉRATURE QUÉBÉCOISE

Deux journaux, *Le Canadien*, fondé à Québec en 1806, et *La Minerve*, fondé à Montréal en 1826, seront d'une importance fondamentale dans le développement de la littérature canadienne française. Puis, en 1837, paraîtra le premier roman québécois, puisé aux sources de la légende : *L'Influence d'un livre*, de Philippe Aubert de Gaspé fils. Les premiers ouvrages de fiction s'inspirent principalement des coutumes rurales, avec *Les Anciens Canadiens* (1863) de **Philippe Aubert de Gaspé** père (1786-1871), et d'une idéologie nationaliste et conservatrice, avec l'œuvre de Pierre Joseph Olivier Chauveau (*Charles Gué-*

rin, 1846-1853). Cette idéologie s'inscrit dans un courant de conservatisme qui, à compter des années 1860, influencera la littérature en imposant les normes de la morale et de la religion catholique.

Le roman historique, inspiré par l'*Histoire du Canada* (publiée dans les années 1840) de **François-Xavier Garneau** (1809-1866), devint très populaire au milieu du 18e s., ainsi que les vers du poète romantique Octave Crémazie (1827-1879). Louis-Honoré Fréchette (1839-1908) publia quant à lui sa célèbre *Légende d'un peuple* en 1887.

LE 20e SIÈCLE

Le début du 20e s. est dominé par les œuvres nationalistes de l'auteur et historien **Lionel Groulx** (1878-1967), animateur de l'Action française, et par la poésie d'Émile Nelligan (1879-1941). Dans les romans, le thème de la vie rurale prédomine. En 1916 est publiée l'œuvre posthume du Français **Louis Hémon**, *Maria Chapdelaine, récit du Canada français*, traduite en huit langues. En 1933 paraît *Un homme et son péché*, de **Claude-Henri Grignon**.

L'urbanisation et le traumatisme de la Seconde Guerre mondiale favorisent une plus grande introspection parmi les écrivains québécois qui n'hésitent pas à remettre en question l'ordre établi. C'est dans ce contexte que le romancier Robert Charbonneau abandonne le roman d'inspiration rurale au profit d'une œuvre à caractère psychologique, et que la poésie québécoise se redéfinit sous la plume d'Alain Grandbois (1900-1975) et d'Hector de Saint-Denys Garneau (1912-1943).

La parution du roman *Au pied de la pente douce* (1944), de **Roger Lemelin**, marque les débuts du roman urbain qui explore les conditions de vie du prolétariat dans les villes. Le thème de la vie urbaine est perpétué dans les romans de **Gabrielle Roy** (*Bonheur d'occasion*, 1945). Au cours des années 1950, la transformation de la société québécoise, amorcée dans les années 1940, s'intensifie et culmine, en 1960, avec la Révolution tranquille, qui se manifeste par une prise de conscience de l'identité culturelle distincte du Québec et une remise en question des valeurs et des institutions traditionnelles. Fidèle reflet de l'époque, le domaine littéraire connaît lui aussi un profond bouleversement qui se traduit tant par la multitude des sujets abordés que par la diversité des styles. Ce sont les poètes qui donnent à cette nouvelle littérature québécoise son souffle le plus puissant : **Gaston Miron** (1928-1996), Gatien Lapointe, Jacques Brault et Fernand Ouellette. Les années 1960 auront aussi révélé de nouveaux romanciers ou confirmé l'importance d'auteurs déjà connus, qui figurent désormais parmi les grands noms de la littérature québécoise : mentionnons Hubert Aquin (*Neige noire*), Marie-Claire Blais (*Une saison dans la vie d'Emmanuel*), Roch Carrier (*La Guerre, yes sir!*), Réjean Ducharme (*L'Avalée des avalés*), Jacques Ferron (*L'Amélanchier*), Jacques Godbout (*Le Couteau sur la table*), **Anne Hébert** (*Kamouraska, Les Fous de Bassan*) et Yves Thériault (*Agaguk*). C'est aussi à cette époque que le dramaturge Michel Tremblay fait une entrée en scène très remarquée avec sa pièce *Les Belles-Sœurs* (ci-dessous). Bon nombre de ces auteurs occupent toujours une place prépondérante dans la vie littéraire du Québec. Parmi les romanciers anglo-québécois les mieux connus, citons Hugh MacLennan et Mordecai Richler, lauréat de plusieurs prix littéraires, dont celui du Gouverneur général. À l'instar des années 1960, la période ultérieure est marquée par une grande diversité de styles, quoique le roman dit « psychologique » en soit particulièrement

représentatif. C'est une période féconde dans la vie littéraire du Québec, au cours de laquelle émergeront des auteurs tels que Louis Hamelin (*La Rage*), Suzanne Jacob (*Laura Laur*), Claude Jasmin (*La Sablière*), Sergio Kokis (*Le Pavillon des miroirs*), Marie Laberge (*Juillet*), Robert Lalonde (*Le Petit Aigle à tête blanche*) et Monique Larue (*Copies conformes*).

Aujourd'hui, la littérature québécoise conserve sa diversité de styles et de sujets. Quelques figurent émergent telles que Nicolas Dickner (*Nikolski*) ou Stéphane Dompierre. Marie Laberge s'est distinguée par sa trilogie *Le goût du bonheur*, et Chrystine Brouillet par ses polars, quant à Marie-Hélène Poitras, ses nouvelles enchantent par leur écriture maîtrisée et harmonieuse.

Théâtre

Le théâtre s'avère tardif au Québec : les premières troupes francophones permanentes datent des années 1880. Une dramaturgie durable s'amorce vers 1950, s'appuyant simultanément sur des institutions, un répertoire et une génération de comédiens souvent formés chez les Compagnons de Saint-Laurent du père Legault. Des troupes de théâtre professionnelles sont fondées : le Théâtre du Rideau vert (1949), le Théâtre du Nouveau Monde (1951), le Quat'Sous (1954), et quelques lieux d'avant-garde, les Apprentis-Sorciers et l'Égregore.

En 1948, **Gratien Gélinas** crée *Tit-Coq*, du nom d'un personnage populaire, faussement naïf, capable d'une solide critique sociale. Il récidivera avec *Bousille et les Justes* (1959) au moment où il dirige la Comédie-Canadienne, dont l'appellation témoigne de la volonté de créer une dramaturgie canadienne française. Familier de Jean Anouilh et d'Arthur Miller, Marcel Dubé (né en 1930) y fait jouer *Un simple soldat* (1958), et s'impose comme un dramaturge explorant des thèmes à caractère universel. En 1973, le comédien **Jean Duceppe** (1923-1990) fonde la compagnie Jean Duceppe, qui acquiert rapidement une excellente réputation.

Michel Tremblay, le dramaturge le plus joué à l'étranger, suit aussi la trame urbaine et populaire de ses prédécesseurs. Depuis *Les Belles-Sœurs* (1968), qui marque un jalon important dans l'histoire du théâtre québécois, jusqu'au *Vrai Monde* (1987), Tremblay créera sa propre comédie humaine peuplée de personnages parlant une langue typique des quartiers populaires québécois et montréalais.

La force et l'originalité du théâtre québécois contemporain se manifestent dans des **pièces expérimentales** dont celles de Jean-Pierre Ronfard (*Vie et mort du roi boîteux*, 1981) au Théâtre expérimental de Montréal, et de Gilles Maheu, à Carbone 14. Le dramaturge Normand Chaurette s'impose à partir des années 1980 avec des pièces telles que *Provincetown Playhouse* et *Fragments d'une lettre d'adieu lus par des géologues* (1986) ; en 1996, son œuvre *Le passage de l'Indiana* remporte un vif succès au Festival d'Avignon et reçoit le prix du Gouverneur général. Parmi les autres dramaturges qui marquent le théâtre québécois des années 1980-1990, citons Michel-Marc Bouchard (*Les Muses orphelines*, 1989), René-Daniel Dubois (*Ne blâmez jamais les Bédouins*, 1985) et Marie Laberge (*L'Homme gris*, 1986). Il faut également souligner un produit théâtral maintenant exporté, la Ligue nationale d'improvisation, spectacle d'improvisation conçu comme une partie de hockey sur glace, le sport national des Québécois, et bien sûr, le célèbre **Cirque du Soleil**, qui enchante petits et grands avec des spectacles innovateurs alliant musique, théâtre et danse aux numéros de cirque traditionnels.

Le célèbre récit de Louis Hémon :
Maria Chapdelaine.

Musique

L'Orchestre symphonique de Montréal, sous la direction de Charles Dutoit, a fait connaître le Québec à travers le monde par ses tournées triomphales et ses nombreux enregistrements. Depuis 1963, le Concours international de Montréal est ouvert aux jeunes musiciens du monde entier. Le camp musical du mont Orford et celui de Lanaudière sont de dynamiques lieux de formation. Prestigieuse manifestation musicale, le Festival de Lanaudière s'est d'ailleurs acquis une solide réputation dans le monde de la musique.

COMPOSITEURS, CHEFS D'ORCHESTRE ET INTERPRÈTES

L'hymne national du Canada, *Ô Canada*, fut composé par deux Canadiens français : Adolphe-Basile Routhier (1839-1920) pour les paroles, et Calixa Lavallée (1842-1891) pour la musique.
Sous l'influence du chef d'orchestre Wilfrid Pelletier (1896-1982), une intense vie musicale s'est développée à Montréal. Compositeur d'une *Symphonie gaspésienne*, Claude Champagne (1891-1965) a inspiré de nombreux créateurs. Parmi les compositeurs, il convient de nommer Alexander Brott, fondateur de l'Orchestre de chambre de McGill, Jean Papineau-Couture et Jean Vallerand. Parmi les créateurs de musique contemporaine, travaillant parfois à partir d'œuvres poétiques ou picturales québécoises et affiliés à la Société de musique contemporaine du Québec (fondée en 1966), mentionnons Serge Garant, Pierre Mercure, Gilles Tremblay et André Prévost.

Les pianistes Henri Brassard, André Laplante et Louis Lortie ont eu des succès retentissants lors de divers concours internationaux. Par ailleurs, la violoniste Angèle Dubeau et le pianiste Marc-André Hamelin se sont taillé de brillantes carrières ici comme à l'étranger. Kenneth Gilbert est mondialement connu pour ses recherches et ses exécutions, au clavecin, de musiques des 17e et 18e s. Les organistes Raymond Daveluy, Mireille et Bernard Lagacé sont renommés pour leurs interprétations et leur professorat. La maison Casavant Frères de Saint-Hyacinthe est, bien sûr, reconnue à l'échelle internationale pour sa remarquable facture d'orgues.

OPÉRA

Depuis Emma Lajeunesse (1885-1958), alias **Albani**, plusieurs voix québécoises se sont fait entendre à Milan, New York, Paris et Londres, parmi lesquelles la soprano Pierrette Alarie, la contralto **Maureen Forrester**, les ténors Raoul Jobin et Léopold Simoneau, la basse Joseph Rouleau et les barytons Louis et Gino Quilico. Depuis 1980, l'Opéra de Montréal propose chaque année des spectacles du répertoire lyrique.

MUSIQUES ACTUELLES

Les années 2000 ont vu l'émergence d'interprètes mêlant accents électroniques alternatifs et textes d'auteurs (Ariane Moffatt et Pierre Lapointe) ou hip hop (Chromeo). Les DJ et compositeurs Tiga, Akufen, Ghislain Poirier et Millimetrik ont, parmi d'autres, popularisé différentes facettes de l'électro.

Chanson

La musique bat au cœur de la tradition orale québécoise. Des chansons des Voyageurs au *Canadien errant* (1842), la chanson folklorique d'inspiration française a rythmé le travail et les loisirs des Québécois.

L'essor contemporain de la chanson québécoise est dû à **Félix Leclerc** (1914-1988). Conteur, moraliste, poète de la nature, Leclerc a fait connaître la chanson québécoise dans la France de l'après-guerre, balisant ainsi le chemin pour ses nombreux successeurs. S'inspirant de l'une de ses chansons, des chansonniers et des musiciens forment « les Bozos » à la fin des années 1950. On y retrouve Raymond Lévesque, Clémence Desrochers, André Gagnon, Claude Léveillé *(Frédéric)* – qui travaillera avec Édith Piaf – et Jean-Pierre Ferland *(Je reviens chez nous)*, l'essentiel d'une relève talentueuse à laquelle se joint **Gilles Vigneault**, le poète de Natashquan qui chanta la Côte-Nord *(Fer et titane)* et les longs hivers du Québec *(Mon pays)*, et dont la chanson *Gens de mon pays* scanda la montée du Parti québécois. Pauline Julien et Renée Claude interprètent brillamment les grands chansonniers québécois.

Dans les années 1960, **Robert Charlebois** personnifie une chanson plus critique dont les accords sont ceux du rock. La chanson s'inscrit dès lors dans le monde du spectacle et dans une industrie du disque marquée par la culture américaine. C'est l'époque de la contre-culture californienne, dont on trouve un écho tout québécois dans des groupes tels que Harmonium et Beau Dommage.

Diane Dufresne, récipiendaire de nombreux prix au Québec et à l'étranger, a développé un style dramatique très apprécié, interprétant souvent les chansons de **Luc Plamondon**, l'un des paroliers les plus célèbres du Québec. Fondateur de la Société professionelle des auteurs et compositeurs du Québec, Plamondon a collaboré, en 1976, à l'opéra rock *Starmania*. Possédant lui aussi le génie des mots, **Sylvain Lelièvre**, dont la carrière musicale remonte au début des années 1970, est considéré comme l'un des meilleurs auteurs-compositeurs québécois. D'autres noms, qui représentent des courants différents dans la chanson des années 1970, sont Richard et Marie-Claire Séguin, le groupe rock Offenbach et Claude Dubois. Mentionnons aussi **Ginette Reno**, l'une des plus grandes chanteuses populaires du Québec.

Les auteurs-compositeurs et interprètes Richard Desjardins, Luc de Larochelière et Paul Piché s'illustrent au cours des années 1980-1990, qui voient aussi l'ascension phénoménale de **Céline Dion**, désormais célèbre à travers le monde. Parmi les autres vedettes de la chanson les plus prisées, mentionnons Laurence Jalbert, Luce Dufault, Isabelle Boulay, Bruno Pelletier et Garou.

Le Festival de musique actuelle de Victoriaville.

M. Morissette / www.tourismecentreduquebec.com

Cinéma

Depuis 1895, la plupart des films projetés au Québec provenaient des États-Unis. Malgré la création de quelques longs métrages entre 1944 et 1952, l'industrie cinématographique québécoise ne fit véritablement son apparition qu'au cours des années 1960. Plusieurs réalisateurs ou directeurs de la photographie feront leur apprentissage à l'Office national du film (ONF), organisme fédéral créé en 1939 et qui bénéficie d'une solide réputation internationale pour sa production de films d'animation : on pense ainsi à Norman McLaren, ou encore à Frédéric Back qui reçoit deux Oscars pour *Crac!* (1982) et *L'homme qui plantait des arbres* (1988).

La tradition documentaire de l'ONF est à l'origine d'une tendance marquée du cinéma québécois pour le « cinéma direct » ou « cinéma-vérité », personnifié par **Pierre Perrault** (*Pour la suite du monde*, 1963 ; *Un pays sans bon sens*, 1970) et Michel Brault (*Les Ordres*, 1974). Le réalisateur **Claude Jutra** acquiert une renommée internationale, en particulier pour deux de ses films : *Mon oncle Antoine* (1971) et *Kamouraska* (1973), tiré du roman d'Anne Hébert. Le film de Jean Beaudin, *J.A. Martin, photographe* (1976), sera primé à Cannes.

Denys Arcand a aussi rejoint un public européen et américain avec trois films, *Le Déclin de l'Empire américain* (1986) et *Jésus de Montréal* (1989), mis en nomination à Cannes et à Hollywood. *Les Invasions barbares*, suite du film de 1986, sera sacré par l'oscar du meilleur film en langue étrangère en 2004.

De son côté, *Un zoo la nuit*, de Jean-Claude Lauzon, remporte 13 des 17 « Génies » lors du gala annuel du cinéma canadien en 1987. En 1995, Robert Lepage réalise *Le Confessional*, film remarquable qui lui a valu le prix Claude-Jutra ; cette même année paraissent *Eldorado*, de Charles Binamé, et *Thirty-two short films about Glenn Gould*, de François Girard.

Dans les années 2000, le cinéma québécois a réussi à grignoter jusqu'à 20 % au concurrent américain sur le marché provincial grâce à des films comme la première réalisation de Luc Picard (*L'Audition*), primée au premier Festival international du film à Montréal en 2005, ou *C.R.A.Z.Y* (2005) de Jean-Marc Vallée, sorti la même année. Plus récemment, *Les 3 P'tits cochons* de Patrick Huard (2007) a fait un très honorable score au box-office.

Traditions et folklore

Les traditions ancestrales québécoises (légendes, fêtes, croyances, etc.) sont celles d'un peuple rural marqué par l'influence de l'Église catholique et les rigueurs d'une économie soumise aux aléas d'un climat souvent hostile. La tradition orale et matérielle évoque donc volontiers la lointaine époque des coureurs de bois, la colonisation des régions forestières, l'importance de la religion dans la vie quotidienne et la dureté légendaire d'hivers sans fin. L'Église, qui fut longtemps une force prédominante dans la vie québécoise, vit peu à peu son rôle s'estomper. Sa présence demeure cependant inscrite dans le paysage, comme en témoignent les innombrables églises aux clochers argentés, les chapelles de procession et les croix de chemin que l'on trouve un peu partout dans la province. L'industrialisation et l'urbanisation ont profondément transformé le visage traditionnel du Québec. Dans les villes et les campagnes, d'anciennes coutumes ont aujourd'hui disparu, tandis que d'autres ont survécu aux bouleversements de la vie moderne.

LÉGENDES

Les longues nuits de l'hiver québécois étant propices à la création d'histoires fantastiques, les traditions locales offrent un grand nombre de contes et comptines, de proverbes et de légendes. La plus originale est sans doute celle de la chasse-galerie ou « chasse sauvage ». À la venue de l'hiver, beaucoup de jeunes gens partaient dans des camps de bûcherons afin de gagner un peu d'argent. La vie dans ces chantiers était rude, et ils rêvaient parfois la nuit de leur « blonde » laissée au village. La veille du Jour de l'an, le Diable apparut pour leur proposer un marché : il offrait

Les 20 ans du Cirque du Soleil, et les 25 du Festival international du jazz de Montréal.

J.-F. Leblanc / © Festival international de Jazz de Montréal

La culture du hockey

Qui ne connaît pas **Maurice Richard** (1921-2000) au Québec ? Surnommé « Rocket », il a été le premier joueur de hockey à avoir marqué 50 buts en 50 matchs. Par huit fois, il a mené les Canadiens de Montréal à la coupe Stanley. Une véritable fierté pour les Québécois de l'époque. Aujourd'hui, le trophée Maurice Richard remis par la **Ligue nationale de Hockey** (LNH) récompense le meilleur buteur de la saison. Celle-ci court d'octobre à mai et concerne une trentaine de clubs répartis entre le Canada et les États-Unis. Comptant parmi les cinq équipes fondatrices de la Ligue en 1917, **les Canadiens de Montréal** figurent traditionnellement parmi les meilleures équipes du championnat, avec plus de 25 coupes Stanley remportées au 20e s.

d'aider ceux qui se languissaient de leur bien-aimée à la rejoindre en les embarquant dans un canot capable de naviguer dans les airs à grande vitesse. En contrepartie, ils devaient s'engager à ne prononcer aucun blasphème pendant le voyage, sous peine de finir en enfer. À l'aller, tout se passait bien. Mais au retour, les hommes oubliaient parfois leur promesse et poussaient un juron. Le canot volant descendait alors comme une pierre jusqu'au sol où il s'écrasait, envoyant en enfer l'âme de ses malheureux occupants.

Une autre légende populaire raconte la mésaventure de Rose Latulippe qui aimait trop danser. Une nuit, au cours d'une veillée de danse, la porte s'ouvrit et un bel étranger entra. Rose, subjuguée, délaissa son cavalier habituel pour aller rejoindre le nouveau venu avec qui elle se mit à danser. Elle dansa pendant des heures. Mais lorsque, exténuée, elle voulut s'arrêter, elle découvrit que c'était impossible. Son partenaire continuait à la faire tourner et virevolter au point qu'elle crut sa dernière heure venue. C'est alors qu'arriva le curé du village. Il avait reconnu la main du Diable et le chassa à coup de prières et d'eau bénite. Exorcisée, la pauvre Rose Latulippe ne dansa jamais plus, désormais, qu'avec son cavalier attitré.

… ET HÉROS

Le bûcheron **Louis Cyr** (1863-1912) devint, en son temps, une légende vivante. Pesant plus de 165 kg, il passait alors pour l'homme le plus fort du monde. Il souleva un jour, devant un public de badauds admiratifs, une plate-forme sur laquelle avaient pris place 18 personnes, soit une charge de 1 967 kg (record inégalé).

Natif de la région du lac Saint-Jean, **Alexis Lapointe** devait son surnom de « trotteur » à sa stupéfiante vitesse à la course. Capable de couvrir plus de 240 km en une journée, il lui arrivait fréquemment de prendre à la course les chevaux et même les trains. Son autopsie aurait révélé la présence de jointures doubles, d'os et de muscles ressemblant à ceux d'un cheval.

LA TRADITION MATÉRIELLE

La société rurale québécoise apportait beaucoup de soin à la décoration des bâtiments, du mobilier et de nombreux objets utilitaires. Moules de bois ciselés en forme de feuille ou de cœur pour le sucre d'érable, motifs fauniques des girouettes, motifs floraux sur les portes des granges et sur les volets… sont encore visibles dans les campagnes.

Depuis les lointains débuts de la colonisation, la tenue vestimentaire a toujours reflété la nécessité de se protéger contre les grands froids de l'hiver. Tuques, mitaines, écharpes de laine et bottes sont de rigueur de novembre à la mi-mars, parfois même plus longtemps. La fameuse « canadienne », sorte de veste à capuchon inspirée de celle des trappeurs, et le manteau de fourrure (renard, raton laveur ou vison) sont encore populaires aujourd'hui.

FÊTES ET FESTIVALS

À chaque saison correspondent, au Québec, toutes sortes de traditions et de fêtes développées au cours des siècles. Les Québécois célèbrent par exemple l'hiver par des carnavals, dont le plus fameux reste le Carnaval de Québec animé de parades et de concours de sculptures sur glace. Mais si le froid ne dissuade pas les Québécois de faire la fête dehors, ce sont tout de même aux beaux jours que les festivals se multiplient (*voir le calendrier festif dans la partie Organiser son voyage*). Parmi les plus célèbres : le Festival de jazz de Montréal ou celui de poésie à Trois-Rivières.

LE QUÉBEC AUJOURD'HUI

Un immense territoire, de nombreuses ressources naturelles, des villes dynamiques tournées vers les services, une société de plus en plus multiculturelle : autant d'atouts économiques et sociaux qui permettent au Québec du 21e s. de maintenir son rang au sein de la Confédération canadienne. La province s'inscrit dans son époque, et rien ne l'indique plus que le soin récent apporté à la gastronomie. Une raison supplémentaire de faire le voyage !

Expédition sur les rapides de Lachine en bateau-jet.

A. Fercher / www.tourismecentreduquebec.com

Population et langues

Province canadienne la plus peuplée après l'Ontario (12 686 952 habitants), le Québec (7 546 131 habitants) représentait – au recensement de 2006 – 23,9 % de la population du pays. Selon le même recensement, 80 % des Québécois résidaient dans la vallée du Saint-Laurent ou à proximité, c'est-à-dire dans le sud de la province.

LA POPULATION AUTOCHTONE

En 2006, 77 837 habitants (environ 1 % de la population) se déclaraient d'origine autochtone, c'est-à-dire d'ascendance amérindienne, inuit ou métisse.

Les **Amérindiens** du Québec (approximativement 68 440 personnes) se subdivisent en dix nations : Abénaquis, Algonquins, Atikamekw, Cris, Hurons, Malécites, Micmacs, Mohawks, Montagnais et Naskapis. Les deux grandes familles de langues amérindiennes parlées sont l'iroquois (dialectes mohawk et huron) et l'algonquien (dialectes cri, montagnais-naskapi, micmac et abénaki). Aujourd'hui, l'essentiel de la population amérindienne se concentre dans les régions de Pointe-du-Buisson, Mashteuiatsh, Odanak, Lorette et Kahnawake, les villages de la baie James comptant une importante communauté crie. Quant aux Inuits (environ 10 000 personnes), leur langue est l'inuktitut, et ils peuplent les espaces nordiques du Nunavik.

LA POPULATION ALLOCHTONE

Le recensement de 2006 a mis en lumière une forte croissance de la population (+4,3 %), la plus importante depuis 1991, et la deuxième depuis le baby-boom. Elle s'explique surtout par un solde migratoire moins déficitaire, et par l'immigration internationale en hausse. De fait, la population québécoise est multi-ethnique.

En 2006, la majorité (60,2 %) se déclarait canadienne, et 28,9 % d'origine française. Il y a aussi les Québécois de souche anglaise (en 1996, ils étaient 9 % à se définir comme tels). Mais d'autres communautés ethniques se distinguent nettement. Parmi les résidents signalant une naissance à l'étranger, 9,8 % étaient italiens, 9 % français, 7,5 % chinois, 5,7 % haïtiens, 4,2 % espagnols. Quant aux minorités dites visibles (Noirs, Arabes, Latino-Américains), elles représentaient en 2006, 8,8 % de la population québécoise (contre 6,2 % en 1996), concentrée à 90 % dans la région montréalaise.

Montréal confirme donc son attractivité historique. En effet, ce sont les Italiens et les Européens de l'Est qui, au début du 20e s., ont donné à la ville son caractère cosmopolite. La période d'après-guerre s'accompagna d'un afflux d'immigrants originaires du Bassin méditerranéen. Les années 1970 virent en revanche l'arrivée d'un important contingent venu d'Asie du Sud-Est, suivie, au cours des années 1980, d'une forte immigration latino-américaine (notamment chilienne). Plus récemment, l'immigration asiatique s'est à nouveau affirmée, ainsi que celle des Haïtiens. En 2006, 18,5 % des Montréalais parlent une langue non officielle.

LA QUESTION LINGUISTIQUE

Elle surgit dans les années 1960 suite à trois facteurs : la prise de conscience de la fragilité de la culture française au sein d'un Canada anglophone ; celle des effets d'une forte immigration internationale sur l'équilibre linguistique de la province (les nouveaux arrivants ayant plutôt tendance à s'intégrer à la minorité anglophone) ; les premiers signes, vers 1965, d'une baisse du taux de natalité (celui-ci ayant diminué de moitié entre 1951 et 1986). Tout ceci pouvait jouer en faveur de la communauté anglophone, qui, installée à Québec, à Montréal et dans les Cantons de l'Est après 1815, connaissait pourtant depuis la Seconde Guerre mondiale une sérieuse baisse de ses effectifs.

C'est surtout à propos de l'enseignement que la question linguistique se posa. Conscient du rôle de l'école comme lieu d'apprentissage et de transmission de la culture, le gouvernement du Québec légiféra (loi 63 en 1969, loi 22 en 1974), posant les conditions d'accès à une scolarité anglophone pour les immigrants. Élu en 1976, le Parti québécois, souverainiste, passa l'année suivante la fameuse **loi 101**, véritable charte qui définissait le statut de la langue française et son utilisation dans les domaines de la législation et de la justice, de l'administration, du commerce, des affaires et de l'enseignement. En matière d'éducation, la législation actuelle permet l'accès à l'école primaire et secondaire publique de langue anglaise aux enfants dont les parents ont suivi leurs études primaires en anglais au Canada. En 1988, le gouvernement adopta la **loi 178**, qui amendait la loi 101 favorable à l'affichage unilingue français tant à l'intérieur qu'à l'extérieur des commerces. La nouvelle loi permettait l'affichage bilingue à l'intérieur des commerces, à condition que le français ait une nette prédominance sur l'autre langue. Quelques années plus tard, en 1993, on adopta la **loi 86**, qui permet désormais d'afficher en français et dans une autre langue à l'extérieur comme à l'intérieur, pourvu que l'avantage soit donné au français.

Système politique

Le système politique du Québec s'inscrit dans le cadre de la Constitution de 1867, qui départage les compétences législatives entre les gouvernements provincial et fédéral.

L'ÉTAT

Le pouvoir législatif réside dans l'**Assemblée nationale** unicamérale, qui remplace l'Assemblée législative depuis 1968. Les 125 députés de l'Assemblée nationale sont élus pour une législature dont la durée maximale est de cinq ans. Les membres appartiennent à des partis politiques qui reflètent les différentes tendances politiques de l'électorat. Représentant officiel de la Couronne britannique, le **lieutenant-gouverneur**, nommé par le gouverneur général, sanctionne les lois et compose, avec l'Assemblée nationale, le **Parlement**.

Le gouvernement est formé par le parti qui obtient le plus de sièges dans l'Assemblée nationale lors d'une élection. Le chef du parti majoritaire devient **Premier ministre**. Il forme son **Conseil des ministres** parmi les députés élus.

Le Parlement de Québec.

Célébration des 400 ans de la ville de Québec.

Le **pouvoir exécutif**, celui du Conseil des ministres, est responsable de l'introduction des lois à l'Assemblée. La représentation parlementaire s'appuie de surcroît sur les commissions parlementaires, « consultations » auprès des groupes de pression concernés par des projets de loi.

Le **pouvoir judiciaire** du Québec comprend deux paliers : la première instance et l'appel. Au niveau de la première instance, on trouve les cours municipales, la Cour du Québec et la Cour supérieure. Depuis sa création en 1988, la Cour du Québec regroupe la Cour provinciale, la Cour des sessions de la paix et le Tribunal de la jeunesse. La Cour du Québec, dont les juges sont nommés par le gouvernement du Québec, traite de certaines matières civiles, criminelles et pénales. La Cour supérieure a compétence en toute matière qui n'est pas clairement attribuée à un autre tribunal. Elle sert aussi de cour d'appel en matière d'infractions pénales. La Cour d'appel est le tribunal général d'appel pour toute la province ; ses juges sont nommés par le gouvernement fédéral. Enfin, la Cour suprême, formée de neuf juges eux aussi nommés par le gouvernement fédéral, constitue l'ultime tribunal d'appel du pays et peut, à ce titre, entendre appel d'un jugement prononcé à la Cour d'appel du Québec.

LE SYSTÈME ÉLECTORAL

Le suffrage est universel pour les citoyens de 18 ans et plus. Le scrutin uninominal et majoritaire, à un tour, se fonde sur l'idée de représentation territoriale. Chacun des 125 députés du Québec représente la population d'une circonscription ou

« comté ». Depuis 1963, la loi électorale du Québec, exemplaire quant à ses exigences de transparence politique, oblige à un dépôt des états financiers des partis et leur fixe un plafond de dépenses (proportionnel au nombre d'électeurs), tout en prévoyant une contribution de l'État au financement des dépenses électorales et des dépenses administratives courantes des partis ayant obtenu un succès électoral minimal. Pour les besoins de l'administration publique, le Québec est aujourd'hui divisé en 17 régions administratives.

LA POLITIQUE FÉDÉRALE AU QUÉBEC

Les Québécois élisent aussi des députés à la Chambre des communes d'Ottawa, et y sont représentés au Sénat par des sénateurs nommés par le gouvernement fédéral. La députation des provinces à Ottawa doit normalement être proportionnelle à leur population. En 1998, 75 des 301 députés fédéraux et 24 des 104 membres du Sénat représentaient le Québec.

LES RELATIONS INTERNATIONALES

Selon la Constitution canadienne, les relations internationales relèvent du gouvernement fédéral. En fondant son action sur le principe de l'extension internationale de ses compétences internes et pour assumer ses responsabilités en matière d'immigration, d'emprunts financiers internationaux, d'environnement et surtout de culture, le Québec s'est doté, depuis 1960, de délégations et de bureaux à l'étranger ainsi que d'un ministère des Affaires internationales. Le Québec affirme, au sein du monde francophone, une présence de plus en plus active. Ainsi, la ville de Québec fut le siège du second Sommet de la francophonie en 1987. Par ailleurs, la province participe, depuis 1988, à TV 5, la « télévision internationale de langue française ».

Économie québécoise

La force économique du Québec a longtemps résidé dans l'abondance de ses richesses naturelles. Ses vastes forêts, ses terres agricoles et ses puissantes rivières font toujours l'objet d'une importante exploitation, mais l'essentiel des activités économiques québécoises repose désormais sur le secteur manufacturier (environ 22 %

du produit intérieur brut) et celui des services (plus de 70 %).

LES FOURRURES

Le commerce des fourrures a joué un rôle majeur dans la colonisation des régions nordiques du Québec. Héritage des Amérindiens et des Inuits, le piégeage est devenu une activité relativement marginale sur le plan national. Le Canada est pourtant – avec l'ancienne URSS – l'un des plus grands fournisseurs de fourrures (sauvages ou d'élevage) du monde, et Montréal, la capitale nord-américaine du commerce des peaux. Les trappeurs québécois, regroupés en coopératives, piègent surtout le rat musqué, le castor et la martre.

LES FORÊTS

L'industrie du bois joue un rôle économique particulièrement vital dans les régions de l'Abitibi-Témiscamingue, de la Côte-Nord, de la Mauricie et du Saguenay – Lac-Saint-Jean. L'exploitation des vastes forêts du Québec constitue, depuis l'époque coloniale, la source d'un revenu considérable. Dans beaucoup d'endroits, le travail forestier s'imposait souvent, pour les cultivateurs, comme une activité d'appoint durant les longs mois d'hiver. Très vite, la construction de navires et celle de maisons entraînèrent une forte consommation de bois, sans parler de la nécessité de se chauffer par des températures fort rigoureuses selon la saison. Le bois était non seulement destiné au marché domestique, mais aussi exporté vers l'Angleterre. Puis au début du 20e s., le succès croissant de la presse à grand tirage ouvrit un autre marché : celui de la **pâte à papier**.

En 2006, le Québec a produit près de 10 millions de tonnes de pâtes commerciales, de papier journal, ou spécialisées et de cartons. Cela représentait 7,5 % des biens manufacturés québécois. La Belle-Province produit 16,5 % du papier journal vendu dans le monde, ce qui la place en deuxième position derrière le Canada. 63 % de cette production était exportée aux États-Unis en 2006.

L'agriculture

Jusqu'au début du siècle, l'agriculture constituait encore la base de l'économie provinciale, les produits laitiers représentant, vers 1880, un secteur commercial fort important. En 2006, l'agriculture comptait pour moins de 3 % du produit intérieur brut. Les principales régions agricoles (Bas-Saint-Laurent, Beauce, Gaspésie) se trouvent à proximité du Saint-Laurent. La production agricole comprend des produits d'origine animale (lait, porcs, volailles, bovins), céréalière (maïs, orge, avoine, blé), maraîchère et fruitière (pomme, fraise, framboise et bleuet).

La pêche

Essentiellement concentrée en Gaspésie, aux îles de la Madeleine et sur la Côte-Nord, l'industrie de la pêche contribue relativement peu au produit intérieur brut. En 2005, la valeur totale des prises maritimes s'élevait à 152 millions de dollars canadiens (86 % provenaient des prises de crustacés). La morue, le flétan du Groenland, le sébaste, le maquereau, le hareng, le saumon et les crustacés (crabe des neiges, crevette, homard) constituent l'essentiel des espèces maritimes débarquées au Québec. La pêche à l'esturgeon, la perchaude et l'anguille se fait principalement à l'ouest du cap Tourmente, dans la région du lac Saint-Pierre (Yamaska, Maskinongé, Nicolet et Sorel).

LES INDUSTRIES EXTRACTIVES

Le sous-sol québécois recèle une gamme très fournie de minéraux métalliques (or, argent, fer, cuivre, zinc, plomb, nickel) et non métalliques (le Québec étant le plus grand exportateur d'amiante du monde).

L'activité minière au Québec fut marquée par trois grandes périodes : l'exploitation de l'amiante dans les Cantons de l'Est (Asbestos) dans le dernier quart du 19e s. ; celle de l'or et du cuivre en Abitibi (Rouyn-Noranda) vers 1920 ; enfin, celle du fer sur la Côte-Nord (Fermont, Duplessis) et dans le nord-est du Québec (Schefferville) après 1945.

En 2007, l'exploitation des sites d'extraction québécois représente environ 14 % de la production canadienne de minerai, et si elle demeure la principale activité de plusieurs régions, elle compte toutefois pour moins de 1 % du produit intérieur brut.

L'HYDRO-ÉLECTRICITÉ

Importateur de pétrole et de gaz naturel, le Québec tire aussi son énergie de ses fabuleuses ressources hydro-électriques qu'il exporte vers les États-Unis et les autres provinces canadiennes. Ses exportations d'électricité représentent plus de 14 % de la production mondiale. L'industrialisation du Québec fut fortement liée à cette hydro-électricité qui fournit à bon compte, dès 1900, l'énergie nécessaire à l'industrie du bois, à la pétrochimie, puis à l'électrométallurgie (Alcan, Reynolds, Péchiney).

Hydro-Québec

L'hydro-électricité est une fabuleuse ressource pour le Québec.

Les tenants d'un nationalisme économique ont très tôt réclamé la déprivatisation de l'électricité, que l'Ontario entreprit dès le début du 20e s. De la société Shawinigan Water and Power (1902) à **Hydro-Québec** (première nationalisation en 1944, suivie des grandes nationalisations de 1962-1963, à l'initiative de René Lévesque, ministre du gouvernement de M. Jean Lesage), l'hydro-électricité est devenue un produit privilégié de la force économique du Québec. Les premiers barrages sur la rivière Manicouagan furent en quelque sorte le symbole d'une prise en main de l'économie par les Québécois et d'une expertise en ingénierie aujourd'hui exportée aux quatre coins du monde.

L'électricité québécoise est essentiellement produite par des centrales hydroélectriques dont les trois quarts relèvent d'Hydro-Québec. On compte tout de même quelques centrales thermiques ainsi qu'une centrale nucléaire : Gentilly-2, la seule de son genre au Québec. L'aménagement des puissantes rivières du Québec et son impact sur l'environnement et les populations autochtones des régions nordiques soulèvent de nombreuses controverses.

DE NOUVELLES DIRECTIONS

La Révolution tranquille des années 1960 s'est accompagnée d'une intervention accrue de l'État sur le plan social et économique. Les nationalisations (hydroélectricité et amiante), les mécanismes d'aide aux entreprises (Société générale de financement) ou d'investissements (Caisse de dépôt et de placement), les grands travaux d'infrastructures (Expo'67, métro de Montréal, Jeux olympiques de Montréal en 1976) et les politiques linguistiques favorables à l'ascension des francophones dans les domaines du commerce, de l'industrie et de la finance, ont doté la politique économique québécoise de caractéristiques originales en Amérique du Nord.

Siège d'une puissante Bourse et de nombreuses banques et compagnies canadiennes, la métropole montréalaise bénéficia largement de cette politique qui accordait une place essentielle à l'entreprise québécoise francophone. Si son rôle de capitale financière du pays fut éclipsé au profit de Toronto dans les années 1970, Montréal continue toutefois à dominer la scène économique québécoise. En effet, 52 % des industries manufacturières se concentrent dans l'agglomération montréalaise ; elles emploient 15,5 % de la main-d'œuvre dans ce secteur, et produisent le tiers des produits finis de la province.

Ces dernières années, les secteurs traditionnels de l'économie québécoise ont souffert de la concurrence internationale (notamment asiatique), mais les industries de haute technologie ont trouvé de nouveaux marchés (aéronautique, télécommunications, ingénierie). Le **secteur des services**, prépondérant depuis les années 1950, représente aujourd'hui plus de 70 % du produit intérieur brut.

Depuis l'ouverture de la **voie maritime du Saint-Laurent** (1959), qui relie les Grands Lacs à l'océan Atlantique, l'intégration des économies québécoise et étasunienne n'a cessé de se consolider. Que ce soit par le biais de ses investissements ou des succursales québécoises d'entreprises américaines, les États-Unis demeurent le grand partenaire économique du Québec, même si la part des exportations internationales de la province vers son voisin américain est passée de 83 % en 2003 à 75 % en 2007, et que la part des importations de biens produits au sud de la frontière a chuté de 41,1 % en 2002 à 30,8 % en 2006.

Gastronomie

LA TABLE

Les principales agglomérations du Québec proposent des restaurants de toutes catégories, des simples cafés aux grandes tables.

Certains quartiers de Montréal (Vieux-Montréal, Plateau Mont-Royal, boulevard Saint-Laurent, centre-ville) sont très renommés pour leurs tables.

La ville de Québec possède aussi de fortes concentrations de restaurants, notamment le long des rues Sainte-Anne, Saint-Jean, Saint-Louis et Grande-Allée dans la Haute-Ville, et dans le quartier Petit-Champlain ainsi que sur la rue Saint-Paul dans la Basse-Ville.

Certains chefs deviennent désormais des célébrités, comme Laurent Godbout, propriétaire de plusieurs restaurants à Montréal, ou encore David Biron.

LES PRODUITS ET LES PLATS

Chaque région du Québec possède ses **spécialités**.

En Beauce, les **produits de l'érable** sont particulièrement réputés : sirop, sucre, tire, tarte, yaourt, crème glacée et digestif. Pour sa part, l'île d'Orléans s'est spécialisée dans une production maraîchère qui fait les délices de la ville de Québec, toute proche.

Vers le Saguenay – Lac-Saint-Jean, on affirme le plus sérieusement du monde : « Une tarte, un **bleuet** ! » Sorte de myrtille dont on tire un apéritif, ce petit fruit n'est pas la seule spécialité gastronomique de la région : on y trouve aussi la **gourgane**, une espèce de grosse fève dont on fait une soupe, et la **cipaille**, pâté de gibier mêlé de couches de pâte et de pommes de terre.

Parmi les autres plats traditionnels, on mentionnera les **fèves au lard,** les **oreilles de crisse** (lard frit qui crisse sous la dent), le **ragoût de boulettes** et la **tourtière** (hachis de viandes en croûte), cousin du **pâté chinois**, ainsi nommé car la recette daterait de l'époque des

Les fromages québécois

Aujourd'hui, le Québec recense entre 200 et 300 références de fromages. En l'absence de labels et de zones de production définies, chaque élevage produit les siens de façon exclusive, constituant ainsi une multitude de variétés. Certaines se sont déjà taillées une belle réputation comme la tomme du Kamouraska (brebis), et des régions comme Saguenay-Lac-St-Jean se voient reconnaître une production de qualité par les professionnels de la restauration. Ce pays a même organisé une route des fromages.

grands chantiers ferroviaires auxquels participaient de nombreux ouvriers asiatiques. Et la **poutine** ? Les variantes sont multiples mais la recette traditionnelle exige des frites parsemées de « crottes » de fromage recouvertes de jus de viande, qui couinent quand on les mastique.

Les amateurs de poisson, de crustacés et de fruits de mer apprécieront le **saumon** frais ou fumé de la Côte-Nord, le **homard des îles de la Madeleine**, la **morue de Gaspésie**, les **crevettes de Matane** et les **bigorneaux du Bas-Saint-Laurent**.

Les amateurs de viande n'hésiteront pas à goûter la viande de caribou et d'orignal.

Quant au dessert, la tarte au sucre et celle au sirop d'érable feront le délice des plus gourmands, à moins qu'ils ne jettent leur dévolu sur le pudding chômeur, sorte de gâteau spongieux au sirop d'érable.

Le homard pour repas.

Canot au bord du lac Castor situé sur le territoire de la communauté des Atikamekw.

Amos

ABITIBI-TÉMISCAMINGUE - 12 584 HABITANTS
WWW. TOURISME-ABITIBI-TEMISCAMINGUE.ORG ET WWW.VILLE.AMOS.QC.CA

C'est à Amos, berceau et première capitale de l'Abitibi, que s'installèrent en 1912 des colons venus de Québec pour exploiter les richesses naturelles de la région. Aujourd'hui encore, l'agriculture, la mine et la forêt demeurent les principales ressources de la cité, qui dispose d'une autre richesse d'avenir : l'eau douce ! La ville est en effet reconnue pour avoir l'une des meilleures eaux potables au monde…

- **Se repérer** – Amos se trouve à 604 km au nord-ouest de Montréal par les routes 117 et 111, et à 56 km au nord de Val-d'Or par la route 111. Des vols quotidiens de Montréal à Val-d'Or sont proposés par Air Canada Jazz - ✆ 514-393-3333.
- **À ne pas manquer** – Le village de Pikogan.
- **Organiser son temps** – La découverte d'Amos et de ses environs peut se faire dans le prolongement de celle de Val-d'Or.
- **Avec les enfants** – Le refuge Pageau qui accueille des animaux blessés ou abandonnés.
- **Pour poursuivre la visite** – Val-d'Or et Rouyn-Noranda.

Comprendre

Une terre promise – Au début du 20ᵉ s., la région d'Abitibi-Témiscamingue apparaissait comme une terre promise, un vaste territoire vierge à coloniser. Les premiers colons arrivèrent en 1912, et, dès l'année suivante, la voie ferrée transcontinentale relia Amos à Québec.

Harricana – Autrefois surnommée Harricana, du nom de la rivière qui la traverse, la ville fut rebaptisée en l'honneur d'Alice Amos, épouse de Lomer Gouin, Premier ministre de la province au début du 20ᵉ s.

Ruée colonisatrice – Grâce à leur propagande « agriculturiste » présentant le retour à la terre comme une panacée aux maux créés par la grande crise des années 1930, les dirigeants politiques et catholiques canadiens français de l'époque déclenchèrent une véritable ruée colonisatrice qui profita de nouveau au développement d'Amos.

Visiter

Cathédrale Sainte-Thérèse-d'Avila
11 bd Mgr-Dudemaine - ✆ *819-732-2110 -* ♿ *- 9h-17h.*
Située au cœur de la ville, cette église fut construite en 1923 selon les plans de Mᵍʳ Dudemaine, premier curé de la paroisse, et de l'architecte Beaugrand-Champagne, et élevée au rang de cathédrale en 1939. Elle constitue un exemple de style romano-byzantin, avec sa forme circulaire surmontée d'un dôme spectaculaire. On y remarque plusieurs éléments décoratifs, parmi lesquels une colombe peinte (2,75 m), des marbres roses d'Italie et des vitraux de France.

Aux alentours

Village de Pikogan
À 4 km au nord d'Amos. Prenez à gauche la rue Principale, encore à gauche la 1ʳᵉ Av. Ouest, puis à droite la 6ᵉ rue Ouest (qui devient route 109). Continuez sur 2 km jusqu'au poste de gaz, à gauche de la route.
Ce village algonquin, dont le nom signifie « tente de peaux » et où vivent également quelques Cris, fut fondé en 1954. Ses résidents sont tous originaires de la région du lac Abitibi. Entièrement administrée par les autochtones, la petite localité reflète leur volonté de réaffirmer leur culture. On y trouve tous les services d'une communauté active, notamment une école, où certains cours sont donnés en algonquin. Une exposition permanente relate l'histoire des Abitibiwinnik. L'été, des randonnées en canot sur l'Harricana, avec un guide amérindien, sont proposées *(rens. www. abitibiwinni.com -* ✆ *819-732-3350).*

L'**église**★ de la mission Sainte-Catherine *(mai-sept. : lun.-vend. 9h-17h ; reste de l'année et j. fériés : sur rendez-vous seulement -* ♿ *-* 🅿️ *), construite en 1968, adopte la forme d'un wigwam (tee pee). Sa décoration intérieure est entièrement inspirée du style amérindien propre à la région.

Refuge Pageau

À 8 km à l'est d'Amos. Suivez la route 111 Est en direction de Val-d'Or, puis prenez à gauche le rang 10 de Figuery vers Saint-Maurice (rang Croteau) - 𝒫 819-732-8999 - www. refugepageau.ca - &. - 🅿 - 21 juin-2 sept. : 10h-17h, 3 sept.-oct. : sam.-dim. : 13h-16h ; visite guidée nov.-mai : 13h30 - 12,50 $.

Le propriétaire des lieux est un ancien trappeur, mais aussi un fidèle ami des bêtes. À la demande des chasseurs ou des agents de protection de la faune, il recueille les animaux blessés, maltraités ou abandonnés, les soigne et les relâche dans la nature ; certains d'entre eux, qui ne sauraient survivre en liberté, deviennent les invités permanents du refuge.

Le **zoo** ainsi formé se situe dans un sous-bois. Les cages identifient le nom de leur pensionnaire en algonquin, en français et en anglais. Ours, cerf ou buse à queue rousse… chaque animal a son histoire et fournit une occasion de mieux comprendre la faune et les dangers qui la menacent.

Village de Preissac

À 35 km au sud-ouest d'Amos. La route 395, au sud d'Amos, n'est pas revêtue sur toute sa longueur - www.preissac.com.

Ce joli village occupe un cadre champêtre en bordure de la rivière Kinojélis. Près du pont des rapides, vous trouverez un coin idéal pour un pique-nique *(épicerie et station-service à la sortie de Preissac, route 395).*

Juste avant la pourvoirie du lac Preissac *(à environ 15 km de la route 117)*, un poste d'observation sur la route 395 offre une **vue★** magnifique sur le lac en contrebas. En face de la pourvoirie se trouvent des services de tourisme et de pêche, une marina et un terrain de camping.

Lieu historique national du Canada Le Dispensaire de la Garde

À La Corne, 26 km au sud-est d'Amos par la route 111 - 𝒫 819-799-2181 - www. dispensairedelagarde. com - visite guidée (1h15) 23 juin-3 sept. : 9h-17h ; 16-25 juil. : 9h-20h ; reste de l'année sur réservation - 6 $.

Entrez dans l'histoire de la colonisation en découvrant l'évolution du système de santé québécois : les débuts des dispensaires et leur rôle social sont ici évoqués en prenant pour exemple celui de l'infirmière Gertrude Duchemin, qui soignait les habitants de la région.

Des guides en costume d'époque dirigent les visiteurs vers une présentation multimédia de la médecine de campagne et de la vie quotidienne des infirmières.

Île d'**Anticosti**★★

DUPLESSIS - 281 HABITANTS
SCHÉMA : ÎLE D'ANTICOSTI
WWW.SEPAQ.COM/ANTICOSTI

Celle qui fut autrefois le paradis privé du magnat du chocolat, l'industriel français Henri Menier, est aujourd'hui un paradis pour tous ! Située dans le golfe du Saint-Laurent, entre Gaspésie et Côte-Nord, l'île d'Anticosti s'étend sur plus de 200 km de long. La quasi-totalité de cet immense territoire est classée au sein d'un parc national où les amoureux de la nature peuvent admirer, dans un cadre idyllique, une grande variété d'oiseaux et de fleurs sauvages. Plus d'une centaine de rivières, riches en truites et saumons de l'Atlantique, sillonnent ce territoire boisé bien connu des chasseurs de cerfs pour l'abondance du gibier. Les plus aventureux pourront suivre la côte en kayak et admirer ses hautes falaises escarpées, hérissées de nombreux phares. Des formations calcaires incrustées de fossiles permettront aux géologues amateurs de s'adonner à de passionnantes recherches.

▶ **Se repérer** – Étendue de terre de 222 km de long sur 56 km dans sa plus grande largeur, l'île d'Anticosti garde l'entrée du Saint-Laurent, au sud de l'archipel de Mingan (Côte-Nord) et au nord-est du parc national Forillon (Gaspésie). Port-Menier, à l'est de l'île, est son unique village.

▶ **Comment s'y rendre** – **En avion** : depuis Montréal, Québec, Sept-Îles ou Mont-Joli - ✆ 418-535-0156 - www.sepaq.com. Autres compagnies régulières proposant des vols depuis Havre-Saint-Pierre et Sept-Îles : Air Satellite Inc - ✆ 418-538-2332 et Aéropro - ✆ 418-538-6834. Vols charters avec Aviation Québec Labrador : ✆ 418-962-7901 ou 800-463-1718.
En bateau : Relais Nordik Inc. au départ de Rimouski - ✆ 418-723-8787, de Sept-Îles - ✆ 418-968-4707, ou de Havre-Saint-Pierre - ✆ 418-538-3533.

👁 **À ne pas manquer** – La chute et le canyon de la Vauréal.

🕐 **Organiser son temps** – Son immensité et son éloignement indiquent un séjour prolongé : l'île d'Anticosti doit faire l'objet d'une semaine au moins de découverte. La Sepaq propose des séjours clés en mains.

Comprendre

« Avant la côte » – Les fouilles archéologiques menées sur l'île ont révélé des traces d'occupation humaine vieilles de 3 500 ans. Quant à l'étymologie du nom « Anticosti », elle reste incertaine. Il pourrait s'agir d'une déformation du mot amérindien *notiskuan*, « lieu où l'on chasse l'ours », ou encore de l'expression *anti costa*, « avant la côte », que les pêcheurs basques ou espagnols auraient donnée au lieu.

Jacques Cartier attesta de l'existence de l'île lors de son premier voyage en Nouvelle-France en 1534. Il fallut toutefois attendre 1680 pour que les lieux commencent à se peupler : c'est en effet à cette époque qu'Anticosti fut cédée à Louis Jolliet à titre de récompense pour sa découverte de l'Illinois et son expédition dans la baie d'Hudson. La première colonie fut éradiquée par la flotte anglaise de l'amiral Phips en 1690. Les trois enfants de Jolliet héritèrent par la suite d'Anticosti qui – conséquence de la Conquête anglaise – fut annexée à Terre-Neuve (elle-même devenue colonie anglaise selon les termes du traité d'Utrecht) en 1763.

Au cours du siècle suivant, l'île changea à plusieurs reprises de propriétaire. En 1873, une société anglaise, l'Anticosti Island (ou Forsyth) Company, tenta sans succès de la coloniser, tout comme le firent, sans plus de succès, la Stockwell Company et les autres sociétés qui lui succédèrent.

L'ère Menier : 1895-1926 – Héritier d'une fortune familiale bâtie sur les chocolateries, **Henri Menier** devait jouer un rôle considérable dans l'histoire de l'île. À la recherche d'un terrain qui, tout en présentant un investissement rentable, offrirait un lieu de retraite où il pourrait chasser et pêcher, l'industriel acheta Anticosti le 16 décembre 1895 pour la somme de 125 000 dollars, et en entreprit le développement.

Un de ses amis, Georges Martin-Zédé, qu'il avait nommé administrateur de l'île, fut chargé de faire respecter les règlements très stricts établis par Menier en personne pour entreprendre le développement du village de Baie-Sainte-Claire, et celui de l'industrie du bois et de la pêche. Pour faciliter le transport des ressources de l'île, un port en eau profonde fut édifié dans la baie d'Ellis, et le village de Port-Menier vit ainsi le jour.

Menier dépensa sans compter pour transformer l'île en un paradis privé. Dans le but d'accroître davantage la faune sauvage, déjà riche en loutres, renards et ours, il fit importer castors, orignaux, caribous, lièvres et quelque **220 cerfs de Virginie**. Une ferme se spécialisa dans l'élevage des renards roux et argentés. Parmi les espèces que Menier fit introduire, la plus prolifique allait être le cerf de Virginie, dont on estimait le cheptel à quelque 120 000 têtes en 1989, au point que les biologistes parlent aujourd'hui de surpopulation et déplorent les dégâts causés à la végétation.

Pour que ses séjours sur l'île d'Anticosti se déroulent dans le plus grand confort, et pour combler ses visiteurs, Menier se fit construire un **pavillon de chasse qui surplombait la baie entre Port-Menier et Baie-Sainte-Claire**. Ce bâtiment somptueux, baptisé « le château » par la population locale, était un mélange d'architectures norvégienne et normande. L'aile Ouest était éclairée par un énorme vitrail en forme de fleur de lys. L'intérieur luxueux reflétait le goût de Menier pour le faste et le raffinement : antiquités norvégiennes, tapis orientaux de grande valeur, fine porcelaine et verrerie de cristal, portes de bois sculpté, toiles de maîtres, jardinières de bronze… Il y avait même un « trône » sculpté à la main pour le « roi du chocolat ». Le pavillon possédait une immense salle de réception, une bibliothèque bien pourvue et douze chambres auxquelles attenaient des salles de bains de marbre ; car, comble du luxe pour l'île, le château était équipé de l'eau courante et de l'électricité.

À la mort d'Henri Menier, en 1913, son frère Gaston hérita d'Anticosti. Tout en appréciant la beauté du lieu, celui-ci désapprouvait les extravagances d'Henri. En 1917, les difficultés économiques, qui affaiblirent en France la puissante industrie chocolatière, entraînèrent la fin des activités forestières de la famille Menier sur l'île. En 1926, Anticosti fut donc revendue, pour 6 500 000 dollars, à l'Anticosti Corporation, consortium de plusieurs sociétés canadiennes de production de papier.

Au cours des années qui suivirent, le mobilier de la propriété allait être dispersé et réparti entre les différentes branches du consortium sur le continent, ou bien vendu. Le château Menier, laissé à l'abandon, finit par atteindre un tel état de délabrement que ses ruines devinrent un danger pour les enfants de la communauté environnante qui venaient y jouer. En automne 1953, ordre fut donné de brûler l'édifice.

Une nouvelle vocation – L'Anticosti Corporation s'engagea quelque temps dans l'exploitation forestière, apportant ainsi la prospérité à l'île. L'arrivée de travailleurs forestiers entraîna un accroissement de la population locale qui passa alors de 300 à près de 4 000 personnes. Mais au début des années 1930, face à la grande crise économique, l'industrie du bois connut de graves difficultés, et de nombreux habitants, réduits au chômage, durent alors quitter l'île.

La beauté du site et la richesse de sa faune et de sa flore avaient été, pendant de longues années, l'apanage d'un nombre restreint de privilégiés. Bientôt, l'Anticosti Corporation commença à son tour à s'intéresser au potentiel touristique de l'île. Le consortium changea de nom en 1967 pour devenir la Consolidated Bathurst Limited. En 1974, le gouvernement du Québec acquit l'île d'Anticosti pour la somme de 23 780 000 dollars. En 1983, les habitants se virent accorder le droit d'acheter des terres et des maisons et, en 1984, le premier conseil municipal élu voyait le jour. Presque toute l'île fait aujourd'hui partie d'une réserve.

Aux alentours de Port-Menier

Asphaltée entre Port-Menier et l'aéroport *(7 km)*, l'unique route qui traverse l'île devient ensuite un simple chemin de gravier. Des chemins de terre relient Port-Menier aux pavillons de chasse et de pêche et aux camps sur la rivière Jupiter. La visite de l'île ne peut s'effectuer qu'à bord d'un véhicule adapté *(voir le carnet pratique)*.

Port-Menier

Dernier village toujours peuplé de l'île, Port-Menier fut fondé au début du 20e s. autour du site choisi pour la construction d'un port en eau profonde. Au centre du village, un bâtiment abrite le magasin général, la banque (pas de guichet automatique), le bureau de poste et la laverie automatique. À côté se tient l'épicerie-boucherie, et, un peu plus loin *(rue des Meuniers)*, le bureau de la Sépaq *(voir le carnet pratique)*, où vous devrez impérativement vous enregistrer afin de pouvoir circuler en toute sécurité sur le territoire de l'île. Par ailleurs, c'est à ce bureau que s'achètent les permis de pêche.

Baie-Sainte-Claire

À 15 km à l'ouest de Port-Menier. À l'origine, le village s'appelait English Harbor. Il fut rebaptisé par Henri Menier en l'honneur de sa mère. Au milieu du 19e s., des pêcheurs venus de Terre-Neuve et des Provinces maritimes s'y étaient installés. La Forsyth

Company tenta, sans succès, de développer l'endroit. Quand, en 1895, Martin-Zédé arriva sur les lieux, il ne trouva guère plus d'une dizaine de familles. Sous sa férule, le village devint une communauté active et bien administrée, mais fut abandonné au profit du nouveau village de Port-Menier. En 1931, Baie-Sainte-Claire n'était plus qu'un amas de ruines. En 1985, un four à chaux fut reconstruit à l'ouest du village. À l'époque des Menier, le four d'origine avait servi pendant neuf ans à produire la chaux éteinte qui servait à fabriquer du mortier et du blanc de chaux. Comme la chasse y est formellement interdite, Baie-Sainte-Claire est aujourd'hui un endroit idéal pour observer les **cerfs de Virginie**, parfois rassemblés en troupeaux.

Pointe de l'Ouest

À 1 km au sud de Baie-Sainte-Claire. Le premier **phare**, construit à la pointe de l'Ouest en 1858, était l'un des plus puissants du golfe du Saint-Laurent. Par temps clair, on pouvait voir sa lumière jusqu'à 50 km à la ronde. Malgré la présence de plusieurs phares le long de la côte d'Anticosti, les naufrages ont été nombreux : depuis le début du 18e s., près de 200 navires auraient ainsi échoué autour de l'île. De la côte, il est facile de voir l'épave du *Calou*, prisonnier de ces eaux dangereuses depuis 1982.

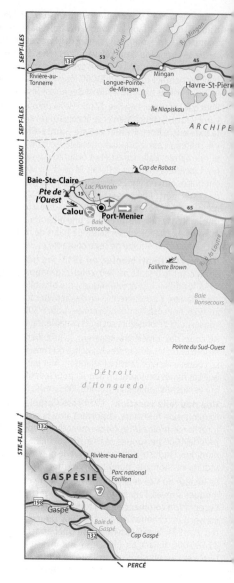

Rive nord – de Port-Menier à la baie de la Tour

169 km

Chutes de Kalimazoo

65 km. L'accès aux chutes se trouve à 1,7 km de la route principale. Suivez les panneaux indicateurs pour atteindre le camping. De là, descendez le sentier à droite jusqu'au ruisseau, traversez-le, puis tournez à gauche d'où un beau point de vue s'offre sur le site. Les cascades se déversent dans un petit étang aux eaux très claires, encerclé de falaises calcaires.

Baie MacDonald

36 km. Entourée d'une plage de sable fin, cette baie spectaculaire doit son nom à Peter MacDonald dit « Peter l'ermite », pêcheur originaire de la Nouvelle-Écosse qui s'installa ici à la fin du 19e s. Après quelques années, sa femme retourna en Nouvelle-Écosse, et il vécut en solitaire sur l'île. Selon la légende, Martin-Zédé aurait réussi, non sans mal, à convaincre l'homme de se rendre à Baie-Sainte-Catherine pour se faire soigner, car il était tombé malade. Aussitôt guéri, le fier vieillard, alors âgé de 87 ans, aurait chaussé ses raquettes et fait plus de 120 km de marche pour regagner son logis.

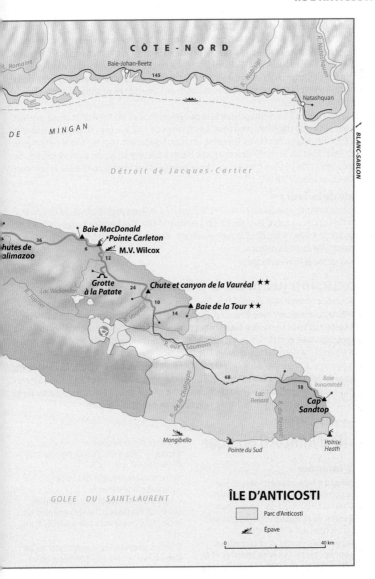

ÎLE D'ANTICOSTI

Parc d'Anticosti

Épave

0   40 km

Pointe Carleton

6 km à l'est de la baie MacDonald. La route épouse le tracé des plages de sable, et offre ainsi une belle vue de la mer. Le pittoresque **phare de la pointe Carleton** date de 1918.

Possibilités d'hébergement au pavillon Carleton. Pour plus de renseignements, contactez la Sépaq (voir le carnet pratique).

Épave du *Wilcox* – Près de la pointe Carleton, à l'embouchure de la rivière à la Patate, l'épave échouée du *M.V. Wilcox* continue à subir l'assaut des vagues. Cet ancien dragueur de mines fit naufrage en juin 1954.

Grotte à la Patate

12 km. Environ 3 km après les deux ponts qui enjambent la rivière à la Patate et un de ses affluents, quittez la route principale et prenez le sentier forestier (avec un véhicule 4x4, il est possible de rouler sur environ 2 km).

Suivez ensuite à pied un chemin balisé qui mène à l'entrée de la grotte (1h). Le port d'un casque est conseillé.

La grotte fut découverte en 1981. Une équipe de géographes l'explora en 1982 et en dressa une carte. L'entrée de la caverne atteint 10 m de haut et environ 7 m de large. Des galeries courent sur une longueur totale de 625 m.

Chute et canyon de la Vauréal★★

La chute est à 24 km à l'est de la Grotte à la Patate. Pour accéder au canyon, revenez sur la route principale et retournez vers la pointe Carleton. L'embranchement se trouve à 1,5 km. La rivière Vauréal a d'abord porté le nom de Morsal, en souvenir d'un descendant de huguenots arrivé à Anticosti en 1847, qui passa 45 années près de la rivière. Menier la rebaptisa Vauréal, du nom de l'une de ses propriétés sur les bords de l'Oise, en France.

L'excursion à pied *(1h)*, qui suit le lit de la rivière jusqu'à la base de la chute, permet de découvrir de superbes paysages. Les falaises de calcaire gris, striées par endroits de schistes rouges et verts, forment un motif ondulant sculpté par les éléments naturels. Tout au long du parcours, ces hautes parois rocheuses sont entaillées de crevasses et de petites grottes. La chute plonge dans le canyon depuis le sommet d'une muraille de 70 m.

Baie de la Tour★★

Quittez la route principale en tournant à gauche 10 km après la chute de la Vauréal. Continuez par la route secondaire sur environ 14 km. À cet endroit, des collines de calcaire tombent à pic dans la mer et offrent, depuis la plage sablonneuse, une vue extraordinaire des environs.

Revenez sur la route principale.

Excursion jusqu'au cap Sandtop

172 km aller-retour depuis Baie de la Tour.

La route (non revêtue) prend fin au cap. De profondes ornières rendent, par mauvais temps, le passage difficile. La **rivière Natiscotec** marque la limite de la réserve d'Anticosti. La végétation rase et clairsemée est tout à fait caractéristique des terres marécageuses qui s'étendent dans cette partie de l'île.

On pénètre à nouveau dans la réserve d'Anticosti après avoir franchi **la rivière du Renard**. Une colonie s'était autrefois établie dans la baie Renard et, plus tard, Menier y avait installé une conserverie de homard. La crique située entre le ruisseau de la Chute et la **baie Innommée** forme une **réserve ornithologique**.

Île d'Anticosti pratique

S'informer

Bureau d'information touristique – *36 chemin des Forestiers - Port-Menier - ☏ 418-535-0250 - en été : 8h30-17h30.*

Bureau de la Sepaq – *Rue des Meuniers - Port-Menier - ☏ 418-535-0156.*

Service des ventes et réservations pour la chasse, la pêche sportive et la villégiature - *☏ 1-800-463-0863 (sans frais) et 418-890-0863.*

Location de voiture

Location Georges Lelièvre Anticosti – *Port-Menier - ☏ 418-535-0351.*

Une seule route traverse l'île. Elle est revêtue entre Port-Menier et l'aéroport (7 km), partout ailleurs elle est recouverte de gravillons. Des routes non revêtues relient Port-Menier aux camps de chasseurs et de pêcheurs de la rivière Jupiter. Il est indispensable de prendre un véhicule adapté (type 4x4 ou pick-up) pour visiter l'île.

Deux stations d'essence seulement aux centres de services de MacDonald et Chicotte-la-Mer.

Se loger

◉ **Bon à savoir** – La réserve d'Anticosti est gérée par la Société des établissements de plein air du Québec, la **Sépaq** : *☏ 418-890-0863* ou *418-535-0156* (Port-Menier).

Cette dernière organise des forfaits-vacances d'une durée de 7 à 14 jours comprenant le voyage par avion depuis Mont-Joli (Gaspésie), l'hébergement et les repas, ainsi que la mise à disposition d'un 4x4.

D'autres **pourvoiries**, comme celle **du lac Geneviève** (*☏ 418-535-0294*) proposent différentes formules.

On peut également loger à l'**Auberge de Port-Menier** : *☏ 418-535-0122.*

Lorsqu'il reste des chambres disponibles, le **pavillon Carleton** (géré par la Sépaq) accepte par ailleurs des réservations sans forfaits-vacances.

Activités

Les activités de loisirs ne manquent pas : randonnée pédestre ou à vélo, camping, kayak de mer, plongée sous-marine, équitation, baignade et, bien sûr, en hiver, motoneige, chasse et pêche. Pour la chasse et la pêche, il est préférable de communiquer avec les différents pourvoyeurs de l'île pour connaître les modalités de pratique de ces activités. Rens. : *☏ 418-535-0311.*

Baie-Saint-Pa...

CHARLEVOIX - 7 288 HABITANT...
SCHÉMA : CÔTE DE CHARLEVOI...
WWW.BAIESTPAUL.COM OU WWW.TOURISME-C...

DÉCOUVRIR LES SITES

Aux ale...
En quitt...
Baie-...
P...

Plantée dans un décor de rêve à la confluence de ...
du Saint-Laurent, cette petite ville a toujours insp...
par les montagnes et la lumière propre à la région d...
des années 1970, elle était fréquentée par des acrob... clowns, des
jongleurs et des contorsionnistes qui devaient fonder le célèbre Cirque du
Soleil. Aujourd'hui encore, Baie-Saint-Paul demeure un lieu de création artistique très actif. Au mois d'août se tient le Symposium international d'art
contemporain, à l'occasion duquel de jeunes artistes réalisent en public des
œuvres de grand format. Et tout au long de l'année, la ville se découvre à
travers les nombreuses galeries et centres d'art qui l'animent. Un circuit des
galeries est même prévu !

- **Se repérer** – Baie-Saint-Paul se trouve à 95 km au nord-est de Québec par la route 138.
- **À ne pas manquer** – Le Centre d'exposition de Baie-Saint-Paul et les maisons typiques de la province, transformées en auberges.
- **Organiser son temps** – Baie-Saint-Paul est une étape idéale pour découvrir la côte de Charlevoix.
  En août a lieu le Symposium international d'art contemporain, et fin septembre-début octobre, Rêves d'automne, un festival célébrant l'été indien.
- **Pour poursuivre la visite** – L'île aux Coudres, la côte de Charlevoix.

Comprendre

Baie-Saint-Paul fut colonisée en 1678 par Noël Simard qui, délaissant la côte de Beaupré, vint s'installer dans la vallée du Gouffre afin d'y défricher les terres fertiles. Il y
fonda un village qui fut très longtemps la seule communauté entre Saint-Joachim
et Tadoussac.

Visiter

En arrivant à Baie-Saint-Paul par le sud, sur la route 138, il faut s'arrêter pour admirer
la **vue★★** plongeante sur la vallée du Gouffre, ponctuée ici et là de bâtiments
appartenant aux communautés religieuses de la ville.

Prenez le temps de parcourir les ruelles de ce village et d'admirer les ravissantes
maisons anciennes qui bordent la **rue Saint-Jean-Baptiste**, pittoresque à souhait
(notamment les n°s 143-145). Descendez-la pour faire du lèche-vitrines et chiner dans
les magasins d'antiquités. Dirigez-vous ensuite vers le quai et embarquez le temps
d'une promenade à bord d'un bateau ou d'un kayak de mer.

Près du quai s'étendent une plage et une forêt de pins avec des sentiers aménagés.

Carrefour culturel Paul-Médéric

4 r. Ambroise-Fafard - ℘ 418-435-3681 - www.baiestpaul.com - 🅿 - du 24 juin à déb.
sept. : tlj sf lun. 10h-19h - d'avr. au 23 juin et de déb. sept. à mi-nov. : jeu.-vend. 13h30-
17h, sam.-dim. 10h-17h ; reste de l'année : vend.-dim. 10h-17h - gratuit. Cette galerie
moderne (1967, Jacques Delois), construite comme monument commémoratif de la
Confédération canadienne, expose les œuvres d'artistes de la région de Charlevoix.
Dans les ateliers de tissage et de tapisserie, des artisans locaux réalisent des pièces
traditionnelles et contemporaines.

Depuis le quai (rue Sainte-Anne), l'île aux Coudres donne l'impression de bloquer
l'entrée de la baie.

Centre d'exposition de Baie-Saint-Paul

23 r. Ambroise-Fafard - ℘ 418-435-3681 - www.centredexpo-bsp.qc.ca - tlj sf lun. 11h-17h
(20h : du 24 juin à fin août) - 4 $.

Dessiné par l'architecte Pierre Thibault, le centre accueille des expositions itinérantes
venant du monde entier et consacrées à toutes les formes d'art moderne et contemporain. En parallèle, des expositions temporaires présentent, par roulement, sa riche
collection d'œuvres des années 1940 à nos jours. Le centre organise également
le Symposium international d'art contemporain qui a lieu chaque année au mois
d'août.

...**ours**

...la ville par la route 362 Est, une halte routière offre une autre **vue**★★ de
...int-Paul, du Saint-Laurent et de la rive sud.

...après, le chemin Vieux-Quai descend vers la droite. Il mène au rivage que borde
une voie ferrée, et offre une vue rapprochée de l'île aux Coudres.

Île aux Coudres★★

Voir Côte de Charlevoix.

Parc national des Grands-Jardins

*33 km au nord de Baie-Saint-Paul. Environ 11 km après Baie-Saint-Paul, prenez la
route 381 vers Saint-Urbain (4,5 km), et continuez sur 18 km jusqu'au centre d'accueil
Thomas-Fortin - ℰ 866-702-9202 (du Canada et des États-Unis) ou 418-439-1227 (hors
saison) - www.sepaq.com - △ - ▣ - ouvert toute l'année - 3,50 $.*

*Deux bureaux d'accueil : le centre de services Thomas-Fortin, situé au km 31 (23 mai-
13 oct.) et le poste d'accueil Mont-du-Lac-des-Cygnes, au km 21 (21 juin-13 oct. et 20 déc.-
4 janv. : tlj ; reste de l'année : sam.-dim.).*

Avec ses étendues d'eau limpide, ses forêts d'épinettes noires et ses tapis de lichen
dont se nourrit le caribou en hiver, ce vaste territoire nous plonge dans l'atmosphère
des régions nordiques et de la taïga subarctique.

Le parc des Grands-Jardins figure ainsi parmi les aires de la Réserve mondiale de la
biosphère de Charlevoix classée à l'Unesco. Il a été créé en 1981 afin de préserver l'habitat du caribou. On en comptait environ 10 000 au début du siècle, mais une vingtaine
d'années plus tard, la population – en partie victime d'une chasse intensive – avait
disparu. Entre 1969 et 1972, 80 caribous furent réintroduits dans le futur parc. L'opération a réussi puisque le troupeau compte aujourd'hui de 125 à 150 têtes !

Secteur du Mont-du-lac-des-Cygnes – *À 1,5 km du centre de services Thomas-Fortin.*
Un sentier de randonnée de 2,7 km grimpe jusqu'à 980 m. Du sommet, la **vue**★★
embrasse le Saint-Laurent et la région de Charlevoix, parsemée de lacs et de villages.
En montant, le promeneur remarquera trois types distincts de végétation, caractéristiques de l'étage montagnard, de la taïga et de la toundra : forêts de bouleaux
blancs, de peupliers, et de sapins et épinettes.

Centre d'interprétation du Château-Beaumont – *18 km par la route 381 - ℰ 418-
846-2218 -* &. *- ▣ - de mi-juin à mi-oct. : 9h-18h.* Le visiteur pourra y voir des expositions
consacrées au parc, véritable « îlot de Grand Nord québécois », et à son milieu naturel
si particulier. Le centre organise des excursions de découverte de la nature menées
par des guides-naturalistes.

Plusieurs sentiers de randonnée (la *pinède*, le *boréal*, etc.) permettent également
de traverser la zone de taïga. *Renseignements au centre de services Thomas-Fortin
ℰ 418-846-2218. Location de canots.*

Côte du **Bas-Saint-Laurent** et **Côte-du-Sud**★★

CHAUDIÈRE-APPALACHES – BAS-SAINT-LAURENT
SCHÉMA : CÔTE DE CHARLEVOIX
WWW.TOURISMEBAS-ST-LAURENT.COM ET WWW.CHAUDIEREAPPALACHES.COM

Suivre le Saint-Laurent depuis Lévis, situé face à Québec, jusqu'à Sainte-Luce, aux portes de la Gaspésie, c'est partir à la découverte d'un fleuve qui devient estuaire à hauteur de Berthier-sur-Mer. Graduellement l'eau se fait saline, les îles essaiment : Grosse-Île, l'archipel de l'Île-aux-Grues, les îles de Kamouraska, l'île aux Basques, l'île Verte… Le long du fleuve, les routes offrent une suite d'escales invitant à contempler la beauté des lieux. S'enfilent baies, caps et promontoires, tandis que les villes et villages comme Saint-Jean-Port-Joli, Kamouraska, Rivière-du-Loup, Cacouna ou Trois-Pistoles révèlent un remarquable patrimoine architectural. Ce circuit, qui vous mènera aussi au très beau parc national du Bic, est, au sud du Saint-Laurent, l'un de ses incontournables.

▶ **Se repérer** – Entre Québec et la Gaspésie, la rive sud du Saint-Laurent englobe la région du Bas-Saint-Laurent, et, dans sa partie septentrionale (la Côte-du-Sud), celle de Chaudière-Appalaches.

👁 **À ne pas manquer** – L'île aux Grues, Saint-Jean-Port-Joli, Kamouraska, le parc national du Bic.

🕐 **Organiser son temps** – Chaque circuit proposé peut se faire en deux ou trois jours. Le circuit ① commence en Chaudière-Appalaches et se poursuit à partir de La Pocatière dans le Bas-Saint-Laurent. Il longe une partie de la région de la Côte-du-Sud (entre Beaumont et Saint-André de Kamouraska). Le circuit ② vous fait traverser le Bas-Saint-Laurent jusqu'à la porte de la Gaspésie.

👪 **Avec les enfants** – Le musée maritime du Québec de L'Islet-sur-Mer.

De Lévis à Rivière-du-Loup
① *187 km*

Lévis★
Voir ce nom.
À la sortie de Lévis, la route 132 longe le Saint-Laurent et offre de belles vues de Québec et de la chute Montmorency, sur la rive gauche.
Après 13 km, tournez à gauche en direction de Beaumont.

Beaumont
Construite entre 1726 et 1733, l'**église** de Beaumont est l'une des plus anciennes du Québec (après l'église de Saint-Pierre, sur l'île d'Orléans, et la chapelle votive de Cap-de-la-Madeleine). C'est là, en 1759, que le général Wolfe – commandant en chef des troupes anglaises – fit afficher la fameuse proclamation qui affirmait la suprématie britannique. Quand les villageois l'arrachèrent, ses soldats voulurent brûler l'église mais le bâtiment demeura intact. Sa façade fut agrandie, et on ajouta une chapelle au nord ainsi qu'une sacristie. Sa nef dépouillée se termine en une abside circulaire.
À l'intérieur, on découvre un magnifique **décor** de bois sculpté, façonné par Étienne Bercier, de l'atelier de Louis-Amable Quévillon à Montréal. Exécuté de 1809 à 1811, le chœur est orné de boiseries de style Louis XV et d'une voûte étoilée en caissons. Le tabernacle finement sculpté du maître-autel, du 18e s., est surmonté d'un tableau d'Antoine Plamondon, *La Mort de saint Étienne*.
Traversez le village pour rejoindre la route 132.
Moulin de Beaumont – *À 7 km du village de Beaumont, tournez à gauche -* 📞 *418-833-1867 -* 🍴 *-* ♿ *-* 🅿 *- 24 juin-24 août : mar.-dim. 10h-16h30 ; mai-23 juin et sept.-oct. : sam.-dim. 10h-16h30 - 7 $.* Construit en 1821, ce moulin qui surplombe la chute à Maillou était destiné au cardage de la laine pour la seigneurie. En 1850, il devint un moulin à grain et, par la suite, une scierie. Il fut restauré et rouvert en 1967, puis meublé par les habitants de la région (troisième étage et grenier). Le visiteur peut y acheter du pain préparé avec de la farine de blé entier moulue sur place.
Derrière le moulin, un escalier panoramique assez raide mène au pied de la falaise, sur la rive du Saint-Laurent. On y voit les fondations du **moulin Péan** (18e s.), qui fonctionna jusqu'en 1888. Depuis 1984, l'endroit fait l'objet de fouilles archéologiques.
Reprenez la route 132 et continuez sur 4 km avant de tourner à gauche.

Saint-Michel-de-Bellechasse

L'**église**, au centre du village, date de 1858. Plus ancien, le **presbytère** (1739) fut réalisé dans le plus pur style québécois, avec ses volets sculptés d'une fleur de lys (en haut) et d'une feuille d'érable (en bas). À la fin du 18e s., l'édifice fut endommagé par les Anglais, puis restauré.

Reprenez la route 132 en direction de Montmagny.

Cette région agricole est parsemée de fermes laitières et de plusieurs maisons décorées de boiseries aux couleurs chatoyantes. La route longe le bord de l'eau, et offre de jolis points de vue sur le Saint-Laurent et sur l'archipel de l'Île-aux-Grues.

Montmagny

31 km au nord-est de Saint-Michel, traversez le pont, puis tournez à gauche.

Cette charmante ville présente bien des points d'intérêt. Logé dans le superbe manoir Couillard-Dupuis (1789), le **musée de l'Accordéon** *(301 bd Taché Est - ℘ 418-248-7927 - http://accordeon.montmagny.com - &- 🅿 - du 24 juin à la fête du Travail : 10h-16h ; reste de l'année : lun.-vend. 10h-16h - 4 $)* retrace l'histoire de ce fameux instrument à soufflet et permet d'assister à différentes étapes de sa fabrication.

Au **Centre des migrations** *(53 r. du Bassin-Nord - ℘ 418-234-8841 - &- 🅿 - mai-oct. : 9h-17h - 3,50 $),* les visiteurs découvriront une exposition interactive sur les oies blanches ainsi qu'une présentation du centre de quarantaine de Grosse-Île.

Archipel de l'Île-aux-Grues

Visite guidée de l'archipel – *Départ quotidien de Berthier-sur-Mer - Croisières Lachance - ℘ 418-259-2140 ou 1-888-476-7734 (sans frais) - www.croisiereslachance.ca - &- 🅿 - mai-oct. : téléphoner pour les horaires - AR 2h30 - commentaire à bord. Réservations recommandées - 62 $.*

Les plus importantes des 21 îles et îlots dont se compose l'archipel sont Grosse-Île, l'île aux Grues et l'île aux Oies.

L'**île aux Grues**, la seule habitée en permanence, fait 10 km de long. On peut s'y rendre en avion *(Air Montmagny - ℘ 418-248-3545 - &- 🅿 - départ de Montmagny de fin avr. à nov. : tlj - réservations requises - aller simple 18,75 $)* ou en traversier *(℘ 418-248-6869 - www.traversiers.gouv.qc.ca - &- 🅿 - départ de Montmagny avr.-déc. : tlj - aller simple 25mn - se renseigner sur les horaires - gratuit).*

Les premiers colons européens débarquèrent ici en 1679. Au cours du siècle suivant, les troupes anglaises du général Wolfe dévastèrent l'île. Cette oasis de paix, visitée au printemps et à l'automne par des milliers d'oies blanches, attire les amoureux du calme et de la nature qui y trouveront gîtes et auberges.

À la pointe sud-est de l'île, en dehors du village de Saint-Antoine, se dresse un élégant manoir en bordure du Saint-Laurent.

Lieu historique national du Canada de la Grosse-Île-et-le-Mémorial-des-Irlandais★

℘ 1-888-773-8888 - www.pc.gc.ca/grosseile - ✗- 🅿 - de mi-mai à mi-oct. : 9h-18h - plusieurs compagnies assurent le transport vers Grosse-Île au départ de Berthier-sur-Mer (Croisières Lachance, voir Archipel de l'Île-aux-Grues) et Québec - Aller simple 30mn - commentaire à bord - réservations requises - forfait visite et traversée en bateau 44,50 $ sans les taxes.

En 1832, le flot sans cesse grandissant d'immigrants européens à destination du Canada pousse le gouvernement à établir un centre de quarantaine sur Grosse-Île. Il s'agit avant tout de protéger le pays des terribles épidémies (notamment le choléra) qui ravagent alors l'Europe. Dès la première année, l'île sera, pour plus de 50 000 immigrants, la première terre canadienne où ils poseront le pied, au terme d'un voyage le plus souvent long et pénible. En 1847 arrivent plusieurs milliers d'Irlandais fuyant la misère, la répression politique et… le redoutable typhus. Environ 5 000 de ces malheureux périront sur Grosse-Île avant même d'avoir atteint le continent.

L'île était jadis divisée en trois zones. Dans la partie ouest, dite « Secteur Hôtel », les immigrants en bonne santé trouvaient à se loger dans des bâtiments dont la catégorie variait suivant la classe de leur billet de passage sur le bateau qui les avait emmenés d'Europe. Un hôtel de première classe fut ainsi construit en 1914, sur un promontoire dominant le Saint-Laurent ; chaque chambre avait l'eau courante et l'électricité, luxe qui ne devait d'ailleurs s'étendre au reste de l'île qu'une vingtaine d'années plus tard. Le Secteur Village, dans la partie centrale de l'île, abritait quant à lui les employés du centre de quarantaine et leurs familles. À l'est enfin, le Secteur Hôpital comprenait 21 installations hospitalières dont une existe toujours. Le centre de quarantaine humanitaire de Grosse-Île cessa de fonctionner en 1937, après plus d'un siècle de service. L'île fut tour à tour utilisée par les autorités canadiennes et américaines comme centre de recherche sur la guerre chimique et bactériologique, sur les maladies animales, puis comme centre de quarantaine animale, avant de devenir lieu historique national en 1990.

Véritable Ellis Island canadien, Grosse-Île promet au visiteur un touchant rendez-vous avec le passé.

Une promenade pédestre guidée dans le Secteur Hôtel permet de voir l'hôtel de première classe, le cimetière, la baie du Choléra et le monument érigé en 1909 à la mémoire des milliers d'Irlandais enterrés sur l'île. La visite se poursuit, à bord d'un petit train, jusqu'au Secteur Village où l'on verra la chapelle réservée aux employés et à leurs familles. Elle se termine par le Secteur Hôpital.

L'Islet-sur-Mer
Voir Saint-Jean-Port-Joli.

Saint-Jean-Port-Joli★
Voir ce nom.

Saint-Roch-des-Aulnaies
Situé sur la rive sud du Saint-Laurent, ce village paisible doit son nom à l'abondance d'aulnes qu'on y observe le long de la rivière Férée. La seigneurie des Aulnaies est l'une des plus anciennes de la région. Elle fut concédée en 1656 à Nicolas Juchereau de Saint-Denis, mais les premiers colons, repoussés par les Iroquois, n'arrivèrent qu'à la fin du 17e s. En 1837, Aimable Dionne (1781-1852) acheta la seigneurie. Riche marchand, il fut maire de Kamouraska pendant plus de 30 ans et construisit un magnifique manoir pour son fils, Pascal-Aimable.

Église Saint-Roch – *À 3 km à l'est de l'entrée du village, sur la route 132 - ☎ 418-354-2552 - ♿- ouv. mi-juil.-mi-août : 10h-17h.*. Construite en 1849, cette église néogothique abrite de nombreuses toiles de Joseph Légaré (1795-1855). La chaire sculptée et l'autel sont l'œuvre de François Baillairgé.

À 400 m de l'église, la petite **chapelle de procession** en pierre date de 1792 *(ouv. 24 juin-fête du Travail : 10h-17h).*

Seigneurie des Aulnaies – *À 3 km à l'est de l'église par la route 132. Tournez à droite, puis montez au sommet de la colline jusqu'au terrain de stationnement et au centre d'information - ☎ 877-354-2800 - www.laseigneuriedesaulnaies.qc.ca - ✕-▯ - de mi-juin à la fête du Travail : 9h-18h ; de mi-mai à mi-juin et de la fête du Travail à mi-oct. : sur réservation seulement - 10,50 $.* Élevée sur un promontoire au confluent de deux rivières, cette belle maison de bois d'époque victorienne fut construite entre 1850 et 1853, selon les plans de l'illustre architecte Charles Baillairgé. Elle est entourée de grandes galeries ornées de dentelles de bois. Deux tours octogonales jouxtent ses flancs.

À l'intérieur, les pièces ont été aménagées de manière à refléter les goûts de l'époque. Des guides en costumes de la fin du 19e s. commentent la visite de la demeure, et décrivent le mode de vie d'antan. À l'extérieur, on appréciera les jardins, superbement entretenus, et le **moulin banal** adjacent (1842), d'une taille démesurée.

La Pocatière★
Voir Kamouraska.

Rivière-Ouelle – *10 km.* Autrefois appelé Rivière-Houel en souvenir de l'un des officiers de Samuel de Champlain, le territoire fut concédé en 1672 par l'intendant Jean Talon à Jean-Baptiste Deschamps, dit Boishébert de la Bouteillerie.

Saint-Denis
11 km. La **maison Chapais** (☎ 418-498-2353 - ♿- *visite guidée (40mn) de juin à mi-oct. : 9h-17h - 6 $)* se trouve au centre du village.

Construite en 1833 pour Jean-Charles Chapais, l'un des signataires de la Confédération, elle appartint à sa famille jusqu'en 1968. En 1866, le porche et l'escalier en spirale furent ajoutés à la façade, et de nouveaux meubles furent achetés : ceux du salon datent du début du 19e s. ; en revanche, ceux de la salle à manger et de la chambre sont de style Second Empire.

La route traverse une plaine d'où l'on découvre un beau panorama sur les Laurentides. En travers du littoral, des nasses à anguilles se prolongent jusque dans le fleuve.

Kamouraska★
Voir ce nom.

Rivière-du-Loup★
Voir ce nom.

De Rivière-du-Loup à Sainte-Luce

[2] *130 km*

Cacouna

À 10 km de Rivière-du-Loup. La seigneurie fut concédée à Daulier Duparc en 1673, mais les premiers colons ne vinrent s'y installer qu'à partir de 1750. Les Amérindiens avaient appelé la région *Kakouna*, « terre du porc-épic ». Au milieu du 19e s., Cacouna devint un centre de villégiature populaire où furent édifiés de grands hôtels et de luxueuses pensions de famille dont ne subsistent aujourd'hui que quelques somptueuses villas victoriennes en bord de mer.

Église Saint-Georges – *De la route 132, prenez à droite la rue de l'Église, et passez encore deux rues -* ✆ *418-862-4338 -* &- 🅿. Cette église en pierre de taille (1848) fut en partie reconstruite en 1896. L'intérieur (1852), de F.-X. Berlinguet, est richement décoré d'ornements dorés et sculptés, de lustres de cristal et de peintures italiennes de la fin du 19e s. L'orgue (1888) reste l'un des rares modèles signés Eusèbe Brodeur, prédécesseur des Frères Casavant, de Saint-Hyacinthe. À côté, le **presbytère** néo-classique fut construit entre 1835 et 1841.

L'Isle-Verte

À 11 km de Cacouna.

Fait d'anses et de pointes, le littoral de L'Isle-Verte regorge d'une importante faune aquatique, qui permet aux Isle-Vertois de vivre de la pêche au hareng et à l'anguille. La **Réserve nationale de faune de la Baie-de-L'Isle-Verte** (*371 rte 132 -* ✆ *418-898-2757 - www.qc.ec.gc.ca - visite guidée (2h) mi-juin-mi-sept.*) abrite un des plus vastes marais à spartines au Québec.

Ce marais salé parsemé de marelles (petits étangs naturels) constitue l'une des principales aires de reproduction du canard noir en Amérique du Nord ; l'endroit compte la plus grande densité de nids. Il s'agit aussi d'une halte importante pour de nombreuses autres espèces d'oiseaux migrateurs.

La notoriété de la réserve vient du fait que ce lieu humide est le dernier du genre de l'estuaire moyen du Saint-Laurent, ceux en amont ayant été partiellement ou totalement détruits. On identifie plus de 260 espèces d'oiseaux, dont 60 nichent sur place. Pour les milliers de canards, d'oies des neiges et autres oiseaux de rivage, la réserve sert essentiellement de lieu de repos, d'alimentation et de reproduction.

🐾 Des sentiers d'observation et d'interprétation permettent l'accès à la réserve. Située à l'est du village de L'Isle-Verte, la maison Girard abrite un centre d'interprétation consacré au site.

Île Verte

En face du village de L'Isle-Verte, apparaît l'île Verte. Un traversier (*La Richardière -* ✆ *418-898-2843 - www.inter-rives.qc.ca - traversée de 30mn - 5 $*) et un bateau taxi (*Jacques Fraser I -* ✆ *418-898-2199 - www.ileverte.net/jacques/ - traversée de 15mn - 7 $*) y conduisent.

Enchanteresse, l'île Verte est la seule île du Bas-Saint-Laurent habitée toute l'année. Jacques Cartier y débarqua en 1535 et lui aurait donné son nom en apercevant son tapis de verdure au milieu de l'eau. À découvrir dans ce paysage exceptionnel : le phare, l'école du Bout-d'en-Bas, actuel centre d'interprétation de la vie insulaire, et le musée du Squelette.

Trois-Pistoles

36 km.

Le nom de la ville provient d'une ancienne unité monétaire utilisée en Europe jusqu'à la fin du 19e s. Selon une légende locale, un petit vaisseau aurait fait naufrage sur la côte de l'île aux Basques, au début du 17e s. L'un des marins tenait une timbale d'argent lorsqu'il la laissa tomber dans le fleuve et s'exclama : « Voilà trois pistoles de perdues ! » La seigneurie fut accordée à Denis de Vitré en 1687, mais la région avait été fréquentée longtemps auparavant par des pêcheurs basques, dont la présence est confirmée par les vestiges de fours trouvés sur l'**île aux Basques**, située à 4 km au large. Refuge d'oiseaux migrateurs, cette île est précieusement conservée par la Société Provancher, qui la rend accessible au public pendant l'été (*rens. auprès du gardien de l'île -* ✆ *418-851-1202 - www.provancher.qc.ca*). Son nom se réfère à la présence des chasseurs de baleines d'origine basque, qui venaient y faire fondre la graisse des mammifères vers 1580. Si leurs activités ont très vite cessé (probablement vers 1630), toute la région porte encore leur nom.

Pour vous familiariser avec la culture maritime de la région, faites un arrêt au **carrefour d'accueil et d'orientation du parc marin du Saguenay-Saint-Laurent** (*adjacent au bureau d'information touristique, 51 rte 132 Ouest*). Sur place, le parc marin, et plus particulièrement le secteur des navigateurs sur la rive sud du Saint-Laurent et la région des Basques, vous seront présentés.

Parc de l'aventure basque en Amérique (PABA) – *66 r. du Parc - ℘ 418-851-1556 et 1-877-851-1556 (sans frais) - 24 juin- 5 sept. : 10h-20h ; 15 mai-23 juin et 6 sept.-14 oct. : 12h-16h - 6 $*. Ce centre d'interprétation présente l'histoire et la culture des pêcheurs basques venus chasser la baleine sur le fleuve St-Laurent au 16e s. À l'extérieur – conçue comme dans leurs villages d'origine –, une place libre est délimitée par le seul fronton de pelote basque du Canada, et par la terrasse d'un café convivial.

Traversier Trois-Pistoles - Les Escoumins – Un traversier relie Trois-Pistoles aux Escoumins, sur la rive nord du St-Laurent (*La Compagnie de navigation des Basques - 11 r. du Parc - ℘ 418-851-4676 et 1-877-851-4677 - www.traversiercnb.ca - juin-oct. : 2 à 3 départs par jour - AR 21,75 $*).

Église Notre-Dame-des-Neiges – *Du centre-ville, prenez à droite la rue Jean-Rioux - ℘ 418-851-1391 - ⛄- ◘ - 24 juin-2 sept. : 9h-12h, 13h-17h.* Cet imposant édifice religieux fut construit de 1882 à 1887 selon les plans de David Ouellet. Son extérieur se distingue par deux clochers et trois clochetons, visibles des environs, et par quatre façades aux lignes angulaires. L'intérieur, très orné, est l'œuvre du chanoine Georges Bouillon, partisan du style romano-byzantin. On y remarquera beaucoup de dorures et des colonnes corinthiennes en bois peint imitant le marbre.

Après 29 km, tournez à droite en direction de Saint-Fabien et continuez sur 2 km.

Saint-Fabien

Remarquez, au centre du bourg, la **grange octogonale Adolphe Gagnon** (*accès interdit au public*), construite en 1888 selon les plans de l'Américain Orson Squire Fowler. Unique modèle de ce type dans toute la région du Bas-Saint-Laurent, cet édifice arrondi se fond harmonieusement dans le paysage. Sa forme particulière était destinée à offrir une résistance maximum au vent, à éliminer la perte d'espace, à faciliter l'entreposage du fourrage… et selon une croyance populaire, à empêcher les démons de se réfugier dans le bâtiment.

Parc national du Bic★

Entrée principale (secteur du Cap-à-l'Orignal) à 6 km du centre de Saint-Fabien - ℘ 418-736-5035 - réservation ℘ 1-800-665-6527 - www.sepaq.com - ✕-△-⛄-◘ - ouvert toute l'année - 3,50 $.

Créé en 1984 pour protéger la faune et la flore de la rive sud de l'estuaire du Saint-Laurent (qu'on appelle ici la mer), ce parc provincial de 33 km² offre un impressionnant panorama du majestueux fleuve.

Essentiellement composées de conglomérats d'ardoise et de calcaire, les falaises à pic se prolongent vers le nord-est. Le littoral est ponctué de minuscules îles et récifs, de caps, d'anses et de marécages. La flore y est variée, et l'on y rencontre deux types de forêts, l'une d'essences à feuilles caduques, l'autre d'essences boréales.

On observe aussi toutes sortes d'oiseaux dont l'eider, le cormoran, le goéland et le héron. Avec un peu de chance, on aura le plaisir d'apercevoir des phoques qui viennent se reposer sur la côte rocheuse de la baie de l'Orignal.

Activités – Sentiers pédestres, pistes cyclables (location de vélos), kayak de mer, aires de pique-nique, camping, activités diverses (été et hiver) proposées par le centre d'interprétation (*℘ 418-736-5035 - de fin mai à déb. oct. : 9h-17h*).

Le Bic

À 15 km de Saint-Fabien. Cette petite ville est renommée pour son **site★★** spectaculaire sur les rives du Saint-Laurent. Selon une légende locale, à la création du monde, l'ange chargé de la répartition des collines passa par Bic. Ne sachant que faire de ses surplus, il s'allégea de sa charge en se débarrassant à cet endroit des collines qui lui restaient.

Rimouski★

Voir ce nom.

Après 14 km, à la jonction avec la route 298, tournez à gauche en direction de Sainte-Luce, et continuez sur 4 km.

Sainte-Luce

Cette agréable station balnéaire aux rivages bordés de villas occupe un site pittoresque sur le Saint-Laurent. On y trouve les plus belles plages du Bas-Saint-Laurent.

Beauce★

CHAUDIÈRE-APPALACHES – CANTONS-DE-L'EST
WWW.CHAUDIEREAPPALACHES.COM ET WWW.CANTONSDELEST.COM

Tout comme son homonyme français situé dans le Bassin parisien, la Beauce québécoise est une vaste plaine de terres fertiles. Perpendiculaire à l'axe du Saint-Laurent, elle devient plus montagneuse dans sa partie sud. On y découvre la plus forte concentration d'érablières du Québec. Une tradition populaire riche en folklore et festivités s'est d'ailleurs développée autour de l'érable, et se reflète dans l'art traditionnel de la région. Pendant le temps des sucres, au printemps, on se rassemble dans les « cabanes à sucre » pour déguster la « tire d'érable » et prendre part aux festivités locales, les « parties de sucre ».

◗ **Se repérer** – La Beauce est la région arrosée par la rivière de la Chaudière qui débouche du lac Mégantic, juste au nord de la frontière américaine, et se jette dans le Saint-Laurent. Elle est située à 20 km au sud de Québec.

👁 **À ne pas manquer** – Les couleurs des forêts d'érables en automne et le parc des Chutes de la Chaudière.

🕐 **Pour poursuivre la visite** – Sherbrooke.

Comprendre

Route du Président-Kennedy – En 1775, douze ans après la cession de la Nouvelle-France à l'Angleterre par le traité de Paris, un corps expéditionnaire américain de 1 100 hommes conduits par le colonel Benedict Arnold longea la rivière Kennebec pour se rendre dans l'État du Maine. De là, il continua vers le nord, le long de la Chaudière, pour tenter de prendre la ville de Québec. Les treize colonies américaines, engagées dans leur révolte contre le joug anglais, espéraient persuader les Canadiens d'épouser leur cause. Un grand nombre de soldats moururent au cours de cette longue marche forcée, et les survivants furent défaits par une armée placée sous les ordres de Guy Carleton. Tous les ans, quelque 600 000 Américains partent pour Québec en suivant cette route (route 173), aujourd'hui appelée « route du Président-Kennedy ».

La ruée vers l'or de 1846 – Au 19e s., la Beauce était l'Eldorado du Canada. En 1846, une pépite de la taille d'un œuf de pigeon fut trouvée dans un affluent de la Chaudière. Très vite, des prospecteurs s'empressèrent de filtrer les sables du cours d'eau entre Notre-Dame-des-Pins et Saint-Simon-les-Mines. Au début du 20e s., on avait ainsi extrait pour un million de dollars de minerai d'or. Les vestiges de ces beaux jours sont encore visibles aujourd'hui.

Une rivière indocile – Dévalant de nombreuses chutes ponctuant des zones plus tranquilles, la Chaudière est rarement navigable, et ses fréquentes crues font les gros titres des journaux. Malgré la construction d'un barrage à Saint-Georges-de-Beauce, le capricieux cours d'eau continue d'inonder les villages qui bordent son lit.

De Québec au lac Mégantic

221 km. Quittez Québec par la route 73, et traversez le pont Pierre-Laporte en direction du sud. Après 1 km, prenez la sortie 130. Suivez les panneaux de signalisation jusqu'au parc.

Parc des chutes de la Chaudière★

À Charny - Association touristique Chaudière-Appalaches - 📞 418-839-2002 - www.chaudiereappalaches.com et www.tourismelevis.com - 🅿 *tlj de l'année 8h-21h.*

Juste avant de se jeter dans le Saint-Laurent, la Chaudière plonge d'une falaise, créant ainsi une spectaculaire chute de 35 m de haut sur 121 m de large. Les Abénaquis l'avait baptisée *asticou*, autrement dit « chaudière », à cause de la forme de son bassin de réception. La rivière entière prit par la suite ce nom. Une passerelle suspendue enjambe le cours d'eau et offre une vue remarquable sur sa cataracte, en particulier à la fonte des neiges.

Regagnez la route 73 et prenez la sortie 123, puis la route 175 Sud. À Saint-Lambert, traversez la Chaudière et prenez la route 171 Sud. À Scott (34 km), la route traverse à nouveau la rivière et devient route 173 Sud. Elle suit le cours d'eau à travers une paisible région agricole.

Sainte-Marie

À 9 km de Scott. L'une des plus anciennes villes de la région, Sainte-Marie faisait partie de la seigneurie donnée en 1736 à **Thomas-Jacques Taschereau**, membre d'une famille influente à laquelle appartenaient également Elzéar-Alexandre Taschereau

Le parc du Bic (Côte du Bas-St-Laurent).

L'église de Saint-Joachim (Côte de Beaupré).

La chute de Vauréal (île d'Anticosti).

Détente en kayak sur le St-Laurent.

(1820-1898), premier cardinal catholique canadien, et Louis-Alexandre Taschereau (1867-1952), Premier ministre du Québec de 1920 à 1936. Sainte-Marie vit aussi naître **Marius Barbeau** (1883-1969), écrivain, ethnomusicologue et fondateur des archives du folklore du Québec à l'Université Laval, à Québec *(voir le musée Marius-Barbeau, à Saint-Joseph-de-Beauce)*. Aujourd'hui, l'industrie alimentaire contribue à la prospérité de Sainte-Marie. En 1923, Arcade **Vachon** et sa femme, Rose-Anne Giroux, achetèrent une boulangerie et y fabriquèrent des petits gâteaux qui sont aujourd'hui vendus à travers toute la province.

La maison de la famille Vachon *(383 av. de la Coopérative -* ☎ *418-387-4052 et 1-866-387-4052 - sans frais)* est ouverte au public. Entièrement restaurée, elle abrite le centre d'interprétation sur l'histoire de la famille et de l'entreprise des petits gâteaux Vachon. À voir, le plus vieux gâteau de noce du monde homologué par le livre *Guinness World Records* !

Église Sainte-Marie – ☎ *418-387-5467 -* ♿- 🅿. Cet édifice (1856, Charles Baillairgé) est l'un des premiers exemples d'architecture néogothique réalisés pour l'Église catholique du Québec. L'extérieur est d'inspiration anglaise, mais l'intérieur prend modèle sur l'œuvre de Viollet-le-Duc. D'une rare harmonie dans son ensemble, on peut le comparer à l'intérieur de la basilique Notre-Dame à Montréal, dessiné par Victor Bourgeau.

Après 10 km, la route traverse **Vallée-Jonction**, petit village dominant la Chaudière. La route 112 en direction de Thetford Mines traverse la rivière à cet endroit.

Vous pouvez faire un détour par Thetford Mines afin de découvrir le Musée minéralogique et minier.

Thetford Mines

47 km au sud-ouest de Vallée-Jonction. La ville de Thetford Mines a emprunté son nom à une localité du Norfolk, en Angleterre. Elle se trouve au cœur de la plus grande région productrice d'amiante du monde occidental, et occupe un site vallonné, arrosé par la rivière Bécancour. Thetford Mines se distingue par ses montagnes artificielles, les terrils, constitués des résidus de roche concassés de la mine, qui lui confèrent un décor unique.

Musée minéralogique et minier de Thetford Mines★ – *711 bd Frontenac Ouest (route 112) -* ☎ *418-335-2123 - www.museemineralogique.com -* ♿- 🅿 *- 23 juin-1er lun. sept. : 9h30-18h ; reste de l'année : 13h-17h - 8 $.* Le musée dévoile une superbe collection de minéraux issus des quatre coins du monde. La richesse du sous-sol appalachien y est particulièrement mise en valeur. L'exposition permanente permet aux visiteurs d'identifier les divers types de roches, et en explique les caractéristiques : dureté, transparence, couleur, éclat. Elle retrace également l'histoire de l'amiante, son exploitation et ses nombreuses applications, et présente le patrimoine minier de la région.

Revenez à Saint-Joseph-de-Beauce par la 112.

Saint-Joseph-de-Beauce★

À 9 km de Vallée-Jonction. Blottie dans la vallée de la Chaudière, cette ancienne seigneurie fut concédée en 1737 à Joseph Fleury de la Gorgendière, riche marchand québécois auquel la ville doit son nom. C'est également à Saint-Joseph-de-Beauce que vécut Robert Cliche (1921-1978), juge, écrivain et homme politique.

Centre-ville – *À l'angle de la rue Sainte-Christine et de l'avenue du Palais.* L'**église Saint-Joseph**, dessinée par F.-X. Berlinguet, présente une étroite façade surmontée d'un haut clocher. L'intérieur fut achevé en 1876 par J.-F. Peachy. En face de l'église, un grand **presbytère** de brique (1892, G.-É. Tanguay) évoque un château français du 16e s. L'ancien couvent (1889, J.-F. Peachy) et l'**orphelinat** (1908) sont de style Second Empire. Derrière l'église se dresse l'**école Lambert** (1911, Lorenzo Auger), agrandie en 1947, puis en 1995. L'ensemble est complété par le **palais de justice-prison**, d'architecture néoclassique, bâti entre 1857 et 1862. À l'arrière, une annexe post-moderne se mêle harmonieusement à l'architecture originale.

Musée Marius-Barbeau – *139 r. Ste-Catherine -* ☎ *418-397-4039 - www. museemariusbarbeau. com -* ♿ *- de fin juin à fin août : lun.-vend. 8h30-17h, sam.-dim. 10h-17h ; reste de l'année : lun.-vend. 8h30-12h, 13h-16h30, sam.-dim. 13h-16h - fermé sam.-dim. de déc. à fév. et sam. en mars - 6 $.* Ce musée retrace l'histoire de la Beauce, des premières seigneuries jusqu'à la ruée vers l'or du 19e s. Installé dans un ancien couvent, il relate également les travaux de l'ethnologue et folkloriste Marius Barbeau.

Reprenez l'avenue du Palais qui rejoint la route 173 au sud du centre-ville.

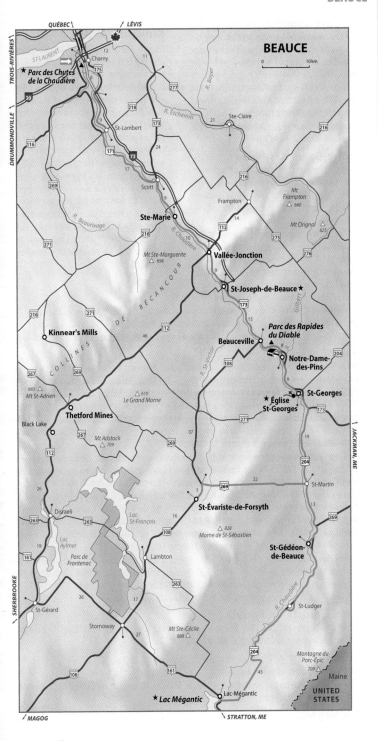

Beauceville

15 km. Édifiée sur les pentes escarpées de la vallée de la Chaudière, cette petite ville a vu naître le poète **William Chapman** (1850-1917), disciple et rival de Louis Fréchette.

De l'autre côté de la rivière se dresse l'**église Saint-François-d'Assise** *(ouv. seulement pour l'office ; ☎ 418-525-8158)*, dont on remarquera le maître-autel et les statues d'anges.

Parc des rapides du Diable – *À 3 km au sud de la ville.* Le parc est sillonné de chemins menant à la Chaudière et aux rapides du Diable qui dévalent le lit rocailleux de la rivière. On peut encore voir les fondations d'un moulin ayant servi à l'extraction du précieux métal aurifère pendant la ruée vers l'or.

Quittez la route 173 et prenez la direction de Notre-Dame-des-Pins.

Notre-Dame-des-Pins

8 km. Au milieu du 19e s., les chercheurs d'or se rassemblaient en ces lieux avant d'embarquer sur la rivière Gilbert en direction de Saint-Simon-les-Mines.

Pont couvert – *Tournez à droite dans la 1re Av., juste avant le pont moderne.* Cet ouvrage couvert – le plus long de la province (154,5 m) – enjambe la Chaudière. Construit une première fois en 1927, il fut emporté par les glaces pendant l'hiver 1928. Reconstruit l'année suivante sur trois piliers centraux, il demeura en service jusqu'en 1969, époque à laquelle il fut fermé à la circulation *(aire de pique-nique non loin du pont).*

Continuez vers le sud. Quittez la route 173 à la sortie Saint-Georges.

Kinnear's Mills

Depuis Thetford Mines : 24 km par les routes 112 & 269. Ce minuscule village de la vallée de la rivière Osgood est connu pour la **beauté de son site** et pour ses **quatre églises** *(fermées au public)* qui se dressent côte à côte. Vers 1842, quelques familles écossaises vinrent s'établir à Kinnear's Mills et y fondèrent l'église presbytérienne. L'église méthodiste (1876), plus modeste, et l'église anglicane, reconnaissable à son petit clocher, furent construites par des loyalistes après la guerre d'Indépendance américaine. Enfin, l'église catholique fut érigée par des Irlandais qui avaient fui leur pays au cours des années 1920.

Saint-Georges

9 km. La capitale industrielle de la Beauce fut d'abord appelée *Sartigan*, « rivière changeante » dans la langue des Abénaquis. En 1807, un colon allemand dénommé **Johann George Pfozer** fit l'acquisition des terres et donna son nom actuel à la ville. Saint-Georges s'est développée à la suite de l'invasion américaine de 1775, mais sa véritable expansion économique a suivi l'ouverture de la route Kennebec vers la Nouvelle-Angleterre, en 1830. En 1967, le barrage de Sartigan fut érigé afin de régulariser le cours capricieux de la Chaudière.

Église Saint-Georges★ – *Sur la 1re Av., à Saint-Georges Ouest, de l'autre côté de la rivière -* ✆ *418-228-2558.* Caractérisée par une façade monumentale en pierre de taille, cette belle église (1902) surplombe la rive ouest de la Chaudière. Trois flèches, dont l'une s'élève à 75 m de hauteur, dominent l'édifice. La structure actuelle remplace un bâtiment plus ancien de pierre (1862), et un autre de bois (1831). Devant l'entrée se dresse une copie du chef-d'œuvre de Louis Jobin, *Saint Georges terrassant le dragon.* L'original (1912) – une énorme sculpture de bois recouverte de bronze doré – est exposée au 3e étage du Centre culturel Marie-Fitzbach voisin.

L'**intérieur** richement décoré de cette église à trois étages comprend des balcons à gradins ornés de boiseries peintes et dorées. L'autel est surmonté d'un large dais au sommet duquel on découvre une autre statue de saint Georges. L'orgue (1910) provient de la célèbre maison Casavant, à Saint-Hyacinthe.

Saint-Évariste-de-Forsyth

44 km par les routes 173, 204, 269 et 108. Perché sur une colline, le village offre de jolis points de vue sur la campagne alentour.

Reprendre la route 204.

Saint-Gédéon-de-Beauce

38 km au sud. Le paysage s'ouvre sur le lac Mégantic, source de la rivière Chaudière, ainsi que sur les collines alentour.

Lac Mégantic★

Voir ce nom.

Côte de **Beaupré**★★

RÉGION DE QUÉBEC
WWW.COTEDEBEAUPRE.COM OU WWW.QUEBECREGION.COM

La côte de Beaupré est une étroite bande de terre située entre le Bouclier canadien et la rive nord du Saint-Laurent, à l'est de Québec. Elle s'étend de la chute Montmorency au massif du cap Tourmente (660 m). Visible durant tout l'itinéraire, l'île d'Orléans se profile à l'horizon. À la vue des vertes étendues longeant le fleuve, Jacques Cartier se serait exclamé : « Quel beau pré ! », d'où l'origine du toponyme. La région est aujourd'hui célèbre pour ses villages datant du Régime français, mais aussi pour le lieu de pèlerinage de Sainte-Anne-de-Beaupré et la station du Mont-Sainte-Anne.

- **Se repérer** – De Québec, prenez la route 440 (qui devient route 40), puis la route 138. Notez qu'il est beaucoup plus intéressant, si on a le temps, de suivre la route 360 (l'avenue Royale) à partir de Beauport.
- **À ne pas manquer** – Le parc de la Chute-Montmorency et la réserve du Cap-Tourmente ; suivez l'avenue Royale et, en hiver, skiez la nuit au Mont-Sainte-Anne.
- **Organiser son temps** – Comptez une journée complète.
- **Avec les enfants** – Le parc de la Chute-Montmorency en été, et, plus encore, en hiver. Tarif familial proposé.
- **Pour poursuivre la visite** – La côte de Charlevoix et l'île d'Orléans.

Comprendre

La seigneurie de Beaupré, qui s'étendait de la rivière Montmorency jusqu'à Baie-Saint-Paul, était l'une des plus importantes de la Nouvelle-France. En 1626, Champlain y établit sa première ferme, que les frères Kirke détruisirent lors de leur raid en 1629. Néanmoins, les colons commencèrent à peupler ce territoire fertile à partir des années 1630, et y fondèrent les premières paroisses rurales de la Nouvelle-France. De 1668 à 1680, l'évêque de Québec, Mgr de Laval, en fut le seigneur. Cet évêque fut également responsable de la construction du chemin du Roy (aujourd'hui nommé avenue Royale), de Québec à Saint-Joachim. À sa mort, la seigneurie resta la propriété du séminaire de Québec, et ce jusqu'à l'abolition de la tenure seigneuriale de la terre en 1854.

De Québec au cap Tourmente

48 km. De Québec, prenez la route 440 vers l'est jusqu'à la sortie 24, puis l'av. d'Estimauville jusqu'à la route 360 (appelée av. Royale jusqu'à Beaupré). Tournez à droite, et continuez sur 3 km.

Beauport

La plus ancienne localité de la côte de Beaupré fait aujourd'hui partie de la banlieue de Québec. Arrivés en 1634, les premiers colons nommèrent leur village en l'honneur de la célèbre abbaye de la côte bretonne.

Bourg du Fargy★ – Au cœur de Beauport se trouve le « bourg du Fargy », impressionnant ensemble de bâtiments historiques. La **maison Bellanger-Girardin** *(600, av. Royale)* est typique de l'architecture locale. Sa forme allongée résulte d'une construction en deux étapes distinctes (1722 et 1735), tandis que sa haute toiture se rapproche du profil classique des toitures à « grosse-charpente » de la fin du 17e s. Restauré en 1983, l'édifice sert à exposer les œuvres d'artistes locaux. Le quartier comprend aussi des maisons de l'époque victorienne.

Avec son toit à mansarde surmonté d'une gigantesque statue de la Vierge, le **couvent de Beauport** (1866, F.-X. Berlinguet) est particulièrement remarquable. On notera aussi l'**église Notre-Dame-de-la-Nativité** (1849, Charles Baillairgé) et son **presbytère** en pierre de taille (1903). Deux fois victime d'un incendie, l'église possède ses murs d'origine, mais il lui manque ses deux hautes flèches.

Le chemin suit un escarpement qui surplombe le fleuve, avec des vues sur l'île d'Orléans. De belles maisons bordent la route.

Parc de la Chute-Montmorency★★

5 km - ☎ 418-663-3330 - www.sepaq.com/chutemontmorency - ♿- 🅿 (voiture 9 $) - 8h15-21h.

- **Bon à savoir** – Depuis 2008, dès la tombée de la nuit, l'anse du parc de la Chute-Montmorency est illuminée. La lumière met somptueusement en valeur cette chute spectaculaire de 83 m de haut, la falaise environnante et le manoir Montmorency.

👥 Avant de déboucher dans le Saint-Laurent, la rivière Montmorency subit une dénivellation de 83 m, soit une trentaine de mètres de plus que les chutes du Niagara. Samuel de Champlain baptisa cette rivière et sa chute en l'honneur de Charles, duc de Montmorency, vice-roi de la Nouvelle-France entre 1620 et 1625. Le site n'a jamais cessé d'attirer les visiteurs. En hiver, la gerbe d'embruns de la chute se cristallise et crée un énorme cône de glace, appelé « pain de sucre », qui atteint parfois plus de 30 m de hauteur. Avant la dernière période glaciaire, la chute Montmorency donnait directement dans le Saint-Laurent. Elle se trouve maintenant à 450 m en retrait, et marque le bord du Bouclier canadien.

Bénéficiant à la fois d'un fabuleux potentiel énergétique et de la proximité d'une route fluviale, ce merveilleux site naturel se trouve, au 19e s., au cœur d'un puissant empire commercial. En 1811, une première usine s'installe au pied de la chute et devient, vers le milieu du siècle, l'une des plus importantes du genre en Amérique britannique. Sous la direction d'un certain Peter Patterson, puis de son gendre, George Benson Hall, l'entreprise agrandit ses installations et se diversifie, mais ne survit pas à la crise du commerce du bois. Vers la fin du siècle, le domaine change de vocation. En 1884, une centrale hydro-électrique – la première au monde à transporter sur une longue distance (11,7 km) l'énergie produite par un cours d'eau – voit le jour. Une seconde centrale sera mise en service en 1895, suivie, en 1905, d'une filature de coton installée au pied de la falaise. De presque deux siècles d'intense activité industrielle ne restent aujourd'hui que quelques traces.

Manoir Montmorency – Cette élégante villa, dont les terrasses surplombent la chute Montmorency, changea plusieurs fois de propriétaire et subit, au fil des ans, de nombreuses modifications. Elle fut construite, en 1780, comme maison de campagne pour Frederick Haldimand, gouverneur général de l'Amérique du Nord britannique. Fils de George III et futur père de la reine Victoria, **Edward, duc de Kent**, y habita de 1791 à 1794 avec sa « femme morganatique ». Peter Patterson et ses descendants en firent ensuite leur résidence.

Transformé, au début du siècle, en un hôtel de luxe connu sous le nom de « Kent House », l'édifice sera détruit par un incendie en mai 1993 et reconstruit selon son architecture d'origine. Il abrite aujourd'hui un **restaurant et des salons de réception** ainsi qu'un **centre d'interprétation★** (𝄐 418-663-3330 - ✗-♿-🅿 - mai-oct. : 9h-23h ; reste de l'année : jeu.-sam. 9h-23h, dim.-merc. 9h-16h) consacré au patrimoine historique, économique et humain du domaine de Montmorency.

Belvédère supérieur – Du centre d'interprétation, une promenade accrochée au flanc de la falaise mène jusqu'au pont de la chute. Ce dernier enjambe la rivière et offre une **vue★★** spectaculaire de ses eaux furieuses, tandis qu'au loin se découpe la silhouette de l'île d'Orléans. Ici, le visiteur appréciera la hauteur et la formidable puissance de la cataracte. Un second pont, plus petit, passe ensuite au-dessus de la faille latérale et dévoile de belles vues du site de la centrale et des anciennes filatures, avec les gratte-ciel de Québec et le château Frontenac en toile de fond. Un peu plus loin, remarquez les vestiges d'une redoute, construite en 1759 par les troupes du général anglais Wolfe lors du siège de Québec en 1759. Les milices françaises, aidées de leurs alliés amérindiens, réussirent à la prendre d'assaut en utilisant les techniques de combat forestier développées par les autochtones.

Belvédère inférieur – Un escalier panoramique, doté de plusieurs passerelles d'observation, mène au pied de la chute en découvrant de belles **vues** du torrent large et puissant qui se déchaîne avec fureur *(se munir de vêtements imperméables pour se protéger des embruns)*. Un immense tourbillon se forme à la base, dans une vaste chaudière creusée au cours des âges. La force de ces eaux tumultueuses (environ 35 000 l/s) fut domestiquée en 1885, afin d'alimenter des moulins à scie et de fournir de l'électricité à la ville de Québec. Un **téléphérique** *(de fin avr. à fin oct. : 8h30-18h45 ; 15 juin-25 août : 19h30 ; reste de l'année : se renseigner sur les horaires - AR 10,50 $)* permet de regagner le plateau supérieur et de revenir sans fatigue à son point de départ. *Revenez sur la route 360.*

Les lignes à haute tension qui transportent l'électricité de la centrale de Manic-5 à Montréal traversent ici le Saint-Laurent sur d'énormes pylônes. Passé ce point, la région devient plus rurale.

Moulin du Petit-Pré

À 9 km du manoir Montmorency. Ce grand bâtiment de pierre de trois étages, situé à proximité de la rivière du Petit-Pré, fut le premier moulin industriel de Nouvelle-France. Il devait répondre aux intérêts des marchands de Québec, qui réclamaient un moulin, et à ceux du séminaire de Québec qui le fit construire en 1695 pour augmenter ses revenus. Détruit pendant la Conquête anglaise, l'édifice fut reconstruit en 1764 et fonctionna ensuite jusqu'en 1955. Installé dans les combles, le **centre d'interprétation de la côte de Beaupré** (*☏ 418-824-3677 - &- ▣ - de mi-mai à mi-oct. : 9h30-16h30 ; reste de l'année : lun.-vend. 10h-16h30 - fermé de fin déc. à déb. janv. - 6 $ - enf. gratuit*) présente la géologie, l'histoire et la culture de la région à l'aide de photos, de maquettes, d'objets anciens, de jeux, de bandes sonores et de films vidéo.

Château-Richer

6 km. Colonisé en 1640, ce village reçut son nom d'un prieuré de France. Du haut de la falaise qui surplombe le fleuve, l'église de La-Visitation-de-Notre-Dame (1866) domine le village et offre une **vue** qui embrasse la côte jusqu'au cap Tourmente.

Au nord de la ville, on aperçoit dans la falaise les lits de pierre d'une carrière. Aux 18e et 19e s., la pierre calcaire de Château-Richer était volontiers utilisée comme matériau de construction à Québec. De forme régulière et d'un gris clair, elle supplanta le calcaire de Beauport, plus sombre, au début du 19e s.

Sur l'avenue Royale se dressent quelques fours à pain, à côté de maisons anciennes (certaines vieilles de près de 300 ans). L'un de ces fours fonctionne encore, et on peut y acheter du pain frais.

La route 360 rejoint le niveau du fleuve à l'approche de Sainte-Anne.

Sainte-Anne-de-Beaupré★

10 km. Sainte-Anne-de-Beaupré rend hommage à la sainte patronne du Québec. Son sanctuaire est un grand lieu de pèlerinage, fréquenté chaque année par plus d'un million et demi de visiteurs.

Sanctuaire★★ – *☏ 418-827-3781 - www.ssadb.qc.ca - &- ▣ - basilique Sainte-Anne et chapelle de l'Immaculée : 6h-21h (les horaires de fermeture changent : de oct. à déb. mai : 17h, mai : 19h, de mi-juil. à fin juil. : 22h).* Ce gigantesque édifice, d'inspiration médiévale, fut conçu par les architectes Maxime Roisin et Louis-Napoléon Audet. Reposant sur une charpente d'acier revêtue de granit, il présente un plan en forme de croix latine. Entre ses deux clochers veille une statue dorée de sainte Anne, qui échappa à l'incendie de 1922. Dans la nef centrale, la voûte en berceau est recouverte de **mosaïques** relatant la vie de sainte Anne. Une douce lumière filtre à travers 240 **vitraux** réalisés par l'artiste français Auguste Labouret et le maître-verrier Pierre Chaudière. Dominant la tribune d'orgue, les verrières du transept et la rosace sont de toute beauté. La **Chapelle commémorative** *(de mi-avr. à mi-oct. : 8h-18h),* construite en 1878 à l'emplacement de l'église de 1676, a conservé plusieurs éléments de l'ancien édifice, notamment son clocher à deux coupoles. À côté, **la Scala Santa**, érigée en 1891, contient une réplique de l'escalier que le Christ dut emprunter pour se rendre au palais de Ponce Pilate, avant sa condamnation à mort. L'escalier original se trouve à Rome, où il fut apporté vers l'an 325 par sainte Hélène, mère de l'empereur Constantin. Les pèlerins en gravissent les marches à genoux. Dans la colline derrière la chapelle du Saint-Escalier, se trouve un chemin de Croix dont les stations furent coulées dans le bronze par des artisans français, entre 1913 et 1946.

Musée de Sainte-Anne – *9803 bd Sainte-Anne, près de la basilique -* 📞 *418-827-3781 -* ♿- 🅿 *- juin-sept. : 9h-17h - gratuit.* Inauguré en 1997, ce musée d'art religieux a pour but de faire connaître, à travers ses collections, sainte Anne, son culte, l'histoire de la basilique et de son pèlerinage.

Cyclorama de Jérusalem – *8, r. Régina (près de la basilique) -* 📞 *418-827-3101 - www. cyclorama.com -* 🅿 *- mai-oct. : 9h-18h - 8 $.* L'immense rotonde du Cyclorama abrite une peinture géante (hauteur : 14 m ; circonférence : 110 m) d'un réalisme surprenant, mettant en scène Jérusalem le jour de la Crucifixion. Elle a été réalisée à Munich (1878-1882) par le peintre français Paul Philippoteaux et cinq assistants, puis installée à Sainte-Anne-de-Beaupré en 1895.

Beaupré

4 km. Située sur la rivière Sainte-Anne-du-Nord, peu avant son embouchure dans le Saint-Laurent, Beaupré fit partie de Sainte-Anne-de-Beaupré jusqu'en 1927. Aujourd'hui, cette municipalité autonome est dominée par son grand moulin à pâte à papier.

Station Mont-Sainte-Anne★

À Beaupré, prenez la route 360 jusqu'au Mont-Sainte-Anne - 📞 *418-827-4561 - www. mont-sainte-anne.com -* 🍴-♿-🅿 *- saison de ski : de mi-nov. à fin avr.*

Ce magnifique espace naturel englobe à la fois le mont Sainte-Anne (815 m), imposant massif accidenté s'élevant à proximité du Saint-Laurent, et une partie de la vallée de la rivière Jean-Larose. La station de ski de Mont-Sainte-Anne bénéficie d'excellentes conditions d'enneigement et d'une infrastructure sportive développée. Son domaine skiable comprend plus de 200 km de sentiers de ski de fond, 63 pistes de ski alpin, dont une cinquantaine qui, éclairées en soirée, créent une ambiance féerique !

Panorama★★ – *Accès au sommet (15mn) par télécabine de fin juin à mi-oct. : 10h-16h30 - AR 30mn -* 🍴-♿-🅿 *- 16 $.* Du sommet, la vue sur le Saint-Laurent est extraordinaire. Elle englobe, au sud, la côte de Beaupré, reconnaissable aux tours jumelles de la basilique Sainte-Anne, mais aussi Québec, l'île d'Orléans et la région Chaudière-Appalaches. À l'est de l'île d'Orléans, l'estuaire s'étend sur une largeur de 10 km. Au nord se détache la silhouette des Laurentides.

Chutes Jean-Larose – *De la station de ski, faites 700 m à l'est et prenez la piste balisée.* Avant de se jeter dans la rivière Sainte-Anne, la rivière Jean-Larose se faufile à travers un étroit canyon, puis forme une cascade de 68 m de hauteur.

🥾 Un sentier pentu *(397 marches)* offre de jolies vues de ces eaux déchaînées.

Revenez à Beaupré (4 km), et prenez l'avenue Royale en direction de Saint-Joachim. Tournez à droite dans la rue de l'Église.

Saint-Joachim

3 km à l'est. Le village de Saint-Joachim fut créé au lendemain de la Conquête. Juste avant d'assiéger la « vieille capitale », la flotte britannique avait réduit en cendres les villages situés en bordure du Saint-Laurent. Forts de cette expérience, les habitants de Saint-Joachim s'établirent plus à l'intérieur des terres. Aujourd'hui, ce bourg paisible est surtout connu pour son église.

Église Saint-Joachim★★ – 📞 *418-827-4020 -* ♿-🅿 *- de mi-mai à mi-oct. : 9h-17h.* Cette petite église (1779), dédiée au père de la Vierge, remplace celle de 1685, rasée par les Anglais lors de la Conquête. La façade, conçue par David Ouellet en 1895, masque la structure traditionnelle qu'il faut observer depuis le cimetière. L'édifice est célèbre pour son **intérieur★★**, réalisé entre 1815 et 1825 par **François** et **Thomas Baillairgé**, le père et le fils œuvrant ici à la fois comme architectes et sculpteurs. François Baillairgé avait déjà réalisé le somptueux maître-autel et ses chandeliers en 1785, lorsqu'il fut invité à parachever le décor intérieur. Par testament, le curé de la paroisse, le père Corbin, légua une somme considérable à cette fin, ce qui explique l'ampleur du projet et la richesse de son exécution. On admirera dans **le chœur** de beaux lambris rehaussés de bas-reliefs dorés. De part et d'autre du sanctuaire, deux grands panneaux sculptés représentent la Foi et la Religion. Les quatre médaillons qui ornent les fausses arcades illustrent des scènes de la vie du Christ. De l'intérieur se dégage une harmonieuse impression d'unité. Les sculptures s'intègrent parfaitement au décor, dominé par la présence de pilastres, d'une imposante corniche et d'une voûte finement décorée. Le tableau du maître-autel, intitulé *Saint-Joachim et la Vierge* (1779), est l'une des rares œuvres connues de l'abbé Antoine Aide-Crequy.

Saint-Joachim a longtemps constitué un modèle pour les églises du Québec.

La vaste maison en pierre qui se dresse en face de l'église est le **presbytère** de Saint-Joachim. Il est composé d'une petite partie ancienne (à l'est), érigée en 1766 avec une haute toiture. L'imposant bâtiment ouest s'y ajouta en 1830, en même temps que les portails néoclassiques en bois sculpté.

Petit-Cap

Avant d'arriver à la réserve nationale de faune du Cap-Tourmente. Sur le Petit-Cap se dresse le séminaire, ensemble monumental unique du 18e s. L'édifice principal qui domine le Saint-Laurent est le château Bellevue. Construit en 1779, il fut agrandi dans le style original en 1875. À côté se trouvent la chapelle (1779) et la maison du gardien, structure de bois revêtue de crépi.

Réserve nationale de faune du Cap-Tourmente★

4 km - 🕿 *418-827-4591 -* ✕*-*♿*-* 🅿 *- de mi-avr. à fin oct.: 8h30-17h; reste de l'année: sam.-dim. et vacances scolaires: 8h30-16h - 6 $.*

Le cap Tourmente tire son nom des vents qui balayent la vallée à cet endroit. Créée en 1969, sa réserve compte plus de 290 espèces d'oiseaux dont les fameuses **oies des neiges** qui, chaque année durant leur migration printanière *(avril)* et automnale *(octobre)*, envahissent par milliers ce promontoire massif surplombant le Saint-Laurent. Spectacle inoubliable que ces grands oiseaux prenant leur envol ou atterrissant sur le fleuve ou sur les battures, dans une véritable bourrasque blanche de battements d'ailes et de cris rauques.

La prolifération de roseaux dans les terres marécageuses au bord du fleuve permet aux oies de s'alimenter et de reprendre des forces avant de poursuivre leur longue migration à destination de leurs terres de nidification estivale sur l'île de Baffin (dans l'Arctique) ou de leur refuge hivernal sur les côtes de Virginie (aux États-Unis).

Seuls les détenteurs d'un permis spécial sont autorisés à chasser cette espèce protégée à laquelle sont consacrées toutes sortes d'expositions et de films dans le **centre d'interprétation** *(de mi-avr. à fin oct.: 9h-16h45)* à 1,5 km de l'entrée.

Autres oiseaux vedettes: les faucons pèlerin et les colibris à gorge rubis. Sur place des naturalistes vous aident à les observer.

Remarquez, à l'entrée de la réserve, la **Petite Ferme**. Cet édifice fut construit à l'emplacement de la première ferme de Nouvelle-France, fondée par Samuel de Champlain en 1626.

Chambly ★

MONTÉRÉGIE
22 608 HABITANTS
SCHÉMA : VALLÉE DU RICHELIEU
WWW.TOURISME-MONTEREGIE.QC.CA ET WWW.VILLE.CHAMBLY.QC.CA

Banlieue résidentielle de Montréal, la ville de Chambly occupe un très beau site sur la rive ouest du bassin de Chambly, là où la rivière Richelieu s'élargit en aval d'importants rapides. Ne manquez pas de visiter le fort, construit pour défendre la route commerciale entre Montréal et Albany : il est l'un des derniers exemples d'ouvrage fortifié québécois datant du Régime français. Autre lieu historique, le canal de Chambly, ouvert à la navigation en 1843. Près de 150 000 visiteurs le découvrent chaque année.

▶ **Se repérer** – Chambly est à environ 30 km à l'est de Montréal par la route 10 (sortie 22).

👁 **À ne pas manquer** – La visite du fort de Chambly.

👥 **Avec les enfants** – Observer les éclusiers du canal de Chambly actionner les portes et les ponts des neuf écluses.

⏱ **Pour poursuivre la visite** – La vallée du Richelieu.

Comprendre

Un fort pour Montréal – En 1665, le capitaine **Jacques de Chambly** fut chargé de faire construire un fort pour protéger Montréal contre les incursions iroquoises. En 1672, une seigneurie lui fut concédée pour services rendus à la colonie, d'où l'origine du toponyme. Les rapides furent exploités dès le début du 19ᵉ s. afin d'alimenter sept grands moulins à farine, à carder et à fouler, ainsi qu'une scierie. En 1843, la construction du canal de Chambly allait faciliter la navigation et les échanges commerciaux entre le Canada et les États-Unis. De véritables convois de barges réunies et halées par des chevaux longeant la rive assuraient le transport du bois et d'autres matières premières vers le sud et les États de la Nouvelle-Angleterre. Chambly connut alors une grande prospérité commerciale. Aujourd'hui encore, la ville tire certaines ressources de l'industrie légère.

Artistes et héros – La grande beauté du site de Chambly attire depuis longtemps les artistes. Le peintre impressionniste **Maurice Cullen** (1866-1934) et son beau-fils **Robert Pilot** (1898-1967) y ont ainsi vécu. Chambly fut également la ville natale de **Charles-Michel de Salaberry** et d'Emma Lajeunesse (1847-1930). Mieux connue sous son nom de scène, **Albani**, cette chanteuse d'opéra de renommée internationale fut l'une des meilleures sopranos de sa génération.

Visiter

Partez de la mairie, à l'angle des rues Bourgogne et Salaberry.

Érigé devant la mairie en 1881, le **monument** à la mémoire de Charles-Michel de Salaberry est l'une des premières œuvres historiques en bronze du célèbre sculpteur Louis-Philippe Hébert. Tout près, dans la rue Martel, face à l'église Saint-Joseph (1784), se dresse la dernière œuvre connue de l'artiste, une statue du père Pierre-Marie Mignault, curé de la paroisse de Saint-Joseph pendant 40 ans.

Suivez la rue Bourgogne vers l'est pour rejoindre le canal de Chambly.

Lieu historique national du Canada du Canal-de-Chambly

Près du port de plaisance. Stationnement sur la rue Bourgogne, de l'autre côté du pont - ☎ *450-447-4888 ou 450-658-6525 - www.pc.gc.ca - mai-oct. -* ✕-♿-🅿 *stationnement 4 $.* Inauguré en 1843, ce canal historique compte neuf écluses (dont huit manuelles) réparties sur un tracé de 19 km de long, de Saint-Jean-sur-Richelieu au bassin de Chambly. Il permet aux bateaux de contourner les nombreux rapides de la rivière Richelieu et de franchir une dénivellation de 24 m. Au début du 20ᵉ s., l'activité commerciale – aujourd'hui remplacée par la navigation de plaisance – y était très intense, et plus de 4 000 bateaux empruntaient chaque année ce passage. Outre son kiosque d'interprétation et ses nombreux éléments historiques, le site offre au visiteur une piste cyclable qui longe le canal jusqu'à Saint-Jean-sur-Richelieu. Des **croisières ★** *(Croisières Pierre-Le Moyne-d'Iberville - www.croisieresdiberville.com -* ☎ *450-348-8744)* sur les eaux calmes du bassin de Chambly et du canal permettront de jouir de belles vues sur le mont Saint-Hilaire, Fort-Chambly et les rapides.

Continuez par la rue Bourgogne, puis prenez la rue du Fort.

Lieu historique national du Canada Fort-Chambly★★

2 r. de Richelieu, au bord du Richelieu - ☏ *450-658-1585 - www.pc.gc.ca -* ♿-L
*15 mai : merc.-dim. 10h-17h ; du 16 mai au 1ᵉʳ sept. : 10h-17h ; du 3 sept. à fin oct. .
dim. 10h-17h ; déc. et mars : sur réservation - 5,65 $.*

Situé dans un parc magnifique, là où la rivière Richelieu s'élargit pour former le bassin de Chambly, ce fort a été restauré selon sa forme originale du 18ᵉ s. Il s'agit du seul exemple d'installation fortifiée datant du Régime français, et l'on y retrouve quelques vestiges de la structure de pierre conçue par l'ingénieur militaire Josué Boisberthelot de Beaucours.

Érigé de 1709 à 1711 dans le cadre des guerres franco-anglaises, ce fort de pierre remplace un premier fort de pieux, construit en 1665 sous la direction de Jacques de Chambly pour défendre les rapides sur la route commerciale entre Montréal et Albany (État de New York). L'ensemble actuel est de plan carré, avec des bastions d'angles. On y accède par un portail qui s'ouvre dans le flanc ouest. La cour intérieure est entourée de bâtiments au toit ponctué de lucarnes. Face à l'entrée principale se trouve la chapelle, avec son toit mansardé surmonté d'un clocheton.

À l'intérieur du fort, un **centre d'interprétation** présente l'histoire du fort et de ses occupants sous le Régime français, et les étapes de sa restauration. Diaporamas et dioramas complètent la visite.

Corps de garde – *Rue Richelieu, près du fort ; on peut s'y rendre par le parc.* Après la Conquête, les autorités britanniques créèrent à Chambly un vaste ensemble d'installations militaires. Pendant la guerre canado-américaine de 1812, une garnison qui comptait jusqu'à 6 000 hommes y fut établie, et on construisit des bâtiments pour l'infanterie, la cavalerie et l'artillerie. Plusieurs des expéditions menées par l'armée britannique contre les Patriotes en 1837-1838 partirent de Chambly. Le fort et le camp militaire furent désaffectés lors du départ de la garnison, en 1851.

La façade de pierre du corps de garde (1814) est ornée d'un imposant fronton supporté par des colonnes évoquant le style palladien adopté par l'armée dans toutes les colonies britanniques. On y verra une exposition sur la période de l'occupation anglaise (1760-1869) et le développement de la ville de Chambly.

Église Saint-Stephen – *2004 r. Bourgogne.* Cette église anglicane en pierre des champs fut construite en 1820 pour servir de lieu de culte à la garnison. Son extérieur prend modèle sur les églises catholiques de l'époque, mais la sobriété de son intérieur est caractéristique d'un lieu de culte protestant. Le cimetière contient plusieurs monuments et caveaux funéraires intéressants, dont celui de la famille Yule, à qui appartenait la propriété.

Suivez la rue Richelieu jusqu'à la hauteur de la route 112.

Rue Richelieu★

Aujourd'hui bordée de belles demeures, la rue Richelieu correspond à un ancien chemin de portage qui longe les rapides depuis 1665. Au n° 12, près du corps de garde, remarquez la **maison Beattie** (1875), bâtiment de brique qui abrite le Bureau de tourisme de Chambly et la Société d'histoire de la seigneurie de Chambly.

Le premier tronçon de la rue Richelieu, du corps de garde à la rue des Voltigeurs, parcourt l'ancien domaine militaire. On y retrouve des bâtiments de l'armée britannique, transformés en résidences à la fin du 19ᵉ s., alors que Chambly devenait un lieu de villégiature recherché. Près du corps de garde, au n° 10, se trouve une ancienne caserne (1814). Le n° 14 logeait autrefois le commandant militaire. De la rue des Voltigeurs à la rue Saint-Jacques, le deuxième tronçon de la rue Richelieu traverse l'ancien domaine seigneurial où plusieurs officiers militaires occupaient de confortables résidences. Le **manoir de Salaberry**, au n° 18, fut construit en 1814 pour Charles-Michel de Salaberry qui y vécut jusqu'à sa mort en 1829. Avec son fronton et son portique à deux étages, cette demeure constitue l'un des meilleurs exemples d'architecture palladienne au Québec. Au n° 27, une majestueuse maison de pierre fut érigée en 1816 pour le marchand John Yule, frère du seigneur William Yule. Au n° 26 se trouve l'atelier que se fit construire le peintre Maurice Cullen en 1920.

La rue Richelieu continue le long du **parc des Rapides** qui offre une **vue** sur le barrage et les tumultueux rapides de Chambly. À cet emplacement s'élevaient les moulins et les anciennes manufactures de laine Willett qui, alimentées par le courant, établirent la prospérité de Chambly au 19ᵉ s. Du village industriel qui s'échelonnait le long de la rue subsistent quelques modestes maisonnettes de bois.

Charlevoix★★★

CHARLEVOIX
ÉMA : BAS-ST-LAURENT - CHARLEVOIX
WWW.TOURISME-CHARLEVOIX.COM

nuancée : voici l'une des plus belles régions du Québec ! gent directement dans les eaux majestueuses du Saint-Laurent, evient un véritable bras de mer ; aussi appelle-t-on ses rives des « côtes ». À la fois rural et sauvage, semé de villages pittoresques et de petites stations balnéaires, Charlevoix offre de remarquables vues du fleuve et, par temps clair, de la Côte-du-Sud.

- ◗ **Se repérer** – La côte de Charlevoix est accessible par les routes 40 et 138 au nord-est de Québec. La route 138 traverse la région qui commence au bord du cap Tourmente, à environ 40 km de Québec, et s'étend jusqu'au fjord du Saguenay. La route 362 relie la communauté de Baie-Saint-Paul à celle de La Malbaie – Pointe-au-Pic et dessert les bourgades côtières.
- ◉ **À ne pas manquer** – Le charme de l'île aux Coudres, les villas de La Malbaie, le site de Baie-Saint-Paul, et l'observation des baleines dans le Saint-Laurent, à hauteur de Baie-Sainte-Catherine.
- ◷ **Organiser son temps** – Prévoir au minimum deux jours.
- ♟ **Avec les enfants** – Le Centre d'interprétation et d'observation des baleines de Pointe-Noire à Baie-Sainte-Catherine.
- ♨ **Pour poursuivre la visite** – Tadoussac, la côte de Beaupré, la côte du Bas-Saint-Laurent.

Comprendre

À l'origine du nom – La côte doit son nom au chroniqueur jésuite Pierre-François-Xavier de Charlevoix (1682-1761), grand voyageur et auteur de la célèbre *Histoire et description générale de la Nouvelle-France*.

C'est vers la fin du 17e s. que les premiers colons, pour la plupart des bûcherons et des navigateurs, s'installèrent sur ces terres peu propices à l'agriculture. Quelques villages isolés demeurèrent inaccessibles par la route jusqu'au milieu du 20e s.

Les voitures d'eau – Construites sur les grèves de Charlevoix, plus de 300 goélettes ou « voitures d'eau » (à voiles, puis à moteur) assurèrent, jusque vers la fin des années 1960, le ravitaillement, le commerce et le transport du bois sur la côte de Charlevoix et sur la Côte-Nord, mais aussi dans le Bas-Saint-Laurent et en Gaspésie. Aujourd'hui, leurs épaves jonchent les battures de la région. Car ces embarcations traditionnelles ont été remplacées par les cargos. Lorsque l'on s'arrête sur la corniche, on entend d'ailleurs souvent le bruit de leurs moteurs alors qu'ils passent au loin, par la voie maritime du Saint-Laurent.

Une destination recherchée – Dès les années 1760, la région, réputée pour la beauté de ses paysages, commença à attirer les visiteurs. Après la Conquête, deux officiers écossais, le capitaine John Nairn et le lieutenant Malcolm Fraser, reçurent en concession du gouverneur militaire, le général Murray (1721-1794), l'ancienne seigneurie de La Malbaie – Pointe-au-Pic, qu'ils nommèrent Murray Bay.

Dès le milieu du 19e s., l'engouement pour la nature fit de Charlevoix un lieu de villégiature recherché. Les citadins acquirent d'abord quelques habitations traditionnelles et les rénovèrent, puis entreprirent de construire d'élégantes résidences d'été. La compagnie Canada Steamship Lines amena beaucoup de touristes sur ses luxueux paquebots avant d'ériger en 1899 un énorme hôtel, le manoir Richelieu. Reconstruit en 1929 après un incendie, l'édifice est le seul rescapé des établissements hôteliers de l'époque.

L'ouverture de la route de la Côte-Nord dans les années 1960 devait marquer la fin de l'ère des « grands bateaux blancs ». Aujourd'hui, de nombreuses auberges perpétuent cependant la tradition d'accueil auprès des visiteurs.

Un rendez-vous d'artistes – Charlevoix (plus particulièrement Baie-Saint-Paul, Port-au-Persil et Les Éboulements) attire depuis longtemps peintres, écrivains et poètes. Clarence Gagnon, Marc-Aurèle Fortin, René Richard, Jean-Paul Lemieux et A.Y. Jackson en ont immortalisé la beauté dans leurs toiles. Parmi les écrivains qui y ont vécu, notons Gabrielle Roy et Laure Conan.

Paysage vers St-Irénée, côte de Charlevoix.

A. Gardon/www.tourisme-charlevoix.com

De Beaupré à Baie-Sainte-Catherine

220 km. Quittez Beaupré par la route 138. Après 4 km, tournez à gauche et suivez les panneaux de signalisation.

Canyon Sainte-Anne★★

📞 418-827-4057 - www.canyonste-anne.qc.ca - ✕-♿-🅿 - du 24 juin à la fête du Travail : 9h-17h30 ; du 1er mai au 23 juin et de déb. sept. à fin oct. : 9h-16h30 - 11 $.

Dans ce superbe cadre sauvage, les visiteurs auront l'occasion de voir côte à côte les roches sédimentaires marquant le début de la plaine du Saint-Laurent, et celles de gneiss granitique marquant la fin du Bouclier canadien. Ici, la rivière Sainte-Anne-du-Nord dévale à grand renfort d'écume et de tourbillons une étroite faille rocheuse en créant une chute d'eau de 74 m de hauteur.

Des sentiers à travers bois jalonnés de panneaux d'interprétation permettent d'accéder à la rivière et à ses chutes dont deux ponts suspendus offrent de belles vues. Une

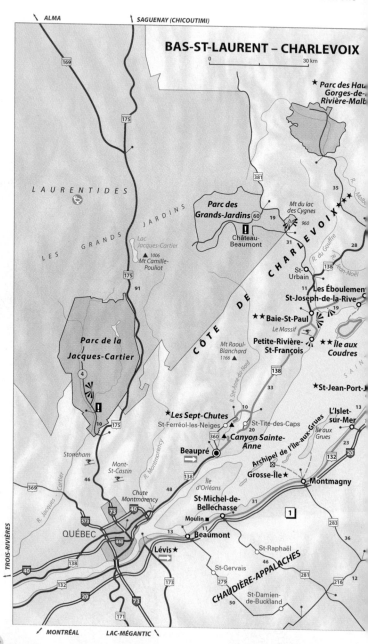

troisième passerelle permet également de se rendre au fond du canyon.

Rejoignez la route 138. Après Saint-Tite-des-Caps (6 km), prenez à gauche la route 360 vers Saint-Ferréol-les-Neiges. Continuez sur 10 km en suivant les indications.

Les Sept-Chutes★

℘ 418-826-3139 ou 877-724-8837 - www.septchutes.com - ✗-🅿 - *de mi-juin à mi-août : 9h-17h45 ; de mi-mai à mi-juin et de mi-août à mi-oct. : 10h-16h30 - 11 $.*

À cet endroit où la rivière Sainte-Anne-du-Nord forme sept chutes distinctes, un barrage et une centrale furent construits en 1916, et demeurèrent en service jus-qu'en 1984. Agréablement aménagé en parc, le site donne aujourd'hui l'occasion de découvrir le patrimoine industriel québécois, tout en offrant plusieurs points de vue sur les cataractes. La **centrale** *(descente de 325 marches)*, l'une des plus anciennes du genre au Québec, la forge (1929), le barrage en amont des chutes et l'aqueduc (qui acheminait l'eau aux turbines) témoignent d'un passé technologique actif.

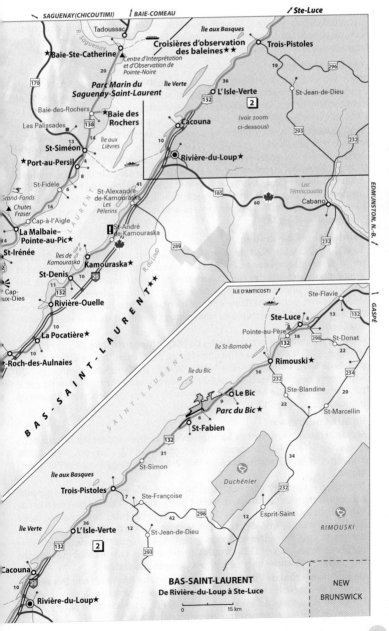

Un **centre d'interprétation** retrace l'histoire de ces installations hydro-électriques.

Reprenez la route 138. Au bout de 30 km, tournez à droite vers Petite-Rivière-Saint-François et continuez sur 10 km.

Petite-Rivière-Saint-François

La route descend en pente raide à travers la forêt vers ce petit village situé sur le Saint-Laurent, au pied d'une grande falaise. *Dans le village, tournez à gauche après l'église.* Une jetée dégage une **vue★** sur les montagnes de Charlevoix, qui plongent dans le Saint-Laurent, et sur la grève parsemée de rochers.

Retournez vers la route 138, et continuez jusqu'à Baie-Saint-Paul.

La route offre de magnifiques **vues★★** sur la vallée du Gouffre, sur le Saint-Laurent et sur l'île aux Coudres, en descendant vers Baie-Saint-Paul.

Baie-Saint-Paul★★

Voir ce nom.

Quittez Baie-Saint-Paul par la route 362.

La route 362, puis la route 138 à partir de La Malbaie – Pointe-au-Pic, offrent de nombreuses vues du Saint-Laurent et de ses grèves. En quittant Baie-Saint-Paul, une halte routière permet d'admirer à nouveau la vallée du Gouffre et l'Isle-aux-Coudres.

Les Éboulements

19 km. Assis sur le rebord de la montagne à plus de 300 m au-dessus du Saint-Laurent, le village doit son nom à plusieurs glissements de terrain qui suivirent le violent tremblement de terre de 1663 : la moitié de la montagne s'affaissa dans le fleuve. En 1710, la seigneurie fut concédée à Pierre Tremblay qui y construisit un moulin.

Moulin banal – *Avant le carrefour vers Saint-Joseph-de-la-Rive. Entrée à droite, juste avant la rivière du Moulin -* ℘ *418-635-2239 -* ✕ *-* 🅿 *- de déb. juin à déb. sept. : 10h-17h ; reste de l'année : sur rendez-vous - 4 $.* Ce moulin fut bâti en 1790 par le seigneur Jean-François Tremblay, au sommet d'une chute d'une trentaine de mètres. Le visiteur pourra y admirer les mécanismes d'origine et observer le travail du meunier en titre *(farine de blé ou de sarrasin en vente).* Avec le moulin, l'ancien manoir des Sales-Laterrière, tout à côté, illustre particulièrement bien la vie quotidienne sous le régime seigneurial, aboli en 1854.

Saint-Joseph-de-la-Rive

3 km. Quittez la route 362 à droite en direction de Saint-Joseph-de-la-Rive. Descente très raide vers le Saint-Laurent. Cette petite localité, blottie entre le Saint-Laurent et la montagne, présente des vues charmantes de l'île aux Coudres et du fleuve. Elle abrita l'un des principaux chantiers de construction des goélettes traditionnelles de Charlevoix. Souvenirs d'une époque révolue, de nombreuses épaves de ces bateaux jonchent les battures du village, point de départ du traversier vers l'île aux Coudres.

Prenez le temps de visiter les goélettes de l'**Exposition maritime** *(305 r. de l'Église -* ℘ *418-635-1131)* pour vous faire une idée du passé maritime de Charlevoix. La **papeterie Saint-Gilles** *(304 r. Félix-Antoine-Savard -* ℘ *418-635-2430 ou 866-635-2430 www.papeteriesaintgilles.com),* une fabrique de papier traditionnelle fondée par le prélat et écrivain Félix-Antoine Savard, invite les visiteurs à découvrir comment on produisait le papier au 17ᵉ s.

Île aux Coudres★★

Accès par traversier : départ de Saint-Joseph-de-la-Rive - Société des traversiers du Québec - ℘ *418-438-2743 - www.traversiers.gouv.qc.ca -* ♿ *- avr.-oct. : 7h30-23h30, départ ttes les heures ; reste de l'année : 7h30-23h30 (janv.-fév. 23h) ttes les 2h - 15mn - gratuit.*

Tout ce qui est petit est charmant : il en est ainsi de l'île aux Coudres (ou « Isle-aux-Coudres »), étendue de terre ne mesurant guère plus de 11 km de long sur 5 km de large, et posant dans un décor enchanteur au large des côtes de Charlevoix, face à Baie-Saint-Paul. L'île a gardé sa tranquillité et son charme rural pour le grand plaisir des touristes qui s'y rendent nombreux (attention) à la période estivale. Jetant l'ancre dans l'une de ses baies en 1535, Jacques Cartier la baptisa « isle es couldres » en raison des coudriers – ou noisetiers – qui y poussaient en abondance.

On peut faire le **tour de l'île** en voiture ou à bicyclette *(environ 21 km).* Des vestiges du passé, des goélettes échouées sur les battures sont visibles en plusieurs endroits. Pointe-du-Bout-d'en-Bas, à l'extrémité nord de l'île, offre une **vue★** pittoresque du village des Éboulements et de son site verdoyant.

Musée les Voitures d'eau★ – *1933 ch. des Coudriers -* ☏ *418-438-2208 -* **P** *- de mi-juin à déb. sept. : 10h-17h ; de mi-mai à déb. juin et de mi-sept. à mi-oct. : sam.-dim. 10h-17h - 5 $.* Consacré aux fameuses goélettes ou « voitures d'eau » qui, jusque dans les années 1960, jouèrent un rôle fondamental dans la vie des habitants des îles, ce petit musée permet de mieux comprendre l'histoire de la navigation sur le Saint-Laurent. Les visiteurs pourront monter à bord du *Mont-Saint-Louis*, embarcation construite en 1939 et qui servit pendant 35 ans. Attenant au musée, un hôtel-motel.

Église Saint-Louis – ☏ *418-438-2442 -* ♿**- P**. Dans cette église, construite en 1885, admirez la décoration intérieure et l'autel sculpté par Louis Jobin. Deux statues, saint Louis et saint Flavien, ont été sculptées par François Baillairgé entre 1804 et 1810. Par le soin apporté aux vêtements et à l'anatomie, ces deux œuvres exceptionnelles témoignent du talent de l'artiste.

À environ 200 m de part et d'autre de l'église, remarquez les deux petites **chapelles de procession**, construites par des volontaires en 1837.

Les moulins de l'Isle-aux-Coudres★ – ☏ *418-438-2184 - www.tourismeisleauxcoudres. com -* **P** *- de mi-mai à déb. oct. : 9h30-17h30 - 8 $.* Un vieux moulin à vent (1836) tout en pierre subsiste à côté d'un moulin à eau (1825), près de la rivière Rouge. Construits respectivement par Thomas et Alexis Tremblay, les deux bâtiments fonctionnèrent jusqu'en 1948. Restaurés par le gouvernement du Québec, ils donnent aujourd'hui l'occasion de comparer deux mécanismes différents.

Dans la maison du meunier, un **centre d'interprétation** offre une rétrospective historique des lieux. Les visiteurs pourront s'y procurer de la farine de blé moulue selon les techniques artisanales. Quelques machines agricoles du début du siècle, disposées à l'extérieur, complètent la visite.

De retour à Saint-Joseph-de-la-Rive, reprenez la route 362 vers Saint-Irénée.
Cette corniche escarpée dévoile de belles échappées sur le fleuve. Empruntez la route de Cap-aux-Oies sur 1 km et arrêtez-vous au bas de la côte pour jouir d'une **vue** du cap et de la rive sud. Reprenez la route 162 qui, dans une descente raide aux **vues** spectaculaires, rejoint le niveau du fleuve.

Premières colonies de l'île aux Coudres – Vers 1728, les premiers colons arrivèrent sur l'île aux Coudres qui, pendant longtemps, fit partie d'une seigneurie appartenant au séminaire de Québec. Outre l'agriculture, les habitants chassaient le béluga (qu'ils appelaient « marsouin ») pour son huile. Jusqu'à la fin des années 1950, l'île abrita plusieurs chantiers navals où étaient construits non seulement de nombreuses « voitures d'eau » (goélettes à voiles, et plus tard à moteur) pour le cabotage et pour la chasse aux marsouins, mais aussi les lourds canots qui permettaient aux habitants, pendant l'hiver, de naviguer entre les glaces flottantes pour rejoindre la côte. C'est aussi sur cette île que, dans les années 1960, Pierre Perrault, de l'Office national du film du Canada, tourna ses célèbres longs métrages documentaires sur la chasse aux marsouins et les voitures d'eau. Ces films, aujourd'hui reconnus comme des classiques du genre, ont fait découvrir le Charlevoix et l'Île aux Coudres aux Québécois.

La traversée du fleuve en hiver – Avant l'arrivée du traversier, naviguer en plein hiver sur les eaux glacées du Saint-Laurent pour rejoindre le continent demandait des années d'apprentissage. Il fallait tour à tour pagayer, et haler son canot sur la banquise. Cette technique de navigation très particulière fait l'objet de démonstrations annuelles lors du **Carnaval de Québec**, au mois de **février.**

Saint-Irénée

À 15 km des Éboulements. Situé au confluent de la rivière Jean-Noël et du Saint-Laurent, Saint-Irénée est le village natal de l'avocat et poète **Adolphe-Basile Routhier** (1839-1920), auteur des paroles françaises de l'hymne national canadien, *Ô Canada*. Rodolphe Forget (1861-1919), constructeur du chemin de fer qui suit la rive nord du Saint-Laurent, y établit sa résidence d'été, aujourd'hui connue sous le nom de **domaine Forget**. Cette propriété, consacrée à la diffusion des arts du spectacle, occupe un site charmant face au fleuve *(www.domaineforget.com)*.

La route mène aux villages qui entourent l'estuaire de la rivière Malbaie : La Malbaie – Pointe-au-Pic et Cap-à-l'Aigle.

La Malbaie – Pointe-au-Pic★

Voir ce nom.

La route 138 continue vers Saint-Fidèle-de-Mont-Murray, d'où on peut apercevoir les îles de Kamouraska. Elle rejoint ensuite les rives du fleuve.

6 km après Saint-Fidèle-de-Mont-Murray, tournez à droite vers Port-au-Persil.

Port-au-Persil★

À 30 km de La Malbaie – Pointe-au-Pic. Cette anse du Saint-Laurent est depuis longtemps un lieu de prédilection des artistes. À côté du vieux quai, une minuscule église anglicane et une petite chute d'eau ajoutent une note pittoresque à la beauté du lieu.

Saint-Siméon

4 km. Un **traversier** (☎ 418- 638-2856 - *aller simple environ 1h, AR sans débarquer 3h*) relie cette ancienne communauté de bûcherons à Rivière-du-Loup. À cet endroit, le Saint-Laurent fait une vingtaine de kilomètres de largeur. Le **centre éducatif forestier Les Palissades** est logé au pied d'une falaise de 120 m, près de Saint-Siméon *(à environ 13 km par la route 170)*. Le centre d'interprétation sert de point de départ à trois chemins qui offrent des promenades de différentes longueurs et permettent d'observer de plus près la flore de la région.

La route 138 rentre à l'intérieur des terres, traverse la forêt et longe différents lacs.

Baie des Rochers★

17 km. Un chemin non revêtu *(environ 3 km)* mène à cette jolie baie aujourd'hui désertée dont il ne reste que le vieux quai. La petite île à l'entrée de la baie est accessible à marée basse.

Rejoignez la route 138.

Le Saint-Laurent réapparaît près de Baie-Sainte-Catherine.

Baie-Sainte-Catherine★

La bourgade a fait de l'observation des baleines sa principale attraction, comme sa voisine de Tadoussac, sur l'autre rive du Saguenay. Le mois de juin – correspondant à l'arrivée massive des cétacés au large du fjord –, y est le plus propice, suivi de septembre et octobre, plus calmes qu'au pic estival *(juil.-août).*

Croisières d'observation des baleines★★ – Croisières AML - ☎ 1-800-563-4643 - www.croisieresaml.com - ✕ - 🅿 - *départ du quai municipal - mai-oct. : 10h et 13h15 - AR 3h - commentaire à bord - réservations requises - 59 $.* À bord du *Grand-Fleuve*, vous partirez observer les baleines du Saint-Laurent. Des guides vous aideront à reconnaître les différents espèces : beluga, petit rorqual, rorqual commun ou, avec plus de chance, la légendaire baleine bleue. Grâce aux caméras sous-marines et panoramiques du bateau, les fonds marins n'auront plus de secrets pour vous. La croisière « Baleines et Fjord » permet en complément de découvrir le fjord du Saguenay.

Centre d'interprétation et d'observation de Pointe-Noire – *Sur la route 138, peu avant la descente vers le Saguenay -* ☎ 1-800-773-8888 - www.parcmarin.qc.ca - ♿ - 🅿 - *de mi-juin à la fête du Travail : 9h-18h ; de la fête du Travail à mi-oct. : vend.-dim. 9h-17h - 5,50 $.* Situé sur un cap surplombant l'embouchure du Saguenay, le **promontoire de Pointe-Noire** offre un panorama superbe sur l'estuaire du Saint-Laurent et les falaises du fjord. Le centre fait partie intégrante du **parc marin du Saguenay – Saint-Laurent** (www.parcmarin. qc.ca). Il propose toutes sortes d'activités d'interprétation (exposition, télescopes, programmes vidéo) relatives à ce milieu naturel unique.

Champlain et Baie-Sainte-Catherine

C'est à la pointe sud de cette baie que Samuel de Champlain rencontra le chef montagnais Sagamo en 1609. De cette rencontre allait naître une alliance contre les Iroquois, qui devait avoir de graves conséquences pour la Nouvelle-France.

Les premiers colons arrivèrent à Baie-Sainte-Catherine vers 1820 et produisirent longtemps du bois de sciage destiné à l'Europe.

Traversier pour Tadoussac★ – *Société des traversiers du Québec -* ☎ 1-877-787-7483 - www.traversiers.gouv.qc.ca - ♿ - *départ du quai de l'Anse-au-Portage - tlj de l'année - aller simple 10mn - gratuit.* En service toute l'année, ce traversier constitue l'unique moyen de franchir l'embouchure du Saguenay pour les véhicules qui empruntent la route 138. Le voyage ne peut qu'impressionner, avec le fjord profond du Saguenay à gauche, et les eaux majestueuses du Saint-Laurent à droite. Durant cette courte traversée, on aperçoit parfois des baleines ou autres mammifères marins.

Chibougamau

BAIE-JAMES
7 563 HABITANTS
WWW.TOURISMEBAIEJAMES.COM

Chasseurs-cueilleurs nomades, les Cris, peuple autochtone du Québec, se séparaient jadis en petits groupes multifamiliaux pour faire face à l'hiver, et l'été venu, se rassemblaient à nouveau en grandes communautés. Ils représentent aujourd'hui la moitié de la population de Chibougamau et sont dispersés autour de lacs et de rivières, tirant la majeure partie de leur subsistance de l'immense forêt boréale, divisée en territoires de chasse familiaux. Si la ville est très isolée et éloignée des grands centres urbains – nous sommes plus proche ici du Grand Nord que de Montréal ! – elle constitue un point de départ idéal pour découvrir la contrée sauvage de Baie-James.

◗ **Se repérer** – Chibougamau se trouve à 700 km au nord de Montréal par les routes 40, 55, 155 et 167. C'est un trajet de 9h par la route. Air Creebec assure une liaison quotidienne avec Montréal ; renseignements horaires : ℰ 819-825-8355 ou 800-567-6567 - www.aircreebec.ca.

👁 **À ne pas manquer** – Le village cri Oujé-Bougoumou.

👫 **Avec les enfants** – Louez un canot, un pédalo ou une planche à voile sur la plage du centre-ville, au bord du lac Gilman. Sur la route 167, le mont Chalco permet de faire du ski en hiver et des randonnées en été. Camping à l'entrée de la ville, derrière le kiosque de renseignements touristiques.

ℰ **Pour poursuivre la visite** – Le lac Saint-Jean, et Val-d'Or.

Comprendre

À l'origine du nom – Son nom serait une déformation du mot cri *shabogamaw* (« lac traversé de bord en bord par une rivière »).

Le lac Chibougamau faisait partie de la route du Nord empruntée par les premiers Européens, notamment le sieur des Groseilliers (1618-1696) et Radisson (1636-1710), qui furent suivis de près par le père Albanel (1616-1696). Aux postes de traite succéda la ville minière de Chibougamau, érigée en pleine forêt boréale, sur une plaine sablonneuse, à proximité du lac Gilman, à 15 km au nord du lac dont elle porte le nom.

De la prospection... – Les premières traces de minerai furent découvertes dans les années 1840. Plusieurs grands noms de l'industrie minière s'y succédèrent, reconnaissant l'extrême richesse naturelle de la région. La plupart des prospecteurs, ingénieurs, promoteurs et géologues venaient de l'ouest du Québec, de l'Ontario et des États-Unis. Le choc boursier de 1929 mit fin à l'expansion régionale, mais vers 1934, spéculateurs et prospecteurs firent leur réapparition. La Seconde Guerre mondiale marqua un nouveau temps d'arrêt, et ce n'est finalement qu'en 1950 que la construction d'une route d'hiver de 240 km entre Saint-Félicien et Chibougamau permit aux sociétés minières de s'installer en permanence sur les lieux.

À la mine – La première mine de cuivre, zinc et or ouvrit ses portes en 1951 à Chapais, à 44 km de la ville. Il ne s'agit pas ici de faille géologique comme à Val-d'Or. On parle de la ceinture Chibougamau-Matagami formée de « zones » de minerai. Ce sont des veines verticales de 1 m de largeur sur 610 à 1 220 m de profondeur. On creuse donc des galeries de 1,8 m de large sur 2,5 m de haut le long de la veine. Aujourd'hui, Chibougamau est surtout une ville de mineurs et de travailleurs forestiers. On y verra des scieries et plusieurs mines en service. La prospection continue surtout à l'intérieur du complexe du lac aux Dorés. Autrefois, on n'extrayait que le cuivre, mais depuis la récession des années 1970, l'exploitation de l'or a pris le dessus. Les roches extraites sont concassées sur place, puis envoyées vers le complexe métallurgique de Rouyn-Noranda.

Aux alentours

Réserve faunique Assinica et des Lacs-Albanel-Mistassini-et-Waconichi

Entrée à 3 km de Chibougamau sur la route 167 - ℰ 800-665-6527 ou 418-748-7748 - www. sepaq.com - △ - 30 mai-1ᵉʳ sept. : 7h-19h - la route 167 conduit à l'accueil principal Chalco et à l'accueil du lac Albanel. Pour atteindre les accueils Waconichi et Baie-Pénicouane, il faut emprunter la route du Nord (10) via la route 167 Nord.

Cette vaste réserve faunique occupe une superficie de 16 400 km², parsemée de forêts d'épinettes noires, de sapins et de mousses. Ses nombreux lacs, dont le plus grand de la région, le lac Mistassini (2 019 km²), en font un paradis pour les pêcheurs.

Activités – Outre la randonnée, l'activité principale de cette réserve faunique reste la pêche. Le camping (*réservations* 📞 418-890-6527) est limité à 14 jours consécutifs ; rapporter ses déchets au poste d'accueil. Des excursions (*non organisées*) de canot-camping sont également possibles ; réserver au moins un mois à l'avance. Location de chaloupes (*sur réservation*) ; pas de service de guide.

Réserve Waconichi – Son nom évoque les collines situées à l'ouest du lac Waconichi qui protègent les campements des Amérindiens, du vent du nord-ouest, parfois glacial. La réserve dispose d'un complexe touristique de pêche. Des chalets en bois rond (*à 27 km de l'accueil Chalco - réservations requises -* 📞 *418-890-6527*) ont été aménagés sur un **site★** de toute beauté.

Mistissini – *De l'accueil Chalco, parcourez 67 km sur la route 167, puis tournez à gauche vers Mistissini (Baie-du-Poste), et continuez sur 16 km - Tourisme Mistissini -* 📞 *819-923-325*. Ce village cri se trouve sur la route du commerce des fourrures menant à Fort-Rupert (Waskaganish), sur la baie d'Hudson. Mistissini est aujourd'hui la plus importante communauté des Cris de la Baie-James du Québec. Une communauté crie, qui portait le nom de Mistassini, habitait déjà la région en 1640. Durant une centaine d'années, la Compagnie de la baie d'Hudson tint un poste de traite à Fort-Rupert. Mais la concurrence que lui livra la Compagnie du Nord-Ouest la força à se déplacer à l'intérieur des terres. Pour intercepter les fourrures avant qu'elles n'arrivent à Fort-Rupert, les Français construisirent en 1674 leur propre poste de traite à Mistassini, à la suite de la visite du père Charles Albanel. Le premier poste de Neoskweskau, sur la rivière Eastmain, fut déplacé au nord du lac Mistissini en 1800, et au sud du lac, à l'emplacement actuel de la ville, en 1835.

Oujé-Bougoumou

Situé à 58 km à l'ouest de Chibougamau. Accès par la route 167, la route 113, puis une route de gravier - 📞 *418-745-2573 - www.ouje.ca*. Après avoir été dépossédée de ses villages et de ses moyens de survivance, la communauté crie d'Oujé-Bougoumou a développé un nouveau site et une nouvelle organisation alliant modes de vie ancien et moderne. Le village propose des séjours et des hébergements en tepee, en lodge ou en chambre d'hôte. Visite du village traditionnel et nombreuses activités : canot, raquettes, traîneau à chiens, etc (*renseignements auprès de Tourisme Eeyou Istchee - 203 r. Opémiska-Medkino - 418-745-2220*).

De Chibougamau à Val-d'Or
Environ 413 km au sud-ouest par les routes 167, 113 et 117

Chapais

À 44 km de Chibougamau par les routes 167 et 113. La ville doit son nom à Sir Thomas Chapais, politicien et historien de renom. En 1929, Léo Springer y découvrit le premier grand gisement de la région Chibougamau-Chapais. En 1989, la scierie de Chapais passa en tête du palmarès des producteurs de bois de l'est du Canada. Une nouvelle usine thermique transforme les résidus de bois en énergie électrique.

Waswanipi

93 km. Tout comme Mistissini, cette réserve faunique abrite une communauté crie dont les membres aident au reboisement des forêts ou travaillent aux mines de Desmaraiville et Miquelon, au sud de Waswanipi.

Lebel-sur-Quévillon

À 120 km de Waswanipi et 213 km de Chapais. En 1965, les bords du lac Quévillon, alimenté par la rivière Le Bel, étaient encore sauvages. Depuis, une petite communauté pleine de vigueur s'y est développée, soutenue par l'usine de pâte et papier de la Domtar (*aujourd'hui fermée*). À l'entrée de la ville, sur le boulevard Quévillon, se trouvent un camping municipal et une plage, avec location d'équipement aquatique et sentiers pédestres balisés.

Senneterre

84 km. Très dynamique, cette petite communauté forestière a subi de nombreux changements au cours des dernières années. Aux portes d'entrée de la ville, des sculptures symbolisent l'armée canadienne, l'industrie forestière et l'industrie ferroviaire.

Lac Faillon – *À 45 km à l'est de Senneterre, sur le chemin de pénétration N-806*. Site de plein air et de détente, le lac Faillon bénéficie du charme sauvage de la rivière Mégiscane. Il offre de nombreuses activités récréatives : baignade, chaloupes, canots et pêche.

Côte-Nord ★

MANICOUAGAN-DUPLESSIS
SCHÉMA : CÔTE-NORD
WWW.TOURISMECOTE-NORD.COM, WWW.TOURISMEMANICOUAGAN.COM
ET WWW.TOURISMEDUPLESSIS.COM

Divisée en deux régions touristiques (Manicouagan et Duplessis), la Côte-Nord englobe un immense territoire allant de l'embouchure du Saguenay jusqu'à la frontière du Labrador. Région la plus méridionale, la « Haute » Côte-Nord s'étend de Tadoussac à Sept-Îles. Au centre, la « Moyenne » Côte-Nord réunit Sept-Îles à Natashquan. Quant à la « Basse » Côte-Nord, ainsi nommée en raison de sa proximité avec l'océan, elle comprend la région sise entre Natashquan et Blanc-Sablon. Dans ces vastes espaces de taïga, villes et villages ne sont guère accessibles que par avion ou par bateau. Inuits et Montagnais y résident depuis plusieurs milliers d'années. Peu fréquentée par les touristes, la Côte-Nord déroule des paysages d'une grande beauté, presque irréelle. À découvrir !

▶ **Se repérer** – La route 138 dessert la Côte-Nord de Tadoussac à Natashquan. La Basse-Côte-Nord est accessible par bateau ou par avion.

👁 **À ne pas manquer** – La réserve du parc national de l'Archipel-de-Mingan.

🕐 **Organiser son temps** – La découverte de la Côte-Nord que nous vous proposons peut se faire en une à deux semaines.

👫 **Avec les enfants** – L'observation des baleines aux Grandes-Bergeronnes.

🚶 **Pour poursuivre la visite** – L'archipel de Mingan et l'île d'Anticosti (bateaux au départ de Havre-Saint-Pierre), Tadoussac.

Comprendre

Au cours de la seconde moitié du 15e s., des pêcheurs basques vinrent chasser la baleine dans les parages. La pêche demeura la principale activité de la région jusque dans les années 1920, époque à laquelle les entreprises de pâte à papier se lancèrent dans l'exploitation forestière et créèrent une importante industrie du bois. Vers 1950, la découverte de riches gisements miniers (fer en particulier) déclencha une nouvelle croissance économique à laquelle succéda, au début des années 1960, l'aménagement hydro-électrique des rivières aux Outardes et Manicouagan.

De Tadoussac à Sept-Îles

1️⃣ 450 km par la route 138

Tadoussac ★★
Voir ce nom.

Grandes-Bergeronnes
À 26 km de Tadoussac par Petites-Bergeronnes. En 1603, Samuel Champlain nomma « Bergeronnettes » cet endroit où il avait observé le vol de ces petits oiseaux jaunes à longue queue. La région était depuis longtemps fréquentée par des pêcheurs basques et par les Montagnais. En 1844, les premiers colons vinrent s'y établir et construisirent un moulin à farine à Petites-Bergeronnes, ainsi qu'une scierie à Grandes-Bergeronnes. Aujourd'hui, l'observation des **baleines** constitue le principal attrait de la localité. Attirés par une prolifération exceptionnelle de plancton, bélugas et baleines bleues fréquentent volontiers les eaux de la région, pour le plus grand plaisir des visiteurs qui pourront les admirer en mer ou depuis la côte, au Cap-de-Bon-Désir.

Centre d'interprétation et d'observation du Cap-de-Bon-Désir – *À 6 km à l'est de Grandes-Bergeronnes* - 📞 418-232-6751 - www. parcmarin.qc.ca - *de mi-juin à mi-oct. : 8h-20h - 5 $.* Partie intégrante du **parc marin du Saguenay – Saint-Laurent** *(voir encadré)*, le centre Cap-de-Bon-Désir propose toutes sortes d'activités d'interprétation de l'histoire régionale et d'observation du milieu marin de l'estuaire. Un belvédère permettra d'admirer différentes variétés de mammifères marins, dont les baleines *(location de jumelles).*

Centre d'interprétation Archéo-Topo – *498 r. de la Mer* - 📞 *418-232-6286* - www. archeotopo.qc.ca - *de mi-mai à mi-oct. : 9h-17h - 5,50 $.* Y sont évoquées les fouilles archéologiques menées dans la région, qui ont révélé des traces d'occupa[...] remontant à 5500 avant notre ère.

👫 Petits et grands découvrent l'archéologie et la préhistoire dans u[...] le jeu sert de véhicule à l'information.

Le parc marin du Saguenay-Saint-Laurent

Depuis 1998, le parc marin du Saguenay-Saint-Laurent assure la protection des espèces et des écosystèmes de la zone de confluence de l'estuaire du Saint-Laurent et du fjord du Saguenay. Le parc marin est découpé en **cinq territoires**, chacun proposant des lieux de découverte différents.

Secteur de l'Estuaire : centre d'interprétation de Pointe-Noire, à Baie-Sainte-Catherine (*voir Côte de Charlevoix*).

Secteur du Fjord nord : centre d'interprétation des battures et de réhabilitation des oiseaux, à Saint-Fulgence, et centre d'interprétation du Béluga, à Baie-Sainte-Marguerite (*voir Fjord du Saguenay*).

Secteur du Fjord sud : centre d'interprétation du fjord à Baie-Éternité, dans le parc du Saguenay (*voir Fjord du Saguenay*).

Secteur des Baleines : centre d'interprétation Archéo-Topo, centre d'interprétation et d'observation du Cap-de-Bon-Désir, aux Bergeronnes (*Côte-Nord*), centre d'interprétation des mammifères marins à Tadoussac (*voir Tadoussac*).

Secteur des Navigateurs : l'île aux Basques, le Parc de l'aventure basque en Amérique, les îles du Pot-l'Eau-de-Vie et l'île aux Lièvres (*voir Côte du Bas-St-Laurent*).

Les Escoumins

13 km. Vers la fin du 15e s., des pêcheurs basques fondèrent ici une petite communauté qu'ils appelèrent l'« Esquemin ». Aujourd'hui connue sous le nom d'Escoumins, cette charmante localité est un endroit idéal pour **observer baleines** et autres mammifères marins. Elle est également réputée parmi les amateurs de pêche et de plongée sous-marine.

En traversant la rivière des Escoumins, vous découvrirez sur sa gauche une structure insolite. Il s'agit d'une **échelle à saumons** ou passe migratoire, déviation artificielle destinée à faciliter la montaison des poissons lorsqu'ils retournent frayer dans les eaux où ils sont nés.

Baie-Comeau

160 km.

La ville fut baptisée en hommage à Napoléon-Alexandre Comeau, trappeur, géologue et naturaliste de la Côte-Nord. Conscient du potentiel économique qu'offrait la région, le colonel Robert McCormick (1880-1955) – rédacteur en chef du *Chicago Tribune* – fonda en 1936 la Quebec North Shore Paper Company, qui allait donner naissance à la ville de Baie-Comeau. La société porte aujourd'hui le nom de Compagnie de papier de Québec et Ontario, et représente l'un des plus grands employeurs de la région.

La **cathédrale Saint-Jean-Eudes** (℘ 418-589-2370 - ♿ - *du 24 juin au 1ᵉʳ lun. sept. : 8h-20h ; reste de l'année : seulement ouv. pour l'office*) se dresse dans la partie ouest de la ville, à l'embouchure de la rivière Manicouagan. Elle est dédiée à saint Jean-Eudes, prêtre français du 17ᵉ s. qui fonda la congrégation de Jésus et Marie (dite des Eudistes). Édifié en 1958 à l'aide de différentes sortes de granits polychromes, l'édifice n'est pas sans rappeler le style du moderniste français Auguste Perret.

Déclaré zone historique en 1985, le **quartier Amélie** se trouve dans le secteur Marquette, à l'est, et comporte de belles demeures bâties dans les années 1930. Dans la rue Cabot se dresse l'élégant **hôtel Le Manoir**, reconstruit dans le style colonial français à la suite d'un incendie survenu en 1965.

L'**église Sainte-Amélie** (*37 av. Marquette* - ℘ 418-296-5528 - ♿) est dédiée à la mémoire d'Amélie McCormick, femme du fondateur et bienfaiteur de la ville. Les **fresques★** (restaurées en 1996) qui en ornent l'intérieur sont de l'artiste italien Guido Nincheri.

Excursion au complexe Manic-Outardes

430 km AR au départ de Baie-Comeau. Voir ce nom.

Godbout

À 54 km de Baie-Comeau. Cette localité occupe un très beau **site**★ au fond d'une baie située entre le cap de la Pointe-des-Monts et l'embouchure de la rivière Godbout. Village et rivière furent baptisés en l'honneur de Nicolas Godbout, pilote et navigateur qui s'établit sur l'île d'Orléans en 1670. Un traversier assure la liaison avec Matane.

Musée amérindien et inuit de Godbout – *En face du port, à 2 km au sud de la route 138 - 𝒫 418-545-7447 - www.vitrine.net/godbout - △-✗-🅿 - 24 juin-15 oct. : 9h-21h - 5 \$.* Le musée possède une belle collection d'œuvres amérindiennes et de sculptures inuit provenant essentiellement des territoires du nord-ouest. On y remarquera de superbes photos de Fred Bruemmer illustrant la faune de l'Arctique. Un authentique canot d'écorce algonquin est suspendu dans l'atelier qui offre, à la saison estivale, des activités d'initiation à la poterie.

Reprenez la route 138. Au bout de 29 km, prenez à droite la route du Vieux-Phare et continuez sur 12 km.

Phare de Pointe-des-Monts★

𝒫 418-939-2332 ou 418-589-8408 (hors saison) - www.pharepointe-des-monts.com - △-✗-🅿 - de déb. juin à mi-sept. : 9h-17h - 5 \$.

Érigé en 1830, le phare de Pointe-des-Monts se dresse à 28 m à l'endroit où le Saint-Laurent s'élargit pour former un golfe. Il abrita, pendant 150 ans, les gardiens et leurs familles. À l'intérieur, un petit musée patrimonial évoque leur vie et présente également des objets provenant d'épaves de navires échoués dans les environs. Le bâtiment sert de point de départ à toutes sortes d'excursions et d'activités : pêche à la truite et au saumon ; pêche en mer ; plongée sous-marine ; chasse photographique à l'ours noir ; observation des mammifères marins (baleines, phoques) et des oiseaux (aigles pêcheurs, fous de Bassan) ; promenades sur la grève. On trouvera sur place une auberge ainsi que plusieurs chalets de villégiature.

Reprenez la route 138.

De la Pointe-aux-Anglais à Rivière-Pentecôte, la route 138 longe de magnifiques plages de sable blond.

Rivière-Pentecôte

À 79 km de Godbout. S'étant arrêté dans les environs le jour même de la Pentecôte, Jacques Cartier nomma ainsi la rivière locale. Rivière-Pentecôte fut le berceau du premier journal de la Côte-Nord, l'*Écho du Labrador,* fondé en 1903 par Joseph Laizé, un missionnaire eudiste. Du kiosque de renseignements touristiques qui domine le village, belle **vue**★ sur l'ensemble pittoresque que forment, juchés sur un cap, l'église et le petit oratoire dédié à sainte Anne.

Port-Cartier

35 km. Grâce à son port en eau profonde, cette ville industrielle et commerciale occupe au Canada une place importante pour le transbordement du minerai et des céréales. Elle se trouve en bordure des rivières aux Rochers et Dominique, au point où toutes deux se jettent dans le Saint-Laurent. Les **deux îles situées à leur embouchure** offrent toutes sortes d'activités récréatives : randonnée pédestre, baignade, pique-nique, camping et pêche sportive (la région est réputée pour ses rivières à saumons). Sur l'île Patterson, un jardin botanique, le Taïga, abrite des plantes indigènes ; sur l'île McCormick, un café-théâtre expose les œuvres d'artistes locaux.

Sept-Îles★

Voir ce nom.

De Sept-Îles à Havre-Saint-Pierre

2 *222 km par la route 138*

Rivière-au-Tonnerre

À 123 km de Sept-Îles. Ce charmant village de pêcheurs doit son nom au grondement des chutes de la rivière au Tonnerre, juste à proximité. L'**église Saint-Hippolyte** (*𝒫 418-465-2842 - de déb. juin à mi-sept. : 9h-17h*) domine le village. Les travaux de construction, entrepris en 1905, furent exécutés selon les plans du curé par plus de 300 paroissiens. Chacun y consacra trois mois de travail et donna deux cordes de bois par hiver pour sa réalisation (une corde étant l'équivalent d'environ 3,5 m³). Les nombreux motifs qui ornent la voûte furent sculptés au canif par l'un des paroissiens.

Longue-Pointe-de-Mingan

53 km. Véritable porte d'entrée de la « Minganie », cette localité fut bâtie sur une longue pointe de sable s'avançant dans le golfe du Saint-Laurent. Une base militaire américaine y fut installée durant la Seconde Guerre mondiale. De la rue du Bord-de-la-Mer se profilent au loin les premières îles du célèbre archipel de Mingan.

Le **Centre de recherche et d'interprétation de la Minganie** *(625 r. du Centre -* ℘ *418-949-2126 - ⚬- ▣ - de mi-juin à déb. sept. : horaires variables - 4,75 $)* est un comptoir d'accueil et d'information offrant toutes sortes de renseignements sur la réserve du parc national de l'Archipel-de-Mingan (curiosités naturelles, faune, flore, activités touristiques, programmes éducatifs, etc.) et les mammifères marins du golfe du Saint-Laurent. Vous pourrez par ailleurs y faire des réservations pour des **croisières d'observation des baleines** *(Station de recherche des îles Mingan -* ℘ *418-949-2845 - ⚬-▣ - départ de Longue-Pointe-de-Mingan - de mi-juin à mi-oct. : 7h30 - AR 6h - commentaire à bord - réservations requises - 105 $).*

Mingan

10 km. Ce petit village de pêcheurs tire son nom d'un mot d'origine basque signifiant « langue de terre ». Poste de traite et de pêche à l'époque du Régime français, il abrite depuis 1963 une communauté montagnaise qui y gère une usine de traitement de poisson ainsi qu'une entreprise nommée Les Crustacés de Mingan. À l'entrée du village, sur la route 138, le **Centre culturel montagnais** présente des outils, des objets usuels et des photographies illustrant la vie des autochtones locaux *(℘ 418-949-2234 - ▣ - juin-sept. : 9h-18h).*

Église montagnaise★ *– 15 r. de l'Église -* ℘ *418-949-2272.* Tout près du centre se trouve l'église construite en 1918 par John Maloney, le légendaire Jack Monoloy de la chanson de Gilles Vigneault, *Les Bouleaux de la rivière Mingan.* En 1972, l'édifice fut entièrement redécoré à la montagnaise : chaire ornée de bois de caribous, stations du chemin de Croix peintes sur des peaux tendues sur des cadres de bouleau, fonts baptismaux taillés dans un tronc d'érable et tabernacle en forme de wigwam.

Havre-Saint-Pierre

36 km. Ce bourg industriel fut fondé en 1857 par des pêcheurs acadiens venus des îles de la Madeleine. L'économie, étroitement liée aux ressources de la mer, fut transformée en 1948 par suite de l'implantation d'une entreprise minière, la QIT-Fer et Titane, qui allait exploiter, à 43 km au nord (autour des lacs Tio et Allard), les plus importants gisements connus d'ilménite (oxyde naturel de fer et de titane) du monde.

Centre d'accueil et d'interprétation de la réserve du parc national de l'Archipel-de-Mingan *– 975 r. de l'Escale -* ℘ *418-538-5264 ou 418-538-3331 (hors saison) - ⚬-* ▣ *- de déb. juin à déb. sept. : 9h-18h.* Tout comme à Longue-Pointe, vous trouverez ici des renseignements sur la réserve du parc national de l'Archipel-de-Mingan *(voir ce nom)* et les activités qui y sont proposées. Une présentation filmée et une exposition permanente sur la géologie de l'archipel vous prépareront à votre visite des îles. *Continuez jusqu'à la rue de la Berge, puis tournez à droite.*

Centre culturel et d'interprétation de Havre-Saint-Pierre *–* ℘ *418-538-2450 - ⚬ - de mi-juin à mi-sept. : 10h-22h - 2 $.* Restauré selon son apparence des années 1940, l'ancien magasin général des Clarke (1926-1963) abrite aujourd'hui un service d'information touristique. Le patrimoine culturel du village et son évolution économique y sont évoqués par le biais d'une exposition permanente. Des films et des conférences font par ailleurs découvrir l'histoire locale.

Réserve du parc national de l'Archipel-de-Mingan★★

Voir ce nom.

De Havre-Saint-Pierre à Blanc-Sablon

③ La basse Côte-Nord marque l'extrémité orientale du Québec. Elle s'encastre entre le Labrador au nord, et Terre-Neuve au sud-est.

Beaucoup de villages de la région correspondent à d'anciens postes de traite et de pêche datant du Régime français. Cependant, de Kegasha à Blanc-Sablon, parmi les 16 hameaux répartis sur 358 km, 12 sont anglophones (descendants de pêcheurs venus de Terre-Neuve et de l'île de Jersey, dans la Manche).

La compagnie **Relais Nordik Inc.** offre un service hebdomadaire entre Havre-Saint-Pierre et Blanc-Sablon sur le *Nordik Express.* Le **voyage en bateau★** donne l'occasion de faire escale dans la plupart des villages de la côte, sauf Baie-Johan-Beetz *(Relais Nordik Inc. -* ℘ *418-723-8787 - www.relaisnordik.com - ✕ - départ de Havre-Saint-Pierre - de déb. avr. à mi-janv. : merc. à 23h15, arrivée à Blanc-Sablon vend. à 19h - forfait économique : passage maritime - cabine-repas AR 446 $/personne - réservations requises pour le voyage et le transport de véhicules au moins 30 jours à l'avance).*

Baie-Johan-Beetz

Accessible uniquement par le réseau routier (route 138) et non par voie maritime.

Ce petit village porte le nom de Johan Beetz, aristocrate belge arrivé au Canada en 1897. Il se livra d'abord au commerce des fourrures de luxe, puis entreprit l'élevage des animaux à fourrure, acquérant une renommée internationale grâce à ses publications scientifiques et aux procédés d'élevage qu'il développa. Sa **maison** (*℘ 418-539-0157 - * *🅿* *- de fin juin à déb. sept. : 10h-12h, 13h30-16h - réservations requises - 3 $*), bâtie en 1899, est admirablement située sur un promontoire rocheux qui domine la baie. À l'intérieur, Beetz, un artiste accompli, décora les murs et les portes de motifs d'animaux ou de fleurs.

Natashquan

Par la route 138 ou par voie maritime.

Natashquan marque la fin de la route 138, au-delà de laquelle la basse Côte-Nord ne dispose d'aucune liaison routière avec le reste du Québec.

Patrie du célèbre poète et chanteur **Gilles Vigneault**, ce village de pêcheurs doit son nom à un terme montagnais signifiant « endroit où l'on chasse l'ours ». Colonisée par des Acadiens venus des îles de la Madeleine en 1855, la petite localité baigne dans un calme impressionnant. Sur une pointe de sable qui s'avance dans le Saint-Laurent, de vieux hangars de pêche battus par les vents, les « galets », témoignent d'une époque révolue. Depuis 1952, le village voisin de Pointe-Parent abrite une réserve montagnaise.

La route 138 s'achevant à Natashquan, la liaison Natashquan - Blanc-Sablon se fait à bord du Nordik Express (Relais Nordik Inc. - ℘ 418-723-8787 - www.relaisnordik.com - 🅿 départ de Natashquan de avr. à mi-janv. : jeu. à 8h - forfait passage maritime-cabine-repas AR 363 $/personne - réservations requises pour le voyage et le transport de véhicules au moins 30 jours à l'avance).

Harrington Harbour★

À 10h45 de Natashquan. Blotties au pied d'une falaise, des maisons aux tons pastel accueillent le *Nordik Express* à l'approche de Harrington Harbour. Ce charmant village de pêcheurs, situé sur une petite île, est doté d'un port qui en fait l'un des hameaux les plus accessibles sur la route de Blanc-Sablon. Des trottoirs et des ponts de bois relient les terrasses rocheuses sur lesquelles sont réparties maisons et boutiques multicolores. Le plus ancien hôpital de la région, un édifice gris qui domine le village, a été transformé en maison de retraite. À proximité, la **boutique d'artisanat** propose des chandails, des parkas, des tapis faits à la main et des mocassins montagnais.

L'après-midi du deuxième jour, les passagers, à bord du *Nordik Express*, peuvent apprécier des **vues★** superbes : le bateau se fraie un chemin entre des îlots rocheux tachetés de mousses et de lichens, et contourne des falaises vertigineuses coiffées de conifères.

Blanc-Sablon

À 12h30 de Harrington Harbour. Ce village se trouve à 1,5 km de la frontière du Québec et du Labrador. Depuis 1983, la vallée de la rivière Blanc-Sablon fait l'objet d'importantes fouilles archéologiques attestant l'existence d'un peuplement amérindien qui remonterait à quelque 7 200 ans.

Lourdes-de-Blanc-Sablon – *À 5 km par la route.* Situé à l'ouest de Blanc-Sablon, ce village, le plus gros de la région, possède aussi la plus importante infrastructure : un aéroport et un hôpital. L'église abrite le **musée Scheffer** (*℘ 418-461-2000 - ♿- 🅿 ouv. variable selon les saisons*) qui évoque la vie de Mgr Scheffer (1903-1966), premier évêque du Labrador (1946-1966) en l'honneur duquel fut nommée la ville minière de Schefferville.

Traversier Blanc-Sablon-Sainte-Barbe (Terre-Neuve) – *Northern Cruiser Ltd - ℘ 418-461-2889 ou 709-877-2222 - départ mai-nov. (changements possibles en fonction des conditions météorologiques) - aller simple 1h30 - réservations conseillées mi-juin-oct. - 7,50 $/personne, 22,75 $/voiture.*

Un traversier assure la liaison de Blanc-Sablon à Sainte-Barbe. Ce village terre-neuvien se trouve à 139 km au sud de l'Anse aux Meadows, célèbre site archéologique contenant les vestiges d'une colonie viking considérée à ce jour comme le premier établissement européen en Amérique du Nord.

Drummondville

CENTRE-DU-QUÉBEC
67 392 HABITANTS
WWW.TOURISME-DRUMMOND.COM OU WWW.TOURISMECENTREDUQUEBEC.COM

Si Drummondville a conservé son profil industriel, hérité du développement des moulins et des manufactures au début du 19e s., c'est vers une toute autre curiosité que se pressent ses nombreux visiteurs : le Village québécois d'antan.

▶ **Se repérer** – Drummondville se trouve à environ 110 km à l'est de Montréal par la route 20 (sortie 177).

🕐 **Organiser son temps** – Prévoir trois à quatre heures pour visiter le Village québécois d'antan.

👥 **Avec les enfants** – Le Village québécois d'antan et ses artisans en costumes d'époque, ainsi que le moulin à laine d'Ulverton.

♿ **Pour poursuivre la visite** – Sherbrooke et les Cantons de l'Est.

Comprendre

Cette ville du piémont appalachien fut fondée par les Britanniques à l'issue de la guerre anglo-américaine de 1812, comme poste militaire sur la rivière Saint-François. En 1815, un officier d'origine écossaise, Frederick George Heriot, y établit une colonie qu'il nomma en l'honneur du gouverneur de l'époque, Sir Gordon Drummond. À la mort de Heriot, en 1843, la ville disposait déjà d'un bon nombre de moulins, de fabriques et de magasins. Son potentiel hydro-électrique allait par la suite être exploité, grâce à la présence de chutes dans la région. Aujourd'hui, Drummondville constitue une importante agglomération industrielle (textiles et autres produits manufacturés).

Visiter

Village québécois d'antan★

1425 r. Montplaisir, route 20 (sortie 181) - ☎ 819-478-1441 ou 1-877-710-0267 (sans frais) - www.villagequebecois.qc.ca - ✗ - 🅿 - du 1er juin à la fête du Travail : 10h-17h30 ; sept. : vend.-dim 10h-17h ; oct. : sam.-dim. 10h-17h - 19,95 $.

👥 Regroupés au bord de la rivière Saint-François, environ soixante-dix bâtiments d'époque et des reproductions historiques aident à recréer l'ambiance d'une communauté rurale au Québec entre 1810 et 1910.

On y découvrira neuf styles d'architecture, de la cabane en rondins des premiers colons à la maison d'influence américaine, en passant par la maison « à la québécoise » au toit en porte-à-faux. Dans chaque demeure, chaque boutique, chaque grange, des guides en costumes d'époque accueillent les visiteurs, décrivent le mode de vie des occupants d'autrefois et reproduisent les gestes traditionnels d'antan (fabrication de chandelles, filage, tissage, réparation des roues…).

L'**église** du village est une reconstitution de l'église Saint-Frédéric de Drummondville (1822). Elle contient des vitraux réalisés par Guido Nincheri (1950) pour la chapelle de Mont-Saint-Antoine à Montréal. Le presbytère (v. 1833) est un exemple typique de maison québécoise. L'école du canton (1892) regroupait d'un côté les filles, de l'autre les garçons. On peut aussi visiter les maisons de l'apothicaire, du cordonnier et du notaire, ainsi que la forge, le moulin à carder, la scierie et la ferme (1895), avec son écurie et son étable.

Un pont couvert (1868) provenant de Stanbridge enjambe un ruisseau. Le garage et poste à essence (1930) abrite une collection d'autos anciennes, dont la Cadillac du Premier ministre Mackenzie King. La maison de la standardiste (1910) sert de musée du Téléphone. Les visiteurs peuvent acheter du pain cuit à la manière de 1870, manger des plats typiques de cette période, et se faire photographier en costumes de différentes époques.

👁 Quelques activités et rendez-vous à ne pas manquer : les tours en carriole, le Noël d'antan, et, en mars et avril, l'ouverture des cabanes à sucre, où vous pourrez déguster des mets typiques en musique !

Aux alentours

Domaine Trent

Au parc des Voltigeurs, route 20 (sortie 181) - ☎ 819-472-3662 - ✗ - 🅿 - ouv. tte l'année.

Ancien officier de la marine britannique, George Norris Trent décida de se retirer au Canada, et fit construire en 1837 ce manoir de pierre au bord de la rivière Saint-François. La demeure fut agrandie en 1848, et ses descendants y demeurèrent jusqu'en 1963. Elle abrite aujourd'hui un musée de la cuisine consacré à la riche tradition culinaire québécoise.

Moulin à laine d'Ulverton

À environ 30 km au sud sur la route 143, tournez à droite à Ulverton. Également accessible par la route 55 - ☏ 819-826-3157 - www.moulin.ca - ✂-🅿 - de mi-juin à déb. sept. : 9h30-17h ; de mi-mai à mi-juin et de déb. sept. à fin oct. : sam.-dim. 9h30-17h - 9 $.

👥 Cet ancien moulin à carder revêtu de bardeaux surplombe la rivière Ulverton, affluent de la rivière Saint-François.

Construit pour William Dunkerley vers 1850, il changea plusieurs fois de mains. Abandonné en 1949, il fut restauré au début des années 1980. La visite permet de découvrir les méthodes de production et de transformation de la laine et de voir fonctionner l'ancienne machinerie.

Asbestos

60 km au sud-est par les routes 143, 116 et 255. Vous sortez de la région Centre-du-Québec et entrez dans les Cantons de l'Est.

C'est autour de l'une des plus grandes mines d'amiante (*asbestos* en anglais) à ciel ouvert du monde, semblable à un gigantesque cratère, que la ville se développa et prospéra. En 1949, Asbestos se rendit célèbre par la grève de ses mineurs dont la presse s'était largement fait l'écho. Profonde de 335 m et large d'environ 2 km, la mine produit annuellement 650 t d'amiante. Les gisements atteignent plus de 1 450 m de profondeur. Dans un moulin concasseur de douze étages, la fibre est séparée du minerai par un procédé extrêmement complexe. Plus d'une centaine de catégories de fibres y sont produites et triées selon leurs propriétés de résistance aux hautes températures.

Un belvédère permet d'observer le fonctionnement de la mine.

Musée minéralogique et d'Histoire minière d'Asbestos – *341 bd St-Luc, par la route 255. Suivez les panneaux indicateurs - ☏ 819-879-6444 ou 819-879-5308 (hors saison) - ♿-🅿 - 24 juin-15 août : merc.-dim. 11h-17h ; reste de l'année : sur rendez-vous - 4 $.*

De nombreux échantillons d'amiante et d'autres minerais y sont présentés parallèlement à l'évocation de l'histoire de la mine Jeffrey et de toute la région. Un film *(20mn)* décrit les processus de minage, de forage et de broyage utilisés dans l'extraction de l'amiante.

Aurore boréale (Côte-Nord).

Le mont Owl's Head en hiver (Contours de l'Est).

Village québécois d'antan (Drummondville).

Phare de la Pointe-des-Monts (Côte-Nord).

Cantons de l'Est★★

CANTONS-DE-L'EST
SCHÉMA : CANTONS DE L'EST
WWW.CANTONSDELEST.COM

Les « Cantons de l'Est » furent ainsi nommés au 18ᵉ s. pour la simple raison qu'ils se trouvaient à l'est de Montréal ; quant aux « Cantons-de-l'Ouest » (toponyme aujourd'hui inusité), ils correspondaient à une région faisant désormais partie de l'Ontario. Très marqué par les Appalaches, le paysage estrien se compose de montagnes verdoyantes qui culminent à plus de 1 000 m, de vallées profondes et de lacs. Ces caractéristiques en ont fait, au cours des dernières années, un lieu de villégiature prisé des Montréalais. L'été, on s'y adonne aux sports nautiques, tandis que l'hiver, de nombreuses stations attirent les amoureux du ski.

▸ **Se repérer** – Cowansville se trouve à 80 km au sud-est de Montréal par les routes 10 et 139. Sherbrooke se trouve à 150 km à l'est de Montréal par les routes 10 et 112.

👁 **À ne pas manquer** – La route des vins que l'on peut découvrir à vélo depuis Dunham, le parc de la Gorge de Coaticook, et le charme de North Hatley.

🕑 **Organiser son temps** – Comptez une journée par circuit, en prenant bien sûr le temps de la découverte.

🔥 **Pour poursuivre la visite** – Sherbrooke et la vallée du Richelieu.

Comprendre

Après la guerre d'Indépendance américaine (1775-1783), les terres inhabitées qui s'étendaient le long de la frontière au sud-est et au sud-ouest de Montréal furent cadastrées par les Anglais et remises aux loyalistes qui avaient quitté les États-Unis. On retrouve encore, dans l'architecture régionale, l'influence de ces premiers colons, pour la plupart originaires de la Nouvelle-Angleterre. À partir de 1850, un nombre croissant de francophones vinrent s'établir dans la région, dont la population actuelle se compose d'une majorité de Canadiens français.

Circuit au départ de Cowansville

① *159 km*

Cowansville

Cette petite ville industrielle, essentiellement francophone, se trouve en bordure de la rivière Yamaska Sud. Fondée en 1802 par des loyalistes, elle doit son nom à son premier maître de poste, Peter Cowan, homme d'affaires et plus tard shériff du district de Bedford. Les quartiers résidentiels de la rue Principale et la rue Sud comptent de nombreuses demeures de style victorien. Les amateurs de sports d'hiver pourront aller faire du ski à la station de Bromont, non loin de la ville.

Suivez la rue Sud (cette dernière devient route 202 après avoir traversé la route 104) jusqu'à Dunham.

Dunham

10 km. L'un des premiers établissements loyalistes au Québec, ce bourg fut fondé en 1796 sur un territoire concédé à un administrateur anglais, Thomas Dunn. Réputé pour ses vignobles, il abrite trois églises (catholique, anglicane et unie) et quelques anciennes maisons de pierre.

Suivez la route 202 jusqu'à Stanbridge East (10 km).

La **route des vins**, qui conduit de Dunham à Stanbridge East, traverse une des régions du Québec bénéficiant d'un climat propice à la culture de la vigne. Partout ailleurs, le vin est produit avec du jus de raisin importé.

Musée de Missisquoi★

À Stanbridge East. 📞 450-248-3153 - 🅿 *- de fin mai à la fête de l'Action de Grâce : 10h-17h ; reste de l'année : lun.-vend. 9h-16h30 - 5 $.*

Fondé par la Société d'histoire de Missisquoi, ce musée rural se compose de trois bâtiments. Le **moulin Cornell** est un édifice en brique de trois étages. Il fut construit en 1830 par un certain Zébulon Cornell, natif du Vermont, au bord de la pittoresque rivière aux Brochets. À sa fermeture, en 1963, il fut transformé en musée dont les expositions évoquent la vie au siècle dernier et l'artisanat d'antan. Le **magasin général**

Hodge (*20 River Street*), toujours approvisionné de marchandises du 19e s., a conservé son cachet original. Quant à la **grange à Bill** (*River Street, près du carrefour avec la route 202*), elle propose une collection d'instruments aratoires d'époque.

Suivez la route 237 vers le sud-est jusqu'à Frelighsburg.

Frelighsburg

10 km. En 1794, un moulin à farine était construit dans la ravissante vallée de la rivière aux Brochets, à l'ombre du Pinacle. Très vite se développa une petite communauté qui prit par la suite le nom d'un médecin de New York, Abram Freligh, venu s'établir au Canada en 1800. Aujourd'hui, Frelighsburg est réputée pour ses pommeraies.

Prenez à gauche la rue Principale (route 213). Continuez sur 2 km, puis prenez à droite la rue Selby. Au bout de 4 km, tournez à droite dans la rue Dymond (non revêtue) qui devient rue Jordan après 3 km. Continuez sur 10 km, puis prenez à gauche la route 139 (direction Sutton) et continuez sur 2 km.

La route contourne **Le Pinacle** (675 m) par le nord et offre de superbes **vues★** sur la vallée de Sutton.

Sutton★

21 km. Blottie au pied du mont Sutton (972 m), cette station de sports d'hiver est particulièrement appréciée des skieurs. Les premiers colons s'y établirent en 1799 pour construire une fonderie dans la vallée. En 1871, avec l'arrivée du chemin de fer, le village s'ouvrit aux vacanciers. Aujourd'hui, de nombreux ateliers d'artisanat et des boutiques ajoutent au charme du bourg.

Suivez la route 139 sur 2 km en direction du sud. Prenez à gauche la rue Brookfall, puis immédiatement à droite le chemin Scenic. Au bout de 11 km, prenez à gauche la route 105A, aux États-Unis, puis encore à gauche la route 243.

La route offre de très belles **vues★** sur les environs de Sutton avant de s'engager dans la vallée de la rivière Missisquoi. De là, on aperçoit la silhouette des monts Jay (Vermont) au sud.

Mansonville

37 km. Établie dans la vallée de la rivière Missisquoi, cette localité doit son nom à Robert Manson, venu du Vermont en 1803, qui y érigea un moulin à farine et une scierie. Mansonville est construite autour d'un espace vert, comme le sont certaines villes de la Nouvelle-Angleterre, et abrite l'une des dernières granges rondes du Québec (*visible de Main Street, en face de l'église Saint-Cajetan*). Conçue par les shakers, secte religieuse issue des quakers, la structure circulaire avait le mérite de ne présenter aucun coin où puisse rôder le diable.

Mont Owl's Head

12 km par Vale Perkins. Cette montagne (751 m) fut nommée en l'honneur d'un Abénaqui appelé Owl (Hibou). La légende veut qu'à sa mort on ait vu son visage se profiler sur la montagne. L'endroit est aujourd'hui une station de ski très populaire. Un sentier mène au sommet (*environ 1h de marche*), et permet d'admirer la **vue★★** spectaculaire qu'offre le lac Memphrémagog.

Retournez à Mansonville. Suivez la route 243 jusqu'à Bolton Sud (13 km).

Détour à Saint-Benoît-du-Lac★

26 km aller-retour depuis Bolton Sud. Suivez la route 245 vers Bolton-Centre (5 km). Tournez à droite vers Austin, puis prenez à droite Fisher Road. Voir Magog.
Revenez à Bolton Sud.

Lac-Brome★ (Knowlton)

14 km. Le village victorien de Knowlton, fondé par des colons venus de la Nouvelle-Angleterre au début du 19e s., s'étend sur les rives du lac Brome et fait désormais partie de la municipalité de Lac-Brome. C'est en 1836 que Paul Knowlton construisit un moulin à farine et un magasin général, et que le village prit son nom. De nombreux bâtiments de brique et de pierre abritent notamment des boutiques, des auberges et des galeries d'art.

Au sud de Knowlton se trouve le village de Brome où se tient la plus importante foire agricole de la région : la **Foire agricole de Brome**.

Musée historique du comté de Brome★ – 130 r. Lakeside (route 243) - ℘ 450-243-6782 - de mi-mai à mi-sept. : lun.-sam. 10h-16h30, dim. 11h-16h30 - 3,50 $. Le musée se compose de plusieurs bâtiments d'époque. L'ancienne « académie » (ou école) de Knowlton (1854) donne l'occasion de découvrir une salle de classe d'antan. L'annexe Martin (1921) renferme une collection d'objets militaires dont un **Fokker DVII** (avion allemand de la Première Guerre mondiale), acquis pour le musée par le sénateur G. G. Foster, un résident de Knowlton. Dans l'ancien palais de justice du comté (1854), une salle d'audience, rénovée selon son aspect d'autrefois, évoque l'ambiance solennelle d'un tribunal au début du siècle. Enfin, la caserne des pompiers (1904) propose la reconstitution d'un magasin général ; on y verra également tout un équipement agricole ainsi que l'atelier d'un forgeron.

Pour rejoindre Cowansville (20 km), suivez la route 104.

Circuit au départ de Sherbrooke

2 *153 km. Quittez Sherbrooke, et prenez la route 143 (direction Lennoxville).*

Arrondissement de Lennoxville

5 km. Fondée en 1794 par des loyalistes, cette petite localité doit son nom à Charles Lennox, duc de Richmond, qui fut gouverneur en chef de l'Amérique du Nord britannique de 1818 à 1819. Elle se trouve au confluent des rivières Massawippi et Saint-François, site autrefois peuplé par les Abénaquis, puis par les missionnaires français. On trouve aujourd'hui à Lennoxville un important centre de recherche en agriculture.

Université Bishop's – Centre éducatif de la communauté anglophone des Cantons de l'Est, cet établissement d'enseignement supérieur, fondé en 1843, abrite notamment la **chapelle Saint-Mark**, édifice de style gothique orné de sculptures sur bois et de vitraux lumineux. Dans la tradition collégiale, les bancs se font face au lieu d'être orientés vers l'autel. Les bâtiments du campus, de style néomédiéval, encadrent un parc pittoresque parcouru de sentiers.

Centre de la culture et du patrimoine Uplands – *9 r. Speid -* ℰ *819-564-0409 - www. uplands.ca - été : mar.-dim. 10h-16h30 ; reste de l'année : merc.-dim. 13h-16h30 - fermé janv. - gratuit.* Installé dans une belle demeure de la Belle Époque, ce centre a pour but de promouvoir et transmettre le patrimoine culturel des Cantons de l'Est. Le rituel du thé à l'anglaise servi en costumes d'époque sous la véranda (6/9 $) en fait partie. Des expositions temporaires d'artistes locaux et régionaux, des concerts, des ateliers, complètent ce travail.

Le centre sert de point de départ à un circuit de 2,2 km qui permet de découvrir les plus jolies maisons de Lennoxville. *Se renseigner.*

Continuez sur la route 143 pendant 3 km puis tournez à gauche sur la route 147. On passe à proximité de fermes proposant de venir cueillir soi-même fraises, tomates, concombres.

Compton
17 km au sud-est, sur la route 108 puis la 147.

C'est à Compton que naquit **Louis-Stephen Saint-Laurent** (1882-1973), douzième Premier ministre du Canada de 1948 à 1957. Fils aîné des sept enfants d'un marchand canadien français et d'une institutrice irlandaise, Saint-Laurent étudia le droit à l'Université Laval. Au cours de sa vie professionnelle, il fut reconnu pour son éloquence, tant en français qu'en anglais.

À 60 ans, après une longue et fructueuse carrière de juriste, il décida de se consacrer à la politique. Pendant la Seconde Guerre mondiale, il fit partie du cabinet de Mackenzie King à titre de lieutenant québécois du Premier ministre. En 1948, il succéda à M. King à la tête du Parti libéral. Nationaliste convaincu, « oncle Louis », comme on l'appelait affectueusement, s'efforça, en tant que Premier ministre, de construire les bases d'une identité proprement canadienne.

Lieu historique national du Canada Louis-S.-St-Laurent★ – *Rue Principale (route 147)* - ℰ 819-835-5448 - www.pc.gc.ca/st-laurent - ♿ - *de mi-mai à fin août : 10h-17h ; de fin août à mi-oct. : 10h-12h, 13h-17h (de fin sept. à mi-oct. : sam.-dim. seulement)* - *3,90 $.* Doté de reproductions de marchandises vendues au début du 20e s., le magasin général de J.B.M. Saint-Laurent, père du Premier ministre, servit en son temps de lieu de rencontre où l'on discutait notamment de politique. Les visiteurs peuvent entendre des bribes de conversations simulées autour du poêle, et dans l'entrepôt du magasin, assister à un **spectacle multimédia** *(20mn)* évoquant les principales étapes de la vie du grand homme. Ils peuvent également visiter la modeste maison à bardeaux où habita la famille Saint-Laurent jusqu'en 1969. Le verger accueille en été des activités dominicales ouvertes au public (vieux métiers, concerts, gastronomie…).

Coaticook

14 km. Sise sur la rivière Coaticook, cette petite ville industrielle est le centre d'une industrie laitière en plein essor. Elle tire son nom de l'abénaki *koatikeku*, « rivière de la terre des pins ». Premier à s'établir dans les environs, Richard Baldwin avait reconnu la richesse potentielle représentée par l'aménagement de ses chutes.

Parc de la Gorge de Coaticook★ *– Accès par la route 147, à l'extrémité nord de la ville.*
℘ *819-849-2331 - www.gorgedecoaticook.qc.ca -* ✖ *-* 🅿 *- de fin juin à la fête du Travail : 10h-19h ; de déb. mai à fin juin et de sept. à déb. nov. : 10h-17h.* La rivière Coaticook s'engouffre sur près d'un kilomètre dans une gorge dont les parois rocheuses se dressent à plus de 50 m de hauteur.

🐾 Des sentiers longent la rivière et permettent d'admirer de beaux paysages, tandis qu'un pont suspendu (longueur : 169 m) ménage une **vue** spectaculaire de la gorge. Plusieurs kilomètres de pistes offriront par ailleurs au visiteur la possibilité de pratiquer la raquette et le ski de fond en hiver, et l'équitation, le camping ou la marche en été.

Musée Beaulne *– 96 r. de l'Union. Depuis la route 141 (rue Main), prenez à gauche la rue Lovell près de la voie ferrée, encore à gauche la rue Norton, puis à droite la rue de l'Union.*
℘ *819-849-6560 - www.museebeaulne.qc.ca -* 🅿 *- de mi-mai à mi-sept. : 10h-17h ; reste de l'année : mar.-dim. 13h-16h - fermé 25 déc.-1er janv. - 5 $.*
Demeure (1912) ayant appartenu à **Arthur Osmond Norton** (1845-1919), propriétaire de la première manufacture mondiale de soulève-rails au début du 20e s., le **château Norton★** sert aujourd'hui de cadre au musée Beaulne. Quelques pièces, dont le salon victorien (superbement lambrissé) et la salle à manger, ont été restaurées et garnies de meubles d'époque. Expositions temporaires à l'étage : arts visuels et textiles, patrimoine local…

Du centre-ville, suivez la route 141 (direction Magog) sur 19 km, puis prenez à gauche la route 143. Continuez sur 18 km en direction de Rock Island. Traversez la route 55.

Stanstead-Rock Island

37 km. Situé sur une île rocheuse au milieu de la rivière Tomifobia, ce village domine une pittoresque vallée. *La rivière Tomifobia marque la frontière entre les États-Unis et le Canada. Les visiteurs désireux de traverser le pont devront passer la douane américaine (à droite) avant de continuer vers Derby Line (Vermont) ou de revenir au Canada.*

Opéra et bibliothèque Haskell *– Sur la route 143, en direction du sud, prenez à gauche Cordeau Street après avoir dépassé le pont de bois et le poste de douane canadien. Tournez à gauche et stationnez dans la rue Church. L'entrée de l'opéra se trouve côté États-Unis -* ℘ *819-876-2471 - www.haskellopera.org -* ♿ *- visite guidée seulement (30mn) : mar.-sam. 10h-17h (jeu. 20h) - fermé principaux j. fériés - 3 $.* De 1901 à 1904, Martha Stewart Haskell fit construire à la mémoire de son mari ce bel édifice à tourelle, revêtu de brique et de pierre. Le bâtiment chevauche la frontière entre le Canada et les États-Unis, et la frontière y est tracée sur le parquet ! Le rez-de-chaussée abrite une bibliothèque publique à l'usage des citoyens des deux pays, tandis qu'à l'étage se trouve un ravissant théâtre, réplique du vieil opéra de Boston (la scène se situe en territoire canadien, et le reste de la salle… en territoire américain).

Suivez la route 247 par Beebe Plain et Georgeville jusqu'à Magog.
La route vire à l'est en traversant la petite communauté de Fitch Bay (elle passe devant l'exploitation **Bleu lavande** *- voir le carnet pratique*), puis part vers le nord-ouest en direction de Georgeville.

À la sortie de cette petite ville anglophone, on a une très belle vue sur **l'abbaye de Saint-Benoît-du-Lac**, de l'autre côté du lac Memphrémagog. Au loin se dresse la silhouette du mont Orford.

Magog★

41 km. Voir ce nom.
Quittez Magog par la route 108.

Sainte-Catherine-de-Hatley

8 km. Situé au sommet d'une colline, en pleine ville, le **sanctuaire Saint-Christophe** offre une **vue** imprenable sur le lac Magog et le mont Orford.

North Hatley★

9 km. Cette localité, dont le nom évoque un village anglais du comté de Cambridge, occupe un joli **site** à l'extrémité nord du lac Massawippi. La route longe la rive et passe devant de charmantes résidences et auberges.

Cantons de l'Est pratique

♿ Reportez-vous également au carnet pratique de Sherbrooke.

Visites

« **Le chemin des Cantons** » – Cette route balisée en 27 étapes permet de découvrir les coins et recoins des Cantons de l'Est. Doublée d'un CD sur lequel interviennent des artistes locaux, des habitants, des conteurs, elle prend une dimension humaine attachante. *Se renseigner dans les offices de tourisme - www.cheminsdes cantons.qc.ca.*

Cartes – Procurez-vous auprès des offices de tourisme, la **Carte touristique des Cantons de l'Est** *(3 $)* sur laquelle figurent trois itinéraires : le Chemin des Cantons, la Route des Vins et la Route des sommets. Une autre carte, **Les Cantons de l'Est à vélo**, indique 7 circuits sur route *(225 km)*, rattachés dorénavant au circuit cyclable québécois, avec étapes et attraits touristiques.

Se loger

MAGOG (②)

🛏🍴🐕🏊 **Auberge Ripplecove** – *700 Ripplecove - Ayer's Cliff - 17 km au sud-est de Magog par la route 141 - ℘ 819-838-4296 - www.ripplecove.com - 32 ch. demi-pension 153/315 $ - rest. avec table d'hôte 58 $.* Le style très britannique de cette demeure distinguée assure un séjour calme et cosy à tous les amoureux de nature. Idéalement située dans un écrin de verdure au bord de l'eau, elle offre un accès direct au lac Massawippi. La pêche fait encore partie des activités proposées avec le tennis, le vélo, le ski… Nulle surprise à voir que le poisson figure en bonne place à côté des pièces de gibier et de viande dans la carte du restaurant ! Spa (massages, réflexologie, soins).

NORTH HATLEY (②)

🛏🍴🐕🏊 **Manoir Hovey** – *575 chemin Hovey - North Hatley - ℘ 819-842-2421 - www.manoirhovey.com - 39 ch. 150/330 $ (par pers.) - repas matin et soir inclus, ainsi que certaines activités.* Atmosphère feutrée, style anglais et situation privilégiée en bordure du lac Massawippi confèrent un charme indéniable à cette ancienne résidence d'été construite en 1898 par la famille Atkinson. Son **restaurant gastronomique** doit sa renommée aux chefs Roland Ménard et Francis Wolf. **Pub** aménagé dans les anciennes écuries avec cheminée, fauteuils baignoire et antiquités (canot en bois de bouleau, tomawaks, scie à glace, etc.). Piscine chauffée, plages, tennis, planches à voile, canoës, vélos, salle d'entraînement, patins.

Que rapporter

👁 **Bon à savoir** – Certaines fermes, notamment au sud de Lennoxville (②), ouvrent leur exploitation au public pour la cueillette des fruits et légumes. En saison, chacun peut donc venir faire directement sa récolte et repartir avec son panier pesé et payé.

COMPTON (②)

Ferme Groleau – *225 chemin Cochrane - sortez de Compton sur la 147, dir. Coaticook, prenez à gauche la 208, et après 700 m, tournez à droite et continuez env. 3 km - ℘ 819-835-9373 - fermegroleau.com - tte l'année : 10h-17h (19h de mi-mai à oct.).* Cette laiterie possède 60 vaches, dont un quart de canadiennes, et autant de chèvres. Elle réalise sur place de délicieux fromages à partir de leur lait : le Vent d'Est à croûte lavée, le Cottage, fromage frais à déguster à la cuillère, le Canadien, moitié lait de vache et de chèvre. Beurre doux, demi-sel, salé, à l'ail. Lait frais.

FITCH BAY (②)

Bleu Lavande – *891 chemin Narrow (route 247) - Stanstead (Fitch Bay) - 4 km au sud de Fitch Bay par la 247 - ℘ 819-876-5851 ou 1-888-876-5851 (gratuit) - www.bleulavande. ca - 1er juin-15 oct. et 1er-23 déc. : 10h-17h ; seulement en sem. le reste de l'année.* Plus de 210 000 plants de lavande s'étendent à perte de vue sur les 22 ha de cette exploitation lancée au tournant du siècle. Elle se visite de juin à sept. *(départ ttes les 15mn - 10h-17h - 5 $, 13-18 ans 3 $).* La floraison débute en juin, la récolte et la distillation se font au mois d'août, mais les produits qui en découlent s'achètent toute l'année en boutique : gamme de soins « Être », savon, lessive, parfums d'ambiance, sachets *(6,60 $)*, huiles essentielles *(14,80 $)*, chocolat, livre de recettes…

Parc national du Canada **Forillon**★★

GASPÉSIE
SCHÉMA : GASPÉSIE
WWW.TOURISME-GASPESIE.COM ETWWW.PC.GC.CA

Créé en 1970, le parc national Forillon se trouve à l'extrémité est de la péninsule gaspésienne, là où les eaux du golfe du Saint-Laurent se mêlent à celles de la baie. Ses paysages, façonnés par l'érosion, sont d'une remarquable diversité : montagnes recouvertes d'épinettes, de sapins, de peupliers et de cèdres ; prairies parsemées de fleurs sauvages ; longues plages de galets bordant de petites anses ; falaises escarpées surplombant la mer... Cette diversité se retrouve dans la faune : ours noirs, castors, renards et porcs-épics sont des habitués des lieux. Vous aurez aussi le plaisir d'apercevoir un grand nombre d'oiseaux (goélands, cormorans, mouettes) et, qui sait, d'observer les ébats des mammifères marins (phoques et baleines) qui fréquentent les eaux limitrophes. Avis aux amateurs de grand air : vous avez ici de quoi rêver !

- **Se repérer** – Forillon se trouve à 670 km au nord-est de Québec par la route 132. Le parc s'étend sur 244 km^2.
- **À ne pas manquer** – La faune exceptionnelle du parc.
- **Organiser son temps** – Venez en mai ou en juin : c'est la meilleure période pour observer les animaux.
- **Avec les enfants** – Il faudra choisir ! Randonnée pédestre (plus de 40 km de sentiers), plage et piscine, plongée sous-marine, cyclisme, randonnée à cheval croisières d'observation des baleines, pique-nique, kayak de mer, tennis, vélo...
- **Pour poursuivre la visite** – Gaspé et bien sûr toute la Gaspésie *(voir ce nom)*.

Se promener

☎ 418-368-5505 - www.pc.gc.ga - △ - 🅿 - ouv. tte l'année - Centres d'accueil et de renseignements à Penouille et L'Anse-au-Griffon - du 2 juin au 28 juin et du 25 août à déb. sept. : 9h-17h ; 29 juin-24 août : 9h-19h - 7,80 $.

Centre d'interprétation
Près de Cap-des-Rosiers, dans le secteur nord du parc - & - juin et de mi-août à mi-oct. : 9h-17h.

Une exposition consacrée à l'histoire régionale de la pêche et plusieurs aquariums (👫) font l'intérêt de ce centre d'interprétation où l'on pourra également voir des films sur le parc, sa faune, sa flore et sa géologie.

Cap Bon Ami
À 4 km du centre d'interprétation par une route secondaire.

Un belvédère d'observation et un sentier menant à la plage offrent des **vues**★★ extraordinaires sur la mer et les majestueuses falaises du littoral.

Reprenez la route 132 et suivez les panneaux indicateurs pour vous rendre dans le secteur sud du parc. Prenez à gauche une route secondaire.

Grande-Grave★
À 14,5 km du centre d'interprétation.

Prospère communauté de pêcheurs du 19e s. jusqu'au milieu du 20e s., ce petit village fut habité par des familles venues des îles anglo-normandes de Jersey et de Guernesey, dans la Manche.

On a redonné à plusieurs édifices leur cachet des années 1920. Au rez-de-chaussée du **magasin Hyman**, des milliers d'articles (boîtes de conserve, lampes à huile, etc.) recréent l'ambiance d'un magasin général d'autrefois. À l'étage, une exposition décrit les activités auxquelles s'adonnaient les pêcheurs et leurs familles tout au long de l'année.

Grande-Grave propose des croisières d'observation des baleines *(☎ 418-892-5500 ou 1-866-617-5500 - de déb. juin à déb. oct. - 2h).*

À l'**Anse-Blanchette**, on découvre la pimpante maison que Xavier Blanchette occupait au début du siècle. À l'ensemble s'ajoutent une grange-étable, des hangars et un « chafaud », étal où séchait le poisson.

Reprenez la route secondaire en direction de l'Anse-Saint-Georges et de l'Anse-aux-Amérindiens.

Cap Gaspé★

8 km AR à pied au départ de l'Anse-aux-Amérindiens.

Très agréable, cette promenade à flanc de coteau offre de très belles **vues★** sur la baie de Gaspé. Le cap marque l'extrémité nord-est de la chaîne des Appalaches.

Rejoignez la route 132.

En revenant vers la 132, la route longe le secteur sud du parc, où se trouvent une chapelle, un amphithéâtre, un terrain de camping et un centre récréatif.

Fort-Péninsule

Sur la route 132, à 11,5 km en sortant du secteur sud, en direction de Gaspé.

Le blockhaus qui y fut érigé pendant la Seconde Guerre mondiale servait de complément à la base navale de Sandy Beach, sur la côte sud de la baie de Gaspé. Le gouvernement canadien voulait ainsi empêcher les sous-marins allemands de pénétrer dans le Saint-Laurent.

Penouille

Sur la route 132, à 12,5 km en sortant du secteur sud, en direction de Gaspé.

Toponyme d'origine basque signifiant « péninsule », Penouille offre une belle **plage de sable** qui fera le bonheur des amateurs de baignade.

Ici, le littoral sablonneux et la taïga contrastent avec les grands caps calcaires et la forêt boréale du reste du parc.

Gaspésie★★★

GASPÉSIE
SCHÉMA : GASPÉSIE
WWW.TOURISME-GASPESIE.COM

Baignée par l'estuaire et le golfe du Saint-Laurent, la Gaspésie est une péninsule. Elle est « cette extrémité de terre », dans la langue des Micmacs, qui fut pour des milliers d'immigrants européens un premier port d'attache. Elle figure aujourd'hui au premier rang des destinations touristiques québécoises. Nichés dans ses nombreuses baies, des villages de pêcheurs parsèment la côte nord. Ce littoral sauvage, rocheux, battu par les vagues, devient d'une beauté saisissante à Forillon et à Percé. Au sud, le long de la baie des Chaleurs, l'agriculture et la pêche font vivre les Gaspésiens mais ce sont les merveilles naturelles des deux côtes qui font du tourisme la principale manne de la région. Au paysage côtier spectaculaire s'ajoute le charme d'un mode de vie traditionnel, encore proche de la nature. L'intérieur de la péninsule est une vaste étendue montagneuse et forestière qui se découvre à travers le parc national de Forillon et celui de la Gaspésie. Un « bout de terre » incontournable !

▶ **Se repérer** – La Gaspésie est comprise entre le Nouveau-Brunswick et la baie des Chaleurs au sud, le golfe du Saint-Laurent à l'est, et le fleuve Saint-Laurent au nord.

👁 **À ne pas manquer** – Les personnages sculptés du *Grand Rassemblement* au Centre d'art de Sainte-Flavie ; la route panoramique de La Martre ; le musée de la Gaspésie à Gaspé ; les jardins de Métis ; Percé et son rocher.

🕐 **Organiser son temps** – Trois à quatre jours.

🐾 **Pour poursuivre la visite** – La côte du Bas-Saint-Laurent, la Côte-Nord, les îles de la Madeleine.

De Sainte-Flavie au parc de la Gaspésie

1️⃣ *167 km par la route 132*

Sainte-Flavie

Ce village agricole, qui est par la même occasion un lieu de villégiature apprécié du public, marque l'entrée de la Gaspésie.

Centre d'art Marcel-Gagnon – *564 rte de la Mer -* ☎ *418-775-2829 - www.centredart. net - ✗-♿-🅿 - de déb. mai à fin sept. : 7h30-22h ; reste de l'année : 7h30-21h.*
Œuvre de l'artiste contemporain Marcel Gagnon, *Le Grand Rassemblement* constitue sans aucun doute l'un des attraits principaux de ce petit centre. Il s'agit d'un ensemble de plus de 120 sculptures de personnages grandeur nature émergeant des eaux du Saint-Laurent. À l'intérieur, vous pourrez également voir une exposition permanente des œuvres de Gagnon (tableaux et petites sculptures) et l'observer à l'œuvre dans son atelier.

Parc de la rivière Mitis★ – *900 rte de la Mer -* ☎ *418-775-2969 - www.parcmitis.com - ♿-🅿-✗ - du 23 juin à déb. sept. : 9h-17h - 5 $.*
À deux pas des jardins de Métis, parcourez les sentiers pédestres du parc afin de découvrir la nature et les magnifiques paysages de la rivière Mitis et du fleuve Saint-Laurent. Ces sentiers vous mènent à différentes haltes d'interprétation ainsi qu'à des belvédères. Des visites guidées et des activités interactives vous sont offertes de façon régulière.

👫 Une aire de jeux a été aménagée afin d'amuser les enfants.

N'oubliez pas de visiter le bâtiment d'accueil où des expositions sont présentées. Sur place : boutique nature, aire de pique-nique et programmation variée d'activités et de conférences.

Jardins de Métis★★

9 km. Voir ce nom.

Matane

55 km. Matane est connue pour sa pêche au saumon et ses fameuses petites crevettes. Au centre-ville, derrière la mairie, la **passe migratoire★** (44 m) du **barrage Mathieu-d'Amours** permet aux poissons de remonter le cours de la rivière Matane de la mi-juin jusqu'en octobre. Grâce au poste d'observation pour la montée du saumon de Matane,

Parc national de l'Île-Bonaventure-et-du-Rocher-Percé.

on peut observer la montaison des saumons à travers des hublots (*260 av. St-Jérôme -
☏ 418-562-7006 ; de mi-juin à la fête du Travail : 7h30-21h30 ; jusqu'à fin sept. : horaires
variables*).

👪 À côté du barrage, le **parc des Îles** offre un terrain de jeux, une plage, une aire de
pique-nique. Le phare (1906) abrite le bureau de tourisme de la municipalité.

Cap-Chat
70 km.

Éole★ – *Pour voir l'éolienne, tournez à droite, à 3 km à l'ouest du pont de Cap-Chat -
☏ 418-786-5719 - www.eolecapchat.com - ♿ (accès partiel) - 🅿 - visite guidée (35mn)
seulement : de mi-juin à fin sept. : 9h-17h - sur réservation hors saison - 13 $.* Plus haute
éolienne à axe vertical du monde, l'**Éole★** domine le paysage du haut de ses 110 m. Un
rotor, muni de deux pales incurvées pouvant atteindre une vitesse de 13,25 tours/mn,
est fixé à un arbre central qui transforme le souffle du vent en énergie mécanique.
Celle-ci est à son tour transformée en énergie électrique par l'intermédiaire d'une
génératrice. Le projet Éole, conjointement mis sur pied par le Conseil national de
recherche et par Hydro-Québec, fonctionne de façon entièrement automatique
depuis 1988. Cette entreprise d'envergure fut mise au point par LavalinTech, de
Montréal. Une visite guidée du site permet de comprendre le fonctionnement de la
turbine et les exploitations possibles des énergies nouvelles.

Rocher de Cap-Chat – *À partir de la route 132, tournez à gauche à 2 km à l'ouest du
village, et parcourez 500 m sur une route non pavée.* Le cap ressemble à un chat assis,
ce qui a donné son nom à la ville.

🦤 Non loin de là, un **phare** érigé en 1871 marque le point de départ de plusieurs
sentiers.

Parc national de la Gaspésie★

33 km. Au bout de 16 km, prenez la route 299 à partir de Sainte-Anne-des-Monts - ☎ *866-727-2427 - www.sepaq.com - ⌂-✕-♿-▣ - ouv. tte l'année - 3,50 $.* Consacré depuis 1937 à la protection de milieux naturels exceptionnels, le parc s'étend sur un territoire de 802 km², Il s'agit, au Québec, de la seule zone où cohabitent le caribou des bois, l'orignal et le cerf de Virginie.

Véritable « mer de montagnes », le parc est traversé par deux massifs appartenant au système appalachien : les **Chic-Chocs** et les **McGerrigle**, qui confèrent à l'endroit un relief accentué. Trois secteurs sont « ouverts » aux visites. Dans le secteur Mont-Albert, une promenade au sommet (1 154 m) révèle un plateau de 20 km² couvert d'une végétation de toundra caractéristique des régions nordiques. Dans le secteur Lac-Cascapédia, les monts Chic-Chocs offrent des points de vue★★ spectaculaires sur la plaine appalachienne et la vallée du Saint-Laurent au nord, et sur la vallée de la rivière Sainte-Anne à l'est.

Le secteur La Galène permet quant à lui d'accéder au mont Jacques-Cartier (1 268 m), site privilégié d'observation du caribou, caractérisé par une flore de type arctique-alpin. De son sommet arrondi et battu par les vents, la vue★★ embrasse les monts McGerrigle.

Centre de découverte et de services – *Mai-oct. : 8h-20h ; déc.-avr. 8h-17h. Boutique de location et de vente d'équipement de camping et de randonnée.* Une exposition permanente donne au visiteur l'occasion de découvrir l'extraordinaire géologie du parc, et de se familiariser avec sa végétation arctique-alpine et sa faune particulière. L'été, des naturalistes répondent aux questions des excursionnistes au sommet des monts

Albert et Jacques-Cartier. Le soir sont proposés, au centre, des conférences, divers programmes (films, discussions et autres) portant sur des thèmes relatifs au parc.

Activités – La randonnée pédestre et l'observation de la nature, et notamment celle des oiseaux, comptent parmi les activités les plus populaires du parc. Mais vous pourrez aussi pratiquer la pêche au saumon le long de la rivière Sainte-Anne (20 km) ou la pêche à la truite dans l'un des nombreux lacs du parc. Vous pourrez également vous promener en canot ou pique-niquer. Les mordus de ski de fond et de raquette apprécieront, de début décembre jusqu'à la fin avril, les excursions d'une journée ou plus organisées dans les différents sentiers du parc (réseau de 17 refuges en montagne).

👫👤 Avec les enfants, allez observer les orignaux au poste d'observation du Lac-Paul, en venant de préférence à l'aube ou au coucher du soleil. Par ailleurs de nombreuses balades à pied sont possibles avec les enfants, notamment autour du lac aux Américains et au mont Ernest-Laforce.

Pêche à la mouche

Enfilez vos bottes, prenez votre canne et rejoignez les eaux limpides de la Gaspésie pour une partie de pêche à la mouche. Celle-ci demande un équipement approprié et une technique de lancer bien particulière, mais avec un peu d'entraînement cela devient vite une passion. La pêche à la mouche remonte au 1er s. av. J.-C.

Adaptez la mouche, la canne, le moulinet ainsi que le fil au type et aux conditions de pêche. Assurez-vous que le moulinet est suffisamment résistant et qu'il permet assez de recul si votre destination est l'une des nombreuses et célèbres rivières à saumons du Québec. Parmi le matériel pouvant se révéler utile : cuissardes et gilet de pêche, chapeau, bombe insecticide, vêtements chauds, équipement de pluie et lunettes de soleil. Les professionnels étudient les caractéristiques des rivières et courants, analysent les effets du temps et des marées et savent comment ces différentes variables influent sur ce type de pêche et le comportement du poisson selon la saison. Matériel et informations sur les permis de pêche dans les boutiques spécialisées de la région.

Pour tout renseignement complémentaire, contactez le ministère de l'Environnement et de la Faune du Québec - www.mrnf.gouv.qc.ca/faune.

Du parc de la Gaspésie à Gaspé

2️⃣ *259 km. Retournez à Sainte-Anne-des-Monts (17 km), et continuez sur la route 132 en direction de La Martre.*

La Martre

26 km. De ce hameau niché sur un promontoire, la **vue** embrasse les caps et l'Océan. Dans le **phare** rouge octogonal ainsi que dans la maison du gardien (📞 418-288-5698 - ♿ *(accès partiel)* - 🅿 - *de déb. juin à fin sept. : 9h-17h - droit d'entrée)*, des expositions temporaires et une exposition permanente sur l'histoire des phares de Gaspésie sont proposées.

Route panoramique de La Martre à Rivière-au-Renard★★

153 km. La route 132 continue de longer la côte et grimpe à l'assaut d'impressionnantes falaises d'où la vue sur les montagnes, les vallées, la mer et les pittoresques villages de pêcheurs est splendide. Dans la région de **Mont-Saint-Pierre**, des falaises de schiste encadrent la baie, et à **Sainte-Madeleine-de-la-Rivière-Madeleine**, le phare au charme désuet et les bâtiments qui l'entourent agrémentent de luxuriantes collines vertes. Du haut de la colline, avant d'arriver à **Grande-Vallée**, une superbe vue embrasse le village et la baie. Au cœur du village se trouve un pont couvert (1923). Après **Rivière-au-Renard**, importante communauté de pêcheurs située à l'extrémité nord du parc national Forillon, l'horizon s'ouvre sur les champs et sur le golfe du Saint-Laurent.

Cap-des-Rosiers – *À 21 km de Rivière-au-Renard.* Ce joli village, qui doit son nom aux rosiers sauvages que Jacques Cartier y découvrit en abondance au 16e s., fut le témoin de très nombreux naufrages au large de sa côte rocailleuse. Son **phare**, de 34 m de haut, est le plus élevé du Canada - 📞 418-892-5577 - *visite guidée (30mn) seulement : de mi-juin à fin sept. : 10h-19h - droit d'entrée.*

Parc national du Canada Forillon★★

Voir ce nom.

Gaspé★

Le mot *gespec,* qui signifie « extrémité des terres » en micmac, serait à l'origine de Gaspé. C'est ici que le 24 juillet 1534, Jacques Cartier débarquait et prenait possession du nouveau territoire au nom de François Ier. À flanc de colline, là où la rivière York se jette dans la baie de Gaspé, se développe une ville aujourd'hui devenue centre administratif et commercial de la péninsule de Gaspésie. Douceur de vivre et tranquillité sont les maîtres mots de cette petite ville que vous devrez traverser si vous voulez rejoindre le parc national de Forillon ou Percé.

Musée de la Gaspésie★ – *80 bd Gaspé (route 132) - ℘ 418-368-1534 - www. museedelagaspesie.ca - ♿-🅿 - de déb. juin à fin oct. : 9h-12h, 13h-17h ; de déb. nov. à fin mai : lun.-vend. 9h-17h, sam. 13h-17h - 7 $.* Dans ce musée du patrimoine, la découverte de la Gaspésie par Jacques Cartier, le mode de vie des Micmacs (premiers habitants des lieux) et la géographie de la péninsule gaspésienne constituent les thèmes majeurs de l'exposition permanente. Œuvre collective réalisée par les cercles de femmes de la région, la grande **courtepointe** exposée à l'entrée se compose des symboles de 58 villages gaspésiens. Trois autres salles sont consacrées à des expositions temporaires.

Du musée, la **vue★** embrasse la baie de Gaspé et la péninsule de Forillon.

Monument Jacques-Cartier – Dans le parc attenant au musée ont été érigées six immenses stèles de fonte en forme de dolmens, réalisées par Jean-Julien et Gil Bourgault-Legros, de Saint-Jean-Port-Joli. Elles forment un monument commémorant la découverte du Canada par Jacques Cartier et la première rencontre de l'explorateur avec les Amérindiens. Leurs bas-reliefs illustrent, d'un côté, l'arrivée de Cartier au Nouveau Monde et, de l'autre, des extraits de textes rédigés par Cartier et par le père LeClercq.

En partant du musée, prenez à gauche le bd Gaspé en direction du centre-ville. Au feu, tournez à droite dans la rue Adams. Deux rues plus loin, tournez à gauche dans la rue Jacques-Cartier. La cathédrale se trouve sur la gauche.

Cathédrale du Christ-Roi★ – *℘ 418-368-5541 - ♿.* En 1934, à l'occasion du 400ᵉ anniversaire de l'arrivée de Jacques Cartier au Canada, fut mise en chantier une basilique commémorative dont les travaux durent être interrompus jusqu'en 1969 en raison de difficultés financières. L'édifice avec son revêtement extérieur en cèdre, œuvre de l'architecte Gérard Notebaert, s'harmonise avec le site. Dans une enceinte d'une grande sobriété, la lumière se faufile sur de massives poutres, créant une douce clarté sur le revêtement de bois. L'artiste-sculpteur Claude Théberge conçut un vitrail entièrement constitué de verre ancien serti de plomb et un « Christ-Roi » en bronze. La fresque illustrant la prise de possession du territoire par Jacques Cartier fut offerte en 1934 par la France.

La **croix de Gaspé**, également appelée croix de Jacques-Cartier, se dresse à côté de la cathédrale. Haute de 9,6 m, elle fut taillée dans un bloc provenant d'une carrière de granit des environs de Québec et inaugurée lors des célébrations de 1934.

De Percé à Causapscal
③ *337 km*

Percé★★★

Voir ce nom.

Continuez sur la route 132 en direction de Paspébiac. Passez par Grande-Rivière, Chandler et Port-Daniel.

Paspébiac

109 km. En 1767, Charles Robin, originaire de l'île de Jersey, choisit le site de Paspébiac pour y établir le siège de la Charles Robin Company (CRC), qui allait devenir un empire fondé sur la pêche à la morue.

Site historique du Banc-de-Paspébiac – *Depuis la route 132, prenez à gauche la route du Banc et continuez jusqu'au rivage - ℘ 418-752-6229 - www.shbp.ca - ✕-♿ accès partiel - 🅿 - de déb. juin à fin sept. : 9h-17h - 7 $ (- 6 ans gratuit).* Pour assurer le succès de son entreprise et l'exportation en Europe de sa morue fumée, séchée et salée, la compagnie Robin créa un véritable village doté d'un chantier naval, d'un magasin général et d'équipes de forgerons et de menuisiers. Le site comporte onze bâtiments construits vers 1783 par la CRC et restaurés après l'incendie qui ravagea le site en 1964. Sept d'entre eux (dont un énorme entrepôt, une charpenterie et une forge) sont ouverts au public et présentent des expositions essentiellement consacrées au commerce de la morue séchée. Le visiteur pourra par ailleurs assister à des démonstrations d'activités traditionnelles (ravaudage des filets, construction des barges et autres).

À l'est de Paspébiac, à Shigawake précisément, commence l'agréable région de la **baie des Chaleurs**, découverte par Jacques Cartier en 1534. Son climat tempéré invite à la baignade et aux sports nautiques.

Bonaventure

22 km. La seigneurie de la rivière Bonaventure fut concédée par Frontenac en 1697. En 1760, des Acadiens, fuyant l'ordre de déportation, y fondèrent un village et y établirent des fermes ainsi qu'une pêcherie. Le village porte le nom d'un vaisseau qui navigua dans la baie des Chaleurs en 1591. Sa rivière à saumons jouit d'une grande renommée.

Musée acadien du Québec à Bonaventure – *Au cœur du village, à l'est de l'église, sur la route 132 -* ✆ *418-534-4000 - www.museeacadien.com -* ✗-♿-🅿 *- du 24 juin au 1er lun. sept. : 9h-18h ; de déb. sept. à mi-oct. : 9h-17h ; reste de l'année : lun.-vend. 9h-12h, 13h-16h30, dim. 13h-16h30 - 7 $ (- 6 ans gratuit).* Cet édifice rénové, qui servait autrefois de salle paroissiale, abrite aujourd'hui un musée d'histoire et d'ethnologie. Une exposition permanente présente une collection de photos et d'objets anciens ainsi qu'un diaporama témoignant de l'influence acadienne sur la culture québécoise.

New Richmond

35 km. Bastions loyalistes, les plus anciens quartiers de la ville ont conservé le charme des localités anglo-saxonnes de la fin du 19e s.

Village gaspésien de l'héritage britannique de la Gaspésie – *351 bd Perron Ouest -* ✆ *418-392-4487 -* ✗-♿-🅿 *- 24 juin-15 sept. : 9h-17h - 17 $.* Inauguré en 1989, ce centre a pour objectif de préserver et de mettre en valeur le patrimoine britannique de la Gaspésie. Les 24 bâtiments qui forment le village reconstruit de Duthie's Point proviennent de différentes municipalités de la baie des Chaleurs. La visite commence au **magasin général J.A. Gendron** qui sert de centre d'interprétation.

À côté se trouve la **maison Harvey**, construite dans le style néocolonial populaire aux États-Unis à la fin du 19e s. D'autres habitations reflètent par leur architecture les styles en vogue de la fin du 17e s. au début du 20e s. L'excursion se termine au phare qui veille sur la baie de Cascapédia.

Carleton-sur-Mer

28 km. Fondé entre 1756 et 1760 par des Acadiens, le village se nommait à l'origine Tracadièche, dérivé de l'amérindien *tracadigash* (« lieu où abonde le héron »). À la fin du 18e s., des loyalistes, immigrés au Canada après la Déclaration d'indépendance des États-Unis, l'appelèrent Carleton en l'honneur de Sir Guy Carleton, gouverneur général de l'Amérique du Nord britannique, plus connu sous le nom de Lord Dorchester. Niché au fond d'une anse entre les montagnes et la mer, le village est devenu dès la fin du siècle dernier un centre de villégiature fort recherché.

🚶 **Sentiers de l'Éperlan** – Ils longent le ruisseau de l'Éperlan, contournent des chutes, révèlent des paysages de montagnes, et aboutissent derrière le mont Saint-Joseph.

Mont Saint-Joseph – *Prenez la rue de la Montagne à partir du centre-ville, et suivez-la sur environ 6 km.* Du haut du mont Saint-Joseph (555 m), la **vue**★★ embrasse la baie des Chaleurs, de Bonaventure à la péninsule de Miguasha, et s'étend, au sud, jusqu'aux côtes du Nouveau-Brunswick. Petit sanctuaire de pierre, l'**oratoire Notre-Dame** (1935) renferme de délicates mosaïques et de beaux vitraux (✆ *418-364-3723 -* ♿-🅿 *- de mi-juin à déb. sept. : 9h-19h ; sept.-oct. : 9h-17h).*

Après 18 km, tournez à gauche et continuez sur 6 km.

Parc national de Miguasha★

Voir ce nom.

Rejoignez la route 132, et continuez sur 38 km.

Lieu historique national du Canada de la Bataille-de-la-Ristigouche

À Pointe-à-la-Croix - ✆ *418-788-5676 - www.pc.gc.ca -* ♿ *accès partiel -* 🅿 *- 1er juin-13 oct. : 9h-17h ; reste de l'année : sur réservation - 3,95 $.* La dernière tentative de la France pour soustraire sa colonie d'Amérique à la domination anglaise avorta en été 1760 dans la baie des Chaleurs, à l'embouchure de la rivière Ristigouche. Deux navires marchands, accompagnés de la frégate *Le Machault* commandée par François Chenard de la Giraudais, venaient ravitailler la Nouvelle-France en troupes, vivres et munitions. En pénétrant dans le golfe du Saint-Laurent, les Français apprirent que les Anglais les précédaient. Pour éviter un affrontement, Giraudais entraîna les trois vaisseaux du côté de la rivière Ristigouche dans l'espoir qu'en eau peu profonde leurs ennemis n'oseraient les poursuivre. Acadiens et Micmacs aidèrent les Français à monter leurs canons et à bloquer l'accès de la rivière, mais les Anglais parvinrent à y pénétrer, forçant les Français à abandonner leurs navires. À la nuit tombante, la flotte française avait été pour ainsi dire anéantie.

Centre d'interprétation – Dans le hall d'accueil sont exposées l'énorme ancre et une partie de la coque du *Machault*. Un film d'animation *(15mn)* retrace les principales étapes de cet affrontement historique, tandis que les salles d'exposition présentent les objets trouvés lors de fouilles sous-marines de l'épave : boucles de ceintures, pipes, tabatières, vêtements, outils servant à la réparation des bateaux, mais aussi tissus, chaussures et vêtements destinés aux soldats. On verra également des articles de tous les jours (clous, peignes, etc.) et des marchandises de luxe (services de vaisselle en porcelaine fine et poterie).

Détour par le Nouveau-Brunswick

Un pont relie Ristigouche à Campbellton (Nouveau-Brunswick). La route 11 mène au Village historique acadien (Acadian Historic Village), situé à 10 km à l'ouest de Caraquet, et à l'aquarium et centre marin de Shippagan. Pour plus de détails, consultez le Guide Vert Canada.

Continuez sur la route 132 qui traverse la vallée de Matapédia. Villages pittoresques, forêts et collines parsèment l'itinéraire sans oublier la rivière Matapédia, omniprésente, renommée pour la pêche au saumon.

Causapscal

75 km. Située au confluent des rivières Causapscal et Matapédia, cette ville constitue un point de départ important pour les expéditions de pêche au saumon.

Le **site historique Matamajaw** *(53 rue St-Jacques - 🔊 418-756-5999 - 23 juin-20 sept. : 9h-17h - 5 $)* retrace le mode de vie des passionnés de pêche de la haute société du Matamajaw Salmon Club.

Dans un chenal creusé tout spécialement, on peut observer le saumon de l'Atlantique dans son habitat naturel.

Gaspésie pratique

👁 Consultez également le carnet pratique de Percé.

Se loger

🛏 **Centre d'art Marcel-Gagnon** – *564 rte de la Mer, Sainte-Flavie -* 🍴 *-* 🅿 *-* 🔊 *418-775-2829 - 10 ch. 69-99 $ (en saison).* Simplicité et propreté caractérisent les 10 chambres confortables situées à l'étage supérieur de ce centre d'art. Le petit-déjeuner est servi dans le restaurant au rez-de-chaussée où *le Grand Rassemblement* est partout présent.

🛏 **Gîte du Mont-Albert** – *Rte du Parc - Sainte-Anne-des-Monts - parc de la Gaspésie -* 🔊 *866-727-2427 - www.sepaq. com -* 🍴 *-* ♿ *-* 🅿 *-* 🥤 *- 65 ch. 168 $ en saison - 20 chalets.* Installée dans le parc de la Gaspésie, cette ravissante auberge offre un point de chute confortable pour apprécier les activités saisonnières du parc. Des chambres bien tenues et un service efficace font de cet établissement un endroit idéal pour une escapade le temps d'un week-end ou pour des vacances en famille.

Se restaurer

🍴 **Chez Pierre** – *96 bd Perron Ouest - Tourelle -* 🔊 *418-763-7446.* Cuisine de la mer. Pour découvrir toutes les richesses du Saint-Laurent, offrez-vous un repas Chez Pierre. Optez pour le menu « dégustation poissons », un assortiment de merveilles, telles que les profiteroles au crabe et le filet de morue matanaise. Prix raisonnables, service efficace et belle vue sur le fleuve.

Parc de la Gatineau★★

OUTAOUAIS
SCHÉMA : PARC DE LA GATINEAU
WWW.CAPITALEDUCANADA.GC.CA/GATINEAU

Montagnes et forêts couvrent ce territoire de 361 km² compris entre la vallée de la rivière des Outaouais et celle de la rivière Gatineau. Administré par la Commission de la capitale nationale, le parc, doucement ondulé et parsemé de lacs, renferme quelques édifices fédéraux, dont la résidence d'été du Premier ministre du Canada (au lac Mousseau) et le pavillon des rencontres officielles ou maison Willson (au lac Meech). Sans être un « officiel », chacun peut venir profiter de ses charmes, été comme hiver.

- **Se repérer** – On peut accéder au parc côté Hull, Old Chelsea (où la Commission de la capitale nationale gère un centre d'information) ou Wakefield.
- **À ne pas manquer** – Le domaine Mackenzie-King et le belvédère Champlain.
- **Organiser son temps** – La promenade panoramique qui parcourt le parc de la Gatineau est tout à fait spectaculaire en **octobre**, lorsque les bois se parent des couleurs de l'automne.
- **Avec les enfants** – Le train à vapeur Hull-Chelsea.
- **Pour poursuivre la visite** – Gatineau et le musée canadien des Civilisations.

Comprendre

Découpé dans un ancien territoire algonquin et iroquois, le parc fut créé en 1938 à l'initiative de William Lyon Mackenzie King, dixième Premier ministre du Canada *(voir plus bas Domaine Mackenzie-King)*.

L'endroit fut nommé en l'honneur de Nicolas Gatineau. Ce dernier, négociant en fourrures de Trois-Rivières, disparut en 1683 au cours d'une expédition sur la rivière qui porte aujourd'hui son nom. Une chaîne de collines, en partie comprise dans le territoire du parc, et une ville, sise à la confluence des rivières Gatineau et des Outaouais, ont également été baptisées en son honneur.

Se promener

📞 819-827-2020 - www.capitaleducanada.gc.ca/gatineau - ⌂-♿-Ⓟ- ouv. tte l'année - certaines routes sont fermées de la première neige jusqu'à début mai. Centre des visiteurs - 33 chemin Scott, Chelsea - de mi-mai à la fête du Travail : lun.-vend. 11h-17h, sam.-dim. 11h-19h ; de déb. sept. à mi-oct. : lun.-vend. 11h-17h, sam.-dim. et j. fériés 9h-18h - 9 $/voiture.

Promenade panoramique

51 km AR au départ de Gatineau par la route 148. Commencez par la promenade de la Gatineau.

Cette superbe route sinueuse longe de hautes parois de granit rose, puis s'élargit par les belles forêts de feuillus des collines de la Gatineau. Le plateau, raclé par les glaciers, se termine abruptement dans le parc par l'escarpement d'Eardley, qui délimite le Bouclier canadien.

De nombreux postes d'observation permettent d'admirer la vallée de l'Outaouais, ses lacs miroitants et ses fermes cossues.

Belvédère Champlain★★

6 km AR depuis le croisement de la promenade Champlain et de la promenade du lac Fortune.

Du haut de l'escarpement d'Eardley, à 335 m d'altitude, on a une **vue** extraordinaire sur la vallée de l'Outaouais, point de contact entre le Bouclier canadien et les basses terres du Saint-Laurent.

🌿 Sous le belvédère, un sentier naturel, doté de huit stations d'observation, invite le visiteur à se familiariser avec la végétation propre au parc.

Domaine Mackenzie-King★

3 km AR à partir de la promenade de la Gatineau ; prendre le chemin Kingsmere - 📞 819-827-2020 ou 1-800-465-1867 (sans frais) - ✗-♿-Ⓟ - 10 mai-1ᵉʳ sept. : lun.-vend. 11h-17h, sam.-dim. et j. fériés 11h-18h ; 2 sept.-19 oct. : lun.-vend. 11h-17h, sam.-dim. et j. fériés 9h-18h.

Au cœur du parc de la Gatineau s'étend l'ancienne propriété de **William Lyon Mackenzie King** – Premier ministre de 1921 à 1930, puis de 1935 à 1948, ce grand homme d'État gouverna le Canada pendant 22 ans, record d'ailleurs inégalé. C'est pour échapper aux exigences de sa fonction qu'il venait se retirer sur ces terres. À sa mort en 1950, il légua un domaine de 231 ha qui comprend plusieurs bâtiments et des sentiers qu'il aménagea lui-même.

Kingswood – Cette petite maison rustique fut la première résidence d'été que construisit Mackenzie King en 1903. Il la fit agrandir en 1924, et y vécut jusqu'en 1928. À côté se trouve le chalet des invités.

Une agréable promenade mène au bord de l'eau, d'où l'on aperçoit l'ancien hangar à bateaux reconstitué **(1)**.

Moorside – Mackenzie King vécut ici de 1928 à 1943. Dans cette charmante villa de bois, qu'il avait achetée en 1924, les pièces de l'étage ont conservé l'aspect qu'elles avaient à l'époque. Le rez-de-chaussée abrite un ravissant salon de thé. Dans l'ancien garage **(4)**, des photographies et un montage audiovisuel *(15mn)* présentent la vie et l'œuvre de l'ancien Premier ministre.

Les Ruines – Mackenzie King décora ses jardins d'éléments architecturaux divers (piliers, pierres et autres) provenant de sites voués à la démolition. C'est ainsi qu'il récupéra des morceaux du Parlement d'Ottawa, détruit par les flammes en 1916, et quelques pierres du Parlement de Londres, bombardé en 1941.

De 1943 à sa mort, Mackenzie King habita une troisième maison, la Ferme **(5)**, désormais occupée par l'orateur de la Chambre des communes *(fermé au public)*.

Activités

En **été**, on peut s'adonner à toutes sortes d'activités dans le parc : cyclisme, randonnée pédestre, natation, canotage, pêche et camping.

En **hiver**, le parc devient le paradis des skieurs : il offre plus de 200 km de pistes de ski de fond et la station de ski alpin à Camp Fortune.

Aux alentours

Old Chelsea

Depuis Gatineau (côté secteur Hull), empruntez la route 5 sur 8 km au nord jusqu'à la sortie 12 (Old Chelsea/Gatineau Park), tournez à gauche (vers l'ouest) pour prendre le chemin Old Chelsea.

Au début du 19e s., ce village paisible constituait une halte pour les bûcherons qui voyageaient vers les forêts de l'arrière-pays. Les colons comprirent que le petit cours d'eau de Chelsea pourrait fournir l'énergie nécessaire pour alimenter les scieries et les moulins à blé. Ainsi le hameau se développa pour devenir par la suite un centre de services. Dans les années 1870, quatre hôtels, tous gérés par des Irlandais, prospéraient en grande partie… grâce à leur bar !

Cette localité, qui reste une étape incontournable pour les visiteurs et les excursionnistes, abrite le **centre d'information** du parc de la Gatineau ainsi que des boutiques, des galeries d'art, des petits restaurants et des boutiques de location d'équipement de plein air pour les amoureux de la nature.

Des pionniers de la Nouvelle-Angleterre attirés dans la région pour y travailler la terre ou exploiter le bois sont enterrés dans le **vieux cimetière protestant**. On y trouve la tombe de Asa Meech, pasteur, médecin, instituteur et fermier, à qui le lac voisin (Meech Lake – celui des accords du lac Meech) doit son nom. L'église et le cimetière St.-Stephen, qui renferment des pierres tombales datant du 18e s., sont particulièrement appréciés des généalogistes.

Wakefield

Quittez le parc (côté Old Chelsea). Suivez la route 5 sur 10 km au nord, puis prenez la route 105 jusqu'à Wakefield (10 km). En venant du secteur Hull, prenez la route 5, puis la route 105 sur 32 km.

Cette petite ville occupe un **site★** splendide au bord de la rivière Gatineau, qui serpente à travers les collines. Au début du 19e s., les premiers colons baptisèrent leur village du nom de la ville anglaise de Wakefield, dans le Yorkshire. La localité compte quelques exploitations minières, mais reste avant tout un centre agricole et forestier, desservi par le chemin de fer qui longe la rivière Gatineau.

Le train à vapeur de Hull-Chelsea-Wakefield

165 r. Deveault - 🕽 *819-778-7246 - www.trainavapeur.ca -* ♿. Partez pour une balade de 64 km dans l'un des plus vieux trains à vapeur du Canada encore en activité. Pendant une demi-journée depuis Gatineau, vous longerez les méandres de la rivière Gatineau pour arriver jusqu'à la pittoresque petite ville de Wakefield. Guides et musiciens vous accompagnent tout au long de cette délicieuse promenade. Que diriez-vous d'un dîner à bord pour admirer le coucher de soleil ? Prenez alors le « Train des saveurs ». Dans un wagon-restaurant du bon vieux temps, vous serez émerveillé tout en savourant une bonne cuisine truffée de produits régionaux !

Parc de la Gatineau pratique

Essayez le poisson du jour ou le confit de canard, qui compte parmi les plats québécois les plus prisés.

Se restaurer

Café Soup'Herbe – *168 chemin Old Chelsea* - ✆ *819-827-7687*. Ce café régale ses visiteurs de délicieux plats végétariens dans une ambiance des plus chaleureuses. Magnifique terrasse en été.

Les Fougères – *783 rte. 105, Tenaga-Chelsea* - ✆ *819-827-8942*. Le chef des fougères prépare une cuisine traditionnelle appréciée des habitants d'Old Chelsea qui viennent y déguster du poisson fumé (venant de la **Boucanerie Chelsea**, située au sud du restaurant - ✆ *819-827-1925*) et d'autres spécialités.

Loisirs

Greg Christie's – *148 chemin Old Chelsea* - ✆ *819-827-5340*. Loueur de vélos, skis et autres équipements pour le grand air aux visiteurs de la région depuis des années.

Old Chelsea Gallery – *chemin Old chesea* - ✆ *819-827-4945*. Non loin du Café Soup'Herbe *(voir Se restaurer)*, se trouve cette coopérative qui expose et vend les réalisations de nombreux artistes locaux.

Old Chelsea Charmers – Old Chelsea sert de base d'approvisionnement aux usagers du parc.

Gatineau - secteur Hull ★

OUTAOUAIS
242 124 HABITANTS
SCHÉMA : PARC DE LA GATINEAU
WWW.GATINEAU.CA OU WWW.TOURISMEOUTAOUAIS.COM

Le secteur Hull, partie intégrante de la grande ville de Gatineau depuis la fusion municipale en 2002, se trouve face à la capitale fédérale, Ottawa, dont il constitue à bien des égards le prolongement. À deux heures de route seulement de Montréal, il accueille depuis les années 1970 les bureaux des fonctionnaires fédéraux francophones. Au bord de la rivière des Outaouais, Hull dresse ses tours et ses immeubles ultra-modernes parmi lesquels se distinguent la maison du Citoyen, le casino, et l'incontournable musée canadien des Civilisations. Son architecture, signée Douglas Cardinal, justifie à elle seule une visite. Est-ce pour cette raison qu'il est le musée le plus visité du Canada ?

- **Se repérer** – Cinq ponts enjambent l'Outaouais pour relier Gatineau à Ottawa. Il s'agit, d'est en ouest, des ponts Macdonald-Cartier, Alexandria, du Portage, Chaudière et Champlain. L'artère principale du secteur Hull est le boulevard Maisonneuve, qui donne accès à l'autoroute de la Gatineau (A-5).
- **À ne pas manquer** – La Grande Galerie du musée canadien des Civilisations.
- **Organiser son temps** – Prévoir une longue matinée pour une première découverte des collections du musée.
- **Avec les enfants** – Au rez-de-chaussée du musée canadien des Civilisations se trouve le musée canadien des Enfants.
- **Pour poursuivre la visite** – Parc de la Gatineau et le train à vapeur Hull-Wakefield.

Comprendre

En 1800, soit 26 ans avant la création de Bytown (future Ottawa), des Américains dirigés par le loyaliste **Philemon Wright** s'installèrent près des chutes de la Chaudière. Un moulin y fut érigé et une petite colonie se développa, que Wright baptisa en l'honneur d'une ville du Yorkshire dont étaient originaires ses parents. Cultivateurs, les premiers colons se firent également bûcherons ; car la superbe forêt qui couvrait la région, constituée de pins rouges et blancs aujourd'hui disparus, se prêtait fort bien à la construction de bateaux. Les grands troncs droits étaient donc expédiés par cage flottante jusqu'à Montréal, puis Québec d'où ils partaient pour l'Angleterre. Ainsi naquit une industrie forestière qui devait connaître une certaine prospérité tout au long du 19e s.

Un autre Américain, **Ezra Butler Eddy**, s'établit dans le secteur Hull en 1851 et y monta une fabrique de pinces à linge et d'allumettes. Ses produits connurent vite un grand succès, et de nos jours encore, ses allumettes sont vendues à travers le continent. L'ancienne usine de pâte à papier d'Eddy domine aujourd'hui une partie des berges du secteur Hull.

La ville a subi, au cours des dernières années, d'importants changements, notamment avec la construction de deux vastes complexes fédéraux (la Place du Portage et les Terrasses de la Chaudière) et l'établissement d'un campus de l'Université du Québec en Outaouais.

Des pistes cyclables ont également été aménagées le long de la rivière. De plus, une énorme structure avant-gardiste (23 400 m²), bâtie au bord du lac Leamy, accueille désormais le **casino de Lac-Leamy**.

Du parc Jacques-Cartier *(par la rue Laurier)*, la **vue★** embrasse sur l'autre rive, à Ottawa, la colline du Parlement, le musée des Beaux-Arts du Canada et le Fairmont Château Laurier *(pour plus de détails, voir le Guide Vert Canada)*.

Visiter le musée canadien des Civilisations★★★

100 r. Laurier, entre le pont Alexandria et la rue Victoria - ☎ 819-776-7000 ou 1-800-555-5621 - www.civilisations.ca - ✕-&-🅿 - 1er mai-30 juin : 9h-18h (jeu. 21h) ; 1er juil.-1er sept. : 9h-18h (jeu. et vend. 21 h) ; 2 sept.-3 oct. : 9h-18h (jeu. 21h) ; 14 oct.- 30 avr. : tlj sf lun 9h-17h (jeu. 21h) - 10 $ (entrée libre jeu. 16h-21h et certains j. fériés). Le restaurant du musée, Le Café du Musée, sert une cuisine française actuelle - ☎ 819-776-7009.

Sur la rive québécoise de la rivière des Outaouais, face à la colline du Parlement canadien, se dresse le musée canadien des Civilisations. Inauguré en juin 1989, ce vaste complexe muséologique est consacré à l'histoire du Canada depuis la venue des Vikings, ainsi qu'à l'art et aux traditions des peuples indigènes et des divers groupes ethniques du pays.

Par son impressionnante collection de 5 millions d'objets, ses systèmes de projection de haute technologie et ses expositions interactives novatrices, le musée vise à promouvoir l'harmonie entre les 275 groupes culturels du Canada et à préserver leurs patrimoines distincts. Il accorde donc une attention particulière, bien que non exclusive, aux traditions culturelles proprement canadiennes.

Architecture – Le musée se compose de deux édifices dont l'architecture éblouissante, due à **Douglas Cardinal**, symbolise le paysage canadien. Des courbes majestueuses évoquent l'émergence du continent nord-américain, façonné sous l'action érosive du vent, de l'eau et des glaciers, tandis que le revêtement mural, en calcaire de Tyndall, révèle ici et là des traces de fossiles.

À gauche de l'entrée principale, le **pavillon du Bouclier canadien** abrite les réserves du musée ainsi que des bureaux administratifs et des laboratoires de conservation et de restauration.

À droite, le **pavillon du Glacier** accueille les visiteurs dans un vaste espace de 16 500 m². Environ 3 300 m² sont réservés à des expositions temporaires organisées par le musée canadien des Civilisations ou par d'autres institutions canadiennes ou internationales ; le reste accueille les expositions permanentes du musée.

Théâtre IMAXmd

Niveau principal. Les films à l'affiche changent régulièrement. Versions française et anglaise présentées en alternance. Renseignements et réservations ☎ 819-776-7010 - billets en vente au guichet du musée ou par téléphone. Réservations conseillées - 10 $ (3-12 ans 6 $). Cette salle à écrans combinés, équipée de sièges inclinables ancrés à un plancher en pente abrupte, peut accueillir jusqu'à 295 spectateurs *(les retardataires ne sont pas admis au spectacle)*. Un gigantesque Écran IMAX haut de plus de six étages (soit 10 fois la grandeur d'un écran classique) et d'un Dôme OMNIMAX de 23 m de diamètre au-dessus de l'auditoire, permettent la projection de films d'un réalisme d'autant plus saisissant que le son est diffusé à travers une trentaine de haut-parleurs…

Musée canadien des Enfants

Niveau principal. Fascinant lieu d'apprentissage et de découverte, ce charmant musée prend sa mission éducative et récréative fort au sérieux. Ici, les activités touche-à-tout sont de mise, et les occasions d'explorer, en solitaire ou sous la direction d'animateurs spécialisés, sont nombreuses. À l'entrée du musée, le **Kaléidoscope** présente diverses expositions temporaires spécialement conçues à l'intention des enfants. Arrivés au **Carrefour**, les jeunes visiteurs prennent place à bord d'un autobus pakistanais qui les emmène en voyage imaginaire dans huit pays du monde. Excellente occasion d'acquérir une meilleure connaissance d'autres peuples et d'autres cultures, **La Grande Aventure** propose aux enfants de visiter le Village international, véritable microcosme de notre planète, et de s'embarquer vers des destinations toutes aussi passionnantes les unes que les autres, comme par exemple la traversée du désert, avec la mystérieuse pyramide en toile de fond. Un théâtre de marionnettes, un autre petit théâtre (où l'on peut se maquiller et s'essayer au métier d'acteur), une aire « jeux et jouets » et un atelier d'art complètent la liste des activités en intérieur. Lorsque la température le permet, le **monde de l'Aventure** donne enfin la possibilité de monter à bord d'un vrai remorqueur, de jouer aux échecs sur un échiquier géant et de prendre place dans le cockpit d'un Cessna 150.

Musée canadien de la Poste

Niveau principal. Grâce à son théâtre multimédia, sa galerie d'art et ses expositions thématiques, le musée canadien de la Poste raconte l'histoire du patrimoine postal au Canada et ailleurs. Composée de quelque 25 000 objets, 200 000 timbres et 5 000 œuvres d'art, sa collection surprendra par son étonnante variété. Des tablettes d'argile mésopotamiennes (2043 av. J.-C.) aux marteaux d'oblitération, en passant par des cartes de la Saint-Valentin et toutes sortes de boîtes aux lettres, le visiteur y découvrira comment le besoin fondamental de communiquer a conduit à l'élaboration de systèmes d'envoi et de réception de messages.

Grande Galerie

Niveau inférieur. Consacrée au riche patrimoine culturel et artistique des Amérindiens de la côte ouest du Canada, la Grande Galerie constitue sans aucun doute, sur le plan architectural, la pièce maîtresse du musée. Dès l'entrée, les visiteurs sont attirés vers un immense espace elliptique. Du côté gauche, une paroi de verre, perçant le mur de haut en bas, laisse déferler sur la galerie un flot de lumière naturelle et dégage une vue splendide de la rivière des Outaouais et du Parlement canadien. Construites entre la forêt humide (ici représentée, en toile de fond, par une gigantesque photographie de 76 m de large) et le Pacifique (évoqué par un sol de granit poli de couleur grise), six façades de maisons de chef symbolisent un village traditionnel amérindien. Réalisée sur place par des artisans autochtones selon les méthodes ancestrales, chacune de ces façades donne l'occasion de découvrir une culture distincte : Salish de la Côte, Nuu-chah-Nulths (Nootkas), Kwakwaka'wakws (Kwakiutls), Nuxalks, Haïdas et Tsimshians. Les objets exposés datent pour la plupart du 19e s. D'imposants mâts totémiques (certains d'époque, d'autres de facture récente) viennent illustrer l'incroyable talent artistique de ces peuplades de la côte du Pacifique. Particulièrement digne d'intérêt, le **mât de Wakas** date de 1893 ; haut de 12 m, ce chef-d'œuvre sculptural demeura pendant plus d'un demi-siècle dans le parc Stanley, à Vancouver.

Salle des Premiers Peuples

Niveau inférieur. Essentiellement consacrée aux réalisations culturelles et artistiques des populations autochtones du Canada, à leur histoire et à leur rôle dans la société d'aujourd'hui, cette salle permet de découvrir la richesse et la diversité des Premiers Peuples à travers toute une variété d'expositions permanentes et temporaires.

Composée d'environ 10 000 tableaux, gravures, sculptures, photographies et objets d'artisanat divers, la collection d'art contemporain autochtone – exposée par roulement – contient des œuvres d'artistes de renom (Norval Morrisseau, Bill Reid, Alex Janvier, Kenojuak Ashevak, Pudlo Pudlat, Jessie Oonark) et celles d'une relève talentueuse (Edward Poitras, Shelley Niro, Arthur Renwick, David Ruben Piqtoukun, Toonoo Sharky, James Ungalaq).

Salle du Canada

Niveau supérieur. Une voûte de 17 m de hauteur coiffe cette gigantesque salle d'exposition (3 065 m^2). Des reconstitutions historiques grandeur nature, accompagnées d'effets visuels et sonores, évoquent mille ans du patrimoine social et culturel canadien. Les meubles et objets exposés sont un mélange de pièces authentiques et de reproductions fidèles.

Au cours d'un itinéraire à travers les différentes régions du Canada, le visiteur assiste à l'arrivée des Vikings à Terre-Neuve vers l'an 1000, et découvre la vie des pêcheurs européens qui, bien avant les grandes percées exploratrices, fréquentaient déjà les eaux poissonneuses de l'Atlantique Nord.

L'histoire de la Nouvelle-France est évoquée à travers des scènes de la vie rurale et citadine dans la vallée du Saint-Laurent et en Acadie de 1600 à 1760.

Puis c'est l'âge d'or du commerce de la fourrure et de celui du bois (1680-1860), époque à laquelle beaucoup de colons se lancèrent dans l'exploration de l'arrière-pays canadien (une tente et un chariot de type « Conestoga » témoignent ainsi de leur épopée).

Un autre volet thématique, consacré au développement du commerce et des voies de communication de 1840 à 1890, donne l'occasion de se promener dans la rue d'une ville ontarienne à l'ère victorienne. La reproduction d'une gare ferroviaire des Prairies et un aspirateur à céréales grandeur nature évoquent quant à eux la colonisation de l'Ouest canadien et le développement des chemins de fer entre 1870 et 1914.

Ce voyage à travers le temps se termine par une étude de l'ère industrielle (quartier ouvrier de Winnipeg, conserverie de poisson sur la côte ouest,) et des effets de la modernisation sur la vie quotidienne et les valeurs traditionnelles.

Flâner dans Hull et les autres secteurs

Suite aux regroupements de communes qui eurent lieu en 2002, Hull, Gatineau et Aylmer forment ensemble la grande ville de Gatineau, et chacun est désormais un secteur.

Maison du citoyen, secteur Hull

25 r. Laurier, entre les rues Victoria et Hôtel-de-Ville - ℘ *819-595-7488 -* ♿ - 🅿. Ce complexe à la fois administratif (c'est en fait l'hôtel de ville), culturel et sportif fut inauguré en 1980. Il réunit autour de l'**Agora Gilles-Rocheleau** – énorme espace intérieur surmonté d'une verrière de près de 20 m de haut – la galerie d'art Montcalm, une bibliothèque, une salle de presse, la salle de spectacles Jean-Despréz et plusieurs salles de conférences. Le Hall des nations regroupe une douzaine d'objets d'art offerts par divers pays au fil des années. Des galeries relient la Maison du citoyen au Palais des congrès de Gatineau et à un centre commercial. À l'extérieur, un agréable parc se transforme, l'hiver, en une vaste patinoire.

Sachez encore qu'il est très facile de découvrir le secteur Hull à vélo, puisque celui-ci a mis en place un système de prêt de vélo, par l'intermédiaire de la Maison du vélo (℘ *819-778-2222 et 1-800-265-7822).*

Secteur Gatineau

À 4 km au nord-est par la route 148 (pont Lady-Aberdeen). C'est dans le secteur de Pointe-Gatineau, à la confluence de la rivière Gatineau et de la rivière des Outaouais, que Philemon Wright, fondateur du secteur Hull, faisait assembler au 19e s. ses énormes radeaux de bois flottés.

Secteur Aylmer

À 12 km à l'ouest par la route 148. Au milieu du 19e s. Le secteur Aylmer était la capitale du canton de l'ancienne ville de Hull. Charles Symmes, neveu de Philemon Wright, fut l'un des premiers à venir s'établir ici, sur les bords du lac Deschênes. L'endroit, d'abord connu sous le nom de Symmes Landing, reçut plus tard le nom d'Aylmer en hommage au cinquième baron Aylmer, gouverneur en chef de l'Amérique du Nord britannique de 1831 à 1835. L'auberge Symmes (1832), magnifiquement restaurée, domine le lac Deschênes. La monumentale structure de pierre a inspiré le peintre Cornelius Krieghoff. Aujourd'hui, la rue Principale est bordée de somptueuses résidences et terrains de golf.

Gatineau - secteur Hull pratique

Se restaurer

🍽 **Twist Café Resto Bar** – *88 r. Montcalm -* ℘ *819-777-8886.* Pour les plus pressés, ce café propose une restauration rapide et pas chère dans une ambiance décontractée : croque-monsieur et burger. Commandez le *cream cheese and bacon.*

🍽🍴 **Sans-Pareil** – *71 Bd Saint-Raymond - secteur Hull -* ℘ *819-771-1471 - www. lesanspareil.com - 16,50/30 $.* Ce restaurant sert des spécialités belges et françaises à prix fixe : essayez les moules, préparées avec diverses sauces, et les frites-mayonnaise.

Canoë dans le parc national de la Jacques-Cartier.

Évacuateur de crue (Baie-James).

La rivière des Outaouais-Pontiac, entre Québec et Ontario.

Musée canadien des Civilisations (Ottawa en arrière-plan).

Granby

CANTONS-DE-L'EST
47 637 HABITANTS
SCHÉMA : CANTONS DE L'EST
WWW.VILLE.GRANBY.QC.CA OU WWW.CANTONSDELEST.COM

Fondée sur les rives de la Yamaska Nord par des loyalistes au début du 19e s., Granby doit son nom à John Manners, marquis de Granby, qui commandait les troupes britanniques en Amérique du Nord en 1766. La ville connut un essor industriel rapide grâce à l'implantation d'usines de tabac et de textile. Ses belles demeures victoriennes des rues Elgin, Dufferin et Mountain témoignent de cette époque. La proximité du parc national de la Yamaska et des stations de ski de Mont-Shefford et de Bromont font aujourd'hui de Granby un lieu très apprécié des sportifs.

- **Se repérer** – Granby se trouve à 80 km à l'est de Montréal par les routes 10 (sortie 68), 139 et 112.

- **À ne pas manquer** – Le lac Boivin, au centre de la ville et les maisons victoriennes sur les rues Dufferin et Elgin.

- **Organiser son temps** – Granby est une étape parfaite pour une pause déjeuner ou autre avant de rejoindre le parc national de la Yamaska. Chaque année, à la mi-septembre, se déroule le Festival international de la chanson de Granby *(rens. www.ficg.qc.ca).*

- **Avec les enfants** – Le zoo et ses 250 espèces d'animaux.

- **Pour poursuivre la visite** – La région des Cantons de l'Est et le parc du Mont-Orford.

Visiter

Zoo de Granby★

Entrée et terrain de stationnement sur le bd Bouchard (route 139), à l'angle de la r. Saint-Hubert - 877-472-6299 *- www.zoodegranby.com -* △-♿-🅿 *-1er juin-25 août : 10h-19h ; 30 mai-20 juin et 25 août -1er sept. : 10h-17h ; 6 sept.-13 oct. : sam.-dim. 10h-17h - 29 $.*

Le site rassemble plus de 1 000 animaux des quatre coins du monde appartenant à 225 espèces différentes, dont plus d'un tiers menacées de disparition. On y remarquera la Savane africaine, la Vallée des gorilles, la Rivière aux Hippos, la Hutte des découvertes. Le zoo compte également un parc aquatique et des manèges.

Centre d'interprétation de la Nature du lac Boivin

700 r. Drummond. De la rue Principale, tournez à gauche dans la rue Drummond - 450-375-3861 *- www.cinlb.org -* ♿-🅿 *- lun.-vend. 8h30-16h30, sam.-dim. 9h-17h - fermé 25-26 déc. et 1er-2 janv. - gratuit.* Aménagé sur les berges du lac Boivin, formé par un renflement de la rivière Yamaska, ce centre d'interprétation de la nature offre quatre courts sentiers. Ces derniers traversent les marais autour du lac et permettent aux visiteurs de découvrir son milieu, sa flore et sa faune. Des deux tours d'observation, jolie **vue** sur les monts Brome et Shefford.

Aux alentours

Parc national de la Yamaska

À 6 km au nord-est de Granby, par le chemin Ostiguy - 1780 bd David-Bouchard - 800-665-6527 ou 450-776-7182 *- www.sepaq.com -* 🅿 *- 8h-20h - 3,50 $.* Cette aire protégée préserve un échantillon représentatif de la région naturelle des basses terres appalachiennes. Élément central du parc, le **réservoir Choinière** est un immense plan d'eau propice aux activités nautiques : canot, kayak, pédalo et pêche.

Waterloo

19 km à l'est par la route 112. Fondée par les loyalistes en 1796, cette petite ville prit le nom de Waterloo pour commémorer la célèbre victoire du duc de Wellington sur Napoléon en 1815. Aujourd'hui, plus connue pour la culture des champignons, Waterloo est une petite ville charmante, en bordure du lac du même nom.

Parc de la Jacques-Cartier★

RÉGION DE QUÉBEC
SCHÉMA : CÔTE DE CHARLEVOIX

Une vallée spectaculaire, profonde de plus de 550 m, couverte de feuillus, une rivière capricieuse, un plateau montagneux criblé de lacs, une forêt boréale au cœur de la partie la plus élevée du massif des Laurentides, un paysage sublime : voilà les principaux ingrédients du parc national de la Jacques-Cartier. Autre clé de son succès : à seulement 40 km de Québec, le parc peut accueillir toute l'année une foule de visiteurs qui ne souhaitent qu'une seule chose, prendre le temps d'admirer sa beauté.

- **Se repérer** – À 40 km au nord de Québec par la route 175. D'une superficie de 670 km², le parc jouxte la réserve faunique des Laurentides.
- **À ne pas manquer** – La rivière Jacques-Cartier. Vous ne pourrez pas la manquer mais sachez qu'elle est l'une des plus belles du Québec.
- **Avec les enfants** – Une balade en eau calme sur une section de la rivière sans rapide. Possibilité pour les enfants de moins de 5 ans de pagayer.
- **Pour poursuivre la visite** – Québec, la côte de Charlevoix.

Comprendre

SOS Caribou – L'exploitation intensive de la forêt du plateau perturba le fragile équilibre du milieu et entraîna la disparition du caribou et du saumon, deux espèces pourtant bien adaptées au rude climat de la région. Aussi fut-il décidé, en 1981, de créer un parc pour mieux assurer la protection de ce remarquable patrimoine naturel.

Se promener

800-665-6527 ou 418-848-3169 (été) et 418 528-8787 (hiver) - www.sepaq.com - ⌂-
⚒-☐ - ouv. tte l'année - 3,50 $.

Centre de découverte et de services

En venant de Québec par la route 175, prenez à gauche l'entrée du secteur La Vallée. Continuez sur 10 km. La route d'accès au parc se trouve à gauche du centre de découverte et longe la rivière Jacques-Cartier. De l'autre côté de la rivière, la route n'est plus asphaltée - de mi-mai à mi-oct. - boutique nature et sandwicherie. Le centre de découverte et de services propose des expositions, des causeries et diverses activités pour se familiariser avec les principaux attraits du parc. On peut aussi s'y procurer des cartes.

Randonnée

Plus de 100 km de pistes de randonnée et une quinzaine de sentiers de nature traversent la forêt et longent la rivière. Agréable but de promenade, le **sentier des Loups** *(10 km AR)* offre de splendides **vues★★** sur toute la vallée de la Jacques-Cartier. Le sentier des Draveurs, lui, permet de découvrir le vestige d'un riche passé forestier qui remonte au 19ᵉ s. Le territoire étant alors difficile d'accès, la rivière Jacques-Cartier fut mise à contribution pour le transport du bois : c'est l'époque de la drave, des pitounes, mais aussi de la construction de barrages, de chemins et de camps. Des pistes pour vélos de montagne empruntent ces anciens chemins forestiers ou d'autres chemins de terre.

Descendre la rivière Jacques-Cartier

Longue de 177 km, la Jacques-Cartier est la seule rivière du Québec à faire partie du réseau des rivières du patrimoine canadien, tant pour sa valeur historique et géographique que pour son potentiel récréatif. À l'intérieur du parc, elle représente 26 km de parcours navigable, offrant des parois escarpées s'élevant à près de 500 m au-dessus d'un ruban d'eau calme entrecoupé de courts rapides. Embarcations au choix : canot, kayak récréatif, mini-raft, canot pneumatique et chambre à air ; parcours pour débutants et confirmés. *Réservation des embarcations au centre de location, situé au km 10 de la route de la Vallée - ☎ 1-800-665-6527.*

Ski de longue randonnée

Avec 6 m de neige reçus annuellement, le parc offre des conditions idéales pour le ski nordique, la raquette ou la randonnée pédestre sur neige. Avis aux amateurs de ski de longue randonnée.

Baie-James ★

BAIE-JAMES
SCHÉMA : PROJET DE LA BAIE JAMES
WWW.TOURISMEBAIEJAMES.COM

Direction le Nord-du-Québec ! Le territoire de la Baie-James représente 20 % de la superficie du Québec. Ses 350 000 km² s'étendent du 49e au 55e parallèle. Avec la région touristique du Nunavik, encore plus au nord, la Baie-James constitue le Nord-du-Québec. Sillonné de puissants cours d'eau, peuplé de forêts d'épinettes noires et de pins gris et couvert d'innombrables lacs, ce vaste espace abrite une quarantaine d'espèces animales dont le caribou, l'orignal, l'ours noir, le castor, le lynx, le béluga et le phoque, ainsi qu'un large éventail d'oiseaux aquatiques et de poissons. Résolument différente du reste du Québec par la beauté de ses grands espaces dénudés et par sa végétation, où la toundra succède à la taïga et à la forêt boréale, la Baie-James ne cesse d'attirer de plus en plus de touristes à la recherche d'une nature sauvage et désireux de mieux connaître la culture du peuple autochtone, les Cris.

- ▶ **Se repérer** – Radisson se trouve à 1 448 km au nord-ouest de Montréal et à 625 km au nord de Matagami par la route de la Baie-James.
- ▶ **S'y rendre en avion** – Les vols de Montréal, Québec et Val-d'Or à Radisson se font par les lignes aériennes Air Inuit et Air Creebec *(voir Organiser son voyage)*.
- 👁 **À ne pas manquer** – La centrale Robert-Bourassa.

Comprendre

Le peuple cri – Les Cris du Québec font partie de la grande famille linguistique algonquienne. Leur dialecte est le cri. La population sédentaire, qui se chiffrait en 2007 à quelque 13 000 personnes, est concentrée dans neuf villages : Whapmagoostui (Kuujjuarapik–Poste-de-la-Baleine), Chisasibi, Wemindji, Eastmain et Waskaganish, sur la côte est de la baie James et de la baie d'Hudson ; Nemaska, Mistassini, Ouje-Bougoumou et Waswanipi, à l'intérieur des terres *(voir Chibougamau)*. Population autochtone des forêts nordiques, les Cris vivent en partie de la chasse (orignal, caribou, castor et oie sauvage) et de la pêche. Autrefois organisés en petits groupes nomades, ils pratiquaient le troc bien avant l'arrivée des Européens. Entre 1672 et 1713, les coureurs des bois français et les marchands de la Compagnie de la baie d'Hudson (CBH) se livrèrent une concurrence acharnée pour se procurer des fourrures sur les

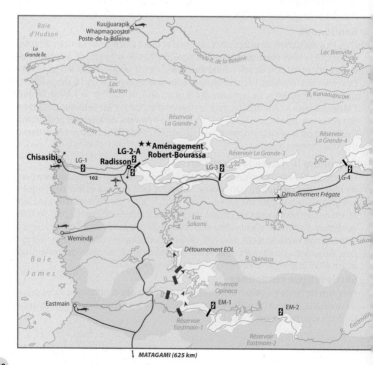

territoires de chasse cris. Dès le début du commerce des fourrures, les employés de la CBH durent compter sur la collaboration des Cris pour survivre, créant très vite des relations d'interdépendance. Au milieu du 19e s. arrivèrent les premiers missionnaires anglicans qui se chargèrent des services de santé et d'éducation.

En 1950, le gouvernement fédéral instaure un système d'enseignement obligatoire en anglais. Dans les années 1970, les Cris accèdent rapidement à un degré élevé d'autonomie. Ils ont fondé de nombreuses sociétés, dont Air Creebec, et dirigent à présent divers organismes chargés de l'enseignement, de la santé et des services sociaux, ainsi que des programmes relatifs au logement et au développement économique. Chaque communauté est administrée par un conseil de bande local.

Convention de la Baie-James et du Nord québécois – Dans les années 1960, le gouvernement provincial, jugeant que son expansion économique et ses besoins énergétiques passeraient par le développement des ressources hydro-électriques des régions nordiques, confia à Hydro-Québec la responsabilité d'un gigantesque projet d'aménagement des principales rivières. En 1971, le gouvernement québécois adoptait une loi de développement du territoire du Nord québécois et créait à cet effet la Société de développement de la Baie-James (SDBJ) pour assurer l'exploitation des richesses naturelles de la région. La même année était fondée la Société d'énergie de la Baie-James (SEBJ) en vue d'assurer la coordination technique et financière du projet de centrales hydro-électriques par Hydro-Québec. Dès le début, le projet souleva des questions juridiques sur les droits des autochtones, aspect dont n'avait pas tenu compte le gouvernement provincial. Les nations indigènes concernées, Inuits et Cris, obtinrent une injonction d'arrêt des travaux et purent entamer des négociations au niveau fédéral et provincial afin de régler la question des revendications territoriales.

Le 11 novembre 1975, les partis en présence, dont le **Grand Conseil des Cris du Québec** et l'**Association des Inuits du Nord québécois**, signèrent la Convention de la Baie-James et du Nord québécois. Ce fut le premier accord de l'époque contemporaine portant sur le règlement des revendications territoriales des autochtones au Canada. Par cette convention, les Amérindiens et Inuits renonçaient à certains de leurs droits. En retour, ils obtenaient des droits exclusifs de chasse, de pêche et de trappage dans des zones bien délimitées, la propriété de certaines terres (16 % des surfaces revendiquées), la constitution de conseils autochtones pour aider à la gestion des administrations régionales et municipales, le droit de participation dans les décisions concernant les différentes phases du projet, ainsi qu'une compensation financière. Des programmes sociaux (santé, éducation et développement économique) furent mis en œuvre.

PROJET DE LA BAIE JAMES

0 ————— 75 km

⚡ Centrale existante/à l'étude

Réseau fluvial et écoulement naturel

Réservoir et digue

Ouvrage régulateur et écoulement modifié

Toundra

Taïga

Marais

Forêt boréale

Le projet hydro-électrique de la baie James – Conçu dans le but d'exploiter l'immense potentiel hydro-électrique du Nord du Québec, cet ambitieux projet prévoyait à long terme la réalisation de 19 centrales regroupées en trois complexes : La Grande, Grande-Baleine et Nottaway-Broadback-Rupert. Seul le **complexe La Grande** a vu le jour. La réalisation de sa première phase a pris 12 années de travaux intensifs (de mai 1973 à décembre 1985) et a coûté près de 14 milliards de dollars. Le projet a entraîné l'aménagement d'environ 2 000 km de routes, de cinq aéroports et de cinq villages destinés à loger les employés. Au plus fort de son activité, en été 1978, les chantiers comptaient quelque 18 000 ouvriers. La centrale souterraine Robert-Bourassa fut mise en service le 27 octobre 1979, suivie de La Grande-3 en 1982 et La Grande-4 en 1984. Le projet a entraîné le détournement vers la rivière La Grande des rivières Eastmain et Opinaca au sud, et de la rivière Caniapiscau (Koksoak) à l'est, afin de former cinq réservoirs. Cette entreprise colossale a exigé la construction de 215 barrages et digues en enrochements, soit 262 400 000 m³ de moraine, de pierre et de sable, quantité suffisante pour construire 80 fois la grande pyramide de Chéops en Égypte. Aujourd'hui, les trois centrales abritent à elles seules 37 groupes turbines-alternateurs, soit une puissance combinée de 10 282 MW. Durant la seconde phase du projet, de 1988 à 1996, les cinq centrales suivantes ont été construites : La Grande-1, La Grande-2-A, La Forge-1, La Forge-2 et Brisay. Avec elles, le complexe La Grande représente désormais une puissance totale de 15 244 MW et fournit plus de la moitié de l'électricité produite au Québec.

La Grande

Radisson

Des cinq villages temporaires créés au moment de la construction du complexe La Grande, seul Radisson a survécu. Il se situe sur la rive sud de la rivière La Grande, juste à l'ouest de la route de la Baie-James et à 5 km à l'ouest de la centrale Robert-Bourassa. Le complexe Pierre-Radisson (centre communautaire) forme le cœur du village. C'est là que se trouvent des boutiques, le bureau de poste et les infrastructures récréatives comme le gymnase et la piscine. Un hôtel ainsi que les blocs résidentiels où logent les employés d'Hydro-Québec sont reliés au centre par des passages fermés.

Aménagement Robert-Bourassa★★

🖉 800-291-8486 - www.hydroquebec.com - ✕ - ♿ - 🅿 - visite guidée (3h30) de mi-juin à déb. sept. : 13h (mar. 14h) ; reste de l'année : lun. et vend. 8h30, merc. 13h - réservations requises (48 heures à l'avance). La visite guidée comprend un documentaire sur la construction et le fonctionnement du complexe La Grande, des explications sur la production de l'électricité, le transport sur tout le site et une visite de la centrale Robert-Bourassa. Cette dernière, la plus importante des centrales hydro-électriques du Québec, a une puissance installée de 5 328 MW. Le réservoir, qui couvre une superficie de 2 835 km², est contenu par un barrage et 31 digues.

Évacuateur de crue – Prévu pour évacuer les excédents d'eau du réservoir en cas de crues exceptionnelles, il est prolongé par un **escalier de géant★** : 10 marches de 10 m de hauteur et de 122 m de largeur. Taillé à même le roc, cet ouvrage témoigne des exploits technologiques extraordinaires réalisés au complexe La Grande.

Centrale Robert-Bourassa – C'est la plus grande centrale hydro-électrique souterraine du monde. Elle se situe à 137 m sous terre, dans une caverne de granit d'environ 0,5 km de longueur, équipée de 16 groupes turbines-alternateurs, et possède une chambre d'équilibre destinée à amortir les fortes variations de pression qui se produisent au moment de la mise en marche ou de l'arrêt des machines.

La **centrale La Grande-2-A**, à moins d'un kilomètre à l'ouest de la centrale Robert-Bourassa, est entrée en service fin 1992. Destinée à produire davantage de puissance aux périodes de pointe de consommation, par l'intermédiaire de six groupes turbines-alternateurs supplémentaires, elle porte la puissance installée à 7 326 MW.

Aux alentours de Radisson

Circuit de visite de l'aménagement Robert-Bourassa

Point de départ : centre d'information d'Hydro-Québec (complexe Pierre-Radisson, à Radisson). Plan du circuit gratuit. Une route agréable, balisée de panneaux d'interprétation indiquant les principaux points d'intérêt, contourne les digues du réservoir Robert-Bourassa et permet d'admirer le paysage alentour.

Chisasibi

De Radisson, prenez la route de la Baie-James en direction du sud. Après 20 km, tournez à droite et suivez la route (asphaltée) sur 82 km. L'aménagement hydro-électrique du territoire devait entraîner une forte augmentation du débit de la rivière La Grande à son embouchure, dans la baie James. C'est pourquoi, en 1981, les Cris du village de Fort-George, sur une île située à l'embouchure de la rivière La Grande, demandèrent à être relocalisés à 8 km en amont. Le nouveau village fut appelé *Chisasibi* (« grande rivière » en langue crie). La baie James s'étend à 15 km à peine du centre de Chisasibi. L'agence Mandow (*🖉 819-855-3373 - www.creetourism.ca*) propose des séjours en pourvoirie ainsi que des visites du village. *Pour atteindre la baie James, du centre-ville, tournez à droite, suivez tout droit sur 2 km en direction de la rivière La Grande. Tournez à gauche et continuez sur 2 km. À la fourche, tournez à gauche et continuez sur 11 km.*

Joliette★

LANAUDIÈRE
19 044 HABITANTS
SCHÉMA : LANAUDIÈRE
WWW.VILLE.JOLIETTE.QC.CA ET WWW.LANAUDIERE.CA

Joliette s'est fait un nom grâce à son festival de musique classique, le Festival de Lanaudière, l'un des plus importants du Québec. À une heure seulement de Montréal, on y vient aussi pour profiter de son musée d'Art qui présente une collection d'art du Moyen-Âge et de la Renaissance, ainsi que des œuvres de peintres québécois et canadiens comme Emily Carr et Jean-Paul Riopelle.

▸ **Se repérer** – Joliette se trouve à 75 km au nord de Montréal par les routes 40 et 31. En bordure de la rivière l'Assomption.

👁 **À ne pas manquer** – Le musée d'Art.

🕐 **Organiser son temps** – Passez une matinée et profitez-en pour déjeuner avant de rejoindre Rawdon par exemple.

♿ **Pour poursuivre la visite** – Rawdon et la région de Lanaudière *(suivre le circuit proposé à ce nom)*, Montréal.

Comprendre

En 1828, le notaire **Barthélemy Joliette** fit construire un moulin sur les rives de la rivière l'Assomption. C'était le descendant du célèbre explorateur Louis Jolliet qui, avec Jacques Marquette, découvrit le Mississippi en 1673. Connue à l'origine sous le nom de L'Industrie, la ville prit son appellation actuelle en 1863, lors de son incorporation. Joliette et sa femme, Marie-Charlotte de Lanaudière, furent les premiers bienfaiteurs de la ville, à laquelle ils cédèrent les terrains où se dressent aujourd'hui l'église ainsi qu'un collège.

Très vite, Joliette acquit la réputation d'une cité des arts et de la culture, sous l'influence des communautés religieuses locales, en particulier celle des clercs de Saint-Viateur. Grâce aux efforts du père **Wilfrid Corbeil** (1893-1979), le musée d'Art de Joliette *(ci-dessous)* devait ainsi voir le jour. Un autre religieux, le père Fernand Lindsay, fonda quant à lui le célèbre Festival de musique de Lanaudière.

Festival de Lanaudière – Cette prestigieuse manifestation musicale *(voir Évènements)* se déroule l'été. Des interprètes du monde entier donnent des concerts des répertoires classique et populaire dans de nombreuses églises des environs, et dans un remarquable amphithéâtre (1988) bénéficiant d'une excellente acoustique. Celui-ci peut accueillir jusqu'à 10 000 personnes sous son toit et sur ses parterres gazonnés.

Visiter

Musée d'Art de Joliette★

145 r. Wilfrid-Corbeil - ✆ 450-756-0311- www.musee.joliette.org - ♿ - 🅿 - tlj sf lun. 12h-17h - fermé 24 juin et 1ᵉʳ juil. - 8 $. Inauguré en 1976, ce musée régional – l'un des plus importants du Québec (collection de plus de 6 000 œuvres) – occupe un bâtiment de style international aux lignes sobres. Outre ses installations permanentes, il propose au public des salles d'expositions temporaires axées sur l'art contemporain.

Sous-sol – Une salle permet de suivre l'évolution des collections du musée de 1885 à nos jours à travers des œuvres d'artistes tels Marc-Aurèle Fortin ou Paul-Émile Borduas.

Rez-de-chaussée – Consacré à l'art sacré québécois et européen du Moyen Âge aux années 1960, cet étage donne l'occasion d'admirer de belles pièces, dont une chaire en bois finement décorée de Saint-Arsène-de-Rivière-du-Loup (v. 1840) et un autel attribué à François Normand, provenant du village de Champlain, en Mauricie. On y voit aussi plusieurs sculptures sur bois du 15ᵉ s., notamment un *Christ de pitié*, un *Évêque assis* et un *Moine de Dijon*.

Premier étage – L'évolution des mouvements artistiques canadiens y est mise en évidence, du Groupe des Sept aux Automatistes et aux Plasticiens. Parmi les œuvres majeures figurent des toiles d'Ozias Leduc, de Suzor-Côté, d'Emily Carr, d'Alfred Pellan, de Jean-Paul Riopelle et de Guido Molinari. On remarquera également des œuvres d'artistes internationaux, tels Henry Moore ou Arman.

La **source d'eau de Pit** est située à quelques pas du musée d'Art, dans le parc Renaud, à l'angle de la rue De Lanaudière et de la rue Saint-Charles-Borromée. Habitants et visiteurs viennent se désaltérer et s'approvisionner à cette source d'eau sulfureuse qui fut découverte en 1881 par Pierre Laforest, mieux connu sous le sobriquet de « Pit ». Tout près, on remarquera une statue de Barthélemy Joliette.

Cathédrale de Joliette

2 r. Saint-Charles-Borromée Nord - ☎ 450-753-7596 - ♿ - 🅿 - lun.-vend. 11h30-15h - fermé j. fériés. Construite entre 1888 et 1892, cette spacieuse église de style romano-byzantin est consacrée au cardinal-archevêque italien du 16e s., Charles Borromée, qui joua un rôle majeur dans la réforme du clergé au concile de Trente (1545-1563). Elle devint cathédrale en 1904. Son haut clocher la rend visible en divers endroits de la ville. À l'intérieur, des vitraux réalisés en 1912 par Henri Perdriau illustrent des épisodes de l'Ancien Testament. On remarquera également, de la même époque, les stations du chemin de la Croix, dues à Georges Delfosse (1869-1939), et au-dessus du maître-autel, une toile d'Antoine Plamondon représentant saint Charles Borromée. Quant aux tableaux d'Ozias Leduc, qui ornent la voûte du transept, ils racontent la vie de Jésus et les mystères du Rosaire. Derrière la cathédrale, une section de la rivière de l'Assomption est transformée, l'hiver, en **patinoire**. Cette piste – la plus longue en son genre du Québec *(4,5 km)* – attire beaucoup de monde *(terrains de stationnement à Joliette, Notre-Dame-des-Prairies et Saint-Charles-Borromée).*

Maison provinciale des clercs de Saint-Viateur

132 r. St-Charles-Borromée Nord. À côté de la cathédrale, on distingue l'ancien noviciat de Joliette, remarquable ensemble de bâtiments surmontés d'une tour massive. Cette version moderne de l'abbaye normande de Saint-Georges de Boscherville (13e s.) fut construite de 1939 à 1941 sous la direction du père Wilfrid Corbeil. Elle abrite l'infirmerie et la maison-mère des clercs de Saint-Viateur, congrégation religieuse fondée en France en 1831 par le père Louis-Marie Querbes.

Chapelle★ – *Ouv. tte l'année : 9h-16h - réservations requises.* Cet édifice d'inspiration allemande a conservé son intérieur d'origine. Il fut décoré de 1940 à 1945 par un descendant d'Antoine Plamondon, Marius Plamondon, à qui l'on doit notamment le chemin de Croix sculpté, une partie du mobilier, et surtout les **vitraux**. On remarquera aussi l'orfèvrerie, réalisée d'après les dessins du père Wilfrid Corbeil, et les autels latéraux, conçus par des élèves de l'École du meuble de Montréal.

Maison Antoine-Lacombe

À Saint-Charles-Borromée, à 2 km au nord du centre de Joliette. Prenez la rue Saint-Charles-Borromée (qui devient rue de la Visitation) jusqu'à l'angle de la rue Davignon. ☎ 450-755-1113 - merc.-vend. 13h-18h, sam.-dim. 13h-17h - jardins en libre accès, toute l'année. Cette belle demeure de pierre, bâtie en 1847, fut rénovée en 1968. Elle appartient aujourd'hui à la municipalité et sert de lieu d'animation culturelle : expositions d'œuvres d'art, conférences, concerts.

Joliette pratique

Se restaurer

🍽🍽 **Le Canard Noir** – *153 r. St-Charles-Borromée Nord -* ☎ *450-755-2429 - www.canardnoir.com - 19 et 35 $.* Cuisine fine et raffinée élaborée à partir des produits régionaux. À proximité du Festival de Lanaudière, du musée d'Art de Joliette et de la cathédrale.

Kamouraska ★

BAS-SAINT-LAURENT
705 HABITANTS
SCHÉMA : CÔTE DE CHARLEVOIX
WWW.KAMOURASKA.CA OU WWW.TOURISMEBAS-ST-LAURENT.COM

Si vous n'avez pas lu le célèbre roman d'Anne Hébert, *Kamouraska*, il sera temps de le faire au retour de ce village qui a également donné son nom, en architecture, à une forme de toit. « Là où il y a des joncs au bord de l'eau », Kamouraska en algonquin, se distingue aussi par ses « battures » : ces parties du rivage que la marée ascendante laisse à découvert constituent des refuges naturels pour de nombreuses espèces d'oiseaux et d'invertébrés. Une raison de plus pour venir découvrir Kamouraska.

- **Se repérer** – Kamouraska se trouve à 163 km au nord-est de Québec par les routes 73 (pont Pierre-Laporte) et 20 (sortie 465).
- **À ne pas manquer** – Déguster de l'anguille fumée au centre d'interprétation de l'anguille.
- **Avec les enfants** – Se baigner sur la petite plage le long de la rue du Quai.
- **Pour poursuivre la visite** – Rivière-du-Loup, et toute la région du Bas-Saint-Laurent.

Comprendre

En 1674, Louis de Buade, comte de Frontenac et gouverneur de la Nouvelle-France, concédait à Olivier Morel de la Durantaye la seigneurie de Kamouraska. Les premiers colons arrivèrent l'année suivante. Au 18e s., Kamouraska était devenu l'un des villages les plus peuplés du Bas-Saint-Laurent. Depuis le 19e s., la culture des céréales, des pommes de terre et l'élevage laitier ont fait de l'agriculture le pivot de l'économie locale.

Kamouraska a donné son nom à une forme de toit de maison, le toit Kamouraska, appelé aussi toit à larmier (ou avant-toit). Sa forme incurvée, qui apparut d'abord sur quelques édifices publics, dont l'église de Saint-Jean-Port-Joli, confère à plusieurs maisons de la région une silhouette pittoresque.

Visiter

Musée de Kamouraska

69 av. Morel, derrière l'église, au centre du village - ☎ 418-492-9783 - www. museekamouraska.com - 🅿 - du 24 juin à la fête du Travail : 9h-17h ; de mi-mai au 24 juin et de la fête du Travail à fin déc. : mar.-vend. 9h-17h, sam.-dim. 13h-16h30 - 5 $.

Ce couvent transformé en musée fut construit en 1851. Consacré à l'histoire culturelle de la région de Kamouraska, il renferme du mobilier et des objets typiques des maisons et du style de vie des premiers colons européens. Des instruments agricoles et des outils d'artisans témoignent des conditions de travail des pionniers. De nombreuses pièces de l'attirail du pêcheur et des maquettes illustrent les techniques de pêche à l'anguille démontrent l'importance prépondérante du Saint-Laurent dans la vie des gens du village. Le musée conserve aussi le vieux retable de la seconde église (1727), sculpté par François-Noël Levasseur en 1737.

Berceau de Kamouraska

À 3 km à l'est du village, sur la route 132. Le cœur du village est connu sous le nom de « Berceau de Kamouraska ». Une petite chapelle en plein air marque aujourd'hui l'emplacement des deux premières églises (1709 et 1727) et du cimetière où quelque 1 400 pionniers furent enterrés.

Se promener

Société d'écologie de la batture du Kamouraska

À 9 km à l'est du Berceau de Kamouraska et à 3 km à l'ouest de Saint-André-de-Kamouraska, sur la route 132. 273 rte 132 Ouest - ☎ 418-493-9984 - www.sebka.ca - ⛺-🅿 - 21 juin-1er lun. sept. : 8h-21h ; 15 mai-20 juin et reste de sept. à fin oct. : 10h-18h - 9 $ la visite guidée d'interprétation.

La Société d'écologie de la batture du Kamouraska (SEBKA) est un centre de plein air qui propose trois types d'activités : de l'escalade sur les falaises de Saint-André, du kayak de mer ainsi qu'une halte écologique. L'objectif de cette halte est de stimuler l'intérêt des visiteurs pour la connaissance et le respect de l'écosystème marécageux et fluvial.

Des activités d'initiation sur différents thèmes écologiques (faune et flore des marais, bélugas, faucons pèlerins et différentes espèces d'oiseaux) sont animées par des guides spécialisés.

Un parcours *(12 km)* mène au marais (le terme « batture » s'appliquant aux terres que la marée descendante laisse à découvert) ainsi qu'à un promontoire rocheux doté de belvédères panoramiques et de postes d'observation ornithologique.

Aux alentours

La Pocatière

À 28 km à l'ouest de Kamouraska sur la route 132.

Berceau de l'enseignement agricole au Canada, La Pocatière a conservé sa vocation éducative, et l'on y effectue aujourd'hui d'importantes recherches dans différents domaines, en particulier celui de l'agroalimentaire. Le secteur industriel est également représenté par les usines Bombardier, célèbres pour leurs motoneiges et leurs véhicules guidés sur rail.

Y a-t-il anguille sous roche ?

Pour le savoir, rendez-vous au **Centre d'interprétation de l'anguille de Kamouraska** *(205 av. Morel - ℘ 418-492-3935 - www.anguillekam. iquebec.com - de déb. juin à mi-oct. : 9h-18h - 4 $)* où, grâce à une visite guidée *(30mn)*, vous découvrirez la pêche traditionnelle à l'anguille. Une dégustation d'anguille fumée termine la visite.

Musée François-Pilote★ – *Parc de stationnement du collège Sainte-Anne. Le musée se trouve derrière le collège. Entrée au premier étage -* ℘ *418-856-3145 - www.jabo-net.com/muse.html -* 🅿 *- juin-sept. : lun.-sam. 9h-12h, 13h-17h, dim. 13h-17h ; reste de l'année : lun.-vend. 9h-12h, 13h-17h, dim. 13h-17h - 4,50 $.* Essentiellement consacré à la vie en milieu rural au début du 20ᵉ s., ce musée d'ethnologie québécoise porte le nom du fondateur de la première École permanente d'agriculture (1859) au Canada, l'abbé François Pilote.

Métiers d'antan – *Rez-de-chaussée.* Les gestes du bûcheron, du menuisier, du forgeron, du cordonnier et du tisserand sont évoqués à travers leurs outils ; ceux du paysan sont illustrés par toute une collection d'instruments aratoires. La reconstitution d'une « cabane à sucre » donne l'occasion de découvrir les techniques traditionnelles de fabrication du sirop d'érable. Noter aussi une section consacrée aux moyens de transport de l'époque (traîneaux, voitures à chevaux et autres), ainsi qu'une exposition sur la navigation côtière du milieu du 18ᵉ s. au milieu du 19ᵉ s., avec des modèles réduits de bateaux et différents instruments de navigation.

Sciences naturelles – *Premier étage.* Cette exposition présente l'évolution de l'agriculture depuis l'époque de Champlain (première moitié du 17ᵉ s.) jusqu'à nos jours, avec un aperçu sur les techniques du futur. Les salles avoisinantes abritent pêle-mêle mammifères canadiens, coquillages, armes à feu et objets religieux.

Habitat – *Deuxième étage.* Un salon, une salle à manger et une chambre à coucher recréent le confort et l'aisance d'une famille bourgeoise des années 1920. Plus loin, sept pièces évoquent le mode de vie d'une famille de fermiers du Québec dans les années 1900. Une école rurale, un magasin général et les bureaux du médecin de campagne, du dentiste et du notaire viennent compléter ce tableau thématique.

Enseignement – *Troisième étage.* L'histoire de l'enseignement agricole au Québec constitue le thème principal de cet étage où sont présentées sur plusieurs salles diverses disciplines telles que l'élevage, l'aviculture, la botanique et la zoologie, mais aussi la chimie, la physique, l'astronomie et les pêcheries. On y trouve également un laboratoire des sols ainsi que la collection Tanguay rassemblant quelque 200 espèces d'oiseaux pour la plupart du Québec.

La Malbaie – Pointe-au-Pic★

CHARLEVOIX - 8 959 HABITANTS
SCHÉMA : CÔTE DE CHARLEVOIX
WWW.LAMALBAIE.COM OU WWW.TOURISME-CHARLEVOIX.COM

Rattachée à la communauté de Pointe-au-Pic, La Malbaie occupe un site magnifique sur la rive nord du Saint-Laurent, à l'embouchure de la rivière Malbaie : c'est là son principal attrait et la raison d'une fréquentation très chic et mondaine depuis les années 1900. Vestiges de ce passé, de belles villas à découvrir, des parcours de golf, parmi les plus beaux, dit-on, de l'Amérique de l'Est et, toujours, une vue sublime sur la baie.

- ▶ **Se repérer** – La Malbaie–Pointe-au-Pic se trouve à environ 140 km au nord-est de Québec par la route 138 (tour à tour appelée boulevard de Comporté, puis rue Principale).
- 👁 **À ne pas manquer** – Le manoir Richelieu.
- 🕯 **Pour poursuivre la visite** – L'île aux Coudres et toute la côte de Charlevoix.

Comprendre

Samuel de Champlain avait donné au site le nom de *Malle baye* en 1608, car ses navires, qui avaient mouillé l'ancre dans les parages, s'étaient malheureusement tous échoués… Après la Conquête anglaise, deux officiers écossais, Malcolm Fraser et John Nairn, se virent octroyer des terres autour de la baie. Ils la baptisèrent Murray Bay en l'honneur du général James Murray, principal administrateur de la colonie. Les gentilshommes accueillirent de nombreux visiteurs.

Se promener

Le manoir Richelieu

181 r. de Richelieu. Accès par le chemin des Falaises à partir de la route 362 - ☏ 418-665-3703 ou 1-800-441-1414 - wwwfairmont.com/richelieu.

À l'hospitalité des deux officiers anglais *(voir Comprendre)* succédèrent plusieurs établissements hôteliers dont le plus connu, le **manoir Richelieu** est un grand édifice de style château normand surplombant le Saint-Laurent. Il peut faire penser au Château Frontenac à Québec.

À l'ombre du manoir, reconstruit en 1929 à la suite d'un incendie, se trouve un second bâtiment (1930) qui accueille depuis 1994 le fameux casino de Charlevoix.

Villas de villégiature

La plupart de ces résidences estivales furent érigées entre 1880 et 1945 sur les deux promontoires qui encadrent La Malbaie. On reconnaît, dans les maisons revêtues de bardeaux de cèdre, l'influence du style Domestic Revival américain, très populaire en Nouvelle-Angleterre.

Venus pour chasser et pêcher dans cette région, les villégiateurs appréciaient le cachet rustique des intérieurs conçus par un architecte local, Jean-Charles Warren (1868-1929). Celui-ci érigea une soixantaine de ces grandes villas, premiers exemples du style dit « laurentien », caractérisé par l'emploi de matériaux locaux et une intégration harmonieuse au site. Orientées de façon à profiter du cadre naturel, ces villas offrent de magnifiques panoramas.

Musée de Charlevoix

1 chemin du Havre - ☏ 418-665-4411 - www.museedecharlevoix.qc.ca - ♿-🅿 - de déb. juin à la fête du Travail : 10h-18h ; reste de l'année : lun.-vend. 10h-17h, sam.-dim. 13h-17h - 7 $. Boutique.

Consacré à l'art populaire de Charlevoix et à la mise en valeur du patrimoine historique et ethnologique de la région, ce musée présente des objets issus de sa collection permanente (soit environ 4 000 pièces) et propose des expositions temporaires sur des thèmes variés. De la rotonde, on découvre un impressionnant panorama sur les environs.

Aux alentours

Chutes Fraser

À Rivière-Malbaie, à environ 3 km. Après le pont de la rivière Malbaie, prenez à gauche le chemin de la Vallée. Continuez sur 1,5 km, puis tournez à droite (suivre les indications pour le camping) - 📞 *418-665-2151 -* ⚠-✗-🅿 *- de mi-mai à mi-oct. : 8h-22h - 5 $.* Les chutes de la rivière Comporté s'écoulent dans un cadre agréable. Elles forment une cataracte de 30 m de hauteur qui retombe sur les rochers tel un voile de dentelle.

La Ferme à Rosanna

À Notre-Dame-des-Monts, à 16 km par la route 138 Sud et par un petit chemin balisé - 📞 418-439-4646 - 🅿 - mi-juin-mi-oct. : 10h-18h - 6 $. Ce téléroman historique de Radio-Canada, qui a battu tous les records de popularité au milieu des années 1980, a été en partie tourné dans la région de Charlevoix – aux Éboulements, dans les églises de Saint-Irénée et Sainte-Agnès – et à **Notre-Dame-des-Monts**. Radio-Canada a recréé la ferme de Rosanna, personnage principal de la série, près de ce village en plein milieu de la montagne.

Parc national des Hautes-Gorges-de-la-Rivière-Malbaie★

Prenez la route 138 et tournez à droite en direction de Saint-Aimé-des-Lacs. Poursuivez sur 35 km - 📞 1-800-656-6527 ou 418-439-1227 -www.sepaq.com - ⚠-✗-🅿 - ouv. tte l'année - 3,50 $ - Centre de découverte et de services Félix-Antoine-Savard - de mi-mai à mi-oct. : 7h-21h.

Un des plus beaux monuments naturels du Québec : c'est ainsi qu'est officiellement décrit le parc national des Hautes-Gorges-de-la-Rivière-Malbaie. Son nom ? Il le doit à la présence d'un réseau de vallées profondément découpées dans un écrin de hautes montagnes. Ses attraits ? Des montagnes de plus de 1 000 m d'altitude dominant la vallée de la rivière des Martres et les gorges encaissées de la rivière Malbaie. L'importance des dénivellations, l'esthétique des paysages et le tracé particulier de la rivière Malbaie font de ce site un lieu unique et exceptionnel. Le parc est également l'une des aires centrales de la Réserve mondiale de la biosphère de Charlevoix.

Une **promenade en bateau-mouche** (*Le Menaud*) permet d'admirer les gorges de la Malbaie et de comprendre l'histoire de la région qu'on appelle ici le pays de Menaud, en raison du célèbre roman de l'écrivain Félix-Antoine Savard (1896-1982), *Menaud maître-draveur*, qui décrit les gens de l'arrière-pays charlevoisien. (📞 *418-439-1227 - www.sepaq.com - ♿ - départ du quai, au bout du chemin forestier - de mi-mai à mi-oct. : 11h, 13h et 14h45 ; du 23 juin au 1er lun. sept. : départ supplémentaire à 18h30 - AR 1h30 - commentaire à bord - réservations requises - arrivée 1h avant le départ de la croisière - 26 $).*

Ceux qui désirent faire de la **longue randonnée** et dormir une nuit dans un chalet ou un refuge peuvent découvrir depuis le parc l'un des plus beaux sentiers de longue randonnée à l'est des Rocheuses. Le circuit constitue un corridor aménagé entre le parc des Grands-Jardins et celui des Hautes-Gorges-de-la-Rivière-Malbaie. Six chalets et six refuges sont dispersés sur le parcours. *Renseignements : La Traversée de Charlevoix - www.traverseedecharlevoix.qc.ca.*

La Prairie

MONTÉRÉGIE
21 763 HABITANTS
SCHÉMA : MONTRÉAL
WWW.VILLE.LAPRAIRIE.QC.CA OU WWW.TOURISME-MONTEREGIE.QC.CA

Cette banlieue résidentielle de Montréal se trouve sur la rive sud du Saint-Laurent. Son attrait ? Outre la proximité de Montréal, la petite ville a su préserver quelques édifices représentatifs de l'architecture urbaine née en Nouvelle-France et des bâtiments de bois comme on en trouvait dans les faubourgs de Montréal au début du 19e s. La Prairie est également un bon port d'attache pour découvrir le Musée ferroviaire canadien, à Saint-Constant ou encore le lieu historique national du Canada de la Bataille-de-la-Châteauguay.

- **Se repérer** – La Prairie se trouve à environ 20 km au sud-est de Montréal par le pont Champlain et la route 15 Sud (sortie 46). Pour se rendre dans le vieux quartier, prendre la rue de Salaberry jusqu'au boulevard Taschereau (route 134) et tourner à gauche (direction nord). Continuer jusqu'au chemin Saint-Jean (route 104) et tourner une nouvelle fois à gauche.
- **À ne pas manquer** – Les rues du Vieux-La Prairie.
- **Avec les enfants** – Le Musée ferroviaire de Saint-Constant ravira les enfants.
- **Pour poursuivre la visite** – Montréal, Chambly.

Comprendre

En 1647, la seigneurie de « la prairie de la Magdelaine » fut accordée aux jésuites désireux d'établir une mission dans le but de convertir les Amérindiens et de réduire les hostilités envers les colons européens. Cependant, les guerres iroquoises retardèrent de 20 ans la colonisation. Pour se protéger, les premiers arrivés érigèrent une palissade autour de leur établissement. En 1691, ils durent affronter les forces britanniques de la Nouvelle-Angleterre menées par John Schuyler, commandant d'Albany. La bataille se solda par la victoire des colons et une centaine de morts dans les deux camps. Les attaques iroquoises cessèrent après le traité de la Paix de Montréal (1701), et la région connut un important essor au cours de la première moitié du 18e s. Après la Conquête anglaise, les commerçants britanniques développèrent les transports et les voies de communication. À la navigation et au transport routier s'ajouta, en 1836, la construction, par la compagnie ferroviaire Champlain and Saint Lawrence Railroad, du premier chemin de fer canadien, qui reliait La Prairie à Saint-Jean-sur-Richelieu. Son principal actionnaire était le fameux financier et brasseur John Molson. Dans les années 1890, quelques briqueteries furent implantées. Elles figurent encore parmi les plus importantes du Canada.

Se promener dans le Vieux-La Prairie

Les incendies de 1846 et de 1901 n'épargnèrent pas beaucoup de bâtiments anciens dans l'arrondissement historique appelé Vieux-La Prairie. Il subsiste néanmoins quelques intéressantes structures de grès qui évoquent les débuts du classicisme anglais (120 chemin de Saint-Jean et 166 rue Saint-Georges). Deux des structures reflètent le modèle d'architecture urbaine né en Nouvelle-France (115 et 150 chemin de Saint-Jean). La plupart des autres bâtiments du Vieux-La Prairie sont des constructions de bois, comme on en trouvait dans les faubourgs de Montréal au début du 19e s. (234, 238 et 240, rue Saint-Ignace).

Église de la Nativité

Chemin Saint-Jean - ♿ - 🅿 - ☎ 450-659-1133. Le vieux village, que les habitants appellent « le vieux-fort », est dominé par cette église (1841) dont la monumentale façade néoclassique, surmontée d'un clocher, est devenue au fil des ans le symbole de La Prairie. Deux rangées de colonnades et un clocher coiffé d'un dôme rappellent le modèle lointain de l'ancienne cathédrale catholique de Montréal. L'architecture intérieure, inspirée de l'église londonienne de Saint-Martin-in-the-Fields, présente quant à elle la symétrie et l'ordonnance du style néoclassique.

Musée du Vieux-Marché

249 r. Sainte-Marie - ☎ 450-659-1393 - www.laprairie-shlm.com - ♿ - 🅿 - juin-sept. : lun.-vend. 9h-17h, sam.-dim. 11h-17h ; reste de l'année : mar.-jeu. 9h-17h - fermé principaux j. fériés et du 24 déc. à déb. janv. - gratuit. Construit en 1863, ce bâtiment de brique d'allure classique servit de marché, de caserne de pompiers et de poste de

police. Aujourd'hui affecté à la conservation et à la mise en valeur du passé, il abrite désormais la Société historique de La Prairie de la Magdeleine. Des expositions retracent l'histoire du Vieux-La Prairie, tandis qu'une salle de documentation met à la disposition des chercheurs, répertoires généalogiques, volumes de références et documents d'archives.

Aux alentours

Saint-Constant

À 20 km au sud de Montréal par le pont Champlain et les routes 15, 132 et 209, ou encore par le pont Honoré-Mercier et les routes 132 et 209.

Musée ferroviaire canadien★ – *110 r. Saint-Pierre (route 209) -* ☏ *450-632-2410 - www.exporail.org -* ✗ *-* 🅿 *-* ♿ *-de fin juin à la fête du Travail : 10h-18h ; nov.-mai : sam.-dim. 10h-17h - 14 $.* Créé et dirigé par l'Association canadienne d'histoire ferroviaire, ce musée est consacré au rôle majeur du chemin de fer dans le développement du Canada.

Il contient – outre 6 000 objets, 185 000 documents d'archives et une gare restaurée – une remarquable collection de véhicules ferroviaires (plus de 130), dont beaucoup sont encore en état de marche. Des démonstrations régulières permettent aux visiteurs de faire revivre le passé. Parmi les locomotives à vapeur se trouve une réplique de la **Dorchester** qui, en 1836, tracta le premier train canadien. Fabriquée en Angleterre, elle arriva à Saint-Jean-sur-Richelieu sur une barge. On dit qu'elle se révéla si peu puissante qu'elle ne pouvait tirer que deux wagons et qu'à la moindre montée, il fallait faire appel aux chevaux. On peut également voir une réplique exacte de la **John Molson**, construite en Écosse et acheminée au Canada par bateau ; elle fut en service de 1850 à 1874 *(démonstrations en été)*. Tout près se trouve la **CNR 5702**, locomotive pour trains de voyageurs ; en 1930, elle dépassait déjà les 160 km/h. La **CP 5935**, l'une des plus grosses locomotives jamais construites, remorqua les trains dans les années 1950 à travers les Rocheuses et les monts Selkirk en Colombie-Britannique. Première locomotive à moteur diesel du Canadien Pacifique, la **CP 7000** fonctionna de 1937 à 1964.

Parmi les locomotives d'origine autre que canadienne, noter la locomotive française **SNCF 030-C-841** dite « Châteaubriand », construite en 1883 ; elle fonctionna pendant 83 ans. On pourra également voir la **BR 60010**, la « Dominion of Canada », don du British Rail au musée ; il s'agit d'une des fameuses locomotives à grande vitesse de la série Mallard qui établit le record mondial des locomotives à vapeur en 1938, avec une vitesse de 204 km/h.

Le musée possède également un grand nombre de tramways dont l'un est utilisé pour visiter le site. On peut aussi voir le pont tournant qui servait à tourner les locomotives, et l'énorme chasse-neige rotatif qui devait dégager les rails pendant les longs hivers canadiens.

Écluse de la Côte-Sainte-Catherine – *À 6 km environ du Musée ferroviaire canadien. Prenez la direction nord jusqu'à la route 132 ; tournez à gauche, puis à droite dans la rue Centrale -* ☏ *450-672-4110 -* 🅿 *- avr.-déc.* C'est la seconde écluse du système de la voie maritime du Saint-Laurent. Pour éviter les rapides de Lachine, les bateaux y sont élevés de 9 m, soit du niveau du bassin de La Prairie à celui du lac Saint-Louis. Du terrain de stationnement, belle **vue** sur les gratte-ciel de Montréal, et sur les navires allant d'une porte à l'autre de l'écluse.

Kahnawake

La réserve se trouve à 30 km à l'ouest de La Prairie, par la 132, puis la 15, la 20, sortie 63.

Il s'agit d'une communauté mohawk, dont le nom amérindien signifie « au pied des rapides ». En 1668, les jésuites avaient fondé à La Prairie la mission Saint-François-Xavier, vouée à l'évangélisation des autochtones ; en 1717, la mission fut déplacée en ces lieux. Célèbres pour leur étonnant manque de sensibilité au vertige, les Mohawks de Kahnawake se sont acquis une réputation d'experts dans l'assemblage des charpentes métalliques dont se composent les gratte-ciel ; capables d'évoluer à des hauteurs inouïes sans pour autant éprouver de trouble, ils participent souvent à des projets de construction au Canada et aux États-Unis.

Église Saint-François-Xavier – ☏ *450-632-6030 -* ♿ *-* 🅿 *- du 24 juin à la fête du Travail : sam.-dim. 10h-17h ; reste de l'année : lun.-vend. 9h-17h, sam.-dim. 10h-17h - contribution requise.* Œuvre du père jésuite Félix Martin, l'édifice fut bâti en 1845 pour remplacer la chapelle de 1717. Il abrite la tombe et les reliques de **Kateri Tekakwitha**. Un petit **musée** présente une exposition sur la jeune fille et sur le mode de vie mohawk.

Lieu historique national du Canada de la Bataille-de-la-Châteauguay★

Sur la route 138, entre Howick et Ormstown, à 38 km de Kahnawake. 2371 chemin de la Rivière-Châteauguay, Howick - ℘ 450-829-2003 ou 1-800-463-6769 - www.pc.gc. ca/chateauguay - ♿-🅿 - mai-oct. : horaires variables ; hors saison : sur réservation - droit d'entrée.

Fermes et petits villages au charme bucolique, tout respire la paix dans la vallée de la rivière Châteauguay, au sud-ouest de Montréal. Cette région fut pourtant, durant la courte période de la guerre de 1812, un champ de bataille important où furent battues en brèche les visées américaines sur le Canada.

Le 26 octobre 1813, un régiment canadien français sous les ordres du lieutenant-colonel **Charles-Michel de Salaberry** (1778-1829) dut affronter une armée américaine forte d'au moins 2 000 hommes, conduite par le général Wade Hampton. Salaberry l'emporta grâce à la ruse, exploitant la supériorité que lui donnait la connaissance du terrain, et parvint ainsi à repousser l'attaque.

Le **centre d'interprétation** propose une exposition avec, entre autres, les uniformes des soldats, des objets et une maquette du site indiquant le positionnement des troupes. Un film permet également de vivre le récit victorieux de Charles-Michel de Salaberry.

Beauharnois

28 km au nord du lieu historique de la Bataille-de-la Châteauguay. Rejoignez la 138, puis après Sainte-Catherine, tournez à gauche et suivez la 205.

Beauharnois accueille l'une des plus grandes centrales hydro-électriques du Canada et un canal qui permet aux navires, engagés dans la voie maritime du Saint-Laurent, d'éviter les rapides reliant le lac Saint-François au lac Saint-Louis. L'eau du Saint-Laurent y est dérivée de son cours naturel par les barrages, digues et ouvrages de régulation près de Coteau-du-Lac. La petite ville accumule les prouesses techniques en tout genre : elle est aussi un des centres les plus connus au Québec pour la production de miel et la découverte d'un procédé unique d'extraction à froid du miel…

Centrale hydro-électrique de Beauharnois★★ – Cet énorme complexe est à la fois l'un des plus puissants du Québec (puissance installée de 1 645 810 kW) et l'un des plus longs du monde (longueur totale : 864 m).

Il s'agit d'une centrale au fil de l'eau, c'est-à-dire sans chute ni réservoir naturel pour contrôler ou activer le courant : elle utilise uniquement le puissant débit du Saint-Laurent, rendu encore plus fort par la dénivellation de 24 m entre le lac Saint-François et le lac Saint-Louis. L'eau du canal coule à une vitesse de 3 km/h. Si, en plein hiver, le Québec utilise à lui seul toute l'énergie produite par la centrale, le reste de l'année, la production excédentaire est transportée en Ontario et aux États-Unis par des lignes à très haute tension de 735 000 V.

Visite – ℘ 800-365-5229 - 🅿 - visite guidée (1h30) de mi-mai à déb. sept. : 9h30, 11h15, 13h et 14h45. Présentée au centre d'interprétation, l'exposition permanente constitue une bonne introduction à la visite de la centrale. On fera le tour de la **salle des alternateurs**, espace de 864 m de long abritant 36 groupes-alternateurs. Chaque turbine pèse plus de 100 t et mesure 4 m de hauteur et 6 m de diamètre. On découvrira aussi la **salle des commandes**, où les ordinateurs contrôlent les opérations et règlent la production, et on pourra monter sur le toit, d'où le réseau des lignes à haute tension filant dans toutes les directions offre un spectacle étonnant, avec Montréal et le Saint-Laurent en toile de fond.

Écluses de Beauharnois – *À 2 km à l'ouest de la centrale par la route 132 Ouest. Terrain de stationnement à côté de l'écluse.* On peut voir ici l'écluse inférieure. Elle permet de contourner la centrale et de soulever les navires de 12,5 m.

L'écluse supérieure se trouve à 3,2 km en amont ; les navires y sont soulevés de 12,5 m supplémentaires, afin d'atteindre le niveau du canal de Beauharnois. Du terrain de stationnement, on a la plus belle vue sur l'ensemble des installations.

Parc archéologique de la Pointe-du-Buisson★

À Melocheville, à 5 km des écluses par la route 132 - ℘ 450-429-7857 - ♿-🅿 - de mi-mai à la fête du Travail : mar.-vend. 10h-17h, sam.-dim. 10h-18h ; reste de sept. à mi-oct. : sam.-dim. 12h-17h - 5 $.

Cette jolie pointe boisée formant saillie dans le Saint-Laurent est particulièrement appréciée des pêcheurs à la recherche d'esturgeons, de barbues et d'anguilles dans les rapides.

La pointe est devenue un important site archéologique depuis la découverte sur les lieux de traces de vie humaine remontant à 5 000 ans av. J.-C.

Le parc offre des activités éducatives variées ainsi que des visites guidées. On y observera des chercheurs de l'université de Montréal à l'œuvre. Deux **pavillons d'interprétation** exposent les objets mis au jour et reconstituent les différentes phases d'occupation humaine à la Pointe-du-Buisson.

Des sentiers ont été aménagés sur le site. Le parc offre de belles vues sur les rapides. On remarquera le **grès de Potsdam**, plus ancienne formation rocheuse de la région de Montréal, ici mis à nu par l'érosion du fleuve.

Kateri Tekakwitha

Née en 1656 à Auriesville (État de New York) d'un père iroquois et d'une mère algonquine, **Kateri Tekakwitha** devint orpheline dès l'âge de 4 ans à la suite d'une épidémie de variole qui lui laissa le visage marqué et la vue affaiblie. Son oncle la recueillit et lui donna le nom de Tekakwitha, « celle qui avance en hésitant » en mohawk. Baptisée en 1676 par les jésuites, la jeune fille reçut le prénom de Kateri en souvenir de sainte Catherine de Sienne. En 1677, pour fuir les mauvais traitements dont elle était devenue victime dans son village, Kateri partit se réfugier à la mission Saint-François-Xavier. Elle mourut trois ans plus tard à l'âge de 24 ans et devint, à l'occasion du tricentenaire de sa mort en 1980, la première Amérindienne à être béatifiée par l'Église catholique.

Toit Kamouraska.

G. Degenais /

La chapelle des Cuthbert à Berthierville (Lanaudière).

L. Savoie / Tourisme Lanaudière

La Pointe-au-Pic.

P. Rochette /

Vue aérienne de la Haute-Matawinie (Lanaudière).

D. Villeneuve / Tourisme Lanaudière

Lanaudière

LANAUDIÈRE
SCHÉMA : LANAUDIÈRE
WWW.LANAUDIERE.CA

Autrefois pays des fourrures, la région de Lanaudière, voisine des Laurentides et de la Mauricie, est devenue une terre agricole. Grâce à ses lacs et ses rivières, ses forêts sauvages et ses grands espaces plus au nord, elle offre une profusion d'activités de plein air : canotage et randonnées pédestres en été, ski et motoneige en hiver. Elle présente également un héritage architectural important, car elle fut l'une des premières zones de colonisation de la Nouvelle-France. Le prestigieux Festival de Lanaudière à Joliette, et les fêtes gourmandes de Lanaudière attirent aussi beaucoup de visiteurs.

- ▶ **Se repérer** – Située à la limite sud du bouclier laurentien, aux portes de Montréal, la région de Lanaudière forme un couloir de plaines fertiles qui s'étend du Saint-Laurent au sud jusqu'au réservoir Taureau au nord, et des Laurentides à l'ouest jusqu'à la Mauricie à l'est.
- 👁 **À ne pas manquer** – Le site historique de l'Île-des-Moulins à Terrebonne, le parc régional des Sept-Chutes et le réservoir Taureau, Rawdon.
- 🕐 **Organiser son temps** – Comptez deux jours pour effectuer le circuit.
- 🕯 **Pour poursuivre la visite** – Joliette, Rawdon, la région des Laurentides, le parc du Mont-Tremblant, la Mauricie.

Comprendre

La région tire son nom de Marie-Charlotte de Lanaudière, fille du seigneur de Lavaltrie et femme du notaire Barthélemy Joliette, qui construisit plusieurs moulins dans la région et finança le premier chemin de fer, au milieu du 19e s.

Circuit au départ de Terrebonne

305 km.

Terrebonne★

Terrebonne longe la rivière des Mille-Îles sur près de 12 km. Dotée d'un secteur historique restauré, cette ville attrayante offre aux visiteurs le prétexte d'une agréable promenade dans le vieux quartier. Celui-ci, délimité par les rues Saint-Louis et Saint-Pierre, permet d'admirer de charmants bâtiments de pierre et de bois, dont beaucoup abritent restaurants, cafés, boutiques et galeries.

Surplombant la rivière, la **rue Saint-Louis** est bordée de jolis bâtiments de pierre surmontés de toits très pentus. Au n° 901, on aperçoit l'ancien manoir Masson (1850), qui servit de résidence à Geneviève Sophie Raymond. Cet édifice de style néoclassique, aujourd'hui converti en école, possède une façade symétrique dotée de frontons. L'église Saint-Louis-de-France (1878) se dresse non loin de là, avec son haut clocher central flanqué de deux tours.

Les moulins de Terrebonne – L'histoire de Terrebonne remonte à 1673, époque à laquelle la seigneurie fut concédée à André Daulier des Landes, mais la colonisation ne débuta véritablement qu'au 18e s. C'est de cette époque que datent les premiers moulins, construits sur une des îles de la rivière des Mille-Îles (Île-des-Moulins) par l'abbé Louis Lepage entre 1720 et 1745.

Après la Conquête, l'Île-des-Moulins connut un essor spectaculaire sous la gouverne des marchands écossais de la Compagnie du Nord-Ouest. Ce fut Simon McTavish, l'un des actionnaires de cette compagnie, qui acquit la seigneurie de Terrebonne en 1802. En quelques années, il établit sur l'Île-des-Moulins un centre préindustriel et commercial dont la réputation dépassa bientôt les limites de la région. En 1815, les moulins de Terrebonne passaient pour être les mieux équipés de tout le Canada. Mais l'avènement de l'électricité devait bientôt causer le déclin de l'énergie hydraulique, et l'Île-des-Moulins fut progressivement réduite à répondre aux besoins des cultivateurs de la région environnante. En 1832, la seigneurie et le site des moulins furent acquis par Joseph Masson, le premier millionnaire canadien français. L'activité économique continua toutefois à décliner, et les derniers moulins fermèrent leurs portes en 1940.

Site historique de l'Île-des-Moulins★ – *Du boulevard des Seigneurs, tournez à droite dans l'avenue Moody, à gauche dans la rue Saint-Louis et à droite dans la rue des Braves -* 📞 *450-471-0619 - www.ile-des-moulins.qc.ca/fr. -* ✗ *- de fin-juin à déb. sept. : merc.-dim. 10h30-17h ; hors-saison : sur réservation. Spectacles au théâtre de verdure et sur la scène de l'ancienne boulangerie en été - entrée sur le site gratuit.* Remarquable complexe préindustriel, l'Île-des-Moulins rassemble un grand nombre de bâtiments du 19ᵉ s. Restaurés par le gouvernement provincial, ces derniers sont particulièrement bien visibles de la rue des Braves, de l'autre côté de l'écluse des Moulins qui servait autrefois de réservoir. Les moulins du Régime français étaient souvent construits sur une chaussée ou un pont dont les hautes travées permettaient d'actionner les roues du moulin. Dès la fin du 18e s., la technologie anglaise établit les moulins sur la terre ferme, en utilisant des canaux de dérivation pour augmenter le débit de l'eau. Le visiteur verra ici ces deux types de moulins qui prévalurent au Québec aux 18e et 19e s.

Le premier bâtiment que l'on rencontre sur la chaussée est le **moulin à farine**, reconstruit en 1846 sur le site du moulin seigneurial de 1721. Ce moulin et le **moulin à scie** voisin (1804) abritent aujourd'hui la bibliothèque municipale et représentent un exemple achevé de réhabilitation de bâtiments historiques. L'intérieur, aménagé de façon plaisante et audacieuse, présente les vestiges des moulins. En regardant par les larges fenêtres à l'arrière, on peut observer l'eau qui se déverse du mécanisme de la roue et coule sous le bâtiment.

Sur l'île même, on trouve d'abord le **bureau seigneurial**, construit vers 1850 pour le contremaître de la veuve du seigneur Masson.

À côté s'élève l'**ancienne boulangerie** où étaient faits, avec la farine produite sur l'île, des biscuits fort prisés des voyageurs. Construite en 1803 pour Simon McTavish, cette massive structure rappelle l'architecture traditionnelle française. Au dernier étage, une salle présente différentes expositions temporaires. On arrive enfin au **moulin neuf** qui fut érigé en 1850. Ce bâtiment de trois étages abrite l'exposition permanente « Les moulins de Terrebonne, le pouvoir de l'eau », ainsi que des expositions temporaires.

Le reste de l'île est un charmant parc, ponctué de sculptures modernes, de bancs, et d'aires de pique-nique. Il est également possible de faire des tours de bateau-ponton sur l'écluse des Moulins et d'assister à des spectacles en plein air.

Prenez la route 125 en direction de la route 25. Sortez par la route 640. À la sortie 22 Est, prenez la route 138 vers l'est.

Repentigny

23 km. Repentigny se situe sur les rives du Saint-Laurent, au confluent de la rivière des Prairies et de la rivière l'Assomption. La ville fut baptisée en l'honneur de Pierre Le Gardeur de Repentigny, à qui cette seigneurie fut octroyée en 1647.

L'**église de la Purification** *(445 r. Notre-Dame, entre les rues Hôtel-de-Ville et Brien)* et ses deux tours furent construites en 1723, sous le Régime français. L'église fut agrandie et décorée à plusieurs reprises, notamment en 1850, par Louis-Xavier Leprohon, et subit d'importants dégâts en 1984, suite à un incendie. Le maître-autel possède un retable (1761) attribué à Philippe Liébert et un tombeau (1808) réalisé par Louis-Amable Quévillon. Au-dessus du maître-autel trône une *Présentation de Jésus au Temple* peinte par Pierre Lussier en 1992. Les autels latéraux (1747-1759) seraient les seules œuvres existantes d'Antoine Cirier. Noter aussi deux verrières (1994) dues à l'artiste-peintre Marcel Chabot.

Prenez la route 138 (chemin du Roy) vers le nord-est, et continuez sur 1 km après la jonction avec la route 158 Ouest.

La route suit la rive du Saint-Laurent et offre de nombreux points de vue sur le large et majestueux fleuve.

Chapelle des Cuthbert

46 km - 🖉 *450-836-7336 -* ♿ - 🅿 *- De déb. juin à la fête du Travail : 10h-18h.*

En 1765, James Cuthbert, aide de camp du général Wolfe, achetait la seigneurie de Berthier. Son épouse Catherine repose dans la chapelle qu'il fit construire à sa mémoire en 1786. L'édifice, dédié à saint André, devint le premier lieu de culte prostestant de la province, et fut utilisé jusqu'en 1856.

Retournez à la jonction avec la route 158 Ouest et continuez vers l'Ouest.

Joliette★

27 km. Voir ce nom.

De Saint-Charles-Borromée, continuez vers le nord par la rue de la Visitation (route 343 Nord), et prenez à droite la route 348 Est qui suit la rivière l'Assomption et traverse Sainte-Mélanie, jusqu'au croisement avec la route 131 Nord (26 km). Continuez par la route 131 Nord en direction de Sainte-Émélie-de-l'Énergie (29 km).

Le paysage devient plus montagneux et la route 131 Nord pénètre l'étroite **vallée de la rivière Noire★**, traversant à maintes reprises la sombre et profonde rivière ponctuée de splendides cascades.

Parc régional des Sept-Chutes★

À 20 km de Sainte-Émélie-de-l'Énergie - 🖉 *450-884-0484 -* 🅿 *- mai-nov. : 9h-17h - 4,50 $.*

Vous pourrez y admirer la chute du « Voile de la mariée » (hauteur : 60 m, 200 pieds environ), particulièrement spectaculaire en période de crue. Un solide escalier de bois permet l'ascension jusqu'au sommet des chutes et conduit au lac Guy.

👉 De là, le sentier serpente à travers les bouleaux et les rochers moussus vers des cascades cachées et vers le paisible lac Rémi *(à 15mn du lac Guy)*. Sur l'autre rive, une impressionnante falaise se dresse à pic.

Ceux qui souhaitent prolonger la randonnée peuvent revenir au lac Guy et suivre le circuit du mont Brassard qui aboutit à un belvédère (150 m) offrant une **vue★** merveilleuse sur la vallée de la rivière Noire au sud. La piste traverse une luxuriante forêt de bouleaux et de pins. Avant d'arriver à la descente abrupte qui mène aux cascades, le belvédère du Mont-Brassard offre une large **vue** sur le lac Rémi et les Laurentides, à l'ouest.

Continuez par la route 131 Nord.

Saint-Zénon

14 km. Ce village est l'un des trois plus hauts villages du Québec. Encerclé de montagnes, il surplombe la vallée de la rivière Sauvage. De l'église, en regardant au nord, on a une belle **vue** de la vallée connue sous le nom de « Coulée des Nymphes ».

Saint-Michel-des-Saints

15 km. Le village de Saint-Michel-des-Saints se situe en bordure de la rivière Matawin, juste avant que ses eaux trépidantes ne se déversent dans le paisible réservoir Taureau. Fondée en 1862 par le curé Léandre Brassard et deux confrères, la petite localité se trouvait à l'époque à 80 km au nord de tout lieu habité. Elle ne fut baptisée qu'en 1883 par Mgr Ignace Bourget. L'industrie du bois, mais aussi le tourisme, la pêche, la chasse et les sports nautiques constituent aujourd'hui l'essentiel de l'économie régionale.

Réservoir Taureau★ – Cet immense réservoir artificiel, appelé lac Toro par les Atikamekw, fait près de 700 km de circonférence. Achevé en 1931, il sert à contrôler les flots tumultueux de la rivière Saint-Maurice et à alimenter la centrale électrique de Shawinigan. Son barrage est situé à l'endroit où se trouvaient autrefois les rapides Taureau de la rivière Matawin.

Dotée de nombreuses plages de sable fin, cette vaste étendue d'eau se prête fort bien à la pratique des sports nautiques.

La route 131 Nord continue jusqu'à la réserve faunique Mastigouche (1 547 km^2). Cette dernière abrite une grande variété de gibier et de poissons, dont l'omble de fontaine. Chasse, pêche, canotage, ski de randonnée et observation de la nature y feront le bonheur des amateurs de plein air.

Revenez à Saint-Michel-des-Saints. Prenez la route 131 vers le sud en direction de Sainte-Émélie-de-l'Énergie (47 km), puis la route 347 vers Saint-Côme.

Avec plus d'une vingtaine de pistes, la **station de ski de Val Saint-Côme** *(à 12 km de la jonction des routes 347 et 343)* est l'un des plus grands centres de sports d'hiver de la région.

Continuez vers le sud par la route 343.

Rawdon★

À 89 km au sud de Saint-Michel par les routes 343 et 337. Voir ce nom.

Saint-Lin-Laurentides

25 km par la route 337. C'est dans ce petit centre industriel et commercial que naquit **Sir Wilfrid Laurier** (1841-1919). Avocat et homme politique, Laurier fut le premier Canadien français à occuper le rôle de Premier ministre, de 1896 à 1911.

Lieu historique national du Canada de Sir-Wilfrid-Laurier – *À l'angle de la 12e Av. (route 158) et de la route 337 - ☎ 1-800-463-6769 - www.pc.gc.ca/laurier - ♿-🅿 - visite guidée (1h) de mi-juin à la fête du Travail : 9h-17h - 3,90 $.*

Un centre d'interprétation évoque la vie et l'œuvre du célèbre Premier ministre canadien, tandis qu'une modeste maison de brique rouge, tout à côté, recrée l'atmosphère d'un logis québécois vers 1850, époque à laquelle Laurier était encore enfant.

Laurentides★★

LAURENTIDES
SCHÉMA : LAURENTIDES
WWW.LAURENTIDES.COM

Les Laurentides sont certainement l'endroit le plus réputé et le plus fréquenté du Québec. Été comme hiver, les Montréalais empruntent l'autoroute 15 en grand nombre pour profiter des 7 000 lacs de cette vaste et belle zone de détente et de loisirs, située à seulement quelques encablures de la métropole québécoise. Du moins pour ce que l'on appelle les Basses-Laurentides. Car la région des Laurentides est beaucoup plus grande et s'étend au nord-ouest du Mont-Tremblant. Les Hautes-Laurentides, densément boisées et peu peuplées, constituent une immense réserve de nature à l'état pur. À Sainte-Anne-du-Lac, la route s'arrête…

- ▶ **Se repérer** – La région s'étend au nord-ouest de Montréal. St-Jérôme, porte d'entrée des Laurentides est à 51 km de Montréal. Sainte-Anne-du-Lac, qui « ferme » la route 309, se trouve à 266 km.
- 👁 **À ne pas manquer** – Le parc du Mont-Tremblant.
- 🕐 **Organiser son temps** – Le circuit que nous proposons peut se faire en deux jours. Il vous fait découvrir les Basses-Laurentides.
- 👫 **Avec les enfants** – Le parc linéaire le P'tit Train du Nord.
- 🕯 **Pour poursuivre la visite** – Saint-Eustache et le parc national d'Oka, Saint-André-d'Argenteuil et Carillon, ainsi que la région voisine de Lanaudière.

Comprendre

Des montagnes anciennes – Les Laurentides traversent le Québec d'est en ouest. Formées à l'ère précambrienne, il y a plus d'un milliard d'années, elles figurent parmi les plus anciennes montagnes du globe, et font partie du Bouclier canadien, vaste plateau en fer à cheval qui encercle pratiquement toute la baie d'Hudson. Ce sont des montagnes peu élevées dont le sommet, le mont Tremblant, atteint 968 m.

Le curé Labelle – La région des Laurentides n'était que très faiblement peuplée avant l'arrivée du curé **Antoine Labelle** (1833-1891), personnage légendaire qui fut en son temps sous-ministre de l'Agriculture et de la Colonisation. Labelle consacra sa vie entière à persuader ses compatriotes canadiens français de coloniser cette région encore sauvage plutôt que d'aller chercher fortune dans les filatures des États-Unis, pays de foi protestante. Voyageant à pied ou en canot, il choisissait des sites propices à l'établissement de nouvelles colonies et fonda plus de 20 paroisses dans les Laurentides. Aujourd'hui, bon nombre de ces villages portent encore le nom du saint de la paroisse, surtout dans la région au nord de Montréal. Ainsi, la région qui longe la rivière du Nord, où se trouvent Saint-Jérôme, Saint-Sauveur, Sainte-Adèle et Sainte-Agathe, est surnommée la **vallée des Saints**.

Été comme hiver : villégiature ! – Malgré les efforts de Labelle pour encourager l'agriculture, l'exploitation des fermes s'avéra peu rentable. Le tourisme allait prendre la relève, beaucoup de Montréalais en quête d'activités récréatives appréciant ce que la région avait à offrir. De nos jours, plaisanciers, baigneurs et pêcheurs se partagent les nombreux lacs des lieux, tandis que les montagnes accueillent les amateurs d'équitation ou de randonnée pédestre et les adeptes du golf. La saison estivale signale l'ouverture de plusieurs théâtres, alors qu'en automne, les forêts se parent de splendides couleurs – rouge feu, orange, jaune d'or – pour le plus grand plaisir des visiteurs. Ces derniers pourront, en hiver, goûter aux joies du ski alpin, du ski de randonnée et de l'« après-ski ».

Les Laurentides possèdent d'ailleurs le plus grand nombre de stations de sports d'hiver d'Amérique du Nord, et les principaux centres de villégiature attirent une clientèle venue des quatre coins du monde. Au bord des lacs ou à flanc de montagne se nichent d'innombrables chalets, des plus modestes aux plus luxueux.

De Saint-Jérôme à St-Donat

177 km. Ce circuit vous mène jusqu'à St-Donat, situé dans la région de Lanaudière, avant de revenir à Ste-Agathe-des-Monts.

Saint-Jérôme

À 43 km de Montréal par l'autoroute 15 (sortie 43, rue de Martigny-Est). Important centre administratif, la « Porte des Laurentides » occupe un joli site au bord de la rivière du

★ P A R C   D U
M T - T R E M B L A N T

★ **Chute**
aux Rats

★ **Chute du Diable** ★

Chutes Croches

Lac Monroe

Routes du parc
fermées l'hiver

St-Donat-de-Montcalm

Lac
Tremblant

Station du
Mt-Tremblant

Mt-Tremblant
secteur Village

Gray
Rocks

St-Faustin–
Lac Carré

Lantier

Mt-Tremblant
secteur St-Jovite

Mt-Blanc

La Conception

St-Rémi-
d'Amherst

Ste-Agathe-des-Monts ★

Val-David

★★ Lac des Sables

Val-Morin

Ste-Marguerite-
du-Lac-Masson

Mt Ste-Agathe

St-Adolphe-
d'Howard

Ste-Adèle

Mt-Gabriel

Mt-Rolland

★ St-Sauveur

Prévost

Mt St-Sauveur

St-Jérôme

LAURENTIDES

0   20km

LACHUTE

MIRABEL

Nord. Elle fut fondée en 1830, et, grâce aux efforts du curé Labelle, connut un rapide
essor. Le parc linéaire le P'tit Train du Nord (*voir encadré ci-après*) qui suit le tracé de
l'ancien chemin de fer des Laurentides débute à Saint-Jérôme.

Cathédrale – *Rue Saint-Georges* - ✆ *450-432-9741*. Ses hautes flèches dominent
Saint-Jérôme de toute leur hauteur. Construite entre 1897 et 1900, l'imposante église
devint cathédrale en 1951. Les formes arrondies du portique et des clochetons, et
le monumentalisme du décor évoquent le style romano-byzantin. À l'intérieur, les
vitraux ont été réalisés par D.A. Beaulieu, de Montréal.

La cathédrale se dresse en face d'une jolie place au centre de laquelle une **statue**
de bronze d'Alfred Laliberté a été érigée à la mémoire du curé Labelle. Sur la place,
côté nord, le **musée d'Art contemporain des Laurentides** occupe l'ancien palais
de justice. Consacré à l'art contemporain, il propose deux belles salles d'exposition
(✆ *450-432-7171 - mar.-vend. 12h-17h, sam. 9h-17h, dim. 12h-17h - gratuit*).

Promenade – Située entre la rue de Martigny et la rue Saint-Joseph, cette
promenade *(610 m)* est jalonnée de panneaux descriptifs qui font revivre l'histoire de
la communauté. Le visiteur bénéficie d'une agréable vue sur la rivière du Nord.

Du centre de Saint-Jérôme, prenez la rue de Martigny Est vers la route 117 (bd Labelle), et continuez en direction du nord.

La route passe par la communauté de **Prévost** *(14 km)* où habita longtemps **Hermann Johannsen**, plus connu sous le nom de « Jackrabbit ». Cet intrépide sportif introduisit le ski de fond dans les Laurentides, et traça de nombreuses pistes, parmi lesquelles la célèbre Maple Leaf, qui va de Prévost au mont Tremblant.

En suivant la route vers le nord, on voit peu à peu apparaître des stations de ski. En 1932, c'est dans cette région qu'on installa le premier remonte-pente. Pour la modique somme de cinq cents, le skieur était tracté jusqu'en haut de la colline par un système de poulies, de cordes et d'agrès mû par un moteur de voiture.

Faites 5 km sur la route 117, puis prenez à gauche la route 364, et suivez-la sur 2 km.

Saint-Sauveur★

Cette petite ville blottie au creux des montagnes jouit d'une multitude de restaurants, de boutiques de mode et d'artisanat, de cafés, de bars et de discothèques, presque tous situés le long de la rue Principale, à proximité de l'église de Saint-Sauveur (1903).

Saint-Sauveur est l'un des plus anciens centres de villégiature de la région ; les visiteurs s'y rendaient déjà en 1930. À moins de 3 km du village, la station de ski de **Mont-Saint-Sauveur** est dotée de plus de 35 pentes dont une trentaine éclairées pour le ski de soirée, et de sept remontées mécaniques. C'est l'une des stations les plus importantes des Laurentides.

Pavillon 70★ *– Au bas de la pente n° 70. De la rue Principale, tournez à gauche dans la rue Saint-Denis et continuez sur 1 km vers le mont Saint-Sauveur.* Construit en 1977, ce pavillon d'accueil pour les skieurs est un véritable palais de bois. Dotée d'une façade monumentale surmontée de deux cheminées massives, cette œuvre de Peter Rose a introduit l'architecture post-moderne au Québec.

Rejoignez la route 117.

La route 117 poursuit son chemin à travers les montagnes. La rivière du Nord, qui relie de nombreuses localités entre elles, invite les sportifs à de fabuleuses traversées des rapides en canot.

Sainte-Adèle★

9 km. Nichée au cœur des Laurentides, autour du petit lac Rond, Sainte-Adèle occupe un très beau **site★**. En 1834, Augustin-Norbert Morin (1803-1865), avocat et homme politique, fonda le village et lui attribua le nom de sa femme, Adèle.

Aujourd'hui, un vaste et luxueux hôtel de villégiature, le **Chantecler**, domine le village (℘ *1-888-916-1616 - www.lechantecler.com).* Sainte-Adèle compte un centre de ski alpin : Chantecler. Prisée des artistes et des écrivains, cette ville moderne est dotée de nombreux restaurants et d'auberges charmantes.

Sainte-Marguerite-du-Lac-Masson★

Du centre de Sainte-Adèle, prenez à droite la route 370. Environ 24 km aller-retour. Après 4 km, la route 370 traverse la rivière du Nord et passe devant un imposant ancien hôtel en rondins, l'Alpine Inn, construit en 1934 dans un style rustique. Plusieurs lacs se laissent entrevoir avant l'arrivée à Sainte-Marguerite-du-Lac-Masson, joli village situé sur les rives du **lac Masson** qu'encercle une petite route panoramique.

Sainte-Agathe-des-Monts★

18 km depuis Sainte-Adèle. De part et d'autre de la route, on notera un grand nombre de stations de sports d'hiver. La route 117 traverse Val-Morin et Val-David, renommés pour leurs hôtels. Située sur les rives du lac des Sables, Sainte-Agathe-des-Monts est la capitale des Laurentides. Elle est entourée de montagnes s'élevant jusqu'à 580 m d'altitude. Sa fondation remonte à 1849, date à laquelle les premiers colons y installèrent des scieries. La construction du chemin de fer Montréal et Occidental (1892) favorisa la transformation de la région en une zone de villégiature fort appréciée du public. Aujourd'hui, Sainte-Agathe-des-Monts est le plus ancien centre touristique régional. La ville se

Claude-Henri Grignon

Originaire de Sainte-Adèle, l'écrivain et journaliste Claude-Henri Grignon (1894-1976) publia en 1933 son célèbre roman *Un homme et son péché*, dont l'action se déroule dans le village de Sainte-Adèle. Cette histoire de l'avare **Séraphin Poudrier**, qui valut à son auteur le prix Athanase David en 1935, nous reporte au temps de la colonisation des « Pays d'en Haut ». Elle fut adaptée pour la radio, la télévision et le cinéma. L'œuvre de Grignon, écrite dans un style réaliste et naturaliste, demeure un classique de la littérature québécoise.

Parc linéaire le P'Tit Train du Nord

Accès – *Autoroutes 15 et/ou 117 depuis Bois-des-Filion ou depuis l'un des 23 villages qui bordent le parc -* 📞 *450-224-7007 - www.laurentides.com - ouv. de déc. à avr. pour le ski de randonnée et la motoneige, et de mai à oct. pour les excursions pédestres et le cyclisme - gratuit.*

Depuis plus de 70 ans, la ligne de chemin de fer Le P'tit Train du Nord conduit les amoureux de la nature vers les nombreux parcs et stations de sports d'hiver des Laurentides. Aujourd'hui, randonneurs, cyclistes, skieurs et même amateurs de motoneige apprécient tout particulièrement « le parc linéaire », récemment aménagé, pour ses 230 km de pistes balisées. Parmi les 23 villages constituant les points d'accès au parc, Val-David et Mont-Tremblant sont les plus connus. D'anciennes gares ont été converties en centre de services où l'on trouvera informations sur le parc, cafés, stands de réparation de vélos, toilettes et douches. Des circuits de différents niveaux permettent à tous d'admirer les champs, forêts, lacs et rivières composant les vastes étendues laurentiennes. Les excursionnistes se dirigeront de préférence vers la section St-Faustin-Lac Carré/Mont-Tremblant pour faire un pique-nique et se baigner à la plage municipale du village de Mont-Tremblant, tandis que d'autres opteront pour un séjour prolongé dans les B & B pittoresques postés en bordure de parcours.

distingue par ses petites auberges et ses restaurants, et surtout par son fameux théâtre d'été : le Patriote.

Lac des Sables★★ – Le parc Lagny *(au pied de la rue Principale)* offre d'excellentes **vues★** du lac des Sables, dont les eaux émanent de sources naturelles. Cette étendue lacustre, qui atteint par endroits 25 m de profondeur, a la forme d'un H ondulé. Elle est bordée de plus de 13 km de plages publiques et privées.

Une **croisière panoramique** *(Les croisières Alouette -* 📞 *819-326-3656 - www. croisierealouette.com - départ du quai de la rue Principale -* 🅿️-♿ *- de mi-mai à fin oct. : 10h30, 11h30, 13h30, 14h30 et 15h30 - départs supplémentaires 22 juin-fin août : 17h et 19h30 - AR 50mn - commentaire à bord - 12 $)* permet d'apprécier ce très beau lac et les demeures qui l'entourent. Parmi les célébrités qui ont séjourné en ces lieux, mentionnons Jacqueline Kennedy, la reine Elisabeth II et le baron von Ribbentrop. On remarquera tout particulièrement une élégante demeure transformée par les pères oblats en hôpital et maison de repos pour leurs missionnaires. Ancienne résidence du milliardaire Lorne McGibbon, elle fut mise en vente par la municipalité après le krach boursier de 1929.

Tour du lac★ – *Environ 11 km. Depuis la rue Principale avant le quai, prenez à droite la rue Saint-Louis, puis à gauche le chemin Tour-du-Lac.* La route croise un affluent de la rivière du Nord avant d'atteindre un petit poste de guet *(7 km)* d'où la vue sur le lac est splendide. On revient au village après être passé devant de belles propriétés sises au bord de l'eau, un parc et une grande plage de sable.

Entre Sainte-Agathe-des-Monts et Saint-Faustin-Lac-Carré, la route croise à plusieurs reprises une ancienne voie ferrée. Il s'agit là des voies aujourd'hui désaffectées du fameux « P'tit Train du Nord », immortalisé par la chanson de Félix Leclerc. En hiver, le train faisait – bien avant l'arrivée des stations de ski – le trajet entre Montréal et les Laurentides, et desservait ainsi les communautés agricoles de la région. L'avènement de l'automobile entraîna sa disparition.

Au sud de Saint-Faustin-Lac-Carré, on aperçoit la station de ski du **Mont-Blanc** (945 m).

Mont-Tremblant, secteur Saint-Jovite

30 km. Ce petit centre touristique se trouve dans la vallée de la rivière du Diable. Les visiteurs y trouveront toutes sortes de restaurants, d'antiquaires et de boutiques d'artisanat.

De la rue Ouimet, tournez à droite dans la rue Limoges (route 327).

Le charmant **lac Ouimet** *(6 km)* se prélasse dans un joli paysage encerclé de collines. Il est dominé par l'ensemble hôtelier Gray Rocks qui gère à la fois pistes de ski et terrain de golf. La longue silhouette du mont Tremblant se profile au nord.

Continuez vers le nord par la route 327.

Mont-Tremblant, secteur Village

4 km. Le lac Mercier marque l'entrée du village. La route continue vers le lac Tremblant *(3 km)* et la station de ski de Mont-Tremblant.

Situé sur les bords du lac Tremblant, ce ravissant village attire, été comme hiver, toutes sortes de visiteurs charmés par la beauté des lieux, les petits restaurants locaux, et le grand nombre d'activités récréatives qui s'offrent à eux.

Lac Tremblant

Long de 10 km et relativement étroit (1 km de large), ce lac est l'occasion de faire une agréable **promenade en bateau** (*Croisières Mont-Tremblant -* 📞 *819-425-1045 -* ♿ 🅿 *- départ du quai Fédéral : juin-mi-oct. tlj 10h-16h ; téléphoner pour savoir si d'autres heures de départ sont prévues ; AR 1h10 - commentaire à bord - 18 $.*

Près du quai, la Décharge-du-Lac (affluent de la rivière du Diable) s'échappe en cascades et tourbillons. De luxueuses résidences bordent les rives montagneuses. La haute silhouette du Sleeping Giant se dessine à l'extrémité nord du lac, tandis que l'imposant mont Tremblant se profile à l'est. Au début du 20e s., cette région était un centre forestier totalement dépourvu de routes. L'extrémité nord du lac est d'ailleurs encore inaccessible en voiture, et les résidents doivent rejoindre leurs demeures en bateau l'été, et en motoneige l'hiver. Le lac est réputé pour ses poissons (ouananiche, truite) et ses eaux pures. Il offre plusieurs plages et centres de sport nautique.

Station Mont-Tremblant

www.tremblant.ca. La station est dominée par de belles hauteurs montagneuses. Sa minuscule église catholique romaine, avec son toit rouge vif, est une réplique de l'église construite à Saint-Laurent, sur l'île d'Orléans, au début du 18e s. En été, on peut monter par **télésiège** au sommet du mont Tremblant (875 m). Par temps clair, la **vue★** sur le lac et les montagnes alentour est magnifique.

Avec ses sentiers de randonnée, ses pistes cyclables, ses cours de golf et l'organisation de nombreux événements, la station du Mont-Tremblant offre un choix considérable d'activités durant l'été.

En hiver, les visiteurs ne seront pas en reste pour autant : outre la centaine de pistes de ski alpin, ils auront le choix entre l'**Aquaclub La Source** (📞 *819-681-5668)*, une piscine couverte avec cascades, des excursion en raquettes ou encore des randonnées en traîneau à chiens (📞 *819-686-4848 - www.tremblantactivites.com).*

Pour les skieurs désireux de soulager leurs courbatures musculaires, **Le Scandinave Spa Mont-Tremblant** (📞 *819-425-5524 - www.scandinave.com)* propose une expérience insolite : un bassin en plein air au milieu des bois et au bord de la rivière du Diable. Cette expérience a pour but d'augmenter doucement la température du corps en passant par des cycles répétitifs de chaleur, de froid et de repos, avant d'aller s'immerger dans la rivière glacée ! On accède au sauna finnois, au jacuzzi ou encore aux bains à vapeur norvégiens en empruntant des passages extérieurs chauffés.

Comparée à la rivière, dans laquelle moins d'un quart des visiteurs s'aventurent, la vivifiante cascade nordique donne presque une impression de chaleur ! Des massages suédois sont également proposés.

Parc du Mont-Tremblant★

À partir du lac Tremblant, suivez le chemin Duplessis sur 13 km jusqu'à sa jonction avec la route de Saint-Faustin. L'entrée du parc est à 5 km au nord de la jonction.
Voir ce nom.

En été, quand toutes les routes du parc sont ouvertes, sortez par l'accès Saint-Donat et continuez jusqu'à Saint-Donat. Le reste de l'année, le visiteur devra revenir à l'entrée du lac Supérieur (Saint-Faustin).

Une route pittoresque suit la **rivière du Diable★** à partir de la station de Mont-Tremblant jusqu'aux chutes Croches.

Saint-Donat-de-Montcalm

À 10 km de l'entrée du parc. Le village de Saint-Donat, situé dans la région de Lanaudière, à 472 m d'altitude, est entouré de montagnes s'élevant à 900 m. Il est établi sur les bords du lac Archambault, mais s'étend à l'est jusqu'au lac Ouareau.
Continuez par la route 329 Sud en direction de Sainte-Agathe-des-Monts.
Cette jolie route traverse les montagnes et passe devant plusieurs lacs. Juste après Saint-Donat, la route offre d'agréables vues sur le lac Archambault, dominé par la montagne Noire.

Laurentides pratique

Adresses utiles

Tourisme Laurentides –
14142 r. de la Chapelle - Mirabel - ℘ *450-436-8532 ou 800-561-6673 (gratuit)*

Que rapporter ?

☞ **Cabane à sucre Millette** –
1357 r. Saint-Faustin, St-Faustin-Lac-Carré - ℘ *819-688-2101 - www.millette.ca -* ♿.
Spécialités québécoises. Pour un authentique repas québécois, attablez-vous dans la cabane à sucre de la famille Millette. Du matériel servant à la fabrication du sirop d'érable – comme les outils à marquer le bois – et un nid de guêpes agrémentent cet intérieur habillé de lambris. Tout en écoutant de la musique folklorique, on savoure les copieux plats traditionnels tels que la soupe aux pois des Laurentides, l'omelette de grand-mère Millette, le jambon fumé et les saucisses au sirop d'érable. Le tout couronné par les crêpes au sucre… au sirop d'érable chaud.

Laval

RÉGION DE MONTRÉAL
368 709 HABITANTS
SCHÉMA : MONTRÉAL
WWW.VILLE.LAVAL.QC.CA OU WWW.TOURISME-MONTREAL.ORG

Laval jouit d'une situation privilégiée. Depuis 2007, le centre-ville de Montréal est en effet directement accessible par le métro, tandis que la vraie campagne ou les Laurentides restent joignables en deux tours de roue. Loin de son image de belle endormie, la ville cultive l'art de vivre en multipliant les occasions de promenades et de sorties culturelles. Le Cosmodôme constitue à cet égard le fleuron de son offre touristique.

▶ **Se repérer** – Laval se trouve à 12 km au nord-ouest de Montréal, sur la rive nord de la rivière des Prairies. On y accède par la route 15 ou par le métro, stations Cartier, de la Concorde ou Montmorency ; le terminus de la ligne orange.

🅿 **Se garer** – Laval étant une ville étendue, mieux vaut prendre sa voiture pour y circuler. Tout est conçu pour elle.

👁 **À ne pas manquer** – Le Cosmodôme.

🕐 **Organiser son temps** – En réservant longtemps à l'avance, organisez-vous un voyage dans l'espace au camp spatial du Cosmodôme.

👥 **Avec les enfants** – L'aventure spatiale au Cosmodôme.

👣 **Pour poursuivre la visite** – Voir aussi Montréal, l'île de Montréal.

Comprendre

L'île Jésus – Au 17ᵉ s., les jésuites nommèrent île Jésus la grande étendue de terre au nord de l'île de Montréal. La première paroisse, Saint-François-de-Sales, fut fondée en 1702 et rapidement peuplée par les colons attirés par les terres fertiles. Maître-sculpteur et principal entrepreneur d'intérieurs d'églises du Québec au début du 19e s., Louis-Amable Quévillon (1749-1823) est né et a vécu dans la paroisse Saint-Vincent-de-Paul. Avec des apprentis, des compagnons et des associés, il forma ce que les historiens ont appelé « l'École de Quévillon ».

L'industrialisation – Au 20ᵉ s., l'avènement de l'automobile et la construction d'autoroutes et de ponts firent bientôt de l'île Jésus la principale banlieue industrielle et résidentielle de Montréal. En 1965, la fusion des 14 municipalités de l'île donna naissance à la ville de Laval, ainsi nommée en l'honneur de Mᵍʳ de Laval, ancien seigneur de l'île Jésus. Aujourd'hui, Laval est la troisième ville la plus peuplée du Québec après Montréal et Québec.

Visiter

Cosmodôme★★

2150, autoroute des Laurentides (Chomedey). De Montréal, prenez la route 15 Nord (sortie 9) ; suivez les panneaux indicateurs. En métro : terminus Montmorency puis bus 60 ou 61.

👥 Inauguré fin 1994, le Cosmodôme a pour mission de « faire connaître et pratiquer les sciences et les technologies spatiales ». Une reproduction à 80 % de la fusée Ariane permet de repérer de loin ce complexe ultramoderne qui réunit sous un même toit deux entités distinctes.

Centre des sciences de l'Espace – ☏ 450-978-3600 ou 1-800-565-2267 - www. cosmodome.org - ♿- 🅿 - juil.-août : 10h-17h ; reste de l'année : mar.-dim. et lun. fériés 10h-17h - 11,50 $ (6-18 ans 7,50 $). Consoles interactives, panneaux muraux, modèles réduits, répliques grandeur nature, simulateurs et vidéos divers font de cet ensemble un passionnant musée « touche-à-tout ». Cinq étapes principales initient le visiteur aux mystères de l'univers, à commencer par un spectacle multimédia (20mn) retra-çant les progrès de la connaissance humaine dans le domaine de l'espace. Dans la seconde section, divers instruments scientifiques et répliques d'engins spatiaux permettent de se rendre compte de l'étonnante évolution des moyens techniques au cours des âges. Entièrement consacrée aux différents modes de communication de la préhistoire à nos jours, la section suivante donne l'occasion de découvrir les principes de la communication par satellite.

La section suivante aborde la planète Terre. Parmi les thèmes traités, citons l'importance de l'eau, la dérive des continents, les montagnes marines... On y remarquera une représentation murale des continents vus de l'espace. Deux volets thématiques sont ensuite traités. Le premier met l'emphase sur la télé-détection et son rôle dans des domaines aussi variés que la météorologie ou l'espionnage. Le second, consacré à la Lune, dévoile les secrets de différentes missions spatiales. On y remarquera une pierre lunaire, donnée au musée par la NASA. Dans la dernière section, le visiteur explore le système solaire. Notez au passage la représentation holographique du télescope spatial Hubble ainsi que des fragments de météorites. La visite se conclut par l'exposition « Sommes-nous seuls ? », dans laquelle sont détaillées les différentes tentatives d'envoi à travers l'Univers de messages binaires et autres.

Camp spatial – ☏ 1-800-565-2267 - www.campspatial.ca - réservations requises. Modelé sur le programme des camps spatiaux américains, le camp spatial propose aux jeunes comme aux adultes des stages d'une durée variable sous la supervision d'animateurs spécialisés. Diverses activités en ateliers et en salles d'entraînement leur donneront l'occasion unique d'effectuer des exercices proches de ceux auxquels seraient soumis de véritables astronautes.

Complexe culturel André-Benjamin-Papineau

5475 bd Saint-Martin Ouest (Chomedey). Quittez la route 13 à la sortie 15, et suivez les pan-neaux indicateurs - ☏ 450-688-6558 - ♿- 🅿 - mars-nov. : mar.-dim. 13h-17h - gratuit.
Cette maison de pierre agrémentée de hautes cheminées fut construite entre 1818 et 1832 par André Papineau. Elle allait par la suite être habitée par son fils, André-Benjamin. Ce dernier, cousin de Louis-Joseph Papineau et patriote lui aussi, se fit connaître comme homme politique et comme maire de Saint-Martin (l'une des municipalités de Laval).

Au moment de la construction de la route 13, la maison dut être déplacée. Devenue un lieu d'animation culturelle et artistique, elle abrite aujourd'hui une galerie où sont présentées les œuvres de peintres professionnels.

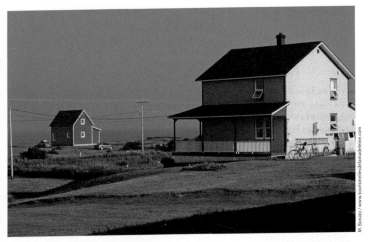

Maisons colorées des îles de la Madeleine.

Portrait d'Alphonse Desjardins (Lévis).

L'automne dans les Laurentides.

La planche à voile au large des îles de la Madeleine.

Lévis★

CHAUDIÈRE-APPALACHES
130 006 HABITANTS
SCHÉMA : QUÉBEC
WWW.CHAUDIEREAPPALACHES.COM

Lévis fait face à Québec, de l'autre côté du Saint-Laurent. Un traversier relie les deux villes, permettant aux uns de sortir de Québec pour rejoindre la route de la Gaspésie et aux autres, ceux qui prennent leur temps, de visiter le lieu historique national des Forts-de-Lévis, ou d'admirer de manière inattendue Québec et ses installations portuaires.

▷ **Se repérer** – Lévis se trouve à 250 km à l'est de Montréal par la route 20 (sortie 325).

👁 **À ne pas manquer** – Le lieu historique national du Canada des Forts-de-Lévis.

⏱ **Pour poursuivre la visite** – La région Chaudière-Appalaches, le Bas-Saint-Laurent, la Beauce.

Comprendre

C'est sur la falaise rocheuse de Lévy qu'en 1759, le général anglais Wolfe bâtit une redoute d'où il comptait bombarder la capitale française. D'abord appelée Aubigny, la petite agglomération fut rebaptisée en 1861 en l'honneur de François-Gaston, duc de Lévis, vainqueur des Anglais à Sainte-Foy en 1760. Au 19e s., Lévis était l'un des principaux centres d'exportation de bois d'œuvre vers l'Angleterre. En 1828, la société de construction navale Davie (Davie Shipbuilding Company), de la ville voisine de Lauzon, y aménagea le premier chantier maritime du Canada. Avec l'arrivée du chemin de fer en 1861, la ville devint un carrefour commercial important. Le port, les activités liées à l'industrie du bois et, bien sûr, la fameuse Caisse populaire Desjardins *(ci-dessous)* ont contribué à l'essor de Lévis.

Se promener

Terrasse de Lévis

À partir de la route 132, prenez la rue Côte-du-Passage. Restez dans la file de gauche, et tournez à gauche dans la rue William-Tremblay. Construite pendant la crise de 1929, la terrasse fut inaugurée en 1939 par le roi George VI et sa fille, la future reine Elizabeth II. Elle domine le fleuve et offre une excellente **vue★★** tant sur le Vieux-Lévis que sur Québec, la Citadelle, le château Frontenac et le port. La vue porte jusqu'au mont Sainte-Anne à l'est, et au pont de Québec à l'ouest.

Carré Déziel

Au cœur du Vieux-Lévis, le carré Déziel met en valeur plusieurs édifices, dont la vaste église Notre-Dame-de-la-Victoire, édifiée en 1851.

Au centre de la place, le **monument** à la mémoire de Joseph-David Déziel (1806-1882) est l'œuvre du sculpteur Louis-Philippe Hébert. Premier curé de la paroisse et supérieur du collège de Lévis qu'il créa en 1851, Déziel est aujourd'hui considéré comme le fondateur de Lévis.

Maison Alphonse-Desjardins★ – *8 av. Mont-Marie, à l'angle de la rue Guenette -* 📞 *418-835-2090 - www.desjardins.com/maisonalphonsedesjardins -* ♿ *-* 🅿 *- visite guidée (45mn) toute l'année : lun.-vend. 10h-12h et 13h-16h30, sam.-dim. 12h-17h - fermé 24-26 déc., 31 déc., 1er et 2 janv. - gratuit.* Alphonse et Dorimène Desjardins habitèrent pendant plus de 40 ans ce cottage en bois de style néogothique, construit entre 1882 et 1884. Ici même furent enregistrées les transactions de leur toute première Caisse populaire. Restaurée en 1982 par le mouvement Desjardins *(voir encadré)* en hommage à son fondateur, la petite maison blanche a désormais retrouvé son caractère d'antan. Une vidéo *(15mn)* et divers objets racontent la vie d'Alphonse Desjardins et décrivent l'œuvre à laquelle il s'est consacré.

Lieu historique national du Canada des Forts-de-Lévis★

À 2 km par la route 132 Est et le chemin du Gouvernement - 📞 *418-835-5182 ou 1-888-773-8888 - www.pc.gc.ca/levis -* ♿ *-* 🅿 *- mai-août : 10h-17h ; sept. sam.-dim. : 13h-16h - 3,90 $.*

Bâti entre 1865 et 1872 sur la pointe de Lévy, face à la ville de Québec, ce vestige de l'architecture militaire du 19e s. domine la rive sud du Saint-Laurent. Il faisait partie d'une série de trois forts destinés à protéger Québec de la menace américaine, puis des raids menés par les **Fénians**. Ces derniers, membres d'une société secrète irlandaise fondée à New York vers 1858, luttaient pour libérer l'Irlande de la domination anglaise et avaient pour objectif l'occupation de l'Amérique du Nord britannique.

Pratiquement abandonné après le traité de Washington en 1871, le **fort** n'eut guère l'occasion de servir. Il s'agit d'un ouvrage massif en terre, de type « Montalembert », doté d'un remblai destiné à protéger les casemates. Il comprend une fosse et des tunnels voûtés conduisant à la caponnière. Sa structure marque la transition entre les principes classiques de défense, fondés sur l'utilisation de fortifications continues, et les pratiques militaires du milieu du 19e s., basées sur la construction de forts détachés.

Du fort, la **vue**★ sur l'île d'Orléans, le parc de la Chute-Montmorency et le Saint-Laurent est superbe.

Balade en traversier pour admirer Québec★

Société des traversiers du Québec - ✆ 1-877-787-7483 - www.traversiers.gouv.qc.ca - ♿ - départ du quai de Lévis (accessible à pied ou en auto) tte l'année : 6h-2h, ttes les demi-heures (et ttes les 15mn également lun.-vend. 7h-10h et 15h-19h) - 10mn - 2,70 $/ passager, 6,05 $/voiture.

En service depuis 1812, ce traversier est de loin la façon la plus pittoresque d'aborder Québec si l'on veut profiter d'une **vue** exceptionnelle de la ville et de ses installations portuaires.

Alphonse Desjardins

Le 6 décembre 1900, Alphonse Desjardins (1854-1920), journaliste et rapporteur officiel des débats à la Chambre des communes, fondait la « Caisse populaire », première coopérative d'épargne et de crédit en Amérique du Nord. Modelé sur l'exemple européen, ce nouveau type de banque populaire fut adapté au contexte québécois. Il visait notamment à donner aux Canadiens français une autonomie économique et à freiner leur exode vers les États-Unis. Alphonse Desjardins et sa femme, Dorimène, ouvrirent la première « caisse pop » dans leur maison de Lévis. Bientôt, 186 succursales allaient être créées dans tout le Québec. En 1932, soit 12 ans après la mort de leur fondateur, les caisses furent regroupées au sein d'une confédération.

Le **mouvement Desjardins**, dont le siège social est à Lévis, compte plus de 1 300 Caisses populaires réunissant quelque cinq millions de membres.

Longueuil

MONTÉRÉGIE
229 330 HABITANTS
SCHÉMA : MONTRÉAL
WWW.VILLE.LONGUEUIL.QC.CA OU WWW.TOURISME-MONTEREGIE.QC.CA

Vous passerez dans cette banlieue résidentielle de Montréal, avant de rejoindre le Mont-Saint-Hilaire ou le fort de Chambly. Ceux qui aiment la navigation iront visiter l'écluse de Saint-Lambert, marquant l'entrée de la voie maritime du Saint-Laurent. Et les familles flâneront au parc des Îles-de-Boucherville.

- **Se repérer** – Longueuil se trouve à 10 km à l'est de Montréal par le pont Jacques-Cartier. On peut également s'y rendre en métro ou en empruntant (l'été) une navette fluviale.
- **À ne pas manquer** – L'écluse de Saint-Lambert et le pont Victoria.
- **Avec les enfants** – Le parc des Îles-de-Boucherville.
- **Pour poursuivre la visite** – Chambly, Mont-Saint-Hilaire, vallée du Richelieu.

Comprendre

Longueuil faisait partie de la seigneurie accordée à Charles Le Moyne en 1657. Entre 1685 et 1690, ce dernier y fit construire un imposant fort de pierre qui devait servir à Montréal d'ultime défense contre les incursions des Iroquois ; il l'appela Longueuil en souvenir de son village natal de Normandie. Le fort fut démoli en 1810. Parmi ses douze fils, plusieurs devinrent célèbres à divers titres. Le Moyne légua sa seigneurie à l'aîné, Charles, anobli par lettre patente de Louis XIV. L'explorateur Pierre Le Moyne d'Iberville aida Pierre de Troyes à vaincre les Anglais à la baie James en 1686 et devint gouverneur des postes de traite conquis. Jean-Baptiste Le Moyne de Bienville est connu pour la fondation de la Nouvelle-Orléans en 1718.

Visiter

Cathédrale Saint-Antoine-de-Padoue

À l'angle de la rue Saint-Charles et du chemin de Chambly - 450-674-1549 - 8h30-17h *- fermé principaux j. fériés.* Cette imposante église de pierre (1885-1887), dotée d'un unique clocher et d'un dôme, est – avec l'église de Saint-Jean-sur-Richelieu – la « co-cathédrale » du diocèse de Saint-Jean-Longueuil. Elle se dresse sur l'emplacement du fort que Charles Le Moyne avait fait construire. L'intérieur, très orné, comprend trois nefs et des peintures de Jean-Baptiste Roy Audy.

Au bout du chemin de Chambly, remarquer la vue sur la tour du Stade olympique de Montréal.

Maison Rollin-Brais

205 chemin de Chambly. Cette maison de pierre fut construite entre 1794 et 1801. Elle comporte un toit de bardeaux et de hautes cheminées. L'édifice, qui servait à l'origine de forge, abrita quelque temps une auberge.

Rue Saint-Charles Est

Plusieurs maisons historiques, la plupart en pierre, bordent cette section pittoresque de la rue Saint-Charles. Le **couvent de Longueuil** *(n° 70)* fut construit en 1769, et une aile fut ajoutée en 1844. Un peu plus loin, la **maison Daniel-Poirier** *(n° 100)* date de 1749. La **maison André-Lamarre** *(n° 255)*, construite en 1740, est actuellement occupée par la Société d'histoire de Longueuil. Il s'agit du plus ancien édifice de la ville. Le comble sur pignons fut remplacé par une toiture mansardée en 1895.

Derrière la maison André-Lamarre, quatre passerelles traversent la route 132 et aboutissent à un réseau de pistes cyclables longeant le fleuve.

À l'extrémité est du réseau, un **traversier** mène aux piétons à l'**île Charron** et au **parc national des Îles-de-Boucherville** *(Société Sogerive -* 450-442-9575 - *- départ de la marina ttes les heures : du 24 juin à déb. sept. merc.-dim. 10h-17h ; de mi-mai-mi à juin et de sept. à mi-oct. sam.-dim. 10h-17h - 5mn - 3,50 $ AR).*

Aux alentours

Boucherville

À 12 km au nord de Longueuil. Suivez la 132 EB, prenez la sortie 18 bd Montarville.
Située sur les bords du Saint-Laurent, celle qui fait aujourd'hui partie de la banlieue de Montréal est aussi l'une des plus vieilles localités du Québec, fondée en 1668.

Louis-Hippolyte Lafontaine, Premier ministre du Canada-Uni de 1842 à 1843 et de 1848 à 1851 y est né.

Principale artère de la ville, le **boulevard Marie-Victorin** est bordé de belles demeures du 19e s., dont plusieurs appartinrent aux descendants du fondateur de Boucherville. Remarquer, au n° 470, le manoir construit au milieu du 18e s. pour François-Pierre Boucher de Boucherville et, au n° 486, la magnifique maison de brique que fit bâtir, au 19e s., Charles-Eugène Boucher de Boucherville, Premier ministre du Québec de 1874 à 1878 et de 1891 à 1892.

Maison Louis-Hippolyte-Lafontaine
314, bd Marie-Victorin, près du tunnel - 𝄢 *450-449-8347 -* **P** *- jeu., sam.-dim. 13h30-17h - gratuit.*

Cette demeure appartint au beau-père de Louis-Hippolyte Lafontaine *(ci-dessous)*. Construite en 1766, puis reconstruite après l'incendie de 1843, elle fut transplantée du Vieux-Boucherville sur son site actuel, à proximité du fleuve, en 1964. La maison abrite une galerie d'art où sont organisées des expositions temporaires.

Louis-Hippolyte Lafontaine (1807-1864) vécut dans cette maison de 1813 à 1822, avant d'entreprendre ses études de droit à Montréal. Un bref historique rappelle au visiteur les principales étapes de sa carrière. On attribue volontiers à Lafontaine l'instauration du « gouvernement responsable », c'est-à-dire du pouvoir colonial relevant d'une assemblée élue et non plus du gouvernement britannique.

Remarquer, dans le parc, une statue de Lafontaine sculptée par Henri Hébert, ainsi que les ruines de La Brocquerie, vestiges du château Sabrevois construit en 1735 mais détruit par un incendie en 1970.

Église de la Sainte-Famille★
560 bd Marie-Victorin - 𝄢 *450-655-9024.* Cette église (1800) domine une place qui regroupe aussi le Centre culturel Mgr-Poissant ainsi qu'un établissement pour les personnes âgées. L'édifice doit sa conception à l'abbé Pierre Conefroy qui utilisa un plan en croix latine mieux adapté aux paroisses rurales, en pleine explosion démographique à la fin du 18e s. Ceci permit de mettre en œuvre un chantier rapide, sans dépasser le budget prévu. Le « plan-devis Conefroy » devint vite un modèle recherché, et la construction de l'église de Boucherville servit de base à toutes les paroisses du Québec. Son succès valut à Pierre Conefroy d'être nommé vicaire général du diocèse, responsable de la construction des églises.

Intérieur – Sorti des ateliers de Louis-Amable Quévillon, le décor intérieur fut détruit par l'incendie de 1843. Restauré par Louis-Thomas Berlinguet, il présente un traitement architectural typique de l'art de Thomas Baillairgé, mais aussi un profond souci du détail et de l'ornementation, comme le montrent de grands panneaux de style Louis XV. Les tombeaux et les autels latéraux, de Quévillon, ont survécu à l'incendie de 1843. Sculpture massive et baroque attribuée à Gilles Boivin, le **tabernacle** (v. 1745) du maître-autel est une œuvre majeure de l'époque de la Nouvelle-France.

De l'autre côté de la rue se dresse un monument dédié à Pierre Boucher. De là s'ouvre une vaste perspective sur les îles de Boucherville et l'est de Montréal.

Les rues voisines, notamment la rue de la Perrière et la rue Saint-Charles, sont bordées de maisons du 19e s.

Parc des Îles-de-Boucherville
Route 25 (sortie 1) ou par traversier (voir ci contre) - 𝄢 *450-928-5088 ou 800-665-6527 - www.sepaq.com -* ✕ *-* **P** *- de 8h au coucher du soleil - 3,50 $. Golf, location de bicyclettes et de bateaux.*

👥 Situé au large de Boucherville, ce chapelet d'îles faisait autrefois partie de la seigneurie de Pierre Boucher. On les appelait alors les « îles percées ». Elles semblent n'avoir guère changé depuis, même si l'une d'elles, l'île Grosbois, fut le site d'un parc d'attractions au début du 20e s. Depuis 1984, cinq de ces îles forment un parc national. À partir du bureau de renseignements, situé sur l'île Sainte-Marguerite, on rejoint les autres îles par un bac à câbles et par des passerelles.

🚶 Promenades à pied *(20 km)* ou à bicyclette *(20 km)* et canotage autour des îles offrent de beaux **points de vue** sur Montréal, sur la rive opposée du Saint-Laurent.

Parc du Mont-Saint-Bruno
Le parc est à proximité de Saint-Bruno-de-Montarville, à 18 km à l'est de Longueuil - 𝄢 *450-653-7544 - www.sepaq.com -* **P** *- de 8h au coucher du soleil - 3,50 $.* Ce parc de conservation créé en 1985 englobe la majeure partie du mont Saint-Bruno, célèbre colline Montérégienne s'élevant à 218 m au-dessus de la plaine environnante. Avec

Montarville – Le **parc du Mont-Saint-Bruno** faisait autrefois partie de la seigneurie de Montarville, accordée en 1710 à Pierre Boucher par le sieur de Vaudreuil, gouverneur de la Nouvelle-France. La présence de quelques cours d'eau sur le mont et la force du courant permirent la construction de plusieurs moulins. Quant à la nature sablonneuse du sol, elle favorisa la culture des pommiers. En 1829, une partie de la seigneurie fut vendue à François-Pierre Bruneau, avocat montréalais dont le nom (avec une orthographe modifiée) fut plus tard donné à la colline.

ses cinq lacs, ses pommiers et son moulin à eau du 18ᵉ s., il constitue une oasis de verdure protégée au milieu des paysages urbains de la région de Montréal. Un lieu idéal, été comme hiver, pour se ressourcer avant de rejoindre la ville.

Du terrain de stationnement, un agréable sentier *(1h AR)* passe devant le site de l'ancien collège du Mont-Saint-Gabriel et mène, à travers une chênaie rouge et une érablière, à deux étendues d'eau : le **lac du Moulin** et le **lac Seigneurial**. Au bord du premier se dresse un vieux **moulin** en pierre (1761), seul survivant des nombreux moulins à eau d'antan, qui abrite aujourd'hui un centre d'interprétation de la nature. À côté du moulin et le long du lac, les pommiers rappellent l'époque de la seigneurie de Montarville.

D'autres sentiers, plus longs, permettent de se rendre à trois autres lacs : le **lac des Bouleaux**, le **lac à la Tortue** et celui des **Atocas** (mot d'origine amérindienne désignant les canneberges).

Selon la saison, les amoureux de la nature pourront y faire des pique-niques, de la randonnée pédestre ou du ski de fond.

SAINT-LAMBERT

À 5 km au sud de Longueuil. Suivez la 132-20 et prenez la sortie 6. Tournez ensuite à gauche, dans l'avenue Notre-Dame.

Saint-Lambert faisait autrefois partie de la seigneurie de Longueuil. On l'appelait le quartier de Mouille-Pied tant le sol y était marécageux. En 1857, la municipalité prit le nom de Saint-Lambert en l'honneur d'un des compagnons du sieur de Maisonneuve, Lambert Closse, qui s'installa à Montréal en 1642. Aujourd'hui, Saint-Lambert marque l'entrée de la voie maritime du Saint-Laurent.

Écluse de Saint-Lambert★ – *Du pont Victoria, suivez les indications pour la route 20 Sud, et tournez immédiatement à droite -* ☎ *450-672-4110 - www.grandslacs-voiemaritime.com -* ♿-🅿 *- de mi-avril à fin sept. : 8h-20h.* Première écluse de la voie maritime, elle soulève ou abaisse les cargos de quelque 4,6 m pour leur permettre de franchir les dangereux rapides en amont du port de Montréal. L'écluse fonctionne en coordination avec le **pont Victoria★**, impressionnante structure construite entre 1854 et 1859 pour faire traverser le fleuve au chemin de fer du Grand Tronc. À l'époque, ses 2 742 m en faisaient une merveille d'ingénierie. Reconstruit une première fois à la fin du siècle dernier, puis dans les années 1950, il est ouvert à la circulation automobile et ferroviaire. Une travée levante à chaque extrémité de l'écluse rend d'ailleurs possible le passage continu des voitures et des trains, indépendamment de l'éclusage des bateaux. Du **belvédère**, on observe le passage des énormes laquiers qui remontent jusqu'aux Grands Lacs ou qui descendent le fleuve jusqu'à Port-Cartier et Sept-Îles.

La voie maritime du Saint-Laurent – L'ouverture de la voie maritime, en 1959, marqua la réalisation d'un rêve vieux de 400 ans. Au début du 16ᵉ s., Jacques Cartier avait dû reculer devant les eaux tumultueuses des rapides de Lachine, et renoncer au rêve de découvrir le fameux passage vers l'Orient. Les rapides n'étaient pourtant que le premier d'une série d'obstacles naturels qui rendaient le fleuve non navigable entre Montréal et les Grands Lacs.

À la conquête de la rivière – À diverses reprises au cours des trois siècles qui suivirent, les Amérindiens, puis les soldats et les colons tentèrent de dompter la rivière, les chutes et les rapides en creusant des canaux et en aménageant des écluses autour des obstacles qui bloquaient le Saint-Laurent en amont de Montréal. Après la révolution industrielle, l'aménagement d'une voie navigable qui relierait les États-Unis aux ports canadiens et européens et faciliterait le transport de marchandises commença à intéresser les États-Unis. Des années de négociations entre les gouvernements canadien et américain aboutirent à un projet conjoint, ayant pour but de construire, entretenir et contrôler les écluses et les canaux. Finalement, le 25 avril 1959, le brise-glace *Iberville* amorça le premier passage complet de la voie maritime du Saint-Laurent que la reine Elizabeth II, le président Dwight Eisenhower et John Diefenbaker, Premier ministre du Canada, inaugurèrent officiellement le 26 juin de la même année.

La voie maritime mesure 3 800 km de longueur et au moins 8 m de profondeur ; 16 écluses font franchir aux bateaux une hauteur totale de 177 m, ce qui correspond à la différence d'altitude entre Montréal (6 m) et le lac Supérieur (183 m). Les cargos qui empruntent la voie maritime, les **laquiers**, peuvent avoir jusqu'à 222 m de long et 23 m de large. Ils apportent principalement le minerai de fer des mines du Québec et du Labrador aux aciéries de la région des Grands Lacs, et acheminent vers les ports du Saint-Laurent de grandes cargaisons de céréales en provenance des prairies des États-Unis.

Musée du Costume et du Textile du Québec – *349, Riverside Drive - ☏ 450-923-6601 -* 🅿 *- fév.-déc. : mar.-vend. 10h-17h, sam.-dim. 11h-17h - fermé principaux j. fériés - 4 $.* Située non loin de l'autoroute, cette charmante maison historique en pierre des champs échappe comme par miracle à l'agitation urbaine. Elle fut construite vers 1749 par les Marsil, et resta dans leur famille pendant près de deux siècles. Son toit en pente raide terminé par un larmier, ses lucarnes et sa fausse cheminée dans le pignon sud en font un bon exemple de l'architecture vernaculaire du 18e s.

Transformée en véritable musée du textile, la demeure propose aujourd'hui des expositions temporaires visant à souligner l'importance du costume et des accessoires vestimentaires, éloquents reflets d'une époque ou d'une culture.

Îles de la Madeleine★★

12 560 HABITANTS
SCHÉMA : ÎLES DE LA MADELEINE
WWW.ILESDELAMADELEINE.COM

Battu par les vents du large, cet archipel isolé produit un effet immédiat à quiconque débarque sur l'une de ses quinze îles. Des falaises de grès rouge, des dunes et de longues plages sauvages s'étirant vers la mer, des vallons verts, des lagunes teintées par le bleu du ciel, un climat maritime qui adoucit l'hiver et rafraîchit l'été, une eau de baignade pouvant atteindre 17 °C : voilà quelques-uns des atouts des îles de la Madeleine. Et pour que la séduction soit complète, elles émergent du golfe du Saint-Laurent, plus proches du Cap-Breton et de l'île du Prince-Édouard que de la péninsule gaspésienne. Cet isolement les rend encore plus envoûtantes.

▷ **Se repérer** – Les îles de la Madeleine forment, dans le golfe du Saint-Laurent, un ensemble d'environ 72 km de long qui se compose de nombreux îlots et de huit îles dont six sont reliées par des flèches de sable.

👁 **À ne pas manquer** – L'île du Havre-aux-Maisons, la plage de la Grande-Échouerie sur Grosse-Île, les falaises de la Belle-Anse sur l'île du Cap-aux-Meules.

🕐 **Organiser son temps** – Restez sur les îles au moins quatre jours. L'île d'Entrée, la seule île habitée à ne pas être reliée au reste de l'archipel est une destination en soi.

👫 **Avec les enfants** – L'aquarium des îles sur l'île du Havre-Aubert.

Comprendre

Découverte – Au 15e s., Basques et Bretons s'arrêtaient souvent dans l'archipel pour pêcher, chasser le phoque, le morse et la baleine. C'est en 1534, au cours de la première des trois expéditions qu'il entreprit dans le golfe du Saint-Laurent, que Jacques Cartier découvrit les îles de la Madeleine. Il débarqua au rocher aux Oiseaux, puis sur l'île Brion qu'il décrivit ainsi dans son journal de bord : « Ceste-dite ille est la meilleure terre que nous ayons veu, car ung arpant d'icelle terre vault mielx que toute la Terre Neufve. Nous la trouvames plaine de beaulx arbres, prairies, champs de blé sauvaige et de poys en fleurs, aussi espes et aussi beaulx, que je vis oncques en Bretaigne, queulx sembloict y avoir esté sémé par laboureux. »

Dans les décennies qui suivirent, l'archipel fut sporadiquement occupé par les Micmacs et par des explorateurs français en quête de ressources pour alimenter le commerce des fourrures. L'archipel devrait son nom à Madeleine Fontaine, femme du sieur **François Doublet** qui, en 1663, établit une colonie sur le territoire au nom du roi de France.

La déportation des Acadiens – L'archipel ne fut habité en permanence qu'à partir de 1755. C'est alors qu'il devint le refuge des colons français qui s'étaient installés en Acadie (aujourd'hui la côte Ouest de la Nouvelle-Écosse). Région âprement disputée entre l'Angleterre et la France entre 1604 et 1710, l'Acadie fut attribuée à l'Angleterre en 1713 par le traité d'Utrecht qui mettait fin à la guerre de succession espagnole. Les colons acadiens, soupçonnés par les Anglais d'être inféodés à la France, durent prêter serment d'allégeance inconditionnelle à l'Angleterre. Ils refusèrent et, au mois d'août 1755, Charles Lawrence, gouverneur de la Nouvelle-Écosse, émit un **ordre de déportation** par lequel ils furent expulsés et envoyés dans les colonies américaines. Quelques centaines d'entre eux réussirent à s'échapper et se réfugièrent aux îles de la Madeleine et à Saint-Pierre-et-Miquelon, îles coloniales françaises situées au sud de Terre-Neuve *(voir le Guide Canada)*. Après le traité de Paris (1763), les îles de la Madeleine furent cédées à l'Angleterre, Saint-Pierre-et-Miquelon demeurant aux mains des Français. À la suite de la Révolution française, les Acadiens réfugiés sur ces deux îles rejoignirent leurs compatriotes sur les îles de la Madeleine, préférant le roi, fut-il anglais, à la République. Ces anciens Acadiens sont les ancêtres de la plupart des « Madelinots » d'aujourd'hui.

Après la Conquête, le gouvernement britannique annexa les îles de la Madeleine à la province de Terre-Neuve, puis elles devinrent une seigneurie de la province du Québec, sous l'acte du Québec de 1774. Pour services rendus à l'Empire britannique, l'amiral Isaac Coffin obtint du roi George III le titre seigneurial des îles en 1798. Pendant un siècle, les Coffin allaient régner en maîtres absolus sur ce territoire, forçant de nombreux Acadiens à se réfugier de nouveau, cette fois sur la rive nord du Saint-Laurent. Ce n'est qu'en 1895 que les habitants obtinrent le droit de propriété des lots de terre qu'ils avaient défrichés et bâtis à la sueur de leur front.

Économie – Les Acadiens étaient traditionnellement d'habiles pêcheurs et de bons agriculteurs. À la pêche et à l'agriculture vint se greffer, au 19e s., l'exploitation forestière. C'est d'ailleurs ce type d'activité qui explique l'absence d'arbres sur les collines de l'île d'Entrée et de l'île Havre-aux-Maisons. Aujourd'hui, on ne pratique plus guère l'agriculture, et encore moins la coupe du bois. La pêche, par contre, demeure la principale activité économique. En effet, les îles, portion émergée d'un vaste plateau sous-marin, sont entourées de hauts fonds favorables à la prolifération de homards, de crabes, de pétoncles et d'autres crustacés. Les eaux abondent également en morues, flétans, maquereaux et perches, poissons que l'on traite à l'usine Madelipêche située près du port de Cap-aux-Meules, et que l'on expédie ensuite sur le continent pour la vente. Une industrie touristique en plein essor et une mine de sel viennent s'ajouter aux activités économiques des îles.

Les îles aujourd'hui

Architecture – Les îles présentent une architecture domestique caractéristique, même si les constructions les plus anciennes ne remontent guère qu'à 1850. Le type architectural le plus ancien est celui de la maison du pêcheur flanquée d'une ferme de subsistance. Ces demeures consistaient en un petit bâtiment à un étage, avec deux pièces au rez-de-chaussée et une plus petite au grenier. Après 1900, on construisit des maisons plus grandes, avec quatre pièces à chaque étage. Beaucoup de maisons traditionnelles ont des toits mansardés inspirés des presbytères et des couvents qui s'implantèrent sur les îles vers 1875. Les grandes églises en bois de Bassin, La Vernière et Grande-Entrée s'inscrivent dans la tradition des églises catholiques des Provinces maritimes (Church Point, par exemple), alors que plusieurs églises protestantes témoignent de la vitalité de la communauté anglophone. Les années 1960 ont vu apparaître de nouvelles paroisses, ce qui explique cette rare concentration d'églises contemporaines dans cette partie du Québec.

Paysage – De belles **formations rocheuses**, sculptées dans la côte par les assauts de la mer, caractérisent les îles de la Madeleine. Par endroits, les falaises de grès rouge forment des arches, des tunnels, des caves et de fiers promontoires couronnés d'herbe vert émeraude. De vastes plages de sable blond s'étirent vers la mer pour composer un paysage multicolore, à la fois sauvage et paisible.

Flore – Les grands arbres sont très rares, car peu ont échappé, au 19e s., à la hache du bûcheron. Ceux qui restent ont subi l'agression des vents : ils ont pris des formes tortueuses et uniques.

Les fleurs sauvages abondent au printemps et en été. Dans les tourbières, une plante carnivore, la **sarracénie pourpre**, capture les insectes dans ses poils et les noie dans un liquide sécrété par ses feuilles en forme de cruche. Dans les marais d'eau douce, l'**iris versicolore** pousse en colonies parfois très denses. Dans les dunes, l'**ammophile**, grâce à ses racines profondes et ramifiées, retient les sables et freine l'érosion.

Faune – Au milieu du golfe du Saint-Laurent, l'archipel est un lieu de repos pour les oiseaux migrateurs. De nombreuses espèces, notamment le macareux arctique, le fou de Bassan et le pluvier siffleur (espèce menacée) y nichent toute l'année. Le harfang des neiges, grande chouette à plumage blanc, est une espèce indigène. Le phoque gris, le phoque commun et le phoque du Groenland fréquentent les îlots et les plages les plus isolées.

Île du Cap-aux-Meules★★

Cette île, la plus grande de l'archipel, en est le centre commercial et administratif. Elle comprend trois municipalités (Cap-aux-Meules, Fatima et L'Étang-du-Nord) reliées par des routes panoramiques qui tantôt serpentent dans les collines boisées, tantôt longent le littoral. L'île doit son nom aux pierres à meule découvertes dans le cap qui domine le **port**.

Le charmant **port** de Cap-aux-Meules est le lieu le plus animé de l'archipel. Le soir est le moment idéal pour flâner et observer toute une variété de bateaux et de chalutiers, certains en cale sèche pour les réparations, d'autres se préparant pour la pêche du lendemain.

Prenez la route 199 (chemin Principal) vers l'ouest, direction La Vernière. À La Vernière, prenez le chemin de l'Église qui coupe la route 199.

Butte du Vent

Le chemin de l'Église conduit, dans les collines, à la butte du Vent *(prenez à gauche le chemin Cormier, et immédiatement à droite le chemin des Arsènes ; faire preuve de prudence sur ces chemins non pavés ; emploi d'un véhicule 4x4 conseillé)*. C'est le point culminant de l'île, d'où la **vue★★** embrasse l'archipel entier et la baie de Plaisance. *Reprenez le chemin de l'Église. Tournez à gauche dans le chemin des Huet, puis à droite dans le chemin des Caps, et continuez jusqu'à Fatima.*

Église Notre-Dame-du-Rosaire★★

Sur le chemin des Caps, à Fatima - 𝓟 *418-986-2685.*

Bel exemple de l'architecture religieuse contemporaine, cette église célèbre la vie des marins des îles de la Madeleine. De l'extérieur, elle rappelle la forme d'une coquille Saint-Jacques. L'intérieur est orné de symboles nautiques divers : hublots (fenêtres), brise-lames (autel et chaire) et vagues (disposition des tableaux du chemin de Croix). Construit d'après les plans de Jean-Claude Leclerc, l'édifice rappelle la chapelle de Ronchamps, due au célèbre Le Corbusier.

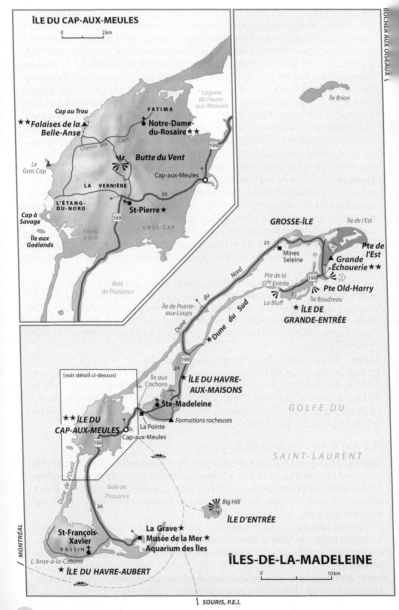

Reprenez le chemin des Caps. Tournez à droite dans le chemin de la Belle-Anse, et dirigez-vous vers la côte.

Falaises de la Belle-Anse★★

Le visiteur peut longer la côte à pied, du chemin de la Belle-Anse au **cap au Trou** (en direction du nord) où il verra les formations les plus spectaculaires de tout l'archipel. La mer attaque sans répit les falaises de grès rouge, lézarde le roc et façonne des caps. Par endroits, la voûte des arches s'est effondrée pour ne laisser que des colonnes en butte aux assauts constants des vagues *(le bord des falaises étant friable, il est vivement conseillé de faire preuve de prudence et d'éviter de marcher trop près du bord).*

Continuez vers le sud par le chemin de la Belle-Anse. Tournez à droite dans le chemin des Caps, puis encore à droite dans le chemin de l'Étang-du-Nord.

D'autres formations rocheuses impressionnantes jalonnent le littoral près de l'**Étang-du-Nord**. Cette municipalité possède un petit port de pêche qui accueille de nombreux chalutiers. Une promenade au bord du **cap à Savage** permet d'admirer la toute petite **île aux Goélands**, ainsi nommée à cause des oiseaux qui y affluent, et la côte ouest de l'île du Cap-aux-Meules.

Retournez à Cap-aux-Meules.

Île du Havre-Aubert★

La plus méridionale des îles de l'archipel se caractérise par des collines arrondies aux pentes douces, entrecoupées de coquettes maisons traditionnelles.

La Grave★

Au nord-est de Havre-Aubert. Cet arrondissement historique tire son nom du mot « grave » (grève) qui désigne ici le lieu où les marchands venaient acheter aux pêcheurs leur poisson séché ou salé. Le site regroupe une quinzaine de petites maisons grises à bardeaux qui bordent la route, contournant une petite baie et menant au cap Grindley. On y voit des magasins, une ferblanterie, deux **chafauds** (quai ou hangar destiné à la préparation de la morue) et quelques entrepôts. Abandonnés par l'industrie des pêcheries, les bâtiments abritent aujourd'hui des boutiques d'artisanat où l'on propose des articles fabriqués à partir de matériaux locaux : sable, albâtre et peau de phoque.

Aquarium des Îles – ♟♟ – ✆ 418-937-2277 - www.ilesdelamadeleine.com/aquarium - ♿ - 🅿 - *de déb. juin à mi-août : 10h-18h ; de mi-août à mi-oct. : 10h-17h - 5 $.* Des aquariums renfermant des espèces indigènes entourent un vaste bassin ouvert où le visiteur peut toucher les poissons. Les étages supérieurs sont consacrés aux divers modes de conservation et de transformation du poisson (séchage, fumage et mise en conserve) qui permettent aux pêcheurs madelinots d'exporter leurs produits.

Musée de la Mer★

Pointe Shea, juste à côté de La Grave - ✆ 418-937-5711 - www.ilesdelamadeleine.com - ♿ - 🅿 - *de mi-juin à mi-sept. : lun.-vend. 9h-18h, sam.-dim. 10h-18h - 5 $.*

La présentation de bateaux, d'instruments de navigation et d'objets divers permet de se familiariser avec l'histoire et la culture des îles de la Madeleine, mais aussi avec les techniques de pêche et l'histoire du « ponchon ». Ce baril à voile servit, en février 1910, à expédier le courrier des Madelinots sur le continent, une rupture de câble du télégraphe les ayant complètement isolés du reste du pays.

De La Grave, retournez au centre de l'île par la route 199. Restez à gauche sur le chemin du Bassin.

La route panoramique qui traverse **Bassin** et longe l'**Anse-à-la-Cabane** serpente entre de pittoresques maisons aux couleurs vives. Beaucoup ont des toits mansardés. Certaines sont agrémentées de vérandas et de balcons aux piliers et aux balustrades finement travaillés, et aux encorbellements sculptés.

Église Saint-François-Xavier

À Bassin - ✆ 418-937-5580 - ♿ - 🅿 . Cette grande église de bois de style néoroman fut construite en 1939. Son presbytère date quant à lui de 1876, et constitue le plus bel exemple d'architecture Second Empire de l'archipel. Il est coiffé d'une toiture mansardée comportant de multiples décrochements.

Île du Havre-aux-Maisons★

L'une des plus belles îles de l'archipel, Havre-aux-Maisons a su garder son air champêtre, avec son habitat dispersé, ses routes sinueuses, ses terres en culture et ses **baraques** (petites cabanes typiques à toit coulissant destinées à protéger le foin). Plusieurs routes panoramiques font le tour de l'île dont elles offrent de belles vues.

En arrivant sur l'île du Havre-aux-Maisons, prenez à gauche le chemin du Cap-Rouge, puis encore à gauche le chemin des Cyrs, pour admirer les vues sur la baie Petite, l'île aux Cochons et La Pointe.

À **La Pointe**, les petits quais bourdonnent d'activité. Les visiteurs peuvent assister au nettoyage et au traitement des palourdes. Les pêcheurs de homard y vendent leurs prises, fraîches ou cuites.

Reprenez la route 199, et continuez jusqu'au chemin Central.

Église Sainte-Madeleine

Sur le chemin Central. Construit en 1969, ce bâtiment présente de grandes courbes relevées réunissant, autour d'une entrée centrale, l'église et le presbytère. La nef adopte la forme d'un amphithéâtre éclairé par une paroi de vitraux. Le plafond, très bas, confère un caractère intime à ce vaste espace.

Reprenez la route 199, et tournez à gauche dans le chemin de la Pointe-Basse.

La route, qui mène au **port de Pointe-Basse** par le chemin du Quai (*à droite*), traverse un complexe d'anciens « fumoirs », grands hangars de bois remplis de tringles pour accrocher le poisson.

Reprenez le chemin de la Pointe-Basse.

De la route, on peut admirer de belles vues sur les **formations rocheuses**, particulièrement nombreuses autour de l'anse Firmin et du cap Alright.

La **dune du Sud★** offre une plage superbe qui s'étend au bord d'une mer relativement calme.

Continuez par le chemin de la Pointe-Basse, qui longe la côte et devient le chemin des Échoueries, pour rejoindre la route 199.

L'est des îles

Les îles les plus à l'est de l'archipel sont reliées aux autres par une flèche de sable, la **dune du Nord**. Au nord de la dune se trouvent les **mines Seleine**, dont la production est surtout destinée au déglaçage des routes du Québec en hiver.

Grosse-Île

La plupart des habitants de l'île sont les descendants de métayers écossais arrivés au début du 18e s. après avoir été chassés d'Écosse, à l'époque du développement de l'élevage du mouton. C'est ici que le mode de vie traditionnel, axé sur la pêche et l'agriculture, s'est le mieux maintenu.

Réserve nationale de faune de la Pointe-de-l'Est – ✆ 418-985-2833 - du 24 juin à déb. sept. - renseignements sur les randonnées pédestres organisées à l'intérieur de la réserve : Club vacances Les Îles/La Salicorne - www.clubiles.qc.ca. Sur un territoire de 1 440 ha, le visiteur découvrira le monde particulier des dunes : leur faune (phoques, oiseaux migrateurs), leur flore (comme, par exemple, l'ammophile à ligule) et bien sûr, leur terrain (plages, étangs, marais).

Plage de la Grande Échouerie★★ – Cette étendue de sable – l'une des plus belles de l'archipel – constitue la bande littorale sud de la réserve nationale de faune. Elle doit son nom au mot « échouerie » qui, au Québec, désigne les rochers où les troupeaux de phoques et de morses viennent se prélasser au soleil.

Île de Grande-Entrée★

La pêche au homard joue un rôle primordial sur cette petite étendue de terre dont la colonisation remonte à environ 1870.

Pointe Old-Harry – La plage de la Grande Échouerie mène à la pointe Old-Harry, petit port protégé par une jetée typiquement madelinienne faite de « dolosses », blocs de béton en forme d'ancre. La chasse au morse, pratiquée à partir du 17e s., amena les premiers Européens à s'installer sur les îles. C'est à Old-Harry qu'ils procédaient à l'abattage et au dépeçage des bêtes. La route 199 traverse l'île et aboutit au petit port de pêche de Grande-Entrée, où quais et bateaux de pêche sont peints en couleurs vives. Chaque année, les homardiers locaux capturent plus de la moitié des prises de l'archipel.

Sentiers de randonnée sur la côte – 🚶 C'est en se promenant par les sentiers côtiers que l'on pourra admirer de splendides **vues★★★** panoramiques, parmi les plus saisissantes de l'archipel : caps et falaises spectaculaires, vastes plages et lagunes sauvages, arbres tourmentés et fleurs multicolores. Du parc de stationnement, au bout du chemin des Pealey, les promeneurs avides de grands horizons iront flâner du côté de La Bluff et de l'île Boudreau pour une vue allant jusqu'à la pointe de l'Est.

Île d'Entrée

Pour la rejoindre : traversier au départ du port de Cap-aux-Meules - Traversier S. P Bonaventure - ℘ 418-986-7172 ou contacter l'Association touristique des Îles-de-la-Madeleine (voir carnet pratique) - mai-déc. : lun.-sam. - 2 traversées par jour - 1h de trajet - réservations requises - 22 $ AR.

Seule île habitée à ne pas être reliée au reste de l'archipel, ce petit avant-poste compte une population de quelque 200 anglophones. Il est sillonné de sentiers d'où le promeneur pourra admirer des formations rocheuses intéressantes et observer de nombreux oiseaux, notamment le cormoran.

De Big Hill, point culminant de l'archipel (174 m), la **vue** embrasse toutes les îles.

Îles de la Madeleine pratique

Heure locale

Contrairement au reste du Québec, l'archipel vit à l'heure de l'Atlantique, et non à celle de l'Est. Il faut donc avancer sa montre de 60mn par rapport à l'heure de Montréal.

Adresse utile

Tourisme îles de la Madeleine – *128 chemin Principal, au coin du chemin Débarcadère, Cap-aux-Meules - ℘ 418-986-2245 ou 877-624-4437 - www.tourismeilesdelamadeleine.com.*

Comment s'y rendre

Avion : service entre Montréal et l'île du Havre-aux-Maisons assuré par **Air Canada Jazz -** *℘ 1-888-247-2262 - www.aircanada.com*

et **Pascan Aviation Inc -** *℘ 418-877-8777 ou 888-313-8777 - www.pascan.com.*

Voiture/bateau : de Montréal, emprunter la route 20 jusqu'à Rivière-du-Loup, puis la route 185 jusqu'à Edmunston (Nouveau-Brunswick) et la route 2 jusqu'à Moncton (N.-B.). De là, prendre la route 15, puis la 16 menant à Cape-Tourmentine (N.-B.). Prendre ensuite le pont à péage *(10mn)* reliant le Nouveau-Brunswick à l'île du Prince-Édouard. À Borden, suivre la route 1 jusqu'à Charlottetown (Î.P.-É.), puis la route 2 jusqu'à Souris (Î.P.-É.).

Liaison (5h) en traversier Souris-Cap-aux-Meules - **CTMA Traversier Ltée -** *℘ 1-888-986-327 et ℘ 418-986-3278 (Cap-aux-Meules) ou 902-687-2181 (Souris) - www.ctma.ca - ✕-♿-◨ - service quotidien (sauf lun.) avr.-juin et sept. au départ de Cap-aux-Meules (à 8h) et de Souris (à 14h) ; service quotidien juil.-août ; service limité oct.-janv. ; aller simple 44 $/personne haute saison, 82 $ supplémentaires/voiture - réservations requises.*

Un bateau effectue toutes les semaines le voyage *(2 jours)* Montréal-Cap-aux-Meules *(aller simple 556 $/cabine deux personnes ; réservations requises ; consulter CTMA pour les horaires - ℘ 1-888-986-327 - www.ctma.ca.*

Hébergement

Auberges, hôtels, motels et B & B se trouvent surtout sur les îles du Cap-aux-Meules, du Havre-aux-Maisons et du Havre-Aubert.

Logement chez l'habitant et location de maisons et chalets sont également possibles. Il est conseillé de réserver bien à l'avance si l'on prévoit d'effectuer un séjour aux mois de juil. et août.

Renseignements : Tourisme des îles de la Madeleine *(voir adresse utile).*

Visite des îles

Le bureau de **Tourisme des îles de la Madeleine** met à la disposition des visiteurs toutes sortes de brochures et renseignements : formules d'hébergement, restauration, visites guidées, activités sportives et de plein air.

Excursions

Plusieurs compagnies proposent des excursions (en autobus, en hélicoptère, en bateau) d'une durée variable. Des croisières panoramiques permettent par exemple d'admirer les formations rocheuses de l'archipel ou d'aller observer les phoques.

Des randonnées d'interprétation et d'observation de la nature sont également possibles grâce aux nombreux sentiers qui sillonnent les îles (se renseigner au bureau du **Club vacances Les Îles/La Salicorne** - *377 rte 199 - sur l'île de la Grande-Entrée - ℘ 418-985-2833 - www.clubiles.qc.ca.*

Magog★

CANTONS-DE-L'EST
23 880 HABITANTS
SCHÉMA : CANTONS DE L'EST
WWW.TOURISME-MEMPHREMAGOG.COM ET WWW.CANTONSDELEST.COM

La ville se dresse à l'extrémité nord du lac Memphrémagog, à l'endroit même où la rivière Magog prend sa source. C'est en 1888 que la population délaissa le nom d'Outlet, « décharge du lac », pour la seconde partie du mot abénaki *memphremagog* (« grande nappe d'eau »). Cette situation lacustre a permis son développement économique au 19e s. et en fait aujourd'hui un lieu de villégiature privilégié. La cité joue avec succès la carte des activités nature, entre le lac et le parc du Mont-Orford tout proche. Certains artistes y font aussi leurs débuts : le chanteur Garou ne dira pas le contraire.

- **Se repérer** – Magog se trouve à 120 km à l'est de Montréal par la route 10 (sorties 115 ou 118), et à 25 km au sud-ouest de Sherbrooke par la route 112 (qui devient rue Principale).
- **À ne pas manquer** – Le site de l'abbaye de Saint-Benoît-du-Lac.
- **Organiser son temps** – Faites le tour de Magog à vélo le matin, déjeunez en ville et partez en croisière l'après-midi.
- **Avec les enfants** – Une promenade en bateau sur le lac Memphrémagog.
- **Pour poursuivre la visite** – Voir aussi les Cantons de l'Est, le parc du Mont-Orford et Sherbrooke.

Visiter

Parc de la Pointe-Merry★

Au sud de la rue Principale. Cet agréable espace vert offre de superbes **vues★** sur l'extrémité nord du lac, qui traverse la frontière jusque dans l'État du Vermont. Le paysage alentour, notamment le mont Orford et le mont Owl's Head, est particulièrement beau.

Croisières★

Départ du quai Fédéral. Croisières Memphrémagog Inc. - 819-843-8068 - www. croisiere-memphremagag.com - ✕-♿-🅿 - 1h45 AR - commentaire à bord - du 24 juin au 1er lun. sept. : 10h-18h ; de mi-mai au 23 juin et de sept. à mi-oct. : sam.-dim. 12h-14h - 14 $ (réservation conseillée) ou 52 $ (7h, réservation requise), selon la destination choisie.
Une courte excursion en bateau *(1h45)* permet au visiteur de découvrir les plus beaux coins du lac. Une croisière plus longue *(7h)* propose l'aller-retour Magog-Newport (dans le Vermont).

Aux alentours

Abbaye de Saint-Benoît-du-Lac★

20 km. Quittez Magog par la route 112 Ouest, et après 5 km, tournez à gauche - 819-843-4080 - www.st-benoit-du-lac.com - ♿-🅿 - 5h-21h.
La route menant à Saint-Benoît-du-Lac offre de belles échappées sur le lac Memphrémagog que surplombent les hauteurs des Appalaches. Le monastère (1912) fut fondé par des membres de la communauté religieuse de l'abbaye Saint-Wandrille-de-Fontenelle, en Normandie. Ces derniers, exilés en Belgique après avoir été chassés de France au début du siècle, partirent au Canada et créèrent ici même un noviciat en 1924. Vingt-huit ans plus tard, en 1952, Saint-Benoît-du-Lac allait être élevé au rang d'abbaye. L'ensemble, surmonté d'un impressionnant clocher, occupe un **site★★** de toute beauté, d'une étonnante sérénité. Mis à part les bâtiments d'origine, la majeure partie des édifices fut conçue en 1937 par le célèbre moine-architecte français **Dom Paul Bellot** (1876-1944), d'ailleurs enterré dans le cimetière de l'abbaye. Un architecte montréalais, Dan S. Hanganu, traça quant à lui les plans de l'église abbatiale, consacrée le 4 décembre 1994. Lors d'une visite à Saint-Benoît-du-Lac, on peut assister aux vêpres, entendre des chants grégoriens, et dans une petite boutique, acheter des fromages (ermite et mont-saint-benoît), des cidres et des produits de l'érable fabriqués par les moines, ainsi que des objets religieux.

Parc national du Mont-Orford★

Voir ce nom. Magog se trouve sur un itinéraire cyclable qui la relie au Mont-Orford. *Location louer des vélos sur la rue Principale de Magog.*

Complexe Manic-Outardes

MANICOUAGAN
SCHÉMA : CÔTE-NORD
WWW.TOURISMECOTE-NORD.COM

Au moment de sa construction, dans les années 1960, Manic-2 était le plus grand barrage-poids à joints évidés du monde. Manic-5 se veut la plus puissante des centrales de la Côte-Nord. Son réservoir, deux fois plus grand que le lac Saint-Jean figure au 6e rang des réservoirs les plus volumineux du monde. Et le barrage Daniel-Johnson demeure le plus grand barrage à voûtes multiples et à contre-forts du monde : autant dire, qu'en venant au complexe Manic-Outardes, ce qui représente un petit détour de 450 km aller et retour depuis Baie-Comeau, vous serez face à des géants ayant relevé de nombreux défis technologiques. Plus qu'impressionnant…

- ▶ **Se repérer** – Manic-2 se trouve à 21 km au nord de Baie-Comeau par la 389, route sinueuse (goudronnée) appelée « chemin de la Manic ».
  Manic-5 se trouve à 214 km au nord de Baie-Comeau par la 389. À partir de Manic-2, la route 389 est par endroits goudronnée ; elle se poursuit vers le nord jusqu'à Fermont (à 345 km de Manic-5) et Wabush (390 km).
- 👁 **À ne pas manquer** – Manic-5 et le barrage Daniel-Johnson.
- 🕐 **Organiser son temps** – Prévoir deux journées. À 3 km de Manic-5, se trouvent des motels (réservations requises), un restaurant et une station-service.
- ♿ **Pour poursuivre la visite** – Baie-Comeau, Godbout, Sept-Îles *(voir Côte-Nord)*.

Comprendre

20 ans de travaux – La gigantesque entreprise que représentait l'aménagement de centrales hydro-électriques sur les rivières aux Outardes et Manicouagan commença en 1959 pour se terminer 20 ans plus tard. Le projet aboutit à la mise au point de nouvelles technologies qui allaient surpasser tout ce qui avait été accompli jusque-là en matière d'ingénierie et permit d'établir plusieurs records mondiaux. Réalisé dans la vaste et sauvage région de Manicouagan, l'énorme complexe hydro-électrique, composé de sept centrales, entraîna la mobilisation de milliers d'hommes et de femmes, et nécessita le transport de tonnes de matériel et de matériaux. À l'emplacement choisi pour la construction du barrage principal, à Manic-3, la nature du sol (dépôts alluviaux perméables) risquait d'entraîner des infiltrations d'eau dans les fondations de l'ouvrage. Les ingénieurs relevèrent alors le défi en concevant un barrage à double paroi de béton dont les assises plongeaient à 131 m dans le sol. Ils ont ainsi créé le mur d'étanchéité le plus profond du monde.

Aujourd'hui – Les centrales du complexe Manic-Outardes produisent un total de 6 821 MW. Des lignes de transport d'énergie à 735 000 V (les premières de ce type dont on se soit servi à des fins commerciales) assurent le transport de l'électricité vers les grandes villes. Notons en passant que d'autres centrales, situées sur les rivières Betsiamites et Hart-Jaune, viennent ajouter quelque 1 682 MW supplémentaires à la puissance hydro-électrique régionale. Les trois centrales dont se compose le complexe Outardes *(fermé au public)* à proprement parler sont alimentées par les eaux d'un réservoir de 652 km², créé à 93 km en amont du point de confluence de la rivière aux Outardes et du Saint-Laurent. La plupart des digues et barrages de ce complexe sont remblayés, c'est-à-dire constitués de sable, de cailloux et de pierres extraits à proximité.

Visiter

Manic-2★

Ä 21 km de Baie-Comeau par la 389 - 📞 866-526-2642 - www.hydro.quebec.com - 🅿 *-* *visite guidée (1h30 min) 24 juin - fête du Travail : 9h, 11h, 13h30 et 15h30 - gratuit.* Première centrale du complexe Manic-Outardes à produire de l'électricité, Manic-2 fut mise en service au milieu des années 1960. Elle est construite au pied d'un des plus grands barrages-poids évidés du monde (hauteur : 94 m, longueur : 692 m).
Ce type de barrage peut, en raison de son poids, résister aux poussées énormes qu'exercent sur lui les eaux du réservoir. Par ailleurs, ses joints évidés de la base jusqu'au sommet ont permis d'économiser 15 % de béton. La centrale elle-même a une hauteur de chute de 70 m. Huit groupes turbines-alternateurs produisent jusqu'à 1 015 200 kW.
Reprenez la 389 et poursuivez sur près de 190 km.

Manic-5★★

Le **barrage Daniel-Johnson**★★ régularise l'alimentation en eau de toutes les centrales du complexe Manic-Outardes. Il s'agit du plus grand barrage à voûtes multiples et à contreforts du monde. Il mesure 1 314 m de long sur 214 m de haut. Sa construction s'est échelonnée sur une période de sept ans. Terminé en 1968, l'ouvrage fut nommé en l'honneur de Daniel Johnson, alors Premier ministre du Québec, qui mourut sur les lieux le matin même de l'inauguration.

La construction du barrage entraîna la réunion de deux lacs semi-circulaires, les lacs Manicouagan et Mouchalagane, formant ainsi un gigantesque plan d'eau en forme d'anneau. Le diamètre du réservoir est de 65 km. La dépression naturelle qu'occupe l'immense lac amena les géophysiciens à s'interroger sur son origine et à conclure qu'elle aurait pu être causée par la chute d'une météorite il y a quelque 200 millions d'années. De fait, cette dépression présente un aspect étrangement similaire aux cratères dont est criblée la surface de la lune, et les roches qu'on y a trouvées rappellent les pierres lunaires rapportées par les astronautes.

La centrale de Manic-5, la plus puissante du complexe Manic-Outardes, se trouve à environ 1 km en aval du barrage. Elle possède une hauteur de chute de 150 m, et ses groupes turbines-alternateurs sont capables de produire 1 528 000 kW.

Visite – ℰ 866-526-2642 - www.hydro.quebec.com - **P** - visite guidée (1h30) 24 juin - fête du Travail : 9h, 11h, 13h30 et 15h30 - gratuit. À l'aide de maquettes à l'échelle, des guides décrivent le fonctionnement des barrages de Manic-Outardes et expliquent comment l'électricité est produite, transportée et distribuée. Après la visite, un autobus amène le visiteur au pied des voûtes monumentales, puis sur le barrage même qui domine le paysage sauvage et la rivière Manicouagan.

Manic-5PA

Cette centrale souterraine, dite de « suréquipement » (les initiales PA signifiant « puissance additionnelle »), est dotée de quatre groupes turbines-alternateurs. Entrée en fonction en 1989, elle a pour but d'accroître la puissance installée de Manic-5 aux périodes de pointe. Les deux centrales ont une puissance combinée de 2 592 MW.

Mauricie★

MAURICIE – CENTRE-DU-QUÉBEC – SCHÉMA : MAURICIE
WWW.TOURISMEMAURICIE.COM ET WWW.MAURICIE.GOUV.QC.CA

Depuis 2001, la Mauricie porte le nom de « Capitale forestière canadienne ». Ce titre prend tout son sens lorsque l'on suit le cours de la Saint-Maurice. Montagnes, forêts et plans d'eau innombrables caractérisent en effet les pittoresques paysages de sa vallée. Celle-ci permet au visiteur de découvrir à la fois l'histoire industrielle de la région et sa nature propice au tourisme vert. Forges-du-Saint-Maurice, Cité de l'énergie de Shawinigan ou sentiers de la réserve faunique du Saint-Maurice promettent à chacun un séjour varié, toujours renouvelé.

- **Se repérer** – À mi-chemin de Montréal et de Québec, la Mauricie s'étend approximativement de Trois-Rivières au sud jusqu'à La Tuque au nord, le long des routes 55 et 155.

- **À ne pas manquer** – À Shawinigan, les toiles d'Ozias Leduc dans l'église Notre-Dame-de-la-Présentation et l'Espace Shawinigan.

- **Organiser son temps** – Comptez deux journées d'excursion pour la totalité de l'itinéraire, visites incluses.

- **Avec les enfants** – Découvrez l'histoire et la production des Forges-du-Saint-Maurice, comprenez l'hydro-électricité à la cité de l'Énergie de Shawinigan.

- **Pour poursuivre la visite** – Voir aussi le parc national du Canada de la Mauricie, Trois-Rivières, Louiseville et le Cap-de-la-Madeleine, et, plus au nord, Roberval.

Comprendre

Ressources naturelles et industries – L'importance économique de la vallée de la Saint-Maurice remonte au 18e s. Dès 1730 y étaient exploités des gisements de fer. À partir de 1850, l'**industrie forestière** domina la scène économique régionale. Vers la fin du 19e s., l'**hydro-électricité** se développa à Grand-Mère, à Shawinigan et à La

Gabelle. L'électricité et l'invention des bômes de billes de bois permirent, entre 1890 et 1900, la création de grandes usines de **pâte à papier**, suivie de celle d'usines de **produits chimiques** à Grand-Mère et à Shawinigan, puis, encore à Shawinigan, d'une importante usine d'électrolyse. Cette dernière a d'ailleurs fait de la vallée l'une des régions les plus industrialisées du Québec et même du Canada.

La reconversion forcée – 90 % de la Mauricie sont couverts de bois et de rivières. La région compte 17 500 lacs. Si cette richesse naturelle a soutenu le développement industriel pendant plus de deux siècles, la **crise des années 1980** a provoqué la fermeture progressive des usines, comme le site d'Alcan à Shawinigan. En 1996, l'interdiction officielle du flottage du bois sur la Saint-Maurice marqua symboliquement la fin d'une tradition et d'une période économique. La raison en était, entre autres, la pollution de la rivière par les importants dépôts d'écorce. Dorénavant, canots, voiles, kayaks et autres sports nautiques remplacent les billes de bois sur ses flots.

Une région verte – Aujourd'hui, la Mauricie tire parti de cet héritage industriel en ouvrant ou reconvertissant d'anciens sites comme la centrale et l'ancienne aluminerie de Shawinigan. Elle met également en valeur son patrimoine naturel en le protégeant : le territoire (39 748 km^2) compte ainsi un **parc national du Canada** *(voir Parc national de la Mauricie)* et deux **réserves fauniques** (Mastigouche et Saint-Maurice). Un réseau d'**aménagements** (2 500 km de sentiers motoneige balisés, 100 km de piste cyclable intégrée à la « route Verte ») permet d'en profiter en toutes saisons. Le tourisme vert a la cote, comme en témoigne le succès des **pourvoiries**. Ces anciennes villégiatures pour clubs de chasse ou de pêche accueillent désormais tous les amoureux de nature, à qui elles proposent de multiples activités (randonnées, traque, ski de fond, raquettes…). Tourisme Mauricie en recense pas moins de 70, pour beaucoup concentrées dans le secteur de Saint-Alexis-des-Monts.

Circuit de découverte

De Trois-Rivières à La Tuque

170 km. Quittez Trois-Rivières par le boulevard des Forges, au nord.

Lieu historique national du Canada des Forges-du-Saint-Maurice★★

13 km - ℰ 819-378-5116 - www.parkscanada.gc.ca - &ﾠ- ▣ - de mi-mai au 1ᵉʳ lun. sept. : 9h30-17h30 ; de déb. sept. à mi-oct. : 9h30-16h30 - visites guidées en saison - 4 $.

Situées au bord de la rivière Saint-Maurice, les forges fonctionnèrent pendant un siècle et demi (1730-1883) et donnèrent naissance à la première communauté industrielle du Canada. Ce site, aujourd'hui classé historique, commémore les débuts de l'industrie lourde canadienne.

La **Grande Maison** (1737), qui abritait autrefois les maîtres des forges, sert aujourd'hui de centre d'accueil. Au rez-de-chaussée, une rétrospective historique replace le site dans le contexte économique et social de l'époque, et en retrace l'évolution au travers de ses hommes. Au sous-sol, les anciennes caves où étaient jadis entreposées les marchandises présentent des objets façonnés aux forges sur une période de 150 ans : boulets et bombes (durant la guerre de Sept Ans), poêles et chaudrons (après la Conquête de 1760), grands chaudrons et roues de wagons (vers 1860), ainsi que lits en fer forgé, moyeux, socs de charrue, fers à cheval, fers à repasser, poids et haltères… À l'étage, une maquette « son et lumière » montre le village des Forges vers 1845 *(narration en anglais ou en français, selon la demande)*.

👥 Un sentier mène aux autres vestiges, dont le fascinant **haut fourneau**. Brillamment aménagé, son centre d'exposition et d'interprétation réussit à mettre en valeur les restes de l'étuve, de la maison du fondeur, de la halle à charbon et de la halle de coulée. La reconstitution des mécanismes hydrauliques du 18ᵉ s. est particulièrement réussie. Celle d'un logis d'ouvrier dans la seconde moitié du 18ᵉ s. apporte un élément humain à cette visite informative. Un grand panneau mural montre la production des forges qui, de 1740 à 1883, furent au Canada le lieu principal de production de la fonte.

En poursuivant sa promenade vers la rivière Saint-Maurice, on verra d'autres vestiges industriels, parmi lesquels la **forge haute**, la cheminée d'affinage de la **forge basse** et le **moulin**. Un peu plus à l'écart se trouve la **fontaine du Diable**, source de gaz naturel.

👥 **Les dimanches « Nouvelle-France »** – En haute saison, vrais artisans ou comédiens animent le site en faisant la démonstration de métiers ou d'activités traditionnels (poterie, sculpture sur bois, danse, musique…).

Continuez vers le nord par le boulevard des Forges, et prenez la route 55 (sortie 196).

Shawinigan
23 km (sortie 217).

Son nom vient de l'algonquin *ashawenikan* (« le portage sur la crête »). On l'appelait jadis la « Ville lumière », car elle produisait à elle seule toute l'énergie électrique nécessaire à Montréal. En 1852, on y construisit un glissoir à « pitoune » (billots de bois) pour contourner les chutes de la Saint-Maurice. Dès 1899, ces dernières furent exploitées à des fins hydro-électriques, ce qui permit la construction d'usines de pâte à papier et de produits chimiques, et d'une usine d'électrolyse.

De la ville, prenez la route 157 Sud. Traversez le pont et suivez la direction du parc des chutes de Shawinigan et Shawinigan-Sud.

La cité de l'Énergie – *1000 av. Melville -* ℘ *819-536-8516 - www.citedelenergie.com -* ♿- 🅿 *- de mi-juin à déb. sept. : 10h-18h (17h 2ᵉ quinzaine de juin et de mi-sept. à mi-oct., mar.-dim.) - 16 $ (6-12 ans 9 $).*

Construite à proximité des chutes Shawinigan, la cité de l'Énergie renseigne les visiteurs sur le rôle joué par l'énergie hydro-électrique dans l'histoire du Québec. Ce centre scientifique est doté d'expositions interactives, de présentations multimédia, d'une tour d'observation (115 m de haut, beau **panorama★** sur la rivière et la région) et de deux installations hydro-électriques qui évoquent les innovations et inventions de l'industrie hydro-électrique.

👫 La visite de l'ancienne centrale comprend des maquettes et des panneaux explicatifs très didactiques. Démonstrations scientifiques en saison.

Particulièrement impressionnantes à la période du dégel, les **chutes de Shawinigan** (hauteur : 50 m) offrent toute l'année un spectacle grandiose.

Traversez le lac en bateau.

Espace Shawinigan - Carsten Höller - *1882 r. Cascade -* ℘ *819-537-5300 ou 1-866-900-2483 - 15 $ (6-12 ans 8 $).* Cette ancienne aluminerie Alcan a tourné de 1901 à 1986. Réhabilitée par la cité de l'Énergie, elle est aujourd'hui la mieux conservée du continent et classée à ce titre lieu historique du Canada depuis 2001. Ses deux salles de 75 m de profondeur accueillent désormais des expositions d'art contemporain comme celles de Cai Guo-Qiang en 2006 ou de Ron Mueck et Guy Ben-Ner en 2008, organisées en collaboration avec le musée des Beaux-Arts du Canada.

Traversez la rivière vers Shawinigan-Sud et suivez les panneaux bleus « Œuvres Ozias Leduc ».

Dernier Grand-Œuvre d'Ozias Leduc★★ – *825, 2ᵉ Av. -* ℘ *819-536-3652 - www.eglisendp.qc.ca - 15 juin-30 juin et sept. : tlj sf lun. 10h-17h ; juil.-août : 10h-18h - 6 $ (étudiants 4 $, 6-12 ans 2 $).*

L'église Notre-Dame-de-la-Présentation (1924) est devenue lieu historique national du Canada en 2005. Elle doit cette distinction aux peintures d'Ozias Leduc (1864-1955). Ce dernier avait 76 ans lorsqu'il l'a débuté, en 1942, ce qui devait être son dernier projet : 15 toiles marouflées (c'est-à-dire réalisées sur toiles de jute puis collées aux murs) réalisées en l'espace de treize ans.

En dépit du nom de l'église, l'artiste a représenté une impressionnante **Gloire Divine** derrière le maître-autel, et non la Vierge, qu'il a placée dans la voûte de la nef. L'immense composition comprend Dieu le Père, l'Esprit saint sous forme de colombe et le Christ crucifié, encadrés par des anges. Elle demeure la plus grande peinture de sa carrière : 12,8 m de hauteur sur plus de 9 m de largeur.

Les murs latéraux illustrent l'histoire de la région (à gauche, la colonisation, à droite l'industrialisation) avec la volonté de souligner la présence de Dieu dans le travail. Le Couronnement et l'Assomption de la Vierge, côté orgues, ont été achevés par son assistante, Gabrielle Messier.

Une vidéo *(10mn)* initie le visiteur à l'histoire de la paroisse et d'Ozias Leduc. Des animateurs sont également à la disposition du public pour le décryptage des toiles. Expositions thématiques renouvelées chaque été (orfèvrerie, céramique, croquis…).

Les jardins Corrélieu, du nom de l'atelier d'Ozias Leduc à Mont-Saint-Hilaire, déploient pelouse, jardin de curé et plates-bandes mixtes à côté de l'église et de l'ancien presbytère.

Rejoignez la route 55.

Grand-Mère
10 km (sortie 223).

Dès 1890 s'installa ici une première centrale hydro-électrique, bientôt suivie d'usines de pâte à papier, ce qui contribua au développement de la ville. Celle-ci tire son nom d'un gigantesque rocher dont la forme rappelle une tête de vieille femme, et qui se dressait autrefois au milieu de la rivière. Pour faciliter la construction du nouveau barrage d'Hydro-Québec en 1916, le fameux rocher fut transporté en pièces détachées dans un parc du centre-ville *(à l'angle de la 5e Av. et de la 1re Rue).*

Pour rejoindre la route 155, quittez Grand-Mère par le pont qui enjambe la rivière Saint-Maurice.

Grandes-Piles

17 km.

Fondée en 1885, cette communauté perchée sur une falaise au-dessus de la rivière servait de port de transbordement du bois. Ce sont les rochers en forme de piliers, situés dans les chutes d'eau au sud du village, qui lui donnèrent son nom imagé.

Village du Bûcheron★ – *Sur la route 155, à Grandes-Piles -* 📞 *819-538-7895 -* ✗-♿- ℗ *- de mi-mai à fin sept. : 9h-17h - 13 $.* Quelque 25 bâtiments assortis d'une collection de plus de 5 000 objets aident à recréer l'ambiance d'un camp de bûcherons québécois des débuts du 20e s. Les structures de bois grossièrement taillées à la hache et l'ameublement rustique illustrent avec réalisme les rudes conditions de vie de ces pionniers dont l'existence était liée à l'exploitation forestière et au transport du bois. Les visiteurs verront notamment le camp des hommes, la forge, la tour des garde-feu, le moulin à scie et la « cookerie », c'est-à-dire la cuisine de chantier, où ils pourront prendre un repas typique des chantiers d'autrefois.

Entre Grandes-Piles et Saint-Roch-de-Mékinac, la route offre de très belles **vues**★ sur la puissante Saint-Maurice et sur les falaises de la rive opposée. Au printemps, des balbuzards, communément appelés « aigles pêcheurs », nichent ici.

Continuez jusqu'à Rivière-Matawin (38 km).

Détour à la réserve faunique du Saint-Maurice

Accès par un pont sur le Saint-Maurice (péage : 12 $/voiture). Un centre d'accueil (à environ 2 km de Rivière-Matawin) fournit cartes et renseignements divers (camping, pêche, chasse, canot-camping, observation de la nature, randonnées pédestres ou en traîneau à chiens, etc.). Pour l'hébergement ou tout renseignement : ☏ *819-646-5687 - www.sepaq. com -* ✕-♿-🅿 *- centre d'accueil de Matawin ouv. de mi-mai à mi-oct. Se renseigner sur les horaires, et, l'hiver, sur l'ouverture des routes.*

Cette vaste étendue de forêts, de lacs et de ruisseaux fait la joie des pêcheurs et des canoteurs. De nombreux terrains de camping sont situés autour du lac Normand, réputé pour ses eaux claires et ses immenses plages de sable fin. Le **circuit des Pionniers** *(circuit de canot-camping de 22 km)* sillonne les collines et les bois. Parmi les points d'intérêt de la réserve, noter les chutes Dunbar et le « bateau-rocher » (curieuse formation naturelle en forme de vaisseau) ainsi qu'un sentier de nature à travers la forêt boréale.

Revenez sur la route 155 pour rallier La Tuque (69 km au nord-est).

La Tuque

Premier chansonnier québécois de renommée internationale, chantre des forêts et des rivières du Québec (en particulier du Saint-Laurent), **Félix Leclerc** (1914-1988) naquit à La Tuque. Cet ancien poste de traite des fourrures – dont le nom évoque une colline locale en forme de bonnet de laine *(tuque en québécois)* – doit, comme les autres villes de la région, son existence à ses vastes étendues boisées et à ses puissantes chutes d'eau. *Au départ de La Tuque, la route 155 conduit à Roberval et au lac Saint-Jean (environ 130 km).*

Mauricie pratique

♿ Reportez-vous au carnet pratique de Trois-Rivières.

Adresses utiles

👁 **www.tourismemauricie.com** – Le site recense toutes les activités possibles à faire dans la région, été comme hiver. Il donne les liens et fait l'interface avec les acteurs du tourisme mauricien (restaurateurs, hôteliers, guides…). Offre de forfaits (hébergement + activités).

Centre local de développement de Shawinigan – *522, 5e Rue - Shawinigan -* ☏ *819-537-7249 - www.tourismeshawi nigan.qc.ca.*

Corporation touristique et culturelle de Grand-Mère – *Sortie 226 de l'autoroute 55 Nord - 2333, 8e Rue - Grand-Mère -* ☏ *819-538-4883 - de mi-juin à la fête du Travail : 8h-19h.*

Corporation de développement récréotouristique et du nautisme de Grandes-Piles – *630, 4e Av. - Grandes-Piles - www.grandespiles.qc.ca.*

Centre local de développement du Haut-Saint-Maurice – *373 r. St-Joseph - La Tuque -* ☏ *819-523-6111 (poste 403) - www. cldhsm.qc.ca.*

Se loger

⊜⊜⊜ **Hôtel Sacacomie** – *4000 Rang, Sacacomie - St-Alexis-des-Monts -* ☏ *819-265-4444 ou 1-888-265-4414 - www. sacacomie.com -* ✕-♿-🅿 *- 109 ch. - demi-pension 120/266 $.* Dans un écrin naturel préservé, au bord d'un lac majestueux, l'hôtel Sacacomie, avec son imposante architecture en rondins et son intérieur sobre et rustique, est idéal pour un week-end ou une escapade d'une semaine. Parmi les activités : spa, randonnée équestre, plongée, excursion en hydravion, golf ou encore motoneige.

Événement

Eclyps – *Shawinigan - cité de l'Énergie -* ☏ *1-866-900-2483 (gratuit) - juil.-août : mar.-sam. à la tombée de la nuit - 50 $ (-12 ans 20 $).* Ce spectacle en plein air, néanmoins protégé des intempéries, offre un voyage féerique à travers les étoiles. Pendant 1h30, les Sélénites parcourent le plateau tournant à 360 degrés, à la découverte de la voûte céleste.

Parc national de la **Mauricie**★★

MAURICIE – CENTRE-DU-QUÉBEC
SCHÉMA : MAURICIE
WWW.TOURISMEMAURICIE.COM ET WWW.MAURICIE.GOUV.QC.CA

Image intacte et préservée des Laurentides québécoises, le parc national de la Mauricie a été créé en 1970. Mais depuis 5 000 ans, indigènes, coureurs des bois, bûcherons, draveurs et autres ont été attirés par les richesses naturelles de cette région qui, avant de devenir un parc national, constituait l'un des plus vastes ensembles de clubs privés de chasse et de pêche d'Amérique du Nord. Aujourd'hui, ce sont les amateurs de randonnée, de vélo de montagne, de raquette et de canot qui viennent s'aérer dans sa forêt boréale, sa mosaïque de lacs, de cascades et de collines arrondies. Faites comme eux : le parc est considéré comme l'un des plus beaux du Québec !

▶ **Se repérer** – Le parc se trouve à 70 km au nord de Trois-Rivières par la route 55. Ses deux points d'accès principaux sont l'entrée ouest côté Saint-Mathieu (sortie 217) et l'entrée est côté Saint-Jean-des-Piles (sortie 226). Suivez les panneaux indicateurs. Le parc s'étend sur 536 km².

🕐 **Organiser son temps** – Restez au moins une nuit. Trois campings sont aménagés le long de la route panoramique *(réservations ☎ 1-877-737-3783)*. Deux gîtes, Wabenaki et Andrew, sont ouverts en toutes saisons *(réservations ☎ 819-537-4555)*.

👫 **Avec les enfants** – Presque tout !

🐾 **Pour poursuivre la visite** – Shawinigan, Trois-Rivières et toute la Mauricie.

Activités

☎ *819-538-3232 - www.pc.gc.ca/mauricie - ouv. toute l'année -* △-✕-♿-🅿 *- le visiteur pourra se renseigner et s'inscrire aux différentes activités offertes par le parc aux centres d'accueil de Saint-Mathieu et de Saint-Jean-des-Piles ; de mi-mai à la fête du Travail : 7h-22h ; de déb. sept. à mi-oct. : 9h-16h30 (vend. 22h). Le centre d'accueil de Saint-Jean-des-Piles est ouvert tous les jours pour les activités hivernales : 8h30-17h - 7,80 $.*

Le canot et le canot-camping

Ils constituent l'un des meilleurs moyens pour explorer le parc (location de canots et de matériel sur place). Plusieurs parcours jalonnés d'emplacements de camping rudimentaire permettent de découvrir l'arrière-pays. Certains d'entre eux comportant de longs et rudes portages en terrain très accidenté, il est préférable de suivre un cours de canotage avant de s'y embarquer.

Pêche, randonnée pédestre, camping semi-aménagé et baignade sont d'autres activités très prisées.

Route panoramique

62 km entre les deux points d'accès. Cette route exceptionnelle serpente entre les rochers du bouclier laurentien. Elle longe sur près de 16 km une étendue d'eau filiforme, le **lac Wapizagonke**, et offre de belles échappées sur ses falaises et ses plages de sable fin. Le belvédère du Passage *(30 km)* permet sans aucun doute de saisir les meilleures **vues** de l'ensemble.

La route conduit ensuite à un second lac étroit, le **lac Édouard**, doté d'une jolie plage naturelle, puis continue son chemin sinueux jusqu'au point d'accès est du parc, d'où on a une belle vue sur la rivière Saint-Maurice.

Lac Mégantic ★

CANTONS-DE-L'EST
5 967 HABITANTS
SCHÉMA : LAC MÉGANTIC
WWW.TOURISME-MEGANTIC.COM OU WWW.CANTONSDELEST.COM

C'est un lac, une ville, un très beau site et le point de départ d'une excursion dans le parc national du Mont-Mégantic, qui abrite l'observatoire astronomique du Mont-Mégantic. Le parc a été déclaré en 2007 « réserve de ciel étoilé ». Tout y est mis en œuvre pour minimiser la pollution lumineuse. Venez voir !

- **Se repérer** – Le lac Mégantic est à 190 km au sud de Québec par les routes 73, 173 et 204. La ville de Lac-Mégantic se trouve à la jonction des routes 204 et 161.
- **À ne pas manquer** – La visite de l'ASTROlab, et ses soirées d'observation.
- **Organiser son temps** – Rendez-vous au début du mois de juillet pour le Festival d'astronomie populaire du Mont-Mégantic.
- **Avec les enfants** – Les activités de l'ASTROlab en été.
- **Pour poursuivre la visite** – Sherbrooke et la Beauce.

Comprendre

La rivière Chaudière, qui prend sa source dans le lac Mégantic, arrose le sud de la province et se jette dans le Saint-Laurent près de la ville de Québec.
La région fut découverte en 1646 par le père Druillette. En 1700, des Abénaquis s'y installèrent et la baptisèrent *Namesokanjik* (« lieu poissonneux »).

Visiter

Lac-Mégantic

Ce petit centre industriel et commercial se trouve à l'extrémité nord-est du lac Mégantic, à son point de jonction avec la rivière Chaudière. Fondé en 1885 par des Écossais, il a conservé de cette époque des maisons de brique rouge le long de la rue principale. Un joli parc aménagé sur les bords du lac (*derrière le palais de justice*) permet d'admirer les montagnes, notamment le mont Mégantic qui se dresse à l'ouest.
Dans l'**église Sainte-Agnès** (*4872 r. Laval - ☎ 819-583-0370*), on notera un magnifique **vitrail** sur le thème de l'Arbre de Jessé (c'est-à-dire l'arbre généalogique du Christ). Ce vitrail avait été conçu en 1849 pour la Church of the Immaculate Conception, dans le quartier de Mayfair à Londres.

Excursion au mont Mégantic

59 km. Quittez Lac-Mégantic par la route 161.
La route grimpe, surplombe le lac Mégantic et permet d'admirer les montagnes Blanches, au sud.
À Woburn (27 km), prenez à droite la route 212 et continuez sur 18 km.
La route atteint **Notre-Dame-des-Bois**, dont la particularité est d'être le village québécois de plus haute altitude (549 m).
À Notre-Dame-des-Bois, tournez à droite en direction du parc national du Mont-Mégantic.

Parc national du Mont-Mégantic

13 km - 189 rte du Parc - ☎ 819-888-2941 - www.sepaq.com - 9h-17h, jusqu'à 23h lors des soirées d'astronomie - 3,50 $ (droit d'accès).
À la base du mont Mégantic, se trouve l'**ASTROlab**, un centre d'activités en astronomie dédié à la vulgarisation scientifique. Ouvert en journée et en soirée, il propose une salle multimédia haute définition et des expositions.
Au sommet du **mont Mégantic** (1 100 m) se trouvent deux observatoires que vous pouvez visiter pendant une visite guidée de jour ou lors de soirées « astronomie ».
L'observatoire du Mont-Mégantic possède l'un des télescopes les plus puissants de l'est de l'Amérique du Nord (objectif : 1,61 m de diamètre ; poids approximatif : 24 t). Il propose au public diverses activités et expositions d'interprétation sur le thème de l'astronomie.
Le second, l'**observatoire populaire**, organise des soirées « astronomie » permettant à tous d'observer les étoiles et les constellations (quand la visibilité le permet !)
Réservations requises pour les observatoires seulement, et non pour l'ASTROlab (*☎ 819-888-2941 - www.sepaq.com - se renseigner ou aller sur le site pour découvrir toutes les formules proposées - de fin mai à déb. oct. : 9h-23h*)

Revenez sur 3 km, et prenez à gauche une petite route accidentée qui grimpe sur 1 km avant d'arriver au mont Joseph.

Mont Joseph

En 1883, le père Corriveault, de Notre-Dame-des-Bois, fit ériger un petit sanctuaire en l'honneur de saint Joseph, à la suite de tornades dévastatrices ayant miraculeusement laissé indemnes les habitants du village qui avaient prié ce saint. Du sommet du mont Joseph se déploie un **panorama★★** incomparable de la région.

Jardins de Métis★★

GASPÉSIE
SCHÉMA : GASPÉSIE
WWW.JARDINSMETIS.COM

Plus de trois mille espèces de fleurs et de plantes ornementales, dont certaines d'une grande rareté, composent les six jardins de Métis, parmi les plus beaux du monde.

▶ **Se repérer** – Les jardins de Métis se trouvent à Grand-Métis, à 350 km à l'est de Québec. On y accède par les routes 73 et 20, puis la route 132.

👁 **À ne pas manquer** – Le Festival international des jardins a lieu de fin juin à fin septembre. Il présente des jardins temporaires créés par des concepteurs québécois, canadiens et étrangers : sublime !

🕯 **Pour poursuivre la visite** – La Gaspésie *(voir ce nom)*.

Comprendre

En 1886, Lord Mount Stephen (1829-1921), président fondateur du Canadien Pacifique, achetait au seigneur de Grand-Métis, Archibald Fergusson, des terres au confluent de la rivière Métis et du Saint-Laurent pour y construire un camp de pêche. Sa nièce Elsie Stephen Reford hérita du domaine en 1918 et le transforma, de 1926 à 1959, en un cadre enchanteur.

Visiter

200 rte 132, Grand-Métis - 📞 418-775-2222 - www.jardinsmetis.com - ✂-♿-🅿️*- juin, sept.-oct. : 8h30-18h ; juil.-août : 8h30-20h - 16 $ (- 13 ans gratuit).*

Jardin d'entrée

Une véritable explosion de couleurs s'offre, dès ce premier arrêt, à la vue du visiteur. Au tout début de l'été fleurissent des plantes vivaces comme la pivoine et le lupin, tandis que les plantes annuelles attendront juillet et août pour s'épanouir. Dans le boisé d'épinettes qui borde cet ensemble coloré croissent le myosotis et la prêle. Juste avant le jardin des rocailles, des bégonias tubéreux fleurissent du milieu de l'été jusqu'à l'automne.

Les rocailles

Sur un talus parcouru d'un petit ruisseau tortueux pousse une flore propre aux régions montagneuses. On y retrouvera par exemple la saxifrage, la campanule et l'œillet alpin. Dans la plate-bande centrale se dresse un arbuste très rare, originaire de Chine : le **saule de Bock**. Le jardin compte par ailleurs neuf espèces de fougères, dont la capillaire du Canada et l'osmonde de Clayton.

Jardin des rhododendrons

Le spectacle des rhododendrons en fleurs au début de l'été est suivi, jusqu'aux premières gelées, de celui des rosiers. Le jardin abrite également l'érable rouge du Japon et le fameux **pavot bleu**, orgueil des jardins de Métis dont il est d'ailleurs l'emblème floral. Rare et très difficile à cultiver, cette fleur originaire des prairies alpines de l'Himalaya s'épanouit de mi-juin à mi-juillet.

Allée royale

Éclatant hommage aux jardins à l'anglaise, l'allée royale présente un savant mélange de plantes annuelles et vivaces et d'arbustes offrant des floraisons quasi continues. De la fin juillet à la mi-août, de minuscules oiseaux-mouches viennent nombreux butiner le nectar des delphiniums.

Villa Reford

Au centre des jardins se dresse un somptueux manoir de 37 pièces. Il s'agit là du pavillon de pêche que Lord Mount Stephen avait fait construire en 1887, et que sa nièce fit agrandir en 1927. Le rez-de-chaussée abrite aujourd'hui un restaurant, un café et une boutique d'artisanat. À l'étage, un **musée** évoque l'histoire du domaine et de ses anciens propriétaires. On y verra les appartements privés des Reford (salle de séjour, chambre à coucher, chambre noire et autres). La reconstitution d'une cuisine, d'une église, d'un magasin général, d'un cabinet de docteur, d'une école de rang et d'une chambre de tissage et de filage font revivre quelques facettes de la vie métissienne d'antan.

Dehors, une pelouse déroule son beau tapis vert jusqu'à la baie de Métis. Véritable écran naturel, un muret bordé de peupliers et de conifères a été construit au bord de l'eau pour protéger les jardins contre les vents froids de l'hiver.

Jardin des pommetiers

Somptueuses pelouses, plantes couvre-sol, plates-bandes et sentiers sinueux donnent à ce jardin un caractère typiquement anglais. Au printemps, les pommetiers apportent à l'ensemble un remarquable éclat rose.

Jardin des primevères

Un arbre originaire du Japon, le **faux-cyprès de Sawara**, marque l'entrée du jardin. Ce conifère aux branches retombantes fut introduit par Mme Reford. Au printemps, différentes variétés de primevères offrent une grande diversité de couleurs et de formes.

Sous-bois

Réservée à la flore québécoise, la dernière section des jardins de Métis vous permettra de découvrir, dans un cadre boisé, toutes sortes d'espèces typiques de la région.

Aux alentours

Parc de la rivière Mitis★

À 9,5 km à l'est de Grand-Métis, sur la route 132 en direction de Sainte-Flavie - 900, rte de la Mer - ✆ *418-775-2969 - www.parcmitis.com -* ♿-P-✗ *- du 23 juin à déb. sept. : 9h-17h - 5 $.*

À deux pas des jardins de Métis, parcourez les sentiers pédestres du parc afin de découvrir la nature et les magnifiques paysages de la rivière Mitis et du fleuve Saint-Laurent. Ces sentiers mènent à différentes haltes d'interprétation ainsi qu'à des belvédères. Des visites guidées et des activités interactives sont proposées.

👪 Une aire de jeux a été aménagée afin d'amuser les enfants. N'oubliez pas de visiter le bâtiment d'accueil où des expositions sont présentées. Sur place : boutique nature, aire de pique-nique et programmation variée d'activités et de conférences.

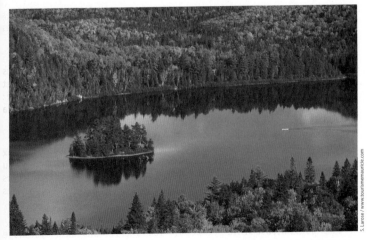

S. Larose / www.tourismemauricie.com

Paysage du parc de la Mauricie.

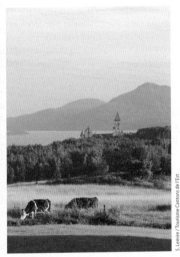

S. Lemire / Tourisme Cantons de l'Est

L'abbaye de Saint-Benoît.

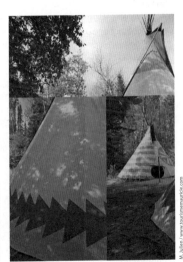

M. Julien / www.tourismemauricie.com

Tepee dans le parc de la Mauricie (Magog).

M. Deslongchamps / www.tourismeduplessis.com

Des monolithes sur l'archipel de Mingan.

Parc de **Miguasha** ★

GASPÉSIE
SCHÉMA : GASPÉSIE

En Gaspésie, la baie des Chaleurs s'ouvre, à l'embouchure nord de la rivière Ristigouche, par un surprenant escarpement contenant des fossiles enchâssés dans la roche sédimentaire depuis le Dévonien supérieur, il y a 380 millions d'années. Découvert en 1842, ce riche gisement fossilifère n'attira guère l'intérêt de la communauté scientifique avant 1880. Dès lors, et durant de nombreuses années, géologues et collectionneurs du monde entier viendront y prélever d'énormes quantités de spécimens. Afin de les protéger contre les pillages systématiques et de montrer à tous ces fabuleux trésors, le parc a été inscrit en 1999 sur la liste du Patrimoine mondial de l'Unesco.

- ◐ **Se repérer** – Le parc se trouve à 242 km au sud-est de Rimouski et à 294 km au sud-ouest de Gaspé par la route 132.
- ◉ **À ne pas manquer** – Les fossiles exposés au musée d'Histoire naturelle.
- ⚷ **Pour poursuivre la visite** – La Gaspésie (*voir ce nom et notamment le circuit 2, qui va de Percé à Causapscal en passant par le parc de Miguasha*).

Comprendre

Dans les années 1970, le gouvernement québécois met fin au pillage systématique du site en achetant une partie des falaises de Miguasha. Véritable sanctuaire paléontologique, ces dernières révèlent ici deux formations géologiques : le conglomérat de Fleurant (à la base) et la formation d'Escuminac (au sommet). La première est essentiellement constituée de galets. La seconde, de couleur grisâtre, fait à peine 8 km de long sur 1 km de large ; elle se compose de silt, de grès et de schistes argileux datant du Dévonien supérieur, et renferme d'importants éléments de la chaîne de l'évolution.

Alimenté par de nombreux cours d'eau et entouré d'une végétation tropicale, un estuaire de grande dimension occupait, il y a plusieurs centaines de millions d'années, le site actuel de Miguasha. L'accumulation des sables, du limon et de l'argile emprisonna, au cours des âges, toutes sortes de plantes et d'animaux dont on peut voir aujourd'hui les restes fossilisés.

Visiter

℘ 418-794-2475 - www.sepaq.com - ▣ -♿- ✕ - de déb. janv. à fin mai : lun.-vend. 8h30-12h, 13h-16h30 ; juin-août : 9h-18h ; du 1ᵉʳ sept. à mi-oct. : 9h-17h ; de mi-oct à mi- déc. : lun.-vend. 8h30-12h, 13h-16h30. Depuis 1985, le site de Miguasha est un parc de conservation. Grâce à des expositions et à des excursions sur le terrain en compagnie de guides spécialisés, le visiteur est invité à découvrir un fascinant univers : celui de la paléontologie.

Musée d'Histoire naturelle

Parmi les fossiles qui y sont exposés, on peut admirer des fougères, des invertébrés et une vingtaine d'espèces de poissons datant du Dévonien supérieur. On remarquera tout particulièrement l'*Eusthenopteron foordi* dont la morphologie – comparable à celle de l'*Ichtyostega*, premier tétrapode connu – a permis aux chercheurs de mieux comprendre la transition entre les vertébrés aquatiques et les premiers amphibiens. Parmi tous les spécimens fossiles, à noter le *Bothriolepis canadensis*, trouvé dans les falaises et sur la grève de Miguasha en juin et en juillet 2006, après avoir passé 380 millions d'années dans la boue et dans la pierre gaspésienne. L'exposition fait une place de choix à la découverte de l'*Eusthenopteron foordi*, aussi connu sous le nom de prince de Miguasha.

Laboratoire

Des guides expliquent les méthodes employées pour dégager les fossiles de la gangue qui les entoure. Le visiteur aura l'occasion, s'il le désire, d'examiner toutes sortes de spécimens au microscope.

Visite des falaises

Une courte promenade jusqu'aux falaises permet d'inspecter de près les couches sédimentaires et d'observer, avec l'aide d'un guide-interprète, le déroulement des fouilles fossilifères. Le prélèvement d'échantillons est naturellement interdit.

➡ Un sentier d'interprétation *(1,9 km)* retrace en plusieurs étapes l'évolution de la vie sur notre planète.

Archipel de **Mingan**★★

DUPLESSIS
SCHÉMA : CÔTE-NORD
WWW.PARCSCANADA.CA OU WWW.TOURISMECOTE-NORD.COM

La réserve de parc national de l'Archipel-de-Mingan se trouve au large de la Côte-Nord, entre Longue-Pointe-de-Mingan et Baie-Johan-Beetz. Elle se compose d'un millier d'îles et d'îlots côtiers formant un chapelet d'environ 150 km de long, dans le golfe du Saint-Laurent. Ses monolithes aux allures fantastiques racontent une histoire de près de 500 millions d'années. C'est un véritable paradis naturel à ne pas manquer !

- **Se repérer** – Accès par bateau de Mingan ou de Havre-Saint-Pierre (à 855 km au nord-est de Québec et à 214 km au nord-est de Sept-Îles). Aucun moyen de locomotion n'est autorisé sur l'archipel.
- **À ne pas manquer** – Les monolithes et l'observation de la faune et de la flore.
- **Organiser son temps** – Renseignez-vous sur les horaires des bateaux pour venir et quitter l'archipel. La période idéale pour observer le maximum d'oiseaux et de plantes en fleurs s'étend de la mi-juin au début juillet. Sachez encore que les deuxièmes quinzaines de juin et août sont moins fréquentées.
- **Pour poursuivre la visite** – L'île d'Anticosti, Sept-Îles.

Comprendre

Les roches sédimentaires de l'archipel se sont formées il y a 500 millions d'années par suite de l'accumulation de dépôts calcaires en marge du Bouclier canadien. La pression exercée par la calotte glaciaire, l'action constante du gel et du dégel et l'assaut ininterrompu des vagues ont façonné le paysage en causant, dans la masse rocheuse, l'apparition de fissures ; ces dernières, soumises à l'érosion, ont peu à peu donné naissance aux îles et à leurs monolithes si caractéristiques.

Monolithes

Modelés au cours des millénaires, ces « pots de fleurs » géants doivent leur forme particulière à une couche supérieure de calcaire résistant, isolée sur un pied plus friable. Ils ont dans l'ensemble la même hauteur (de 5 à 10 m), ce qui tendrait à prouver qu'à une certaine époque, ils formaient un bloc compact. Au fil des ans, les habitants de la région ont baptisé ces étranges sculptures selon la forme qu'elles évoquaient : Bonne Femme, Tête d'Indien, etc.

Flore

Le courant glacé du Labrador, la nature du sol, l'extrême humidité et l'influence de la mer sont à l'origine d'un bioclimat unique. Partiellement recouvert d'une forêt de conifères, l'archipel n'en possède pas moins une flore d'une incroyable variété. On y découvrira des fougères, des orchidées, des mousses et des lichens, dont certaines espèces ne se trouvent habituellement qu'en climat arctique ou alpin. Une quarantaine de plantes rares poussent sur l'archipel ; la plus remarquable (on ne la trouve nulle part ailleurs dans l'est du Canada) est le **chardon de Minganie**, qui fut répertorié en 1924 par le frère Marie-Victorin, fondateur du jardin botanique de Montréal.

Faune

De tous les oiseaux de mer qui fréquentent l'archipel, celui qu'affectionnent le plus habitants et visiteurs est sans aucun doute le **macareux**. Son bec rouge, jaune et bleu, et ses pattes orange lui ont valu le surnom de « perroquet de mer ». Le visiteur pourra également observer l'eider commun, le guillemot noir, la sterne arctique et la sterne commune. Enfin, les eaux environnantes abritent le rorqual commun ainsi que trois espèces de phoques : le phoque gris, le phoque du Groenland et le phoque commun.

Visiter

☎ 418-538-3331 ou 1-888-773-8888 (sans frais) - www.parkscanada.ca - ouv. tte l'année - 5,80 $ - Centre d'accueil et d'interprétation de Havre-Saint-Pierre (près de la marina), promenade des Anciens - Havre-Saint-Pierre - ☎ 418-538-3285 - juin-sept. - Centre d'accueil et d'interprétation de Longue-Pointe-de-Mingan - 625 r. du Centre, Longue-Pointe-de-Mingan - ☎ 418-949-2126 - juin-sept.

Centres d'accueil et d'interprétation

La réserve de parc national de l'Archipel-de-Mingan possède deux centres d'interprétation gérés par Parcs Canada : l'un se trouve à Longue-Pointe-de-Mingan, et l'autre à Havre-Saint-Pierre. Y sont proposés films, conférences et expositions diverses sur la faune, la flore et la géomorphologie des îles. Les visiteurs intéressés pourront aussi obtenir toutes sortes de renseignements sur les activités d'animation et d'interprétation organisées, et retirer leurs permis de camping.

Croisières en mer★

Pour mieux apprécier les merveilles dont la nature a pourvu l'archipel, il convient d'en découvrir les îles en bateau, sous la direction de guides-naturalistes.

Les croisières **au départ de Havre-Saint-Pierre** font escale sur **l'île Niapiskau**, ce qui permet d'aller observer les monolithes de plus près (*départ de la marina de Havre-Saint-Pierre - La Tournée des îles inc. - ☎ 418-538-2547 - www.tourismecote-nord. com/minisite/tournee - ♿-🅿 - de mi-juin à la fête du Travail : 8h, 13h et 15h30 - AR 3h30 - commentaire à bord - réservations conseillées - 48 $ accès aux îles compris - également : La Relève Jomphe Inc. - ☎ 418-538-2865*).

Croisières au départ de Havre-St-Pierre vers la Petite île au Marteau et l'île de la Fausse Passe en passant par l'île St-Charles et l'île à Calculot des Betchouanes (secteur est) : *Pneumatique Transport inc. - Daniel Yockell - ☎ 418-538-1222 et 418-294-2385 (hors saison) - www.pneumatiquetransport.com*. Pour les lève-tôt, une excursion supplémentaire vers l'île de la Fausse Passe ou l'île Quarry est possible à 4h ou 5h du matin.

Les croisières **au départ de Mingan** donnent l'occasion d'admirer les fameux « pots de fleurs », mais aussi d'observer oiseaux de mer et mammifères marins (*départ au débarcadère - Entreprise touristique Loiselle Inc. - ☎ 418-949-2307 - ✗-♿-🅿 - de déb. juin à déb. sept. : 8h, 12h et 16h - AR 3h30 mini - commentaire à bord - réservations requises - 33,50 $*).

La **station de recherche des îles Mingan** (*378 r. du Bord-de-la-Mer - ☎ 418-949-2845*), à Longue-Pointe-de-Mingan, organise par ailleurs des **croisières d'observation des baleines**.

Et encore : croisières **au départ de Longue-Pointe-de-Mingan** vers l'**île Nue de Mingan et l'île aux Perroquets** - *Excursion du Phare enr. - Marius Vibert - ☎ 418-949-2302 - www.minganie.info*.

Des excursions sont également possibles en kayak de mer (*Expédition Agaguk Inc. - Gilles Chagnon - Pierre-St-Hilaire - ☎ 418-538-1588 ou 1-866-538-1588 (sans frais) - www. expedition-agaguk.com*).

Randonnées

Les sentiers de randonnée pédestre totalisent près de 24 km et sont situés sur 4 îles différentes : Petite île au Marteau, l'île Nue de Mingan (*à partir du 15 juillet seulement*), l'île au Havre, l'île de Niapiskau, l'île Quarry.

Ces sentiers font découvrir l'univers du bord de mer, et parfois, ils emmènent les randonneurs au cœur des îles, dans la forêt, la lande et les tourbières.

Un archipel, deux secteurs, plus de mille îles et îlots côtiers

La partie la plus fréquentée du parc comprend la majorité des îles calcaires et des monolithes de l'archipel. Elle se situe entre l'île aux Perroquets (en face de Longue-Pointe-de-Mingan) et l'île Ste-Geneviève.

Le second secteur, la partie est, inclut les îles, îlots et cayes granitiques présents à l'est de l'île Ste-Geneviève jusqu'à l'embouchure de la rivière Aganus près d'Aguanish. Parmi toutes les îles : l'île aux perroquets, l'île Nue de Mingan, La Grande Île, l'île Quarry, l'île de Niapiskau, l'île du Fantôme, l'île du Havre, la petite île au Marteau, l'île de la Fausse Passe, l'île à la Chasse.

Parc du **Mont-Orford** ★

CANTONS-DE-L'EST
SCHÉMA : CANTONS DE L'EST

Créé en 1938, ce parc de 58 km² englobe une région montagneuse appartenant au système appalachien. Il est dominé au nord-est par le mont Chauve (600 m) et au sud-ouest par le mont Orford (881 m), réputé pour ses pistes de ski. En été, c'est un lieu idéal pour camper, se baigner et jouer au golf au cœur de la forêt où domine l'érable à sucre.

- **Se repérer** – Le parc se trouve à 7 km au nord-ouest de Magog et à 116 km de Montréal. On accède à son entrée ouest par les routes 10 (sortie 115) et 141. Celle-ci traverse la partie sud du parc et permet d'en sortir par l'est ; elle rejoint la sortie 118 de la route 10.
- **À ne pas manquer** – Un saut au sommet du Mont-Orford.
- **Pour poursuivre la visite** – Magog et Sherbrooke.

Activités

℘ 819-843-9855 - www.sepaq.com - △ - de mi-mai à mi-oct. - ✕-♿-🅿 - (5 $/voiture) - ouv. tte l'année. Centre d'accueil secteur du Lac-Stukely : ouv. tte l'année - Centre d'accueil secteur Fraser : 13 juin-1er sept. - 3,50 $.

Grâce à ses lacs, le parc se prête particulièrement bien au canot, au kayak et à la natation. On peut également y faire de la randonnée à travers des forêts d'érables, de bouleaux, de sapins et de pins. Une piste cyclable nommée « La Montagnarde » permet de traverser le parc à vélo d'est en ouest.

Le parc propose par ailleurs un terrain de golf, un centre d'arts *(voir Visiter)* ainsi que des aires de pique-nique et de camping. En hiver : ski de fond, raquette et ski alpin.

Visiter

Mont-Orford
Sur la route 141, à 1 km de l'entrée ouest du parc. Accès par télésiège ou à pied. Du télésiège s'offrent des **vues**★ superbes sur le lac Memphrémagog et les montagnes environnantes. Arrivé au sommet *(courte promenade autour de la tour de télévision)*, le visiteur aura une **vue panoramique**★★ sur la vallée du Saint-Laurent au nord, les collines Montérégiennes à l'ouest, le lac Memphrémagog au sud et la chaîne des Appalaches à l'est.

Lac Stukely
De la route 141, tournez à gauche à 4 km de l'entrée ouest et suivez une route secondaire sur 6 km. On atteint le charmant lac Stukely après un agréable parcours le long de la rivière aux Cerises et de l'étang du même nom. Le lac, parsemé d'îlots rocheux, est entouré de plages de sable.

Centre d'arts Orford
Sur la route 141, à 1 km de l'entrée est ou à 6 km du lac Stukely - ℘ *819-843-3981 - www. arts-orford.org -* ✕-♿ *- ouv. tte l'année :* 9h-21h.

Fondé en 1951, ce centre d'arts est particulièrement réputé pour ses stages de perfectionnement en musique. Sa grande salle de concert en forme d'amphithéâtre, située dans un joli cadre boisé, fut d'ailleurs le pavillon de l'Homme et de la Musique à l'Exposition universelle de Montréal en 1967.

Chaque été, le site accueille le **Festival Orford**, célèbre manifestation musicale à l'occasion de laquelle se produisent des interprètes de renommée internationale.

Parc du **Mont-Tremblant**★

LAURENTIDES
SCHÉMA : LAURENTIDES

Ce merveilleux espace de loisirs regorge de lacs (plus de 400) et de rivières dont les plus notables sont celles du Diable et de l'Assomption, avec leurs magnifiques cascades et leurs chutes tumultueuses. Parcourus de montagnes dont les sommets dépassent les 900 m, ces 1 510 km² de paysages d'une grande beauté abritent une faune abondante (orignaux, ours bruns, castors et toutes sortes d'oiseaux, parmi lesquels le grand héron bleu). Des kilomètres de routes sinueuses et de pistes attirent les randonneurs, surtout à l'automne où les rouges vifs de l'érable se mêlent aux tendres jaunes des bouleaux.

- ▶ **Se repérer** – Le parc du Mont-Tremblant se trouve à environ 140 km au nord de Montréal. Principaux points d'accès : Saint-Donat (autoroute 15 et route 329) ; Saint-Faustin (autoroute 15 et route 117) ; Saint-Côme (autoroute 25 et route 343). Chaussée non revêtue par endroits.
- 👁 **À ne pas manquer** – La chute du Diable et la chute aux Rats.
- 👫 **Avec les enfants** – 196 espèces d'oiseaux, des cerfs de Virginie, des loups, des castors, des lièvres et des ours…
- 🕐 **Pour poursuivre la visite** – Les Laurentides (*voir ce nom*).

Comprendre

La « montagne tremblante » – L'origine du toponyme demeure incertaine. Selon la légende, des Algonquins auraient baptisé l'endroit *manitou ewitchi saga* (« montagne du redoutable Manitou »), en référence au dieu de la nature qui faisait trembler la montagne lorsque l'homme venait en troubler la tranquillité. Pour d'autres, le mont Tremblant tirerait plutôt son nom d'une expression elle aussi amérindienne, *manitonga soutana* (« montagne des esprits »), évoquant le tremblement causé par les torrents alors qu'ils dévalent les pentes en cascade.

Se promener

4456 chemin du Lac-Supérieur - Lac-Supérieur - 📞 *819-688-2281 - www.sepaq.com -* △-✗-♿-Ⓟ- *de mi-mai à fin sept. : 7h-21h ; oct.-avr. : 9h-16h. Certaines routes du parc sont fermées en hiver - 3,50 $. Le parc comprend trois secteurs : La Diable, la Pimbina et l'Assomption, ayant chacun un centre d'accueil. Celui du secteur de la Diable fait office de bureau d'accueil principal (mi-mai-mi-oct.)*
À partir de l'entrée côté lac Supérieur, prendre la route du parc n° 1.
Très pittoresque, la route remonte le long de la **rivière du Diable**★, de la station de ski du Mont-Tremblant jusqu'aux chutes Croches.

Lac Monroe

À 11 km de l'entrée. Il s'agit d'un agréable plan d'eau doté d'une plage, de terrains de camping et de sentiers de randonnée *(location de canots et bicyclettes)*. On pourra admirer de très belles vues en suivant la route qui longe le lac sur plusieurs kilomètres. 👁 De l'autre côté de la route, un sentier de nature *(2,7 km)* mène au lac des Femmes. Un peu plus loin se trouve le lac Lauzon.
Continuez par la route n° 1.

Chute du Diable★

À 8 km du lac Monroe. Garez votre voiture et suivez le sentier sur 0,8 km.
👁 Les eaux sombres de la rivière du Diable dévalent en pente raide et changent brusquement de direction, laissant au pied de la chute un amas de roches fracassées.
Environ 10 km après les chutes, prenez la direction est vers Saint-Donat et la chute aux Rats par la route n° 2, et continuez sur 24 km.

Chute aux Rats★

Le **ruisseau du Pimbina** dévale une falaise étagée de plus de 18 m en formant une majestueuse chute, l'une des plus jolies de la région de la Lanaudière. Des tables de pique-nique ont été installées à proximité de la zone de baignade. Un escalier de bois mène au sommet des chutes.
Continuez par la route n° 3 jusqu'à la sortie (5 km).

Montebello

OUTAOUAIS
987 HABITANTS
WWW.TOURISMEOUTAOUAIS.COM

Montebello se trouve sur la rive nord de la rivière des Outaouais, entre Gatineau et Montréal. Ancienne patrie de Louis-Joseph Papineau (1786-1871), député, président de la Chambre, éloquent orateur et chef des Patriotes, la ville est surtout connue, depuis 1930, pour son luxueux hôtel et pour les conférences internationales qui s'y tiennent. C'est un lieu à découvrir pour qui veut mieux connaître l'histoire du Québec.

▶ **Se repérer** – Montebello se trouve à 130 km à l'ouest de Montréal et à 70 km à l'est de Gatineau par la route 148.

👁 **À ne pas manquer** – Le Manoir-Papineau, lieu historique national du Canada.

🕑 **Pour poursuivre la visite** – Gatineau.

Comprendre

En 1674, la seigneurie de Petite-Nation, alors peuplée d'Algonquins, était concédée à Mgr de Laval. Le notaire Joseph Papineau, père de Louis-Joseph, en fit l'acquisition en 1801 et y installa les premiers colons. En 1845, au retour de huit ans d'exil à la suite de l'échec de la Rébellion, le chef des Patriotes y fit construire un manoir qu'il nomma en l'honneur d'un ami, le **duc de Montebello**, fils de l'un des généraux de Napoléon Bonaparte. Le petit village qui s'était constitué non loin de là prit son nom en 1878. Montebello fut également la patrie du gendre de Papineau, Napoléon Bourassa (1827-1916), éminent artiste et architecte, et de son illustre petit-fils, Henri Bourassa (1868-1952), homme politique et fondateur du *Devoir*.

Visiter

Château Montebello★

Accès par la route 148. Cet énorme bâtiment de bois octogonal flanqué de six ailes occupe, sur les bords de la rivière des Outaouais, une partie du parc de l'ancienne seigneurie de Papineau. Il fut construit en 1930 selon les plans de l'architecte montréalais Harold Lawson, pour le compte du très sélect Seigniory Club. Le projet, réalisé en 90 jours à peine, nécessita l'emploi de quelque 10 000 billes de cèdre rouge. Transformé en hôtel de luxe, Fairmont Le Château Montebello accueillit de nombreux événements internationaux, parmi lesquels le Sommet économique de 1981, en 1983, le Bilderberg Meeting ainsi que la Conférence de l'OTAN, et en 2007, le sommet des chefs de gouvernement nord-américain.

Été comme hiver, ses jardins, en accès libre, offrent d'agréables promenades. Le manoir Papineau se trouve dans le parc du Château.

Lieu historique national du Canada du Manoir-Papineau★

📞 819-423-6965 - www.parcscanada.gc.ca/papineau - visite guidée (45mn) de mi-mai à fin août : jeu.-dim. 10h-17h ; de déb. sept. à mi-oct. : sam.-dim. 10h-17h - 7 $.

Ce manoir fut construit entre 1848 et 1850 pour Louis-Joseph Papineau. Il s'agit d'un étonnant édifice revêtu de stuc couleur corail et flanqué de tours de pierre, de style « château ». La propriété fut vendue au Seigniory Club en 1929. Au cours des années, l'intérieur a subi de nombreuses modifications. Il reste cependant une partie du mobilier massif ayant appartenu à la famille Papineau, notamment dans la salle à manger et le grand salon.

Une bibliothèque ignifugée (nouveauté à l'époque !) fut construite dans une tour de quatre étages ; elle contenait quelque 6 000 volumes.

Du manoir, on aperçoit, à travers un rideau d'arbres, les eaux paisibles de l'Outaouais.

Montréal★★★

1 620 693 HABITANTS
WWW.VILLE.MONTREAL.QC.CA OU WWW.TOURISME-MONTREAL.ORG

Située sur la plus vaste des îles de l'archipel d'Hochelaga que longe le majestueux Saint-Laurent, Montréal offre tous les attraits d'une ville au caractère international. Deuxième agglomération canadienne derrière la métropole torontoise, place financière et commerciale fort active, elle abrite un centre industrialo-portuaire de première importance, sur la longue voie reliant les Grands Lacs à la mer. Montréal est la deuxième ville francophone du monde après Paris, mais la seule grande ville du Canada à réunir deux communautés que l'Histoire a longtemps fait s'opposer. Cette coexistence nourrit la créativité culturelle d'une cité où les influences du Vieux Monde et la modernité nord-américaine se mêlent de façon unique. Montréal, c'est aussi une mosaïque de communautés ethniques regroupées par quartiers, ce qui lui donne parfois l'aspect d'un agglomérat de villages culturellement distincts. Autant de facteurs qui l'ont dotée d'une vitalité fascinante.

▸ **Se repérer** – La ville de Montréal se déploie autour du Mont-Royal. Son cœur historique borde le Saint-Laurent, au sud de la montagne, tandis que le centre-ville s'intercale entre les deux. À l'est, et notamment l'est du boulevard St-Laurent, s'étendent les quartiers traditionnellement français, autrefois populaires et aujourd'hui à la mode, comme le Plateau ou le Mile End (nord-est de Mont-Royal). À l'ouest, les quartiers huppés anglophones. Sorti du centre-ville, ce ne sont que micro-villages aux noms pittoresques : le Quartier latin, la Petite Patrie, le Village (quartier gay à l'est de Berri-UQAM). Certains sont en pleine expansion ou rénovation, comme le canal de Lachine, à l'ouest, ou Hochelaga-Maisonneuve à l'est.

▯ **Se garer** – De nombreux parkings permettent de se garer en centre-ville. Comptez environ 14 $ la journée, ou 3 $ de l'heure pour un stationnement au parcmètre. Si les sites disposent de parkings, beaucoup sont payants.

👁 **À ne pas manquer** – Une promenade sur le Mont-Royal, un bagel chaud dans le Mile End, les collections du musée des Beaux-Arts, un coucher de soleil sur le centre-ville vu depuis le quai du Vieux-Port.

🕐 **Organiser son temps** – Les courts séjours privilégieront le Vieux-Montréal et le centre-ville, avec une excursion rapide sur le Plateau et ses restaurants en soirée.

👫 **Avec les enfants** – Les expériences et les jeux du Centre des Sciences de Montréal, sur le Vieux-Port, l'histoire de Montréal au Centre d'Histoire de la place d'Youville, les animaux du Biodôme, l'insectarium, les expositions interactives de la Biosphère.

🕯 **Pour poursuivre la visite** – Voir aussi l'île de Montréal, Laval.

Comprendre

Un peu de géographie – Une quinzaine de ponts relient l'île Jésus et l'île de Montréal au continent, dont cinq (pont-tunnel inclus) franchissent le Saint-Laurent. La communauté urbaine de Montréal comprend depuis 2006 : 19 arrondissements montréalais et 15 villes de banlieue reconstituées. La plus importante municipalité demeure donc la ville même de Montréal qui annexa plusieurs villages et quartiers vers 1880, et qui occupe à elle seule plus d'un tiers de la superficie insulaire. Se dressant presque au centre de l'île, le **mont Royal** (233 m), aux pentes abruptes, domine la zone urbaine. La « Montagne », comme on l'appelle familièrement ici, est l'une des huit masses rocheuses qui émergent curieusement de la plate vallée laurentienne. Formées pendant le crétacé, ces dernières sont connues sous le nom de collines Montérégiennes.

L'origine de Montréal – Les Mohawks, de la nation iroquoise, habitaient l'île de Montréal bien avant que les premiers Européens ne viennent s'établir en Amérique du Nord. En 1535, **Jacques Cartier**, à la recherche de mines d'or et d'une route menant vers l'Inde, débarqua dans l'île et visita le village d'**Hochelaga**, au pied du mont Royal. L'histoire veut que Cartier, l'ayant escaladé suivi de sa troupe, soit resté émerveillé devant le panorama qui s'offrait à sa vue et se soit exclamé : « C'est un mont réal. » La version de l'historien Gustave Lanctot est bien différente. Ce nom aurait été donné

Ambiance de la rue Saint-Catherine

Ph. Renault / hemis.fr

à l'endroit par Cartier « en l'honneur du cardinal de Médicis, évêque de la ville de Monreale en Sicile ». En 1611, **Samuel de Champlain**, le « père de la Nouvelle-France », remonta le Saint-Laurent à partir de Québec, qu'il venait de fonder. Hochelaga n'existait plus, et Champlain envisagea d'établir une colonie sur l'île Sainte-Hélène. Mais ce projet ne se concrétisa pas.

Ville-Marie – Le 17e s. fut, en France, une époque marquée par de grands desseins d'évangélisation. L'Église catholique espérait recouvrer le terrain perdu lors de la Réforme. Certains virent, dans la colonisation, un moyen de propager la foi. Deux Français, **Jérôme Le Royer de la Dauversière** et **Jean-Jacques Olier** (qui venait de fonder à Paris, en 1641, l'ordre des Sulpiciens), eurent simultanément l'idée d'envoyer une mission sur l'île de Montréal. Ils réunirent des fonds et choisirent **Paul de Chomedey**, **sieur de Maisonneuve**, pour diriger l'établissement qu'ils décidèrent de nommer **Ville-Marie**. Maisonneuve et une quarantaine de ses compagnons franchirent donc l'Atlantique en 1641. Ils passèrent l'hiver à Québec et débarquèrent sur l'île de Montréal en mai 1642. Bien qu'animés de grands idéaux, ils se heurtèrent à l'hostilité des Amérindiens et durent combattre les gens mêmes qu'ils étaient venus évangéliser. Les hostilités durèrent jusqu'à la signature d'un traité de paix avec les Iroquois, en 1701.

Le 18e siècle – Malgré l'échec de la tentative d'évangélisation, Ville-Marie (appelée par la suite Montréal) se développa grâce au commerce des fourrures. Des explorateurs partirent sur les Grands Lacs et leurs affluents, et revinrent chargés de pelleteries. La demande était très forte en Europe où les peaux d'animaux entraient dans la confection de vêtements de luxe. Les fourrures devinrent ainsi la base du commerce à Montréal, si bien qu'au moment de la **Conquête**, la ville était bien établie et comptait de nombreux marchands et plusieurs fermes.

Après la reddition de Québec en 1759, les troupes anglaises du général Jeffery Amherst marchèrent vers Montréal. En 1760, le chevalier de Lévis s'apprêtait à défendre la ville lorsque son gouverneur, le marquis de Vaudreuil, lui ordonna de se rendre sans combat. Après la Conquête, les membres de la noblesse retournèrent pour la plupart en France. Les premiers anglophones à s'établir à Montréal furent des Écossais, attirés par le commerce des fourrures. Plus tard, après la guerre d'Indépendance américaine, les loyalistes, qui avaient quitté les États-Unis pour rester fidèles au roi d'Angleterre, vinrent grossir la population anglophone.

En 1775 et 1776, Montréal fut de nouveau occupée. Il s'agissait cette fois des troupes américaines commandées par le général Richard Montgomery. Celles-ci venaient dans l'intention de persuader les Montréalais de s'unir aux colonies américaines dans leur lutte contre l'Angleterre. Elles restèrent sept mois durant lesquels de nombreux grands hommes, dont Benjamin Franklin, vinrent à Montréal. Au début de 1776, ces troupes partirent pour Québec où elles furent défaites par l'armée anglaise.

Le 19e siècle – La fin du 18e s. et le début du 19e s. marquèrent l'âge d'or du commerce des fourrures à Montréal. Des comptoirs furent ouverts partout dans le nord du Canada où les Amérindiens des nations locales apportaient, en échange de marchandises diverses, des peaux qui étaient ensuite expédiées à Montréal par canot. En 1783 fut fondée la **Compagnie du Nord-Ouest**, où se trouvèrent associées quelques-unes des grandes figures de leur temps : Fraser, Frobisher, Mackenzie, McGill, McGillivray, McTavish et Thompson. Avec d'autres, ils fondèrent le **Beaver Club** (Club des Castors), où se réunissaient les négociants en fourrures qui avaient connu les durs hivers du Nord-Ouest.

En 1821, la fusion de la Compagnie du Nord-Ouest et de sa grande rivale, la **Compagnie de la baie d'Hudson**, marqua le début du déclin de Montréal dans ce négoce. Cette dernière exportait ses fourrures en Europe en passant par la baie d'Hudson, de sorte que le rôle joué par Montréal alla s'amenuisant. Montréal n'avait pas participé à la guerre d'Indépendance américaine, mais en 1837, la ville et toute la région se trouvèrent au cœur d'une révolte contre le gouvernement anglais : la **Rébellion des Patriotes**. La colonie était administrée par un gouverneur nommé par le roi d'Angleterre, et par un conseil lui-même nommé par le gouverneur. Il y avait aussi une assemblée élue, mais dont les propositions restaient le plus souvent lettre morte. Chez les Canadiens français, d'éminentes personnalités comme **Louis-Joseph Papineau** et **George-Étienne Cartier** protestèrent contre cette situation. À la suite de nombreuses pétitions, le gouvernement anglais prit acte des causes de la rébellion, et accorda par la suite aux Canadiens français un gouvernement représentatif.

Louis-Joseph Papineau, après plusieurs années d'exil, fit un bref retour à la politique, puis se retira à Montebello. George-Étienne Cartier poursuivit quant à lui sa carrière, et devint un éminent homme politique au Québec et l'un des pères de la Confédération canadienne.

Une industrie en plein essor – Vers 1820 débute la conversion de l'économie montréalaise vers le commerce et l'import-export. La création de la Banque de Montréal (1817) et celle du Board of Trade (1822) par la communauté anglophone vont faire de la rue Saint-Jacques le centre financier de la ville, du Québec et même du Canada, grâce à des investissements dans le secteur des transports. La rue Saint-Jacques demeure toujours le centre économique de Montréal, avec les sièges sociaux des institutions financières et bancaires et la Bourse de Montréal. Le dynamisme économique de la communauté anglophone s'est alimenté, depuis 1815, d'une immigration britannique, surtout irlandaise, qui fait de Montréal, entre 1831 et 1865, une ville essentiellement anglophone, avant que l'émigration rurale canadienne française ne lui redonne son visage francophone.

L'industrialisation s'amorce vers 1840 grâce à l'agrandissement du **canal de Lachine** qui, depuis 1825, permet à la navigation d'éviter les rapides du même nom. Un système de canalisation, aménagé sur le Saint-Laurent jusqu'aux Grands Lacs et sur la rivière Richelieu jusqu'à New York *via* le lac Champlain et l'Hudson, ouvre de nouveaux axes commerciaux rapidement concurrencés par le chemin de fer. La première et courte ligne de chemin de fer (1836) relie La Prairie, sur la rive sud, à Saint-Jean-sur-Richelieu. Montréal devient rapidement le lieu de financement, de construction, d'embauche et d'entretien du système ferroviaire. En témoigne l'ouverture (1859) du pont Victoria, qui permet de franchir le fleuve et de développer un axe ferroviaire nord-sud entre Montréal et le Vermont.

Ville de confluence, Montréal l'est encore par son **port** dont l'expansion tient aussi au chemin de fer qui traverse le Canada de l'Atlantique au Pacifique, en 1885. Le développement des provinces des Prairies crée alors un nouveau marché pour la ville : à l'aller, les céréales viennent, par chemin de fer, remplir les silos à grains du port en vue de l'exportation atlantique ; au retour, les wagons apportent dans l'Ouest les produits manufacturés à Montréal.

Le 20e siècle – La crise économique des années 1930 met fin à la période de croissance qui avait suivi la Première Guerre mondiale. Le manque de ressources financières augmente le nombre de personnes au chômage, et partout, les silhouettes de projets inachevés se multiplient dans Montréal. Prospérité et dynamisme se retrouvent lors des années d'après-guerre, et sous l'administration du maire Jean Drapeau, le centre-ville et l'est de Montréal subissent une restauration complète. Depuis les années 1960, Montréal est l'hôte d'événements internationaux d'importance, tels

Expo'67 (en commémoration du centenaire de la Confédération canadienne) qu'accueillent entre autres deux grandes salles d'expositions : le **Palais des congrès** et la **place Bonaventure**, l'un des plus vastes bâtiments d'Amérique du Nord (noter qu'au Québec, le mot « place » s'emploie souvent pour décrire des espaces intérieurs ou des centres commerciaux).

Du Vieux-Montréal à la Cité Multimédia★★★ 1

On appelle Vieux-Montréal le secteur de la ville autrefois entouré de fortifications. L'imposante muraille de 5,4 m de haut et d'un mètre d'épaisseur fut construite au début du 18e s. et démolie un siècle plus tard. Elle entourait un quartier aujourd'hui délimité par la rue McGill à l'ouest, la rue Berri à l'est, la rue de la Commune au sud et la rue Saint-Jacques au nord.

Vers la moitié du 18e s., quelques quartiers commencèrent à se développer hors des murs : le faubourg de Québec vers l'est, des Récollets vers l'ouest, et au nord, le faubourg Saint-Laurent. Puis, au cours du 19e s., la ville s'étendit au-delà des murs. La population bâtissait de plus en plus loin du fleuve, et le secteur des affaires se déplaça graduellement vers le centre-ville actuel. Des entrepôts remplacèrent alors demeures et jardins. À partir des années 1960, le Vieux-Montréal connut toutefois un certain regain d'intérêt. Les demeures anciennes furent rénovées, les entrepôts convertis en appartements et bureaux, et des restaurants et boutiques s'ouvrirent, redonnant au secteur un second souffle de vie.

Aujourd'hui, le développement du Vieux-Montréal est contrôlé par la Commission Viger qui veille au respect de l'héritage du patrimoine historique, architectural et culturel du quartier. De ce fait, il est aussi agréable d'y vivre que d'y travailler, et les touristes viennent volontiers s'y promener.

Des calèches partant de la rue Notre-Dame, de la place d'Armes, de la rue de la Commune et de la place Jacques-Cartier, permettent aux visiteurs de découvrir le Vieux-Montréal au rythme des temps passés.

À Montréal, le soleil se lève au sud

Le Saint-Laurent coule généralement d'ouest en est, et l'on parle de sa rive nord et de sa rive sud. Mais à Montréal, le fleuve fait un crochet vers le nord, ce qui modifie son axe d'orientation dans sa traversée de la métropole. Néanmoins, les artères parallèles au fleuve sont dites est-ouest (au lieu de nord-sud), tandis que celles qui lui sont perpendiculaires sont dites nord-sud (et non est-ouest). Cet usage risque de dérouter le visiteur non averti.

En plus de connaître cette originalité géographique, il est bon de repérer sur une carte le **boulevard Saint-Laurent**, car cette artère délimite les parties est et ouest de la ville (elle passe à l'est du Mont-Royal). Demandez toujours par exemple : rue Notre-Dame Ouest ou Notre-Dame Est ? Les numéros croissent de part et d'autre du boulevard. Ce dernier marque traditionnellement la frontière entre les quartiers de tradition anglophone, à l'ouest, et la ville francophone à l'est.

VIEUX-MONTRÉAL★★

🚇 *Square-Victoria*

Rue Saint-Jacques★

Cette importante artère fut baptisée par Dollier de Casson en 1672, en l'honneur de Jean-Jacques Olier, fondateur de l'ordre de Saint-Sulpice. Centre financier du Canada jusque dans les années 1970, elle a conservé de beaux bâtiments commerciaux de la fin du 19e s. et du début du 20e s. qui lui confèrent une remarquable unité architecturale. Citons en particulier l'**édifice Canada Life Assurance** *(n° 275)*, premier gratte-ciel montréalais à la charpente d'acier (1895), et la **Banque de Commerce impériale du Canada** *(n° 265 - lun.-vend. 9h30-16h)*, dont la façade est ornée de colonnes corin-thiennes. À l'intérieur s'ouvre une **salle bancaire** monumentale. Le déclin du quartier s'accéléra lorsque les principales institutions financières transférèrent leur siège social au centre-ville de Montréal ou à Toronto. Aujourd'hui cependant, la rue connaît un certain renouveau grâce aux importants bâtiments qui s'y construisent, tandis que ses anciens édifices ont été convertis en logements et en bureaux.

À l'ouest s'élève la **tour de la Bourse★** *(800 pl. Victoria - www.tourdelabourse.com)*. Construite en 1964, cette structure de 47 étages abrite comme il se doit la Bourse de Montréal.

Banque Royale du Canada★

360 r. Saint-Jacques - ☎ 514-874-2959 - ♿ -lun.-vend. 10h-16h - fermé principaux j. fériés.

Il s'agit du premier édifice (1928) élevé après la modification de la fameuse réglemen-tation de zonage de 1924. Cette réglementation, inspirée du modèle new-yorkais, définissait la hauteur et le volume des bâtiments par rapport à la largeur des rues, de manière à éviter que celles-ci ne deviennent trop obscures. Elle autorisait les constructions de plus de dix étages, à condition que les niveaux supérieurs soient bâtis en décrochement.

Avec ses 20 étages, l'édifice de la Banque Royale était, à l'époque de sa construction, l'immeuble le plus élevé de tout l'Empire britannique. D'une majestueuse sévérité, sa partie inférieure, inspirée du style néo-Renaissance, rappelle le théâtre San Carlo de Naples. L'autre côté de la rue Saint-Jacques offre une vue d'ensemble de cette tour dont le faîte a longtemps dominé le quartier des affaires de Montréal. L'édifice est resté le siège social de la banque jusqu'à l'ouverture de la tour de la Banque royale du Canada, place Ville-Marie, en 1962.

Intérieur – Les portails de bronze s'ouvrent sur un vaste vestibule orné d'un plafond voûté en caissons richement décorés de motifs floraux couleurs bleu, rose et or. Noter aussi les belles portes des ascenseurs situés dans les couloirs à droite du vestibule. Un escalier de marbre mène à l'immense **salle bancaire** de 45 m de long, 14 m de large et 14 m de haut.

Empruntez la rue Saint-Jacques vers l'est. Tournez à droite dans la rue Saint-Jean.

DHC/ART - Fondation pour l'art contemporain

451 et 468 r. Saint-Jean - ☎ 514-849-3742 - www.dhc-art.org - merc.-vend. 12h-19h, w.-end 11h-18h - gratuit.

Inauguré en 2007, cet espace a pour objectif la promotion des arts visuels. Photographies, montages vidéo, films invitent le visiteur à entrer dans l'univers des artistes. Les exposi-tions peuvent être thématiques, rétrospectives ou laissées au choix de l'exposant.

Revenez sur la rue Saint-Jacques et continuez vers l'est.

Place d'Armes★

Lorsqu'il fut nommé supérieur des sulpiciens en 1670, Dollier de Casson établit le plan de la ville de Montréal. Il fixa le tracé des nouvelles rues au nord de la rue Saint-Paul et dessina une grande place au centre de laquelle il projetait la construction de la basilique Notre-Dame. Selon la légende, c'est à cet emplacement qu'aurait eu lieu, en 1644, la bataille au cours de laquelle Maisonneuve lui-même tua le chef amérindien local et mit en fuite deux cents de ses guerriers.

La place d'Armes, ainsi nommée depuis 1723, servait traditionnellement de terrain de manœuvres pour les troupes qui venaient présenter les armes au souverain ou à son représentant, en l'occurrence les Messieurs de Saint-Sulpice, seigneurs de l'île de Montréal. En 1775-1776, lors de l'occupation américaine, des vandales mutilèrent le buste de George III qui en ornait le centre. Retrouvée dans l'ancien puits de la place, la statue est désormais conservée au musée McCord. En 1832, la place fut par ailleurs le théâtre d'une émeute électorale contre les Tories, menée par le légendaire **Jos Montferrand**, immortalisé par les chansons de Gilles Vigneault. L'endroit est aujourd'hui entouré d'immeubles prestigieux, érigés pour la plupart par de grandes banques et des sociétés commerciales de renom.

Banque de Montréal★

119 r. Saint-Jacques - lun.-vend. 9h-17h.

La principale succursale de la plus vieille banque du Canada occupe un bâtiment dont l'imposante façade, semblable au Panthéon de Rome, domine le côté nord de la place d'Armes. Avec le marché Bonsecours, c'est l'un des édifices néoclassiques les plus achevés de Montréal. Il fut bâti en 1847. Son intérieur, redécoré en 1905, s'ouvre sur un hall d'entrée situé sous le dôme ; d'énormes colonnes de granit vert mènent à une imposante **salle bancaire** au beau plafond à caissons.

Le petit **musée**, à gauche de l'entrée *(traversez les portes à tambour - ☏ 514-877-6810 - lun.-vend. 10h-16h - fermé principaux j. fériés)*, abrite une exposition sur le patrimoine historique de la banque, ainsi qu'une collection de billets et d'amusantes tirelires mécaniques.

Monument de Maisonneuve★ (1)

Au centre de la place d'Armes, un monument est dédié à la mémoire de Paul de Chomedey, **sieur de Maisonneuve** et fondateur de Montréal (1612-1676). Ce chef-d'œuvre de Louis-Philippe Hébert fut réalisé pour célébrer le 250e anniversaire de la ville en 1892. Il représente Maisonneuve debout, brandissant la bannière de France. À la base du socle figurent les personnages clés de l'histoire de Montréal : Jeanne Mance, fondatrice de l'Hôtel-Dieu ; Lambert Closse, défenseur du fort, et son chien Pilote qui, le premier, entendit l'armée se rapprocher et donna l'alarme ; Charles Le Moyne, dont le fusil et la faucille évoquent la vie des pionniers ; et un guerrier iroquois.

Le bas-relief comporte ces mots inspirés du sermon prononcé par le père Vimont lors de la première messe, dite à Montréal en 1642 : « Vous êtes le grain de sénevé qui croîtra, et multipliera et se répandra dans tout le pays. »

Édifice New York Life Insurance

511 pl. d'Armes.

Pastiche des styles roman et Renaissance, ce bâtiment de grès rouge (1888) fut, avec ses huit étages, le premier « gratte-ciel » de la ville. Alors qu'à cette époque, l'usage de l'acier commençait à se répandre largement comme moyen de support intérieur, la structure des planchers de ce bâtiment était encore portée par les murs.

Édifice Aldred

507 pl. d'Armes.

La forme et l'ornementation de ce gratte-ciel Art déco (1930) s'inspirent du Rockefeller Center de New York, qui était alors en construction.

Basilique Notre-Dame★★★

✆ 514-842-2925 - www.basiliquenddm.org - ♿ - lun.-vend. 8h-16h30, sam. 8h-16h, dim. 12h30-16h - 5 $.

Les tours jumelles de l'édifice religieux le plus célèbre de Montréal s'élèvent à plus de 69 m, à l'angle sud de la place d'Armes. Elles dominaient autrefois toute la ville, mais sont aujourd'hui écrasées par la masse imposante des immeubles de bureaux et des établissements financiers environnants. Seigneurs de l'île de Montréal, les **sulpiciens** s'opposèrent longtemps au morcellement de leur territoire au profit d'églises paroissiales relevant de l'évêque de Québec. De peur de voir s'amenuiser leur puissance, ils décidèrent d'édifier ce monument assez grand pour réunir tous leurs fidèles dans une seule église (elle peut contenir quelque 3 500 personnes). Malgré leurs efforts, le diocèse de Montréal fut établi en 1830, et l'île découpée en plusieurs paroisses.

Première église néogothique du Québec, cette basilique fut construite selon les plans de James O'Donnell (1774-1829), architecte irlandais établi à New York, qui en surveilla la construction de 1824 à 1829. Converti au catholicisme, O'Donnell put se faire enterrer dans la crypte. C'est l'architecte John Ostell qui, en 1843, fit terminer les deux tours d'après les plans d'origine. Faute de fonds, l'intérieur ne fut achevé qu'après 1870, sous la responsabilité de Victor Bourgeau.

Notre-Dame est le premier édifice important réalisé en pierre de taille à Montréal. Sa construction nécessita l'ouverture de nouvelles carrières et la formation de nombreux tailleurs de pierre. Les trois statues de la façade représentent la Vierge Marie, saint Joseph et saint Jean-Baptiste. Œuvres de Baccirini, elles furent achetées en Italie. La tour Est (La Tempérance) abrite un carillon à dix cloches. La tour Ouest (La Persévérance) contient « Jean-Baptiste », célèbre bourdon de 10 900 kg, fondu à Londres et uniquement utilisé pour les grandes occasions.

Intérieur – L'église est divisée en une nef et deux bas-côtés dotés chacun de deux étages de galeries. Tout en respectant ces éléments, alors nouveaux au Québec, l'architecte Victor Bourgeau a réaménagé l'intérieur et enrichi le décor entre 1872 et 1880, dans la tradition de l'Église catholique du Québec : abondance de sculptures, boiseries et dorures. Pour bien différencier cette architecture néogothique de celle des églises non catholiques, il s'est inspiré du mobilier et des ornements du gothique français.

Véritable galerie d'art religieux, l'intérieur ne cesse de surprendre par sa beauté et sa richesse. Finement sculpté, peint et doré (or 22 carats), le décor en pin est particulièrement remarquable. La nef, longue de 68 m, large de 21 m, et haute de 25 m, descend en pente douce vers l'autel, suivant ainsi l'inclinaison naturelle du terrain ; l'espace intérieur est illuminé par trois rosaces perçant la voûte polychrome. Le maître-autel et son **retable** ont été dessinés par Victor Bourgeau et sculptés par Henri Bouriché. Les statues centrales, en chêne blanc, représentent des personnages de la Bible ; elles font contraste au fond bleu ciel. Dans la **chaire★** en noyer noir, entièrement sculptée, sont incorporées de nombreuses statues, œuvres de Louis-Philippe Hébert ; celles d'Ézéchiel et Jérémie, à la base, sont parmi les plus remarquables. Les **vitraux** de la partie basse illustrent des scènes de l'histoire de Montréal ; dessinés par Jean-Baptiste Lagacé et exécutés par la maison Chigot de Limoges, en France, ils furent commandés en 1929, à l'occasion du centenaire de l'église, et installés en 1931. L'**orgue** monumental (1887) – l'un des plus grands du monde – est l'œuvre des frères Casavant de Saint-Hyacinthe. Il compte 6 800 tuyaux, 84 jeux disposés sur quatre claviers et un pédalier. Le baptistère, à droite de l'entrée, fut construit et décoré par Ozias Leduc en 1927.

Dotée d'une excellente acoustique, Notre-Dame est un lieu de prédilection pour les concerts, en particulier ceux de l'Orchestre symphonique de Montréal. On y donne également des récitals d'orgue.

M. Sanchez / MICHELIN

Vue générale de la ville de Montréal.

A. Gardon / Reflexion

Basilique Notre-Dame.

© Biosphère d'Environnement Canada

Biosphère d'Environnement Canada.

© Publiphoto

Festival international de jazz de Montréal.

Chapelle Notre-Dame du Sacré-Cœur – *Entrée derrière le chœur.* En 1891, une chapelle destinée à la célébration des mariages et aux cérémonies qui réclamaient moins de faste fut ajoutée à l'église. Ravagée par un incendie en 1978, elle fut rouverte en 1982. On notera la profusion de ses ornements, comprenant des éléments de l'ancienne chapelle et d'autres plus récents. La voûte est en acier recouvert de bois de tilleul ; sur les côtés, des lanternaux laissent passer la lumière du jour. Œuvre de Charles Daudelin, un impressionnant **retable** de bronze (fondu en Angleterre) domine la chapelle ; il se compose de 32 panneaux atteignant 17 m de haut, 6 m de large et pesant plus de 20 t, et représente le long et difficile cheminement d'un homme pour atteindre les cieux.

Vieux Séminaire de Saint-Sulpice★

130 r. Notre-Dame Ouest. Fermé au public.

Ce bâtiment de pierre qui jouxte Notre-Dame est le plus ancien de Montréal. Il fut construit en 1685 à la demande de **Dollier de Casson** (1636-1701), supérieur des Messieurs de Saint-Sulpice et premier historien de la ville, pour servir de résidence et de centre de formation aux membres de la congrégation.

La Compagnie de Saint-Sulpice – Cet ordre, fondé en 1641 à Paris par l'abbé Jean-Jacques Olier, vint établir un séminaire à Montréal en 1657. En 1663, la Compagnie de Saint-Sulpice achetait à la Société de Notre-Dame la mission de Ville-Marie, ses titres de propriété et son pouvoir seigneurial. En leur qualité de seigneurs de l'île, les sulpiciens jouissaient d'une grande autorité sur la population ; c'est ainsi qu'ils construisirent la basilique Notre-Dame. Le séminaire fit également office de centre administratif à Ville-Marie. De nos jours, il sert encore de résidence aux sulpiciens.

Un bâtiment classique – À l'image de nombreux autres édifices de Montréal, l'architecture du séminaire présente certaines caractéristiques du classicisme français du 17e s. Son plan en U, de style palatial, fut repris par tous les ordres religieux de l'île de Montréal. Le bâtiment principal, surmonté d'un toit mansardé, fut agrandi en 1704 puis en 1712, selon les directives du sulpicien Vachon de Belmont (1654-1732). Deux ailes entourant une cour d'honneur furent ajoutées à cette époque ainsi que des tourelles avec des escaliers, à la jonction des principaux bâtiments. Le séminaire soustrait à la vue le grand jardin qui, jusqu'au 19e s., dégageait une perspective vers le Saint-Laurent.

L'**horloge** de la façade, créée à Paris, fut installée en 1701 ; son cadran fut gravé par Paul Labrosse et doré par les sœurs de la Congrégation de Notre-Dame. Elle passe pour la plus ancienne horloge publique d'Amérique du Nord (son mouvement, entièrement en bois, fut remplacé par un mécanisme électrique en 1966).

Descendez la rue Saint-Sulpice.

Cours Le Royer

Quadrilatère formé par les rues Saint-Dizier, de Brésoles, Le Royer et Saint-Paul.

Sur le site de l'ancien Hôtel-Dieu de Montréal furent construits à partir de 1861, une série d'entrepôts. Ces derniers, dessinés d'après les plans de Victor Bourgeau, furent reconvertis à des fins d'habitation dans les années 1980. Ce projet à grande échelle conduisit à la transformation du Vieux-Montréal en quartier résidentiel. L'architecture proto-rationaliste des immeubles domine une charmante cour agrémentée de jardinières.

Suivez la rue Saint-Dizier jusqu'à la rue Saint-Paul, puis tournez à gauche.

Rue Saint-Paul★★

Tout comme la rue Notre-Dame, cette voie étroite est l'une des plus anciennes de Montréal. C'était à l'origine un sentier reliant le fort à l'Hôtel-Dieu, qui longeait la rive du Saint-Laurent, ce qui explique son parcours sinueux. En 1672, Dollier de Casson en régularisa le tracé lorsqu'il établit son plan de ville. Il lui donna le nom de rue Saint-Paul, en l'honneur de Paul de Chomedey, sieur de Maisonneuve.

Aujourd'hui, la petite artère est bordée de beaux bâtiments du 19e s. aux proportions harmonieuses. Dans la section comprise entre le boulevard Saint-Laurent et la place Jacques-Cartier, les entrepôts d'autrefois ont été transformés en boutiques et ateliers d'artistes.

On fera un petit détour pour voir l'auberge Saint-Gabriel (*426 r. Saint-Gabriel*), construite en 1754, et aujourd'hui transformée en restaurant.

Place Jacques-Cartier★★

Avec ses terrasses de cafés, ses artistes ambulants et ses kiosques fleuris, la place Jacques-Cartier bénéficie, surtout pendant la période estivale, d'une fabuleuse animation nocturne. C'est en 1847 que le Conseil de la Ville donna officiellement son nom à la place pour honorer la mémoire du célèbre explorateur Jacques Cartier dont le navire aurait mouillé non loin de là, en 1535. Au début du 18e s., le marquis de Vaudreuil fit construire en cet endroit un château dont l'emplacement est aujourd'hui couvert de parterres fleuris ; le bâtiment fut détruit par un incendie en 1803. On y ouvrit alors un marché de fruits, de légumes et de fleurs qui se tint sur cette place, jusqu'à la construction du marché Bonsecours. De nos jours, les nombreux immeubles du début du 19e s. qui entourent la place sont occupés en majorité par des restaurants. Au nord se trouve l'Hôtel de ville, au sud, le Vieux-Port.

À l'extrémité nord de la place, une colonne de 15 m supporte la statue de **Horatio Nelson (2)**. Le monument, érigé en 1809, fut le premier à glorifier l'amiral (1758-1805), vainqueur des Français et des Espagnols à la bataille de Trafalgar (la célèbre colonne de Trafalgar Square, à Londres, ne date que de 1842).

Noter, à l'angle ouest de la rue Notre-Dame, le **Centre d'information touristique**, installé dans les anciens locaux d'un café autrefois réputé, le Silver Dollar Saloon. Son plancher, incrusté de 300 dollars en argent, faisait dire aux clients « qu'ils marchaient sur une fortune ».

Partant de la place Jacques-Cartier, la petite **rue Saint-Amable** est bien connue en raison des artistes qui, l'été, y exposent et vendent des œuvres représentant Montréal et son vieux quartier. Elle a hérité du nom de l'épouse de Jacques Viger, premier maire de la ville.

Hôtel de ville★

275 r. Notre-Dame Est (🚇 Champ-de-Mars) - 🕿 514-872-3355 - ♿ - visite guidée en été (1h) - lun.-vend. 8h30-16h30 - fermé principaux j. fériés.

Premier de son genre à avoir introduit au Québec le style Second Empire, le bâtiment de l'Hôtel de ville fut construit dans les années 1870. Ravagé par un incendie en 1922, il fut reconstruit par Joseph-Omer Marchand qui, réutilisant les murs existants, haussa la structure d'un étage. C'est du balcon central, juste au-dessus de l'entrée principale, que le général de Gaulle, en 1967, lança son inoubliable : « Vive le Québec libre ! »

À l'intérieur, près de la porte, sont exposées deux copies en bronze de sculptures d'Alfred Laliberté : *Le Semeur* et *La Femme au seau*. L'élégant **hall d'honneur** (31 m de long sur 12 m de large), au sol et aux murs revêtus de marbre, est éclairé par un énorme lustre de bronze pesant plus d'une tonne. Lorsqu'il ne se tient pas de séances, on peut voir la **Chambre du Conseil** *(accès par le passage sous l'horloge)* dont les vitraux illustrent certains aspects de la vie à Montréal dans les années 1920.

Rendez-vous à pied à l'arrière de l'Hôtel de ville où s'ouvre une superbe vue sur le centre-ville de Montréal. Des fouilles sur le **Champ-de-Mars**, désormais un vaste espace planté de pelouse, ont révélé les bases d'un vieux mur de fortification en pierre.

Château Ramezay★

280 r. Notre-Dame Est (🚇 Champ-de-Mars) - 🕿 514-861-3708 - www.chateauramezay. qc.ca - ✕ - ♿ - juin-sept. : 10h-18h ; reste de l'année : mar.-dim. 10h-16h30 - fermé 25-26 déc. et 1er, 2 janv. - 9 $ (5-17 ans 4 $).

Face à l'Hôtel de ville se trouve l'un des plus beaux exemples de l'architecture domestique des débuts du 18e s. Le bâtiment, caractérisé par une maçonnerie de moellons et par un toit de cuivre percé de lucarnes, fut construit en 1705 pour Claude de Ramezay (1659-1724), onzième gouverneur de Montréal sous le Régime français. Il subit de nombreuses transformations tout en gardant sensiblement le même aspect, exception faite de la tour, qui fut ajoutée au début du 20e s. En 1745, les héritiers de Ramezay vendirent le château à la **Compagnie des Indes**, qui le fit reconstruire en 1756 par le maître-maçon Paul Tessier, dit Lavigne. L'ancien corps de logis fut doublé, ce qui permit d'y ajouter un « appartement » et de le doter d'imposantes voûtes et de murs coupe-feu.

La maison n'acquit le titre de château qu'après la Conquête, lorsque les gouverneurs britanniques s'y installèrent. Ils occupèrent l'édifice de 1764 à 1849, à l'exception d'une période de sept mois (1775-1776), durant l'occupation américaine, où il servit de quartier général à l'armée de Richard Montgomery. Benjamin Franklin, envoyé en mission diplomatique, y fit alors un bref séjour. En 1929, le château Ramezay fut l'un des trois premiers monuments à être classés en vertu de la loi relative aux monuments historiques du Québec, avec l'église Notre-Dame-des-Victoires, à Québec et la Maison des jésuites, à Sillery.

Musée – Restauré et aménagé en musée en 1895, l'édifice est dédié à l'histoire politique, économique et sociale de Montréal. À l'étage principal, plusieurs salles présentent des objets issus de la collection permanente : mobilier, tableaux, journaux, lettres manuscrites, billets, livres, armes, objets usuels divers illustrent la vie d'Hochelaga, de Ville-Marie puis de Montréal. On remarquera tout particulièrement la salle des **lambris**. Réalisées à Nantes (France), ces boiseries en acajou sculpté ornaient jadis les locaux de la Compagnie des Indes. Elles sont attribuées à Germain Boffrand (1667-1754), architecte français qui instaura le style Louis XV. Envoyées à Montréal pour orner le pavillon français durant l'Expo'67, elles furent finalement installées dans le château Ramezay en raison des liens historiques entre la Compagnie et le bâtiment.

Doté de remarquables voûtes, le sous-sol reproduit un quartier de domestiques (cuisine, salle commune) et aborde certains aspects de l'artisanat traditionnel (outils du bardeleur, reconstitution d'une forge, appareils de fabrication de la fibre textile). Costumes. Les expositions temporaires clôturent la visite.

SE LOGER

Continuez vers l'est par la rue Notre-Dame jusqu'à l'intersection avec la rue Bonse-cours.

Maison Papineau

440 r. Bonsecours.

Ce grand bâtiment fut édifié en 1785 par Jean-Baptiste Cérat, dit Coquillard. Avec son toit à forte pente percé de deux rangées de lucarnes et sa porte cochère donnant accès à une arrière-cour, c'est une maison typique du Régime français. Au cours de sa reconstruction, en 1831, les murs de pierre d'origine furent revêtus de bois sculpté et peint imitant la pierre de taille. Ce procédé venait apposer un fini néoclassique sur une construction traditionnelle. La maison resta dans la famille Papineau pendant six générations. **Louis-Joseph Papineau** (1786-1871), chef du parti des Patriotes, y résida périodiquement entre 1814 et 1837.

La charmante **vue** sur la petite chapelle Notre-Dame-de-Bon-Secours, vers le fleuve, est l'une des plus photographiées de la ville.

Revenez sur vos pas et poursuivez vers l'est jusqu'à l'angle de la rue Berri.

Lieu historique national du Canada de Sir-George-Étienne-Cartier★

458 r. Notre-Dame Est (🕐 Champ-de-Mars) - 🕿 514-283-2282 - www.pc.gc.ca/cartier - ♿ - juin-août : 10h-18h ; avr.-mai et sept.-déc. : merc.-dim. 10h-12h, 13h-17h - fermé janv.-mars - 4 $ (enf. 2 $).

Ce bâtiment en pierre de taille coiffé d'un toit mansardé se compose de deux maisons indépendants, reliées l'une à l'autre par un ancien passage cocher servant aujourd'hui d'espace d'accueil. Véritable géant de la vie politique canadienne au 19ᵉ s., membre influent du cabinet de Sir John A. Macdonald jusqu'à sa mort, **George-Étienne Cartier** (1814-1873) y résida de façon intermittente entre 1848 et 1872.

La visite commence par le rez-de-chaussée de la maison est où une exposition présente la société montréalaise au 19ᵉ s. À l'étage, une seconde exposition évoque la vie et l'œuvre de Cartier, son éducation et son rôle dans l'avènement des chemins de fer, la Confédération et l'élargissement du territoire canadien.

Méticuleusement restaurée, la maison ouest a pour but de recréer l'ambiance cossue d'une demeure victorienne de la bourgeoisie moyenne plutôt que de reconstituer la demeure des Cartier à proprement parler. Car si beaucoup des meubles qu'on y voit sont d'époque, très peu leur ont appartenu. Dans chaque pièce, des enregistrements sonores permettent au visiteur de se plonger avec délice dans l'atmosphère d'une époque révolue.

Descendez la rue Berri et prenez à droite la rue Saint-Paul.

Maison du Calvet★

401 r. Bonsecours, à l'angle de la rue Saint-Paul Est.

Construite en 1725, cette demeure est le meilleur exemple de maison urbaine traditionnelle à Montréal, avec ses murs en pierre sans ornement de bois, ses murs coupe-feu (partie de mur qui protège des étincelles) débordants sur consoles, ses hautes cheminées inscrites dans de larges pignons et sa toiture à pente sans lucarnes. L'attique, percé de trois petites fenêtres, évoque les toits mansardés caractéristiques de l'architecture des loyalistes. À l'intérieur, où se trouve aujourd'hui un café, subsiste une intéressante charpente typique du 18ᵉ s.

Marchand français huguenot arrivé à Montréal en 1758, Pierre du Calvet (1735-1786) fut le plus célèbre occupant de la maison. Après avoir offert ses services aux Anglais en 1760, il fit de même auprès des Américains en 1775. Ce changement de cap lui valut d'être emprisonné pour trahison en 1780. Libéré en 1784, il s'embarqua pour Londres en 1786 afin d'obtenir réparation. Il périt lors de son voyage de retour au cours duquel son navire sombra.

Chapelle Notre-Dame-de-Bon-Secours★

400 r. Saint-Paul Est (🕐 Champ-de-Mars) - 🕿 514-282-8670 - www.marguerite-bourgeoys.com - mai-oct. : mar.-dim. 10h-17h30 ; mars-avr. et de nov. à mi-janv. : mar.-dim. 11h-15h30 - fermé de mi-janv. à fin fév. - musée 6 $.

Ce petit édifice est surtout remarquable pour son clocher recouvert de cuivre et sa statue de la Vierge (hauteur : 9 m ; sculpteur : Philippe Laperle) ouvrant les bras en direction du fleuve. Commandée par Marguerite Bourgeoys en 1657 et inaugurée en 1678, la chapelle d'origine, en pierre, fut détruite par un incendie en 1754. L'édifice actuel date donc du milieu du 18ᵉ s. À la fin du 19ᵉ s., sa façade fut élevée et son intérieur entièrement redécoré. L'abside fut reconstruite de 1892 à 1894 pour accueillir la statue de la Vierge. Une « chapelle aérienne » et un belvédère furent également ajoutés. Ce dernier, accessible par la tour *(monter 100 marches)*, offre une **vue panoramique**★ sur le Saint-Laurent, l'île Sainte-Hélène, le pont Jacques-Cartier et le Vieux-Port.

Notre-Dame-de-Bon-Secours est surnommée « l'église des marins », car en remerciement d'une grâce obtenue ou d'un vœu exaucé, ceux-ci avaient pour coutume d'offrir des ex-voto que l'on peut encore voir, suspendus au plafond. Dans la chapelle latérale, à gauche de l'autel, on remarquera une petite madone en chêne sculpté, originaire de Belgique. Retrouvée intacte après plusieurs incendies et un vol, cette statue miraculeuse est l'objet d'une dévotion toute particulière. Sous la nef de la chapelle ont été dégagés les murs de fondation de la première chapelle et les empreintes de pieux d'une palissade de bois datant de 1709, ainsi que des vestiges amérindiens (400 av. J.-C.).

Musée Marguerite-Bourgeoys – Une ancienne école, attenante à la chapelle, ainsi que la tour et la crypte abritent désormais plusieurs salles consacrées à la vie et l'œuvre de **Marguerite Bourgeoys** (1620-1700). Arrivée à Ville-Marie avec Maisonneuve en 1653, cette dernière fut la fondatrice de la première congrégation canadienne de sœurs non cloîtrées, la **congrégation de Notre-Dame**, et pendant des années, s'occupa des **Filles du Roy**, jeunes femmes pourvues en dot et envoyées en Nouvelle-France par Louis XIV pour y devenir épouses des premiers colons. Les collections du musée comprennent notamment de charmantes figurines portant les costumes de leur région et de leur époque. Les scènes naïves ainsi créées, qui animent 58 vitrines décorées à la façon des maisons de poupées d'antan, évoquent la vie légendaire de la célèbre religieuse canadienne canonisée en 1982.

Empruntez la rue Saint-Paul Est vers l'ouest.

Marché Bonsecours★

350 r. Saint-Paul Est (Champ-de-Mars) - ✆ 514-872-7730 - www.marchebonsecours. qc.ca - ✗-&-☐ - du 24 juin à la fête du Travail : 10h-21h ; sept.-oct. : 10h-18h (jeu.-sam. 21h) ; avr.-juin et nov.-déc. : 10h-18h (jeu.-vend. 21h) ; janv.-mars : 10h-18h.

Construit pour abriter le premier marché intérieur de Montréal, cet édifice (1845) occupe le site de l'ancien palais de l'intendant, démoli en 1796. Avec sa façade de pierre de taille, longue de 163 m, et sa haute coupole, cette élégante construction est encore plus intéressante du côté du fleuve. Les étals occupaient le rez-de-chaussée et s'ouvraient par de grandes baies sur l'extérieur. Après l'incendie du Parlement en 1849, le marché devint le siège de l'Assemblée du Canada-Uni. De 1852 à 1878, il servit d'hôtel de ville, et se prête aujourd'hui à des locations privées d'espace (charmantes boutiques d'artisanat, expositions thématiques et autres).

Continuez vers l'ouest par la rue Saint-Paul Est, en rejoignant la place Jacques-Cartier. Pour entamez la visite du quartier du Vieux-Port, tournez à gauche et traversez la rue de la Commune.

VIEUX-PORT★

 Place-d'Armes ou Champ-de-Mars

À l'origine, barges et canots étaient halés à la main sur la grève boueuse du Saint-Laurent. Au milieu du 18e s., plusieurs quais de bois furent aménagés à l'emplacement du port actuel. En 1830, ils furent remplacés par des quais de pierre, des rampes d'accès et une jetée. Des quais de béton, des hangars d'acier, des docks, des jetées et un gigantesque silo (démoli en 1978) furent construits en 1898.

Malgré sa fermeture, quelques mois par an, en raison du gel hivernal, Montréal devint, vers les années 1920-1930, le deuxième port d'Amérique après New York, et le plus grand port céréalier du monde. De nos jours, une bonne partie du trafic maritime contourne Montréal en empruntant la voie maritime du Saint-Laurent. Malgré tout, la manutention des conteneurs reste la principale activité du port dont la partie la plus ancienne a été convertie en parc récréatif et culturel.

Esplanade du Vieux-Port

Accès : rue Berri, place Jacques-Cartier, boulevard Saint-Laurent et rue McGill.

Avec ses aires paysagées, ses sentiers de promenade et ses innombrables activités de détente, cet immense espace riverain (superficie d'environ 54 ha) bénéficie, surtout à la période estivale, d'une animation quasi permanente.

L'endroit offre de belles **vues★** sur la ville et le fleuve, mais aussi des croisières-excursions sur le Saint-Laurent, des locations de vélos. C'est là que se trouve, entre autres, le **Centre des Sciences de Montréal**.

Remontez le quai en direction du marché Bonsecours.

À l'extrémité est du quai de l'Horloge se dresse la **tour de l'Horloge** (45 m), érigée en 1922 à la mémoire des marins disparus lors de la Première Guerre mondiale.

Labyrinthe du Hangar 16

Quai de l'Horloge - ✆ 514-499-0099 - www.labyrintheduhangar16.com - le parcours dure entre 1h et 1h30 - les -12 ans doivent être accompagnés d'un adulte - de fin juin à août : 11h-21h ; mai-juin et sept.-oct. : w.-end et j. fériés 11h30-17h30 - 13 $ (4-12 ans 10 $).

L'idée consiste bien sûr à se perdre avant de retrouver sa route dans un dédale de couloirs ponctués d'obstacles et d'énigmes.

Derrière le hangar se trouve le quai d'embarquement des saute-moutons.

Saute-Moutons★★

Départ du quai de l'Horloge (Champ-de-Mars) - ✆ 514-284-9607 - www.jetboating montreal.com - 1h AR - mai-oct. : 10h, 12h, 14h, 16h et 18h - 60 $ (13-18 ans 50 $).

Cœurs fragiles s'abstenir ! Pour la plus amusante, mais aussi la plus arrosée de ces expéditions, les passagers remontent le fleuve jusqu'aux tumultueux rapides de Lachine en bateaux-jets. Ces embarcations originales montent et descendent les rapides plusieurs fois, les embruns n'épargnant ainsi aucun passager. Les **vues★★** de Montréal et des environs sont splendides, en particulier si le retour se fait au coucher du soleil.

Rebroussez chemin par le quai ou par les passages ménagés en bout d'embarcadère entre le quai de l'Horloge et celui de Jacques-Cartier. Marchez jusqu'au quai King-Edward.

Centre des Sciences de Montréal★

Sur le quai King-Edward, boulevard St-Laurent et rue de la Commune (◷ Champ-de-Mars) - ☎ 514-496-4724 ou 1-877-496-4724 (gratuit) - www.centredessciencesde montreal.com - juil.-nov. : 10h-18h ; déc.-juin : lun.-vend. 9h-16h, w.-end 10h-17h - 12 $ (4-12 ans 9 $), forfaits en fonction du nombre d'activités choisies.

Les deux niveaux du centre réunissent expositions temporaires et permanentes, mais toutes présentées de manière ludique et didactique. À l'étage, **Mission Gaia** invite à sauver l'humanité au travers d'un vaste jeu interactif. **Science 26** permet d'expérimenter pas moins de 26 dispositifs physiques ou mécaniques. **Imagine** vous projette dans l'espace et **Cargo** dans les activités portuaires. Au rez-de-chaussée, **idTV★** invite le visiteur à réaliser son propre reportage scientifique, comme un vrai journaliste. Également dans les murs, le **Ciné-Jeu interactif** (expérience de pilotage virtuelle) et le cinéma **IMAX-TELUS** en 3D *(séances de 10h à 21h45, se renseigner).*

Croisières du port de Montréal★

Départ du quai King-Edward - ☎ 514-842-3871 ou 1-800-563-4643 - www.croisieresaml. com - de mi-mai à mi-oct. : croisière guidée 11h30, 14h et 16h, soupers-croisières 19h, w.-end croisière buffet-déjeuner 11h30 - entre 1h et 4h selon la croisière choisie - croisière guidée 27 $ (6-16 ans 14 $).

Des promenades en bateau offrent aux visiteurs une belle perspective de Montréal vue du fleuve, en particulier des installations portuaires, des ponts, des îles, de la voie maritime du Saint-Laurent et du Stade olympique.

Amphi-Bus

Billetterie rue de la Commune, à l'entrée King-Edward - ☎ 514-849-5181 - www.amphi tours.ca - 1h15 AR - de mi-juin à août : dép. ttes les heures 10h-22h ; mai-juin et sept.-oct. : dép. 12h, 14h et 16h - 29 $ (6-12 ans 17 $).

L'amphibus, spécialement conçu pour cette excursion, permet une visite guidée du Vieux-Montréal avant de descendre le Saint-Laurent pour un petit voyage en bateau aux abords de la Cité du Havre.

Quittez le quai pour rejoindre la rue de la Commune et dirigez-vous vers l'ouest (à gauche) en direction de la place d'Youville.

AUTOUR DE LA PLACE D'YOUVILLE★

◷ *Square-Victoria*

La rivière Saint-Pierre coulait autrefois à l'emplacement de l'actuelle place d'Youville, et rejoignait le Saint-Laurent à la hauteur de la Pointe-à-Callière *(ci-dessous)* jusqu'à ce qu'elle soit enterrée dans une canalisation au 19e s.

Venant de la rue de la Commune, la place Royale sera sur votre droite.

Place Royale

En 1645, Maisonneuve fit bâtir sa résidence sur cette place, connue à l'origine sous le nom de place d'Armes. En 1706, elle devint la place du marché public, là où le crieur lisait les proclamations officielles, où les malfaiteurs étaient mis au pilori, fouettés et pendus, et où, occasionnellement, on se battait en duel. Elle fut officiellement baptisée place Royale en 1892. L'**Ancienne-Douane** en occupe le fond *(voir ci-après le musée d'Archéologie et d'Histoire).*

Traversez la rue de la Commune pour entrer dans le bâtiment moderne du musée d'Archéologie et d'Histoire de la Pointe-à-Callière.

Pointe-à-Callière

C'est dans ce triangle de terre, où la rivière Saint-Pierre se jette dans le Saint-Laurent, que naquit Montréal en mai 1642. L'emplacement avait été remarqué et défriché par Samuel de Champlain en 1611, qui y voyait un excellent havre naturel pour les bateaux. Trente-et-un ans plus tard, Maisonneuve y fit ériger une palissade de bois pour entourer la nouvelle colonie de Ville-Marie. Un **obélisque (3)** de 10 m, *Les Pionniers*, commémore le débarquement de Maisonneuve. L'origine du nom Pointe-

à-Callière vient de Louis-Hector de Callière, gouverneur de
qui s'y fit construire un château.

Musée d'Archéologie et d'Histoire de Montré...

350 pl. Royale - ☎ 514 872-9150 - www.pacmusee.qc.ca -
10h-18h, w.-end 11h-18h ; reste de l'année : mar.-vend. 1...
lun. de Pâques, fête nationale des Patriotes (mai) et de l'...
1ᵉʳ janv. - 13 $ (6-12 ans 5 $).

Inauguré en 1992, ce complexe muséologique fait revivre l'histoire du ...
la Pointe-à-Callière. Il se compose de trois éléments distincts. L'édifice de l'Éperon,
d'aspect très moderne, abrite au rez-de-chaussée une salle multimédia présentant
à l'affiche un spectacle *(16mn)* sur l'évolution de Montréal. Le premier étage propose
des expositions temporaires, tandis qu'au troisième, un belvédère offre de jolies
vues★ sur l'esplanade du Vieux-Port.

Pour se rendre de l'édifice de l'Éperon à celui de l'Ancienne-Douane, on descend au
sous-sol où toutes sortes d'objets et de vestiges architecturaux (notamment les restes
du premier cimetière catholique de Montréal, datant de 1643) témoignent de plusieurs
siècles d'occupation humaine. Après être
passé devant un ancien égout-collec-
teur, correspondant à l'ancienne rivière
Saint-Pierre canalisée, on arrive enfin à
la **crypte archéologique**, directement
située sous la place Royale. L'endroit renferme des vestiges mis au jour au cours
de nombreuses fouilles archéologiques :
corps de gardes du 17ᵉ s., fortifications
du 18ᵉ s., auberge du 19ᵉ s. Des maquettes, qui reproduisent à même le sol les
différentes phases d'occupation de la
Pointe-à-Callière, et des personnages vir-
tuels, qui invitent le visiteur au dialogue,
offrent de fascinants aperçus du passé.
En continuant la promenade, on rejoint
enfin l'édifice de l'**Ancienne-Douane**
(1838, John Ostell) dont la silhouette
néoclassique domine la place Royale.
Transformé en centre d'interprétation
de l'histoire contemporaine de Montréal,

Mère d'Youville

En 1737, Marie-Marguerite Dufrost de
Lajemmerais (1701-1771), veuve de
François d'Youville, fondatrice un ordre
séculier consacré aux vieillards, aux
indigents et aux malades de Montréal. Cet ordre devait par la suite
donner naissance à la congrégation
des Sœurs de la Charité, dont les
membres sont plus connues sous
le nom de Sœurs Grises. La vie de
dévouement de **Marguerite d'Youville** fut reconnue en 1959, lors de
sa béatification suivie, en décembre 1990, de sa canonisation par le
pape Jean-Paul II.

l'édifice propose des expositions aussi bien sur des thématiques des 19ᵉ et 20ᵉ s. que
des sujets plus actuels, comme par exemple l'image multiculturelle de la ville.
Reprenez la rue de la Commune.

Place d'Youville

La place fut baptisée en l'honneur de **Marguerite d'Youville**, fondatrice, en 1737,
de la congrégation des Sœurs Grises. En 1849, elle abrita le Parlement colonial créé
après la Rébellion des Patriotes de 1837, avec des représentants du Bas-Canada
(Québec) et du Haut-Canada (Ontario). Les conservateurs incendièrent le bâtiment
pour montrer leur opposition à une loi dédommageant tous les propriétaires lésés
durant la Rébellion (y compris les rebelles). Le Parlement s'installa tour à tour au
marché Bonsecours, à Kingston, à Québec, puis à Ottawa, afin de ne jamais plus
risquer de siéger à Montréal.

Les bâtiments autour de la place représentent différentes époques de l'histoire montréalaise, depuis l'hôpital général des Sœurs Grises, érigé au 17ᵉ s., jusqu'aux entrepôts
du 19ᵉ s. et à l'immense **édifice des Douanes**, construit entre 1912 et 1936 dans le
style Beaux-Arts. Aujourd'hui, de nombreuses résidences en cours de restauration
ajoutent beaucoup de charme à ce quartier en pleine évolution.

Centre d'Histoire de Montréal★

335 pl. d'Youville - ☎ 514-872-3207 - www.ville.montreal.qc.ca/chm - ♿ - janv.-déc. :
mar.-dim. 10h-17h - fermé 25 déc.-2 janv. - 6 $.

Restaurée en 1981, cette ancienne caserne de pompiers (1903) rappelle l'architecture
baroque des Pays-Bas, avec son élégant toit en pignon, son imposante lucarne et
son décor sculpté. Une haute tour située à l'arrière du bâtiment servait autrefois à
faire sécher les tuyaux d'arrosage, et des arcades de pierre, à l'avant, facilitaient la
sortie des voitures de pompiers.

...hui, le bâtiment de brique contient un ravissant centre d'interpréta-
...cré à l'histoire de Montréal de 1642 à nos jours. Ses nombreux objets, ses
...mas, ses vidéos, ses bandes sonores, ses reconstitutions théâtrales et ses
...les interactifs illustrent de façon vivante les tendances économiques, sociales
...urbaines qui ont influencé le riche passé de la ville, et offrent un aperçu de la vie
...es Montréalais. Des expositions temporaires (environ deux par an) explorent par
...illeurs divers aspects de l'histoire montréalaise.

...n période estivale, le centre organise des visites guidées du Vieux-Montréal selon
...des thèmes choisis chaque année, par exemple « Montréal, ville amérindienne » *(se
renseigner)*.

Écuries d'Youville

298-300 pl. d'Youville, à droite lorsque l'on regarde le Centre d'Histoire.

Disposés autour d'une belle cour intérieure aménagée en jardins, ces bâtiments
de pierre furent érigés en 1828 pour servir d'entrepôts aux Sœurs Grises, puis de
silos à grains. Ils n'ont donc jamais abrité d'animaux, mais au 19e s., des écuries se
trouvaient à proximité, d'où l'origine du nom. Restaurés en 1967, ils comprennent des
bureaux administratifs et un restaurant ; les bâtiments voisins ont été transformés en
appartements. On accède à la cour par une porte cochère centrale.

Hôpital général des Sœurs Grises

*Compris entre les rues Saint-Pierre, d'Youville, Normand et la place d'Youville. Entrée
138 r. Saint-Pierre - ☎ 514-842-9411.*

En 1680, les sulpiciens cédèrent les terres marécageuses situées à proximité de la
rivière Saint-Pierre à François Charron de la Barre et à ses frères qui y construisirent
un hôpital en 1694. En 1747, Marguerite d'Youville et les Sœurs Grises assumèrent la
direction de l'établissement. Lorsqu'en 1765, un incendie le détruisit en partie, elles
le firent reconstruire sur ses fondations. La fréquence des inondations et l'activité
grandissante du secteur portuaire de Montréal incitèrent les Sœurs Grises à quitter
le lieu en 1871 pour aller s'établir sur un site plus tranquille à l'ouest du centre-ville.
Leur chapelle, située rue Saint-Pierre, fut démolie, la rue fut prolongée jusqu'aux
rives du Saint-Laurent et l'on y fit construire des entrepôts.

En 1980, la congrégation réinstallait – dans l'édifice restauré – l'administration générale de l'Institut des Sœurs Grises, qui sert aussi de lieu de formation pour les novices.
De la rue Normand, on peut voir la partie la plus ancienne du couvent.

Sur demande à l'accueil *(période estivale - reste de l'année sur réservation - contribution
libre)*, il est possible de suivre une visite guidée qui présente les lieux et l'histoire de
mère d'Youville. Celle-ci habita l'hôpital jusqu'à sa mort en 1771. On peut encore
voir sa coutellerie. Autres témoins du passé : un évier à gargouille et une cheminée
(1693). Le tour inclut une présentation des activités traditionnelles de l'ordre auprès
des personnes âgées, des orphelins, des crèches, des hôpitaux, des aveugles et des
maisons familiales.

*Quittez le quartier de la place d'Youville en traversant la rue McGill et en continuant
tout droit dans la rue William. Tournez à gauche dans la rue Queen, puis à droite, rue
Ottawa.*

CITÉ MULTIMÉDIA

⚓ *Square-Victoria*

Le secteur sud-ouest du Vieux-Montréal porte dorénavant le nom de Cité Multimédia. Il correspond au faubourg des Récollets, ancien faubourg Sainte-Anne
ou Griffintown, autrefois quartier de forte immigration irlandaise. Les premiers
Irlandais à s'installer travaillaient en effet au percement du canal de Lachine dans
les années 1820. Entrepôts et industries métallurgiques, dont un certain nombre
de fonderies, ont par la suite investi les rues, les transformant en fourmilière jusqu'à la crise de 1929. Celle-ci marqua le début du déclin, un moment freiné par la
production de guerre des années 1940-1945. Il s'accéléra vingt ans plus tard avec
la construction de l'autoroute Bonaventure (1966) et à cause de la fermeture du
canal de Lachine, en 1969. Aujourd'hui, les anciens bâtiments industriels ont été
réaménagés ou ont fait place à de nouveaux complexes, particulièrement prisés
par les entreprises de nouvelles technologies. Ce qui lui vaut son nom actuel. Un
nouveau quartier émerge.

Fonderie Darling

*745 r. Ottawa - ☎ 514-392-1554 - www.quartierephemere.org - merc.-dim. 12h-19h (jeu.
22h) - 3 $ (gratuit jeu.).*

Les frères Darling ouvrirent cette fonderie en 1880. Pièces de métal, appareils de chauffage, pompes, ascenseurs, marches de tramway sortent de ses moules et lui valent d'être un temps la deuxième fonderie la plus importante de Montréal. Revendue une fois, elle subit le déclin de Griffintown de plein fouet et vivote jusqu'à sa fermeture définitive en 1991. Elle doit sa renaissance à l'organisme culturel Quartier Éphémère, qui en a fait un lieu d'expression et d'initiation aux arts visuels.

Les bâtiments de brique et de fonte du début du 20e s. ont conservé tout leur cachet. Les conduits d'aération qui sillonnent son toit lui valent le gentil surnom de « serpent ». À l'intérieur, deux salles, respectivement de 500 m² et 150 m², accueillent les expositions. L'espace dispose aussi d'ateliers mis à disposition d'artistes émergents. Le Cluny ArtBar *(entrée sur la rue Duke)* achève d'animer l'ensemble, en drainant notamment bon nombre de créateurs et d'ingénieurs des bureaux alentour à l'heure du déjeuner.

Du square Dorchester à l'Université McGill★ 2

🕐 *Peel*

Cette promenade au cœur du quartier commerçant de Montréal passe devant certains des gratte-ciel les plus marquants de la ville. Les tours qui bordent l'avenue McGill College illustrent les tendances du mouvement post-moderne.

Square Dorchester★

Longtemps considéré comme le cœur de la ville, même si les gratte-ciel avoisinants lui ont fait perdre de son panache, cet agréable espace public fut rebaptisé en 1988 en l'honneur de Lord Dorchester, gouverneur de l'Amérique du Nord britannique de 1768 à 1778 et de 1786 à 1795. Situé hors des limites de la ville jusqu'en 1855, l'emplacement servit pendant de nombreuses années de cimetière (surtout pour les victimes de la terrible épidémie de choléra de 1832), avant que les tombes ne soient transférées au mont Royal. Deuxième évêque de Montréal, M**gr** Ignace Bourget (1799-1885) choisit alors d'y faire construire une cathédrale, au grand dam des habitants du Vieux-Montréal qui se plaignaient de la distance à parcourir pour assister à la messe.

De célèbres sculptures viennent agrémenter le square, parmi lesquelles une statue de **Sir Wilfrid Laurier (4)**, réalisée par Émile Brunet. Laurier (1841-1919) fut le premier Canadien francophone à devenir Premier ministre du Canada, et ses paroles, restées célèbres, sont gravées sur le socle : « La pensée dominante de ma vie a été d'harmoniser les différents éléments dont se compose notre pays. » La statue de Laurier fait face à celle de **Sir John A. Macdonald (5)**, érigée sur la place du Canada, de l'autre côté de la rue. Quant au monument du **Régiment canadien de cavalerie de Lord Strathcona (6)**, élevé en l'honneur des Canadiens tombés pendant la guerre des Boers (1899-1901), il fut sculpté par George Hill, à qui l'on doit également la statue du lion, commémorant le **Jubilée de la reine Victoria (7)**. Le square contient par ailleurs la statue du grand poète écossais **Robert Burns (8)** (1759-1796), commanditée par ses admirateurs.

Édifice Dominion Square★

Côté nord du square Dorchester, entre les rues Peel et Metcalfe.

Cet imposant bâtiment d'inspiration néo-Renaissance évoque la grandeur des palais florentins du 15e s. À l'époque de sa construction, en 1929, il introduisit plusieurs nouveautés : un stationnement souterrain, un centre commercial de deux étages, les premiers escaliers mécaniques en bois de Montréal, et un mélange alors inhabituel de bureaux et de boutiques.

Centre de renseignements touristiques sur Montréal, **Infotouriste** se trouve à l'extrémité est de la galerie reliant les rues Peel et Metcalfe, niveau rez-de-chaussée. Outre son comptoir d'information, le visiteur y trouvera un large éventail de services : visites guidées de la ville, librairie, bureau de change, réservation de chambres d'hôtel, location de voitures, etc.

Le Windsor★

1170 r. Peel.

Inauguré en 1878 lors d'un bal donné en l'honneur du marquis de Lorne (gouverneur général de l'époque) et de son épouse Louise, fille de la reine Victoria, l'hôtel Windsor est aujourd'hui l'un des immeubles de bureaux les plus originaux de Montréal. Gravement endommagée par un incendie en 1906, et détruite par le feu en 1957, son aile principale fut remplacée par la **Banque de Commerce** (1962). Celle-ci se repère à ses châssis d'ardoise et à sa façade de verre et d'acier inoxydable.

Le hockey sur glace

Activité hivernale depuis plus de 100 ans, le hockey est bel et bien le sport natio-nal canadien. D'ailleurs l'engouement ne se limite pas aux matchs des grandes équipes retransmis à la télévision : plus de 580 000 jeunes canadiens répartis dans 25 000 équipes participent à des tournois amicaux. Toutes les communes possèdent une patinoire.

Dérivé du français « hoquet » à cause de la forme du bâton, le hockey puise ses origines dans plusieurs jeux de bâton et de balle importés au Canada par les soldats anglais dans les années 1850. En 1875, l'étudiant montréalais J.G. Creighton institua des règles et remplaça la balle par un disque plat (le *puck*) pour un meilleur contrôle sur la glace.

Ce jeu rapide et parfois brutal suscita l'intérêt des spectateurs. Il se répandit rapidement tandis que les rivalités parmi les équipes universitaires amateur s'intensifiaient. Bientôt des équipes professionnelles se constituèrent. Fondée en 1917, la Ligue nationale de Hockey, rejointe au fil des ans par des équipes américaines, compte désormais 30 équipes, dont seulement 6 au Canada. Le trophée remis par le gouverneur général Lord Stanley en 1893 est toujours attribué à l'équipe victorieuse de la Ligue lors des championnats de la coupe Stanley qui se déroulent chaque année au mois de juin. La coupe d'origine en argent est exposée au Hockey Hall of Fame de Toronto (*voir le guide Canada*).

L'hôtel conserva l'aile restante jusqu'à sa fermeture en 1981. La façade en pierre de taille et en brique est surmontée d'un toit mansardé percé d'œils-de-bœuf et de lucarnes. Lors de la reconversion de l'hôtel en immeuble de bureaux, l'intérieur du rez-de-chaussée, de style Adam, fut préservé. Ses salles de bal sont particulièrement élégantes.

Édifice Sun Life★★

1155 r. Metcalfe.

Cet édifice de style Beaux-Arts, à la structure d'acier revêtue de granit blanc, fut construit en 1913. Orné de massives colonnades sur ses quatre façades, le bâtiment occupe tout le côté est du square Dorchester. À l'époque, il contribua à faire de Mon-tréal la plus importante place financière du Canada. Divers agrandissements, réalisés de 1923 à 1933, en firent même « le plus grand édifice de tout l'Empire britannique ». C'est au troisième sous-sol que furent cachés, durant la Seconde Guerre mondiale, les bons du Trésor et la réserve d'or de Grande-Bretagne. Siège canadien de la Sun Life et de célèbres firmes d'assurance et de courtage, le bâtiment accueille aujourd'hui plus de 4 000 personnes.

Traversez le boulevard René-Lévesque et descendez la rue Peel.

Place du Canada

Plusieurs tours dominent cette place verdoyante face au square Dorchester. **La Laurentienne** (1986) dresse sa structure post-moderne, toute de cuivre et de verre, à l'angle sud-ouest de l'intersection Peel-René-Lévesque. Parfois appelée la « râpe à fromage », l'**hôtel Château-Champlain** s'élève au sud de la place. Remarquable par ses fenêtres convexes en demi-lune, cet élégant bâtiment (1967, Roger d'Astous) témoigne de l'influence de Frank Lloyd Wright. Dominant le côté sud-est de la place, la tour à bureaux du **1000 de la Gauchetière** reflète les tendances architecturales des années 1990. Ses 205 m de hauteur en font l'immeuble le plus élevé de la ville.

Saint George's Anglican Church★ (Église anglicane Saint-George)

Accès rue de la Gauchetière - 📞 *514-866-7113 - www.st-georges.org -* ♿ *- mar.-dim. 8h30-16h30.* Construite en 1870, cette charmante église néogothique est le plus ancien édifice de la place du Canada. L'intérieur, harmonieusement proportionné, présente une étonnante **charpente** double en pin rouge et en épinette, réalisée avec double blochet (pièce de bois retenant la plate-forme qui reçoit les chevrons). On notera tout particulièrement le retable de chêne et sa délicate dentelle ajourée, les stalles du chœur, le jubé et l'orgue Casavant (1896).

Gare Windsor★

À l'angle de la rue Peel et de la rue de la Gauchetière.

Dessinée par Bruce Price, le célèbre architecte du château Frontenac de Québec, cette gare pittoresque (1889) est l'un des plus beaux exemples montréalais du style néoroman « richardsonien », avec ses tours, ses créneaux, ses tourelles et ses arcs en plein cintre. Créée pour abriter le centre administratif des chemins de fer du Canadien Pacifique, elle sert aujourd'hui de terminus aux trains de banlieue.

Centre Bell

Accolé à la gare Windsor sur la rue de la Gauchetière - 1260 r. de la Gauchetière Ouest - 514-989-2841 ou 1-800-363-3723 (gratuit) - visites guidées - lun.-dim. 9h45 et 13h15 (français) ou 11h15 et 14h45 (anglais) - 8 $ (6-17 ans 6 $).

Inauguré en 1996 sous le nom de Centre Molson, le Centre Bell mérite la visite pour son côté mythique. Il abrite en effet le célèbre club de hockey des Canadiens qui fait se déplacer au moins 850 000 spectateurs chaque année ! Le tour guidé permet justement de connaître ce club et ses vedettes ainsi que les coulisses de ce sport (passerelle et salle de conférences de presse, vestiaires…). Il aborde également le volet artistique du centre, puisque ce dernier constitue l'une des principales scènes montréalaises.

Descendez la rue Peel jusqu'à traverser les rues Saint-Antoine et Saint-Jacques. Le Planétarium se trouve au niveau de la rue Saint-Jacques. Il était question de son déménagement vers le Parc olympique au moment de la rédaction de ce guide.

Planétarium de Montréal

1000 r. Saint-Jacques (Ⓜ Bonaventure) - 514-872-4530 - www.planetarium.montreal. qc.ca - ♿ - 🅿 - de fin juin à fin août : lun. 12h30-17h, mar.-jeu. 9h30-17h, vend. 9h30-16h30, 19h-21h30, w.-end 12h30-16h30, 19h-21h30 ; sept.-déc. et de fin janv. à fin juin : mar.-dim. 9h30-17h (vend.-dim. 18h45-21h30 en plus) ; 22 déc.-6 janv. : 9h30-17h - fermé lun. sf j. fériés et été, 25 déc. et janv. - 8 $ (5-17 ans 4 $). Transfert prévu au Parc olympique. Se renseigner.

Chaque année, les visiteurs pourront voir ici de superbes productions multimédia *(50mn)* projetées sur l'immense dôme hémisphérique de 20 m de diamètre du **Théâtre des Étoiles** (capacité : 385 places). Le planétarium de Montréal est doté d'un planétaire Zeiss V, de fabrication allemande, faisant appel à plus de 150 projecteurs pour recréer le ciel étoilé. Destinées à la vulgarisation des connaissances en matière d'astronomie, des expositions permanentes et temporaires permettent par ailleurs au public d'explorer notre univers, d'en comprendre les phénomènes, et de façon générale, de suivre l'actualité astronomique.

Retournez place du Canada.

Basilique-cathédrale Marie-Reine-du-Monde★★

Entrée principale bd René-Lévesque - 514-866-1661 - www.cathedralecatholiquede montreal.org - ♿ - lun.-vend. 7h-18h15, w.-end 7h30-18h15.

Dessiné par Victor Bourgeau, ce gigantesque édifice de style néobaroque se distingue par de grandes colonnes grecques, une riche ornementation et une corniche décorée de statues. Lorsque la cathédrale Saint-Jacques, érigée dans le secteur est de Montréal, fut détruite par le feu, Mgr Ignace Bourget décida d'en construire une autre dans le quartier ouest, anglophone et protestant, afin d'y affirmer la présence de l'Église catholique. Porte-parole de l'idéologie ultramontaine, l'évêque de Montréal choisit comme modèle l'église mère du catholicisme : Saint-Pierre de Rome. La taille de l'édifice sera réduite au tiers de la basilique romaine du 16e s. Les travaux ne débutèrent qu'en 1870 et furent interrompus en 1878, faute de ressources financières. Ils reprirent en 1885, et la cathédrale fut consacrée en 1894. Tout d'abord dédiée à saint Jacques le Majeur, elle reçut le titre de basilique mineure en 1919, et adopta son nom actuel en 1955.

Les statues de la corniche, réalisées par Alphonse Longpré (1881-1938), représentent les saints patrons des paroisses qui formaient le diocèse de Montréal en 1890. Le dôme recouvert de cuivre fut installé en 1886, mais la croix d'origine, en fer, fut remplacée en 1958 par une croix d'aluminium. La **statue (9)** de Mgr Bourget, à droite de la cathédrale, est l'œuvre du sculpteur Louis-Philippe Hébert. Sur la base du socle, on voit également l'évêque en compagnie de l'architecte de la cathédrale, Victor Bourgeau.

Intérieur – Dans le vestibule sont accrochés les portraits de tous les évêques de Montréal. Coulé dans du cuivre et recouvert de feuilles d'or, le magnifique **baldaquin** (1900) qui domine la nef est attribué à Victor Vincent ; il s'agit de la réplique du chef-d'œuvre créé pour la basilique Saint-Pierre par le Bernin, sculpteur italien du 16e s. À l'intérieur, de grands tableaux peints par Georges Delfosse représentent des épisodes de l'histoire religieuse du Canada, dont le martyre du prêtre jésuite Jean de Brébeuf et de Gabriel Lalemant, et la noyade de Nicolas Viel, premier martyr canadien, accompagné de son disciple Ahuntsic. Dans la chapelle derrière l'autel, on peut admirer une délicate statue de la Vierge due à Sylvia Daoust, célèbre femme-sculpteur canadienne du 20e s.

À gauche de la nef, une **chapelle mortuaire** (1933) contient les tombes de plusieurs archevêques et évêques. Les marbres italiens des murs et du sol sont ornés de belles mosaïques. On notera, au centre, le mausolée de Mgr Bourget, exécuté à Rome. Au-dessus de l'autel, au fond de la chapelle, un magnifique bas-relief de bronze représente la basilique Saint-Pierre de Rome.

Traversez le boulevard René-Lévesque.

Entre la rue Mansfield et la rue University s'élève le plus grand hôtel de la métropole, le Reine Elizabeth (1957). En dessous de l'hôtel se trouve la gare centrale, terminus des trains VIA et Amtrak.

Continuez par le boulevard René-Lévesque sur 20 m et coupez à gauche à travers le complexe de tours.

Place Ville-Marie★★

Cœur de la ville souterraine avant l'extension du réseau autour de la station de métro McGill, la place Ville-Marie amorça la renaissance du centre-ville et lança à travers le pays une vague d'aménagements urbanistiques du même genre. Le projet, inspiré du Rockefeller Center de New York *(voir le guide New York),* remonte à 1930. Il visait à combler l'énorme trou laissé dans le centre-ville par le percement du tunnel ferro-viaire sous le mont Royal avant la Première Guerre mondiale. Les effets désastreux de la crise économique de 1929 retardèrent considérablement les travaux qui ne débutèrent qu'en 1959.

L'ensemble, composé de quatre bâtiments, est dominé par la tour de la **Banque Royale★** (1962 ; I.M. Pei, Affleck & Associés). Cette structure cruciforme au revêtement d'aluminium offre à chacun de ses 42 étages 3 534 m^2 d'espace de bureaux. Elle s'ouvre sur une esplanade de béton particulièrement animée à la saison estivale. De cette position surélevée, une **perspective★** unique s'étend sur le nord de la ville, de l'avenue McGill College à l'Université McGill, dominée par la masse du mont Royal. Au premier plan, on aperçoit une fontaine de bronze de Gerald Glaston intitulée *Présence féminine* (1972). Depuis les galeries marchandes situées sous l'esplanade, de larges lucarnes offrent de curieuses vues sur les tours avoisinantes. *Accès à la ville souterraine (durant les heures d'ouverture des boutiques et services) par les pavillons de verre en face de la tour de la Banque Royale.*

De la place Ville-Marie, remontez l'avenue McGill College vers le nord.

Véritable point de mire de l'architecture post-moderne à Montréal, et axe le plus fréquenté de la ville, la belle **avenue McGill College** s'étend de la place Ville-Marie à l'Université McGill. Tracée en 1857 comme prolongement de l'allée centrale du campus universitaire vers le centre-ville, elle a fait l'objet d'importants projets d'amé-nagements au cours des dernières décennies.

Place Montréal-Trust★★

1500 av. McGill College - ☏ 514-843-8000 - placemontrealtrust.shopping.ca - ♿ - 🅿 - lun.-vend. 10h-18h (merc.-vend. 21h), w.-end 10h-17h (dim. 11h) - fermé principaux j. fériés.

Mélange inattendu de marbre rose et de verre bleuté, cet immense édifice (1989) occupe tout le côté gauche de l'avenue McGill College, entre la rue Sainte-Catherine et le boulevard de Maisonneuve. Ce véritable cylindre jaillissant d'un socle quadran-gulaire doit sa conception aux architectes **E. Zeidler, E. Argun** et **P. Rose**. Un **atrium** aux parois de verre (hauteur : 30 m) s'élève au-dessus du métro, et un ascenseur panoramique permet au visiteur d'admirer la belle fontaine centrale, en bronze. Avec plus d'une centaine de boutiques, il s'agit d'un des lieux les plus fréquentés du centre-ville à l'heure du déjeuner.

Dirigez-vous vers l'est par la rue Sainte-Catherine.

Principale artère commerciale de la ville, la **rue Sainte-Catherine** est bordée de grands magasins (**Ogilvy**, **Eaton** et **La Baie**), d'énormes centres commerciaux (fau-bourg Sainte-Catherine) et de nombreuses boutiques. Le soir, cette rue animée attire toute une foule de personnes dans ses nombreux bars et boîtes de nuit.

Complexe les Ailes

677 r. Sainte-Catherine Ouest - ☏ 514-288-3759 - lun.-vend. 10h-18h (merc.-vend. 21h), w.-end 10h-17h (dim. 11h).

Fort renommé, ce magasin à grande surface fut acquis en 1925 par Timothy Eaton. Considérablement modifié et agrandi au fil des ans, il forme aujourd'hui – avec le centre Eaton (B), son annexe moderne – un énorme quadrilatère compris entre les rues University et Sainte-Catherine, l'avenue McGill College et le boulevard de Mai-sonneuve.

Christ Church Cathedral (Cathédrale Christ Church)★

Entrée rue Sainte-Catherine, entre la rue University et l'avenue Union - 📞 *514- 843-6577 (poste 371) - www.montreal.anglican.org/cathedral -* ♿ *- 8h-17h30.*

Avec son triple portique orné de pignons et de gargouilles, sa façade de pierre de taille et sa flèche élancée, cette église (1859) est un exemple achevé du style néogothique. Elle fut construite pour remplacer une première cathédrale anglicane, détruite par un incendie en 1856. Avant de pénétrer à l'intérieur, notez le **monument (10)** *(à droite de l'édifice)* dédié à l'évêque anglican Francis Fulford (1803-1868) à l'époque de la construction du bâtiment.

Un édifice fragile – Très vite, les fondations présentèrent d'énormes difficultés : elles se révélèrent en effet si fragiles que l'on dut, en 1927, démonter la flèche de pierre de 39 m qui surmontait la tour et qui commençait à s'incliner de 1,2 m vers l'est. On la remplaça, en 1940, par une copie en aluminium façon pierre. Durant les années 1980, le terrain sur lequel repose la cathédrale fut loué à une société de développement qui construisit sous l'église même des galeries marchandes souterraines *(Promenades Cathédrale)* et sauva ainsi l'édifice en empêchant qu'il ne s'enfonce dans le sol. Une tour moderne *(place de la Cathédrale)*, juste derrière l'église, vint compléter cet ensemble architectural assez particulier.

Intérieur – Caractérisée par une nef cintrée et des fenêtres ogivales ornées d'éléments tréflés ou quadrifoliés, la cathédrale Christ Church recèle un intérieur gracieux et serein. Les chapiteaux des arcades de la nef sont agrémentés de feuilles dont le modèle s'inspire d'aquarelles figurant le jardin de la famille McCord. À la voûte, divers motifs décoratifs évoquent notamment l'Ancien Testament et les principes de la foi chrétienne. Le chœur présente un **retable** magnifiquement sculpté. Plusieurs vitraux proviennent de l'atelier londonien de William Morris. Sous la rosace, on remarquera enfin l'orgue, d'inspiration nord-allemande, construit en 1980 par Karl Wilhelm, de Mont-Saint-Hilaire.

Accédez aux Promenades Cathédrale par les portes situées de chaque côté de l'entrée principale de la cathédrale.

Promenades Cathédrale

📞 *514-845-8230 - www.promenadescathedrale.com -* 🍴♿ *- lun.-vend. 10h-18h (merc. 20h, jeu.-vend. 21h), w.-end 10h-17h (dim. 11h) - fermé principaux j. fériés.*

Liaison entre les grands magasins Eaton Centre et La Baie, cette galerie marchande (1988) aménagée sous l'église a donné lieu au chantier le plus spectaculaire que Montréal ait jamais connu. La construction se fit en sous-œuvre, et pendant des mois, Christ Church fut supportée par de minces pylônes tandis que se poursuivaient les travaux d'excavation et de construction. Dans les allées du centre commercial souterrain, des ornements en forme d'ogives rappellent la présence du monument religieux situé juste au-dessus.

Sortez par le « cloître », joli petit jardin situé entre la cathédrale et la place de la Cathédrale.

Place de la Cathédrale★

600 bd de Maisonneuve Ouest.

De conception post-moderne, cet étonnant immeuble de 34 étages aux parois de verre cuivré (1988 ; Webb, Zerafa, Menkès & Houdsen) abrite les bureaux de la cathédrale anglicane et du diocèse. De tous les gratte-ciel du centre-ville, il s'agit certainement du plus remarquable. Avec ses arches en pointe, ses colonnades et ses meneaux profonds, son toit pentu et ses hautes fenêtres en arcs brisés, l'édifice rappelle Christ Church par son architecture. On pénétrera dans le **hall** en forme de nef pour admirer la splendide vue de la cathédrale voisine et de son clocher, au travers d'un mur de verre incurvé qui s'élève sur une hauteur de cinq étages.

Sortez sur le boulevard de Maisonneuve, et dirigez-vous vers l'ouest en direction de l'avenue McGill College.

Tours de la Banque nationale de Paris (BNP)/Banque Laurentienne★

1981 av. McGill College.

« L'édifice bleu » (1981), comme le surnomment de nombreux Montréalais, est un symbole de la relance économique des années 1980. Il se compose de tours jumelées de 16 à 20 étages communiquant entre elles. Véritable cage de verre réfléchissant, l'ensemble s'ouvre sur une esplanade marquée par la présence originale d'une sculpture en fibre de verre de l'artiste français Raymond Masson, *La Foule illuminée.* On peut pénétrer dans le hall principal (hauteur : 11 m), décoré de granit et d'acier inoxydable.

Tour l'Industrielle Vie

2000 av. McGill College, à l'angle nord-ouest de l'intersection McGill College-Maison-neuve.

D'allure plutôt conventionnelle, cette tour revêtue de granit (1986) se satisfait de l'ajout de quelques ornements post-modernes. L'énorme fenêtre en forme d'éventail, que l'on remarque à l'entrée, se répète au sommet de l'édifice.

Sur le trottoir, notez une charmante **sculpture** intitulée *Le Banc du secret*, due à l'artiste Léa Vivot. Les inscriptions bilingues qui y sont gravées à même le bronze sont anonymes, à l'exception de l'une d'entre elles, « Montréal, un secret à partager », signée Jean Doré (ancien maire de Montréal).

Maison Ultramar

2200 av. McGill College.

Dans cet édifice (1990) ont été intégrés l'ancien University Club *(892 r. Sherbrooke)* et la maison Molson *(2047 r. Mansfield)*. L'entrée en retrait, surmontée d'une façade de verre arrondie, démontre l'habileté de l'architecte à traiter ce coin de rue.

Place Mercantile

Face à la maison Ultramar. Entrée au 770 r. Sherbrooke Ouest.

Cet ensemble de verre et d'aluminium (1982) incorpore une rangée d'anciennes façades de pierre grise datant de 1872, qui donnent sur la rue Sherbrooke. L'un de ces immeubles, le Strathcona Hall (1904), fut cédé par l'Université McGill à la condition qu'il soit conservé. L'édifice s'effondra en cours de chantier, mais fut entièrement reconstruit.

Tournez à droite, rue Sherbrooke.

Musée McCord d'Histoire canadienne★★

690 r. Sherbrooke Ouest (🕐 McGill) - 𝄞 514-398-7100 - www.mccord-museum.qc.ca - ✗- ♿ - mar.-dim. 10h-18h (w.-end 17h) - fermé lun. sf j. fériés et été (17h), 25 déc. et 1ᵉʳ janv. - 12 $ (6-12 ans 4 $), gratuit 1ᵉʳ sam. du mois 10h-12h.

Cette institution muséologique – l'une des plus prestigieuses du pays – se distingue par l'incroyable richesse et la variété de ses collections. Elle vit le jour en 1921, grâce à la générosité d'un certain David Ross McCord (1844-1930) qui, deux ans plus tôt, avait fait don de sa collection personnelle d'objets canadiens à l'Université McGill, dans l'espoir qu'elle constitue la base d'un futur musée. Ses expositions présentent aujourd'hui une sélection d'œuvres issues d'un fonds de quelque 100 000 objets et 750 000 photographies historiques, et offrent un brillant aperçu du patrimoine historique canadien, des premières nations amérindiennes à l'époque actuelle.

Bâtiment – En 1968, le musée s'installa dans ce sobre édifice de pierre calcaire grise qui hébergeait autrefois le Centre universitaire de McGill. Construit en 1906 par Percy E. Nobbs, le bâtiment est orné d'un portail d'entrée baroque flanqué de pilastres toscans. Un projet d'agrandissement, complété en 1992, a permis au musée d'améliorer sa surface d'exposition (1 650 m²) tout en se dotant de laboratoires de conservation et d'une bibliothèque. La façade de la nouvelle aile *(sud)* reflète le style raffiné du bâtiment d'origine. Expositions temporaires et permanentes se répartissent sur deux niveaux.

Collections – En se rendant à l'étage supérieur, on notera un magnifique mât de façade haïda en cèdre des îles de la Reine-Charlotte (19ᵉ s.).

Le second niveau abrite l'exposition permanente « Simplement Montréal : coup d'œil sur une ville unique ». Celle-ci jette un regard passionnant sur la vie à Montréal du 17ᵉ s. à nos jours à travers une gamme hétéroclite d'objets puisés dans les collections du musée : artisanat amérindien, objets d'arts décoratifs (orfèvrerie, mobilier, vannerie, verrerie, céramiques), équipements sportifs, jouets, etc. On remarquera tout un éventail de vêtements illustrant la merveilleuse collection de costumes et textiles du musée, ainsi qu'une sélection de photos issues des fameuses **Archives photographiques Notman**. Cette chronique très complète de la vie au Canada du 19ᵉ s. au début du 20ᵉ s. se compose de négatifs et épreuves (personnages historiques, événements, scènes urbaines et rurales), dont 400 000 sont l'œuvre de William Notman (1826-1891), célèbre photographe canadien au siècle dernier.

Traversez la rue Sherbrooke pour accéder à l'entrée principale de l'université.

Université McGill★

Au bout de l'avenue McGill College - 𝄞 514-398-6555 - www.mcgill.ca.

La plus ancienne université de Montréal et du Canada bénéficie d'un magnifique campus en plein cœur de la ville, adossé aux pentes du mont Royal. À sa mort, le

Vue sur la ville de Montréal.

négociant de fourrures écossais James McGill (1744-1813) avait légué à l'Institution royale pour l'avancement des sciences la coquette somme de 10 000 livres sterling ainsi que son domaine de Burnside, à la condition expresse qu'il y soit fondé un établissement d'enseignement supérieur. En 1821, le tout nouveau « collège McGill » recevait une charte royale de George IV. Les premiers cours débutèrent en 1829, date à laquelle un collège de médecine de Montréal fut rattaché à McGill. Depuis, l'université a connu un essor fulgurant. Elle offre aujourd'hui plus de 22 facultés et écoles professionnelles à ses quelque 33 000 étudiants. Ces derniers sont répartis entre le campus du centre-ville (32 ha) et le campus Macdonald, à Sainte-Anne-de-Bellevue.

Campus – On pénètre dans le campus par le célèbre **portail Roddick**, de style néoclassique grec. Érigé en 1924 à la mémoire de Sir Thomas Roddick, ancien doyen de la faculté de médecine, il est orné d'une horloge offerte par Lady Roddick en hommage à la proverbiale ponctualité de son mari. Les 70 bâtiments du campus offrent une grande variété de styles architecturaux. Avec leurs façades ornées, leurs tours et leurs tourelles, les édifices de pierre de taille construits au début du 19e s. contrastent étrangement avec les bâtiments plus modernes, en béton nu.

À l'ouest de l'avenue principale, remarquez la magnifique fontaine de pierre (1930) réalisée par Gertrude Vanderbilt-Whitney.

Pavillon des Arts – *Au bout de l'avenue principale.* Le corps central et l'aile est (pavillon Dawson) de cet édifice, le plus ancien du campus, furent bâtis par John Ostell de 1839 à 1843. L'aile ouest (pavillon Molson) et les sections de raccordement remontent aux années 1861-1880. L'intérieur fut entièrement refait en 1924. En gravissant les quelques marches du large escalier menant au portique de pierre (il était à l'origine en bois), on bénéficiera d'une jolie **vue** sur le centre-ville.

En face du pavillon des Arts se dresse la tombe de James McGill, fondateur de l'université.

Musée d'Histoire naturelle Redpath★ – *À l'ouest du pavillon des Arts -* ℰ *514-398-4086 (poste 4094) - www.mcgill.ca/redpath - lun.-vend. 9h-17h, dim. 13h-17h - fermé principaux j. fériés - gratuit.*

Cet édifice néoclassique (1882) doit sa construction à la générosité de Peter Redpath, riche industriel qui établit la première raffinerie de sucre au Canada. Les architectes créèrent une façade éclectique d'inspiration à la fois grecque et Renaissance, sur le modèle d'un temple antique. Sarcophage égyptien… canope funéraire… menaçant squelette d'*Albertosaurus*… Le musée Redpath recèle des trésors d'une étonnante variété. Le rez-de-chaussée abrite des bureaux et des salles de cours ainsi qu'une sélection d'objets issus de ses riches collections de minéraux, de paléontologie et de zoologie. Les deux étages supérieurs logent une stupéfiante collection de fossiles, de mollusques, d'insectes, de minéraux et d'animaux naturalisés, ainsi que des objets d'Afrique et des antiquités égyptiennes, notamment des momies humaines et animales et de belles pièces de poterie, le tout dans un cadre victorien des plus charmants.

Sortez du campus par le portail Roddick, et tournez à droite.

En bordure de la rue Sherbrooke, à l'ouest du portail Roddick, remarquez une **plaque** (11) commémorative marquant l'emplacement (tel qu'on le supposait au 19e s.) du village amérindien d'Hochelaga *(p. 51)*, à l'époque de l'arrivée de Jacques Cartier sur l'île en 1535.

De la Place des Arts au Quartier chinois★ ③

Place-des-Arts

Longtemps négligé, ce quartier connut un brillant renouveau lors de la « Révolution tranquille » des années 1960. Sous l'administration municipale du maire Jean Drapeau, la décision fut prise de construire un gigantesque ensemble culturel dans l'est de la ville, ce qui amorça le rééquilibrage des investissements dans le secteur francophone.

À la construction du complexe de la Place des Arts allaient succéder de nombreux projets urbanistiques de grande envergure : le complexe Desjardins, l'Université du Québec à Montréal, le Stade olympique, le complexe Guy-Favreau et le Palais des congrès.

Commencez la promenade à la Place des Arts. Ce parcours permet de découvrir une partie de la ville souterraine.

Place des Arts★★

Côté nord de la rue Sainte-Catherine, entre les rues Jeanne-Mance et Saint-Urbain - www. pda.qc.ca - ✕ - 🅿 - billetterie : ☏ 514-842-2112 ou 1-866-842-2112 (gratuit).

Le plus grand centre culturel de la ville, où se côtoient les arts de la scène et les arts visuels, se compose de trois édifices : une imposante salle de concert (1963), un complexe théâtral (1967) et un musée d'Art contemporain (1992). Ces bâtiments se rassemblent autour d'une vaste esplanade aménagée, pleine d'animation : le quadrilatère extérieur. Plusieurs manifestations culturelles se tiennent chaque année dans le quartier de la Place des Arts, parmi lesquelles le célèbre Festival international de jazz.

Salle Wilfrid-Pelletier – Orné d'une élégante façade en ellipse toute en fenêtres et minces colonnes de béton, cet édifice abrite l'Orchestre symphonique de Montréal, les Grands Ballets canadiens et l'Opéra de Montréal. Son auditorium peut accueillir jusqu'à 2 982 spectateurs.

L'intérieur, autour du grand foyer central appelé *Piano Nobile*, est décoré d'œuvres d'artistes canadiens renommés : tapisseries flamboyantes de Robert LaPalme et Micheline Beauchemin, imposante sculpture d'Anne Kahane et, dominant le grand escalier du foyer, les *Anges radieux* de Louis Archambault, en feuilles de laiton. On note également, dans le foyer inférieur, une composition murale d'aluminium réalisée par Julien Hébert, des tympans de céramique de Jordi Bonnet, un cygne de marbre de Hans Schleech et une sculpture de l'Inuit Innukpuk. Une peinture de Jean-Paul Riopelle, *La Bolduc*, et une toile de Fernand Toupin apportent au décor une touche finale.

Complexe théâtral – Ce grand bâtiment contient trois salles polyvalentes. Les deux premières : le théâtre Jean-Duceppe et le théâtre Maisonneuve, sont superposées l'une au-dessus de l'autre. Un ingénieux système de ressorts, formant un plancher flottant pour le Maisonneuve à l'étage supérieur et un plafond suspendu pour le Jean-Duceppe à l'étage inférieur, les sépare. Une insonorisation parfaite en permet l'utilisation simultanée. Au niveau du métro, le petit Studio-Théâtre vient compléter l'ensemble.

Musée d'Art contemporain de Montréal★★

185 r. Sainte-Catherine Ouest - ☏ 514-847-622 - www.macm.org - ♿ - 🅿 - mar.-dim. 11h-18h (merc. 21h), nocturne 1ᵉʳ vend. du mois 18h-21h - fermé lun. sf j. fériés et été - 8 $ (-12 ans gratuit), nocturne merc. gratuit.

Érigé sur le côté ouest de la Place des Arts, cet imposant édifice (1992) abrite la seule institution du Canada à être exclusivement vouée à l'art contemporain. Parallèlement à ses expositions temporaires, le musée présente, sur plusieurs salles claires et spacieuses du premier étage, une sélection d'œuvres extraites de la collection permanente (celle-ci rassemble près de 7 000 pièces, dont plus de 60 % d'origine québécoise) : peintures, sculptures, dessins, estampes, photographies et installations conceptuelles.

Les grandes tendances de l'art contemporain québécois, de 1939 à aujourd'hui, y sont représentées à travers les créations de peintres de renom tels Paul-Émile Borduas, Jean-Paul Riopelle, Guido Molinari, Claude Tousignant ou encore Alfred Pellan, et de sculpteurs comme Ulysses Comtois et Armand Vaillancourt. Des œuvres étrangères contemporaines viennent, à un moindre degré, illustrer l'expression artistique internationale.

Du premier étage, on accède au charmant **Jardin de sculptures** *(fermé en hiver)*, d'où l'on aperçoit le complexe de la Place des Arts. Dans ce décor paisible de plantes saisonnières et de bancs en fer forgé au cachet ancien, les visiteurs pourront admirer des expositions temporaires d'œuvres monumentales issues de la collection permanente.

Entre les aires communes intérieures du complexe de la Place des Arts et le hall du musée d'Art contemporain, la **Cinquième salle**, construite en 1992, offre au public un théâtre polyvalent capable de changer de configuration selon la nature du spectacle donné.

Empruntez le passage souterrain qui conduit au complexe Desjardins.

Complexe Desjardins★

Côté sud de la rue Sainte-Catherine, entre les rues Jeanne-Mance et Saint-Urbain.

Inauguré en 1976, cet austère ensemble architectural se compose de quatre tours encadrant un immense atrium intérieur de forme polygonale. Protégé des rigoureux hivers montréalais, ce vaste espace central se prête à toutes sortes d'expositions et manifestations culturelles. Il est entouré de trois niveaux de galeries le long desquelles s'alignent de nombreuses boutiques et restaurants.

Empruntez le passage souterrain du boulevard René-Lévesque menant au complexe Guy-Favreau.

Complexe Guy-Favreau
200 bd René-Lévesque.

Ainsi nommé en mémoire de **Guy Favreau** (1917-1967), avocat, politicien, procureur général et ministre de la Justice sous l'administration de John Diefenbaker (1957-1963), cet ensemble fut achevé en 1984. Il se compose de six structures communicantes comprenant des bureaux de l'administration fédérale et des appartements ainsi qu'un centre commercial. Le revêtement extérieur du complexe, en brique rouge, fait ressortir la beauté de l'atrium intérieur dans lequel pierre et acier inoxydable créent un harmonieux contraste. Des expositions sont régulièrement organisées dans le complexe. À l'extérieur, un **jardin** parsemé de fontaines et de sculptures offre au passant un endroit où se reposer loin de l'animation des trottoirs.

Sortez rue de la Gauchetière, et dirigez-vous vers le quartier chinois en descendant la rue Saint-Urbain. Tournez à droite au niveau de la rue de la Gauchetière.

On remarque, sur la droite, une énorme structure de verre et de béton formant comme un pont au-dessus de la voie rapide Ville-Marie. Il s'agit du **Palais des congrès de Montréal**. Construit en 1983, le bâtiment accueille chaque année toutes sortes de conférences et salons, et peut contenir jusqu'à 10 000 personnes. Le Palais des congrès est directement relié à la station de métro Place-d'Armes et à la ville souterraine.

Quartier chinois★

Il se trouve au cœur d'un carré délimité par la rue Jeanne-Mance à l'ouest, le boulevard Saint-Laurent à l'est, et les rues de part et d'autre de la rue de la Gauchetière.

Les premiers ressortissants chinois à s'établir à Montréal arrivèrent dans les années 1860. Fuyant l'impitoyable dureté du travail dans les mines d'or ou les chantiers de construction des chemins de fer de l'Ouest américain, ils s'établirent dans ce quartier et lui donnèrent son cachet ethnique bien particulier. Aujourd'hui, beaucoup d'habitants du secteur ont quitté leur ancien voisinage pour aller s'installer ailleurs en ville. Pourtant, avec ses restaurants odorants et ses étalages garnis de produits exotiques, ce quartier fort animé demeure encore, pour la communauté orientale de Montréal, un véritable point de rencontre, et pour le visiteur, un pittoresque but de promenade.

Maison Wing *(1009 r. Côté, donnant sur le Palais des congrès)* – Construite en 1826, il s'agit de l'une des plus anciennes maisons du quartier. Elle abrite aujourd'hui une fabrique spécialisée dans les « petits fours horoscope » ; ces biscuits renfermant une devise sont, bien sûr, destinés aux restaurants chinois de la ville.

Rue Saint-Urbain – *Sur la gauche en descendant vers le sud*. Des compositions murales illustrent de fameuses légendes, comme celle du Roi-Singe.

Rue de la Gauchetière – Parmi les curiosités à remarquer, on notera deux arches élevées en 1963 au-dessus de la rue de la Gauchetière ; cette dernière est ornée d'une série de médaillons de bronze symbolisant les vertus chinoises.

Parc Sun Yat-Sen – *À l'angle de la rue Clark*. Ce petit parc dédié à **Sun Yat-Sen** (1866-1925), philosophe et révolutionnaire considéré comme le fondateur de la Chine moderne, vient apporter à l'endroit une note de verdure.

Rue Sherbrooke Ouest★★ 4

🕐 *Peel*

Commencez la promenade à l'angle des rues Sherbrooke Ouest et Peel. Les adresses mentionnées aux pages suivantes se trouvent, sauf indication contraire, rue Sherbrooke Ouest.

L'une des artères les plus prestigieuses et les plus animées du centre-ville, la rue Sherbrooke constitue un secteur commercial très dynamique. Aux architectures victoriennes, néogothiques et néoromanes se mêlent de ternes immeubles de bureaux des années 1950 qui en font le quartier le plus éclectique de la ville.

La rue Sherbrooke marque la frontière sud de l'historique **Mille Carré Doré**, délimité par ailleurs par l'avenue des Pins, la rue University et l'angle de la rue Guy et du chemin de la Côte-des-Neiges. À l'origine, ce secteur faisait partie du domaine des sulpiciens. Après la Conquête, il passa aux mains des familles anglaises et écossaises de négociants en fourrures. De riches propriétaires terriens, tel James McGill, y firent bâtir leurs maisons de campagne, non loin des vergers réputés qui, en ce temps-là, s'étendaient sur le mont Royal. En 1885, une bourgeoisie que l'achèvement de la construction du Canadien Pacifique avait enrichie suivit leur exemple. Vers la fin du 19e s., les résidants du Mille Carré Doré possédaient 70 % des richesses du Canada. À l'ouest du Mille Carré Doré s'étend **Westmount**, charmante enclave résidentielle.

Rue Peel

Cette élégante artère porte le nom de Sir Robert Peel (1788-1850), Premier ministre britannique et fondateur du Parti conservateur qui, par des mesures économiques et financières, favorisa le passage de l'Angleterre à l'ère industrielle. C'est de lui que les fameux *bobbies*, agents de la police londonienne dont il fut le créateur, tiennent leur surnom. Au nord, la rue est bordée d'anciennes demeures appartenant pour la plupart à l'Université McGill.

Retournez rue Sherbrooke et continuez vers l'ouest.

La **rue Stanley** porte le nom de l'ancien gouverneur général du Canada à qui l'on doit la fameuse **Coupe Stanley**, trophée du championnat de hockey professionnel.

Maison Alcan★

Nº 1188 ; entrée principale au 2200 rue Stanley.

Le siège social de l'importante société Aluminium Alcan Ltée présente un étonnant mélange d'ancien et de moderne. Les architectes de la maison Alcan (1983) ont suivi avec succès les directives de préservation du patrimoine en englobant dans la façade cinq bâtiments du 19e s. qui formaient la partie sud de la rue Sherbrooke, entre les rues Stanley et Drummond.

À l'extrême gauche, la **maison Atholstan** (*nº 1172*) fut construite pour Lord Atholstan (1848-1938), philanthrope réputé et fondateur d'un journal aujourd'hui disparu. Cet édifice en pierre de taille, réalisé en 1895 dans le style Beaux-Arts, est caractéristi-

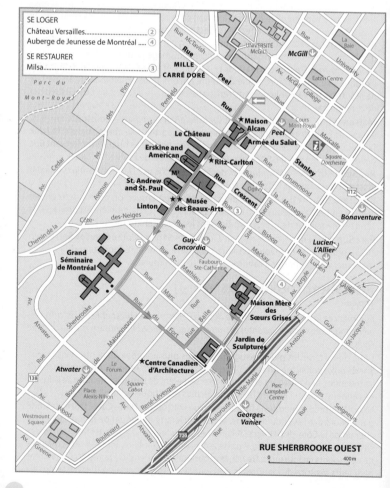

que des constructions élevées par l'élite financière de l'époque. Son intérieur est aujourd'hui occupé par les bureaux du président d'Alcan.

Un superbe **atrium** couvert d'une verrière relie les cinq bâtiments à l'édifice Davis, construction moderne au revêtement d'aluminium, dissimulée à l'arrière. Le vaste espace est mis en valeur par plusieurs œuvres d'art. On remarquera particulièrement une statue d'Esther Wertheimer intitulée *Paolo et Francesca* (1985) ainsi que des panneaux textiles colorés et de belles sculptures inuit en stéatite.

Descendez l'agréable ruelle entre les rues Stanley et Drummond, derrière l'édifice, d'où l'on aperçoit la **Citadelle de l'Armée du Salut** *(rue Drummond)*, construite en 1884 selon le style des temples ioniques.

Retournez rue Sherbrooke Ouest.

Ritz-Carlton★

Dernier survivant des grands hôtels de Montréal, le Ritz-Carlton appelle à la nostalgie des Années folles. Ce luxueux édifice (1912) présente une élégante façade en pierre calcaire de style néo-Renaissance, ornée de détails en terre cuite. Sa marquise en fer forgé est éclairée par de superbes lampadaires. Le bâtiment, agrandi en 1956 dans son style d'origine, comporte dans sa partie ouest des panneaux décoratifs au-dessus des fenêtres. Le hall d'entrée et les salles de réception s'enorgueillissent d'un fastueux décor tout de marbre, de bronze, de cuir et de boiseries. L'établissement a vu défiler un grand nombre de souverains et chefs d'État, dont Charles de Gaulle. Lieu de passage toujours très apprécié des célébrités, il servit de cadre au mariage d'Elizabeth Taylor et de Richard Burton en 1964.

Traversez la rue de la Montagne.

De l'autre côté de la rue, au n° 1321, l'immeuble d'appartements **Le Château** (1925), surmonté d'un toit en pente, est orné de créneaux et tourelles de pierre. L'édifice fut construit en calcaire fossilisé de Tyndall, le même que celui qui orne l'intérieur du Parlement d'Ottawa.

Erskine and American United Church (Église unie Erskine et American)

N° 1339.

Bel exemple, tout comme la gare Windsor, du style néoroman « richardsonien », l'édifice se distingue par ses arcs massifs traités dans une pierre rustique, ses étroites fenêtres et ses contreforts en pinacle ornant sa tour. Construit en 1894, le bâtiment est affecté à deux groupes religieux : l'église Erskine et l'église presbytérienne américaine, réunies depuis 1934. Considérablement remanié et agrandi en 1938, l'intérieur offre des caractéristiques dignes d'intérêt : un dôme peint et ornementé reposant sur une corniche finement ciselée, et de très beaux **vitraux** Tiffany (24 au total, si l'on compte ceux de la chapelle attenante) illustrant divers thèmes bibliques. D'autres vitraux représentent des motifs végétaux et floraux ainsi que les vertus de la foi protestante. Dans son projet de reconversion de l'église, le musée des Beaux-Arts s'est engagé à les préserver.

Rue Crescent

Deux rangées de charmants édifices victoriens longent les deux blocs de cette artère, située entre la rue Sherbrooke et la rue Sainte-Catherine. On y trouve un grand nombre de boutiques de mode, de galeries d'art, de magasins de tissus précieux et de restaurants qui, en été, ouvrent balconnets et terrasses, ajoutant ainsi à l'animation du quartier.

Musée des Beaux-Arts de Montréal★★

N° 1380 - ☏ 514-285-2000 - www.mmfa.qc.ca - ✕ -♿ - mar.-vend. 11h-17h (nocturnes merc.-vend. 17h-21h), w.-end 10h-17h - fermé lun., 25 déc. et 1er janv. - collections permanentes gratuites, expositions temporaires 15 $ (-12 ans gratuit), nocturnes merc. à moitié prix.

Située au centre du Mille Carré Doré, cette vénérable institution muséologique – l'une des plus prestigieuses du Canada – est née il y a quelque 160 ans. Ses collections permanentes comprennent environ 30 000 pièces allant des œuvres des maîtres anciens à celles d'artistes contemporains. Le musée est particulièrement réputé pour ses remarquables collections d'art canadien et inuit, ses objets d'art décoratif (depuis les bronzes archaïques de la Chine ancienne jusqu'à la verrerie du 20e s.) et sa fabuleuse collection – la plus importante du monde – de plus de 3 000 boîtes à encens japonaises. Elles se répartissent de part et d'autre de la rue Sherbrooke, dans deux bâtiments reliés par un sous-sol.

Les descriptions suivantes sont données sous toutes réserves, des exigences d'ordres divers occasionnant parfois la fermeture de certaines salles ou le redéploiement de certaines œuvres ou collections. Pour plus de détails, s'informer à l'accueil.

Le Pavillon nord – Avec son grand escalier et son portique en marbre blanc du Vermont, formé d'une majestueuse colonnade et de hautes portes massives, ce bâtiment, élevé en 1912, est un bel exemple du style Beaux-Arts, qui, à l'époque, s'imposait dans la construction des musées. C'est lui qui accueillit les 467 premières œuvres d'art de l'Association d'art de Montréal (AAM). Fondée en 1860, celle-ci fournit le noyau des collections actuelles. L'édifice se partage aujourd'hui entre le **Pavillon Michael et Renata Hornstein**, et le **Pavillon Liliane et David M. Stewart**.

À deux, ils regroupent l'**art canadien** du 18e s. aux années 1945, avec une sélection régulièrement renouvelée d'œuvres extraites de la collection permanente. On y verra, selon le moment, des sculptures de Louis Archambault et de Robert Roussil, des tableaux d'Antoine Plamondon et de Cornélius Krieghoff, ou encore des œuvres de Paul Kane (1810-1871) et de Suzor-Côté (1869-1937), des toiles du Groupe des Sept et plusieurs œuvres d'artistes montréalais comme James Wilson Morrice (1865-1924), Ozias Leduc (1864-1955) et Alfred Laliberté (1878-1953). Une salle est particulièrement dédiée à la **collection Marc-Aurèle Fortin★**.

On peut aussi admirer la **collection des Arts décoratifs★** qui se trouvait autrefois au château Dufresne puis de l'autre côté de la rue. L'ensemble couvre le 20e s., de l'Art nouveau au post-modernisme, avec une emphase particulière sur la période de 1965 à nos jours. Un espace a été dédié à la collection des textiles du monde entier (plus de 2 000 pièces au total), dont seul un échantillon est visible pour des raisons de conservation. Des salles consacrées à l'archéologie méditerranéenne complètent l'ensemble, ainsi qu'une sélection représentative de l'art amérindien, méso-amérindien et inuit.

La galeries des Cultures anciennes★ – *Deuxième sous-sol, sous la rue Sherbrooke.* Le réseau de salles souterraines reliant les pavillons nord et sud est consacré à l'**art ancien** de l'Extrême-Orient (porcelaines japonaises, objets funéraires de la Chine antique), des pays islamiques (œuvres de la Perse sassanide, objets hispano-mauresques), de l'Afrique et de l'Océanie (très beaux masques sculptés et autres objets rituels). Le sous-sol rassemble également les œuvres contemporaines postérieures à 1945.

Le Pavillon Jean-Noël Desmarais – *Côté sud de la rue Sherbrooke.* Ajoutée en 1991, cette annexe (**M²**) est l'œuvre de l'architecte **Moshe Safdie**, célèbre pour ses remarquables réalisations telles qu'Habitat, le musée des Beaux-Arts du Canada, à Ottawa, et le musée de la Civilisation, à Québec. Doté d'une entrée monumentale, le bâtiment englobe la façade en brique de style néo-Renaissance du New Sherbrooke, immeuble d'appartements (1905) qui occupait le site avant sa construction. De grandes baies vitrées et des lucarnes offrent une vue imprenable sur la ville. Face à la rue Bishop, un ensemble de cinq grandes salles voûtées s'ouvre sur une agréable cour intérieure vitrée.

Pour une visite chronologique, commencez par le dernier étage.

L'art occidental du Moyen Âge au 19e s. constitue le thème exclusif du quatrième niveau. Sculptures de bois polychrome, triptyques, fresques et vitraux illustrent brillamment la richesse artistique de l'époque médiévale. Les superbes *Judith* et *Didon* d'Andrea Mantegna, et plusieurs œuvres de ses contemporains viennent rappeler la splendeur de la Renaissance. Les Flamands sont à l'honneur, avec le *Retour de l'auberge,* de Pierre Bruegel le Jeune, et le *Portrait d'homme,* de Hans Memling. Des œuvres signées Rembrandt *(Portrait d'une jeune femme vers 1665)*, Ruysdael, Canaletto et Gainsborough *(Portrait de Madame George Drummond)* évoquent les 17e et 18e s. La section consacrée au 19e s. recèle des peintures de l'École de Barbizon, ainsi que des œuvres impressionnistes et post-impressionnistes. Deux salles sont également réservées à l'impressionnante collection du **cabinet des dessins et estampes** (Dürer en particulier) dont la fragilité des œuvres ne permet malheureusement pas une exposition régulière.

Répartie sur plusieurs salles du troisième niveau et du deuxième sous-sol, la riche collection d'**art du 20e s.** et d'**art contemporain** international et canadien (depuis 1960) présente des œuvres de Picasso, Sam Francis, Christian Boltansky, Gerhard Richter, Rebecca Horn et bien d'autres créateurs de notre siècle. On y trouve par exemple des œuvres d'artistes canadiens célèbres comme Jean-Paul Riopelle, qui a sa propre salle, ou Paul-Émile Borduas (*idem*), Betty Goodwin et Geneviève Cadieux.

Church of Saint Andrew and Saint Paul (Église Saint-André-et-Saint-Paul)

No 1431 (entrée visiteurs au 3415 rue Redpath) - ✆ 514-842-3431 - www.standrewstpaul. com - &. - lun.-vend. 9h-16h.

Ce temple presbytérien de style néogothique (1932), flanqué d'une tour commémorative de 135 pieds de haut, est l'église du régiment canadien des Black Watch (régiment du Royal Highland). Construit en acier et béton armé, le bâtiment est revêtu de pierre calcaire de l'Indiana. Un immense vitrail, à la mémoire des victimes de la Première Guerre mondiale, domine le maître-autel. Les deux premiers vitraux à gauche de la nef furent conçus par **Edwin Burne-Jones**, du cabinet William Morris.

De l'autre côté de la rue, une rangée d'anciennes résidences de pierre grise (*nos 1400-1460*) abrite de prestigieuses galeries d'art. Au n° 1460, la **Guilde canadienne des métiers d'art**, à la fois galerie et boutique, héberge une superbe collection de **sculptures inuit** et d'art amérindien (*℘ 514-849-6091 - www.canadianguild.com - mar.-sam. 10h-18h, sam. 17h*).

Au coin de la rue Simpson se dresse le **Linton** (*n° 1509*), l'un des plus grands immeubles d'appartements à l'époque de sa construction (1907). Son extérieur de brique, d'un style Beaux-Arts très chargé, est doté d'ornements en terre cuite.

Grand Séminaire de Montréal

N° 2065, à l'angle de la rue du Fort - ℘ 514-935-7775 - www.gsdm.qc.ca - &. - visite guidée des tours, jardin, bassin et chapelle (1h30) - juin-août : 13h et 15h - tarif à l'appréciation du visiteur.

Deux **tours** coiffées d'un toit en poivrière marquent l'emplacement d'un petit fort que les sulpiciens avaient établi en 1676 pour défendre leur mission. En 1685, le fort fut reconstruit en pierre et doté de quatre tours et d'une muraille d'enceinte afin de protéger la chapelle, la résidence des prêtres et une grange. Les tours Nord furent démolies en 1854 pour faire place au Grand Séminaire (1857). Les deux tours restantes – entre lesquelles des panneaux d'interprétation retracent l'histoire du fort et de la congrégation des sulpiciens – ont été restaurées. Elles figurent, avec le séminaire sulpicien de la rue Notre-Dame, parmi les bâtiments les plus anciens de l'île de Montréal.

À l'intérieur de l'édifice principal, la remarquable **chapelle★** du Grand Séminaire, dessinée en 1904 par Joseph-Omer Marchand, fut achevée en 1907. Son intérieur monumental présente une grande nef à voûte de cèdre, qui prend modèle sur l'architecture paléochrétienne. On notera les mosaïques qui ornent le sol, les stalles de chêne joliment sculptées, en vis-à-vis, à la manière des chapelles collégiales, et dans le portique, la gigantesque *Descente de la croix* de Napoléon Bourassa. Depuis 1991, la chapelle possède en outre un superbe orgue Guilbault-Thérien, fait dans la tradition classique française du 18e s.

Suivez la rue du Fort jusqu'à la rue Baile.

Centre canadien d'Architecture★

1920 r. Baile - ℘ 514-939-7026 - www.cca.qc.ca - &.-P - merc.-dim. 10h-17h (jeu. 21h) - fermé 25 déc. et 1er janv. - 10 $.

Ouverte en 1989 dans le but d'encourager l'étude et l'appréciation de l'environnement bâti, cette institution unique possède des installations très appréciées pour la recherche, et constitue un exemple des plus originaux de l'architecture post-moderne à Montréal.

Le projet – Le Centre canadien d'Architecture (CCA) est né de la volonté de l'architecte **Phyllis Lambert**, célèbre défenseur de l'environnement et héritière de la fortune de la maison Seagrams. Au début, elle l'avait conçu pour recevoir sa vaste collection de documents architecturaux. Sur le site qu'elle avait choisi se dressait un manoir (alors délabré) de style Second Empire, dans un quartier du 19e s. en plein déclin. Phyllis Lambert collabora avec un architecte de renom, Peter Rose, afin de restaurer la maison Shaughnessy et de l'incorporer au nouveau bâtiment. La réalisation du projet a sensiblement contribué à la réhabilitation du quartier.

Reconnu comme un centre de références et de recherches unique au monde, le CCA contient plus de 180 000 livres, 65 000 estampes et dessins, 30 000 plans et plus de 50 000 photographies. Le musée organise aussi des expositions temporaires sur le thème de l'architecture, et abrite un laboratoire de conservation ainsi qu'une librairie.

Visite – La **maison Shaughnessy** (1874) forme le cœur de l'ensemble. Elle est entourée sur trois côtés par le musée, dont les lignes simples et la façade symétrique s'harmonisent avec l'ancien manoir. La seule décoration de l'édifice moderne est une curieuse corniche d'aluminium qui la recouvre pour faire écho à la crête de fer forgé de la maison Shaughnessy. Le calcaire de Trenton, le granit noir, les boiseries et le parterre en bois d'érable, et les garnitures en aluminium ornent l'intérieur du bâtiment principal. Dans la maison Shaughnessy, les salles de réception, le ravissant **conservatoire** et le **salon de thé**, restaurés dans leur splendeur du 19e s. et meublés d'œuvres contemporaines, sont ouverts au public.

Jardin architectural – Situé de l'autre côté du boulevard René-Lévesque, ce parc urbain original, dessiné par l'architecte Melvin Charney, fut conçu comme un tribut aux bâtiments avoisinants et à l'héritage architectural du monde occidental. Parmi

les objets exposés sur cette bruyante esplanade qui domine un enche[...]
d'autoroutes, se dressent dix sculptures ou « colonnes allégoriques » évo[...]
éléments architecturaux.
Suivez le boulevard René-Lévesque.

Maison mère des Sœurs Grises

Côté nord du bd René-Lévesque, entre la rue Guy et la rue Saint-Mathieu. Fermé au public.
Possibilité de visite de la chapelle lors des messes.

Cet élégant édifice (1869-1903) de style néoclassique accueillit les Sœurs Grises après
leur déménagement du Vieux-Montréal en 1871. Son plan est typique de l'architecture
conventuelle du 19e s. Pour bien marquer la place de la chapelle au centre du monument, l'architecte Victor Bourgeau adopta le style roman des abbayes médiévales
françaises. La flèche élancée, l'une des plus hautes de la ville, fut ajoutée en 1890.
L'Université Concordia doit récupérer l'ensemble des bâtiments à terme.

Mont Royal et environs★★ 5

Le mont Royal domine la zone urbaine du haut de ses 233 m. Outre deux cimetières,
plusieurs réservoirs d'eau et la tour de transmission de Radio Canada (1963), il contient,
dans sa partie la plus élevée, un magnifique parc dont les espaces paysagés attirent
un grand nombre de visiteurs et de résidents.

Sur son flanc ouest, au-dessus de Montréal et du Saint-Laurent, s'étend la municipalité
de **Westmount**. Fondée en 1874, cette charmante enclave résidentielle fut longtemps
le fief de la bourgeoisie anglophone de Montréal. Elle possède des rues en pente
raide, bordées d'imposantes demeures, certaines d'allure ultra-moderne, d'autres
plus anciennes, en pierre ou en brique. Du **belvédère de Westmount** *(entre les n°s 18
et 36 Summit Circle)*, la **vue★** plonge sur les toits de belles résidences et, plus bas,
sur les trois tours de verre et de métal de **Westmount Square★** *(à l'angle de la rue
Sainte-Catherine et de l'avenue Green)*. Dessinées par Mies van der Rohe en 1966, ces
dernières abritent un élégant complexe d'appartements, de bureaux et de boutiques.
La silhouette du pont Victoria se profile dans le lointain.

Lieu privilégié d'une certaine élite francophone, la municipalité d'**Outremont** – sur
le flanc est du mont Royal – fait pendant à celle de Westmount. Constituée en 1875,
elle recèle de somptueuses demeures et de beaux espaces verts.

Parc du Mont-Royal★★

À pied : *à environ 20mn du centre-ville. Prenez la rue Peel jusqu'à l'avenue des Pins,
puis suivez un chemin coupé de petits escaliers ; le dernier escalier, très raide, comporte
204 marches.* **En voiture** : *accès par la voie Camillien-Houde ou le chemin Remembrance.*
En métro : ⏀ *Mont-Royal -* ℘ *514-843-8240 - www.lemontroyal.qc.ca -* ✕-⛬-🅿 *-
6h-0h.*

Très bel exemple du style paysager en vogue au 19e s., le parc du Mont-Royal fut créé
selon les plans du célèbre architecte-paysagiste américain **Frederick Law Olmsted**
(1822-1903), à qui l'on doit l'aménagement de Central Park (New York). Ce magnifique
espace boisé ouvrit ses portes en 1876. À l'époque, l'achat des terrains nécessaires à sa
création avait coûté la coquette somme d'un million de dollars. Composée d'environ
60 000 arbres et de 650 espèces de plantes et de fleurs, cette véritable réserve naturelle
abrite aujourd'hui une faune très variée (oiseaux, écureuils gris, tamias rayés et bien
d'autres). On y trouve un lac, deux belvédères d'observation, un chalet d'accueil et
de nombreux sentiers à travers bois.

Belvédère du Chalet – *Du terrain de stationnement, prenez le chemin menant au
chalet (7mn).* D'ici, la **vue★★★** sur Montréal est splendide. On distingue en contrebas
le campus de l'Université McGill et son pavillon des sciences médicales McIntyre,
reconnaissable à sa forme cylindrique bien particulière. Plusieurs gratte-ciel du
centre-ville se détachent clairement sur l'horizon : l'édifice IBM Marathon, la Banque
du Commerce, le 1000 de la Gauchetière, la tour cruciforme de la Banque Royale
et la place de la Cathédrale, avec son double toit pentu et sa façade aux parois de
verre cuivré. Au loin se déroule le ruban argenté du Saint-Laurent, tandis que les
collines Montérégiennes viennent apporter à ce décor spectaculaire comme une
touche de mystère.

La croix – *Accessible à pied depuis le chalet.* Illuminée la nuit, l'immense croix métallique (hauteur : 36,6 m) qui se dresse au sommet du mont Royal est visible à 100 km
à la ronde. Relativement récente (1924), elle commémore pourtant un épisode des
débuts de l'histoire de Montréal. En décembre 1642, Paul de Maisonneuve, fondateur
de Ville-Marie, avait fait le serment de planter une croix sur la montagne si la ville

était épargnée de l'inondation qui la menaçait au moment de Noël. La forteresse fut sauvée, et Maisonneuve, fidèle à sa parole, fit ériger, le 6 janvier 1643, une première croix de bois au sommet du mont.

Belvédère Camillien-Houde – *Accessible en voiture, par la voie Camillien-Houde.* Excellent point de **vue**★★ sur l'est de Montréal que domine la tour élancée du Stade olympique, cette terrasse d'observation permet par la même occasion de distinguer quelques collines Montérégiennes au sud et, au nord, les contreforts des Laurentides. Le belvédère fut nommé en l'honneur de Camillien Houde (1889-1958), plusieurs fois maire de Montréal entre 1928 et 1954.

Université de Montréal

Entrée principale au croisement du bd Édouard-Montpetit et de l'av. Louis-Colin (◐ Université-de-Montréal).

Créée en 1878 comme annexe de l'Université Laval, à Québec, l'université de Montréal devint une institution indépendante en 1919. Elle se situait à l'origine rue Saint-Denis, où se trouve aujourd'hui l'UQAM, et n'emménagea sur son site actuel qu'en 1942. La construction du pavillon principal débuta en 1928, mais fut interrompue par la grande crise des années 1930. Les travaux ne reprirent qu'en 1941. Conçu par Ernest Cormier, le corps central est surmonté d'une haute tour et flanqué d'ailes perpendiculaires orientées vers l'avant. La sobriété de l'ornementation, le traitement géométrique des surfaces et les fenêtres fonctionnelles témoignent clairement de l'influence du mouvement Art déco. À l'intérieur du bâtiment, le hall central, la salle de réception et le grand amphithéâtre sont également décorés dans le style Art déco.

De nos jours, l'université de Montréal accueille près de 55 000 étudiants, ce qui en fait la plus grande université francophone du monde en dehors de Paris. Elle se compose de 13 facultés et de deux écoles affiliées : l'École polytechnique *(au nord-est du pavillon principal)* et l'École des hautes études commerciales, soit HEC Montréal *(av. Decelles).*

Oratoire Saint-Joseph★★

Entrée par le chemin Queen Mary (◐ Côte-des-Neiges) - ℘ 514-733-8211 - www.saint-joseph.org - ✕-♿-🅿 - 7h-22h (musée 10h-17h).

Érigée sur le versant nord-ouest du mont Royal, cette basilique catholique reçoit, chaque année, des millions de pèlerins. Son dôme gigantesque domine toute la partie nord de la ville.

Frère André – Alfred Bessette (1845-1937) joignit la congrégation de Sainte-Croix en 1870 et prit le nom de frère André. Tout en assumant, pendant 40 ans, ses fonctions de portier au collège Notre-Dame *(en face de l'oratoire),* il prêchait une complète dévotion à saint Joseph. En 1904, il érigea une petite chapelle sur le chemin qui conduisait du collège au mont Royal. Beaucoup de malades qui venaient prier à ses côtés ayant été miraculeusement guéris, frère André acquit bientôt une réputation de thaumaturge et attira tant de pèlerins qu'il fallut, pour les accueillir, construire une église plus vaste.

Basilique★ – Cet édifice de style néo-Renaissance, coiffé d'un dôme massif octogonal au revêtement de cuivre, s'élève à 154 m au-dessus de la ville. Avec ses murs de granit et sa structure de béton armé, il atteint 104 m de long, 64 m de large et 112 m de haut. Le dôme (diamètre : 38 m), surmonté d'une croix de 8 m de hauteur, domine de 44,5 m le toit de la basilique. Ce projet d'envergure, commencé en 1924, connut des difficultés techniques et financières qui interrompirent le déroulement des travaux. En 1936, le célèbre moine bénédictin **Dom Paul Bellot** devint architecte en chef du chantier. Il opta pour l'emploi de béton comme matériau de construction du dôme, et modifia les plans intérieurs en adoptant un style moderne. L'édifice fut achevé en 1967.

L'**intérieur**, immense, frappe par son austérité. On y remarquera le maître-autel, le crucifix et les statues de bois des douze apôtres sculptés par Henri Charlier *(dans le transept).* Les vitraux ont été dessinés par Marius Plamondon. Roger Prévost façonna les lourdes grilles de métal, et Roger de Villiers le chemin de Croix grandeur nature *(autour de la nef).* L'autel de la chapelle du Saint-Sacrement *(derrière le chœur)* est l'œuvre de Jean-Charles Charuest, et la mosaïque illustrant la vie de saint Joseph provient de l'atelier Labouret, à Paris.

L'ensemble comprend également une **chapelle votive**, qui abrite la tombe du frère André ; un **carillon** dont les 56 cloches, fondues à Paris, étaient destinées à être installées sur la tour Eiffel ; une **crypte**, où se tiennent des messes quotidiennes ; le **musée**, doté d'une collection de photographies, de crèches et des pièces d'art religieux. La **chapelle du Frère André** (chapelle d'origine de l'oratoire) se trou[ve] à l'extérieur de la basilique. Un **chemin de Croix★** a été construit à flanc de montagne. Il est orné de belles sculptures de pierre polie d'Indiana taillées par l'Italien Ercolo Barbieri en 1960, selon les dessins de Louis Parent.

Devant la basilique, la grande terrasse offre une superbe **vue** sur le nord de Montréal et sur les Laurentides qui s'élèvent à l'horizon.

Musée commémoratif de l'Holocauste à Montréal★

5151 chemin de la Côte-Ste-Catherine (Ⓜ Côte-Ste-Catherine) - ☎ 514-345-2605 -www. mhmc.ca - dim.-vend. 10h-17h (dim. 16h, merc. 21h, vend. 15h) - nov.-mars : à cause du Shabbat, téléphonez pour confirmer l'heure de fermeture du vend. - 8 $ (étudiant 5 $) - les -14 ans doivent être accompagnés d'un adulte.

Entre 5 000 et 8 000 survivants de la Shoah se sont établis à Montréal, faisant de la ville la troisième plus forte concentration de survivants au monde. Leurs témoignages et leurs souvenirs constituent la base de ce musée. Ce dernier replace le visiteur dans le contexte social, politique, religieux et culturel des différentes communautés juives à travers l'Europe et le monde avant le conflit. Il l'accompagne ensuite dans la montée du nazisme, des lois anti juives, du quotidien invivable jusqu'à l'horreur des camps. En parallèle, le parcours permet de saisir la position officielle du Canada vis-à-vis de la question juive, pendant et après la guerre, les lobbies à l'antisémitisme latent, les lois sur l'immigration appliquées sans exception. Les vidéos des survivants racontant leur histoire rythment le parcours, jalonné d'objets, de films et de panneaux explicatifs. La muséographie, très contemporaine, crée une atmosphère particulièrement recueillie, parfois dramatique.

MONT-ROYAL

Musée ... ospitalières de l'Hôtel-Dieu de Montréal (M²)

201 av. des Pins Ouest, entre la rue Saint-Urbain et av. des Pins - ✆ 514-849-2919 - www. museedeshospitalieres.qc.ca - ⚒ - de mi-juin à mi-oct. : mar.-vend. 10h-17h, w.-end 13h-17h ; reste de l'année : merc.-dim. 13h-17h - fermé 25 déc. - 6 $ (12-18 ans 5 $).

Logé dans une ancienne résidence d'aumôniers (1925), ce musée retrace l'histoire de la communauté des Hospitalières de Saint-Joseph. Parallèlement à ses expositions temporaires, le musée présente une sélection de 400 objets tirés de sa collection permanente.

Un magnifique escalier de chêne massif (17e s., France) domine, du haut de ses huit mètres, le hall d'entrée de la nouvelle section du musée (1992). Le premier étage, consacré à l'histoire de Montréal et des hospitalières, contient notamment un magnifique retable (1777) orné de feuilles d'or, sculpté par Philippe Liébert. Une aire d'exposition évoque la vie cloîtrée des hospitalières du 19e au début du 20e s. Le second étage se penche plus particulièrement sur l'histoire de l'Hôtel-Dieu de Montréal et sur la vocation médicale des sœurs soignantes. La visite se termine par une présentation vidéo *(15mn)* sur le rayonnement de la communauté des Hospitalières dans le monde.

Boulevard Saint-Laurent

Avec ses magasins « ethniques » et ses boutiques branchées, ses vendeurs ambulants, ses restaurants et ses nombreux cafés, le boulevard Saint-Laurent est très populaire. Cette voie pittoresque demeura longtemps la plus importante artère de Montréal, d'où son surnom : « la Main » (la rue principale). C'est à partir d'elle que les rues dites est-ouest ont été numérotées. Son tracé initial, établi en 1672, fut rapidement prolongé jusqu'à la rivière des Prairies, près du Sault-au-Récollet. Après l'incendie de Montréal en 1852, la rue atteignit le Mile End (le dernier mille), qui marquait alors les nouvelles limites de la cité. Elle devint officiellement un boulevard en 1905.

Depuis plus d'un siècle, le quartier accueille toutes sortes de minorités culturelles. Des immigrants chinois s'installèrent dans sa partie sud au 19e s. Des Juifs, arrivés vers 1880, développèrent une industrie textile (aujourd'hui presque disparue) dans la section au nord de la rue Sainte-Catherine. Toute une communauté grecque vint s'établir dans le voisinage, mais vers les années 1940, quitta les lieux pour l'avenue du Parc. La relève est désormais assurée par une immigration d'origine slave, portugaise et latino-américaine.

Descendez le bd Saint-Laurent et prenez la rue Prince-Arthur à gauche, vers l'est.

Rue Prince-Arthur

Cette petite rue piétonne, dont le nom évoque le souvenir du prince Arthur, troisième fils de la reine Victoria et gouverneur général du Canada de 1911 à 1916, fut le centre très couru de la Révolution tranquille des années 1960. Ses trottoirs, bordés de restaurants (grecs, italiens) sont animés, à la belle saison, de musiciens, saltimbanques et portraitistes.

La rue aboutit au Carré Saint-Louis.

VERS LE QUARTIER LATIN

Carré Saint-Louis★

Rue Saint-Denis, entre la rue Sherbrooke et l'avenue des Pins.

Cette pittoresque place ombragée doit son nom à Emmanuel et Jean-Baptiste Saint-Louis, éminents hommes d'affaires et frères de surcroît. Vers la fin du siècle dernier, la bourgeoisie francophone, attirée par le calme de l'endroit, vint s'installer dans le quartier, d'où la présence, tout autour de la place, de belles résidences victoriennes, avec leur toiture aux lignes fantaisistes et leurs pignons. Devenu par la suite lieu de prédilection des artistes et poètes québécois (Louis Fréchette, Émile Nelligan et, plus récemment, Gaston Miron y habitèrent), le Carré Saint-Louis s'afficha, dans les années 1970, comme centre du mouvement nationaliste. Il continue aujourd'hui d'attirer beaucoup d'écrivains, de musiciens, de cinéastes et de comédiens québécois d'expression francophone.

Rue Saint-Denis★

Bordée de belles résidences aménagées en restaurants, galeries d'art et boutiques à la mode, cette rue fut baptisée en l'honneur de Denis-Benjamin Viger, riche propriétaire terrien au milieu du 19e s. Le quartier, jadis occupé par toute une bourgeoisie

Centre-ville vu du Vieux-Port.

La cathédrale Marie-Reine-du-Monde.

Le centre Eaton de Montréal, « l'un des points d'accès à la ville souterraine ».

L'esplanade du Vieux-Port.

francophone, a conservé de cette époque de belles maisons victoriennes. Au début du 20e s., plusieurs institutions d'enseignement supérieur telles que l'École polytechnique, l'École des hautes études commerciales *(place Viger)* et l'université de Montréal s'installèrent ici, et les environs de la rue Saint-Denis acquièrent peu à peu le surnom de **Quartier latin**. Le **théâtre Saint-Denis (T)** fit son apparition vers la même époque. Pour répondre aux besoins de la population estudiantine, les anciennes demeures bourgeoises furent alors divisées en logements plus petits.

Le transfert de l'université de Montréal sur le versant nord du mont Royal allait avoir de graves conséquences sur l'économie du quartier, mais la Révolution tranquille, dans les années 1960, lui apporta un second souffle de vie. Bistros, restaurants intimes, petites boutiques et librairies proliférèrent, ramenant une clientèle jeune. Aujourd'hui, la rue Saint-Denis est devenue l'un des lieux favoris de nombreux Montréalais et touristes. Entre les rues Sainte-Catherine et Duluth, cette artère animée est bordée de restaurants dont les terrasses, à la belle saison, empiètent sur les trottoirs.

Descendez la rue jusqu'au boulevard de Maisonneuve.

CinéRobothèque

1564 r. Saint-Denis - ☎ 514-496-6887 - www.onf.ca/cinerobotheque - mar.-dim. 12h-21h - 1h, 3 $ ou 2h, 5,50 $.

9 0000 films sont à disposition dans ce temple du cinéma canadien, alimenté depuis 13 ans par les collections de l'Office national du film. Le principe est simple : on s'assoit, on sélectionne le film à voir sur un écran tactile, et la séance commence. Possibilité de louer les films en VHS ou DVD.

Tournez à droite dans le boulevard de Maisonneuve.

Cinémathèque québécoise

335 bd de Maisonneuve Est - ☎ 514-842-9768 - www.cinematheque.qc.ca - expositions : mar.-vend. 11h-20h, w.-end 16h-20h ; projections : à partir de 17h - expositions gratuites, projections 7 $.

Fondée en 1963, la Cinémathèque québécoise conserve et rend public le patrimoine cinématographique et télévisuel, aussi bien national qu'international. C'est à ce titre qu'elle présente par exemple la **collection permanente Moses Znaimer** (en son temps, ce pionnier lança les premières chaînes indépendants canadiennes). Il s'agit du plus important fonds de téléviseurs anciens au Québec, soit 96 postes dont une quinzaine datent de l'Entre-deux-guerres. Seule une sélection est exposée, réunissant quelques jolies pièces comme ce Komet de la marque allemande Kuba (1957-1962) dans son meuble en bois d'érable au design de voilier, ou l'un des premiers appareils portatifs de forme spatiale (casque de cosmonaute)... Des panneaux présentent en parallèle l'histoire des inventeurs, de John L. Baird (1888-1946) à Allan B. DuMont (1901-1965). Expositions temporaires sur le cinéma, le film d'animation, ou la télé.

Revenez sur vos pas et continuez sur le boulevard de Maisonneuve en direction de Berri-UQAM.

À l'intersection avec la rue Berri, sur la gauche se dresse la Bibliothèque nationale du Québec.

Bibliothèque nationale du Québec

475 bd de Maisonneuve Est - ☎ 514-873-1100 ou 1-800-363-9028 (gratuit) - www.banq. qc.ca - mar.-vend. 10h-22h, w.-end 10h-17h.

33 000 m², quatre millions de documents (livres, microformes, revues, journaux, DVD, etc.) : la Grande Bibliothèque impressionne par ses dimensions. Une visite guidée *(1h30 - dim. 13h30 en français, 15h30 en anglais, se renseigner en période estivale)* permet d'en découvrir les recoins et d'en admirer la structure de verre dépoli, de béton, de céramique et de bois. Cinq espaces accueillent des expositions temporaires, réalisées à partir des collections du site.

Sortez boulevard de Maisonneuve et traversez la rue pour aller à l'université.

Université du Québec à Montréal (UQAM)

Traversée par la rue Saint-Denis, la partie principale du campus s'étend du boulevard de Maisonneuve, au nord, jusqu'au boulevard René-Lévesque, au sud.

Fondé en 1969, ce campus universitaire se compose de bâtiments modernes intégrés à des éléments plus anciens. L'un d'entre eux occupe le site de l'ancienne église Saint-Jacques, édifice de style néogothique dessiné par John Ostell en 1852, dont il ne reste que la façade du transept sud *(rue Sainte-Catherine)* et le clocher *(rue Saint-Denis)* ; ce dernier est d'ailleurs le plus haut de Montréal (flèche : 98 m). Aujourd'hui, l'université accueille plus de 41 000 étudiants, ce qui l'a conduite à s'agrandir, et notamment à englober l'ancienne École polytechnique qui abrite désormais des bureaux administratifs. Un second campus, situé entre la Place des Arts et la rue Sherbrooke, comprend un énorme complexe des sciences.

Musée du Fier-Monde

2050 r. Amherst (angle Ontario) - ☏ 514-528-8444 - www.ecomusee.qc.ca - merc. 11h-20h, jeu.-vend. 9h30-16h, w.-end 10h30-17h - 6 $ (enf. 4 $).

Joseph-Omer Marchand se serait inspiré de la piscine de la Butte-aux-Cailles (1927) à Paris pour dessiner **le bain Généreux★** : poutres cintrées, claires-voies, murs latéraux sont en effet similaires. Inauguré en 1927, le bâtiment accueille les baigneurs jusqu'en 1993. Deux ans plus tard, l'architecte Felice Vaccaro se voit confier sa rénovation et son réaménagement. Après un an de travaux, l'écomusée du Fier-Monde prend possession des lieux.

Son objectif est de sensibiliser le public à l'**histoire industrielle et ouvrière** de celle qui a fait l'identité du quartier. Entrepôts et manufactures couvraient l'est de Montréal et faisaient vivre une main-d'œuvre aux conditions de vie et de travail précaires. L'exposition permanente « À cœur de jour ! Grandeurs et misères d'un quartier populaire » le rappelle à travers des images, des témoignages, des chiffres. On suit ainsi toute l'évolution du centre-sud, jusqu'à aujourd'hui où le quartier se distingue par son dynamisme, notamment associatif. Les expositions temporaires du rez-de-piscine sont d'ailleurs souvent en lien avec ces associations ou avec l'actualité du quartier.

PLUS À L'EST

La prison des Patriotes

903 av. De Lorimier (🕐 Papineau). Sortez du métro et suivez à gauche la rue Sainte-Catherine. Passez sous le pont Jacques-Cartier et traversez l'avenue De Lorimier, que vous descendrez vers le sud - ☏ 450-787-9980 ou 1-888 999-1837 - www.mndp.qc.ca - merc.-vend. 12h-17h ; w.-end 9h30-17h - gratuit.

Aujourd'hui occupée par la Société des alcools du Québec (SAQ), l'ancienne prison du Pied-Courant (1831-1840) a conservé sa façade originelle côté Saint-Laurent. Ne manquez pas d'y jeter un œil avant de rentrer par le côté ouest du bâtiment.

Le sous-sol de l'édifice néoclassique a été aménagé de façon à présenter le plus clairement possible les enjeux liés au mouvement patriote du Bas-Canada. Après une maquette de la prison, telle qu'elle était lorsqu'elle reçut les quelque 1 300 Patriotes entre 1837 et 1838, l'exposition aborde l'histoire du Bas-Canada, son économie, notamment agraire, la question de l'identité suite à l'incorporation du Canada français à l'Empire britannique, le contexte politique, la montée des revendications, l'insurrection avec ses chefs et ses détracteurs, et le dénouement. Très exhaustifs, les panneaux explicatifs remettent en perspective cet épisode fondateur du Québec contemporain, et cela de manière plutôt objective.

Quartier du Parc olympique★★★ 7

Situé au cœur de la partie Est en pleine évolution, ce vaste secteur est dominé par l'impressionnante structure du Stade olympique.

UN PEU D'HISTOIRE

En 1883, les principales figures de la bourgeoisie canadienne française créèrent la communauté de Maisonneuve à 10 km de Montréal, en vue d'en faire une cité modèle, capable de rivaliser d'importance avec sa puissante voisine, alors dominée par une riche élite anglophone. Après 1896, Maisonneuve connut un formidable essor économique en se spécialisant dans l'industrie de la chaussure et des textiles, dans la boulangerie et la confiserie, et dans la construction navale. Pour ajouter à sa prospérité, la ville lança un ambitieux programme d'urbanisme (reposant sur les canons du mouvement américain « City Beautiful ») dans le cadre duquel furent réalisés l'immense **parc Maisonneuve**, de grands boulevards et de prestigieux bâtiments, dont le fameux château Dufresne Cependant, le coût exorbitant de son développement, combiné à la récession entraînée par la Première Guerre mondiale, mena Maisonneuve à la faillite et à son annexion, en 1918, à la ville de Montréal.

Le parc Maisonneuve (204 ha) englobe aujourd'hui le **Jardin botanique**, une superbe piste cyclable, une aire de pique-nique et un endroit où se restaurer. En été, c'est un lieu de détente familial, très apprécié pour ses espaces ombragés et ses promenades. En hiver, une patinoire illuminée et cinq longues pistes de ski de randonnée donnent

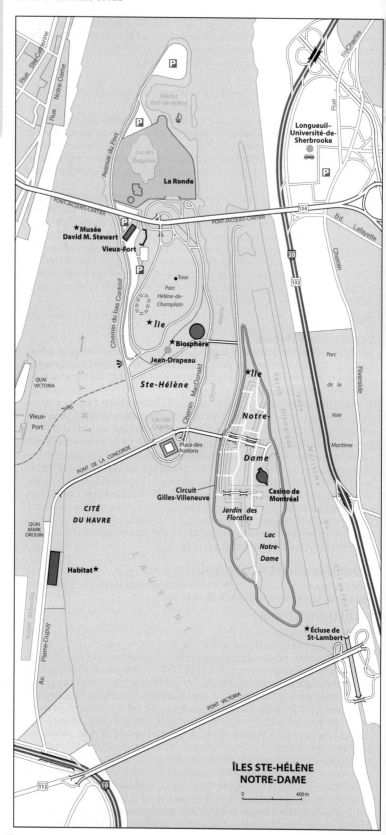

ÎLES STE-HÉLÈNE
NOTRE-DAME

aux plus sportifs l'occasion de pratiquer leurs talents. En face du Jardin bo
Sherbrooke, le **Parc olympique** a grandement contribué au renouveau éco.
de la partie Est de Montréal.

PARC OLYMPIQUE★★

Voiture : *entrée du parc de stationnement au 3200 rue Viau.* **Métro** : ⓥ *Viau. Hall touristique (point de départ des visites et du funiculaire) au pied de la tour. Un service de navette gratuit dessert le Jardin botanique et le Biodôme.*

En 1976, pour accueillir les Jeux olympiques d'été, de gigantesques installations sportives, réparties sur un terrain d'une superficie de 55 ha, furent construites au cœur de la partie est de Montréal, dans l'ancienne ville de Maisonneuve. Le complexe olympique, pour avoir été le projet public le plus controversé de la ville, n'en constitue pas moins une remarquable réalisation architecturale. Véritable monument de béton à la gloire du sport, les différents éléments dont il se compose présentent une synthèse harmonieuse de la forme et de la fonction. Le parc comprend un impressionnant complexe stade-tour, un centre sportif (6 bassins aquatiques), une esplanade bétonnée au-dessus d'énormes parkings souterrains (les plus grands du Canada), le centre Pierre-Charbonneau et l'aréna Maurice-Richard (tous deux construits en 1954). Longtemps inutilisé, l'ancien vélodrome sert aujourd'hui de cadre au **Biodôme**. Depuis 2008, le complexe abrite aussi le stade Saputo, nouveau domicile de l'Impact, l'équipe de soccer de Montréal, tandis qu'à terme, le planétarium devrait quitter son emplacement du centre-ville pour venir compléter l'offre du parc.

Un audacieux projet

Les travaux d'excavation commencèrent en 1973, mais seuls le stade, le vélodrome et le village olympique furent complétés à temps pour les Jeux de 1976. D'un coût phénoménal (1,2 milliard de dollars), le chantier resta longtemps inachevé. Maintes difficultés techniques retardèrent la construction de la tour. Lorsqu'il devint évident qu'elle serait trop lourde si elle était érigée selon les plans d'origine, un moratoire de quatre années fut nécessaire à la révision du projet. En 1987, une fois la tour et le toit achevés, il fallut encore procéder à une série d'innovations et d'aménagements afin de rentabiliser le parc. Créée en 1975, la Régie des installations olympiques (RIO) est chargée de l'achèvement, de l'administration et de la transformation du complexe en centre de tourisme et de loisirs. Hôte d'événements de toutes sortes (salons, manifestations sportives et culturelles), le parc abrite notamment les **Expos de Montréal**, équipe professionnelle de base-ball de la ville.

Stade

𝄞 514-252-4737 - www.rio.gouv.qc.ca - ⚒-♿-🅿 - visite guidée (30mn) - mars-sept. : dép. réguliers à partir de 10h ; reste de l'année : 11h, 12h, 13h30, 14h30 et 15h30 (visite bilingue) - 8 $ (6-17 ans 6,25 $). La visite ne comprend pas l'ascension de la tour.

Conçue par l'architecte français Roger Taillibert, cette enceinte de béton s'articule sur 34 énormes consoles en porte-à-faux auxquelles sont accrochés les gradins et l'anneau technique, couronne de service de la super-structure. Le stade est dominé par la plus haute tour inclinée du monde. Partant de son sommet, 26 câbles de suspension retiennent le toit en kevlar, fibre synthétique ultra-fine et aussi résistante que l'acier. Au moment de sa construction, il s'agissait du plus grand toit mobile du monde. Lorsque les câbles sont tirés au moyen de 46 treuils installés à la base du mât, le toit est hissé jusque dans une niche ménagée au sommet de la tour. Il peut ensuite se redéployer comme un parachute au-dessus du stade.

Le gigantesque intérieur, d'une superficie de 59 307 m², est assez grand pour contenir… le Colisée de Rome ! Il compte 55 147 sièges répartis sur sept niveaux, et un parterre central de 18 950 m². Les spectateurs des gradins jouissent d'une vue imprenable sur le stade. Destiné aux rencontres sportives, le stade est également utilisé pour des concerts de rock, des opéras, des foires, des congrès et des rassemblements politiques. C'est là que se réunit la foule qui assista à la messe dite par le pape Jean-Paul II au cours de son voyage à Montréal en 1984.

De la passerelle d'accès à l'esplanade au-dessus de la station de métro Pie-IX, on découvre une bonne perspective sur le stade.

Observatoire de la Tour de Montréal

Accès hall touristique - 𝄞 514-252-4737 - www.rio.gouv.qc.ca - ⚒-♿-🅿 - de mi-juin à la fête du Travail : 9h-19h ; reste de l'année : 9h-17h - fermé de janv. à mi-fév. - 14 $ (5-17 ans 7 $).

Membre de la prestigieuse Fédération des grandes tours du monde, cette immense structure (hauteur : 175 m ; poids : 183 000 t) est l'un des éléments les plus distinctifs

. Achevée en 1987, elle se compose d'un socle bombé (en
... la charge de la partie supérieure (en acier), inclinée à 45°
...table ; à titre indicatif, la tour de Pise représente un angle

... vitré permet de gravir l'édifice en deux minutes à peine, et
... re du stade et de la partie est de Montréal. Malgré l'angle de
... à 63,7°, un système de nivellement contrôlé par gyroscope
permet à la cabine (capacité : 76 personnes) de rester horizontale. De l'observatoire,
situé au sommet même de la tour, le **panorama★★★** porte, par temps clair, jusqu'à
80 km à la ronde. Trois grandes baies offrent une inoubliable vue plongeante sur le
stade. Les fenêtres panoramiques qui longent les trois côtés de la salle triangulaire
permettent d'admirer le centre-ville, les Laurentides et le Jardin botanique au nord,
et les collines Montérégiennes au sud. L'étage inférieur de l'observatoire comporte
un **centre d'interprétation**, dont les expositions sont axées sur l'histoire et la
construction du Parc olympique, de son stade, de son vélodrome, de sa tour et de
son fameux toit.

Biodôme★

*℘ 514-868-3000 - www.biodome.qc.ca - ✕-♿-🅿 - du 21 juin à la fête du Travail :
9h-18h ; reste de l'année : mar.-dim. 9h-17h - 16 $ (5-17 ans 8 $), forfaits possibles pour
l'Insectarium, le jardin botanique, l'observatoire de la Tour. Un service de navette gratuit
dessert le Biodôme, le Parc olympique et le Jardin botanique.*

Construit pour les épreuves olympiques de cyclisme, le **bâtiment★** du vélodrome
épouse, comme il se doit, la forme d'un casque. Son vaste toit festonné, d'un diamètre de 160 m, repose sur quatre butées. Les six nervures du toit sont composées
de 144 voussoirs scellés pesant chacun entre 50 et 100 t. Ces six arcs sont reliés par
des membrures transversales qui forment le treillis sur lequel reposent les lucarnes
diffusant la lumière naturelle.

Comme le public manifestait peu d'intérêt pour le cyclisme en salle, l'édifice fut
converti en musée vivant de l'Environnement et des Sciences naturelles, et ouvrit
ses portes en 1992. Un sentier d'interprétation *(500 m)* mène à la découverte successive des milieux de vie de quatre écosystèmes. Équipés de régulateurs climatiques
hautement sophistiqués, les habitats reproduits couvrent une superficie de plus de
6 300 m² et contiennent des milliers de plantes indigènes et d'animaux. Végétation
luxuriante et faune variée caractérisent la torride **Forêt tropicale**, dont le modèle
s'inspire de la jungle amazonienne. Dans la **Forêt laurentienne**, domaine de l'érable, mais aussi du bouleau, du pin et de l'épinette, s'activent le castor, la loutre et
le lynx. D'austères falaises de granit s'élèvent au-dessus du **Saint-Laurent marin**,
d'un réalisme surprenant ; ici, le visiteur peut contempler toutes sortes de poissons
et d'invertébrés marins, sous l'œil contemplatif de canards et de pluviers. Peuplés
d'oiseaux marins tels que le petit pingouin ou le manchot royal, les rivages glacés du
Monde polaire illustrent quant à eux la rigueur des zones arctique et antarctique.
Le Biodôme propose par ailleurs une salle de découvertes Naturalia (explication des
mécanismes d'adaptation des animaux et des plantes à leur milieu ambiant) ainsi que
des projections de films et vidéos, des colloques et des conférences.

Village olympique

Côté nord de la rue Sherbrooke, à l'est de la rue Viau.

Les « pyramides olympiques », comme on les appelle familièrement, sont deux édifices
jumeaux de 20 étages qui furent construits lors des Jeux olympiques de 1976 pour
loger quelque 11 000 athlètes. Peu adaptés aux rudes hivers montréalais, ces bâtiments
dont l'architecture est inspirée du complexe de la Baie des Anges, dans le Midi de la
France, forment aujourd'hui un ensemble résidentiel et commercial.

JARDIN BOTANIQUE DE MONTRÉAL★★

*4101 rue Sherbrooke Est (🚇 Pie-IX) - ℘ 514-872-1400 - www.museumsnature.ca - ✕-
♿-🅿 - de mi-mai à fin oct. : 9h-18h (sept.-oct. 21h) ; reste de l'année : mar.-dim. 9h-
17h - mai-oct. : 16 $ (5-17 ans 8 $) ; nov.-mai : 13,50 $ (5-17 ans 7 $). Un service de navette
gratuit dessert le Biodôme, le Parc olympique et le Jardin botanique.*

Le Jardin botanique de Montréal, l'un des plus beaux du monde, fut créé en 1931
par le frère Marie-Victorin (1885-1944). Sur un terrain de 75 ha poussent plus de
21 000 espèces de plantes provenant des quatre coins de la planète, dont environ
10 000 arbres et 1 500 types d'orchidées, sans parler d'une riche collection de bonsaïs.
Non loin des **Jardins d'accueil**, qui étalent d'avril à octobre les superbes couleurs
de leurs fleurs annuelles, se trouve le bâtiment administratif (1937). Orné de fres-

ques et de bas-reliefs, ce bel exemple d'architecture Art déco accu‑
l'Institut de recherche en biologie végétale de l'université de Mo‑
là, le comptoir de renseignements du **Complexe d'accueil** do‑
d'accueil Molson. Le visiteur fera ici une première incursion au royau‑
avant d'entreprendre la visite du Jardin botanique, de ses dix serres d'expos‑
de sa trentaine de jardins thématiques.

Serres d'exposition★

Une impressionnante enfilade de serres permet de découvrir en toutes saisons des espèces et variétés du monde entier. Juste après la Grande Serre, consacrée à des expositions saisonnières, le Jardin céleste présente la magnifique **collection Wu**. Cette dernière se compose d'arbres miniatures chinois ou **penjings**, offerts au Jardin botanique en 1984 par M. Wu Yee-Sun, maître de l'art du « paysage dans un pot ». La reconstitution très réussie d'une hacienda mexicaine sert ensuite de cadre à divers spécimens de cactus et plantes grasses. Plus loin, on découvre les plantes des régions arides, tandis que dans une autre serre, une centaine d'espèces de bégonias et de gesnériacées prennent la vedette. Puis la flore des régions tropicales est à l'honneur, avec la serre des forêts tropicales humides et surtout celle des **forêts tropicales économiques** (plantes alimentaires, condimentaires, textiles, etc.). Orchidées, aracées et fougères concluent la visite.

Jardin de Chine★

Plus vaste jardin chinois en dehors de la Chine, cet impressionnant ensemble (1991 ; Le Wei Zhong) est l'authentique reconstitution d'un jardin classique sous la dynastie des Ming (14ᵉ-17ᵉ s.). Remarquable interprétation artistique de la nature, dans laquelle eau et montagne forment un tout harmonieux, le « Jardin du lac de rêve » incite à la contemplation. Ses sept pavillons, coiffés de toits gris très inclinés et incurvés, ont été préfabriqués en atelier à Shanghaï, puis assemblés sur place par des ouvriers chinois. Finement travaillé, le pavillon principal – dit « pavillon de l'Amitié » – offre au visiteur la possibilité d'interroger la philosophie, l'art et les coutumes d'un autre monde à travers ses expositions thématiques. De la grande terrasse, la vue embrasse un paysage serein. De l'autre côté du lac s'élève un roc abrupt de 9 m de hauteur, doté d'un escalier de pierre, d'une grotte et d'une cascade. Un autre pavillon renferme une fabuleuse collection de *penjings (ci-dessus)*.

Jardin japonais

Dans ce merveilleux espace paysagé de 2,5 ha (1988 ; Ken Nakajima), l'eau, la pierre (péridotite de la région de Thetford Mines) et la végétation composent un tableau des plus sereins, agrémenté d'un étang et d'une série de cascades. Inauguré en 1989, le **Pavillon japonais** renferme un hall d'exposition offrant au public une ouverture sur l'expression artistique et culturelle japonaise. Cette structure, réalisée à l'image d'une demeure familiale traditionnelle, contient en son sein un jardin zen ou « jardin du silence », dans lequel des pierres ont été disposées avec art sur un sable méticu‑leusement ratissé. Le Jardin japonais contient également une superbe collection de **bonsaïs** *(visibles à certaines époques seulement)*.

Jardin des Premières-Nations

Depuis 2001, ses 2,5 ha de feuillus (érables, frênes, ormes), de conifères et de toundra permettent d'appréhender le milieu de vie originel des onze Premières Nations. On découvre ainsi l'agriculture amérindienne, les modes de vie des Algonquiens ou un camp d'automne au milieu de 5 000 arbres et de 300 espèces végétales.

Le Jardin botanique offre bien d'autres points d'intérêt. Dans ses très beaux **jardins d'exposition**, aménagés selon les règles de l'art français, se succèdent toutes sortes de plantes (médicinales, vénéneuses, aromatiques, annuelles, économiques, à fruits, vivaces, caractéristiques du Québec), d'arbustes et de légumes. La fabuleuse **roseraie** compte 10 000 pieds plantés parmi les arbres et les buissons. Les plantes indigènes et ornementales tels le lotus, le nénuphar et la jacinthe d'eau poussent dans les 110 bassins du **jardin aquatique**. Le **jardin du sous-bois** compte à son actif un millier d'espèces de primevères et de bégonias sous une futaie d'érables, de frênes et de tilleuls. On peut également voir le **ruisseau fleuri** de lilas, d'iris, de pivoines et d'asters dans un grand jardin à l'anglaise, ou encore le **jardin alpin**, avec sa flore agréablement disposée parmi la rocaille. Le **jardin Leslie-Hancock** est réservé aux rhododendrons et aux azalées. Enfin, l'**arboretum** occupe 40 ha (soit un peu plus de la moitié de la superficie totale du Jardin), et regroupe 10 000 spécimens de près de 3 000 espèces et variétés horticoles ; ses collections sont mises en valeur dans la maison de l'Arbre, centre d'interprétation de l'arbre inauguré en 1996.

ectarium de Montréal

581 r. Sherbrooke Est (🕙 Pie-IX) - ☎ 514-872-1400 - www.museumsnature.ca - de mi-mai à fin oct. : 9h-18h (sept.-oct. 21h) ; janv.-mi-mai : mar.-dim. 9h-17h - fermé nov.-déc. - mêmes tarifs que le Jardin botanique.

👥 Ce bâtiment épouse, comme il se doit, la forme d'un insecte géant. Il abrite, depuis 1990, une impressionnante collection d'insectes du monde entier (près de 150 000 spécimens), naturalisés pour la plupart. Expositions thématiques, vitrines d'observation (dont une ruche) et consoles interactives constituent une approche dynamique à l'entomologie, et permettent de mieux comprendre le rôle des insectes dans l'équilibre de l'environnement. En été, la volière extérieure s'anime sous les délicats battements d'ailes de papillons multicolores.

CHÂTEAU DUFRESNE

À l'angle sud de la rue Sherbrooke et du bd Pie-IX. 2929 av. Jeanne-d'Arc (🕙 Pie-IX) - ☎ 514-259-9201 - www.chateaudufresne.qc.ca - ♿ - jeu.-dim. 10h-17h - fermé 24 déc.- 1re sem. janv. - 7 $ (6-12 ans 3,50 $).

Le château Dufresne fut construit entre 1915 et 1918 pour deux figures éminentes de la bourgeoisie française canadienne de l'époque : les frères Oscar (industriel de la chaussure) et Marius (architecte et ingénieur civil) Dufresne. Inspirée du style Beaux-Arts alors en vogue en Amérique du Nord, sa façade symétrique est flanquée de huit colonnes ioniques et d'une corniche à modillons surmontée d'un toit en terrasse. Le somptueux hôtel particulier, revêtu de pierre calcaire de l'Indiana sur béton, symbolise par excellence la politique de grandeur qui devait mener la ville de Maisonneuve à sa faillite et à son annexion à Montréal.

Deux ailes identiques, à quelques différences près, abritent au total 44 pièces, dont plusieurs ont retrouvé leur splendeur d'antan. On en visite une douzaine. Les murs lambrissés et le raffinement du décor évoquent la richesse de la bourgeoisie montréalaise des années 1920 et 1930. Nouveauté pour l'époque, beaucoup d'ornements intérieurs (moulures, frises, cheminées, caissons), préfabriqués, furent commandés sur catalogue. La **résidence Marius Dufresne** *(partie ouest)* est caractérisée par l'emploi du chêne et de boiseries néoclassiques. Dominée par l'acajou d'Afrique et les marbres d'Italie, la **résidence Oscar Dufresne** *(partie est)* contient des **peintures murales★** de Guido Nincheri (1885-1973), dont les exquises teintes pastel ornent un petit salon. Des placages d'acajou ornés de rinceaux dorés en relief aux plafonds en caissons, en passant par les revêtements muraux inspirés de la Renaissance italienne… chaque pièce révèle ici une incroyable perfection dans les détails. À l'étage, une chambre meublée est ouverte à la visite.

Autres curiosités

ÎLE SAINTE-HÉLÈNE★

Voiture : *pont Jacques-Cartier ou pont de la Concorde.* **Métro** : 🕙 *Jean-Drapeau.*
En 1611, Samuel de Champlain nomma cette île du Saint-Laurent, à l'est de Montréal, en l'honneur de sa femme, **Hélène Boulé**. Avant 1665, époque à laquelle elle fut intégrée à la seigneurie de Longueuil, cette petite étendue de terre était, pour les Amérindiens alors en lutte contre l'envahisseur européen, d'une grande importance stratégique. Après la Confédération, en 1867, l'île Sainte-Hélène devint la propriété du gouvernement canadien puis, au début du siècle, de la ville de Montréal qui y aménagea un parc. En 1967, Sainte-Hélène fut agrandie afin de recevoir – tout comme sa voisine, Notre-Dame – la fameuse Exposition universelle. Aujourd'hui, la quasi-totalité de l'île est un jardin public, apprécié pour ses pistes de ski de randonnée en hiver, et pour ses piscines découvertes en été. La route qui longe sa rive ouest offre de très belles **vues★** de Montréal et de ses installations portuaires.

Musée David M. Stewart★

☎ 514-861-6701 - www.stewart-museum.org - ✕ - 🅿 - de fin mai à déb. oct. : 10h-17h ; reste de l'année : merc.-lun. 10h-17h - 10 $ (-6 ans gratuit).

L'île Sainte-Hélène fut vendue en 1818 au gouvernement britannique qui y fit construire un arsenal fortifié. Ce dernier abrite le **musée David M. Stewart** dédié à l'histoire de la colonie européenne du Québec. Des expositions sur les premiers explorateurs et les premiers colons décrivent les expéditions à travers le continent, la Conquête britannique, les conséquences de la guerre d'Indépendance américaine, la guerre de 1812 et la Rébellion des Patriotes. Le musée contient par ailleurs une merveilleuse collection de cartes anciennes et de globes terrestres, des ustensiles de cuisine, des modèles réduits de bateaux, des armes à feu, des instruments scientifiques et de navigation, et toutes sortes de documents d'archives.

Biosphère★

514-283-5000 - www.biosphere.ec.gc.ca - ✗-♿-🅿 - juin-oct. : 10h-18h ; nov.-mai : mar.-dim. 10h-18h - 10 $ (-17 ans gratuit).

Le dôme géodésique de Buckminster Fuller (diamètre : 76,2 m) constitue un souvenir architectural unique de l'Expo'67. Construite pour recevoir le pavillon des États-Unis, cette immense structure tubulaire était, à l'origine, recouverte d'une enveloppe d'acrylique qui fut malheureusement détruite par un incendie en 1976. Elle accueille depuis 1995 un centre d'observation environnementale axé sur le thème de l'eau et de l'écosystème du Saint-Laurent et des Grands Lacs. L'exposition s'intitule « Géant » et consiste en un parcours jalonné de jeux, de maquettes et de vidéos. Autre exposition : « Eau Génie » invite les visiteurs à se mouiller en expérimentant différents aspects liés à l'eau (comment la trouver, la canaliser, marcher dessus, flotter, piloter un bateau, comprendre sa fonction d'érosion, d'énergie, et ses dangers avec notamment les gaz sous-marins). Enfin, Planète Bucky sensibilise petits et grands au développement durable à travers des inventions novatrices. La Biosphère présente aussi des expositions et dispose d'un centre de documentation relatif à l'environnement.

Montez au belvédère extérieur pour jouir, à travers l'étrange réseau de tubes qui s'entrecroisent, d'une **vue★** sur le fleuve, Longueuil, le pont Victoria et le centre-ville.

La Ronde

514-397-2000 - www.laronde.com - ✗-♿-🅿 - juin-août : 11h-20h (21h été) ; mai et sept.-oct. : w.-end 11h-18h (se renseigner pour horaires plus précis) - 38 $ (-1,37 m 25,50 $).

Principal parc d'attractions de Montréal, La Ronde bénéficie d'un merveilleux site à l'extrémité est de l'île de Sainte-Hélène. De là sont lancés des feux d'artifice à l'occasion de l'International Benson & Hedges.

ÎLE NOTRE-DAME★

Voiture : *autoroute Bonaventure et pont de la Concorde.* **Autobus** : *service gratuit depuis ⊕ Jean-Drapeau.*

Créée de toutes pièces en 1959 pour la voie maritime du Saint-Laurent, l'île Notre-Dame a été agrandie par remblayage pour l'Exposition universelle de 1967 en utilisant la terre d'excavation du métro en construction. L'île actuelle couvre 116 ha. En 1978, le **circuit Gilles-Villeneuve** y fut construit pour le Grand Prix Player's du Canada. De l'Expo'67, il reste l'ancien pavillon de la France. Conçue par l'architecte français Jean Faugeron, cette étonnante structure hérissée de flèches d'aluminium abrite désormais le **Casino de Montréal**. En été, le **lac de l'île Notre-Dame** (*à l'ouest de l'île*) accueille passionnés de voile, véliplanchistes et nageurs sur ses 600 m de plage. Le parc floral, les **Jardins des Floralies** (*514-872-6120 - www.parcjeandrapeau. com - ✗-♿-🅿 - 6h-0h*), on trouvera de superbes jardins (*floraison mai-sept.*) qui furent aménagés à l'occasion des Floralies internationales de 1980.

CITÉ DU HAVRE

Construite à l'origine pour protéger le port, cette péninsule artificielle relie Montréal à l'île Sainte-Hélène par le pont de la Concorde. Parmi les constructions édifiées pour l'Expo'67 se trouve **Habitat★**, complexe résidentiel à l'allure futuriste qui lança la carrière internationale de son architecte, Moshe Safdie, également connu pour le musée des Beaux-Arts du Canada, à Ottawa, et le musée de la Civilisation, à Québec.

Excursions au départ de Montréal

L'île de Montréal
Voir ce nom.

Vallée du Richelieu★★
Voir ce nom.

Laurentides★★
Voir ce nom.

Lanaudière
Voir ce nom.

Montréal pratique

S'y rendre

Avion – Aéroport international **Montréal-Pierre-Elliot-Trudeau** : à 22 km *(environ 30mn)* du centre-ville par taxi *(35 $)*, navette *(14 $)* ou réseau STM (train, bus, métro) ; navette *(gratuite)* à destination des hôtels Dorval - ☎ 514-394-7377 - www.admtl.com.

Train – Gare centrale (VIA Rail) - 895 r. de la Gauchetière Ouest (Ⓜ Bonaventure). Renseignements et réservations : ☎ 514-989-2626 - www.viarail.ca.

Autobus – Station centrale d'autobus de Montréal (Orléans Express, Vermont Transit, Greyhound) - 505 bd de Maisonneuve Est (Ⓜ Berri-UQAM) ; renseignements au 514-842-2281 - www.orleansexpress.com.

Adresses utiles

S'INFORMER

Centre Infotouriste – 1001 r. du Square-Dorchester (Ⓜ Peel) - ☎ 514-873-2015 - www.tourisme-montreal.org - de déb. juin à la fête du Travail : 7h-20h ; reste de l'année : 9h-18h.

Tourisme Québec – ☎ 514-873-2015.

www.montrealinfo.com – Calendrier des événements, recherche par quartiers, transports et loisirs.

Presse locale – Francophone : *Le Journal de Montréal, Le Devoir, La Presse.* Anglophone : *The Gazette. Museo* : le magazine gratuit des musées.

SERVICES

Bureau de poste – Services postaux disséminés dans les boutiques de la ville. Renseignements généraux : ☎ 514-344-8822 ou 1-866-607-6301 *(du Canada seulement)* www.canadapost.ca.

BUREAUX DE CHANGE

Aéroport Montréal-Pierre-Elliot-Trudeau – Bureaux de change ICE *(aux départs et aux arrivées, ouv. 7 j/7)* - ☎ 514-828-0061.

Dans le centre-ville – 660 r. Ste-Catherine-Ouest - ☎ 514-866-2451.

NUMÉROS UTILES

Police - Ambulance - Pompiers – ☎ 911.

Assistance annuaire – ☎ 411.

Pharmaprix *(24h/24)* – 5122 Côte-des-Neiges - ☎ 514-738-8464.

Association canadienne des automobilistes *(tlj 24h/24)* – ☎ 514-861-7575.

Inforoute – ☎ 1-888-355-0511.

Météo *(24h/24)* – ☎ 514-283-4006.

Transports

TRANSPORTS PUBLICS

Le système de transport en commun local (métro et autobus) est exploité par la Société de transport de la communauté urbaine de Montréal (STM).

Le service est généralement assuré de 5h30 à 1h *(lignes 1, 2 et 4)* ou 0h *(ligne 5)*. Cependant, chaque station ou ligne a ses horaires. Pensez à vous renseigner.

Les lignes de métro sont désignées par leur numéro et le nom de leur terminus. Leur indication, ainsi que leur couleur, permettent de s'orienter dans les couloirs ou sur les quais et de voyager dans un sens désiré, après un changement éventuel dans une station de correspondance.

Les tickets de métro, valables aussi pour l'autobus, peuvent s'acheter dans les stations de métro à l'unité *(2,75 $)*, par carnet de six *(12 $)* ou encore sous forme de carte touristique *(9 $/jour ou 17 $/3 jours)*. Il existe aussi des cartes hebdomadaires ou mensuelles.

Renseignements – ☎ 514-786-4636 (514-288-6287 pour les horaires de bus) - www.stm.info.

Objets trouvés – Joignez le Centre de services à la clientèle de la station Berri-UQAM - ☎ 514-786-4636 (+4+3).

LOCATION DE VÉHICULES

Il est facile de louer une voiture à Montréal. Les principales sociétés de location de véhicules sont représentées dans les aéroports de la région et en plusieurs points de la ville.

À titre indicatif : Avis ☎ 514-387-2847 ; Budget ☎ 514-866-7675 ; Discount ☎ 514-286-1554 ; Hertz ☎ 514-938-1717 ; National-Alamo ☎ 514-878-2771 ; Thrifty Québec ☎ 514-845 5954.

TAXIS

👁 **Bon à savoir** – Les taxis sont une des rares professions à afficher leurs tarifs taxes incluses. Le prix à régler est donc celui indiqué au compteur.

Quelques compagnies : LaSalle ☎ 514-277-2552 ; Diamond ☎ 514-273-6331 ; Champlain ☎ 514-273-2435.

Se loger

Ⓖ Reportez-vous à la partie « Organiser son voyage » pour connaître la grille des tarifs pratiqués par les établissements.

👁 **Bon à savoir** – Réservation de chambres d'hôte : Downtown B & B network - ☎ 289-9749 ou 800-267-5180 - www.bbmontreal.ca.

VIEUX MONTRÉAL 🔢1

🍴🍴🍴🍴 **Hostellerie Pierre du Calvet** - 405 r. Bonsecours (Ⓜ Champ-de-Mars) - ☎ 514-282-1725 - www.pierreducalvet.ca - 🍴-🅿 - 9 ch. 275/295 $. Faites un saut dans le passé en séjournant dans le plus vieil hôtel de la ville, situé à l'intérieur des remparts. La maison du marchand français Pierre du Calvet, datant du 18e s., a été rénovée dans l'esprit d'une élégante demeure européenne ornée d'un grand nombre de tableaux de famille, antiquités et tapis orientaux. Les chambres, romantiques, exhalent un charme désuet, avec leurs murs d'origine en pierres apparentes, leur cheminée et leur lit à baldaquin. Le petit-déjeuner est servi dans une lumineuse serre victorienne agrémentée de plantes vertes, tandis que le dîner se tient dans la salle principale, celle du **restaurant « Les Filles du Roy »** *(table d'hôte 40/48 $)*. Ce dernier propose une carte tournée vers la redécouverte de mets anciens cuisinés au goût du jour. Forfait journée musée ou atelier de peinture et sculpture.

⬭🛏🛎 **Hôtel Place d'Armes** – *55 r. Saint-Jacques Ouest* (🕐 *Place-d'Armes*) - ✆ *514-842-1887 ou 1-888-450-1887 (gratuit) - www.hotelplacedarmes.com -* ♿-🅿-🛏- *83 ch. 230/285 $ et 52 suites 340/1 200 $ -* 🍽 *inclus.* Cet hôtel-boutique bénéficie d'un emplacement stratégique au cœur du Vieux-Montréal. Couleurs douces et élégant mobilier en acajou décorent les chambres de l'édifice originel qui regarde la place d'Armes. Deux autres bâtiments, donnant sur la rue Saint-Jacques, ont été adjoints et refaits en 2005 dans un style plus contemporain, toujours très confortable. Peignoir, édredon en duvet, bain à remous, écrans plasma, wi-fi. Spa avec hammam, salle de gym, terrasse sur le toit. L'hôtel comporte également un bar lounge, **Suite 701** *(table d'hôte 25/30 $)* et un restaurant à l'entrée indépendant, **Aix**, dont la carte revisite le terroir : tartare de cerf, foie de pintade aux pommes, magret en croûte de moutarde de vin *(701 Côte-de-la-Place d'Armes - ✆ 514-904-1201 - www.aixcuisine.com - plats 14/41 $).*

⬭🛏🛎 **Hotel Nelligan** – *106 r. Saint-Paul Ouest* (🕐 *Place-d'Armes*) - ✆ *514-788-2040 ou 1-877-788-2040 (gratuit) - www.hotelnelligan.com - 44 ch. 235/265 $ et 61 suites 340/2 000 $ -* 🍽 *inclus.* Décoration design, tons chocolat, oreillers et couettes en duvet d'oie, accès internet, TV : les chambres et les suites de cet hôtel niché à deux rues du Vieux-Port offrent tout le confort et la tranquillité attendus. Plus, si l'on apprécie le cachet des briques et des pierres d'époque. Car les trois édifices, réunis en un, datent tous du 19e s. Salle de gym, salon de massage. Deux restaurants : le **Méchant Bœuf** *(www. mechantboeuf.com - 25 $)* et le **Verses** (✆ *514-788-4000 - www. versesrestaurant.com - plats 12/45 $).*

CENTRE-VILLE ②

⬭🛏🛎 **Le Dauphin** – *1025 r. de Bleury* (🕐 *Square-Victoria*) - ✆ *514-788-3888 ou 1-888-784-3888 (gratuit) - www.hotel dauphin.ca - 72 ch. 139,95/169,95 $ -* 🍽 *inclus.* Voisin du Palais des congrès, cet hôtel se trouve à la croisée de différents quartiers : Chinatown, Vieux-Montréal, les Universités. Chambres confortables et fonctionnelles avec moquette sombre, couettes claires et moelleuses, mobilier contemporain. Salle de gym. Accès laverie.

⬭🛏🛎🛎 **Fairmont Le Reine Elizabeth** – *900 bd René-Lévesque Ouest* (🕐 *Bonaventure*) - ✆ *514-861-3511 - www. fairmont.com/queenelizabeth -* 🍴-♿-🅿-🛏 *- 1 039 ch. dont 100 suites 249/449 $ -* 🍽 *14,25 $, buffet 21 $.* En raison de sa situation particulière (au-dessus du métro de la ville et de la gare ferroviaire), l'ancien Reine Elizabeth est très prisé des célébrités en tournée : en 1967, il accueillait John Lennon et Yoko Ono pour l'enregistrement de *Give Peace a Chance*. Les chambres, spacieuses, ont été récemment rénovées avec de nouveaux papiers peints et des couvre-lits en chintz. Outre un vaste club de remise en forme, un spa, un salon de beauté et une galerie de boutiques, l'hôtel abrite un salon de thé et trois restaurants dont le célèbre **Beaver Club** *(table d'hôte midi 29,50 $)*, réputé pour sa cuisine française raffinée.

À L'OUEST ④

⬭ **Auberge de Jeunesse de Montréal** – *1030 r. Mackay* (🕐 *Lucien-l'Allier*) - ✆ *514-843-3317 ou 1-866-843-3317 - www.hostel lingmontreal.com - 217 lits 31,15/80 $.* Cette auberge de jeunesse proche du centre-ville offre, dans un environnement non-fumeur, un espace cuisine, une salle de télévision et une laverie automatique. Les dortoirs peuvent accueillir jusqu'à dix personnes. Chambres privées ou partagées (de 3 à 6 lits), avec salle de bains.

⬭🛏🛎🛎 **Château Versailles** – *1659 r. Sherbrooke Ouest* (🕐 *Guy-Concordia*) - ✆ *514-933-3611 ou 1-888-933-8111 (gratuit) - www.versailleshotels.com – 65 ch. 205/770 $ -* 🍽 *inclus.* Composé de quatre maisons victoriennes reliées les unes aux autres, cette pension ancienne séduit pour ses prix, le service de son personnel et son emplacement *(proche du quartier des musées)*. Les chambres, très spacieuses, dégagent un charme anglais certain. Salle de gym. Sauna.

LE PLATEAU ⑥

⬭🛎 **Anne ma sœur Anne** – *4119 r. St-Denis* (🕐 *Mont-Royal ou Sherbrooke*) - ✆ *514-281-3187 ou 1-877-281-3187 (gratuit) - www. annamasoeuranne.com - 17 ch. 80/265 $.* Cette adresse occupe une maison typique du Plateau, à deux étages avec un escalier d'entrée. Les micro-cuisines et les lits encastrables transforment chaque chambre en petit studio. L'ensemble est très fonctionnel. Courette intérieure. Certaines chambres disposent d'une terrasse. Wi-fi gratuit.

Se restaurer

ℹ Reportez-vous à la partie « Organiser son voyage » pour connaître le classement tarifaire des établissements, comprendre leur style et leurs formules (« apportez votre vin », table d'hôte ou carte).

VIEUX MONTRÉAL [1]

🍴 **L'Arrivage** – *350 pl. Royale* - ☎ *514-872-9128* - *lun. 11h30-14h, mar.-dim. 11h30-15h* - *table d'hôte à partir de 13,50 $*. Un endroit des plus plaisants pour prendre le repas du midi, ce restaurant situé au deuxième étage du musée d'Archéologie et d'Histoire de Montréal sert une cuisine soignée et imaginative, dans un décor aéré avec vue sur le Vieux-Port de Montréal. Particulièrement agréable en été, lorsque la terrasse est ouverte.

🍴🍴 **Stash Café** – *200 r. Saint-Paul Ouest, à l'angle de la rue Saint-François-Xavier* (🚇 *Place-d'Armes*) - ☎ *514-845-6611* - *www.stashcafe.com* - *table d'hôte à partir de 25 $*. Un restaurant polonais fréquenté tant par les Montréalais que par les touristes, qui viennent pour les plats simples et savoureux tels que les *pierogis* (boulettes de pâte farcies de fromage, de viande ou de chou), les saucisses et les choux farcis, les harengs marinés, ou les gâteaux au pavot, aux noisettes ou au fromage accompagnés d'un bon café.

🍴🍴 **Le Petit Moulinsart** – *139 r. Saint-Paul Ouest* (🚇 *Place-d'Armes*) - ☎ *514-843-7432* - *www.lepetitmoulinsart.com* - *11h-15h, 17h-23h* - *fermé dim. en hiver* - *35 $*. Un décor récemment revu, mais toujours sur le thème de Tintin, un accueil sympathique : on se sent tout de suite à l'aise dans ce restaurant belge installé là depuis plus de 20 ans ! On y mijote de bons plats, notamment de savoureuses moules et une crème brûlée onctueuse à souhait. Éric sélectionne des centaines de crus pour les accompagner. Il choisit avec autant de soin les 80 types de bières belges consommées au bar, dans un cadre chaleureux de brique et de petits sarcophages contenant les bouteilles d'habitués. En été, charmante terrasse, située à l'écart de la rue.

🍴🍴🍴 **Le Club Chasse et Pêche** – *423 r. Saint-Claude* (🚇 *Champ-de-Mars*) - ☎ *514-861-1112* - *leclubchasseetpeche.com* - *table d'hôte midi à partir de 19 $, le soir plats à partir de 27 $*. Les tons chocolat et bois de ce restaurant très discret créent une ambiance feutrée adaptée à sa carte contemporaine. Ici, salé et sucré se mêlent en d'heureux mélanges. Le chevreuil s'accompagne ainsi de topinambour au jus réglissé et le bison séché, de betterave jaune. Les plats suivent les saisons.

CENTRE-VILLE [2]

🍴🍴 **Chez Julien** – *1191 av. Union* (🚇 *McGill*) - ☎ *514-871-1581* - *www.restaurantjulien.com* - *lun.-vend. 11h30-15h, 17h30-22h* - *fermé sam. midi et dim.* - *table d'hôte à partir de 20 $*. Les petites rues secondaires cachent parfois d'excellentes adresses. C'est certainement le cas de cet élégant restaurant français, où la qualité de la cuisine et celle du service ne se sont pas démenties au fil des ans. Le décor est tout aussi soigné, que l'on s'attable à l'intérieur, à la très jolie terrasse estivale, pour déguster une bavette de cheval, un tartare de bœuf ou du foie de veau grillé.

🍴🍴🍴🍴 **Toqué !** – *900 pl. Jean-Paul-Riopelle* (🚇 *Square-Victoria ou Place-d'Armes*) - ☎ *514-499-2084* - *www.restaurant-toque.com* - *mar.-sam. 17h30-22h30* - *fermé dim. et lun.* - *plats à partir de 40 $*. Les habitants de Montréal ainsi que les critiques gastronomiques internationaux considèrent ce restaurant post-moderne, sis dans le quartier du Plateau Mont-Royal, comme l'un des meilleurs de la ville. En effet, le chef, Normand Laprise, y concocte une cuisine française contemporaine à base de produits locaux de toute première fraîcheur, et parfois inhabituels. Parmi les plats, élégamment présentés et servis par du personnel compétent, testez donc le cuisseau de porcelet ou le suprême de pintade à la laitue rôtie.

QUARTIER CHINOIS [3]

Le Quartier chinois de Montréal n'est certes pas très grand, mais il recèle une foule de restaurants et d'épiceries.

🍴 **Cristal de Saïgon** – *1068 bd Saint-Laurent* (🚇 *Saint-Laurent*) - ☎ *514-875-4275* - *10h-21h30* - *soupes à partir de 6,50 $*. L'adresse est célèbre pour sa soupe tonkinoise, un savoureux mélange de bouillon, de nouilles de riz et de viande servi dans un cadre on ne peut plus modeste.

🍴 **Le Pavillon Nanpic** – *75A r. de la Gauchetière Ouest* (🚇 *Place-d'Armes*) - ☎ *514-395-8106* - *11h30-22h30* - *plats 8,50/13,50 $*. Ce restaurant en sous-sol propose des mets cantonais et sichuannais dans un décor à la fois sobre et attrayant. Essayez entre autres l'excellent poulet Général Tao *(10,25 $)* ou le canard impérial *(11,25 $)*.

À L'OUEST [4]

👁 **Bon à savoir** – La rue Crescent est traditionnellement la rue de prédilection des jeunes anglophones désireux d'arroser une soirée.

🍴🍴 **Milsa** – *1445 r. Bishop* (🚇 *Guy-concordia ou Peel*) - ☎ *514-985-0777* - *www.churrascaria-milsa.com* - *tlj à partir de 17h30* - *plats à partir de 24 $*. Envie d'un barbecue brésilien traditionnel ? Les serveurs viennent à votre table et vous découpent des tranches de toutes sortes de viandes allant du bœuf à l'agneau en passant par la dinde, le tout à volonté. Il s'agit du Tourniquet *(30 $)*.

LE PLATEAU [6]

👁 **Bon à savoir** – Montréal compte plus de 200 « **apportez votre vin** » (**BYOW** ou « *bring your own wine* » en anglais). Beaucoup sont installés dans le quartier du Plateau et le Quartier latin.

🍴 **Schwartz's** – *3895 bd Saint-Laurent* (🚇 *Mont-Royal ou Sherbrooke*) - ☎ *514-842-4813* - *www.schwartzsdeli.com* - *dim.-jeu. 8h-00h30, vend. 8h-1h30, sam. 8h-*

2h30 - 5 $. Ouvert en 1928, ce *delicatessen* est une véritable institution montréalaise. On n'y vient ni pour le décor ni pour le service, mais simplement pour déguster les sandwichs à la viande fumée et parfumée aux aromates épicés qui ont fait sa renommée. La maison a changé de mains, mais la recette est restée la même.

☺ **L'Express** – *3927 r. Saint-Denis (*🕐 *Mont-Royal ou Sherbrooke) -* 📞 *514-845-5333 - 8h-3h - fermé 25 déc. - plats à partir de 14 $*. Chic et indémodable, c'est l'un des bistros les plus prisés de Montréal. Tout ici témoigne d'un grand savoir-faire : un service accompli, une excellente carte des vins et une délicieuse cuisine qui ne déçoit jamais (pieuvre et lentilles vinaigrette 13 $, raviolis maison 16,65 $, poulet de grain sauce moutarde 19,55 $). Indéniablement, un bon rapport qualité-prix.

☺☺ **Le Piton de la Fournaise** – *835 r. Duluth Est (*🕐 *Mont-Royal ou Sherbrooke) -* 📞 *514-526-3936 - www.restolepiton.com - mar.-dim. dès 17h30 (2 services vend.-sam. à 17h30 et 20h30) - table d'hôte à partir de 25 $*. Bienvenue sur l'île de la Réunion ! Depuis plus de 10 ans, cette adresse régale les amateurs de plats créoles d'une cuisine mâtinée d'influences indienne, africaine et française. Cari de requin, de porc ou de poulet et civet de zouritte (pieuvre) se dégustent dans un décor composé d'objets artistiques et artisanaux provenant de l'île. Le simple fait d'écouter le personnel parler créole est un véritable plaisir. C'est un « Apportez votre vin ».

☺☺ **Au pied de cochon** – *536 r. Duluth Est (*🕐 *Mont-Royal ou Sherbrooke) -* 📞 *514-281-1114 - www.restaurantaupieddecochon. ca - 17h-0h - fermé lun. - plats 12,50/45 $*. Pour pouvoir savourer dans ces murs au décor épuré une poutine au foie gras, le boudin maison, du ragoût de pattes de porc, du jarret d'agneau confit ou une croustade aux pommes, il est impératif de réserver. C'est le meilleur moyen de goûter à la cuisine du terroir revisitée par le jeune chef Martin Picard, star montante de la gastronomie québécoise.

☺☺☺ **Moishes** – *3961 bd St-Laurent (*🕐 *Mont-Royal ou Sherbrooke) -* 📞 *514-845-3509 - www.moishes.ca - 17h30-23h - fermé 25 déc. et 1ᵉʳ janv. -* ⚙ *- steaks 37/52 $*. Véritable institution vieille de plus de 70 ans, ce steak house est renommé pour ses pièces de bœuf (surlonges, filet mignon, aloyau, côte…) grillées au charbon de bois, qui sont encore meilleures accompagnées d'un vin sélectionné par la maison. Service courtois et efficace.

QUARTIER LATIN ⑥

☺ **Café Cherrier** – *3635 r. Saint-Denis (*🕐 *Sherbrooke) -* 📞 *514-843-4308 - sem. 7h30-1h, w.-end 8h30-23h30 - table d'hôte midi à partir de 14 $*. Du petit-déjeuner au dîner, l'établissement propose depuis plus de 25 ans une cuisine simple et bien réalisée :

salade César avec blanc de poulet fumé (14 $), daube de joues de bœuf (15,95 $), boudin aux pommes (16,50 $)… En été, sa terrasse est l'endroit idéal pour profiter des belles journées et regarder la foule passer.

MILES END ⑥

☺ **Wilenskys** – *34 r. Fairmount Ouest (*🕐 *Laurier) -* 📞 *514-271-0247 - fermé w.-end*. Dans un décor qui paraît inchangé depuis 1932, la famille Wilensky perpétue les recettes qui ont fait d'elle une institution du quartier : l'accueil chaleureux et le spécial Wilensky, sandwich au salami maison accompagné de bolognaise ou de moutarde (3,50 $).

Faire une pause

VIEUX-MONTRÉAL

Olive + gourmando – *351 r. Saint-Paul Ouest (*🕐 *Square-Victoria) -* 📞 *514-350-1083 - oliveetgourmando.com - mar.-sam. 8h-18h*. Cette boulangerie nouveau genre réinvente la restauration rapide et le salon de thé en proposant sandwichs frais (8,50 $), soupes et salades, dans un décor coloré au plancher de bois. On peut aussi y boire un thé accompagné d'un biscuit (2 $) ou de viennoiseries et repartir avec du granola, des confitures ou du pain cuit au levain.

Europea boutique – *33 r. Notre-Dame Ouest (*🕐 *Place-d'Armes) -* 📞 *514-844-1572 - www.europea.ca - lun.-vend. 8h-17h - fermé w.-end*. Beauté, épicerie fine ou sandwicherie-traiteur ? La boutique du restaurant Europea (1227 r. de la Montagne) décline la gourmandise sur tous les plans : cosmétique, articles dérivés (cosmétique gourmande, bougies parfumées, eau de linge…), produits à consommer (sucres, chocolats…), et bien sûr sandwiches (6,50 $), salades et pâtisseries bien dignes du chef Jérôme Ferrer. Boîtes à lunch : sandwiches (9,50 $) ou plats (12,50 $). À savourer sur place ou à emporter.

À L'OUEST

Le Jardin du Ritz – *1228 r. Sherbrooke Ouest (*🕐 *Peel) -* 📞 *514-842-4212*. Située à l'arrière du luxueux hôtel Ritz-Carlton, cette superbe terrasse, ouverte du petit-déjeuner au dîner, semble bien loin de l'animation du centre-ville, avec son paisible étang et ses petits canards. Quel plaisir d'y prendre le thé à l'anglaise, servi selon les règles de l'art avec *scones*, menus sandwiches et petits fours, sans oublier la très riche crème Devonshire et les délicieux petits pots de confiture.

CÔTE-DES-NEIGES

Le Duc de Lorraine – *5002 chemin de la Côte-des-Neiges (*🕐 *Côte-des-Neiges) -* 📞 *514-731-4128 - www.ducdelorraine. com - lun.-dim. 8h30-18h, vend. 18h30, w.-end 17h*. Renommée depuis maintes années pour la qualité de ses pâtisseries, pains, fromages et charcuteries, cette adresse est aussi un bon endroit pour déguster d'excellents croissants ou un repas léger, dans un salon de thé proche de l'Oratoire St-Joseph.

OUTREMONT

La croissanterie Figaro – *5200 r. Hutchison (* 🕒 *Laurier ou Outremont) -* 🕽 *514-278-6567 - 7h-1h.* Situé à l'angle nord-ouest des rues Fairmount et Hutchison, ce salon de thé jouit d'un calme idyllique pour savourer une soupe *(2,95 $)*, une quiche-salade *(8,95 $)* ou des sandwiches-salade sur baguette, croissant, bagel ou pita. En été, la terrasse est particulièrement appréciée des gens du quartier.

Sortir

👁 **Bon à savoir** – Montréal offre à ses habitants et visiteurs de quoi se divertir tout au long de l'année. Pour se faire une idée des événements en cours et de l'endroit où ils se tiennent, consultez les publications touristiques gratuites telles que **Voir** (francophone), **Montréal scope** (bilingue), **Mirror** et **Hour** (anglophones), ou parcourez la section Arts et Spectacles des journaux (numéros de fin de semaine). Pour toutes les activités culturelles, sportives et récréatives *(renseignements et horaires)*, consultez **www.montrealplus.ca**.

Réservation de billets – Possibilité de réserver pour les événements culturels et sportifs par l'intermédiaire des bureaux suivants : **Admission** 🕽 *514-790-1245* ; **Telspeck** 🕽 *514-790-1111.* Principales cartes de crédit acceptées.

AMBIANCE

Deux Pierrots – *104 r. Saint-Paul Est -* 🕽 *514-861-1270.* Cette boîte à chansons est devenue au fil des ans une véritable institution dans le Vieux-Montréal. Idéale pour découvrir la chanson québécoise dans une ambiance où règne la bonne humeur.

CIRQUE

La Tohu – *2345 r. Jarry Est, angle d'Iberville (* 🕒 *Saint-Michel) -* 🕽 *514-376-8648 -www.tohu.ca.* Pour découvrir le dernier spectacle de l'école du cirque ou d'autres artistes tout aussi inventifs et étonnants. Visite guidée du site et du bâtiment possible.

SPORTS-SPECTACLES

Les amateurs de sports ne manqueront pas de choix.

Hockey – Les Canadiens de Montréal (ligue nationale) - *saison oct.-mai - Centre Bell (* 🕒 *Lucien-l'Allier ou Bonaventure) -* 🕽 *514-932-2582 - canadiens.nhl.com.*

Football américain – Les Alouettes de Montréal - *saison de mi-juin à début nov. - Stade Percival Molson (* 🕒 *McGill) -* 🕽 *514-871-2255 - fr.montrealalouettes.com.*

Football – Impact Soccer - *saison de janv. à sept. - Stade Saputo (* 🕒 *Viau) -* 🕽 *514-328-3668 - www.impactsoccer.com.*

Courses de chevaux – Toute l'année à l'hippodrome de Montréal (🕒 *Namur)* - 🕽 *514-739-2741.*

ACTIVITÉS RÉCRÉATIVES

Cinémas IMAX – (🕒 *Place-d'Armes)* 🕽 *514-496-4629.* Films et shows lasers.

Casino de Montréal – (🕒 *Île-Notre-Dame)* 🕽 *514-392-2746 - www.casino-de-montreal.com.*

Que rapporter

👁 **Bon à savoir** – Le **Vieux-Montréal** regroupe plutôt des galeries, des boutiques-cadeaux et des restaurants branchés. Vous trouverez des boutiques en tout genre (magasins d'habillement, antiquaires, galeries) ainsi que des restaurants sur les **rues Sainte-Catherine**, **Sherbrooke**, **Peel**, **Crescent** et **de la Montagne**. Certaines d'entre elles donnent accès à la ville intérieure *(voir ci-après)*.

La **rue Saint-Denis** aligne quant à elle les magasins de mode, les studios d'art, les cafés et les restaurants. Le **boulevard Saint-Laurent** lui fait concurrence avec ses épiceries, ses restaurants « ethniques », ses boutiques branchées, ses night-clubs et ses discothèques.

Les chineurs préféreront enfin les brocanteurs et les antiquaires de la **rue Notre-Dame Ouest**, entre l'avenue Atwater *(ouest)* et la rue Guy *(est)*.

LA VILLE INTÉRIEURE

La **ville intérieure** *(voir plan itinéraire* ▣*)* rassemble un grand nombre de boutiques, cinémas et centres commerciaux reliés par le métro. Heures d'ouverture : *lun.-vend. 9h30-18h* (21h : *jeu.-vend. et en été lun.-vend.)*, *w.-end 10h-17 h.* À titre indicatif :

Complexe Desjardins – *170 r. Sainte-Catherine Ouest (* 🕒 *Place-des-Arts ou Place-d'Armes) -* 🕽 *514-281-1870.*

Eaton Centre – *705 r. Sainte-Catherine Ouest (* 🕒 *McGill) -* 🕽 *514-288-3708.*

Place Montréal-Trust – *1500 av. McGill College (* 🕒 *McGill ou Peel) -* 🕽 *514-843-8000.*

Place Ville-Marie – *1 pl. Ville-Marie (* 🕒 *Bonaventure ou McGill) -* 🕽 *514-861-9393.*

Promenades de la Cathédrale – *625 r. Sainte-Catherine Ouest (* 🕒 *McGill) -* 🕽 *514-845-8230.*

À L'OUEST

Formule 1 Emporium – *2070B r. Crescent (* 🕒 *Peel ou Guy-Concordia) -* 🕽 *514-284-3799 - www.f1emporium.ca.* Les fans de courses automobiles, notamment de Formule 1, se sentiront à leur aise dans cette petite boutique. Ils trouveront, outre des souvenirs et vêtements de coureurs, une sélection de modèles réduits, des répliques de voitures de courses ou de berlines célèbres. Les produits dérivés de la marque Ferrari sont particulièrement bien représentés.

LE PLATEAU

Confiserie Louise Décarie – *4424 r. Saint-Denis* (🚇 *Mont-Royal*) - 📞 *514-499-3445* - *lun.-vend. 11h-18h (jeu.-vend. 20h), sam. 11h-17h, dim. 12h-17h*. Logée dans un minuscule local aux murs tendus d'étoffe rose, cette confiserie vend des chocolats importés de France, de Belgique ou d'Italie, des *toffees* anglais, des nougats italiens et des bêtises de Cambrai, présentés dans des emballages si soignés qu'on hésite à les entamer. 100 g de bonbons à partir de 4 $.

MILES END

👁 **Bon à savoir** – Toute l'Amérique du Nord reconnaît que les meilleurs **bagels** sont faits à Montréal, voilà ce qu'affirment les Montréalais. Et ils n'auraient pas tort ! Reste à trancher, qui de Bagel Shop ou de Fairmount Bagel remporte la palme. Ces deux maisons se livrent une concurrence acharnée depuis plus d'un demi-siècle.

The Bagel Shop – *263 Saint-Viateur Ouest* (🚇 *Rosemont*) - 📞 *514-276-8044* - *www.stviateurbagel.com* - *tlj 24h/24h*. La boulangerie ouverte en 1957 par Meyer Lewkowicz a été reprise par l'un de ses apprentis qui perpétue la tradition du bagel au sésame ou au pavot, roulé à la main et surtout cuit au four à bois. Imaginez la bonne odeur de bagel chaud qui s'échappe de la boutique ! Possibilité d'acheter sur place crème de fromage, saumon, etc.

Fairmount Bagel – *74 r. Fairmount Ouest* (🚇 *Rosemont ou Laurier*) - 📞 *514-272-0667* - *www.fairmountbagel.com* - *tlj 24h/24h*. Cette enseigne, fondée en 1919, décline le bagel en une vingtaine de variétés, toutes cuites au four à bois. Les stars demeurent le bagel nature, au pavot ou au sésame. Ils s'agrémentent de crème de fromage, de saumon ou de truite fumée, de beurre et de confiture. Autant de produits que l'on trouve sur place. Bon appétit !

LES MARCHÉS

Bon secours – *Vieux-Port* (🚇 *Champ-de-Mars*) - *horaires voir circuit* [1]. Une douzaine de boutiques d'art et de création québécois occupent aujourd'hui le bâtiment historique : vêtements, artisanat, souvenirs.

Jean Talon – *7070 r. Henri-Julien* (🚇 *Jean-Talon*) - *tlj à partir de 8h*. Ce marché draine la population du Plateau, au sud, de la Petite Patrie, à l'est, et des quartiers d'Outremont ou du parc Jarry, à l'ouest. En été, le nombre d'étals donnent le vertige : fruits et légumes, vins et boissons, boulangeries, boucheries, charcuteries, poissonneries, fromageries, on y trouve de tout ! La foule est tout aussi compacte sous la halle couverte, l'hiver. Bars et restaurants l'entourent.

Atwater – *138 av. Atwater* (🚇 *Lionel-Groulx*) - *tlj à partir de 8h*. Grand marché de l'ouest de Montréal, proche du canal Lachine, il réunit sous sa halle Art déco les poissonniers, les bouchers, les charcutiers et les fromagers. En été, les marchands de primeurs investissent les extérieurs, aux côtés des fleuristes. Épiceries fines et restauration rapide complètent l'offre. Les Montréalais y passent des heures.

Sports et loisirs

Activités récréatives – Visites guidées à bicyclette ou location de rollers (été) : **Ça roule** 📞 *514- 866-0633*. Patinage toute l'année *(5,50 $)* et location à l'**Atrium** – *1000 r. de La Gauchetière* (🚇 *Bonaventure*) - 📞 *514-395-0555*.

Événements

Festival Montréal en lumière – *2e quinz. fév.* - *www.montrealenlumiere.com*. Ce festival touche tous les domaines : la gastronomie, avec chaque année un pays à l'honneur auprès des chefs de la ville, la culture, avec l'ouverture de certains sites la nuit, des illuminations, des fêtes sur le Vieux-Port…

Grand Prix du Canada – *Juin* - *www.grandprix.ca*. Pendant trois jours, tout Montréal vibre au rythme du circuit Gilles-Villeneuve, sur l'île Notre-Dame.

Festival international de jazz de Montréal – *fin juin à déb. juil.* - *www.montrealjazzfest.com*.

Festival Juste pour rire – *juil.* Les humoristes francophones du monde entier ont tous leur chance sur les planches de ce festival.

Festival des films du monde – *2e quinz. août* - *www.ffm-montreal.org*.

Festival du nouveau cinéma de Montréal – *10 jours en oct.* - *www.nouveaucinema.ca*. Cinéma d'auteur et création numérique sont à l'honneur de ce festival depuis plus de 36 ans.

L'île de **Montréal**

RÉGION DE MONTRÉAL
SCHÉMA : MONTRÉAL
WWW.VILLEMONTREAL.QC.CA OU WWW.TOURISME-MONTREAL.ORG

Montréal occupe le centre d'une île dont les berges sont parsemées d'anciens villages, formant aujourd'hui une ligne urbaine presque continue. La verdure n'est jamais très loin et beaucoup de Montréalais s'échappent chaque week-end vers les parcs et les nombreuses baies du Saint-Laurent. Le canal de Lachine, qui aboutit à l'arrondissement du même nom, ainsi que le West-Island dans son prolongement, sont des promenades dominicales particulièrement courues des insulaires. Ceux du nord se rendent plus volontiers au parc-nature de l'Île-de-la-Visitation. Partout, le programme est le même : vélo, balade, visite culturelle ou ski.

- **Se repérer** – L'île de Montréal (environ 50 km de long sur 17 km de large) est née de la confluence de la rivière des Outaouais et du Saint-Laurent. Elle concentre à elle seule environ un quart de la population québécoise en raison de l'agglomération montréalaise. Vers l'ouest, au-delà de l'aéroport Pierre-Elliot-Trudeau, se détachent les banlieues cossues du West-Island, desservies par l'autoroute 20 ou la 40.

- **À ne pas manquer** – La vue sur le Saint-Laurent depuis la Pointe-Claire.

- **Organiser son temps** – Faire le tour du West-Island nécessite plus d'une journée. Ciblez plutôt la ville ou le site à visiter et passez-y un bon après-midi.

- **Avec les enfants** – Les animaux de l'Ecomuseum de Sainte-Anne-de-Bellevue et l'histoire du Commerce-de-la-Fourrure-à-Lachine.

- **Pour poursuivre la visite** – Voir aussi Montréal, Laval, l'île Perrot, Saint-Eustache, La Prairie.

L'ouest★★

Cette promenade le long des rives de l'île de Montréal est une agréable façon d'échapper aux contraintes de la vie citadine. Commençant à la limite sud-ouest de la ville de Montréal, une **route panoramique★** mène à l'extrémité ouest de l'île. Elle longe les rives aménagées du Saint-Laurent et du lac Saint-Louis, et passe par de beaux quartiers résidentiels dotés de nombreux parcs. La route prend successivement plusieurs noms : boulevard LaSalle à LaSalle, boulevard Saint-Joseph à Lachine, puis chemin du Bord-du-Lac (ou Lakeshore) entre Dorval et Sainte-Anne-de-Bellevue.

Maison Saint-Gabriel★

2146 pl. Dublin, à 4 km du centre-ville de Montréal par la rue Wellington. Tournez à gauche au parc Marguerite-Bourgeoys et suivez les panneaux de signalisation - ℘ 514-935-8136 - www.maisonsaint-gabriel.qc.ca - ▣ - visite guidée (1h30) 24 juin-fête du Travail : mar.-dim. 11h-18h ; de mi-avr. au 23 juin et sept.-déc. : mar.-dim. 13h-17h - 8 $ (enf. 2 $).

En 1668, **Marguerite Bourgeoys** avait acheté, sur ce site, une maison destinée à accueillir les Filles du Roy. Détruit par un incendie en 1693, le bâtiment fut reconstruit cinq ans plus tard sur les fondations d'origine. L'édifice actuel – l'un des plus anciens de l'île de Montréal – date donc de 1698. Restauré en 1965, il abrite depuis un musée d'histoire. Au rez-de-chaussée, la salle commune et le parloir renferment la plupart des meubles qui s'y trouvaient au 18e s., ainsi que des documents sur Marguerite Bourgeoys et la congrégation Notre-Dame.

Des appareils ménagers et des ustensiles divers sont exposés dans la cuisine. À l'étage se trouvent le dortoir et la chambre d'une des Filles du Roy. Au grenier, toujours reliée par les chevilles de bois d'origine (1698), la charpente témoigne de l'étonnante solidité de la construction. À l'extérieur, une grange du 19e s. propose des expositions temporaires.

Retournez rue Wellington et continuez sur le boulevard LaSalle.

La Salle

Nommée en l'honneur de Robert Cavelier de La Salle (1643-1687), cette ville se détacha de la municipalité de Lachine en 1912. Au bout de la 6e Avenue, prenez le sentier qui traverse un vieux barrage (1895) pour découvrir une **vue★** superbe sur les rapides de Lachine. Au large s'étend l'île aux Hérons. Ces derniers, qui se nourrissent dans les rapides, fréquentent les deux rives du fleuve sur lequel on pourra faire du rafting et de l'hydro-jet. Le boulevard LaSalle passe sous le **pont Honoré-Mercier** avant d'entrer à Lachine. Inauguré en 1934, cet ouvrage à deux travées fut baptisé en hommage au Premier ministre du Québec de 1887 à 1891.

LACHINE

Paisible arrondissement sur les rives du Saint-Laurent, Lachine possède un riche passé étroitement lié au développement de la colonie française et à l'évolution commerciale et industrielle de la province. En 1667, les sulpiciens octroyèrent une seigneurie à l'explorateur Robert Cavelier de La Salle à l'endroit même où le fleuve forme le lac Saint-Louis. Le fief fut bientôt surnommé « La Chine » par dérision, car La Salle avait cru qu'en remontant le Saint-Laurent, il découvrirait le fameux passage vers l'Asie mystérieuse. Très vite, la localité devint un poste de défense de Ville-Marie, ancien nom de Montréal. Dans la nuit du 4 août 1689, environ 1 500 Iroquois attaquèrent le village et l'incendièrent par représailles ; deux ans plus tôt, le gouverneur de la colonie avait en effet ordonné l'exécution de plusieurs de leurs chefs. Deux cents personnes périrent au cours de l'affrontement, et une centaine d'autres furent capturées, dont le sort ne fut jamais connu.

Centre de services aux visiteurs de l'écluse de Lachine

500 chemin des Iroquois - Lachine - ✆ *514-364-4490 - www.poledesrapides.com - de fin juin à mi-oct. : lun.-dim. 10h-17h30 ; reste de l'année : lun.-vend. 9h-17h.*

Installé sur l'écluse n° 5 du canal de Lachine, à l'entrée de l'arrondissement, ce centre fournit toute la documentation touristique nécessaire à la découverte du West Island : guides pratiques, carte du réseau des pistes piétonnes et cyclables, produits pour les petites réparations de cycles. Boutique, cafétéria.

Rapides et canal de Lachine★

À la sortie du lac Saint-Louis, le Saint-Laurent subit, sur une distance de 2 km, un changement de dénivellation de 2 m. En 1603, Champlain, du haut du mont Royal, avait déjà noté l'existence « d'ung sault d'aue le plus impetueulx qu'il est possible de veoir » juste en amont du fleuve. Aujourd'hui domestiqués, les célèbres rapides n'en sont pas moins impressionnants, et l'on peut imaginer les difficultés qu'ils posèrent jadis aux explorateurs désireux de les franchir. Dès 1680, le supérieur du séminaire Saint-Sulpice, Dollier de Casson, suggéra le percement d'un canal pour contourner ces eaux tumultueuses. Ce n'est pourtant qu'en 1821 que le projet fut mis en chantier. Achevé en 1824, cet ouvrage de 13,6 km de long allait relier le lac Saint-Louis au port de Montréal. Il comportait sept écluses pouvant élever le niveau des vaisseaux de 14 m. Il fut élargi deux fois, de 1843 à 1849 et de 1873 à 1884, et jusqu'à l'ouverture de la voie maritime du Saint-Laurent en 1959, il demeura la seule voie à contourner les rapides.

Aujourd'hui désaffecté, le canal forme un long couloir récréatif d'une quinzaine de kilomètres. Une piste cyclable très agréable, longeant les anciens entrepôts de Montréal et de Verdun, relie le Vieux-Port à Lachine. L'hiver, elle se transforme en sentier de ski de fond. Les rapides sont visibles du boulevard LaSalle, dans la ville de LaSalle. Des **expéditions★★** en bateau-jet au départ du Vieux-Port de Montréal promettent une descente palpitante sur le fleuve.

Musée de Lachine

Sur le bd LaSalle, à gauche juste avant de traverser le canal. 1 chemin du Musée (🜨 Angrignon) ; bus 110 - ✆ *514-634-3478 - http://lachine.ville.montreal.qc.ca/musee/ - avr.-déc. : merc.-dim. 11h30-16h30 - gratuit.*

Aujourd'hui connu sous le nom de maison Le Ber-Le Moyne, l'édifice dans lequel se trouve le musée fut construit entre 1669 et 1685 par Charles Le Moyne et Jacques Le Ber, deux des premiers marchands à s'établir à Lachine. L'intérieur contient des meubles et des outils d'époque, des documents relatant l'histoire de la ville et des objets d'artisanat. Une structure moderne adjacente (le pavillon Benoît-Verdickt) expose des meubles datant des années 1850 à nos jours et propose des expositions itinérantes d'art contemporain.

Du musée, on voit se profiler l'église de Kahnawake, de l'autre côté du lac.

Musée plein air de Lachine

Du boulevard LaSalle, prenez à gauche le chemin du canal. Parc René-Lévesque - ouv. toute l'année du lever au coucher du soleil.

Cet espace vert est aménagé sur une péninsule du lac Saint-Louis qui, gagnée sur le fleuve, fut remblayée de 1873 à 1884 pour abriter la troisième entrée du canal Lachine. Autrefois connu sous le nom de « Grande-Jetée », le parc fut rebaptisé en l'honneur de René Lévesque (1922-1987), Premier ministre du Québec de 1976 à 1985. On peut se rendre à pied ou à bicyclette jusqu'à la pointe de la péninsule. Les sentiers, agréablement aménagés, sont décorés de sculptures contemporaines choisies parmi la cinquantaine que possède le musée de Lachine. On y remarquera une œuvre de Georges Dyens intitulée *Les Forces vives du Québec*.

De la péninsule, admirez le Saint-Laurent à sa sortie du lac Saint-Louis, la ville de Lachine, et en aval, les ponts qui traversent le fleuve. L'été, un traversier relie la pointe de la péninsule au parc Saint-Louis.

Lieu historique national du Commerce-de-la-Fourrure-à-Lachine★

Sur le bd Saint-Joseph, face à la 12ᵉ Av. et au collège Sainte-Anne. 1255 bd St-Joseph (⏱ Angrigon) puis bus 195 - ☎ 514-637-7433 - www.pc.gc.ca - de déb. avr. à déb. déc. : 9h30-12h30, 13h-17h (de mi-oct. à déb. déc. : merc.-dim. seulement) - 4 $ (enf. 2 $).

👥 Le vieux hangar de pierre qui servit d'entrepôt à fourrures de 1803 à 1859 fait maintenant revivre l'épopée montréalaise de la fourrure. Le visiteur circule parmi les ballots de fourrure, les caisses de marchandises et identifie les étapes de l'histoire de ce commerce. On y trouve des cartes des territoires de piégeage et des postes de traite qui appartenaient à la Compagnie du Nord-Ouest et à la Compagnie de la baie d'Hudson. Il fut un temps où près de 80 % des fourrures exportées en Europe passaient d'abord par Lachine, avant la fusion de ces deux compagnies en 1821.

Promenade Père-Marquette

Accès principal par le boulevard Saint-Joseph, face à la 18ᵉ Avenue.

La promenade le long du lac Saint-Louis fut nommée en l'honneur du père Jacques Marquette (1637-1675) qui, avec Jolliet, découvrit le Mississippi en 1673. Le promeneur peut voir le couvent des sœurs de Sainte-Anne qui dirigent d'ailleurs le collège Sainte-Anne (1861), en face de l'entrepôt, et plus loin, l'église des Saints-Anges-Gardiens (1919).

Poursuivez vers l'ouest en vous engageant sur le chemin du Bord-du-Lac.

Le **chemin du Bord-du-Lac** débute à Lachine et remonte le Saint-Laurent jusqu'à Ste-Anne-de-Bellevue, devenant entre-temps boulevard Beaconsfield et Lakeshore. Il traverse ainsi tout le West-Island.

WEST-ISLAND

Les municipalités de l'île de Montréal situées à l'ouest de Lachine sont collectivement connues sous le nom de **West-Island**. Leurs demeures cossues, prolongées par des quais privés, des marinas et de beaux parcs boisés, abritent une importante communauté anglophone. Banlieue très connue pour son aéroport international, **Dorval** *(4,5 km)* doit son nom à Jean-Baptiste Bouchard, natif d'Orval, en France, qui y acquit des terres en 1691.

Pointe-Claire★

Cette banlieue aisée, traditionnellement anglophone, est située sur les bords du lac Saint-Louis. Elle tire son nom des belles **vues★** claires que l'on a de la pointe qui s'avance dans le lac *(ci-dessous)*.

Stewart Hall★ – *À gauche, sur le chemin du Bord-du-Lac. Suivez les panneaux indicateurs - ☎ 514-630-1254 - www.ville.pointe-claire.qc.ca - ♿-🅿 - lun.-dim. 13h-17h.* Construite en 1915, cette belle maison de pierre au toit de cuivre est une réplique à plus petite échelle du château de l'île Mull, en Écosse. En 1963, Walter Stewart et son épouse achetèrent l'édifice et en firent don à la ville de Pointe-Claire, afin qu'y soit créé un centre culturel. Aujourd'hui, la demeure renferme une bibliothèque, une galerie d'art et une superbe salle lambrissée où se tiennent réunions, spectacles, concerts et autres activités organisées par le centre culturel. Du jardin, une superbe **vue★** embrasse une grande partie du lac.

La Pointe★ – *Du chemin du Bord-du-Lac, prenez la rue Sainte-Anne et garez-vous près de l'église.* Au bout de la péninsule qui s'avance dans le lac Saint-Louis se trouve le couvent des sœurs de la congrégation de Notre-Dame (1867). Derrière, un vieux **moulin à vent** (1709) servit en son temps de refuge contre d'éventuelles attaques amérindiennes. Construite en 1882, l'église Saint-Joachim jouxte un presbytère dont le porche fait le tour du bâtiment et dont le toit est égayé de nombreuses formes pyramidales. De ce site, la **vue** est belle.

Après Pointe-Claire, le chemin du Bord-du-Lac devient boulevard Beaconsfield (5 km).

Beaconsfield

Cette riche banlieue fut nommée en l'honneur du Premier ministre britannique Benjamin Disraeli (1804-1880), devenu Lord Beaconsfield en 1876 sous le règne de Victoria.

Le boulevard porte à nouveau le nom de chemin du Bord-du-Lac lorsqu'il traverse Baie-d'Urfé (6 km).

Baie-d'Urfé

Cette banlieue tient son nom de l'abbé François-Saturnin Lascaris d'Urfé qui, en 1686, fonda ici une mission. Le jardin voisin de l'hôtel de ville de Baie-d'Urfé *(20410 chemin du Bord-du-Lac)* offre une superbe **vue** sur le lac et l'île Dowker.

Sainte-Anne-de-Bellevue★

Située à l'extrémité occidentale de l'île de Montréal, cette municipalité correspondait, au 17e s., à la seigneurie de Bellevue. La paroisse fut consacrée à sainte Anne en 1714, et la ville adopta ce nom en 1878. Son artère principale, la rue Sainte-Anne, longe la rivière des Outaouais dont les eaux tumultueuses rejoignent celles du Saint-Laurent au lac Saint-Louis après avoir franchi une écluse. Au-dessus, un pont de chemin de fer et la route 20 conduisent à l'île Perrot.

Une charmante **promenade de bois** a été aménagée au bord de l'eau. Elle offre de nombreux restaurants d'où les gens s'amusent à regarder passer les bateaux.

Campus Macdonald – *Rue Sainte-Anne, à l'entrée de la localité.* En 1907, Sir William Macdonald (1831-1917), fondateur de la Macdonald Tobacco Company et recteur de McGill, fit don à l'université d'un terrain de 650 ha. Sur celui-ci furent érigés des pavillons de brique rouge qui abritent aujourd'hui la faculté des sciences de l'agriculture et de l'environnement.

La **ferme expérimentale** *(21111 chemin Lakeshore -* ☎ *514-398-7701 -* ✕ � &. 🅿 *-lun.-vend. 11h-15h, w.-end 11h-13h)* comprend une étable laitière et une mini-ferme peuplée de moutons, de chèvres, de cochons, de lapins et autres. On peut également voir l'**arboretum Morgan** (245 ha), qui possède l'ensemble le plus complet d'essences d'arbres indigènes au Canada *(traversez le campus, passez au-dessus de l'autoroute 20 puis de la 40, l'arboretum s'étend à gauche du chemin des Pins -* ☎ *514-398-7811 - www.morganarboretum.org - 9h-16h - 5 $, enf. 2 $).*

Ecomuseum – *Même route que pour l'arboretum Morgan, mais au lieu de poursuivre sur le chemin des Pins, tournez à droite sur le chemin Ste-Marie. 21125 chemin Ste-Marie -* ☎ *514-457-9449 - www.ecomuseum.ca - 9h-1/h- fermé 25 déc. - 10 $ (3-15 ans 5 $).* 👥 Voilà près de 20 ans que cette structure, indépendante du campus Macdonald, étudie et sauvegarde les amphibiens et les reptiles. Ceux-ci sont visibles dans des vivariums installés au sous-sol. À leur suite, les animaux nocturnes (opossums, mouflettes, polatouches). Dehors, un parcours en 24 étapes permet de voir un couple de martres d'Amérique, un autre de coyotes, de porcs-épics, de loutres, des caribous, des ours noirs, des loups…

Dans Sainte-Anne-de-Bellevue, suivez la rue Sainte-Anne, puis le chemin Senneville. Ce dernier remonte vers le nord-est en traversant des bois et des champs qui cachent le lac des Deux Montagnes, à gauche. Une fois passé le parc agricole du Bois-de-la-Roche, le chemin rejoint le chemin de l'Anse-à-l'Orme. Continuez tout droit. Le chemin devient le boulevard Gouin. Il longe alors, sur la gauche, le parc-nature du Cap-Saint-Jacques.

Parc-Nature du Cap-Saint-Jacques

Chalet d'accueil - ☎ *514-280-6871 - 10h-16h.*

Les 288 ha de ce parc, autrefois terres agricoles, regroupent une intéressante palette d'activités de plein air. 5,7 km de sentiers de randonnée ont été balisés, 8 km pour les vélos. Le site comprend également une plage et une ferme écologique, qui produit des légumes biologiques et abrite quelques animaux *(*☎ *514-280-6743)*. En hiver, place est faite aux pistes de ski de fond, aux sentiers de raquette et, toujours, à la randonnée pédestre. Un sentier d'interprétation permet de découvrir la flore et la faune du parc, qui recense quelque 142 espèces d'oiseaux (hirondelles, sittelles…).

Retrouvez l'autoroute 40 Est (direction Montréal) en suivant le chemin Ste-Marie. Quittez-la à la sortie 62 (chemin de la Côte-Vertu).

Saint-Laurent

Environ 10 km au nord du centre-ville de Montréal par la rue Sherbrooke Est, la route 15 Nord, l'autoroute et le boulevard Décarie.

Cette banlieue industrielle de Montréal fut fondée en 1687, lorsque les frères Paul, Michel et Louis Descarie s'y établirent pour cultiver la terre qu'ils appelèrent la côte Saint-Laurent.

Musée des Maîtres et Artisans du Québec★ – *Sur le terrain du Cégep Saint-Laurent par l'av. Ste-Croix. En venant du bd Décarie, tournez à droite dans la rue du Collège. Le collège est droit devant, à l'intersection avec l'av. Ste-Croix - 615 av. Ste-Croix (*Ⓜ *Du Collège) -* ☎ *514-747-7367 - www.mmaq.qc.ca -* &. 🅿 *- merc.-dim. 12h-17h - 5 $.* Ce petit musée occupe l'ancienne église presbytérienne de Saint-André et Saint-Paul (1867), déménagée du boulevard Dorchester en 1931. Cette étonnante structure néogothique servit de chapelle au collège jusqu'en 1975, et fut par la suite transformée en musée. À l'intérieur, on voit encore la voûte de bois finement sculptée et les beaux vitraux.

Le musée abrite une importante collection d'objets artisanaux du Canada français. Des métiers comme la ferblanterie, le tissage, la céramique, la fabrication de meubles, l'orfèvrerie et la sculpture sur bois y sont illustrés. Le musée renferme aussi une vaste collection de sculptures religieuses et de très beaux meubles. Il propose par ailleurs des expositions temporaires axées sur le patrimoine artistique ou historique de la province.

Le nord-est

SAULT-AU-RÉCOLLET

À environ 12 km au nord du centre-ville de Montréal par les rues Sherbrooke Est (route 138), Cartier, Rachel et l'avenue Papineau.

L'une des plus anciennes communautés de l'île de Montréal, Sault-au-Récollet fut annexée à la ville de Montréal en 1916. L'endroit, sur les bords de la rivière des Prairies, fut tour à tour visité par Jacques Cartier en 1535, puis Samuel de Champlain en 1615. Le toponyme évoque le triste souvenir du récollet et de son fidèle disciple Ahuntsic qui furent tous deux noyés par des Hurons dans les rapides de la rivière en 1625. En 1696, les sulpiciens fondèrent ici une mission, qui fut érigée en paroisse en 1736. L'aménagement des rapides est assuré, depuis 1930, par Hydro-Québec.

Église de la Visitation-de-la-Bienheureuse-Vierge-Marie★

De l'avenue Papineau, prenez à gauche le boulevard Henri-Bourassa, puis à droite la rue des Jésuites (Ⓜ Henri-Bourassa) - 𝄽 514-388-4050.

Érigée sur les bords de la rivière des Prairies, l'église actuelle du Sault-au-Récollet fut construite entre 1749 et 1752. C'est aujourd'hui la plus ancienne église de l'île de Montréal. Avec sa grande nef et son absence de chapelles latérales, l'édifice rappelle, par son architecture, les églises des récollets de Nouvelle-France. En 1773, on y ajouta une sacristie qui fut agrandie en 1844.

Vaste écran en pierre de taille bordé par deux hautes tours, la **façade** actuelle (1850), de style néoclassique, est l'œuvre de John Ostell. Peu familiarisé avec l'architecture des églises catholiques, celui-ci s'était inspiré de l'église de Sainte-Geneviève de Pierrefonds (au nord de Montréal), conçue quelques années plus tôt par Thomas Baillairgé. Victor Bourgeau, disciple d'Ostell, utilisa par la suite les mêmes plans à travers toute la région de Montréal, en particulier pour l'église de Sainte-Rose-de-Lima à Laval.

Le **décor intérieur★★**, très élaboré, illustre l'esthétique bien particulière de l'École de Quévillon. La voûte turquoise et or, ornée de berceaux en forme de diamants, est d'une rare qualité. Tout comme le décor sculpté du sanctuaire, elle fut mise en place par David Fleury-David, peu avant 1820. Installée en 1837, la magnifique **chaire★**, avec sa cuve et son abat-voix ornés de fines sculptures, est sans aucun doute l'une des plus belles pièces de mobilier liturgique réalisées au Québec. Elle est due à Vincent Chartrand, de l'atelier de Quévillon. Le tabernacle du maître-autel est attribué à Philippe Liébert (1732-1804). L'autel qui le supporte, tout comme les autels latéraux et leurs tabernacles, sont de Louis-Amable Quévillon (1749-1823). Les deux portails (1771) menant à la sacristie sont ornés de bas-reliefs polychromes inscrits dans des panneaux de style Louis XV.

Parc-nature de l'Île-de-la-Visitation

Du bd Gouin, juste à l'est du pont Papineau-Leblanc, tournez à gauche dans la rue du Pont. Accès interdit aux véhicules (Ⓜ Henri-Bourassa) - 𝄽 514-280-6733 - 🅿 (7 $ la journée) - chalet accueil 9h30-16h30, parc du lever au coucher du soleil.

L'île de la Visitation est l'un des six parcs-nature gérés par la communauté urbaine de Montréal. Ses 32 ha de sous-bois et d'étendues vallonnées sont équipés de pistes cyclables, de sentiers de marche, d'aires de pique-nique, de sites de pêche et de pistes de ski de randonnée *(possibilité de louer des skis sur place)*. Dès le 18e s., des moulins, dont le dernier fonctionna jusqu'en 1970, se dressaient sur la chaussée qui relie cette île aux berges de la rivière des Prairies. Avant d'accéder à l'île, on peut visiter l'attrayante **maison du Pressoir**, qui date des débuts du 19e s. (𝄽 514-280-6783 - mai-oct. : 12h-17h). Le mécanisme original y est montré, et une exposition illustre la méthode de fabrication du cidre. Non loin de là, la **maison du Meunier** (𝄽 514-280-6709 - mai-oct. : 12h-17h) accueille aujourd'hui des expositions d'art.

Nicolet

CENTRE-DU-QUÉBEC
7 827 HABITANTS
WWW.VILLE.NICOLET.QC.CA OU WWW.TOURISMECENTREDUQUEBEC.COM

Nicolet est un des villages fondés par les Acadiens au Québec à la suite de la déportation des colons français de l'Acadie par l'armée britannique en 1755. C'est là son premier intérêt, historique. Il propose par ailleurs un surprenant musée des Religions et se situe à quelques kilomètres de la réserve amérindienne d'Odanak et son musée des Abénakis. Trois bonnes raisons pour en faire une étape.

▶ **Se repérer** – Nicolet se trouve à 170 km au nord-est de Montréal par les routes 40, 55 et 132, et à 25 km au sud-ouest de Trois-Rivières, et sur la rive droite de la rivière Nicolet, à 3 km de son embouchure avec le Saint-Laurent.

👁 **À ne pas manquer** – Le musée des Abénakis à Odanak.

🖑 **Pour poursuivre la visite** – Trois-Rivières, Drummondville, la vallée du Richelieu.

Comprendre

L'arrivée, en 1756, d'un groupe de réfugiés acadiens est à l'origine de ce centre agricole dont le nom évoque l'un des compagnons de Champlain, Jean Nicollet (1598-1642). Devenu diocèse en 1877, il accueille plusieurs communautés religieuses, et abrite par ailleurs l'École nationale de police du Québec. En 1955, un glissement de terrain provoqua l'effondrement d'une bonne partie du vieux centre dans la rivière.

Visiter

Cathédrale Saint-Jean-Baptiste★★

671 bd Louis-Fréchette - 📞 *819-293-5492.* Dotée d'un campanile détaché du reste de l'édifice, cette cathédrale en béton armé (1962 ; Gérard Malouin) évoque, par ses formes audacieuses, la voilure d'un navire. Elle remplace l'ancienne cathédrale emportée par le fameux glissement de terrain de 1955. Œuvre de Jean-Paul Charland, une magnifique **verrière** (hauteur : 21 m ; longueur : 50 m) vient embellir la façade ; autour de saint Jean-Baptiste (patron du diocèse de Nicolet), une composition abstraite éclate en d'innombrables prismes lumineux sous les rayons du soleil matinal. La nef, en chêne blanc et en noyer, peut contenir jusqu'à 1 400 fidèles. Le chemin de Croix est gravé dans des murs d'ardoise ; au-dessus, des icônes représentent les anciens évêques de Nicolet. À gauche de l'autel (en granit noir), un passage mène au baptistère, décoré de mosaïque. Le vitrail du chœur, exécuté par le frère Éric de Thierry, est une superbe représentation du Christ en gloire.

Ancien collège-séminaire de Nicolet

350 r. d'Youville. C'est pour favoriser le recrutement religieux en milieu urbain que les autorités religieuses établirent en 1803 un collège-séminaire à Nicolet. Cet édifice fut construit en 1828 selon les plans de l'abbé Jérôme Demers et de Thomas Baillairgé. Un incendie détruisit la moitié du bâtiment en 1973. Il abrite aujourd'hui l'École nationale de police du Québec, chargée de la formation des policiers de la province.

Musée des Religions du monde

900 bd Louis-Fréchette, en face de la cathédrale (sur la route 132) - 📞 *819-293-6148 - www.museedesreligions.qc.ca -* ♿*-* 🅿 *- avr.-oct. : 10h-17h ; reste de l'année : mar.-vend. 10h-16h30, sam.-dim. 13h-17h - fermé 1er janv. et 25 déc. - 6 $.* Consacré à l'étude et la préservation de l'héritage religieux, ce musée occupe, depuis 1991, un bâtiment moderne coiffé d'une pyramide de verre. Au rez-de-chaussée, l'exposition reflète, à travers les objets qu'elle expose (moulin à prière, calice et patène, statues de divinités, tapis de prière, lampe de Hanouka, etc.), les principales tendances religieuses dans le monde : bouddhisme, christianisme, hindouisme, islam et judaïsme. Des expositions temporaires donnent par ailleurs l'occasion de s'interroger sur la dimension spirituelle de l'être humain. Au sous-sol, les chercheurs pourront consulter les riches archives du séminaire de Nicolet (3 500 objets, 2 000 cartes et plans, 24 000 photos et plus de 100 000 ouvrages).

Maison Rodolphe-Duguay

195 rang Saint-Alexis. Faites 1 km sur la route 132 ; passez le pont Pierre-Roy, puis prenez à gauche le rang Saint-Alexis - 📞 *819-293-4103 - www.rodolpheduguay.com-* 🅿 *- de mi-mai à mi-oct. : mar.-dim. 10h-17h ; reste de l'année : sur rendez-vous seulement -*

3,50 $ - accès gratuit aux jardins durant l'été. Construite en 1835, la maison où naquit et vécut le peintre-graveur Rodolphe Duguay (1891-1973) se dresse sur un site agréable dominant la rivière Nicolet. Le bel atelier qui lui est attenant fut rajouté par l'artiste, après son retour en 1927 d'un long séjour à Paris où il était parti étudier. Ancien élève de Suzor-Côté, Duguay était surtout un peintre paysagiste, et l'un des graveurs sur bois les plus célèbres du Canada. Des expositions thématiques permettent de découvrir son œuvre, et l'environnement dans lequel il travaillait.

Aux alentours

Baie-du-Febvre

13 km au sud-ouest par la route 132.

Niché le long du **lac Saint-Pierre**, ce petit village accueille chaque année en avril les oies des neiges du Québec. Les prés environnants, recouverts de neige fondue, se transforment en lacs peu profonds, refuges idéals pour le gibier d'eau qui s'y arrête pour se reposer lors de son retour au pays. Dernier bassin d'eau douce du Saint- Laurent, le lac Saint-Pierre est également la plus importante halte migratoire de sauvagines du Québec. Plus de 288 espèces d'oiseaux résidents et migrateurs ont pu y être observées. Depuis 2000, le lac a été déclaré « réserve de la Biosphère » par l'Unesco (*Réserve de la Biosphère du Lac-Saint-Pierre - ℘ 450-746-9441 - www. biospherelac-st-pierre.qc.ca*).

Une visite au **centre d'interprétation de Baie-du-Febvre** (*420 rte Marie-Victorin - ℘ 450-783-6996 - www.oies.com - mars-nov. : 10h-17h - 6 $*) vous permettra d'obtenir toutes les informations sur le phénomène de la migration de l'oie blanche.

Odanak

25 km au sud-ouest par la route 132. Tournez à gauche à Pierreville et suivez les indications.

Située au bord de la rivière Saint-François, la réserve amérindienne d'Odanak fut peuplée vers 1700 par des Abénaquis et des Sokokis. Les principales sources de revenus de la Réserve sont la vente d'œuvres d'art et d'artisanat, le tourisme ainsi que la foresterie, la confection de vêtements et la fabrication de meubles. La Fête des Abénakis est célébrée à Odanak tous les ans vers la fin du mois de juillet.

Cinquième à être érigée sur le site, sa **petite église** est décorée de sculptures autochtones. Aux murs, remarquez la frise en bois et les statues, notamment celle de Kateri Tekakwitha (*voir Kahnawake*).

Musée des Abénakis – *Dans l'ancien couvent, à côté de l'église - ℘ 450-568-2600 - www.abenakis.ca/musee -* &-P *- mai-sept. : 10h-17h, sam.-dim. 13h-17h ; nov.-avr. : lun.-vend. 10h-12h, 13h-17h - 8,50 $.* Le musée des Abénakis témoigne de la culture traditionnelle de cette nation et de son évolution au fil du temps. On y découvre, au moyen d'expositions permanentes et temporaires, le mode de vie traditionnel des Abénakis, l'histoire d'Odanak et l'établissement de la mission catholique.

Île aux Noix

MONTÉRÉGIE
SCHÉMA : VALLÉE DU RICHELIEU
WWW.TOURISME-MONTEREGIE.QC.CA

Près de la frontière américaine, les eaux de la rivière Richelieu contournent une île où les noyers poussaient jadis à foison. Cette toute petite étendue de terre (85 ha) fit en son temps partie de la seigneurie de Noyan, concédée en 1733 par le marquis de Beauharnois, gouverneur de la Nouvelle-France, à Pierre-Jacques Payan, pour ses brillants états de service. Le premier habitant de l'île – un soldat dénommé Pierre Jourdanet – versait alors un loyer annuel dont le montant se limitait… à une simple « pochée de noix », d'où son nom. Sachez encore, et c'est le plus important, que Fort-Lennox, lieu historique national du Canada, occupe les deux tiers de l'île !

◗ **Se repérer** – L'île se trouve à 60 km au sud-est de Montréal par les routes 10, 35 et 223, puis le traversier (*mêmes horaires que pour Fort-Lennox*) au départ de Saint-Paul-de-l'Île-aux-Noix. On peut également y accéder en bateau (*4h*) au départ de Saint-Jean-sur-Richelieu.

👁 **À ne pas manquer** – La visite guidée de Fort-Lennox en compagnie de guides qui vous feront entrer dans l'univers des soldats et de leurs familles.

🕐 **Organiser son temps** – Prévoyez une demi-journée, avec pique-nique sur l'île.

👫 **Avec les enfants** – Les démonstrations de tir avec des fusils à silex et les animations en costumes du 19e s., organisées l'été à Fort-Lennox.

🚶 **Pour poursuivre la visite** – Chambly, St-Jean-sur-Richelieu, et toute la vallée du Richelieu (*voir ce nom*).

Comprendre

Située sur un axe commercial et militaire particulièrement important, à quelques kilomètres à peine du déversoir du lac Champlain, l'île aux Noix fut fortifiée par les Français dès 1759, dans le cadre de la guerre de Sept Ans. Les forces britanniques s'emparèrent du site l'année suivante, détruisirent les retranchements français et abandonnèrent les lieux. Lors de la guerre d'Indépendance, l'île fut occupée par les Américains (1775-1776). Après le repli de ces derniers, l'endroit devint, pour les Anglais, d'une importance stratégique de premier plan (il s'agissait en effet de leur poste défensif le plus méridional sur la rivière Richelieu) : une première fortification britannique y fut donc construite. Puis, durant la guerre anglo-américaine de 1812, un chantier naval y fut ajouté, le but étant de créer une flotte capable de tenir en échec celle que les Américains avaient assemblée sur le lac Champlain. Au lendemain du conflit, les Anglais élevèrent, par mesure de précaution, une seconde fortification, plus grande que la première : Fort-Lennox.

La menace américaine temporairement apaisée, l'île aux Noix servit quelque temps de centre de réhabilitation pour délinquants. Après un bref regain d'activité militaire durant la guerre de Sécession américaine, puis la révolte fénienne, elle sera utilisée comme lieu de villégiature, et pendant la Seconde Guerre mondiale, comme camp d'internement. Devenue lieu historique national, elle témoigne aujourd'hui d'une riche période de l'histoire militaire du Canada.

Visiter

Lieu historique national du Canada du Fort-Lennox★

La construction de Fort-Lennox (1819-1829) se déroula parallèlement à celle de la fameuse Citadelle de Québec. L'ouvrage fut baptisé en l'honneur de Charles Lennox (1764-1819), duc de Richmond et gouverneur de l'Amérique du Nord britannique, qui en avait ordonné les travaux. Le fort devait malheureusement être achevé au moment même où l'on améliorait le réseau routier le long de la rivière Richelieu, ce qui augmentait les risques d'une attaque ennemie par les terres, mais réduisait ceux d'une invasion par le fleuve. Ayant perdu de son importance stratégique, le fort fut abandonné. Cependant, l'affaire Trent et le soulèvement des fenians dans les années 1860 raviva les inquiétudes des Britanniques qui décidèrent d'y réinstaller une garnison. Cette dernière allait y demeurer jusqu'en 1870.

Typique de l'architecture militaire du 19e s., le fort est entouré d'un large fossé en forme d'étoile à cinq branches autour d'une série de hauts remparts d'argile. Les coins sont protégés par des bastions qui donnent sur la cour intérieure. Le visiteur emprunte une passerelle et passe sous une imposante arche de pierre, avant de pénétrer dans la cour principale, entourée de bâtiments de pierre de style néoclassique. Le corps de garde (1823) et le logis des officiers (1825-1828), ornés de colonnes et d'arcades, sont regroupés avec ordre et symétrie. Les casernes s'organisent sagement autour d'un pavillon central. Le complexe compte par ailleurs deux entrepôts (1823), une poudrière (1820) et 17 casemates sous les remparts.

Visite – ✆ 450-291-5700 ou 1-800-463-6769 - www.pc.gc.ca/fortlennox - ✗-♿ - 15 mai-22 juin : 10h-17h ; 23 juin- 1er lun. sept. : 10h-18h ; reste de sept.- déb. oct. : sam.-dim. 10h-18h, jour de semaine sur réservation - 7,15 $ (traversier et visite du fort). Fort-Lennox occupe un joli **site★** au bord de la rivière Richelieu. Le complexe militaire a été restauré de façon à reconstituer la vie quotidienne d'une garnison anglaise au milieu du 19e s. On y voit notamment le logis de la sentinelle, avec son poêle à bois et son cachot, la prison, les casernes, la chambre d'officier, la poudrière et les entrepôts.

Le reste de l'île offre aux visiteurs plusieurs aires de pique-nique et de repos.

Île d'Orléans★★

RÉGION DE QUÉBEC
6 862 HABITANTS
WWW.ILEDORLEANS.QC.CA OU WWW.QUEBECREGION.COM

Avec ses églises aux clochers effilés et ses maisons en bois du 18e s., l'île d'Orléans a un charme fou ! Passage incontournable après ou avant la visite de Québec, l'île fait encore résonner l'écho de la vie rurale en Nouvelle-France. Placée à la pointe de l'estuaire du Saint-Laurent, cette langue de terre plate, visible de la ville de Québec, offre des paysages très variés : érablières au nord et sur le plateau central, chênaies au sud-ouest, terres marécageuses au centre et plages au bord du fleuve. Si depuis 1935, un pont la relie au reste du continent, l'île n'a rien perdu de sa tranquillité qui inspira le peintre Horatio Walker et, plus récemment, le chansonnier Félix Leclerc : « L'île d'Orléans, c'est quarante-deux milles de choses tranquilles, pour oublier toutes ses blessures… »

- **Se repérer** – L'île se trouve à 10 km au nord-est de Québec par les routes 440 ou 138. Elle s'étend sur 192 km^2.
- **À ne pas manquer** – Les vues sur la côte de Beaupré et les rives du Bas-Saint-Laurent depuis l'île.
- **Organiser son temps** – La découverte de l'île constitue le prolongement parfait de celle de Québec. Comptez une journée.
- **Pour poursuivre la visite** – Québec, la côte de Beaupré.

Comprendre

L'île étant pour eux une « terre des esprits », les Amérindiens l'auraient appelée *Ouindigo* (« coin ensorcelé »), bien avant l'arrivée des Européens. Lorsqu'il y débarqua en 1535, Jacques Cartier, surpris par l'abondance de vignes sauvages qui y poussaient, la nomma « île de Bacchus ». Un an plus tard, elle allait être rebaptisée en l'honneur du duc d'Orléans, fils de François Ier. L'agriculture a, de tout temps, joué un rôle fondamental dans l'économie locale. Sous le Régime français, la seigneurie était divisée en parcelles perpendiculaires au Saint-Laurent, selon le fameux système du rang. Aujourd'hui, les vastes terrains agricoles produisent une abondance de fraises, de framboises, de pommes, d'asperges et de pommes de terre, sans parler d'un délicieux sirop d'érable.

Beaucoup d'habitants de l'île font remonter leurs origines aux premiers colons français arrivés en ces lieux il y a plus de 300 ans. Ils réussirent à créer une communauté si prospère qu'à une certaine époque l'île était plus peuplée que la ville de Québec : en 1667, elle comptait en effet 529 âmes, contre à peine 448 pour Québec.

Tour de l'île

67 km. Après avoir franchi le pont de l'île d'Orléans, tournez à droite en direction de Sainte-Pétronille. Un **centre d'information touristique** (☎ 418-828-9411 - www.iledorleans.com) *se trouve à l'intersection de la route du pont et de la route 368.*

La route 368 fait le tour de l'île d'Orléans sur 67 km et traverse six agglomérations, chacune ayant sa personnalité propre. Au cours du trajet, le visiteur pourra contempler de splendides paysages et d'exceptionnelles **vues★★** de la côte de Beaupré et des rives du Bas-Saint-Laurent. L'itinéraire qui longe la côte sud, de Sainte-Pétronille à Saint-François, est particulièrement beau. Au retour, par le nord de l'île, on peut admirer de superbes panoramas de la chute Montmorency et du mont Sainte-Anne.

Sainte-Pétronille

À 5 km de la jonction de la route du pont. Cette petite communauté fut tour à tour baptisée l'Anse-au-Fort, Bout-de-l'Île, puis Village-Beaulieu, avant de recevoir son nom actuel en 1870. Elle fut le site de la première colonie de l'île (1649). Les Hurons s'y réfugièrent dans les années 1650 à la suite du conflit qui les opposait aux Iroquois. Une petite chapelle, érigée à cette époque, a aujourd'hui disparu. En 1855, on construisit un quai pour le chargement des produits de l'île, et on mit en place un service de traversier à vapeur pour relier Sainte-Pétronille à Québec. Cette liaison permit le développement du tourisme à la fin du 19e s., et beaucoup de riches familles y firent alors bâtir des résidences secondaires de style victorien. Particularité digne d'être mentionnée, Sainte-Pétronille possède l'un des terrains de golf les plus anciens d'Amérique du Nord (1866).

Église de Sainte-Pétronille – *Prenez à gauche le chemin de l'Église, puis tournez à droite, juste avant le cul-de-sac en face du golf -* 𝄞 *418-828-2656.* Un couvent (1875), un presbytère et une église (1871, J.-F. Peachy), dont l'intérieur fut décoré par David Ouellet, composent un ensemble religieux du plus bel effet.

Continuez le long du chemin de l'Église, qui débouche sur le chemin du Bout-de-l'Île.

Un sentier longe le fleuve. Tournez à gauche, puis à droite dans la rue du Quai.

La Goéliche – *Rue du Quai.* Construit en 1880, cet imposant bâtiment de style victorien fut d'abord baptisé château Bel Air, puis manoir de l'Anse. Il surplombe le Saint-Laurent et abrite aujourd'hui un **hôtel** ainsi qu'un **restaurant** (𝄞 *418-828 2248 - www.goeliche.ca*).

Reprenez la route 368, et continuez jusqu'à Saint-Laurent.

Saint-Laurent-de-l'Île-d'Orléans★

11 km. Le centre maritime de l'île bénéficiait, au milieu du 19e s., d'une florissante industrie de construction navale. Une vingtaine d'entreprises familiales fabriquaient alors des chaloupes fort réputées pour leur solide charpente et leur belle coupe. Ces bateaux à fond plat demeurèrent le principal moyen de transport des insulaires jusqu'à la construction, en 1935, d'un pont leur permettant de se rendre sur le continent. Aujourd'hui encore, Saint-Laurent est le seul bourg de l'île à posséder une marina capable d'accueillir plus de 130 bateaux.

Environ 2 km avant l'entrée du village, notez la **maison Gendreau** *(2387 chemin Royal)*. Construite en 1720, cette demeure au toit pentu possède une double rangée de lucarnes assez curieuse. Près de la marina, au cœur du village, s'élève l'**église Saint-Laurent** (1860), dominée par un clocher aux dimensions harmonieuses. Dans la partie ancienne du bourg, une chapelle de procession se dresse près du tribunal. En quittant le village, on remarquera enfin le **moulin Gosselin** *(côté gauche de la route)* ; l'édifice, désormais transformé en restaurant, date du début du 18e s.

Saint-Jean-de-l'Île-d'Orléans★

11 km. La paroisse de Saint-Jean fut fondée en 1679 par Mgr de Laval. Entre 1850 et 1950, le village connut une période d'intense croissance économique, avec l'arrivée de nombreux pilotes de Charlevoix qui apportèrent avec eux de belles occasions de développement maritime et industriel. Le cimetière marin rappelle la dure existence de ces hommes dont bon nombre périrent au cours de voyages difficiles sur les eaux tumultueuses du Saint-Laurent. Aujourd'hui, les habitants perpétuent les activités agricoles et maritimes de leurs ancêtres. Leurs maisons, décorées dans le style marin, forment de petits groupes accrochés aux pentes des collines et sur les rives du fleuve.

Manoir Mauvide-Genest★ – *1451 chemin Royal -* 𝄞 *418-829-2630 - www.manoir-mauvidegenest.com -* ♿*-* 🅿 *- visite guidée (45mn) mai-oct. : 10h-17h - 6 $.* Remarquable exemple d'architecture rurale sous le Régime français, ce manoir de style normand fut construit en 1734 pour Jean Mauvide, chirurgien du roi et prospère marchand français, et son épouse Marie-Anne Genest, originaire des environs de Saint-Jean. Propriétaire de la moitié de l'île d'Orléans, Mauvide agrandit la maison d'origine vers le milieu du 18e s. et la transforma en une somptueuse demeure. Plus tard, quand ses affaires périclitèrent, il vendit sa seigneurie à son gendre. Le juge J.-Camille Pouliot acquit le manoir en 1926 et le fit restaurer. Le bâtiment abrite aujourd'hui un restaurant ainsi qu'un musée historique regroupant des meubles et objets (période essentiellement victorienne) collectionnés par le juge Pouliot au début du 20e s. Sur la façade avant du solide édifice, remarquez quelques traces de boulets laissées en 1759 par les canons de l'amiral Saunders, alors que le siège de Québec était sur le point de commencer.

Saint-François-de-l'Île-d'Orléans

11 km. Cette petite localité correspond à l'ancienne seigneurie de François Berthelot, fondée en 1679. Elle occupe la partie est de l'île ainsi que les minuscules île Madame et île aux Ruaux.

C'est à 20 km au-delà de ce point que le Saint-Laurent passe de l'eau douce à l'eau salée. L'agriculture, en particulier la pomme de terre, reste la ressource principale de la communauté.

Ravagée par le feu en 1988, l'**église Saint-François** (1736) fut reconstruite sur ses fondations d'origine en 1992. Du côté sud de l'église se dresse le **presbytère** (1867), d'architecture typiquement québécoise, avec sa grande galerie. Une chapelle de procession indique la limite du bourg.

À la sortie du village, une tour d'observation offre une **vue**★★ sur les deux rives du Saint-Laurent. En regardant vers l'ouest, on peut distinguer les pentes de ski du mont Sainte-Anne et la côte de Beaupré.

Sainte-Famille

14 km. C'est en 1661 que Mgr de Laval fonda cette paroisse, la plus ancienne de l'île. En 1669, il y fit ériger la première église.

Parmi les bâtiments présentant un intérêt particulier, on peut citer **La Maison Drouin**, *(4700 chemin Royal -* 𝄞 *418-829-0330 - www.fondationfrancoislamy.org - de mi-juin à déb. oct. : 10h-18h ; de mi-sept. à mi-oct. : sam.-dim. 12h-17h - 3 $).* Construite en 1675 et agrandie en 1725, cette maison de grosses pierres et poutres en bois compte parmi les plus vieilles maisons de l'île. Habitée jusqu'en 1984, elle n'a jamais été modernisée. On y découvre la partie la plus ancienne abritant le foyer, un four à pain et la dépense laitière. Derrière l'imposant mur de pierre d'origine, les chambres.

Église de la Sainte-Famille★★ – *3915 chemin Royal -* 𝄞 *418-828-2656 -* &. - 🅿 *- de fin juin à la fête du Travail : 13h-17h.* Cette église, construite entre 1743 et 1748, est un exemple majeur d'architecture religieuse datant du Régime français. L'édifice d'origine, qui ne comportait qu'un clocher, fut modifié en 1807 par l'adjonction de deux clochers latéraux. À l'**intérieur**, de style néoclassique (1821 ; Thomas Baillairgé), la nef descend en pente douce jusqu'au baldaquin et à l'autel. La voûte, sculptée en 1812 par Louis-Bazile David (élève de Quévillon), représente un ciel étoilé. Le tabernacle (1749) de l'autel principal est l'œuvre de la famille Levasseur. Les tabernacles des autels latéraux sont, quant à eux, attribués à Pierre Florent Baillairgé, frère de François. À droite de la nef, une peinture représentant la Sainte Famille est attribuée au frère Luc, peintre récollet ayant séjourné en Nouvelle-France vers 1670.

Saint-Pierre-de-l'Île-d'Orléans

13 km. La paroisse de Saint-Pierre est dotée de deux églises. Lorsqu'en 1955, les paroissiens entreprirent de construire une nouvelle église, le gouvernement acquit l'ancienne, érigée entre 1715 et 1719, de manière à en empêcher la démolition.

Ancienne église★ – 𝄞 *418-828-9824 -* &. - 🅿 *- 24 juin-31 août : 9h-18h ; mai-23 juin et sept.-oct. : 10h-12h et 13h-17h.* Endommagée lors de la Conquête, l'église fut restaurée puis agrandie en 1775, lorsque le prêtre de la paroisse devint évêque auxiliaire de Québec. Elle fut à nouveau modifiée dans les années 1830 par Thomas Baillairgé. L'intérieur contient trois autels réalisés par Pierre Émond en 1795, et une lampe de sanctuaire sculptée en bois. On notera aussi les bancs à portes dont l'usage fut introduit au Québec par les groupes protestants et, à l'avant et à l'arrière de l'église, les fours à bois, avec leurs tuyaux métalliques servant au chauffage de la nef.

On peut également visiter **l'espace Félix-Leclerc**, qui abrite une exposition permanente sur la vie et l'œuvre de l'artiste *(682 chemin Royal -* 𝄞 *418-828-1682 - www. felixleclerc.com - de mi-fév. à mi-déc. : 9h-17h – jusqu'à 18h en été – 5 $).*

Tourisme Montérégie/mgphotographe.com

Le Québec en Mongolfière.

B. Terry / Reflexion

Rocher Percé (Gaspésie).

A. Gardon / Reflexion

Lieu historique national du Fort-Lennox.

Y. Tessier / Reflexion

Saint-Jean-de-l'Île-d'Orléans.

Percé★★★

GASPÉSIE - 3 419 HABITANTS
SCHÉMA : GASPÉSIE
WWW.TOURISME-GASPESIE.COM ET WWW.PERCE.INFO

Le village doit son nom à un impressionnant rocher, percé sous l'effet de l'érosion marine, qui se dresse tout près de la côte. Il occupe un site magnifique qui attire en Gaspésie des visiteurs venus des quatre coins du monde. Jacques Cartier débarqua ici en 1534, et les pêcheurs européens séjournèrent le long du littoral aux 16e et 17e s. Petit village de pêcheurs isolé jusqu'au début du 20e s. Percé s'est développé grâce au tourisme. Aujourd'hui « capitale touristique » de la Gaspésie, c'est une station de villégiature très équipée et réputée pour sa bonne table. On y vient aussi pour l'île Bonaventure et son parc, situés à seulement 4 km du rivage.

- **Se repérer** – Percé se trouve à 814 km au nord-est de Québec par la route 132.
- **À ne pas manquer** – Une découverte de l'île Bonaventure, la côte que longe la route 132 et ses panoramas spectaculaires.
- **Organiser son temps** – Sachez que l'été, Percé est envahi de touristes. Été comme hiver, vous devez penser à réserver votre hébergement.
- **Avec les enfants** – L'île Bonaventure et sa colonie de fous de Bassan.
- **Pour poursuivre la visite** – Gaspé (voir Gaspésie) et le parc du Forillon.

Se promener

Parc national de l'Île-Bonaventure-et-du-Rocher-Percé★

℘ 418-782-2240 - www.sepaq.com - ✕ - 🅿 - de déb. juin à mi-oct. : 9h-17h - 3,50 $.
Le parc est divisé en quatre secteurs, chaque secteur offrant une variété d'activités différentes.

Secteur île Bonaventure – Ce sanctuaire d'oiseaux migrateurs accueille environ 280 000 pensionnaires (mouettes, marmettes, macareux, cormorans, goélands et petits pingouins), dont quelque 70 000 **fous de Bassan**. Ces derniers nichent sur les surplombs et dans les anfractuosités des hautes parois de 90 m qui forment la façade est de l'île.

L'**excursion en bateau** (Les Bateliers de Percé Inc. - ℘ 418-782-2974 - 🅿 - départ du quai de Percé de mi-mai à mi-oct. : 9h-17h - AR 1h15 - commentaire à bord - 15 $.) qui conduit à l'île Bonaventure passe d'abord tout près du rocher Percé, puis fait le tour de l'île.

🔎 À la période estivale, les visiteurs peuvent descendre sur l'île pour aller observer de plus près les oiseaux et se promener par les sentiers. Ils sont accueillis par les gardes-parcs naturalistes.

Secteur du rocher Percé★★ – Cette gigantesque muraille de roc, autrefois rattachée à la terre ferme, fait 438 m de long sur 88 m de haut. C'est un banc de calcaire, formé au fond des mers il y a des millions d'années, et qui renferme un nombre incalculable de fossiles. Jadis percé de quatre arcades, le rocher n'en a conservé qu'une, haute de 30 m. L'une des arcades aujourd'hui disparues s'effondra en 1845, laissant derrière elle un simple pilier : l'Obélisque. Une flèche de sable, découverte à marée basse, relie le rocher au **mont Joli★★** d'où l'on bénéficie de la plus belle vue.

👁 La marche le long des parois du rocher Percé est extrêmement dangereuse. Plusieurs tonnes de roches tombent du rocher et ce en tout temps de l'année. Ce secteur est accessible seulement lors des visites guidées en saison.

Accompagnés d'un garde-parc naturaliste, les participants pourront découvrir les secrets de ce secteur touchant entre autres la géologie et l'ornithologie (visite (1h) 23 juin- 26 sept. : tlj - départ escalier situé au haut de la rue du Mont-Joli - visite seulement pendant la marée basse - 5 $ (enf. 2,50 $) et tarification d'accès au parc en sus).

Consultez la table des marées au bureau de tourisme (voir carnet pratique). Pour descendre à la plage et à la flèche de sable, empruntez l'escalier au départ du parc de stationnement du mont Joli.

Le **secteur marin** du parc propose des sorties de plongée sous-marine et de kayak de mer. Le **secteur Charles Robin** est situé à proximité de la rue du Quai. Il comprend le Centre de découverte du parc et le **musée Le Chafaud.** Ce dernier est aménagé dans un bâtiment de l'ancienne Compagnie de pêche Charles Robin (1776-1886), autrefois affecté au traitement de la morue. Le musée s'attache à transmettre l'histoire locale et à exposer les œuvres d'artistes inspirés par Percé (145 rte 132 - ℘ 418-782-5100 - www.musee-chafaud.com - 24 juin-21 sept. : 10h-20h - 5 $). À côté se trouve La Neigère, qui abrite le bureau d'accueil du parc et la boutique Nature.

La côte★★★

La côte, que longe la route 132, offre des **panoramas★★** spectaculaires. Juste avant Percé, un belvédère permet d'admirer le pic de l'Aurore. Plus loin, la vue embrasse, d'ouest en est, l'ensemble des falaises appelées **Trois Sœurs**, le rocher Percé, l'anse du Nord, Mont-Joli, l'île Bonaventure et le village. À la sortie de Percé, le promontoire de la **côte Surprise** ménage une vue d'ensemble du rocher Percé, du village et de l'île Bonaventure.

Mont Sainte-Anne

Depuis la route 132, prenez l'avenue de l'Église. Derrière l'église, un chemin non revêtu conduit au mont Sainte-Anne. Un sentier raide, mais assez facile, mène au sommet. Comptez 2h AR. L'impressionnant sommet tabulaire du mont Sainte-Anne dresse à 320 m d'altitude ses trois faces abruptes de roc rouge. Les belvédères aménagés en cours de route révèlent, à mesure que l'on monte, des **vues★★★** de plus en plus étendues sur le rocher Percé, la baie, le village et les environs. Au sommet se dresse une statue de sainte Anne.

La Grotte

En revenant du mont Sainte-Anne, prenez à gauche le chemin de la Grotte et continuez sur 1 km. Dans cette belle grotte, un charmant bassin entouré de mousses et de fougères recueille les eaux d'une petite chute.

La Grande Crevasse★

Du village, suivez la route des Failles jusqu'à l'auberge Gargantua (3 km) derrière laquelle commence le sentier. Comptez environ 1h1/2 AR. Avancez prudemment (pas de garde-fou). Le sentier longe la face ouest du sommet du mont Sainte-Anne et permet d'entrevoir les monts Chic-Chocs à l'ouest, et la baie de Gaspé au nord. La Grande Crevasse *(également visible depuis la route des Failles)* est une profonde entaille dans le conglomérat rocheux rouge qui forme le mont Blanc, au nord-ouest du mont Sainte-Anne.

C'est également dans ce secteur que se trouve l'un des points de départ du tout nouveau réseau de sentiers aménagés au cœur de l'arrière-pays percéen *(carte des sentiers disponible au bureau de tourisme)*.

Excursions aux baleines

Au départ de Percé, des excursions permettent d'observer, entre autres, des rorquals communs, des rorquals à bosses, des baleines bleues, des marsouins communs, des dauphins à flanc blanc et des phoques *(durée 2h30 - rens. : Bateaux de croisières Julien Cloutier Enr. - ☎ 1-877-782-2161 et Les Bateliers de Percé Inc. - ☎ 1-877-782-2974)*.

Percé pratique

Adresse utile

Bureau de tourisme – 142 rte 132 Ouest - ☎ 418-782-5448 - www. perce. info.

Se loger

🛏🛏🛏 **Auberge au Pirate** – 169 rte 132 Ouest - ☎ 418-782-5055 - Le soir seulement ✗- 🅿 - 5 ch. Heureux sont les visiteurs qui auront eu la chance d'obtenir une réservation dans cet établissement disposant de chambres extrêmement confortables, géré par d'aimables propriétaires et offrant une vue magnifique sur le rocher Percé. La cuisine, récompensée par un prix, attire les clients de tout le pays, venus déguster des spécialités comme le fondant de chair de crabe en mille-feuille, la brandade de morue et sa compote de tomates fraîches, *repas de 35 à 50 $. Réservation conseillée.*

🛏🛏🛏 **Hôtel La Normandie** – 221 rte 132 Ouest - ☎ 418-782-2112 ou 800-463-0820 - www.normandieperce.com - ✗- 🅿 - 45 ch. 89/199 $. Dans la grande tradition des établissements de front de mer, cet hôtel dispose de chambres confortables donnant sur le rocher Percé ou sur les montagnes. Ne manquez pas de réserver une table dans son restaurant réputé. Le menu à prix fixe offre un grand choix de plats, notamment le blanc de morue croûté au saumon fumé et son pesto de tomates séchées, et le feuilleté de homard au champagne. La carte des vins est impressionnante.

Se restaurer

🛏🛏 **La Maison du Pêcheur** – 155 pl. du Quai - ☎ 418-782-5331 - www. maisondupecheur.ca. Cuisine québécoise. Installée à côté du port de plaisance, la Maison du Pêcheur sert petits-déjeuners, déjeuners et dîners. Vous n'aurez que l'embarras du choix parmi les spécialités québécoises de poissons et fruits de mer telles les escalopes de homard aux parfums d'érable ou parmi les savoureuses pizzas cuites au feu de bois comme la spéciale du Pêcheur avec sauce tomate, crevettes, pétoncles et chair de homard.

Île Perrot

MONTÉRÉGIE
9 927 HABITANTS
SCHÉMA : MONTRÉAL
WWW.TOURISME-MONTEREGIE.QC.CA ET WWW.ILE-PERROT.QC.CA

Située au confluent de la rivière des Outaouais et du Saint-Laurent, cette vaste île – 1 km de long sur 5 km de large – constitue une agréable étape entre Montréal et Gatineau. Ses alentours vous feront découvrir un patrimoine historique important avec, en tête, les vestiges des canaux et du fort de Coteau-du-Lac.

- **Se repérer** – L'île Perrot se trouve à 45 km à l'ouest de Montréal par la route 20 (sortie 38). Pour vous y rendre, traversez le pont de la rivière des Outaouais (*sortie du bd Don-Quichotte*).

- **Organiser son temps** – À visiter au départ de Montréal. Prévoyez une demi-journée.

- **Avec les enfants** – Le moulin à vent du Parc historique de la Pointe-du-Moulin.

- **Pour poursuivre la visite** – Montréal, Saint-André-d'Argenteuil et le canal de Carillon. Sur la rive sud du Saint-Laurent, Beauharnois (*voir La Prairie*).

Comprendre

L'île fut concédée en 1672 à François-Marie Perrot, gouverneur de Montréal et capitaine du régiment d'Auvergne. Il avait épousé, quelques années plus tôt, une nièce de l'intendant Jean Talon. Grâce à son emplacement stratégique, l'île lui servit de base pour le commerce illégal de fourrures et d'alcool avec les Amérindiens. Il fallut attendre 1703, date de l'acquisition de l'île par Joseph Trottier, sieur Desruisseaux, pour que débutent les travaux de défrichage et de mise en culture du site. Trottier construisit un manoir et un moulin à vent sur sa propriété, dorénavant appelée domaine de la Pointe-du-Moulin.

Visiter

Notre-Dame-de-l'Île-Perrot

Église Sainte-Jeanne-de-Chantal★ – *R. de l'Église* - 📞 *514-453-2125*. Érigée durant la seconde moitié du 18e s., cette petite église de pierre se trouve dans la partie sud de l'île, plus précisément dans le secteur Village-sur-le-Lac. La vue du chevet, depuis le cimetière, offre une image champêtre du Québec d'autrefois. Très élégant, le décor intérieur (1812-1830) de l'église est dû à Joseph Turcaut et Louis-Xavier Leprohon, sculpteurs de l'École de Quévillon. Depuis l'église, on a une **vue** superbe sur le lac Saint-Louis.

Parc historique Pointe-du-Moulin★ – *2500 bd Don-Quichotte - 📞 514-453-5936 - www.pointedumoulin.com -* 🍴*-*♿*-*🅿 *- 10 mai-24 août : 9h30-20h (visites guidées : merc.-vend. 9h30-17h, sam.-dim. 10h-17h) - 30 août-13 oct. : sam.-dim. et j. fériés 9h30-17h (visites guidées 12h-17h) - 3 $ en semaine, 5 $ sam.-dim. (- 4 ans gratuit)*.

Situé à la pointe est de l'île Perrot, ce parc de 12 ha environ accueillait autrefois le manoir (aujourd'hui détruit) de Joseph Trottier. De ce site impressionnant, où la terre avance en saillie dans les eaux, la **vue** sur le lac Saint-Louis et Montréal, au loin, est très agréable. Par temps clair, on aperçoit même les Adirondacks, au sud-ouest.

Plusieurs aires de pique-nique jalonnent les nombreux sentiers du parc.

Dans le **centre d'interprétation** (*même horaires que pour le parc*), non loin de l'entrée, des expositions et des films (*15mn*) retracent l'histoire du domaine et expliquent le système seigneurial et les méthodes de culture traditionnelles du 18e s. À la saison estivale et en fin de semaine, toutes sortes d'activités (démonstrations d'artisanat, concerts et autres) sont proposées au public. On peut également, sous la conduite de guides spécialisés, faire à pied des visites du site, axées sur la géographie, la faune et la flore, et découvrir les fondations de l'ancien manoir seigneurial, dégagées lors de fouilles en 1992 et 1993.

À l'extrême pointe de l'île se dresse le **moulin** de pierre de Trottier (v. 1705). Les dimanches d'été, son mécanisme (reconstitué) fonctionne comme autrefois, à condition, bien sûr, que le vent souffle. Car le moulin possède un système fort astucieux pour broyer le grain : toute sa partie supérieure peut être orientée en fonction de la direction du vent à l'aide d'une longue perche, ce qui permet aux ailes de suivre la moindre brise, d'où qu'elle vienne. Notez que les murs du moulin sont percés de meurtrières, le bâtiment ayant servi de fortification au 18e s. À proximité se trouve la **maison du meunier**, construite vers 1785. On y trouve des explications sur la vie familiale traditionnelle en Nouvelle-France (cuisine, pâtisserie, habillement, ameublement et architecture).

Aux alentours

VAUDREUIL-DORION

15 km au nord depuis l'île Perrot. Sortez de Notre-Dame-de-l'Île-de-Perrot et traversez l'île. À Terrasse-Vaudreuil, prenez l'autoroute 20 et entrez dans Vaudreuil-Dorion.

La seigneurie de Vaudreuil, à l'ouest de l'île de Montréal, fut concédée en 1702 à Philippe Rigaud de Vaudreuil, alors gouverneur de Montréal. Peu développée sous le Régime français, elle passa, en 1763, aux mains de Michel Chartier de Lotbinière. Ce grand propriétaire foncier contribua au développement de la communauté et y établit une paroisse. Il proposa, en 1783, un plan d'urbanisation qui prévoyait la construction d'un réseau de rues perpendiculaires les unes aux autres, regroupées autour d'un point central marqué par une église et une place de marché. Ce plan ne vit jamais le jour, et le village conserva longtemps son caractère rural. Englobées par la métropole montréalaise au cours des années 1970, les villes jumelles de Vaudreuil et de Dorion ont désormais fusionné pour former la municipalité de Vaudreuil-Dorion.

Maison Trestler★

85 chemin de la Commune. De la route 20, prenez à droite le bd Saint-Henri, puis encore à droite l'avenue Trestler - ℘ 450-455-6290 - www.trestler.qc.ca - ▣ - lun.-vend. 10h-16h, dim. 13h-16h - fermé 20 déc.-6 janv. - 4 $. Cette énorme maison de pierre occupe un site magnifique surplombant le lac des Deux Montagnes. Elle mesure 44 m de long sur 13 m de large, et son toit de bardeaux est percé de 14 lucarnes. La partie centrale fut construite en 1798 par Jean-Joseph Trestler, un Allemand qui fit fortune dans le commerce de la fourrure. Les deux ailes furent ajoutées en 1805 et 1806.

À l'intérieur, plusieurs pièces sont meublées de beaux spécimens de mobilier des 18e et 19e s. On peut également visiter la jolie salle voûtée, qui servait jadis d'entrepôt où l'on suspendait les fourrures pour les faire sécher et les exposer aux acheteurs. L'été, des concerts sont offerts sur place.

Parc et maison Valois

331 av. Saint-Charles, à 1 km de la maison Trestler. De l'avenue Trestler, prenez à droite le boulevard Saint-Henri, puis encore à droite le boulevard Saint-Charles - ℘ 450-455-5751 - 18 juin-7 sept. : merc.-jeu. 13h-20h, vend. 12h-20h, sam.-dim. 10h-16h30 - gratuit. Située dans un parc agréable à côté du lac des Deux Montagnes, la maison Valois (1796) est caractéristique de l'habitat local, avec sa base en pierre et ses murs en bois. Le toit à pente raide, sans surplomb, occupe la moitié de la hauteur de la demeure. Restauré par la municipalité, l'édifice abrite une galerie d'art où sont organisées des expositions temporaires.

Musée régional de Vaudreuil-Soulanges

431 av. St-Charles - ℘ 450-455-2092 - www.mrvs.qc.ca - ♿ - mar.-vend. 9h30-12h, 13h-16h30 (mar. 19h-21h30 entrée gratuite) ; sam.-dim. 13h-16h30 - fermé 23 déc. -3 janv. 5 $. Consacré à la mise en valeur du patrimoine régional, ce musée occupe l'ancienne école de pierre restaurée (1859) où étudia l'abbé **Lionel Groulx** (1878-1967), grand historien du Canada français. Le bâtiment, coiffé d'un toit mansardé percé de fenêtres et surmonté d'une petite lanterne, est caractéristique de l'architecture religieuse de l'époque. On y voit une exposition permanente évoquant la vie sous le régime seigneurial, et d'autres expositions à caractère ethno-historique. Une salle offre même aux visiteurs la possibilité de faire des recherches généalogiques. Le musée propose également des expositions d'art visuel et diverses activités d'interprétation.

Église Saint-Michel

Bd Roche, tout près du musée - ℘ 450-455-4282. Achevée en 1789, cette église – l'une des plus anciennes de la région montréalaise – fut déclarée monument historique en 1957. La vue, depuis le cimetière, permet de découvrir un chevet harmonieux formé d'une abside et d'une petite sacristie. Une nouvelle façade fut érigée en 1856. L'intérieur possède un mobilier liturgique sculpté par Philippe Liébert à la fin du 18e s. : maître-autel, tabernacles latéraux et chaire. Les boiseries du chœur et les stalles sont de Louis-Amable Quévillon. L'ornementation sculptée de l'église est rehaussée d'un décor en trompe-l'œil d'un saisissant réalisme, peint par F.-E. Meloche, élève du célèbre Napoléon Bourassa. Le tableau de Saint-Michel, au-dessus de l'autel, fut réalisé par William Von Moll Berczy. Dans la crypte repose la dépouille de Jean-Joseph Trestler *(ci-dessus)*.

Pointe-des-Cascades

De Vaudreuil-Dorion, prenez la route 338. Le village se trouve à 7 km de l'intersection avec la route 20. Le **petit parc des Ancres** *(* 📞 *450-455-5310 - de fin mai à déb. oct. : mar.-dim. 13h-17h - gratuit) s'étend tout près de la pointe formée au confluent du Saint-Laurent et de la rivière des Outaouais, en amont du lac Saint-Louis. À proximité se trouve une écluse aménagée sur le canal de Soulanges ; ce dernier faisait autrefois partie du réseau de canaux que remplaça la voie maritime du Saint-Laurent.*

COTEAU-DU-LAC

20 km au sud-ouest de Vaudreuil-Dorion. Sortez de Vaudreuil, suivez la 20 Wb. Prenez ensuite à droite la rue de la Rivière-Delisle, et encore à droite la route 201.

Située sur la rive nord du Saint-Laurent, à la sortie du lac Saint-François, Coteau-du-Lac possède une histoire intimement liée à ses tumultueux rapides. Pour éviter ces derniers et faciliter la navigation, divers systèmes de canalisation y furent construits au fil des ans, avant que la fameuse voie maritime du Saint-Laurent ne vienne apporter une solution définitive au problème. C'est aujourd'hui un lieu historique national du Canada.

Lieu historique national du Canada de Coteau-du-Lac

Sortie 17 de l'autoroute 20 - 308 A chemin du Fleuve - 📞 *450-763-5631 ou 1-888-773-8888 - www.pc.gc.ca -* ♿ - 🅿 *- de mi-mai à fin mai : merc.-dim. 10h-17h ; juin-août : 10h-17h ; de déb. sept. à mi-oct. : sam.-dim. 10h-17h - fermé principaux j. fériés sauf 1er juil. - 3,90 $ (6-16 ans 1,90 $).*

Ce **site** d'une grande beauté, au confluent de la rivière Delisle et du Saint-Laurent, contient les vestiges de l'un des premiers canaux à écluses d'Amérique du Nord. De nombreux sentiers jalonnés de ruines s'offrent au visiteur, mais avant de les emprunter, ce dernier fera un premier arrêt au centre d'accueil (exposition thématique, maquette du site, collection d'objets de la préhistoire à nos jours).

Jusqu'au 20e s., les rapides du Saint-Laurent étaient particulièrement dangereux entre Montréal et Kingston. La construction de la centrale hydro-électrique de Beauharnois et de son canal, au cours des années 1920-1930, nécessita l'installation de tout un système de barrages pour détourner le fleuve de son cours naturel. Ce système entraîna un abaissement du niveau du Saint-Laurent de près de 2,5 m par rapport à ce qu'il était jusqu'au début du siècle. Depuis, les rapides ont perdu beaucoup de leur impétuosité.

À la conquête des rapides – Pour éviter de se noyer dans les rapides, les Amérindiens « portageaient » leurs canots autour des endroits les plus dangereux. Mais la traite des fourrures amena l'arrivée de nombreux trappeurs munis d'embarcations beaucoup plus lourdes et plus chargées. En 1750, les Français construisirent un canal « rigolet », digue de pierre destinée à faciliter le passage des bateaux de marchandises vers les Grands Lacs. Des traces en sont encore visibles depuis les sentiers du parc.

Après la guerre d'Indépendance américaine, les garnisons britanniques érigèrent des postes le long du Saint-Laurent et autour des Grands Lacs. Le canal « rigolet » ne suffisant plus à assurer le passage des grands bateaux, les Britanniques construisirent, en 1779, un nouveau **canal** (environ 300 m de longueur sur 2,5 m de profondeur) dont les trois écluses soulevaient les navires de 2,7 m. Mais à l'avènement du premier canal de Beauharnois en 1845, le pauvre ouvrage de canalisation britannique devint à son tour désuet. Une passerelle permet aujourd'hui de longer son lit désormais asséché.

Le fort – Afin de protéger l'importante voie fluviale du Saint-Laurent et d'assurer le ravitaillement des soldats cantonnés dans la région des Grands Lacs, les Britanniques avaient édifié, sur le site de Coteau-du-Lac, un fort qui fut d'abord un simple poste de péage et un entrepôt. La crainte d'une invasion américaine le fit fortifier. Des fouilles archéologiques ont mis au jour des vestiges d'entrepôts et de bâtiments militaires remontant à la guerre d'Indépendance américaine et à la guerre de 1812.

Le blockhaus octogonal – Ce blockhaus insolite fut construit durant la guerre de 1812. En 1839, il fut incendié afin d'empêcher le fort de tomber aux mains des Patriotes. Reconstruit par Parcs Canada en 1965, c'est un bâtiment de billes équarries reposant sur des fondations de pierre. Il comporte un rez-de-chaussée et un étage en porte-à-faux. Ses murs sont percés de meurtrières et d'embrasures. À l'intérieur, une exposition retrace le transport d'approvisionnement sur le canal.

Québec★★★

491 142 HABITANTS
SCHÉMA : QUÉBEC
WWW.QUEBECREGION.COM

Premier centre urbain d'Amérique du Nord à figurer sur la prestigieuse liste des villes du Patrimoine mondial de l'Unesco, la « vieille capitale » séduit par son site remarquable, ses élégantes demeures, ses fortifications et son caractère résolument français. Les flèches élancées de ses innombrables églises se dressent dans le ciel, témoins des pieuses origines de la colonie française. Québec, c'est la flânerie, le plaisir de découvrir, au hasard de ses étroites ruelles pavées, de jolies maisons basses au toit pentu percé de lucarnes, ou encore de pittoresques boutiques d'art et d'artisanat, des restaurants à la cuisine savoureuse et des cafés-terrasses où il fait bon s'attabler en été. Pourtant, hors les murs, Québec est aussi une cité moderne qui ne fait pas ses 400 ans. Gratte-ciel altiers, faubourgs à la mode, ville d'hommes politiques, de fonctionnaires, d'étudiants et aussi centre industriel et portuaire : l'autre visage de la cité de Champlain est à découvrir absolument.

▶ **Se repérer** – Québec domine le Saint-Laurent à 230 km au nord-est de Montréal (500 km au nord de Boston). L'autoroute 40 et la route 138, qui correspond au Chemin du Roy, relient les deux métropoles régionales par la rive gauche. L'autoroute 20 fait la liaison par la rive sud (*3h25*).

▣ **Se garer** – Les rues historiques étant étroites et très fréquentées en été, garez-vous au plus vite sur l'un des nombreux parkings du Vieux-Port ou de la colline parlementaire, voire dans le Vieux-Québec même, si la circulation ne vous décourage pas avant.

◉ **À ne pas manquer** – La collection d'art inuit Brousseau, au musée des Beaux-Arts de Québec, la visite du château Frontenac et la vue sur Québec depuis l'Observatoire de la Capitale ou la Citadelle.

◔ **Organiser son temps** – Si un long week-end suffit à découvrir le Vieux-Québec et le Vieux-Port, un séjour prolongé s'impose pour prendre le pouls de la ville et s'aventurer en dehors des murailles : sur la colline parlementaire, dans les faubourgs, voire dans les arrondissements limitrophes.

👥 **Avec les enfants** – Les verriers en action à la verrerie La Mailloche, les vêtements et les témoignages conservés au centre d'interprétation de Place-Royale, la démonstration de tir au canon au Parc-de-l'Artillerie, le spectacle Odyssée à la Maison de la découverte des plaines d'Abraham, le panorama depuis l'Observatoire de la Capitale, le Parc Aquarium du Québec à Sainte-Foy, et le site traditionnel huron-wendat Onhoüa Chetek8e à Wendake.

◔ **Pour poursuivre la visite** – La côte de beaupré, la côte du Bas-Saint-Laurent.

Comprendre

Le berceau de la Nouvelle-France – Perchée sur un promontoire au confluent de la rivière Saint-Charles et du Saint-Laurent, Québec tire son nom du mot algonquin *Kebec*, « là où le fleuve se resserre ». De fait, le Saint-Laurent mesure à peine 1 km de large à cet endroit. Bien avant l'arrivée des Européens, chasseurs et pêcheurs amérindiens du village de Stadacona habitaient la région. En 1535, Jacques Cartier débarqua sur ces rives alors vierges, et donna à l'éperon rocheux qui dominait le site le nom de cap Diamant, car il espérait y trouver de ces pierres précieuses. Quand il comprit qu'il n'en tirerait que des gemmes de moindre valeur, il abandonna les lieux, et la région perdit alors beaucoup de son attrait. En 1608, cinq ans après son premier voyage d'exploration au Canada, Samuel de Champlain remit le cap sur la Nouvelle-France pour établir un poste de traite des fourrures à Kebec. Il y fit construire une simple forteresse de bois, sur le site qu'occupe désormais l'église Notre-Dame-des-Victoires. Surnommé l'**Habitation**, l'édifice comprenait, outre un jardin, deux bâtiments principaux qui faisaient office de fort, de poste de traite et de résidence. En 1624, une forteresse plus grande, en forme de fer à cheval, fut construite au même endroit. Champlain érigea également Fort Saint-Louis sur les hauteurs du cap. Au 17e s., les premiers colons – artisans et marchands attirés par le lucratif commerce des fourrures – arrivèrent à Québec. Contrairement aux institutions religieuses et à l'administration coloniale, qui s'établirent dans la Haute-Ville, à l'ombre protectrice de ses murailles, les nouveaux arrivants s'installèrent dans la Basse-Ville qui demeura, jusqu'au milieu du 19e s., le principal secteur résidentiel et commercial de Québec.

Un emplacement stratégique – Très vite, la ville devint le centre politique, administratif et militaire de la Nouvelle-France. Le cap Diamant, à 98 m au-dessus du niveau de la mer, offrait à la colonie un site stratégique qui lui valut le surnom de « Gibraltar de l'Amérique ». Les Français réussirent d'abord à repousser les attaques successives des Iroquois et des Anglais, alors en guerre contre la France. Mais Québec, vulnérable malgré sa situation de forteresse naturelle, fut prise dès 1629 par les **frères Kirke**, puis reconquise en 1632. En 1690, elle fut assiégée sans succès par l'**amiral Phips**. Ce n'était pourtant que partie remise… Le conflit qui opposait la petite colonie française à l'Angleterre ne cessa de s'aggraver au cours du 18e s., et se solda par la sanglante bataille des Plaines d'Abraham qui précipita la Conquête de 1759. À la suite du traité de Paris (1763), l'ancienne métropole de la Nouvelle-France devint capitale d'un dominion britannique.

Développement économique – Aux 18e et 19e s., le Vieux-Port fut le fiévreux théâtre d'activités liées à l'exportation des matières premières (bois, fourrures, céréales) vers la Grande-Bretagne, et à l'importation de produits finis venant de France, des Antilles, d'Angleterre et d'Écosse. Après la levée de l'embargo napoléonien, au début du 19e s., l'expansion du commerce du bois avec la Grande-Bretagne permit à Québec de rivaliser avec Montréal pendant un demi-siècle. Plusieurs facteurs devaient malheureusement entamer la position économique de Québec et contribuer à son déclin : le passage du bois équarri au bois scié ; la disparition progressive des bateaux en bois au profit des coques d'acier et la modernisation des moyens de transport (introduction de la vapeur) ; le développement d'un réseau de chemins de fer sur la rive sud du Saint-Laurent (c'est-à-dire ne passant pas par Québec) ; le dragage du fleuve, qui permettait désormais aux navires de remonter jusqu'à Montréal. Plongée dans un contexte économique peu favorable, Québec réagit en essayant d'attirer l'attention de plusieurs sociétés de chemins de fer, et alla même jusqu'à bâtir le pont de Québec afin que soit établie une liaison ferroviaire entre les rives nord et sud du Saint-Laurent. En vain… Après 1850, l'ascension de Montréal à la prééminence financière, commerciale et industrielle entraîna un important déplacement de population et de capitaux plus à l'ouest. Durant les années 1920, Québec connut une courte période de prospérité fondée sur l'industrie de la chaussure. Aujourd'hui, la plupart des emplois relèvent des secteurs de l'administration, de la défense et des services.

Population – Avant la Conquête, la population québécoise était essentiellement composée de colons d'origine française. L'afflux d'immigrants britanniques et irlandais au début du 19e s. aboutit à un renforcement de la présence anglophone qui s'élevait à 41 % en 1851, et atteignit 51 % vers 1861. Le déclin économique de Québec et l'exode massif de sa population vers la région montréalaise se traduisirent par une nette diminution du pourcentage d'habitants de langue anglaise qui passa de 31,5 % en 1871 à 10 % en 1921. En 1996, ces derniers représentaient à peine 1,85 % de la population de Québec.

Québec aujourd'hui – Véritable bastion de la culture française en Amérique du Nord, Québec représente sans aucun doute, pour un Américain, le dépaysement assuré : c'est, plus encore que Montréal, l'Europe sans franchir l'océan. Car la ville a remarquablement réussi, au cours des siècles, à préserver son héritage culturel, sans pour autant se transformer en une sorte de musée vivant. Depuis déjà plusieurs décennies, le gouvernement provincial lui a donné un nouvel élan, et une métropole trépidante s'est développée en dehors de ses solides murailles.

Chaque année au mois de février, le fameux **Carnaval de Québec**, orchestré par le non moins célèbre « Bonhomme Carnaval », joyeux bonhomme de neige vêtu de sa tuque rouge (bonnet de laine) et de sa ceinture fléchée (pièce de vêtement traditionnel québécois), attire des milliers de visiteurs. Durant les festivités, on peut voir un grand défilé de chars, la construction d'un magnifique palais de glace, un concours de sculptures de glace, sur le parc des Champs-de-Bataille, et assister à une course de canots à travers les glaces mouvantes du Saint-Laurent.

Le 400e anniversaire – Pour le tricentenaire de sa fondation, en 1908, Québec s'était dotée d'un magnifique parc, celui des Champs-de-Bataille. Le 400e anniversaire a été l'occasion de grandes festivités, comme l'inauguration de l'**Espace 400e**, construit en remplacement de l'ancien centre d'interprétation du Vieux-Port, ou alors le concert gratuit auquel a participé Céline Dion sur les plaines d'Abraham, et le spectacle du Cirque du Soleil. En terme d'aménagements, la ville en a profité pour achever la mise en valeur de la **rivière St-Charles** et du sentier qui la longe. Elle a aussi contribué à l'inauguration de la **promenade Samuel-de-Champlain**, le long du St-Laurent. Longue de 2,5 km, celle-ci suit le boulevard de Champlain et permet aux piétons, aux rollers et aux cyclistes de relier le Vieux-Port (*quai des Cageux*) aux ponts de Québec et Pierre-Laporte, en passant en contrebas de la côte de Sillery.

Ambiances intra et extra-muros

Québec grouille de vie, mais son cœur bat différemment selon les quartiers.

Vieux-Québec et Vieux-Port – Quartiers touristiques par excellence, ils sont pris d'assaut par les visiteurs. L'animation estivale y est particulièrement vibrante. Cependant, passée l'heure du coucher, ses rues se vident très sagement.

La Grande Allée – *Hors les murs, au-delà de la porte Saint-Louis*. Les Québécois aiment à la surnommer leurs « Champs-Élysées » en raison de sa longueur et des nombreux restaurants et bars qui la jalonnent au niveau de la colline parlementaire.

Le faubourg Saint-Jean – *Hors les murs, rue Saint-Jean*. On pourrait parler de village tant l'ambiance de quartier est prégnante ! Les pubs et les restaurants *(voir carnet pratique)* alternent avec les épiceries, les magasins de fournitures, les librairies, les artisans et les salons de coiffure. Il vit à son rythme, et tard, si bien que beaucoup de Québécois s'y réfugient pour passer des soirées loin de la foule.

Le faubourg Saint-Roch – *Hors les murs, derrière la gare du Palais*. Il doit sa renaissance à la rue Saint-Joseph. Celle-ci retrouve un nouveau souffle depuis qu'on lui a retiré la dalle de béton qui la coupait du ciel depuis les années 1970. De nouvelles boutiques branchées, dont un certain nombre de restaurants *(voir carnet pratique)*, reprennent progressivement possession de l'artère, redynamisant l'ensemble du quartier.

Basse-Ville★★★ 1

UN PEU D'HISTOIRE

La Basse-Ville se développa autour de l'Habitation, logis de bois fortifié établi par Champlain au début du 17ᵉ s. Les premier efforts d'urbanisation prirent véritablement forme en 1636, un an après la mort du grand explorateur et colonisateur. Entre 1650 et 1662, plus de 35 parcelles de terrains furent concédées à des marchands qui construisirent magasins et résidences autour de l'Habitation et de sa place contiguë, alors appelée place du Marché. Pour parer au manque d'espace, il leur fallut remblayer certaines parties de la rive, au nord-est de la place, et construire des quais le long de l'actuelle rue Saint-Pierre. En août 1682, un incendie dévasta les lieux. La reconstruction se fit alors selon de nouvelles normes qui imposaient l'utilisation de la pierre au lieu du bois. Ainsi naquirent ces maisons à un ou deux étages, si typiques du quartier. Commerce, construction navale et activités portuaires contribuèrent à la prospérité croissante de la colonie. Après la Conquête, son développement se poursuivit à l'initiative des marchands et des constructeurs navals anglais qui bâtirent de nombreux quais le long des berges de la rivière Saint-Charles et du Saint-Laurent. Grâce au remblayage des terrains marécageux entre les différents quais, et à la création de nouvelles voies, telle la rue Saint-Paul, la superficie de la Basse-Ville avait doublé vers la moitié du 19ᵉ s.

Après 1860, le déclin de l'activité portuaire annonça la fin de la prospérité économique de la Basse-Ville. Les édifices, laissés à l'abandon, se dégradèrent au fil des ans. En 1967, le gouvernement du Québec adopta une loi visant à la restauration de la place Royale ; les travaux d'archéologie et de rénovation commencèrent en 1970 et se poursuivent encore aujourd'hui. La vocation commerciale de la Basse-Ville a laissé son empreinte sur le quartier, comme en témoignent ses nombreux marchés, ses quais et ses anciens entrepôts aujourd'hui transformés en hôtels ou logements.

PROMENADE DU PETIT-CHAMPLAIN AU CROISSANT

Parcours : 2,2 km. De la terrasse Dufferin, empruntez l'abrupt escalier Frontenac menant à la Basse-Ville, et descendez la côte de la Montagne jusqu'à l'escalier Casse-Cou qui aboutit à la rue du Petit-Champlain. Un funiculaire part également de la terrasse Dufferin - 📞 *418-692-1132 - www.funiculaire-quebec.com - 7h30-23h30 - 1,75 $.*

Maison Louis-Jolliet

16 r. du Petit-Champlain.

Construite en 1683 selon les plans du tailleur de pierre et architecte Claude Baillif, cette maison de deux étages appartint jadis à Louis Jolliet qui, avec le père Jacques Marquette, découvrit le Mississippi. Depuis 1879, l'édifice abrite la gare inférieure du funiculaire qui relie la Haute-Ville à la Basse-Ville.

Verrerie La Mailloche★

58 r. Sous-le-Fort, à l'angle de la rue du Petit-Champlain - 📞 *418-694-0445 ou 1-866-694-0445 - www.lamailloche.com - de mi-juin à fin oct. : 9h-22h ; reste de l'année : 9h30-17h (jeu.-vend. 21h) - fermé 25 déc. et 1ᵉʳ janv. - verriers en action 9h30-12h30, 14h-16h30 - visite 5 \$, remboursable sur tout achat.*

👥Ce musée-atelier initie les visiteurs à l'art fascinant de la fabrication du verre soufflé. Commencez la visite à l'atelier, au rez-de-chaussée, où sont exposées de très belles pièces de verre aux riches coloris. C'est ici que l'on peut observer les souffleurs au travail et les voir créer vases, carafes, assiettes ou coupes avec une impressionnante dextérité, en extrayant soigneusement le verre fondu d'un four rougeoyant pour le façonner et le modeler à l'aide de divers outils. Des panneaux explicatifs décrivent les différentes étapes du travail, et les verriers eux-mêmes répondent volontiers aux questions. Montez ensuite à l'étage pour voir l'exposition-boutique de verres provenant de divers pays, y compris l'Italie, la France et l'Angleterre ; notez aussi les panneaux qui relatent l'histoire de la fabrication du verre depuis le 3ᵉ millénaire av. J.-C.

Rue du Petit-Champlain★

Tracée durant les années 1680, cette ruelle piétonnière au pied de la falaise portait à l'origine le nom de rue de Meulles. Elle prit son nom actuel au 19ᵉ s., lorsque fut dessinée, le long du fleuve, une artère beaucoup plus large : le boulevard Champlain. Les maisons de bois qui bordaient la rue furent habitées par des artisans et des fermiers jusqu'au 19ᵉ s., époque à laquelle des immigrants irlandais qui travaillaient au port vinrent s'installer dans le quartier. Victime du ralentissement des activités portuaires au début du 20ᵉ s., ce dernier finit par se délabrer. Aujourd'hui, des travaux de restauration, menés à l'initiative d'entreprises tant publiques que privées, l'ont transformé en un lieu animé où se côtoient restaurants, cafés, boutiques et galeries d'art *(voir carnet pratique)*.

Au bout de la rue, tournez à gauche pour rejoindre le boulevard Champlain.

Maison Chevalier★

À l'angle de la rue du Marché-Champlain et du bd Champlain - 📞 *418-646-3167 - www.mcq.org - du 24 juin à la fête du Travail. : 10h-17h ; reste de l'année : mar.-dim. 10h-17h - gratuit.*

Ce bâtiment de trois étages est situé au **Cul-de-Sac**, bassin naturel découvert par Champlain en 1603. Les chantiers maritimes du roi, auparavant établis à l'embouchure de la rivière Saint-Charles, y furent installés en 1745. Cependant, le bassin fut comblé au milieu du 18ᵉ s. afin d'agrandir la surface de la Basse-Ville. L'aile ouest de cette imposante construction fut élevée en 1752 pour le riche marchand et armateur Jean-Baptiste Chevalier. La maison, fort solide, résista aux bombardements des Anglais en 1759. Détruite par un incendie, elle fut reconstruite en 1762. Durant tout le 19ᵉ s., elle abrita la London Coffee House, auberge fréquentée par la bourgeoisie. Acquise par le gouvernement du Québec en 1956, la maison Chevalier a été largement rénovée. Administrée par le musée de la Civilisation, elle a reconstitué à cette date des pièces à vivre (chambres à coucher, salon, bibliothèque, salle à manger du 19ᵉ s.) de façon à montrer le mobilier et l'habitat traditionnel. Au rez-de-chaussée, le **centre d'interprétation de la vie urbaine de Québec** organise des expositions temporaires sur l'histoire thématique de la ville *(audioguide 2 \$)* - 📞 *418-692-5550 - www.spuq-quebec.com.*

Continuez jusqu'au coin de la rue du Marché-Champlain et du boulevard Champlain pour admirer la superbe **vue★** du château Frontenac dont l'imposante silhouette domine la Basse-Ville.

Revenez à la maison Chevalier. Prenez à droite la rue Notre-Dame, puis encore à droite la rue Sous-le-Fort.

Batterie royale

Au bout des rues Sous-le-Fort et Saint-Pierre.

Construit en 1691 sur ordre du roi Louis XIV, cet épais rempart de terre à quatre côtés n'était qu'une partie des fortifications destinées à renforcer les défenses de la ville contre les Anglais. Située au bord du fleuve, la batterie était exposée aux intempéries et nécessitait de fréquentes réparations. Détruite durant la Conquête, elle ne fut jamais reconstruite, et tomba peu à peu dans l'oubli. À son emplacement furent aménagés deux entrepôts ainsi qu'un quai. Des archéologues excavèrent les vestiges du petit ouvrage fortifié en 1972. Reconstitué selon son aspect d'antan, il contient des répliques de canons du 18ᵉ s. disposées dans dix de ses onze embrasures ; la dernière reste vide, car de cet angle, une salve aurait suffi à détruire les maisons de la rue Saint-Pierre.

Le château Frontenac.

La porte Saint-Louis.

Le Quartier latin.

Le bar Maurice sur la Grande Allée.

À la période estivale, un programme d'animation permet de découvrir la façon dont étaient maniés les canons sous le Régime français.

Prenez à droite la rue Saint-Pierre, puis à droite la ruelle de la Place qui aboutit à la place de Paris.

Place de Paris

Pour suppléer aux besoins de la population toujours croissante de la Basse-Ville, plusieurs marchés s'installèrent aux alentours de celui de la place Royale. Situé à un endroit stratégique près du Saint-Laurent, le prospère marché Finlay (1871) s'y tint jusqu'au début des années 1950. Aujourd'hui, une sculpture contemporaine intitulée *Dialogue avec l'Histoire* (2) marque le centre de cette vaste place. Œuvre du Français Jean-Pierre Raynaud, le « colosse de Québec », comme on l'appelle ici, fut offert à la ville par la mairie de Paris.

Montez à la place Royale.

Place Royale★★

Cette charmante place pavée occupe l'emplacement du jardin de la fameuse Habitation de Champlain. Quand la ville se développa autour de la forteresse, un marché s'y installa. L'endroit prit le nom de place Royale en 1686, lorsque l'intendant Champigny y fit ériger un buste du roi Louis XIV. La place Royale bénéficia d'une période de prospérité jusqu'au milieu du 19e s., époque à laquelle les activités portuaires entamèrent leur déclin. En 1928, le gouvernement français offrit à la ville un buste en bronze de Louis XIV (1), copie de l'œuvre en marbre du Bernin conservée à Versailles. Par égard pour la population anglophone du quartier, la statue n'y sera installée qu'en 1948.

Église Notre-Dame-des-Victoires★

☎ 418-692-1650 - mai-oct. : lun.-sam. 9h-17h, dim. 13h-17h ; reste de l'année : lun.-sam. 10h-16h, dim. 13h-16h.

Cet édifice de pierre fut construit entre 1688 et 1723 sur l'ancien site de l'Habitation de Champlain pour servir de chapelle auxiliaire à la cathédrale de Québec, et fit office de paroisse pour les fidèles de la Basse-Ville. Comme la plupart des bâtiments du quartier, l'église fut détruite lors de la Conquête, et aussitôt rebâtie. Son nom fait allusion à deux victoires remportées sur les Britanniques : la première en 1690, lorsque les troupes du comte de Frontenac battirent la flotte de l'amiral Phips ; la seconde en 1711, quand la quasi-totalité de la flotte de l'amiral Walker fit naufrage au cours d'une tempête. À l'intérieur, suspendue au-dessus de la nef, une maquette de navire représente le vaisseau *Brézé* (17e s.) qui amena les troupes françaises à Québec. À gauche du reliquaire de la chapelle latérale, un tableau de Théophile Hamel, datant de 1865, représente sainte Geneviève. On admirera également le magnifique **retable** (1878 ; David Ouellet) du maître-autel.

★ Musée naval

★ Agora

Société du
Port de Québec

Douane

★ V I E U X - P O R T

Rue André

Rue St-

Rue St- Paul

Rue Princel-de- Galles

③

P

Banque Canadienne
de Commerce

N° 82

① Banque Impériale
du Canada

② Banque
d'Hochelaga

Dominion
Bldg

Bell

Anc.n Poste
Pompiers

Rue de la Barricade

⑦

Rue Remparts

Rue

Banque Molson

★★ Musée
de la
Civilisation

Rue St-

Rue Sault-

au-

Maison Estèbe

P

Banque
Nationale

⑤ St-Antoine

Rue Matelot

Rue Pierre

Rue St-Antoine

Dalhousie

Côte de la Montagne

Parc
La Cetière

Rue du

Porche

Parc
Montmorency

Rue North-

Rue Dame-

R.
Thibodeau

Escalier
Frontenac

R. du Marché-
Finlay

2 Place
de Paris

Centre d'Interprétation
de la Place- Royale

Rue St-Pierre

Place
Royale ★★

Escalier
Casse-Cou

★ N.-D.-des-
Victoires

Rue Sous-

lle-Fort

Batterie
Royale

Verrerie
La Mailloche

Bd Champlain

Funiculaire

Maison
Louis-Joliet

Cul-de-Sac

Rue du

Maison
Chevalier ★

R. du Marché- Champlain

Rue des Traversiers

S A I N T -

L A U R E N T

LÉVIS

★ Rue du Petit- Champlain

⑤

Champlain

Rue

Boulevard

**QUÉBEC
BASSE-VILLE**

0 — 150 m

Centre d'interprétation de Place-Royale

27 r. Notre-Dame - ☎ 418-646-3167 ou 1-866-710-8031 (gratuit) - www.mcq.org - du 24 juin à la fête du Travail : 9h30-17h ; reste de l'année : mar.-dim. 10h-17h - fermé 25 déc. - 4,50 $ (12-16 ans 2 $).

👥 Géré par le musée de la Civilisation, l'espace occupe deux maisons historiques dont l'une fut la demeure (1682) du marchand François Hazeur. L'intérieur comprend trois niveaux d'exposition dédiés à l'implantation et au développement des civilisations française et francophone à travers l'histoire du site. Au sous-sol, la belle cave voûtée, en pierre calcaire datant de 1684, abrite une myriade de costumes d'époque, prolongeant les panneaux expliquant la vie de la place Royale en 1800. Les étages abordent le commerce et l'histoire de la place depuis les Amérindiens.

Continuez le long de la rue Notre-Dame.

Parc La Cetière

Des fouilles archéologiques entreprises en 1972 ont mis au jour les fondations de cinq maisons construites sur ce site en 1685. Ces édifices de pierre, détruits durant la Conquête, furent reconstruits sur les mêmes fondations. Les incendies de 1948 et 1957 rasèrent malheureusement le quartier. On distingue, parmi les quelques ruines exposées, une cloison d'habitation ainsi qu'un conduit de cheminée.

Poursuivez jusqu'à la côte de la Montagne, descendez-la un peu et tournez dans la deuxième rue à gauche, la rue Saint-Pierre.

Rue Saint-Pierre★

Au 19e s., cette voie animée devint le centre du quartier des affaires à Québec. De nombreuses banques et compagnies d'assurance y installèrent leurs bureaux principaux. Parmi les édifices les plus remarquables, il faut mentionner la **Banque Nationale** (*n° 71*), construite par J.-F. Peachy en 1862 et aujourd'hui transformée en hôtel, l'ancienne **Banque Molson** (*n° 105*) et la **Banque impériale du Canada** (*n°s 113-115*), bâtie en 1913. Entre les rues Saint-Antoine et Saint-Jacques, remarquez la porte cochère de la maison Estèbe, qui fait aujourd'hui partie du musée de la Civilisation. Plus loin, l'ancienne **Banque d'Hochelaga** (*n° 132*) se dresse à côté du **Dominion Building** (*n° 126*), premier gratte-ciel de Québec. Les deux bâtiments, dorénavant raccordés, abritent actuellement un hôtel (*voir carnet pratique*). Dominant l'angle des rues Saint-Pierre et Saint-Paul, la **Banque canadienne de Commerce** (*139 rue Saint-Pierre*) est un excellent exemple de l'architecture Beaux-Arts en vogue à la fin du 19e s.

Tournez à gauche, et continuez le long de la rue Saint-Paul.

Rue Saint-Paul★

Construit sur les quais de la rivière Saint-Charles en 1816, ce tronçon de la rue Saint-Paul fut élargi en 1906. Les travaux qui s'ensuivirent nécessitèrent la démolition des édifices existants, à l'exception de l'entrepôt Renaud (*n° 82*), déjà bâti en retrait en 1875. La plupart des maisons du côté sud datent des années 1850 et sont occupées par des boutiques d'antiquaires, des galeries d'art et des restaurants.

Tournez à droite dans la rue des Navigateurs.

Espace 400e

Bassin Louise.

Construit à l'occasion du 400e anniversaire de la ville en 2008, ce bâtiment lumineux s'est trouvé au cœur des festivités, avec notamment l'exposition « Passagers », faite d'images, de musique et de témoignages sur l'histoire du peuplement de Québec. L'édifice doit, à terme, reprendre la mission du précédent centre d'interprétation du Vieux-Port-de-Québec, dont il a pris la place.

Rejoignez la rue Saint-Paul par la rue Rioux.

Rue Sous-le-Cap

Située au pied du rocher du Cap Diamant, cette étroite ruelle constitua jusqu'au 19e s. l'unique passage entre la place Royale et le faubourg Saint-Nicolas, au nord. Les plans trop étroits des bâtiments ne permettant pas l'installation d'ascenseurs à l'intérieur des maisons, des remises extérieures furent construites et reliées aux maisons principales par des passerelles qui enjambaient la rue.

Revenez rue Saint-Pierre.

MUSÉE DE LA CIVILISATION★★

Entrée principale 85 r. Dalhousie - ☎ 418-643-2158 - www.mcq.org - ✕-♿ - du 24 juin à la fête du Travail : 9h-19h ; reste de l'année : mar.-dim. 10h-17h - fermé 25 déc. - 10 $ (12-16 ans 4 $).

Inauguré en 1988, ce remarquable musée s'étend de la rue Saint-Antoine à la rue de la Barricade. Le célèbre architecte **Moshe Safdie**, à qui l'on doit aussi le complexe

Habitat, à Montréal, et le musée des Beaux-Arts du Canada, à Ottawa, a conçu cet ensemble dont les deux masses élancées et angulaires, taillées dans la pierre à chaux, sont surmontées d'un campanile de verre et coiffées d'un toit de cuivre à lucarnes stylisées. Un escalier monumental, construit entre les deux structures, mène à une terrasse surplombant la **maison Estèbe**, édifice de pierre (1752) que l'on a intégré au musée pour symboliser le lien entre le passé et le présent. À l'intérieur du vaste hall d'entrée, le visiteur pourra admirer une sculpture de l'artiste montréalais Astri Reusch intitulée *La Débâcle*, illustrant la fonte des glaces au printemps.

Le musée apporte un regard original sur l'expérience humaine, et encourage le public à examiner ses propres valeurs et traditions par rapport à celles d'autres cultures et civilisations. Ses collections regroupent environ 225 000 objets et documents iconographiques divisés en plusieurs secteurs (textiles et costumes, mobilier, art et ethnologie, etc.). Outre ses expositions permanentes, axées sur les thèmes de la pensée, du langage, des ressources naturelles, du corps humain et de la société, il présente chaque année de huit à dix expositions temporaires, dont certaines ont lieu dans la maison Chevalier *(voir ci-avant)*.

Le temps des Québécois

Tous les moments forts de l'histoire québécoise sont ici évoqués : le premier voyage des 30 000 Français, dont un tiers firent souche, le peuplement de la vallée du Saint-Laurent, les relations avec les Amérindiens, la fondation de Québec, les aspects socio-économiques de la vie des colons (système seigneurial, poids de l'Église…), la guerre de Sept Ans (1756-1763), les soulèvements de 1837-1838, la révolution industrielle, l'immigration, les guerres mondiales, le hockey, la Révolution tranquille, la laïcisation de la société… Un film de 26mn raconte également le nationalisme québécois au travers de témoignages et d'interviews. Près de 500 objets soigneusement choisis pour leur valeur historique (croix de Saint-Louis attribuée en 1727 à La Vérendrye), archéologique (objets amérindiens) ou symbolique (calotte d'évêque du 17e s., soufflet de forge) illustrent chaque étape. Montages d'archives et confidences enregistrées de personnages célèbres ou de simples citoyens (Jacques Cartier, Ezhiel Hart, commerçant juif de Trois-Rivières, ou Marthe Richard, téléphoniste chez Bell Canada, etc.) animent aussi ce voyage de découverte dans l'histoire multiculturelle du Québec.

Territoires

Ronds comme la Terre, voilà la disposition des espaces qui composent cette exposition. Ils abordent la notion de territoire québécois au travers de quatre thèmes : l'occupation humaine (aménagement de la vallée du Saint-Laurent), les ressources (bois, hydro-électricité, pêche, mines), les loisirs (lieux et objets de villégiature, régions touristiques) et le Grand Nord. Des écrans tactiles, des films, des images et quelque 200 objets associent les visiteurs à ces problématiques.

Nous, les Premières Nations

Cette exposition basée sur l'émotion renseigne les visiteurs sur l'histoire et la culture des onze Premières Nations qui s'établirent au Québec. L'art inuit, les costumes cérémoniels, les canoës, les paniers en écorce réalisés par les Atikamekws et les Algonquins, le matériel de chasse et de pêche et les paniers décoratifs des Hurons et des Micmacs permettent aux visiteurs d'explorer des thèmes comme l'identité personnelle et collective, la perspective historique et contemporaine du territoire, l'autonomie et le mode de vie traditionnel. La visite se termine par des entretiens et des récits légendaires avec les membres des Premières Nations recueillis par le réalisateur de films Arthur Lamothe et par l'accès à des sites aborigènes sur Internet.

Ressortez du musée sur la rue Dalhousie et prenez à gauche.

VIEUX-PORT★

À l'angle des rues Dalhousie et Saint-André.

Des débuts de la colonie jusqu'au milieu du 19e s., ce port joua un rôle majeur dans le développement économique du pays. Il servit, pour des milliers d'immigrants, de porte d'entrée en Amérique. Par lui transitèrent à la fois les matières premières destinées à l'exportation et les produits finis importés d'Europe et des Antilles.

Les activités portuaires commencèrent à décliner dans la seconde moitié du 19e s., et le quartier tomba peu à peu à l'abandon. Au milieu des années 1980, un projet de réhabilitation financé par le gouvernement fédéral apporta au Vieux-Port un second souffle de vie, grâce à la création du complexe de l'**Agora★**. Ce dernier comprend un amphithéâtre à ciel ouvert, construit entre le Saint-Laurent et l'édifice de la Douane, et une grande promenade en planches qui longe le fleuve. L'ensemble a fait peau neuve à l'occasion du 400ᵉ anniversaire de la ville. Une marina, destinée à plusieurs centaines de bateaux de plaisance, vient compléter l'ensemble.

Édifice de la Douane
2 r. Saint-André.
Dominant le Saint-Laurent, cette majestueuse structure néoclassique (1860) fut conçue par l'architecte anglais William Thomas. Des ornements de pierre de taille décorent les fenêtres du rez-de-chaussée. Un premier incendie détruisit l'intérieur en 1864 ; et un autre, en 1909, les étages et le dôme. Le heurtoir de l'entrée principale provient de la Maison des douanes anglaises, établie à Québec en 1793. Le bâtiment, restauré entre 1979 et 1981, abrite toujours les bureaux de l'administration des Douanes.

Société du port de Québec
Rue Dalhousie. Conçu par un architecte du pays, Thomas R. Peacock, ce bâtiment (1914) se dresse à l'endroit où l'incendie de 1909 détruisit un silo et endommagea l'édifice de la Douane.

Musée Naval
170 r. Dalhousie - ℰ 418-694-5387 - www.mnq-nmq.org - horaires, se renseigner - gratuit.
Face au Saint-Laurent, ce petit musée renouvelle régulièrement ses expositions sur l'histoire du fleuve, des épisodes comme les torpillages qui eurent lieu de 1942 à 1944 dans les eaux gaspésiennes, les sous-marins, etc.

Haute-Ville★★★ 2

UN PEU D'HISTOIRE
En 1620, Champlain fit construire Fort Saint-Louis sur le « rocher inhospitalier à jamais inhabitable » qu'était alors le cap Diamant. Agrandie en 1629, cette modeste structure prit le nom de **château Saint-Louis**. Remplacée en 1692 par un bâtiment d'un étage, elle devint, à la demande du comte de Frontenac, la résidence officielle du gouverneur de la colonie. L'édifice fut rebâti après la Conquête anglaise, puis ravagé par un incendie en 1834. Le développement de la Haute-Ville se fit à l'initiative d'un groupe de puissants marchands, la Compagnie des Cent-Associés. La terre, aux mains de quelques seigneurs, fut redistribuée, et les parcelles de terrain concédées aux institutions religieuses furent réduites. Les premières tentatives d'urbanisation de la Haute-Ville virent le jour sous l'administration du gouverneur Montmagny (1636-1648). Malgré les difficultés entraî-nées par une topographie accidentée et par la présence de vastes terrains appartenant à diverses institutions, Montmagny décida d'ériger une grande ville fortifiée. Les premières maisons apparurent à la fin du 17ᵉ s., près de la place d'Armes et le long de la rue Saint-Louis. Cependant, les congrégations religieuses (ursulines, augustines et jésuites) étant peu disposées à morceler leurs terrains, et l'armée s'opposant à toute construction à proximité de fortifications existantes ou à venir, le développement de la ville fut consi-

SE LOGER	
Acadia (Hôtel)	①
Belley (Hôtel)	③
Château Bonne-Entente	⑤
Fairmont Le Château Frontenac	⑦
Québec (Auberge internationale de)	⑨
Saint- Louis (Auberge)	⑪
Vieux- Québec (Hôtel du)	⑬

SE RESTAURER	
Astral (L')	①
Aux Anciens Canadiens	③
Billig (Le)	⑤
Bossus (Les)	⑦
Café Krieghoff	⑨
Café- restaurant du Musée	⑪
Clocher Penché (Le)	⑬
Continental (Le)	⑮
Graffiti (Le)	⑰
Hobbit Bistro	⑲
Petit Coin Latin (Le)	㉑
Portofino	㉓
Pub Saint- Alexandre	㉕
Saint- Amour (Le)	㉗
Yu-Zu	㉙
47ᵉ Parallèle	㉛

QUÉBEC
HAUTE-VILLE

Marie-Guyart

★ Bon-Pasteur

St-Cœur-
de-Marie

Édifice Joseph- Aristide-Tardif

Maison ⑨⑰   ★★ Musée national ⑪
Stewart   des Beaux-Arts du Québec

dérablement ralenti. Vers la fin du 18ᵉ s., les bâtiments reflétaient encore l'importance prépondérante de la présence religieuse et administrative. Au cours du 19ᵉ s., un élégant quartier se développa aux alentours des rues Saint-Louis, Sainte-Ursule et d'Auteuil, et des avenues Sainte-Geneviève et Saint-Denis. Son prestige allait diminuer vers 1880 au profit de la Grande Allée. Aujourd'hui, la Haute-Ville forme le cœur du Vieux-Québec et abrite toujours le centre administratif de la cité.

PROMENADE

2 km. Point de départ : place d'Armes.

Place d'Armes★★

Située aux confins du Fort Saint-Louis, cette jolie place verdoyante (1620) servait à l'origine de terrain de manœuvres et de défilés. Elle perdit sa fonction militaire avec la construction de la Citadelle au début du 19ᵉ s. et devint un lieu public. Aujourd'hui encadrée par de prestigieux édifices, elle comporte en son centre le **monument de la Foi (1)** (1916 ; David Ouellet), fontaine surmontée d'une sculpture néogothique commémorant la venue des missionnaires récollets à Québec, il y a plus de trois siècles. Les bas-reliefs évoquent l'arrivée en 1615 du père Dolbeau, premier prêtre de Québec, la première messe célébrée par les récollets, et leur œuvre d'évangélisation.

Château Frontenac★★

👁 **Visites guidées** – *Mai-oct. : départ ttes les heures 10h-18h ; hiver : une fois par jour (se renseigner) - 8,50 $.*

Orné de tourelles médiévales, d'échauguettes et de mâchicoulis typiques du style « château » que le Canadien Pacifique développa aux grandes étapes de sa ligne transcanadienne, cet imposant hôtel est sans aucun doute le bâtiment le plus célèbre de Québec. Il tient son nom de Louis de Buade, comte de Frontenac (1622-1698), gouverneur de la Nouvelle-France de 1672 à 1682 et de 1689 à 1698, et occupe l'ancien site du château Haldimand ou « Vieux Château ». Ce dernier, construit en face du château Saint-Louis en 1786 pour le gouverneur Frederick Haldimand, abritait les services administratifs et les salons de réception du gouvernement colonial. C'est en 1880, dans la foulée des projets d'embellissement proposés par Lord Dufferin, gouverneur général du Canada, que l'idée de doter la ville d'un somptueux établissement hôtelier prit corps. Lorsque **Bruce Price** (1843-1903) entreprit de dessiner les plans de l'hôtel, il se laissa inspirer par un style d'architecture déjà très en faveur à Québec. Reprenant un premier projet d'Eugène-Étienne Taché, l'architecte américain modifia le plan original en faveur d'un plan en forme de fer à cheval, et choisit des toits de cuivre qui contrastaient avec les murs de brique rehaussés de pierre de taille. Le style « château » acquit alors un ton bien particulier qui, jusqu'aux années 1940, sera non seulement l'emblème par excellence du Canadien Pacifique, mais aussi du pays. Dès 1893, l'aile Riverview était complétée, et l'hôtel connut un succès immédiat. La construction successive des ailes Citadelle (1899) et Mont-Carmel (1908), suivie de celle de l'aile Saint-Louis et de la tour centrale (1920-1924), vint peu à peu agrandir l'ensemble. Avec l'ajout récent de son aile Claude-Pratte (1993), fort bien intégrée au reste de l'édifice, le château Frontenac met à la disposition de sa clientèle plus de 610 chambres *(voir carnet pratique)*. Les architectes décorèrent le monument d'armoiries. Au-dessus de la porte cochère qui donne sur la rue Saint-Louis, on remarque celles du comte de Frontenac (pieds-de-poule). Au-dessus de l'arche donnant sur la cour, une pierre datée de 1647, provenant du château Saint-Louis, est gravée d'une croix de Malte. L'intérieur de l'hôtel fut reconstruit après un incendie en 1926. Typiques des grands palaces des années 1900, le hall d'entrée, la réception, le salon Verchères et la salle à manger Champlain sont quelques exemples éloquents du soin apporté à la conception de ce joyau d'architecture canadienne.

👁 **Points de vue** – C'est des hauteurs de la Citadelle, de l'observatoire de l'édifice Marie-Guyart ou encore de la terrasse de Lévis, que l'on apprécie le mieux l'importance du château Frontenac dans le paysage urbain.

Continuez le long de la rue Saint-Louis.

Ancien palais de justice★

12 r. Saint-Louis, édifice Gérard-D.-Levesque.

Aujourd'hui occupé par le ministère des Finances, cet édifice (1883-1887) de style Second Empire est érigé à l'emplacement du couvent et de l'église des récollets, tous deux détruits par un incendie à la fin du 18ᵉ s. Ses façades s'inspirent de celles des châteaux de la Loire de la première moitié du 16ᵉ s. De chaque côté de l'entrée principale, on remarquera les armoiries de Jacques Cartier et de Champlain. Les chapiteaux, ornés de fleurs de lys, ajoutent une note spécifiquement française à l'imposant bâtiment.

Maison Maillou★ (A)

17 r. Saint-Louis.

La Chambre de commerce de Québec loge dans ce vaste bâtiment de pierre, à deux pas du château Frontenac. Construit vers 1736 par l'architecte Jean Maillou (1668-

1753), l'édifice ne comportait à l'origine qu'un seul niveau. Surélevé en 1767, puis agrandi de deux travées du côté ouest en 1799, il fut occupé, au début du 19e s., par l'armée britannique. De cette époque datent les contrevents de fenêtres en métal. Restaurée en 1964, la maison forme un ensemble urbain traditionnel, typique des années 1800.

Au n° 25, la **maison Kent** (B) abrite les services du consulat général de France à Québec. Ce grand bâtiment blanc, décoré de moulures bleu vif, fut édifié au 18e s. et reconstruit dans les années 1830. Le duc de Kent, père de la reine Victoria, y aurait résidé de 1792 à 1794.

Maison Jacquet★ (C)

34 r. Saint-Louis.

Considérée comme la plus vieille maison de la ville, et l'un des seuls exemples québécois d'architecture domestique de la fin du 17e s., cette petite maison d'un étage, surmontée d'une haute toiture rouge percée de lucarnes caractéristiques, fut construite sur un terrain acheté par François Jacquet au couvent des ursulines en 1674. Vers 1690, l'architecte François de la Joüe modifia la maison d'origine en la haussant d'un étage. L'agrandissement latéral, plus récent, fut rajouté en 1820. Neveu de Lanaudière et auteur du célèbre roman *Les Anciens Canadiens*, Philippe Aubert de Gaspé y vécut de 1815 à 1824. Un restaurant réputé occupe aujourd'hui les lieux *(voir carnet pratique)*.

Prenez à droite la rue des Jardins, puis à gauche la rue Donnacona.

Monastère des Ursulines★

La plus ancienne institution d'enseignement pour jeunes filles en Amérique, fondée en 1639 par Madame de la Peltrie et Marie Guyart (mère Marie de l'Incarnation), poursuit de nos jours son œuvre éducatrice. Bâti en 1641, le monastère fut dévasté par deux incendies en 1650 et en 1686. Les ailes Saint-Augustin et Sainte-Famille, ainsi que la cuisine qui les relie, furent édifiées au cours d'une période de reconstruction (1685-1715). Ensemble, elles forment l'ébauche de la cour carrée intérieure. L'aile Sainte-Famille, au toit en pente, offre un excellent exemple du style architectural en vogue sous le Régime français. En 1836, l'architecte Thomas Baillairgé ajouta l'aile Sainte-Angèle au monastère. Malgré plusieurs nouveaux bâtiments édifiés au 20e s., le complexe a conservé son grand jardin et son verger.

Musée des Ursulines★ (M[1]) – *12 r. Donnacona -* ☎ *418-694-0694 - www.museocapi tale.qc.ca - mai-sept. : mar.-sam. 10h-12h, 13h-17h, dim. 13h-17h ; reste de l'année : mar.-dim. 13h-16h30 - fermé 25 déc. - 6 $.* Depuis 1979, un édifice assis sur les fondations de l'ancienne maison de Madame de la Peltrie – fondatrice laïque du monastère – abrite ce musée. L'essentiel des collections (œuvres d'art, documents d'archives, biens matériels, objets didactiques, art autochtone et art décoratif) illustre le patrimoine ethnographique, artistique et éducatif de la communauté des ursulines de 1639 à 1759 (sous le Régime français).

Chapelle – *12 r. Donnacona -* ☎ *418-694-0413 - mai-oct. : mar.-sam. 10h-11h30 et 13h30-16h30, dim. 13h30-16h30.* La chapelle actuelle (1902) a remplacé un bâtiment du début du 18e s. La diversité des styles qu'elle présente est caractéristique de l'architecture religieuse du Québec au début du siècle. Visible derrière l'église, la tourelle du chevet, empruntée au style « château », date de 1889.

L'intérieur se compose d'une chapelle dite « extérieure » (à l'usage des fidèles), séparée par une grille de la chapelle « intérieure » (où les religieuses cloîtrées faisaient leurs dévotions). Il a conservé son magnifique **décor★★** d'avant la Conquête, soigneusement rénové. On y remarquera la chaire et son abat-voix surmonté d'un ange à la trompette, le retable latéral, dédié au Sacré-Cœur, et le retable principal de style Louis XIV, en forme d'arc de triomphe. Ces ornements, tout comme le maître-autel, furent réalisés entre 1726 et 1736, sous la direction de Pierre-Noël Levasseur. Les sculptures sont rehaussées de dorures exécutées par les ursulines. Ces dernières avaient en effet installé, pour subvenir à leurs besoins, un atelier de dorure qui fonctionna pendant plus de deux siècles. D'une grande beauté plastique, les figures de saint Augustin *(niche de gauche)*, de sainte Ursule *(niche de droite)* et de saint Joseph *(niche du haut)* témoignent d'un haut niveau de perfection dans l'art de la sculpture sur bois au Québec. Le vaste chœur des religieuses, avec ses stalles et ses galeries, est surmonté d'une fausse voûte ornée de coupoles. Les peintures qui décorent la chapelle furent pour la plupart acquises à Paris vers 1820 par l'abbé Louis-Philippe Desjardins (1753-1833), ancien chapelain des ursulines. À noter, du côté droit de la nef, la *Parabole des Dix Vierges* de Pierre de Cortone. On admirera aussi, au revers de la façade, *Jésus chez Simon le Pharisien* de Philippe de Champaigne, et dans le chœur, un tableau anonyme peint en France vers 1670, intitulé *La France apportant la foi aux Hurons de la Nouvelle-France*. Dans une chapelle adjacente repose la Bienheureuse Marie-de-l'Incarnation, qui mourut en 1672 et fut béatifiée en 1980.

Retournez à la rue Saint-Louis par la rue du Parloir, et tournez à droite.

En face du n° 58, dans la rue du Corps-de-Garde, faire un bref arrêt devant ce pauvre arbre dans les racines duquel repose… un boulet de canon ! En arrière-plan, on aperçoit les murs du parc Cavalier-du-Moulin. Comme l'atteste une plaque commémorative apposée au mur, la dépouille du général Montgomery fut déposée au n° 72 après l'attaque manquée des Américains sur Québec, en 1775-1776.

Tournez à gauche dans la rue Sainte-Ursule.

Chalmers-Wesley United Church/Église unie Saint-Pierre

78 r. Sainte-Ursule - 🖉 *418-692-2640 - de déb. juil. à fin août : lun.-sam. 10h-17h.*

Deux assemblées protestantes, l'une anglophone, l'autre francophone, se partagent ce bâtiment de style néogothique (1853 ; J. Wells) dont le clocher élancé est flanqué de contreforts en décrochements. À l'intérieur, on peut voir de superbes vitraux réalisés en 1909, de belles boiseries ornant l'abside et les bancs, et un orgue du début du siècle, restauré en 1985.

En face de l'église, le **sanctuaire Notre-Dame-du-Sacré-Cœur** *(n° 71)* fut construit en 1910 par F.-X. Berlinguet. Il s'agit d'une réplique de la chapelle gothique dédiée à Notre-Dame du Sacré-Cœur à Issoudun, en France.

Retournez vers la rue Saint-Louis.

Au coin nord-ouest des rues Saint-Louis et Sainte-Ursule s'élevait autrefois l'hôtel de ville de Québec, bâti en 1833. Lorsque le nouvel hôtel de ville ouvrit ses portes en 1896, réunissant sous un même toit les bureaux administratifs et juridiques municipaux, David Ouellet érigea une série de maisons en rangée le long de la rue Sainte-Ursule *(n°s 60-68)*. Ceci lui a donné le caractère original qu'on lui connaît.

Continuez le long de la rue Sainte-Ursule jusqu'à l'angle de la rue Sainte-Anne. Tournez à droite et poursuivez jusqu'à l'angle de la rue Cook.

Saint Andrew's Presbyterian Church/Église presbytérienne Saint-André

5, r. Cook - 🖉 *418-694-1347 - juil.-août : lun.-sam. 10h-16h, dim. 11h30-16h.*

Construite en 1810 pour des Écossais presbytériens de Québec, l'église fut agrandie en 1823. Son clocher reproduit celui de la Sainte-Trinité *(ci-dessous)*. À l'origine, la congrégation était presque entièrement réservée aux Fraser Highlanders, l'un des bataillons de l'armée du général Wolfe. Dans le sanctuaire, la table de communion et la chaire font face à l'ancienne tribune du gouverneur.

Poursuivez rue Sainte-Anne.

Édifice Price★

65 r. Sainte-Anne.

Premier gratte-ciel de Québec, cette tour en décrochements domine le quartier du haut de ses 16 étages. Conçue par les architectes montréalais Ross et MacDonald, elle fut réalisée en 1930 pour servir de siège social à la société Price Brothers, qui introduisit l'industrie du bois et du papier dans la région du Saguenay. Dans la foulée des grandes compagnies nord-américaines, Price Brothers adopta le style Art déco alors en vogue, mais y introduisit une iconographie témoignant à la fois de sa nationalité canadienne (pommes de pin, écureuils, amérindiens) et de son activité (exploitation forestière et production de papier). Un toit revêtu d'une couverture de cuivre permet à l'édifice de mieux se fondre dans le paysage architectural du Vieux-Québec. Avec ses bas-reliefs et ses portes en cuivre (entrée et ascenseur), le hall d'entrée forme un ensemble de qualité.

Hôtel Clarendon

57 r. Sainte-Anne.

En 1858, Charles Baillairgé construisit ici deux maisons pour l'imprimeur Desbarats. Celles-ci furent converties en hôtel en 1875. L'année suivante fut érigé un pavillon d'entrée de style Art déco. Les deux grandes torchères en bronze placées dans le hall d'entrée constituent de rares exemples de l'influence de l'Art nouveau à Québec.

Cathédrale anglicane de la Sainte-Trinité★

31 r. des Jardins - 🖉 *418-692-2193 - www.cathedral.ca - de fin mai à la fête de l'Action de Grâce : 10h-17h.*

Érigée sur un terrain qui, jusque vers la fin du 18e s., avait appartenu aux récollets, cette cathédrale anglicane (épiscopale) – la première de son genre à être construite hors des îles Britanniques – fut achevée en 1804. Son architecture, inspirée de l'église Saint-Martin in the Fields à Londres, offre un plan à la fois simple et innovateur, caractérisé par la présence d'une nef et de deux bas-côtés, soulignés par une double rangée de fenêtres. Le chœur étant, selon la tradition chrétienne, orienté vers l'est, la façade tourne le dos à la place d'Armes. Le clocher, doté d'un carillon de huit cloches, rivalise en hauteur avec celui de la basilique-cathédrale Notre-Dame-de-Québec, qu'il dépasse de plusieurs pieds. À cause des risques d'effondrement entraînés par d'abondantes chutes de neige, le toit – à l'origine assez plat – fut exhaussé d'environ 3 m en 1816. À l'extérieur, une croix celtique (v. 542) marque l'entrée du bâtiment.

Intérieur – La fausse voûte, en bois, imite le stuc. Les chapiteaux ioniques et les pilastres furent réalisés par Louis-Amable Quévillon, qui faillit d'ailleurs être excommunié pour avoir travaillé au décor intérieur d'une église non catholique. Fondateur de la cathédrale, George III fit envoyer du chêne provenant de la forêt royale de Windsor pour la fabrication des bancs. Dans la tribune gauche se trouve une loge royale réservée au souverain britannique, chef de l'Église, ou à son représentant. À droite de l'autel, le fauteuil de l'évêque fut sculpté dans le bois d'un orme (déraciné lors d'une tempête en 1845) qui se dressa pendant 200 ans dans le jardin de l'église, et sous lequel Champlain aurait, selon la tradition, fumé le calumet de la paix avec les Iroquois. Le trésor de la cathédrale, exposé à certaines occasions, comprend de très belles pièces d'orfèvrerie (dont une paire de chandeliers en argent massif) offertes par George III.

À droite de la cathédrale, remarquez le presbytère (1841), de style néoclassique, ainsi qu'une salle paroissiale (1890). À la période estivale, le parvis de la cathédrale attire toutes sortes d'artistes.

Retournez rue Sainte-Anne.

Dans la pittoresque **rue du Trésor**, interdite à la circulation, des artistes exposent des dessins et gravures illustrant des scènes typiques de la vie à Québec.

Ancien hôtel Union

12 r. Sainte-Anne.

Bel exemple d'architecture palladienne, cet imposant édifice (1805-1812) fut en son temps le premier établissement hôtelier de la ville. Il abrite désormais l'**office de tourisme de Québec** *(voir carnet pratique)* où le visiteur découvrira toute une gamme de services : comptoir de renseignements, bureau de change, visites guidées, location de voitures, librairie, etc.

Musée du Fort (M²)

10 r. Sainte-Anne - ☏ 418-692-2175 - www.museedufort.com - fév.-mars : jeu.-dim. 11h-16h ; avr.-oct. : 10h-17h - 8 $ (-10 ans gratuit).

Bâti en 1840, ce bâtiment blanc surmonté d'un toit gris fut remanié en 1898 et acquit alors son amusante apparence de château. Sur une grande maquette du site de Québec au 18ᵉ s., un spectacle « son et lumière » *(30mn)* raconte l'histoire de la ville et explique en détail les divers sièges et batailles dont elle fut l'enjeu. La maquette rend sensible le relief si particulier de la ville.

Prenez à gauche la rue du Fort, et continuez jusqu'à la rue Buade.

Ancien bureau de poste★ (D)

5 r. du Fort - ☏ 418-694-6102 - de déb. juil. à déb. oct. : lun.-vend. 8h-18h (mar.-merc. 17h45), w.-end 9h30-17h ; reste de l'année : lun.-vend. 8h30-16h30 - fermé principaux j. fériés.

Construit en 1873 pour servir de bureau central, ce bâtiment en pierre de taille fut considérablement agrandi en 1914. On remarquera son imposante façade de style Beaux-Arts, et au-dessus de la porte d'entrée, le bas-relief sculpté qui constituait jadis l'enseigne du Chien d'Or (auberge située à cet emplacement jusqu'en 1837). Rebaptisé en l'honneur de Louis-S. Saint-Laurent, célèbre Premier ministre canadien, l'édifice assure pour l'instant encore la distribution du courrier. Parcs Canada y a des bureaux. On y trouve donc toute la documentation possible sur les lieux historique sdu Québec et les parcs naturels aussi.

Monument de Mᵍʳ de Laval (2) – Devant l'ancien bureau de poste s'élève un monument à la mémoire de Mgr François de Montmorency-Laval (1623-1708), premier évêque de Québec. Cette œuvre du sculpteur Louis-Philippe Hébert, érigée en 1908, nécessita la démolition d'un pâté de huit maisons et permit la création d'une imposante place publique.

La rue Buade s'interrompt à l'**escalier Charles-Baillairgé** (1893), ainsi nommé en l'honneur de cet architecte qui, après une illustre carrière, devint ingénieur des travaux publics. Il s'agit d'un des nombreux escaliers de fer et de fonte que Baillairgé construisit pour la ville de Québec.

Descendez l'escalier.

Du bas de l'escalier, on aperçoit la fausse façade de l'ancien bureau de poste qui domine la Basse-Ville.

Remontez la côte de la Montagne.

Palais archiépiscopal (E)

2 r. Port-Dauphin.

Ce bâtiment néoclassique (1847) devait remplacer la première résidence de l'archevêque, érigée à la fin du 17e s. dans le parc Montmorency. Suite à la campagne d'embellissement de Québec, lancée par Lord Dufferin à la fin du 19e s., une fausse façade fut érigée vis-à-vis de la côte de la Montagne, afin que le palais fût visible du Saint-Laurent. La façade originale est tournée vers la cour d'honneur par laquelle on accédait au Vieux-Séminaire.

Retournez rue Buade.

En face du presbytère *(16 r. Buade, à l'angle de la rue du Fort)*, de style Beaux-Arts, une plaque signale la présence des fondations de la chapelle où aurait été inhumée la dépouille de Samuel de Champlain, fondateur de la ville. Les hypothèses sur la localisation de son tombeau sont toutefois nombreuses.

Basilique-cathédrale Notre-Dame-de-Québec★

📞 418-694-0665 - www.patrimoine-religieux.com - *de déb. mai à mi-oct. : 9h-17h ; reste de l'année : 9h-16h.*

La plus européenne des églises de la ville fut déclarée monument historique en 1966. D'une grande complexité, cet ensemble témoigne de l'influence de plus de 300 ans d'architecture québécoise.

Premières constructions – En 1674, époque à laquelle le pape Clément X ordonna la création du diocèse de Québec, l'église d'origine (1650) fut élevée au rang de cathédrale. Sous le ministère de François de Laval, vicaire apostolique de Nouvelle-France devenu évêque de Québec, l'édifice subit quelques travaux de réfection et d'agrandissement. En 1743, Gaspard Chaussegros de Léry, ingénieur du roi, exhaussa la nef et la dota d'une claire-voie. Il y ajouta des bas-côtés, perçant les anciens murs d'une série d'arcades soutenues par de puissants piliers, et agrandit l'abside. Une nouvelle façade fut par ailleurs élevée sur la place du Marché, aujourd'hui place de l'Hôtel-de-Ville. Les travaux s'achevèrent en 1749 ; malheureusement, le bombardement de Québec par les troupes britanniques en 1759 causa la destruction de l'édifice.

Le chef-d'œuvre des Baillairgé – Il fut décidé de reconstruire la cathédrale selon les plans de Chaussegros de Léry, tout en l'agrandissant. Cet ambitieux projet, qui se déroula de 1768 à 1771, fut véritablement le fruit d'une entreprise familiale. Premier d'une impressionnante lignée de sculpteurs et architectes, Jean Baillairgé (1726-1805) refit le clocher sud, avec ses deux tambours ajourés, coiffés de coupoles. En 1787, son fils, François Baillairgé (1759-1830), de retour d'un séjour d'études à l'Académie royale de peinture et de sculpture de Paris, entreprit de décorer l'intérieur, dont la pièce principale allait être un magnifique baldaquin.

Thomas Baillairgé (1791-1859), fils de François, reprit le flambeau et dessina en 1843 la sobre façade néoclassique dont la construction fut interrompue deux ans plus tard, lorsque la base de la première tour montra des signes de faiblesse. En 1857, Charles Baillairgé (1826-1906), cousin du précédent, dessina la grille de fonte qui devait clore le parvis. En 1874, la cathédrale Notre-Dame trouva, dans son élévation au rang de basilique, la consécration de son histoire et de son statut d'église primatiale du Canada. Lorsque le 22 décembre 1922, un incendie ravagea Notre-Dame-de-Québec, les autorités religieuses du diocèse décidèrent de rebâtir l'édifice tel qu'il était avant le sinistre, afin de perpétuer l'image familière de « l'église de Mgr de Laval ». La basilique fut soigneusement reconstruite de 1923 à 1928, à partir des plans et de photographies anciennes.

Intérieur – Entièrement recréé, l'intérieur évoque dans ses grandes lignes la cathédrale du 18e s., malgré l'emploi de matériaux modernes comme le béton et l'acier. Dès l'entrée, l'œil est attiré vers le baldaquin, aux formes amples et aériennes. Ce chef-d'œuvre d'élégance fut refait par le sculpteur français André Vermare selon le modèle de François Baillairgé. Les lumineux vitraux du niveau supérieur, également d'origine française, représentent des saints, des évangélistes et des archanges. Dans la partie basse, des vitraux allemands évoquent la vie de la Vierge. La crypte *(visite guidée seulement ; se renseigner à l'accueil)* renferme les sépultures des évêques de

Québec et de quelques gouverneurs de la Nouvelle-France : ... le chevalier de Saint-Louis, le marquis de Vaudreuil et le marq... de son entrée, on remarquera une lampe offerte par Louis ... l'orgue Casavant (1927), composé de 5 239 tuyaux, se dresse... en train de lire (symbole de l'inspiration), et celle d'un berge... l'improvisation). Depuis 1993, une chapelle commémorative *(bas...* la dépouille de Mgr François de Laval, tandis qu'un centre d'animation (... *chœur)* présente une petite exposition sur sa vie et son œuvre.

Place de l'Hôtel-de-Ville

Conçue en même temps que Notre-Dame, en 1650, cette vaste place devint le plus important marché de la Haute-Ville au 18e s. La construction de l'hôtel de ville *(ci-dessous)* devait toutefois mettre fin à sa vocation commerciale.

Au centre se dresse le **monument du cardinal Taschereau (3)**, premier Canadien à porter la pourpre, sculpté par André Vermare en 1923. Les bas-reliefs évoquent l'institution des Quarante Heures dans le diocèse *(face à la cathédrale)*, la carrière du supérieur du séminaire de Québec *(côté rue des Jardins)* et le cardinal se portant au secours des Irlandais victimes du typhus à la Grosse-Île en 1848 *(côté rue Buade)*.

Hôtel de ville de Québec

2 r. des Jardins.

Cet imposant édifice occupe l'emplacement d'un ancien collège de jésuites et d'une église, établis en 1666 au cœur même du Vieux-Québec. Détruit en 1877, le collège fut remplacé par l'hôtel de ville, bâti en 1896 selon les plans de Georges-Émile Tanguay. Son architecture révèle un curieux mélange de styles Second Empire et « château », auxquels ont été greffées des touches de style néoroman « richardsonien ».

LE QUARTIER LATIN DE QUÉBEC★

Situé au nord de la basilique-cathédrale Notre-Dame, il s'agit du plus ancien secteur résidentiel de la Haute-Ville. Les terrains dont il se compose appartenaient jadis au séminaire *(ci-dessous)* qui entreprit de les morceler dès la fin du 17e s., alors que la parcellisation des vastes propriétés appartenant aux ursulines, aux jésuites et aux augustines ne commença qu'un siècle plus tard. Les petites ruelles qui font le charme du quartier correspondent d'ailleurs aux chemins qui parcouraient jadis ces propriétés. Entre 1820 et 1830, les artisans qui s'étaient installés dans le quartier dès ses débuts furent remplacés par une bourgeoisie francophone désireuse de résider à proximité du séminaire et de son clergé. Après la Seconde Guerre mondiale, l'influence du mouvement existentialiste parisien se fit ressentir sur la bohème estudiantine du Vieux-Québec. À la même époque, l'Université Laval renforça sa présence dans le voisinage, occupant plusieurs douzaines de maisons du quartier.

Séminaire de Québec★★

Créé en 1663 par Mgr de Laval pour former les prêtres de la jeune colonie, le séminaire de Québec développa en 1852 son rôle éducatif en fondant l'Université Laval, premier établissement d'enseignement supérieur francophone au Canada. Jusqu'en 1970, son recteur fut d'ailleurs, de plein droit, le supérieur du séminaire. En 1950, l'Université Laval partit s'installer à Sainte-Foy, laissant toutefois derrière elle son école d'architecture qui, aujourd'hui encore, occupe plusieurs bâtiments du site et continue à assurer la formation de ses étudiants.

Centre de la francophonie des Amériques – Il occupe l'ancien pavillon d'accueil du Vieux-Séminaire. Réaménagé à l'occasion du 400e anniversaire de la ville de Québec, il a dorénavant pour mission de promouvoir la francophonie.

Vieux-Séminaire – *Entrée au 2 côte de la Fabrique. Visite guidée d'une partie du séminaire uniquement possible à la période estivale (visite du musée de l'Amérique française comprise, voir ci-après).* Le Vieux-Séminaire se compose de trois corps de bâtiments disposés autour d'une cour intérieure, selon le plan typique de l'architecture monastique française des 16e et 17e s. On y accède par une porte cochère dont l'encadrement, dû à François Baillairgé, porte les armoiries du séminaire. L'emploi des techniques traditionnelles de construction a contribué à l'homogénéité de l'ensemble.

Construite entre 1678 et 1681 pour accueillir le Grand Séminaire, l'**aile de la Procure** *(à gauche)* constitue la partie la plus ancienne du complexe. Sa façade est ornée d'un cadran solaire (1773) portant la devise : « Nos jours passent comme une ombre. » Les murs et les voûtes du bâtiment résistèrent aux incendies de 1701, 1705 et 1865, et l'aile fut exhaussée d'un étage de pierre. On y verra la **chapelle de Mgr-Olivier-Briand★**, ancien oratoire particulièrement remarquable pour ses lambris réalisés par sculpteur Pierre Émond en 1785. Celui-ci dessina aussi les branches d'olivier ornant une gravure du *Mariage de la Vierge,* au-dessus de l'autel.

comme l'**aile des Parloirs** *(au centre)* ou ancien Petit Séminaire, l'**aile de la Congrégation** *(à gauche)*, dans laquelle s'ouvre la porte cochère, date de 1823. Lieu de dévotion mariale, sa **chapelle de la Congrégation** est une salle basse divisée en trois parties par deux rangées de colonnes ioniques. Le maître-autel, lui aussi flanqué de colonnes, est surmonté d'une **statue★** dorée de la Vierge, l'une des rares œuvres de bois sculptées par l'architecte Thomas Baillairgé.

Musée de l'Amérique française★ (M³)

Entrée principale au 2 côte de la Fabrique, fond de cour sous le porche, entrée par la chapelle - ☎ 418-692-2843 ou 1-866-710-8031 - www.mcq.org - du 23 juin à la fête du Travail : 9h30-17h ; reste de l'année : mar.-dim. 10h-17h - fermé 25 déc. - 6 $ (12-16 ans 2 $).

Gérées depuis 1995 par le musée de la Civilisation, les multiples collections du musée de l'Amérique française reflètent la richesse du patrimoine francophone (historique, culturel et social) sur le continent nord-américain. Elles comprennent notamment d'importantes archives historiques, quelque 195 000 livres et journaux rares et anciens, des exemples de peinture européenne du 15ᵉ au 19ᵉ s. et de peinture canadienne du 18ᵉ au 20ᵉ s., de superbes pièces d'orfèvrerie et d'argenterie religieuse et domestique, sans parler de collections de textiles, de mobilier, d'instruments scientifiques, de numismatique et de philatélie, de zoologie, d'ornithologie, d'entomologie, de géologie et de botanique. Ces collections se répartissent sur deux bâtiments. Le premier correspond en fait à l'ancienne **chapelle extérieure** du séminaire. Construit entre 1888 et 1900 selon les plans de J.-F. Peachy, l'édifice possède un intérieur inspiré de celui de l'église de La Trinité, à Paris… à quelques différences près : la version québécoise, tout en acier galvanisé, est décorée de peintures en trompe-l'œil. On y voit de très belles pièces d'orfèvrerie religieuse, avec des œuvres de François Ranvoyzé, Guillaume Loir, Laurent Amiot et bien d'autres. La chapelle contiendrait par ailleurs l'une des plus importantes collections de **reliques★** après celle de Saint-Pierre de Rome. Les seize bustes dorés représentant les apôtres furent sculptés par Louis Jobin. Dans la chapelle dédiée à Mᵍʳ de Laval *(travée gauche)*, les colonnes sont ornées de représentations des sept sacrements, et chaque lampe symbolise un don du Saint-Esprit.

Le **pavillon Jérôme-Demers** se prête, quant à lui, à deux expositions permanentes. La première, consacrée à l'aventure de la francophonie en Amérique, dévoile l'identité culturelle des sept communautés majeures dont se compose l'Amérique française : Québec, bien sûr, mais aussi Acadie, Louisiane, Franco-Ontariens, francophones de l'Ouest, Métis et Franco-Américains de Nouvelle-Angleterre. La seconde présente les objets les plus significatifs des collections du séminaire de Québec dont l'impressionnant patrimoine matériel, amassé au cours des ans, donne un aperçu de la mission religieuse, éducative et culturelle.

Sortez du musée par la rue de l'Université, et tournez à droite dans la rue Sainte-Famille. Prenez à gauche la rue Couillard.

Charmante voie au tracé sinueux, la **rue Couillard** reçut son nom au 18ᵉ s. en l'honneur du matelot Guillaume Couillard (1591-1663), gendre et héritier des terres de Louis Hébert.

Musée Bon-Pasteur

14 r. Couillard, entre les rues Ferland et Saint-Flavien - ☎ 418-694-0243 - mar.-dim. 13h-17h - 3 $.

Bel exemple d'architecture néogothique, avec ses murs de brique rouge percés de fenêtres ogivales, le corps central de la **maison Béthanie★** (1878 ; David Ouellet) s'impose par son élégante avancée et par son pittoresque toit. Le bâtiment abritait autrefois l'hospice de la Miséricorde, fondé par les sœurs du Bon-Pasteur comme refuge et maternité pour jeunes filles en détresse. Transformé en musée, l'édifice retrace aujourd'hui, sur trois étages, l'histoire de ces religieuses dont la congrégation fut fondée en 1850 par Marie Fitzbach, devenue mère Marie-du-Sacré-Cœur après avoir pris le voile. Une belle collection d'objets anciens (tableaux, sculptures, mobilier, instruments de musique, biens matériels courants) évoque la vie exceptionnelle de cette ancienne laïque, et celle de personnages ayant joué un rôle majeur au sein de la communauté. La collection recrée aussi l'ambiance des salles de communauté dans les couvents du Bon-Pasteur et illustre la mission éducative des religieuses. On remarquera tout particulièrement de belles œuvres de piété recueillies ou réalisées par les sœurs au fil des ans (statues religieuses polychromes, livres rares, ornements

Vieux-Québec classé au Patrimoine mondial de l'UNESCO.

liturgiques brodés). Une vidéo *(15mn)* présente par ailleurs la mission de la congrégation dans le contexte d'hier et d'aujourd'hui.

Tournez à droite dans la rue Collins, et continuez jusqu'à la rue Charlevoix.

Monastère de l'Hôtel-Dieu de Québec★

32 r. Charlevoix.

En 1640, les augustines hospitalières de Québec, Marie Guenet de Saint-Ignace, Marie Forestier de Saint-Bonaventure et Anne Le Cointre de Saint-Bernard, s'installaient dans un hôpital de fortune à côté de la mission jésuite de Sillery. Une fois leur monastère achevé en 1644, elles vinrent s'établir dans la vieille ville. Un premier hôpital fut construit en bois. En 1695, François de la Joüe l'agrandit en y ajoutant un bâtiment en pierre. Ces deux bâtiments anciens, qui font aujourd'hui partie du monastère, sont clairement visibles du jardin. L'hôpital connut encore plusieurs agrandissements au cours des 19e et 20e s., jusqu'en 1960 où il atteignit ses dimensions actuelles.

Musée des augustines de l'Hôtel-Dieu-de-Québec (M⁴) – ℰ 418-692-2492 - mar.-sam. 9h30-12h, 13h30-17h, dim. 13h30-17h - fermé principaux j. fériés - réorganisation prévue à partir de fin 2009. Le musée présente de nombreux objets et œuvres d'art illustrant l'héritage et l'histoire des sœurs augustines de la Nouvelle-France, qui fondèrent sur ce site le premier hôpital au nord du Rio Grande. **Peintures** et mobilier d'époque, objets liturgiques, collection d'instruments chirurgicaux. Du musée part également la visite des **caves voûtées** (1695) où se réfugièrent les religieuses pendant la Conquête (lors de laquelle plus de 40 000 boulets furent tirés sur la ville).

Église★ – *Visite sur demande à l'accueil du musée.* Au début du 19e s. apparurent à Québec bon nombre de chapelles de communautés non catholiques qui suivirent l'afflux d'immigrants protestants irlandais. C'est pour réagir contre cette prolifération que l'Église du Québec encouragea les religieuses à construire une importante église catholique. Conçu par Pierre Émond en 1800, sous la direction du père Jean-Louis Desjardins, cet édifice comprend des chapelles polygonales et un chevet relié aux bâtiments conventuels. La façade néoclassique (1835) comporte un beau portail sculpté créé par Thomas Baillairgé. Le petit clocher fut intégré à la façade en 1931. Œuvre de Thomas Baillairgé, la **décoration intérieure** (1829-1832) – en bois sculpté rehaussé de dorures – forme un très bel ensemble. Il faut également remarquer le **tabernacle** du maître-autel, véritable modèle réduit de la basilique Saint-Pierre de Rome, le retable en forme d'arc de triomphe et la fausse voûte de bois à encorbellement. Peinte par Antoine Plamondon en 1840, la *Descente de la Croix*, au-dessus de l'autel, est inspirée du célèbre tableau de Rubens conservé à la cathédrale d'Anvers. Enfin, le tableau représentant la *Vision de Sainte-Thérèse d'Avila*, que l'on peut voir dans la chapelle Notre-Dame-de-toutes-Grâces, faisait partie d'une collection de peintures confisquées aux églises de Paris pendant la Révolution et envoyées à Québec en 1817. Au centre Catherine-de-Saint-Augustin, près de l'église, reposent les restes de la bienheureuse religieuse qui arriva à Québec en 1648 et fut béatifiée en 1989 par le pape Jean-Paul II.

Fortifications★★ ③

Au 17e s., Québec était la clé du système défensif du nord-est de l'Amérique française, et les projets de fortification s'y succédèrent. La construction de batteries, redoutes et cavaliers dans la Haute-Ville et la Basse-Ville fut cependant suspendue après la signature du traité d'Utrecht (1713) qui établit une paix temporaire entre les belligérants européens. Le programme de défense privilégia alors la construction de forts en périphérie.

La campagne de fortification de Québec fut relancée après la prise de Louisbourg (île du Cap-Breton, dans l'actuelle Nouvelle-Écosse) en 1745. Les travaux commencés par l'ingénieur français Gaspard Chaussegros de Léry furent poursuivis après la Conquête par les Anglais. Ces derniers érigèrent une citadelle provisoire en 1783, construisirent quatre tours Martello, de forme circulaire (1805-1812), et bâtirent la Citadelle entre 1820 et 1832. En 1830, les fortifications furent revêtues de grès rouge provenant d'une carrière de Cap-Rouge.

Après le départ de la garnison britannique en 1871, les autorités militaires locales autorisèrent la démolition de certaines portes pour faciliter la circulation entre la Basse-Ville, la Haute-Ville et les faubourgs Saint-Jean et Saint-Louis. **Lord Dufferin**, gouverneur général du Canada de 1872 à 1878, se laissa influencer par le mouvement romantique alors populaire en Europe et intervint en faveur de la conservation des fortifications. En 1875, il proposa un plan d'embellissement de Québec, incluant la mise en valeur de l'enceinte fortifiée, la reconstruction des portes et la démolition de tous les ouvrages avancés qui occupaient une bande large de quelque 60 m le long de l'enceinte afin de mettre à découvert tout le complexe, à la manière des fortifications médiévales. La promenade sur les fortifications, née de cette initiative, permet de découvrir des vues panoramiques sur la ville et ses environs.

CITADELLE★★

De la place d'Armes, prenez la rue Saint-Louis et tournez à gauche dans la côte de la Citadelle. Au bout de la rue, entrez par la porte Durnford.

Construite en temps de paix, la Citadelle n'eut jamais l'occasion de servir à la défense de Québec. Pourtant, l'idée de construire un ouvrage fortifié à cet emplacement remonte au tout début de la ville. Dès 1615, Samuel de Champlain avait en effet proposé la construction, sur les hauteurs du cap Diamant, d'un fortin qui commanderait l'accès à l'arrière-pays par le Saint-Laurent. En 1716, l'ingénieur Chaussegros de Léry relança l'idée et traça, quatre ans plus tard, les plans d'une enceinte semblable, dans ses grandes lignes, à celle que le lieutenant-colonel Elias Walker Durnford allait construire un siècle plus tard.

La Citadelle actuelle (1820-1832) présente un plan en étoile caractéristique des fortifications à la Vauban. Ingénieur militaire et maréchal de France sous le règne de Louis XIV, Sébastien le Prestre, **marquis de Vauban** (1633-1707), perfectionna l'architecture militaire française en développant les ouvrages avancés qui protégeaient portes et murailles du tir des canons ennemis. Le système Vauban était d'une telle perfection que l'armée britannique l'utilisa jusqu'au début du 19e s. Les approches de la Citadelle étaient constituées de glacis, ouvrages de terrassement en plan incliné qui obligeaient l'ennemi à s'exposer au tir des canons de la garnison. En revanche, le tir ennemi ne pouvait toucher les parois de pierre, à moins d'une extrême précision. L'enceinte était formée de bastions (éperons) reliés entre eux par des courtines (murs rectilignes). La forme des bastions permettait de protéger les fossés par un tir de canons, tandis que des tenailles, bastions isolés à l'intérieur même des fossés, protégeaient les courtines et les portes d'entrée.

La **porte Dalhousie** (1830), d'architecture néoclassique, constitue l'entrée principale de la Citadelle. C'est ici que l'on peut assister au spectacle de la relève de la garde *(du 24 juin à la fête du Travail : 10h)* et de la retraite *(juil.-août : dim. 19h ou vend.-sam. 19h au parc de l'Esplanade).*

Visite – *La Citadelle étant une base militaire active occupée par le Royal 22e Régiment, seules certaines parties du site sont ouvertes au public -* ℘ *418-694-2815 ou 1-866-836-4422 - www.lacitadelle.qc.ca -* &- *- visite guidée (1h) seulement, départ ttes les 15mn - avr. : 10h-16h ; mai-juin : 9h-17h ; de juil. à la fête du Travail : 9h-18h ; sept. : 9h-16h ; oct. : 10h-15h ; reste de l'année : une seule visite bilingue par jour 13h30 - 10 $ (-18 ans 5,50 $), famille 22 $.*

Installé dans l'ancienne poudrière (1750), l'un des derniers vestiges de bâtiments, avec la redoute, construits par les Français (elle pouvait contenir près de 2 388 barils de poudre), le **musée du Royal 22e Régiment** présente une belle collection d'objets militaires du 17e s. à nos jours, notamment d'anciens uniformes, des soldats de plomb représentant les régiments de la Nouvelle-France, et plusieurs dioramas illustrant les grandes batailles du 18e s. La visite permet aussi de voir la poudrière (1831), transformée en chapelle en 1927, et surtout la « tenaille ». Construite en 1842, cette ancienne prison sert aujourd'hui d'annexe au musée du Royal 22e Régiment, et contient toutes sortes d'armes blanches (poignards, baïonnettes…), de décorations, d'uniformes et de souvenirs de la Première Guerre mondiale.

Le circuit passe également par le bastion du Roi d'où la **vue**★★ sur le château Frontenac est tout à fait superbe. On continue par la redoute du Cap-Diamant (1693), restaurée à l'occasion du 400e anniversaire de la ville de Québec, la résidence du gouverneur général, reconstruite après un incendie (1976), puis l'hôpital (1849), faisant aujourd'hui fonction de bâtiment administratif. Le visiteur empruntera aussi un tunnel aboutissant à une caponnière, et fera un arrêt au bastion du Prince-de-Galles, point naturel le plus élevé de la ville, d'où la **vue** sur le Saint-Laurent d'un côté, et les plaines d'Abraham de l'autre, est très agréable.

Sortez de la Citadelle par la porte Durnford et prenez le sentier à gauche, qui remonte vers les fortifications. Continuez en direction du Saint-Laurent.

Le chemin qui conduit à la promenade des Gouverneurs longe la Citadelle et le parc des Champs-de-Bataille. On aperçoit au loin l'une des tours Martello.

Promenade des Gouverneurs★★

Fermée en hiver.

Un belvédère domine le parc et offre une très belle **vue**★★ sur le Saint-Laurent et la région de Québec, marquant le début de cette promenade spectaculaire. Suspendu entre le ciel et les eaux sombres du fleuve, le chemin de planches mène du belvédère jusqu'à la terrasse Dufferin. Le **panorama★** s'ouvre au nord-ouest vers l'île d'Orléans, le mont Sainte-Anne et les Laurentides.

PROMENADE DES REMPARTS★★

Parcours : 2 km. Point de départ : terrasse Dufferin.

Terrasse Dufferin★★★

Rendez-vous des flâneurs venus humer l'air du Saint-Laurent et admirer les **vues★★** de la Basse-Ville, du fleuve et de la région environnante, la célèbre terrasse fut conçue dans le cadre de la campagne d'embellissement de la ville, lancée par Lord Dufferin à la fin du 19e s. L'endroit était destiné à donner une perspective sur le fleuve à une époque où la Basse-Ville était envahie d'édifices commerciaux et d'entrepôts.

La portion de la terrasse faisant face au château Frontenac repose aujourd'hui sur les vestiges de l'ancien **château Saint-Louis**, ravagé par un incendie en 1834. Le gouverneur général Lord Durham en avait déjà fait recouvrir les ruines par une première terrasse, qui porta d'ailleurs son nom jusqu'à la construction de la terrasse actuelle. Très vite, cette dernière devint l'un des lieux les plus fréquentés de Québec. Bénéficiant, dès 1885, de l'électricité, elle fut bientôt équipée de pistes pour la glissade, et ses kiosques et bancs publics introduisirent à Québec le mobilier urbain des boulevards parisiens.

Jardin des Gouverneurs

Ce petit jardin à deux pas du château Frontenac fut créé au milieu du 17e s. pour l'agrément du gouverneur général de la Nouvelle-France. Le **monument Wolfe-Montcalm (4)**, élevé en 1827, honore la mémoire des deux ennemis morts au combat, mais dont la rencontre a, comme on se plaisait à le souligner à l'époque, donné naissance au Canada. Le monument symbolise la mort. Remarquez le cénotaphe qui en constitue la base, et surtout l'obélisque qui porte l'inscription suivante : « Leur courage leur valut à l'un et à l'autre la mort ; l'histoire leur apporta la renommée ; la postérité leur dédia un monument. »

Prenez à la droite du jardin la rue Mont-Carmel jusqu'au parc du Cavalier-du-Moulin. Suivez la terrasse Dufferin jusqu'à son extrémité.

Œuvre de Paul Chevré, le **monument Samuel de Champlain (5)** (1898) rend hommage au « père de la Nouvelle-France ». Non loin de là, un monument de bronze, de granit et de verre commémore l'inscription, en décembre 1985, de la ville de Québec sur la prestigieuse liste du Patrimoine mondial de l'UNESCO. Un **funiculaire** relie la terrasse Dufferin à la Basse-Ville.

Descendez l'escalier Frontenac et traversez la porte Prescott en direction du parc Montmorency.

Inaugurée le 3 juillet 1983 à l'occasion du 375e anniversaire de la fondation de Québec, la **porte Prescott** évoque celle qui, bâtie au même endroit en 1797, fut démolie en 1871.

Parc Montmorency

Sur ce site au sommet de la côte de la Montagne, l'intendant de la Nouvelle-France, Jean Talon, se fit construire une maison en 1667. À la fin du 17e s., Mgr de Saint-Vallier, deuxième évêque de Québec, l'acheta pour y faire bâtir, entre 1691 et 1696, un palais épiscopal occupé à partir de 1792 par l'Assemblée législative du Bas-Canada. Reconstruit au début du 19e s., il accueillit le Parlement du gouvernement de l'Union qui siégeait alternativement à Québec, Kingston, Montréal et Toronto. Peu après, l'édifice fut détruit par un incendie.

Le parc contient un **monument (6)** à la mémoire de George-Étienne Cartier, portant la devise suivante : « Pour assurer notre existence, il faut nous cramponner à la terre, et léguer à nos enfants la langue de nos ancêtres et la propriété du sol. » Œuvre du sculpteur Alfred Laliberté, un second **monument (7)** (1918), dédié à Louis Hébert, Marie Rollet et Guillaume Couillard, commémore le tricentenaire de l'arrivée des premiers colons en Nouvelle-France en 1617.

Le parc offre de bonnes vues du séminaire de Québec, et en particulier du bâtiment de la faculté d'architecture de l'Université Laval, dont l'élégante **lanterne** au sommet du dôme central est devenue un symbole familier du Vieux-Québec.

Rue des Remparts★

Une promenade le long de cette voie sera l'occasion de jouir de vues étendues sur les installations portuaires de Québec. Jusque vers 1875, la rue ne fut rien d'autre qu'un sentier longeant les remparts et reliant entre eux les bastions et les batteries. Le long des pavillons du séminaire, la batterie Sault-au-Matelot et la batterie du clergé (1711) assuraient la protection du port de Québec. Aujourd'hui, des canons noirs dominent la Basse-Ville, permettant au visiteur de se faire une idée de la vie dans la ville fortifiée.

Continuez le long de la rue des Remparts vers la rue Sainte-Famille.

Au bas de la rue Sainte-Famille s'élevait, jusqu'en 1871, la porte Hope qui fermait l'accès à la Haute-Ville. En contrebas, la côte de la Canoterie, sentier reliant dès 1634 la Haute-Ville à la Basse-Ville, aboutissait à l'anse de la Canoterie, débarcadère pour les marchandises et chantier de construction de petites embarcations.

Maison Montcalm – *N°s 45-49 r. des Remparts*. Située légèrement en retrait, cette demeure se compose en fait de trois structures séparées. Le bâtiment central (1725) fut encadré, peu après sa construction, par deux édifices similaires. Louis-Joseph de Saint-Véran, **marquis de Montcalm**, occupa le rez-de-chaussée du corps central de décembre 1758 à juin 1759, d'où le nom de l'édifice. En 1810, la partie centrale fut exhaussée d'un étage. Les deux maisons voisines suivirent cet exemple en 1830. Avec la maison Montcalm, le bastion Montcalm forme une paisible petite place, d'où l'on a une jolie vue sur la rue des Remparts et les fortifications.

Bastion des augustines – *N° 75, de l'autre côté du monastère des augustines*. Dominant la rivière Saint-Charles, la partie nord des fortifications fut longtemps négligée, la falaise constituant une défense naturelle suffisante. L'invasion américaine de 1775-1776 incita à terminer l'enceinte de la Haute-Ville. Le mur achevé en 1811 était suffisamment haut pour masquer le paysage, visible seulement par les meurtrières aménagées pour le tir au fusil.

Devant le monastère des augustines se trouvait autrefois la porte du Palais, démolie en 1871. Dans le jardin du monastère, à côté du portail d'entrée, on remarquera la poudrière. Celle-ci avait été construite en 1820 pour alimenter les batteries de canons du nord de la ville.

Peu après, on aperçoit, à droite, deux bâtiments de granit, de pierre et de brique, reflétant le style d'architecture chère au Canadien Pacifique. Il s'agit de l'**ancienne poste** et de la **gare du Palais**. Cette dernière *(détour de 20mn)* contient un hall d'entrée étonnamment moderne et fonctionnel, décoré de carrelages de porcelaine et d'une charpente d'acier restaurés selon leur aspect d'antan.

Traversez la côte du Palais et prenez la rue de l'Arsenal. Si des travaux de réfection empê-chent de pénétrer dans le parc de l'Artillerie par l'arrière, suivez la côte du Palais. Tournez à droite dans la rue Saint-Jean, puis encore à droite dans la rue d'Auteuil.

Lieu historique national du Canada du Parc-de-l'Artillerie★

Entrée principale au 2 r. d'Auteuil, près de la porte Saint-Jean - ℰ 418-648-4205 - www.pc.gc. ca/artillerie - ⚬ - avr.-oct. : 10h-17h (logis des officiers ouv. juil.-août) - 4 $ (enf. 1,90 $).

Ce vaste site évoque, par ses bâtiments, trois siècles de vie militaire, sociale et industrielle à Québec. En 1749, la construction de casernes dans le secteur devait à jamais changer le caractère de ce quartier jusqu'alors résidentiel. Au lendemain de la Conquête, l'Artillerie royale britannique s'y installa, et de nouveaux bâtiments vinrent s'ajouter aux premiers. En 1879, le gouvernement canadien transforma le site en cartoucherie, et le quartier acquit alors une vocation industrielle. Abandonné en 1964, puis remis en valeur à partir de 1972, le site offre aujourd'hui plusieurs édifices dignes d'intérêt.

Ancienne fonderie – Le centre d'accueil et d'interprétation du parc de l'Artillerie est aujourd'hui installé dans ce bâtiment (1903) dont les grandes fenêtres et les lucarnes attestent sa fonction d'usine. Point culminant de l'exposition, le **plan-relief de Québec★★** (échelle de 1/300) dresse un tableau saisissant de la ville au tout début du 19e s. Réalisé entre 1806 et 1808 par des ingénieurs militaires, c'est une véritable œuvre d'art qui reproduit avec une grande précision la topographie des lieux et la distribution des rues et édifices publics. Au niveau inférieur, le visiteur verra les vestiges d'une poudrière et de son mur de protection (1808), ainsi que des objets recouverts lors des fouilles : bouteilles, ossements et autres.

Activités – En été, Parcs Canada organise de nombreuses activités sur le site, dont une démonstration gratuite de tir à la poudre noire *(juil.-août : 13h15 et 15h15)*.

Redoute Dauphine – La construction de cet impressionnant édifice blanc fut entre-prise en 1712, mais interrompue après la signature du traité d'Utrecht en 1713. Des vestiges de l'enceinte de pierre sont encore visibles aujourd'hui. Achevée en 1748 par Chaussegros de Léry, la redoute fut transformée en caserne. Après la Conquête, c'est l'armée britannique qui ajouta un étage au bâtiment et renforça de contreforts massifs la maçonnerie et les voûtes pour éviter les glissements. On y voit des costumes, des peintures et des objets artisanaux illustrant la vie des soldats aux 18e et 19e s.

Nouvelles casernes – Long de quelque 160 m, ce bâtiment de pierre (1750) fut construit selon les plans de Chaussegros de Léry. Il se présente comme une succession de maisons en rangée, concept inhabituel pour l'époque. Les casernes contenaient un arsenal, des stocks d'armement, une salle des gardes et six cellules de prison. L'ensemble fut en partie reconstruit vers la fin du 19e s.

Ressortez par la porte Saint-Jean.

Porte Saint-Jean

À la porte d'origine, érigée par les militaires au 18e s., succéda une porte plus large (1867) qui fut à son tour démolie en 1897 pour faciliter la circulation entre les différents secteurs de la ville. La porte actuelle, relativement récente, date de 1936.

Place d'Youville

Située à l'emplacement de l'ancien marché Montcalm, cette place animée est devenue, depuis 1900, un carrefour de divertissements et d'activités culturelles. On remarquera le palais Montcalm (1930), d'une architecture très sobre, et le **théâtre du Capitole** (1903), dont la façade bombée, de style Beaux-Arts, vient rappeler l'exubérance des salles de la Belle Époque.

Repassez par la porte Saint-Jean, et prenez à droite la rue d'Auteuil.

Porte Kent

Nommée en l'honneur de la duchesse de Kent, cette ouverture fut aménagée dans l'enceinte ouest en 1879.

Chapelle des jésuites

À l'angle de la rue d'Auteuil et de la rue Dauphine - 📞 *418-694-9616 - www.patrimoine-religieux.com - se renseigner.*

Dédiée, depuis 1925, aux saints martyrs canadiens, ce petit édifice de 1820 se dresse sur un terrain ayant appartenu au collège des jésuites. Le chevet fut agrandi en 1857 et doté d'une nouvelle façade en 1930. À l'intérieur sont conservées des statues en bois doré de la Vierge et de saint Joseph, réalisées par Pierre-Noël Levasseur. Le chemin de Croix fut sculpté par Médard Bourgault, originaire de Saint-Jean-Port-Joli.

Lieu historique national du Canada des Fortifications-de-Québec

100 r. Saint-Louis - 📞 *418-648-7016 - www.pc.gc.ca -* ♿ *- de déb. mai à mi-oct. : 10h-17h - 4 $ (enf. 2 $).*

Creusé à l'intérieur même du mur d'enceinte, le **centre d'interprétation** (1992) présente l'histoire de Québec à travers l'évolution de son système défensif, et propose des visites guidées *(1h30)* sur l'imposante muraille dont est entourée la ville. Tout près du centre, à droite de la porte Saint-Louis, s'élève la poudrière, entièrement rénovée selon son aspect d'antan. Le bâtiment fut construit en 1810 sur l'Esplanade, qui servit de place d'armes au 18e s.

Porte Saint-Louis

La construction de la porte Saint-Louis contribua au développement du style « château » à Québec. Son allure de forteresse médiévale (tour et tourelles, créneaux et mâchicoulis) naquit en 1878 de l'imagination de l'architecte irlandais W.H. Lynn, collaborateur de Lord Dufferin.

Tout comme les portes Kent, Saint-Jean et Prescott, la porte Saint-Louis ne contrôle plus l'accès à la ville, mais fait tout simplement office de pont, et permet aux visiteurs désireux de découvrir la vieille ville et de suivre à pied les remparts.

Grande Allée et colline parlementaire★ 4

Parcours : 5 km. Point de départ : hôtel du Parlement.

Avec ses innombrables restaurants, ses bars, ses terrasses de cafés, ses boutiques et ses bureaux, la Grande Allée est à Québec ce que les Champs-Élysées sont à Paris. L'élégante artère va de la porte Saint-Louis jusqu'au sud de la vieille ville. Son tracé se développa le long de l'axe est-ouest qui, au début du 17e s., séparait les lots concédés à quelques grands propriétaires sur le plateau de Québec. Ce simple chemin de campagne acquit une popularité soudaine à la fin du 18e s., époque à laquelle les Britanniques transformèrent les environs en un véritable lieu de villégiature. En l'espace de quelques années, de magnifiques villas vinrent occuper le côté sud de la Grande Allée, tandis que se développait le faubourg Saint-Louis.

Le départ de la garnison britannique, en 1871, accentua le déclin de Québec, amorcé quelques années plus tôt par le transfert du Parlement du Canada à Ottawa, et par le déplacement des capitaux vers Montréal. Prenant modèle sur la ville nouvelle d'Édimbourg qui se développait à côté de la cité médiévale, l'ingénieur municipal Charles Baillairgé proposa que la Grande Allée devienne l'une des artères principales de la ville. Transformé en une véritable voie triomphale propre à recevoir les cortèges officiels, le boulevard allait permettre de relier l'hôtel du Parlement (1886) au parc du Bois-de-Coulonge, résidence officielle du lieutenant-gouverneur.

La « nouvelle » Grande Allée (1886-1890) accueillit d'abord les notables de Québec associés à la vie politique, qui se firent construire des demeures cossues de style Second Empire. De 1890 à 1900, la partie haute de la Grande Allée se développa encore avec l'arrivée d'une bourgeoisie enrichie par l'industrialisation de la Basse-Ville. En 1929, l'ouverture du pont de Québec à la circulation automobile devait peu à peu transformer cet agréable quartier résidentiel en un lieu de passage fort animé.

Hôtel du Parlement★★

Entrée par la porte de gauche - ✆ *418-643-7239 -* www.assnat.qc.ca *-* ✕*-*♿*-* 🅿 *- visite guidée (30mn) du 24 juin à la fête du Travail : 9h-16h30 (w.-end 10h) ; reste de l'année : lun.-vend. 9h-16h30 - gratuit, contre pièce d'identité.*

Dominant la vieille ville, ce majestueux édifice illustre mieux qu'aucun autre le style Second Empire. C'est en 1875 que le gouvernement provincial confiait à **Eugène-Étienne Taché** (1836-1912), alors sous-ministre au département des Terres de la Couronne, le mandat de préparer les plans d'un édifice qui regrouperait le palais législatif et les ministères sur le site de l'ancien collège des jésuites du Vieux-Québec (aujourd'hui hôtel de ville). Le choix du lieu se porta sur le Cricket Field, dans le faubourg Saint-Louis, après qu'un terrible incendie eut rasé le quartier en 1876.

Le bâtiment forme un quadrilatère autour d'une cour intérieure. L'imposante **façade** présente un tableau historique dans lequel évoluent, coulées dans le bronze, les grandes figures de l'histoire nationale. Le *Pêcheur à la nigog* (sorte de harpon pour pêcher l'anguille et le saumon), qui orne la niche devant l'entrée principale, et, au-dessus, la *Famille amérindienne* (œuvre présentée à l'Exposition universelle de Paris en 1889) sont dues à Louis-Philippe Hébert. *À l'extérieur du bâtiment, un panneau d'interprétation permet à la fois d'identifier les personnages représentés par les sculptures, et les artistes qui en furent les auteurs.*

La visite intérieure commence par le hall.

Divers blasons rappellent qu'à l'époque de la construction de l'édifice les immigrants venus de France, d'Angleterre, d'Irlande et d'Écosse formaient la majorité de la population du Québec. Un escalier mène au restaurant Le Parlementaire, somptueuse salle à manger *(ouv. au public)* de style Beaux-Arts (1917) caractérisée, à son entrée, par un superbe décor vitré évoquant l'Atlantique et ses rives.

Salles de séances parlementaires – *À l'étage, l'antichambre donne accès aux deux salles par des portes finement ciselées.* Selon l'acte de Constitution de 1867, les deux Chambres du Parlement – l'Assemblée nationale (élue) et le Conseil législatif (nommé) – occupent ces deux salles. Aujourd'hui, l'Assemblée nationale du Québec siège dans la salle de l'Assemblée nationale. La salle du Conseil législatif (aboli en 1968) est utilisée par les commissions parlementaires et pour des cérémonies protocolaires. Tout comme en Angleterre, le système parlementaire québécois met face à face une majorité, dont est issu le gouvernement, et la « loyale opposition », formée d'un ou de plusieurs partis. Ministres et principales figures de l'opposition sont séparés par un espace égal, disait-on autrefois, « à la longueur de deux épées ».

La configuration générale des salles a été empruntée au Banqueting Hall (salle des banquets) du palais de Whitehall, à Londres. Au-dessus du trône du président de l'Assemblée nationale, *Le Débat sur les langues*, exécuté de 1910 à 1913 par le peintre Charles Huot, représente la séance de l'Assemblée législative du Bas-Canada du 21 janvier 1793, au cours de laquelle eut lieu le célèbre débat sur les langues qui devait décider du droit de cité de la langue française.

Jardins – Plusieurs monuments commémoratifs sont disséminés dans les jardins de l'hôtel du Parlement. Celui de **Maurice Duplessis** (1890-1959), Premier ministre du Québec de 1936 à 1939 et de 1944 à 1959, est l'œuvre du sculpteur Émile Brunet. Un autre, réalisé par le sculpteur français Paul Chevré (1912), évoque la carrière politique d'**Honoré Mercier** (1840-1894), défenseur de l'autonomie provinciale et Premier ministre du Québec de 1887 à 1891. Un autre encore, au coin de la rue Honoré-Mercier et de la Grande Allée, fut érigé à la mémoire de **François-Xavier Garneau** (1809-1866), premier historien national du Québec.

Fontaine de Tourny

Cadeau de l'une des deux plus grandes familles d'entrepreneurs québécois, les Simons, à la ville de Québec pour son 400ᵉ anniversaire, cette fontaine arrive de France.

Réalisée par Mathurin Moreau pour l'Exposition universelle de Paris en 1855, elle met en scène les dieux et les déesses de la mer et de la terre. Il en existe seulement six exemplaires. Peter Simons a déniché celle-ci aux puces de Saint-Ouen, à Paris. Plus d'un an de restauration a été nécessaire avant qu'elle ne soit montée en 2007 face à l'hôtel du Parlement.

Manège militaire

Derrière la place George-V.

Construit entre 1884 et 1887 par Eugène-Étienne Taché, cet édifice de style « château » était à l'origine un pavillon de l'exposition provinciale et une salle d'exercices militaires. Au début du siècle, l'édifice fut agrandi vers l'est par une annexe. L'intérieur a entièrement brûlé en avril 2008.

Maison de la découverte des plaines d'Abraham★

835 av. Wilfrid-Laurier - 📞 *418-649-6157 - www.ccbn-nbc.gc.ca - du 21 juin à mi-sept. : 10h-17h30 ; reste de l'année : 10h-17h - 10 $ (-12 ans 3 $, 13-17 ans 8 $).*

👥 2009, 250e anniversaire de la bataille des plaines d'Abraham. Un parc recouvre aujourd'hui le site, mais ce centre permet d'en retrouver les traces et d'en comprendre les enjeux. Le billet inclut une promenade en bus, la visite de la tour Martello n° 1 et le spectacle multimédia : **Odyssée★**. Ce dernier *(1h30)* est monté à la façon d'un reportage journalistique, avec interventions des protagonistes, interviews et présentation des forces en présence, déroulement de la bataille. On survole ensuite 250 ans d'histoire de la plaine.

Parc des Champs-de-Bataille★

À gauche de l'avenue Ontario, on aperçoit la tour Martello n° 1 (de mi-juin à mi-sept. : 10h-17h - billet combiné avec celui de la Maison de la découverte). En suivant l'avenue du Cap-Diamant, on rejoindra le belvédère de la promenade des Gouverneurs.

Inspiré des pittoresques jardins à l'anglaise, ce magnifique espace vert de quelque 108 ha occupe le versant sud du plateau de Québec. Il fut créé en 1908 à l'occasion des fêtes qui marquèrent le tricentenaire de la fondation de la ville, et commémore les terribles batailles que se livrèrent Anglais et Français lors de la Conquête. Le parc, achevé en 1954, fut dessiné par l'architecte Frederick G. Todd, élève du célèbre Frederick Law Olmsted, concepteur de Central Park (New York) et du parc du Mont-Royal à Montréal.

L'insaisissable beauté de ce site escarpé surplombant le Saint-Laurent fournira l'occasion d'une sortie à la fois historique et récréative.

Jardin Jeanne-d'Arc – *Le long de l'av. Wilfrid-Laurier, à partir de l'intersection avec le cours du Général-de-Montcalm.* Il allie un aménagement de style français à des plates-bandes mixtes à l'anglaise. Quelque 150 variétés de plantes, vivaces ou autres, y fleurissent d'avril à octobre.

Tours Martello – Craignant une autre invasion américaine après l'échec de l'expédition menée par les Bostoniens en 1775-1776, et toujours dans l'attente d'une décision de Londres à propos du projet de construction d'une citadelle, le

La bataille des plaines d'Abraham

Les plaines d'Abraham doivent leur nom pourtant si poétique à un certain Abraham Martin, riche agriculteur établi sur les hauteurs de Québec au 17e s. C'est sur ce plateau que s'engagea à découvert, le 13 septembre 1759, la célèbre bataille dont l'issue devait sceller le destin de la colonie française d'Amérique. Cinq mille soldats britanniques, sous le commandement du général Wolfe, débarquèrent à l'Anse-au-Foulon et se hissèrent sur le plateau. Sans attendre de renforts, le général français Montcalm poussa son armée mal préparée contre les lignes anglaises. En moins d'un quart d'heure, ce fut la déroute des Français. Wolfe et Montcalm tombèrent sous le feu meurtrier. Cinq jours plus tard, Québec était occupée, et les troupes françaises – désormais commandées par François-Gaston de Lévis (1719-1787) – se retirèrent à Montréal pour l'hiver. Au mois d'avril suivant, Lévis revint et battit les Anglais à la bataille de Sainte-Foy (un monument, situé dans le parc des Braves, au nord du chemin Sainte-Foy, commémore d'ailleurs cet épisode historique). C'était la fin de l'hiver ; le sort de la ville dépendait du premier bateau amenant des renforts. Il arriva le 9 mai ; il était anglais… La Nouvelle-France était désormais perdue. Elle passa officiellement aux mains de l'Angleterre par le traité de Paris, en 1763.

J.-F. Bergeron / Enviro Foto

La Citadelle de Québec.

W. Bibikow /

Soldat en faction à la Citadelle de Québec.

J.-F. Bergeron / Enviro Foto

Rue du Petit-Champlain.

P. Escudero / hemis.fr

Architecture de la Haute-Ville, dans le Vieux-Québec.

commandement militaire britannique fit ériger, entre 1808 et 1812, quatre **tours Martello** en guise de ligne de défense avancée. Trois de ces tours subsistent encore, dont deux dans le parc même et une dans la rue Lavigueur (faubourg Saint-Jean-Baptiste).

Ronds, en pierre, de construction particulièrement robuste, ces curieux ouvrages constituaient une unité de défense autonome – à la fois caserne et plate-forme de tir – dont l'unique entrée, à l'étage supérieur, était protégée par un escalier escamotable. Si les murs dirigés vers l'ennemi furent bâtis très épais, ceux faisant face à la garnison étaient plus légers : en cas de prise par l'ennemi, les ouvrages pouvaient ainsi être détruits facilement par les propres canons des assiégés.

Revenez sur la Grande Allée et remontez la rue Senezergues. Prenez à droite la rue St-Amable, puis à gauche la rue de La Chevrotière.

Chapelle historique Bon-Pasteur★

1080 r. de La Chevrotière - ☎ 418-522-6221 - dim. messe de 10h45.

Construite en 1866 selon les plans de Charles Baillairgé, la chapelle se trouve au deuxième étage de l'ancien couvent des sœurs du Bon-Pasteur. Son intérieur se caractérise par sa haute nef étroite, flanquée de galeries latérales superposées, et par son décor baroque. Le maître-autel (1730), entièrement doré à la feuille, provient de l'église Saint-Louis-de-Lotbinière ; il fut sculpté dans l'atelier des Levasseur. Quant aux deux autels latéraux (v. 1800), l'un dédié au Sacré-Cœur, l'autre à la Vierge Marie, ils sont l'œuvre de Florent Baillairgé. La toile monumentale, *l'Assomption de la Vierge,* qui orne le sanctuaire, fut peinte en 1868 par Antoine Plamondon. De nombreux autres tableaux viennent décorer la nef ; ils proviennent de l'atelier des sœurs du Bon-Pasteur

qui produisit d'ailleurs des œuvres à caractère religieux pour la plupart des églises du diocèse de Québec à la fin du 19e s. Un bel orgue Casavant de 18 jeux complète l'ensemble.

Observatoire de la Capitale (Édifice Marie-Guyart)

Accès au 1037 r. de La Chevrotière - ☎ 418-644-9841 ou 1-888-497-4322 (gratuit) - www. observatoirecapitale.org - ♿ - du 24 juin à la fête de l'Action de Grâce : 10h-17h ; reste de l'année : mar.-dim. 10h-17h - 5 $ (étudiant 4 $).

Du 31e étage de ce bâtiment administratif, l'observatoire, dont les murs sont couverts d'œuvres d'artistes divers, offre une **vue★★** saisissante de Québec (la vieille ville, la Citadelle, les fortifications) et de ses environs.

Québec et ses environs

Engagez-vous dans la rue du Bon-Pasteur qui fait face à la tour, à angle droit avec la rue de la Chevrotière. Parvenu au parc de l'Amérique-Française, tournez à gauche dans la rue de l'Amérique-Française. Elle ramène à la Grande Allée.

Église Saint-Cœur-de-Marie

À l'angle de la rue de l'Amérique-Française de la Grande Allée (n° 530).

L'édifice fut construit en 1920 pour les eudistes (ou congrégation de Jésus et Marie, fondée au 17ᵉ s.). Son pittoresque clocher contraste étrangement avec le reste du bâtiment, d'allure moderne.

Édifice Joseph-Aristide-Tardif

500 Grande Allée Est.

Cet immeuble, construit en 1962, incarne la tendance fonctionnaliste de l'architecture moderne à Québec. On l'appelait autrefois complexe La Laurentienne, puisqu'il était le siège social de cette compagnie d'assurances, mais il porte aujourd'hui le nom du docteur Joseph-Aristide tardif (1899-1992), cofondateur en 1939 de cette même compagnie d'assurances.

À l'arrière, une façade de miroirs donne sur le parc de l'Amérique Française.

Poursuivez sur la Grande Allée.

L'avenue Taché, à gauche, mène à la tour Martello n° 2.

Continuez sur la Grande Allée. La rue Salaberry marque la frontière entre la partie est et ouest de la Grande Allée.

Maison Stewart

82 Grande Allée Ouest, à l'angle de l'avenue Cartier.

Ce cottage (1849) entouré d'un parc possède de grandes portes-fenêtres en façade. Son toit débordant, dominé par une souche de cheminée centrale, recouvre des galeries latérales.

La **Ladies Protestant Home** *(n° 95)* représente un exemple éloquent du style néo-Renaissance italien, avec sa corniche massive et sa lanterne.

Au n° 155, face à l'avenue Cartier, on remarquera la **maison Krieghoff** *(fermé au public)*, dont le nom rappelle le souvenir du célèbre peintre Cornelius Krieghoff (1815-1872) qui l'habita de façon intermittente en 1859 et 1860. Ce charmant cottage, construit en 1850, s'inspire de l'architecture vernaculaire québécoise.

Prenez à gauche l'av. Wolfe-Montcalm en direction du musée national des Beaux-Arts du Québec.

On longe le terrain de manœuvres utilisé par les militaires britanniques après qu'ils eurent abandonné la place d'Armes en 1823. Pendant plusieurs années, de grandes manifestations se déroulèrent sur ce site, notamment les défilés historiques des célébrations du tricentenaire de Québec.

Face au musée, notez le **monument Wolfe**, érigé à l'emplacement même où mourut le célèbre vainqueur de la bataille des plaines d'Abraham, le 13 septembre 1759.

MUSÉE NATIONAL DES BEAUX-ARTS DU QUÉBEC★★

Accès par le rez-de-chaussée du Grand Hall, entre les deux édifices principaux. 418-643-2150 *ou* 1-866-220-2150 - www.mnba.qc.ca - ✕-♿-🅿 - *de déb. juin à la fête du Travail : 10h-18h (merc. 21h) : reste de l'année : mar.-dim. 10h-17h (merc. 21h) - collections permanentes : gratuit ; expositions temporaires : 15 $ (12-17 ans 4 $).*

Situé sur le site même du parc des Champs-de-Bataille, ce remarquable complexe muséologique retrace, à travers quelque 22 000 œuvres (huiles, aquarelles, dessins, estampes, photos, objets d'art décoratif, sculptures, objets du culte), l'évolution de l'art québécois du 18e s. à nos jours. Ses expositions, permanentes et temporaires, se répartissent aujourd'hui sur trois pavillons.

Grand Hall

Situé entre les deux autres édifices, le Grand Hall (1991) sert d'entrée au musée. Il s'agit d'un bâtiment moderne, surmonté de lanterneaux, qui regroupe l'accueil, un auditorium, le restaurant et diverses autres installations.

Pavillon Gérard-Morisset

L'édifice, reconnaissable à sa façade monumentale de style Beaux-Arts, fut nommé en souvenir d'un ancien directeur du musée. Un imposant escalier central mène à un portique ionique, tandis qu'un fronton sculpté en pierre évoque l'histoire de l'économie provinciale et celle de deux groupes : Amérindiens *(à gauche)*, découvreurs et missionnaires *(à droite)*. Sur chaque façade, des bas-reliefs coulés dans l'aluminium surmontent les fenêtres des ailes latérales. Ils retracent des épisodes de l'histoire du Canada et illustrent des activités agricoles traditionnelles. Véritable mémoire vivante de l'art québécois, les expositions présentent par roulement des œuvres extraites de la collection permanente, couvrant aussi bien l'art ancien, moderne et contemporain… le visiteur jouira d'un impressionnant panorama de la production artistique québécoise d'hier et d'aujourd'hui.

Ne manquez pas la salle **Riopelle** qui réunit les principales œuvres de l'artiste (1923-2002) dont *L'Hommage à Rosa Luxemburg*, diptyque de 40 m divisé en 30 rectangles, réalisé à la suite du décès en 1992 de son ancienne compagne Joan Mitchell.

Pavillon Baillairgé

Construit d'après les plans de Charles Baillairgé, ce bâtiment néo-Renaissance d'allure massive (1861-1871) abrita jusqu'en 1967 la prison de Québec. Tout un bloc cellulaire

(1er étage) a d'ailleurs été préservé de manière à témoigner de la vie carcérale au siècle dernier. Au même étage, une salle contient l'un des plus importants tableaux d'histoire du Canada : la célèbre *Assemblée des six comtés* (1891). Œuvre magistrale de Charles Alexander Smith (1864-1915), cette impressionnante toile illustre l'un des moments -clés des insurrections de 1837-1838 ; on y reconnaîtra Louis-Joseph Papineau, chef des Patriotes, en train de haranguer la foule.

La collection d'art inuit Brousseau★★ – *3e étage*. Le musée a acquis les 2 635 pièces de la collection Brousseau en 2005. L'homme avait accumulé des œuvres, dont pas moins de 2 017 sculptures, en provenance de toutes les régions du Grand Nord canadien. La salle n'en expose que 300 environ, par roulement. On découvre ainsi une production qui s'échelonne principalement des années 1940 aux années 2000.

Femmes, enfants, pêcheurs et chasseurs saisis en pleine action, animaux (harfangs, corbeaux, huards, ours, morses…), figures du panthéon (la déesse des mers Sedna), esprits aux corps à la fois anthropomorphe et zoomorphe plongent le visiteur dans la culture inuit, profondément liée à son environnement naturel. Les artistes travaillent le bois de renne, l'os de baleine, l'ivoire de narval, mais surtout des pierres : la serpentinite, aux effets marbrés, la stéatite, le gneiss…

Au même étage, une salle expose une vingtaine d'œuvres d'**Alfred Pellan** (1906-1988), surnommé le « chantre de l'expression libre » et connu pour son univers très coloré, presque féerique. L'artiste a, entre autres, réalisé des décors et des costumes pour le théâtre, dont une série de masques pour la *Nuit des rois*.

Dans la tourelle du pavillon *(4e étage)*, remarquez la curieuse statue d'un plongeur intitulée *aLomph aBram,* réalisée vers la fin des années 1960 par David Moore.

Prenez à gauche l'avenue George-VI et continuez jusqu'à la terrasse Grey.

Cet observatoire fut ainsi nommé en l'honneur de A.H.G. Grey, gouverneur général du Canada de 1904 à 1911, époque à laquelle débuta l'aménagement du parc.

Retournez vers le musée et prenez l'avenue Ontario en direction du Vieux-Québec.

Aux alentours

SILLERY ET SAINTE-FOY

Située sur les rives du Saint-Laurent, à un kilomètre à peine de Québec, Sillery correspond à l'ancienne seigneurie de Noël Brulart de Sillery, aristocrate français ordonné prêtre qui, en 1637, établit ici une mission jésuite destinée à l'évangélisation des Amérindiens. Les ravages occasionnés par les épidémies et l'alcoolisme devaient malheureusement entraîner l'abandon de la communauté durant les années 1680. Après la Conquête, les jésuites louèrent le territoire à de riches marchands. Vers le milieu du 19e s., l'industrie forestière et la construction navale contribuèrent au développement économique de Sillery, ses anses et ses baies servant au déchargement, à l'équarrissage, à l'entreposage et à l'exportation du bois. Plusieurs des somptueuses demeures construites à cette époque furent par la suite acquises par différentes communautés religieuses.

Après le parc des Champs-de-Bataille, la Grande Allée devient chemin Saint-Louis. Une bande médiane plantée d'arbres divise cette artère bordée de prestigieux immeubles de bureaux.

Parc du Bois-de-Coulonge★

115 chemin Saint-Louis, à Sillery - ✆ *418-528-0773 ou 1-800-442-0773 (gratuit) - www. capitale.gouv.qc.ca -* &- *-* ▯ *- 6h-23h.*

Ce joli parc paysagé n'est qu'une fraction de l'ancienne seigneurie de Coulonge, concédée en 1649 à Louis d'Ailleboust de Coulonge. Lors de la Conquête, les troupes anglaises occupèrent temporairement le site. En 1780, le domaine fut morcelé, et l'une des premières maisons de villégiature y apparut dix ans plus tard. Rebaptisée **Spencer Wood** en 1811 en l'honneur de Lo rd Spencer (Premier ministre britannique), cette villa néopalladienne devint, en 1852, la résidence de Lord Elgin, gouverneur général du Canada-Uni. Reconstruite en 1860 à la suite d'un incendie, elle servit, après la création de la Confédération, de résidence aux lieutenants-gouverneurs. L'édifice, qui prit le nom de Bois-de-Coulonge en 1947, fut ravagé par un incendie en 1966. Depuis, le parc est ouvert au public. On peut y voir, outre ses jardins et son belvédère dominant le fleuve, plusieurs bâtiments anciens dont la **loge du gardien★**, structure de style « château » revêtue de bardeaux de cèdre décoratifs (1891).

Villa Bagatelle★

1563 chemin Saint-Louis, à Sillery - ✆ *418-654-0259 - juin-sept. : mar.-dim. 11h-17h ; avr.-mai et oct.-déc. : merc.-dim. 13h-17h ; janv.-mars : w.-end 13h-17h - gratuit.*

Détruite par un incendie en 1926, la villa Bagatelle fut reconstruite l'année suivante sur le modèle d'un petit cottage néogothique (ou gothique rural), lui-même érigé en 1848 sur le domaine Spencer Wood. Le pavillon est entouré d'un charmant jardin à l'anglaise. On y découvre, à l'intérieur, diverses expositions thématiques.

Continuez le long du chemin Saint-Louis.

La route passe devant l'église anglicane Saint Michael, reconnaissable à son clocher trapu et à ses contreforts massifs.

Prenez à gauche la côte de l'Église.

Église Saint-Michel

1600 r. Persico, à Sillery.

Cette église néogothique date de 1854. À l'intérieur sont conservés cinq tableaux provenant de la collection Desjardins : les *Disciples d'Emmaüs,* la *Mort de saint François d'Assise, Saint François d'Assise recevant les stigmates,* l'*Annonciation* et l'*Adoration des Mages.*

En contrebas, l'observatoire de la **Pointe-à-Puiseaux** permet d'apprécier une **vue★** imprenable sur Québec, les anses de Sillery, le pont de Québec, le pont Pierre-Laporte et la rive sud du Saint-Laurent.

Revenez vers le chemin Saint-Louis.

Maison Hamel-Bruneau

2608 chemin Saint-Louis, à Sainte-Foy - ☏ 418-641-6280 - juin-août : mar.-dim. 11h-17h ; reste de l'année : merc.-dim. 13h-17h - gratuit sf activités.

Ce « cottage québécois » fut construit comme résidence de villégiature en 1858. Il abrite des expositions temporaires et propose des activités culturelles dans les domaines de la musique, des sciences et des arts visuels.

Tournez à gauche dans l'avenue du Parc.

Parc Aquarium du Québec

1675 av. des Hôtels, à Sainte-Foy - ☏ 418-659-5264 ou 1-866-659-5264 (gratuit) - www.sepaq.com/aquarium - ✗-♿-🅿 - de déb. mai à mi-oct. : 10h-17h ; oct.-avr. : 10h-16h - 15,50 $ (3-5 ans 5,50 $, 6-12ans 10,50 $).

👨‍👦 Aménagé en 1959 sur un site boisé dominant le Saint-Laurent, l'aquarium de Québec abrite plus de 300 espèces de poissons (indigènes ou exotiques), reptiles et mammifères marins. On remarquera tout particulièrement les bassins extérieurs où s'ébattent des phoques. Dans le parc de stationnement, un petit belvédère offre une **vue★** magnifique du fleuve, du pont de Québec et du pont Pierre-Laporte.

Descendez en direction du Saint-Laurent. Prenez le bd Champlain et continuez jusqu'à la côte à Gignac. Prenez à gauche le chemin du Foulon vers l'est.

Maison des jésuites★

2320 chemin du Foulon, à Sillery - ☏ 418-654-0259 - www.maisondesjesuites.org - juin-sept. : mar.-dim. 11h-17h ; avr.-mai et oct.-déc. : marc.-dim. 13h-17h ; fév.-mars : dim. 13h-17h.

Cette maison de pierre d'une valeur patrimoniale exceptionnelle fut bâtie au début du 18e s. Elle occupe le site de la mission Saint-Joseph (première mission jésuite d'Amérique du Nord), établie en 1637 dans une tentative de sédentarisation des Montagnais, des Algonquins et des Atikamekw. Amérindiens et jésuites séjournaient à l'origine dans un enclos de pieux, remplacé par la suite par un fort de pierre, afin de mieux se protéger des attaques iroquoises. En face de la maison, des vestiges du fort et de la chapelle Saint-Michel ont été dégagés.

Habitée en 1763 par la romancière anglaise Frances Moore Brookes, la maison fut le cadre de son œuvre intitulée *The History of Emily Montague,* publiée en 1769. En 1929, l'édifice fut officiellement déclaré monument historique. Il abrite désormais un petit musée dont les expositions sont axées sur l'histoire autochtone et locale, ainsi que l'archéologie du site. Les maisons de bois qui ont subsisté le long du chemin du Foulon abritaient autrefois les ouvriers des chantiers maritimes.

UNIVERSITÉ LAVAL

À Sainte-Foy, à 7 km de la porte Saint-Louis par la Grande Allée, le chemin Saint-Louis et le boulevard Laurier.

Fondée en 1852 par le séminaire de Québec dont elle occupa longtemps une partie des locaux, l'Université Laval entreprit, en 1949, la construction d'une cité universitaire dans la banlieue ouest de Québec. Cette prestigieuse institution connut une expansion considérable dans les années 1960. Elle compte aujourd'hui quelque 40 000 étudiants et comprend 13 facultés, 9 écoles spécialisées et plusieurs centres de recherche.

Les bâtiments

Le **pavillon Louis-Jacques Casault** (ancien Grand Séminaire), conçu en 1946, ne fut construit qu'en 1958. À l'intérieur, l'ancienne chapelle de l'université, de style gothique, fut réaménagée pour accueillir les Archives nationales du Québec. En face sont apparus, en 1990, le **pavillon La Laurentienne** et le **pavillon Alexandre-de-Sève**, œuvre post-moderne primée. D'une facture très classique, le **pavillon Charles-de-Koninck** (1964), avec sa cour intérieure et ses façades rythmées par des brise-soleil en béton blanc, est le principal édifice du campus. Le **pavillon Comtois** (1966) reflète cette même recherche de classicisme dans l'emploi de modules de revêtement préfabriqués. Avec sa cour intérieure et son architecture sur piliers, il s'agit d'une des constructions les plus intéressantes de la région de Québec. Bâtiment bas aux lignes horizontales, le **PEPS** ou pavillon de l'éducation physique et des sports (1971) s'étale et se confond dans l'aménagement en terrasse couvrant les parcs de stationnement souterrains. On y trouve une piscine olympique, un stade couvert, des patinoires et divers terrains de sport.

LIEU HISTORIQUE NATIONAL CARTIER-BRÉBEUF★

À 3 km de la porte Saint-Jean par la côte d'Abraham, la rue de la Couronne, le pont Drouin et la 1re Av - ℰ 418-648-4038 ou 1-888-773-8888 - www.pc.gc.ca/brebeuf - ⚐-🅿 - mai-août : lun.-vend. 10h-17h ; sept. : lun.-vend. 13h-16h - 4 $ (enf. 2 $).

Situé sur la rive nord du bassin Lairet, ce lieu historique national commémore l'hivernage de Jacques Cartier en 1535-1536, et l'arrivée du missionnaire jésuite Jean de Brébeuf en 1625. Les expositions du **centre d'interprétation** évoquent le second voyage de Cartier en Nouvelle-France, sa rencontre avec les Iroquois, et l'établissement de la première mission sur le site en 1626.

CHARLESBOURG

Prenez la route 73 Nord jusqu'à la sortie 150 (80e Rue Ouest).

Le Trait-Carré★

Ce célèbre arrondissement historique correspond au Vieux-Charlesbourg. Son curieux plan cadastral, unique en Amérique du Nord, date de 1660. Contrairement au traditionnel système de rang, qui favorisait le dispersement des habitations, les terres – distribuées en étoiles – convergeaient ici en un point central de forme carrée. Cet ingénieux système, conçu par les jésuites et appliqué par l'intendant Jean Talon, permettait ainsi aux colons, en cas d'attaque, de se regrouper sur la place centrale afin de mieux se défendre. Au centre du Trait-Carré se trouvent aujourd'hui l'église, le couvent du Bon-Pasteur (1883) et la bibliothèque municipale, qui occupe l'ancien collège Saint-Charles (1903).

Point de départ du circuit piétonnier du quartier : Moulin des jésuites.

Moulin des jésuites – *7960 bd Henri-Bourassa - ℰ 418-624-7720 - www.moulindes jesuites.org - de mi-juin à déb. sept. : merc.-dim. 10h-18h ; reste de l'année : w.-end 10h-17h - Cartes-dépliants disponibles sur place. Visite du moulin et des expositions - 2 $.* Les jésuites construisirent trois moulins seigneuriaux vers 1740, dont celui-ci, fidèlement restauré dans les années 1990. Il abrite aujourd'hui un **centre d'interprétation historique** et sert aussi de **point d'accueil touristique**.

Église Saint-Charles-Borromée – *Visite guidée sur rendez-vous - ℰ 418-624-7720.* Avec ses deux clochers et sa haute façade dominée par un large fronton, cet édifice constitue un bel exemple de l'influence du palladianisme anglais sur l'architecture religieuse québécoise (1826-1830). À l'intérieur, un imposant arc de triomphe orne le chevet plat. Dans les niches, on remarque deux statues (1741) de Pierre-Noël Levasseur provenant d'une église plus ancienne, construite sur le même site. Des œuvres de François Ranvoyzé, Louis Jobin, Charles Vézina et Paul Lambert sont également à noter.

Maison Ephraïm-Bédard – *7655 chemin Samuel - ℰ 418-623-1877 - www. societe-historique-charlesbourg.org - ⚐-🅿 - de mi-juin à mi-août : merc.-dim. 10h30-17h30 ; reste de l'année : mar. et jeu. 13h30-16h - gratuit.* Cette habitation rurale typique de la première moitié du 19e s. s'élève au sud-est du Trait-Carré. Après avoir été habitée par différentes familles de pionniers dont les Lefebvre, les Paradis et les Bédard, elle accueille dorénavant la Société historique de Charlesbourg.

Maison Pierre-Lefebvre – *7985 Trait-Carré Est - ℰ 418-623-1877 - ⚐-🅿 - de mi-juin à mi-août : merc.-dim. 11h-18h ; reste de l'année : vend. 19h-21h, w.-end 13h-17h.* Ce bâtiment de bois représentatif des logis québécois du siècle dernier est devenu la galerie Trait-Carré. Expositions consacrées aux arts visuels.

Le quartier possède bien d'autres édifices historiques utilisés à des fins d'animation culturelle, dont la maison Magella-Paradis (1833), dotée d'un joli toit au larmier courbé.

Rejoignez la route 73 et continuez jusqu'à la sortie 154 (rue de la Faune).

WENDAKE

Prenez la route 73 Nord (sortie 154). Tournez à gauche dans la rue de la Faune (qui porte tour à tour les noms de rue des Érables et rue de la Rivière), puis à droite dans la rue Max-Gros-Louis.

Chassés de la région des Grands Lacs par les Iroquois, les épidémies et la famine, les Hurons vinrent se placer sous la protection de leurs alliés français dès le milieu du 17e s. Accompagnés d'un missionnaire jésuite, le père Chaumonot, ils s'installèrent tour à tour à Québec (à proximité de Fort Saint-Louis), sur l'île d'Orléans, puis à Sainte-Foy, sur le site actuel de l'université Laval. En 1673, ils s'établirent à l'Ancienne-Lorette qu'ils quittèrent en 1697 pour fonder la Jeune-Lorette (Wendake). Aujourd'hui, une promenade à travers le **Village-des-Hurons**, comme on appelle cette réserve amérindienne, suffit pour se convaincre de l'originalité des lieux. Les bâtiments ont été construits librement sur un territoire commun, sans division cadastrale à l'européenne. Le village se trouve à proximité de la rivière Saint-Charles, dont les majestueuses chutes Kabir-Kouba (hauteur : 28 m) ont inspiré bon nombre d'artistes.

Site traditionnel huron-wendat Onhoüa Chetek8e★

575 r. Stanislas-Kosca - ℰ 418-842-4308 - www.huron-wendat.qc.ca - ✕ - ♿ - 🅿 - visite guidée (45mn) de déb. mai à mi-oct. : 8h30-18h ; reste de l'année : 9h-17h - tarifs, se renseigner.

« *Koey koey ataro* » (bienvenue ami)… Ainsi commence une visite au cours de laquelle sont évoquées de façon fort vivante l'histoire et les coutumes des Premières Nations, et plus particulièrement des Hurons. On y découvre notamment une maison longue (habitation multi-familiale), un fumoir à poisson et même un sauna (hutte de cuir dans laquelle on mettait des pierres sur lesquelles on jetait de l'eau bouillante). De mai à octobre, spectacles de danse folklorique et récitation des légendes liées aux Hurons.

Chapelle Notre-Dame-de-Lorette

Angle des rues Chef-Maurice-Bastien et Chef-Nicolas-Vincent.

Cette chapelle occupe le site de la mission jésuite de 1697. Elle fut construite en 1865 à l'emplacement d'une église plus ancienne (1730) – deuxième de la mission – qui avait été détruite par un incendie en 1862. Le décor intérieur, d'une grande simplicité, comprend un maître-autel dont le tabernacle, attribué à Noël Levasseur, daterait de 1722. Au-dessus, une sculpture représente la Sainte Maison de Lorette (en Italie), supportée par deux anges. Dans la sacristie sont exposés des objets et du mobilier laissés par les missionnaires jésuites.

STATION TOURISTIQUE DUCHESNAY

40 km au nord-ouest de Québec (par rapport au St-Laurent) par l'autoroute 40 (dir. Montréal), sortie 295 puis route 367 jusqu'à Ste-Catherine-de-la-Jacques-Cartier - ℰ 418-875-2711 ou 1-866-683-2711 - www.sepaq.com/duchesnay.

Cette station bordant le lac St-Joseph offre une large palette d'activités de plein air : randonnées, vélo, accrobranche, plage ou voile en été ; patinoire, motoneige, ski de fond ou pêche blanche en hiver, sans oublier le spa scandinave et l'hôtel de glace.

Hôtel de glace★

143 r. Duchesnay, Pavillon l'Aigle - Ste-Catherine-de-la-Jacques-Cartier - ℰ 418-875-4522 ou 1-877-505-0423 - www.icehotel-canada.com - janv.-avr. : 10h-20h - 15 $ (6-12 ans 7,50 $).

Seul du genre en Amérique du Nord, il constitue un bel exemple d'architecture éphémère. Dès décembre, les moules de métal sont posés. La neige fabriquée à l'aide de canons les recouvre et devient plus dure que de la glace. Les murs ainsi formés font jusqu'à 1,20 m d'épaisseur à la base. Une fois les moules retirés, les artistes investissent les lieux pour sculpter dans les murs des suites de luxe. Des blocs de glace pure et translucide sont employés pour les colonnades, les lustres et le « mobilier ». Le résultat est féerique : une chapelle, 36 chambres et suites, un bar, le tout réparti sur 3 000 m². Chaque année, 15 000 t de neige et 500 t de glace sont nécessaires à la réalisation de cette prouesse artistique et hôtelière *(chambre à partir de 399 $/pers., pension complète)*.

Québec pratique

S'y rendre

Avion – Aéroport international **Jean-Lesage** : à 16 km *(environ 20mn)* du centre-ville par taxi *(30 $)*. Vols intercontinentaux et internationaux. Renseignements : ℰ 418-640-2600 - www.aeroportdequebec.com.

Train – Gare-du-Palais - *450 r. de la Gare-du-Palais* ; Gare de Sainte-Foy - *3255 chemin de la Gare*. Renseignements : VIA Rail - ℰ 1-888-842-7245 *(gratuit)* - www.viarail.com.

Autocar – Orléans Express relie Québec à toute la province et Intercar à la Côte-Nord. Terminus Gare du Palais - *320 r. Abraham-Martin* ; terminus à Sainte-Foy - *3001 chemin des Quatre-Bourgeois*. Renseignements - ℰ 418-525-3000.

Adresses utiles

S'INFORMER

Office du tourisme de Québec – *835 av. Wilfrid-Laurier* - ℰ 418-641-6290 ou 1-877-783-1608 - www.quebecregion.com - *de mi-juin à la fête du Travail : 8h30-19h30 (sept. 18h30) ; reste de l'année : lun.-sam. 9h-17h (vend. 18h), dim. 10h-16h- fermé 25 déc. et 1er janv.*

Centre Infotouriste – *12 r. Sainte-Anne* - ℰ 1-877-266-5687 *(gratuit)* - www.bonjourquebec.com - *de mi-juin à la fête du Travail : 8h30-19h30 ; reste de l'année : 9h-17h - fermé 25 déc. et 1er janv.*

Tourisme Québec - ℰ 514-873-2015.

Presse locale – Francophone : *Le Journal de Québec*, *Le Soleil*. Anglophone : *Chronicle-Telegraph*.

SERVICES

Bureau de poste – Haute-Ville - *5 r. du Fort* - ℰ 418-694-6102 - *8h-19h30, w.-end 9h30-17h.*

BUREAUX DE CHANGE

Caisse populaire Desjardins (Vieux-Québec) – *19 r. des Jardins* - ℰ 418-522-6806.

Échange de devises – *12 r. Ste-Anne*.

Corporation d'échanges Canada – *43 r. de Buade et 835 av. Wilfrid-Laurier* - ℰ 418-523-9937.

NUMÉROS UTILES

Police – Secours – Pompiers – ℰ 911.

Assistance annuaire – ℰ 411.

Pharmacie Brunet – *4250, 1re Av. - Charlesbourg* – ℰ 418-623-1571 - *8h30-22h30.*

Association canadienne des automobilistes (CAA) – ℰ 418-624-4000.

État des routes – ℰ 1-888-355-0511 *(gratuit)*.

Météo *(24 h/24)* – ℰ 418-648-7766.

Transports

TRANSPORTS PUBLICS

Le système de transport en commun local (autobus) est exploité par la Société de transport de la communauté urbaine de Québec (STCUQ).

Le service est généralement assuré de 5h30 à 1h. Les tickets, vendus à l'unité ou sous forme de forfait *(6,15 $/j.)*, s'achètent chez les marchands de tabac et de journaux ou à bord du bus *(2,50 $)*. Renseignements : ℰ 418-627-2511 - www.stcuq.qc.ca.

VOITURES

Sociétés de location de véhicules – Avis ℰ 418-872-2861 ; Budget ℰ 418-872-9885 ; Hertz ℰ 418-694-1224 ; Thrifty-Québec ℰ 418-877-2870.

Taxis – Taxis Coop Québec ℰ 418-525-5191 ; Taxis Québec ℰ 418-525-8123 ; Taxis Coop Sainte-Foy Sillery ℰ 418-653-7777.

Visiter

Carte musées de Québec – Outre l'accès gratuit à une vingtaine de sites sur une durée de trois jours, cette carte fournit deux laissez-passer d'un jour pour les transports en commun, ainsi que des rabais auprès des commerces partenaires. ℰ 418-641-6172 - www.museocapitale.qc.ca - *40 $ TTC*.

Se loger

VIEUX-QUÉBEC

😃 **Auberge internationale de Québec** – *19 r. Sainte-Ursule* - ℰ 418-694-0755 ou 1-866-694-0950 *(gratuit)* - www.aubergeinternationaledequebec.com - ♿ - *275 lits - dortoirs 28/34 $, ch. privées 74/84 $ - 🍽 5 $*. Membre de L'Hostelling International, cette auberge de jeunesse est installée à l'intérieur des remparts de la vieille ville. Ouverte toute l'année, elle dispose de chambres et de dortoirs pouvant loger de deux à douze personnes, avec ou sans salles de bains. Chambres familiales avec salle de bains privée. Cuisine et cafétéria sur place.

😃😃 **Auberge Saint-Louis** – *48 r. Saint-Louis* - ℰ 418-692-2424 ou 1-888-692-4105 *(gratuit)* - www.aubergestlouis.ca - *27 ch. 69/129 $ - 🍽 inclus*. Cet hôtel de trois étages occupe deux maisons construites en 1830. Les chambres ont été refaites dans un style contemporain et fonctionnel (tons gris, noir). L'adresse est idéalement située à deux pas du château Frontenac, au cœur du Vieux-Québec.

😃😃 **Acadia** – *43 r. Sainte-Ursule* - ℰ 418-694-0280 ou 1-800-463-0280 *(gratuit)* - www.hotelacadia.com - 🅿 *40 ch. 89/235 $- 🍽 7 $*. Les murs de cet agréable hôtel datent de 1822, mais le confort des chambres de style anglais, romantique ou français, n'a rien à envier aux plus modernes : air climatisé, TV, ADSL… Les coins et les recoins de ses couloirs, ainsi que les pierres et les briques apparentes dans certaines pièces, lui confèrent un charme tout particulier.

🛏🛏🛏🛏 **L'Hôtel du Vieux-Québec** – *1190 r. Saint-Jean -* 🖉 *418-692-1850 ou 1-800-361-7787 (gratuit) - www.hvq.com -* ✗-⅃-🅿 *- 46 ch. 224/264 $ -* ⊑ *inclus.* En plein Quartier latin, cet hôtel en brique vieux de plusieurs siècles a été soigneusement restauré et abrite des chambres entièrement rénovées; certaines sont équipées de canapé et kitchenette.

🛏🛏🛏🛏 **Fairmont Le Château Frontenac** – *1 r. des Carrières -* 🖉 *418-692- 3861 - www.fairmont.ca-* ✗-⅃-🏊-🅿 *- 618 ch. 339/729 $.* Érigé en 1892, ce majestueux château aux toits de cuivre surplombant le Vieux-Québec compte parmi les plus anciens symboles de la ville. Au fil des ans, cet hôtel distingué a accueilli d'illustres personnalités comme la reine Elisabeth et Winston Churchill. Le hall d'entrée, où règne une agitation permanente, est habillé de lambris ouvragés et reflète l'opulence d'antan. La grandeur, la forme et la vue des chambres, qui sont par ailleurs bien aménagées, varient selon le prix. L'hôtel est équipé d'une belle salle de gymnastique et propose des services de baby-sitting et de limousine. Sous la houlette de Jean Soulard, **Le Champlain** (🛏🛏🛏🛏) sert des spécialités françaises et québécoises faisant honneur aux produits du terroir. Visites guidées du château : 1h *(8,50 $, enf. 6 $).*

VIEUX-PORT 1

🛏🛏 **Hôtel Particulier Belley** – *249 r. Saint-Paul, place du Marché du Vieux-Port -* 🖉 *418-692-1694 - www.oricom.ca/belley -* ✗-🅿 *- 8 ch. 120/150 $.* Bénéficiant d'un emplacement de choix sur le Vieux-Port ainsi que du charme d'autrefois avec ses murs en brique et ses poutres apparentes, cet hôtel dispose de nombreux atouts pour vous faire passer un agréable séjour, qui plus est à un prix raisonnable. Ses chambres au décor sobre se trouvent au-dessus de la **Taverne Belley**, l'un des endroits les plus populaires de la ville. Il est également possible de louer des appartements, situés de l'autre côté de la rue.

🛏🛏🛏🛏 **L'Hôtel Dominion 1912** – *126 r. Saint-Pierre -* 🖉 *418-692-2224 ou 1-888-833-5253 - www.hotelboutique.com -* ⅃-🅿 *- 60 ch. 295/375 $ -* ⊑ *inclus.* Installé dans un ancien bâtiment commercial de huit étages construit en 1912 pour la Dominion Fish and Fruit Ltd, cet hôtel-boutique bénéficie d'un bel emplacement au cœur du quartier du Vieux-Port. Le salon de lecture et le ravissant hall d'entrée sont rehaussés de vitraux et d'ouvrages en ferronnerie. Les chambres percées de hautes fenêtres et pourvues d'une belle hauteur sous plafond sont très lumineuses; duvets et oreillers en plumes d'oie apportent aux visiteurs un confort

supplémentaire. Le prix comprend le petit-déjeuner continental de luxe.

🛏🛏🛏🛏 **Auberge Saint-Antoine** – *8 r. Saint-Antoine -* 🖉 *418-692-2211 ou 1-888-692-2211 - www.saint-antoine.com - 82 ch. 169/359 $ et 12 suites 229/549 $ -* ⊑ *à partir de 12 $.* Cet ancien entrepôt de 1822 doublé d'une maison de marchand du 18e s. occupe l'un des sites archéologiques les plus riches de Québec. Pour preuve, les innombrables artefacts mis au jour (5 000) et aujourd'hui exposés en décoration (700 pièces) dans le hall, le salon de lecture, les couloirs et les chambres. L'on plonge ainsi dans la vie quotidienne des Québécois des 17e-19e s. tout en profitant d'un confort très contemporain. Certaines chambres et suites ont conservé les murs de pierre originels et bénéficient d'une vue magnifique sur le Saint-Laurent. De son côté, le restaurant **Panache** régale les gourmands avec une cuisine raffinée, basée sur les produits québécois.

SAINTE-FOY

🛏🛏🛏🛏 **Château Bonne Entente** – *3400 chemin Sainte-Foy -* 🖉 *418-653-5221 ou 1-800-463-4390 - www.chateaubonneentente.com -* ✗-⅃-🅿-Spa *- 160 ch. 229/369 $.* Situé dans un endroit boisé avec un accès aisé tant vers l'aéroport que vers le Vieux-Québec, le Château Bonne Entente allie les charmes d'une auberge de campagne aux équipements d'un établissement moderne. Rejoignez le centre de remise en forme et le spa avant d'aller vous installer confortablement dans un bon fauteuil au coin du feu dans un salon douillet où thé et petits fours sont servis chaque après-midi. Les chambres sont toutes personnalisées et les suites familiales sont pourvues de lits superposés et de jouets pour les enfants.

Se restaurer

VIEUX-QUÉBEC

🍽 **Petit Coin Latin** – *8-1/2 r. Sainte-Ursule -* 🖉 *418-692-2022 - 7h30-22h (w.-end 23h) - fermé 15 j. en janv. - petit-déj. à partir de 6,30 $.* Bistro des plus sympathiques, où l'on peut siroter un café, prendre un repas léger (soupe du jour *3,45 $,* raclette pour 2 *- 21,65 $)* ou savourer un bon petit-déjeuner tout en lisant une des nombreuses revues laissées à la disposition des clients. L'endroit est idéal pour s'échapper de la cohue de la rue St-Jean, toute proche. Terrasse à l'arrière.

🍽 **Le Pub Saint-Alexandre** – *1087 r. Saint-Jean -* 🖉 *418-694-0015 - www.pubstalexandre.com - 11h-3h - plats à partir de 13 $.* L'adresse comblera les amateurs, avec son choix de 200 bières importées. On y sert une variété de plats (pâtes, saucisses, steak frites, etc.) dans une vraie ambiance de pub anglais.

🍽 **Portofino** – *54 r. Couillard -* 🖉 *418-692-8888 - www.portofino.qc.ca - 11h-1h - plats 14,95/35 $.* Cette trattoria où règne une agitation débordante affiche pas moins de 20 variétés de pâtes faites maison (*à partir de 15,50 $*) et 30 différentes pizzas cuites au feu de bois (*à partir de 14,95 $*). Bon choix de vins italiens. Pris dans l'euphorie générale et entourés des drapeaux des célèbres équipes italiennes de football, même les plus sages d'entre vous se surprendront à entonner « Amore »… canette à l'orange et agneau.

Aux Anciens Canadiens – *34 r. Saint-Louis* - *418-692-1627 - www.auxancienscanadiens.qc.ca - 12h-21h - menu midi 16,95 $, table d'hôte à partir de 46,50 $*. Logé dans une jolie maison blanche aux accents rouge vif, construite vers 1675, ce vénérable restaurant accueille les amateurs de cuisine québécoise ou ceux qui veulent en découvrir toute la saveur. Le menu comprend des plats traditionnels tels que la soupe aux pois et la tourtière du Lac-Saint-Jean, et des mets plus contemporains comme par exemple le feuilleté de saumon, sans oublier de délicieux desserts : tarte au sirop d'érable, tartine au sucre du pays (sucre d'érable) nappée de crème, et bien d'autres…

Le Continental – *26 r. Saint-Louis* - *418-694-9995 - www.restaurantlecontinental.com - lun.-dim. 12h-15h, 17h30-23h - fermé w.-end vila et 25 déc. - table d'hôte 38/84 $*. Proche du château Frontenac, ce restaurant prisé des Québécois est l'un des plus vieux établissements de la ville. Un personnel compétent sert dans l'élégante salle à manger, habillée de lambris et de tentures bleu foncé, une cuisine classique allant du steak aux fruits de mer en passant par le canard à l'orange, la salade César préparée au guéridon, et les viandes flambées devant le client.

Le Saint-Amour – *48 r. Sainte-Ursule* - *418-694-0667 - www.saint-amour.com - lun.-vend. 11h30-14h, 18h-23h, w.-end 18h-23h - fermé w.-end midi - table d'hôte le soir 46 $*. L'élégance décontractée de cet établissement gastronomique reconnu se prête à merveille à une cuisine raffinée revisitée : foie gras de canard du Québec, caribou des Inuits aux baies de Genièvre, gigue de cerf… Le menu découverte à 9 services permet d'apprécier tout le savoir-faire du chef Frédéric Boulay, qui a pris la succession de son père aux fourneaux. Très belle carte des vins (plus de 1 000 références en cave).

VIEUX-PORT [1]

Le Café du Monde – *84 r. Dalhousie* - *418-692-4455 - www.lecafedumonde.com - lun.-vend. 11h30-23h, w.-end et j. fériés 9h30-23h - plats à partir de 17 $ (table d'hôte plat +14 $)*. Le célèbre bistrot « parisien » de Québec, où d'aimables serveurs en tablier blanc virevoltent dans une atmosphère chaleureuse, jouit d'une vue magnifique sur le port et le fleuve. Steak frites, boudin, hachis Parmentier,

magret de canard et moules figurent au menu. La carte des vins se renouvelle tous les trois jours (la cave compte pas moins de 250 références du monde entier).

L'Ardoise – *71 r. Saint-Paul* - *418-694-0213 - www.lardoiseresto.com - lun.-vend. 11h30-21h, w.-end 10h30-21h30 - table d'hôte midi 15/18 $, le soir 35 $*. Ce bistro séduit d'emblée, avec son décor qui marie allègrement boiseries foncées, chaises tressées et pierres anciennes. La cuisine y est soignée et le service agréable. À noter, le boudin maison, la saucisse aux fruits de mer, le gâteau au fromage de chèvre. Situé près du musée de la Civilisation.

L'Échaudé – *73 r. Sault-au-Matelot* - *418-692-1299 - www.echaude.com - lun.-vend. 10h30-14h30, 17h30-22h, sam. 17h-22h, dim. 10h-14h, 17h30-22h - fermé 25 déc. et 1er janv. - table d'hôte midi 14/28 $, plats 18/34 $ (table d'hôte soir +15 $)*. Ce restaurant sert toute une variété de plats (viandes, poissons, salades, volaille) toujours très bien apprêtés et fort joliment présentés comme le cassoulet de lapin et ses rognons, ou le médaillon de cerf aux airelles. Et en plus, le service est attentionné, même lorsqu'il y a foule.

QUARTIER PETIT-CHAMPLAIN [1]

Le Cochon Dingue – *46 bd Champlain* - *418-692-2013 - www.cochondingue.com - lun.-vend. 7h-23h, w.-end. 8h-23h - table d'hôte midi 10,95/14,95 $, formule à 27 $, grillades à partir de 16,95 $*. Derrière une attrayante façade de pierre percée de larges fenêtres se trouve l'un des bistros les plus prisés du Petit-Champlain. On vient pour l'ambiance décontractée, le service aimable et une cuisine bistro variée et savoureuse, notamment le steak frites (la spécialité de la maison), les travers de porc, les moules et d'excellents desserts. Le petit-déjeuner y est également servi tous les jours.

COLLINE PARLEMENTAIRE

47e Parallèle – *333 r. Saint-Amable* - *418-692-4747 - www.le47.com - lun.-dim. 11h30-14h, 17h-22h - fermé w.-end midi - menu midi 14/20 $, plats 16/30 $ (table d'hôte +8,95/14,95 $)*. Juste à côté du Grand Théâtre, ce restaurant animé propose une grande variété de plats traditionnels du monde entier. Ainsi peut-on trouver au menu, qui change régulièrement, le pavé de chilien aux piments chipotles ou l'agneau marocain au curry sur un lit de couscous aux légumes. Le monde est à vous !

L'Astral – *1225 pl. Montcalm, au Loews Le Concorde Hôtel* - *418-647-2222 - www.loewshotels.com - 6h-22h45 - table d'hôte midi 14,50/29 $, le soir 33/51 $, plats 21/49 $*. Le 28e étage de cet hôtel couronne la liste des restaurants avec un superbe panorama sur la ville. En effet, cet établissement tournant, le seul à Québec, offre une vue panoramique sur le Saint-

Laurent, la Vieille-Ville, l'île d'Orléans et la côte de Charlevoix. Vous pourrez assister au coucher du soleil au son du piano *(du merc. au dim. soir)* ou terminer la soirée par une boisson. Fameux brunch le dim. midi.

L'AVENUE CARTIER

La vie de quartier bat son plein sur cette artère située un peu à l'écart des principaux circuits touristiques. S'y succèdent une foule de restaurants, cafés et petits commerces.

☕ **Café-Restaurant du musée du Québec** – *Dans le parc des Champs-de-Bataille* - 🖉 418-644-6780 - www.museeduquebec.org - *mêmes horaires que le musée - plats à partir de 8 $.* Logé dans le musée même, ce restaurant propose une cuisine soignée : foie gras poêlé et timbale de céleri-rave aux pommes, tartare de viande, quiche, salades. La lumière du jour entre à flots dans la vaste salle à manger, où d'immenses fenêtres offrent une magnifique vue sur les plaines d'Abraham. En été, il est particulièrement agréable de s'asseoir à la terrasse pour admirer le paysage.

☕ **Café Krieghoff** – *1089 av. Cartier -* 🖉 418-522-3711 - www.cafekrieghoff.qc.ca - *lun.-vend. 7h-22h (vend. 23h), sam. 8h-23h, dim. 8h-21h - fermé 25 déc. et 1er janv. - table d'hôte à partir de 12,95/54 $.* Cette sympathique adresse accueille une clientèle bigarrée dans de petites pièces au décor tout simple. On y sert de bons petits-déjeuners et des repas pour petits ou gros appétits : sandwiches *(5,75 $)*, croque-monsieur *(9,95 $)*, hamburger du chef au pain bagna, feuilleté d'épinard *(10,95 $)* ou confit de canard *(14,95 $)*. Sept chambres modernes et confortables occupent les étages *(80/110 $)*.

☕☕ **Le Graffiti** – *1191 av. Cartier -* 🖉 418-529-4949 - *lun.-vend. 11h30-23h, sam. 17h-23h, dim. 9h30-23h - fermé sam. midi et 25 déc. - table d'hôte midi 10,95/22,95 $ et soir 28,75/42,25 $.* Ce restaurant installé à l'entrée du marché couvert propose une cuisine italienne et française de grande qualité (fettucini aux pétoncles, médaillon de veau aux queues de homard, tarte au sucre et poire…), accompagnée d'une excellente carte des vins recensant près de 400 crus. Une verrière et des murs de brique lui confèrent une ambiance chaleureuse.

QUARTIER SAINT-JEAN

Les restaurants de la rue Saint-Jean ont de quoi satisfaire tous les goûts.

☕ **Le Billig** – *526 r. Saint-Jean -* 🖉 418-524-8341 - *mar.-sam. 11h-15h, 17h-21h, dim. 11h-15h - 3,50/17 $.* Couleurs vives et briques rouges composent le décor chaleureux de cette crêperie. Le patron, originaire de Pontivy, réalise les galettes de sarrasin dans la pure tradition bretonne. Parmi ses spécialités : la provence *(7 $)*, la croisillonne *(14 $)* et surtout la cancalaise (pétoncles, poireaux,

sauce hollandaise), qui s'accompagnent de cidre du Québec.

☕ **Hobbit Bistro** – *700 r. Saint-Jean -* 🖉 418-647-2677 - *lun.-vend. 8h-22h (vend. 23h), sam. 8h30-23h, dim. 9h-22h - fermé le 1er janv. - table d'hôte midi 13/15 $, plats le soir à partir de 12 $.* Restaurant de quartier par excellence, ce lieu combine service souriant, convivialité et bonne chère dans un décor à la fois minéral et boisé. On vient ici pour les spécialités de grillades : burger *(9,50 $)*, bavette de wapiti purée de patates douces *(16,95 $)*, mais aussi tout au long de la journée pour grignoter un sandwich *(6,25 $)* ou un panini *(9,25 $)*. Vins au verre. Bon rapport qualité-prix.

QUARTIER SAINT-ROCH

☕ **Les Bossus** – *620 r. St-Joseph Est -* 🖉 418-522-5501 - *lun.-merc. 9h-22h, jeu.-sam. 9h-23h, dim. 11h-22h - table d'hôte midi 14 $, plats le soir à partir de 11 $.* Bistro au goût du jour : voilà ce qu'indiquent les grands carreaux blancs et noirs au sol, les banquettes design et le long comptoir éclairé de globes. La cuisine s'inscrit quant à elle dans la tradition : potage, saucisses de canard *(9,75 $)*, burger de cheval *(11 $)*, frites, crème brûlée *(6 $)*. Le tout se savoure dans un bruit de couverts et de conversations digne des bistros d'antan.

☕☕ **Le Clocher penché** – *203 r. Saint-Joseph Est -* 🖉 418-640-0597 - *lun.-vend. 11h30-15h, 17h-22h, w.-end brunch 9h-14h - fermé 15 j. pdt les fêtes de fin d'année - table d'hôte midi à partir de 18 $, brunch 14 $.* Si le clocher d'en face penche bel et bien, en revanche rien n'est bancal dans ce restaurant de quartier installé dans une ancienne banque (la porte blindée indique la salle d'eau). Sa carte des vins affiche pas moins de 200 références, les bières, parfois atypiques comme celle au coing, proviennent de micro-brasseries, et les plats mêlent avec raffinement saveurs sucrées et salées : saumon mariné au céleri-rave et patates douces *(21 $)*, pièce de bœuf vinaigrette au citron confit *(25 $)*, pudding aux dattes *(9 $)*.

☕☕☕ **Yu-Zu** – *438 r. du Parvis -* 🖉 418-521-7253 - www.yuzu.ca - *lun.-vend. 11h30-14h30, 17h-22h (jeu.-vend. 23h), sam. 17h-23h, dim. 17h-22h - fermé w.-end midi, 24-25 déc. - table d'hôte 37 $.* Ce sushi bar affiche d'entrée la tendance : décor contemporain aux tons noir, boisé clair et cuir. Dans l'assiette, tempuras, makis, nigiris, sashimis ou tataki de veau se présentent de façon tout aussi épurée. La sophistication est partout. Pour y goûter, n'hésitez pas à choisir le déjeuner : yuzu direct avec rouleaux impériaux et makis *(9,95 $)*, poulet du général Tao *(12,95 $)*.

Sortir

Info-loisirs – Pour se faire une idée des événements en cours, consulter des publications touristiques gratuites telles que *Québec Scope, Voilà Québec* et *Voir*, ou parcourir la section Arts et Spectacles des journaux *(numéros de fin de semaine).* Billets pour les événements culturels en vente auprès des bureaux suivants : **Billetech** – ☏ 418-643-8131 - grands magasins (deux à Québec, un à Sainte-Foy). Principales cartes de crédit acceptées.

QUARTIER SAINT-JEAN

Le Sacrilège – *447 r. Saint-Jean -* ☏ *418-649-1985 - www.lesacrilege.net - 12h-3h - pinte du jour 3,75 $.* On ne vient pas ici pour manger ni grignoter, mais plutôt pour taper son rapport, faire une partie de cartes ou alors discuter au comptoir en savourant une pression, pression d'une micro-brasserie bien sûr. La musique, les murs de brique et les tableaux contemporains ajoutent à la convivialité du lieu. La petite terrasse ombragée, à l'arrière, est un grand plus en été. *Soirées DJ : merc.-vend. soirs.*

Maurice – *575 Grande Allée -* ☏ *418-647-2000 - www.mauricenightclub.com - mer.-sam. 20h-3h - 5 $.* Sous la haute tour de l'hôtel Concorde, l'une des plus célèbres discothèques de la ville : tubes hip hop, dance, R n'B et électro, sur deux étages au décor très *lounge.*

SPORTS-SPECTACLES

Hockey sur glace – Les Remparts de Québec (AHM de Sainte-Foy) - *Pepsi Coliseum - 250 bd Hamel -* ☏ *418-525-1212 - www.remparts.qc.ca - saison : sept.-mars.*

Base-ball – Les Capitales de Québec - *Stade municipal - 100 r. du Cardinal-Maurice-Roy -* ☏ *418-521-2255 - www.capitalesdequebec.com.*

Course sous harnais – Hippodrome de Québec - parc ExpoCité - ☏ *418-524-5283.*

Que rapporter

👁 **Bon à savoir** – Les rues suivantes se prêtent particulièrement bien à la flânerie : le quartier Petit-Champlain, les rues Saint-Jean, Saint-Louis, Saint-Paul, Sainte-Anne et Cartier, la côte de la Fabrique, la Grande Allée et la 3e Avenue.

VIEUX-PORT 1

Marché du Vieux-Port – *160 quai Saint-André -* ☏ *418-692-2517 - www.marchevieuxport.com - janv.-mars : jeu.-dim. 9h30-17h ; reste de l'année : 9h-17h.* Fleurs, miel, produits de l'érable, cidre, fruits et légumes de l'île d'Orléans, charcuterie, pièces de viande : le panier se garnit vite à faire le tour de cette halle du Vieux-Port. Quelques restaurants ont aussi investi les lieux, histoire de caler les petites faims.

QUARTIER PETIT-CHAMPLAIN 1

La soierie Huo – *91 r. du Petit-Champlain -* ☏ *418-692-5920 - www.soieriehuo.com - juin-sept. : 9h30-20h ; mai et oct.-déc. : 10h-18h ; janv.-avr. : tlj sf lun.-mar. 10h-17h.* Voilà plus de 10 ans que Dominique Huo et Hugues Beaulieu ont ouvert cette boutique lumineuse et colorée. Ils peignent parfois sur soie au milieu des foulards *(35 $),* des cravates *(65 $),* des barettes *(15 $)* ou des boucles d'oreilles clip *(20 $)* qu'ils ont réalisés et vendent ici.

La dentellière – *56 bd Champlain -* ☏ *418-692-2807 - juin-sept. : 9h-21h ; reste de l'année : 10h-17h (21h jeu.-vend.) - fermé 25 déc. et 1er janv.* De la vitrine jusqu'au fond du magasin, ce n'est ici que dentelle. Blancs les napperons, le linge de corps, les draps. Blanches les nappes…

Oh ! Bois Dormant – *84 ½ r. du Petit-Champlain -* ☏ *418-694-7474 - été : tlj ; hiver : jeu.-vend. 10h-21h, sam.-lun. 10h-17h.* Bois d'érable rouge ou d'érable coti, de bouleau jaune, de cerisier tardif, de frêne… Cette enseigne expose le travail d'une soixantaine d'artisans. Magnets *(21 $),* pommes *(29 $),* bols *(90 $),* vases *(187 $)* ou saladiers *(215 $)* sont des pièces uniques, de véritables œuvres d'art.

QUARTIER SAINT-JEAN

Maison Jean-Alfred Moisan – *699 r. Saint-Jean -* ☏ *418-522-0685 - www.jamoisan.com - 9h-22h.* Depuis 1871, cette institution fournit le faubourg Saint-Jean : fruits et légumes frais, pain, charcuterie ou fromages italiens, français, québécois. Son charme tient aussi à ses vieilles étagères et à ses comptoirs où trône de la confiserie importée d'Europe.

Événements

Carnaval de Québec – *1re quinz. fév.*

Festival d'été de Québec – *1re quinz. juil.*

Les fêtes de la Nouvelle-France – *1re quinz. août.*

Rawdon★

LANAUDIÈRE
10 058 HABITANTS
SCHÉMA : LANAUDIÈRE
WWW.CHAMBRECOMMERCERAWDON.CA OU WWW.TOURISME-LANAUDIERE.QC.CA

Située au bord de la vallée du Saint-Laurent, là où naissent les monts des Laurentides, Rawdon se trouve au cœur d'une région de loisirs très appréciée. La rivière Rouge et la rivière Ouareau, qui encadrent le centre de la ville, forment des chutes et des cascades spectaculaires en descendant vers le sud, en direction du Saint-Laurent : elles méritent un détour.

- **Se repérer** – Rawdon se trouve à environ 75 km au nord de Montréal par les routes 25, 125 et 337.
- **S'informer** – Accueil touristique - 3112 1re Av. (route 337) - ℘ 450-834-1071 - www.destinationrawdon.com et www.chambrecommercerawdon.ca.
- **À ne pas manquer** – Chutes et cascades à deux pas du centre-ville.
- **Avec les enfants** – Un pique-nique au parc des Cascades en surveillant les enfants de près. La baignade y est interdite car dangereuse.
- **Pour poursuivre la visite** – Joliette, la région de Lanaudière, les Laurentides.

Comprendre

Ce territoire faisait jadis partie des terres concédées aux loyalistes en 1799, mais ce n'est qu'à la fin des années 1810 que Rawdon fut colonisée par des immigrants irlandais. À leur suite s'y installèrent des Écossais, des Canadiens français (surtout des Acadiens) et, au 20e s., bon nombre d'Européens de l'Est.

Se promener

Les édifices religieux

Rawdon a un cachet particulier, attribuable à la véritable mosaïque de cultures qui a façonné son histoire. En témoignent la multiplicité et la diversité des édifices religieux. Une église orthodoxe russe se trouve à l'angle de la rue Woodland et de la 15e Av. Les offices y sont célébrés en français, en anglais et en slavon, la langue liturgique des Slaves orthodoxes.

Notons également l'église anglicane *(à l'angle de la rue Metcalfe et de la 3e Av.)*. Sa structure de pierre (1861) est surmontée d'un beffroi de bois et bordée sur un côté par un petit cimetière. C'est peut-être le plus charmant site de la ville.

Le **centre d'interprétation multiethnique** *(3588 r. Metcalfe - ℘ 450-834-3334 - sam.-dim. 13h-16h)* permet d'initier les visiteurs aux différents patrimoines ethniques de Rawdon.

Parc des Chutes-Dorwin★

À l'entrée de Rawdon. Accès par la route 337 - ℘ 450-834-2282 - ✕-♿-🅿 - mai-oct. : 9h-19h - 4 $.

Dans un cadre boisé, la rivière Ouareau court en cascades sur des rochers, effectue une chute de 30 m de haut dans un petit bassin, puis bifurque avant de s'engloutir dans une étroite gorge escarpée. Selon une légende amérindienne, la chute surgit lorsque le sorcier maléfique Nipissingue poussa dans un gouffre la belle Hiawitha. Cette dernière se transforma en chute, et Nipissingue fut pétrifié par un coup de tonnerre. Le profil sculpté dans la roche qui borde les chutes *(visible de la plate-forme d'observation située en contrebas)* est, dit-on, celui du méchant sorcier…

La rivière Rouge forme aussi une jolie cascade, la chute Mason *(près de la 3e Av. et de la rue Maple)*, mais il est difficile d'accéder au pied de la cataracte.

Parc des Cascades★

De la rue Queen, prenez la route 341 en direction de Saint-Donat - ℘ 450-834-8121 - ♿ - 🅿 - de mi-mai à mi-oct. : 9h-18h - 6 $/voiture. À la pointe nord du lac Pontbriand, sur la rivière Ouareau, de magnifiques cascades dévalent un escalier de rochers.

L'été, on peut s'avancer au milieu du courant et profiter de la fraîcheur de l'eau.

Des sentiers à travers la forêt de pins et des aires de pique-nique font de ce site une halte très agréable.

Vallée du Richelieu★★

MONTÉRÉGIE
SCHÉMA : VALLÉE DU RICHELIEU
WWW.VALLEE-DU-RICHELIEU.CA OU WWW.TOURISME-MONTEREGIE.QC.CA

La majestueuse rivière Richelieu constitue l'un des maillons de l'axe fluvial Montréal-New York. Longue d'environ 130 km, elle prend sa source dans l'État de New York et coule vers le nord jusqu'au Saint-Laurent qu'elle rejoint à Sorel. Samuel de Champlain découvrit cette voie navigable en 1609 et la baptisa rivière des Iroquois. Le cours d'eau prit par la suite le nom d'Armand-Jean du Plessis (1585-1642), Premier ministre de Louis XIII, plus connu sous le nom de cardinal de Richelieu, et qui soutint activement le développement de la Nouvelle-France. Au début du 18e s., des pionniers s'installèrent pour cultiver les terres fertiles de la région qui, aujourd'hui encore, constitue l'une des zones agricoles les plus riches du Québec. Très prisée des Montréalais, qui s'y rendent en grand nombre les fins de semaine, la vallée attire chaque été des milliers de voyageurs et de touristes. Les circuits proposés permettent de découvrir les deux rives de la rivière Richelieu et toute la beauté de la vallée.

▶ **Se repérer** – Chambly, point de départ des deux circuits, se trouve à environ 30 km à l'est de Montréal par la route 10 (sortie 22). Les itinéraires proposés ci-dessous suivent la vallée du Richelieu : route 133, rive droite (à l'est) ou route 223, rive gauche (à l'ouest).

👁 **À ne pas manquer** – Le Centre de la nature du Mont-Saint-Hilaire.

🕐 **Organiser son temps** – Chaque circuit peut se faire en une journée.

👫 **Avec les enfants** – Le parc Safari, près de Hemmingford.

👆 **Pour poursuivre la visite** – Chambly, Nicollet, Longueuil, La Prairie et Montréal.

Comprendre

La vallée des Forts – À cause de sa situation stratégique, la vallée du Richelieu fut jalonnée d'une série de forts au début du Régime français : Chambly, Saint-Jean-sur-Richelieu, Lennox (sur l'île aux Noix) et Lacolle. Si, à l'origine, ces fortifications devaient protéger Montréal des incursions des Iroquois, ce furent bientôt les troupes anglaises (1759-1760), puis américaines (1775-1776) qu'elles durent tenir en échec. La vallée du Richelieu changea de vocation vers le milieu du 19e s. : le temps des invasions était passé ; on entrait dans l'ère des échanges commerciaux. Il ne s'agissait plus d'empêcher l'accès par le sud mais, bien au contraire, de le faciliter pour développer les transports entre Montréal et les États-Unis. Un système de canaux fut donc aménagé.

La Rébellion des Patriotes (1837-1838) – Leur drapeau était le **tricolore canadien** (vert, blanc et rouge), et le fusil, la tuque, la ceinture fléchée, quelquefois la pipe, leurs attributs typiques. Mais qui étaient les Patriotes ? Au 19e s., la vallée du Richelieu joua un rôle majeur dans le conflit qui les opposa au gouvernement britannique. Les graves luttes constitutionnelles de l'époque, doublées de l'exaspération nationaliste des Canadiens français, avaient mené Louis-Joseph Papineau et ses partisans, les Patriotes, à dénoncer le régime au pouvoir et à prôner l'autodétermination. L'agitation monta, des groupes armés se constituèrent, tandis que la population anglaise s'organisait en milices de volontaires pour soutenir l'armée. Finalement, plusieurs batailles éclatèrent dans la vallée du Richelieu et autour de Montréal. Après une première victoire à Saint-Denis, les insurgés furent défaits à Saint-Charles, puis écrasés à Saint-Eustache. Le **chemin des Patriotes** (route 133), qui longe la rive est du Richelieu, rappelle ce douloureux épisode de l'histoire du Canada.

Le chemin des Patriotes – de Chambly à Sorel

1️⃣ *78 km par la route 133. Une journée.*

Chambly★
Voir ce nom.
Quittez Chambly par la route 112. Traversez la rivière Richelieu au village du même nom, et prenez la route 133 Nord.

Saint-Mathias
5 km. Les premiers colons s'y établirent en 1700 alors que Saint-Mathias faisait partie de la seigneurie de Chambly. On y découvre de belles demeures et des ports de

plaisance sur le bassin de Chambly. Remarquez la croix de chemin à droite, à l'endroit où la route 133 traverse la rivière des Hurons. Il en reste encore plusieurs le long du Richelieu.

Le décor intérieur de l'**église** (℘ 450-658-1671 - &- **P** - *visite guidée seulement, mai-oct. : lun., merc. et vend. 9h-12h - contribution souhaitée),* construite en 1784, date des années 1820. Il est dû à René Beauvais (dit Saint-James) et à Paul Rollin, deux compagnons de Louis-Amable Quévillon qui exécuta en 1797 la chaire et le maître-autel. *Continuez en direction de Mont-Saint-Hilaire.*

La municipalité de **Otterburn Park** *(9 km)* comporte plusieurs demeures splendides. De l'autre côté de la rivière se dresse le complexe industriel de McMasterville, où l'on fabrique des explosifs depuis 1878.

Mont-Saint-Hilaire

12 km. Patrie du célèbre peintre **Ozias Leduc** (1864-1955) et ville natale de **Paul-Émile Borduas** (peintre 1905-1960), Mont-Saint-Hilaire est un centre artistique réputé. En arrivant dans la ville, on remarquera, sur les bords de la rivière Richelieu, le **manoir Rouville-Campbell**. Cet édifice de style Tudor, avec ses hautes cheminées de brique, fut construit dans les années 1850 pour le major Thomas Edmund Campbell qui avait acquis la seigneurie de Hertel de Rouville après la Rébellion de 1837. Il s'inspire de la maison ancestrale des Campbell à Inverane (Écosse). Restauré par l'artiste Jordi Bonet (1932-1979) au cours des années 1970, le manoir sert aujourd'hui d'auberge et de relais gastronomique.

Construite en 1837, la petite **église** de pierre située près de la rivière fut décorée par Ozias Leduc en 1898 (℘ 450-467-4434 - &- **P** - *lun.-sam. 9h-12h, 13h30-17h, dim. 13h-17h - contribution requise).* On aperçoit, sur la rive opposée, le clocher et les tourelles de l'église Saint-Mathieu-de-Belœil.

Autre site à découvrir, le **musée d'Art de Mont-Saint-Hilaire** *(r. du Centre-civique - ℘ 450-536-3033 - www.mbamsh.qc.ca - &. - mar. 10h-20h30, merc.-vend. 10h-17h, sam.-dim. 13h-17h - 4 à 8 $ selon les expositions)* où l'on peut découvrir des toiles d'artistes contemporains ou d'artistes ayant vécu à Mont-St-Hilaire comme Ozias Leduc, Jordi Bonet et Paul-Émile Borduas.

Enfin, la **Maison des cultures amérindiennes** *(510 montée des Trente - ℘ 450-464 2500 - www.maisonamerindienne.com - &. - lun.-vend. 9h-17h, sam.-dim. 13h-17h.*

Son objectif ? Faire connaître les Premières Nations du Québec. La Maison des cultures amérindiennes met ainsi en valeur les traditions amérindiennes de l'érable, du maïs et de la courge. En saison, un potager amérindien et un jardin de baies sauvages comestibles attendent ainsi les visiteurs. Des expositions saisonnières sur l'érable (hiver-printemps), le maïs (été), la courge (automne), des expositions d'art contemporain autochtone, et un sentier d'interprétation dans l'érablière sont également proposés. Par ailleurs, des dégustations de mets à base des produits du « terroir amérindien » sont organisées.

Faites un détour (12 km aller-retour) pour aller au Centre de la nature du mont Saint-Hilaire. Prenez à droite la route 116 (indiquée), puis encore à droite la rue Fortier qui devient chemin Ozias-Leduc. Après 3 km, prenez à gauche le chemin de la Montagne, et de nouveau à gauche le chemin des Moulins.

Centre de la nature du mont Saint-Hilaire★★

*422 chemin des Moulins - ℘ 450-467-1755 - www.centrenature.qc.ca - &.- **P**-✗ - 8h-20h (18h30 en moyenne saison, 16h en basse saison) - 5 $.*

Classé « réserve de la biosphère » par l'Unesco depuis 1978, le mont Saint-Hilaire, aux versants abrupts, s'élève à 411 m au-dessus de la vallée du Richelieu. Il s'agit de la plus imposante des collines Montérégiennes. La belle couverture boisée qui le tapisse sur environ 11 km^2 n'a guère changé depuis l'arrivée des Européens au Canada. Ses flancs inférieurs sont couverts de pommiers *(floraison fin mai),* car nous sommes ici dans l'une des plus riches régions de pomoculture du Québec.

Le mont Saint-Hilaire appartenait autrefois à **Andrew Hamilton Gault** (1882-1958), créateur du régiment d'infanterie légère canadienne « Princess Patricia ». Gault légua son domaine à l'Université McGill afin d'en sauvegarder la beauté. Aujourd'hui, un secteur de 6 km^2 est ouvert au public, tandis qu'un secteur plus petit (5 km^2) est réservé à la recherche.

Environ 22 km de **sentiers** permettent de se rendre à différents sommets. Du Pain de Sucre (point culminant) se dégage une ample **vue**★★ sur le Richelieu, la vallée du Saint-Laurent et la tour du Stade olympique de Montréal. Des chemins mènent au lac Hertel près duquel Gault construisit sa résidence ; cette dernière sert désormais

VALLÉE DU RICHELIEU
ET FORT LENNOX

0   10km

Île aux Noix

Fort-Lennox ★

0   200m

de centre de conférences. Randonneurs et skieurs de fond bénéficient d'une aire de repos aménagée à leur intention.

Rejoignez la route 133. Avant d'arriver à St-Charles-sur-Richelieu, détour possible pour découvrir Saint-Hyacinthe. Sortez du Mont-Saint-Hilaire, prenez à droite la 20 Eb.

Saint-Hyacinthe

24 km à l'est de Mont-Saint-Hilaire. Véritable grenier du Québec, la région de Saint-Hyacinthe est réputée pour la richesse de ses terres et l'abondance de ses récoltes. La ville a été créée à la fin du 18e s. autour des moulins de la rivière Yamaska.

Une agréable **promenade** sur la **rue Girouard** permet de longer les berges de la rivière Yamaska en partant de la porte des Anciens-Maires jusqu'au centre-ville. On passe devant de belles maisons victoriennes, particulièrement entre les rues Desaulnes et Després. Puis, près du centre, la rue est bordée de bâtiments publics remarquables dont la **cathédrale** (à l'intérieur voir la toile d'Ozias Leduc, *Le Père Éternel*) et l'hôtel de ville qui domine le parc Casimir-Dessaulles. Plus au sud, la rue des Cascades est bordée de boutiques et de restaurants. Au coin de la rue Saint-Denis, se trouve le **Marché-Centre**, le plus ancien marché public du Québec, toujours en fonction.

Revenez sur la route 133.

Saint-Charles-sur-Richelieu

15 km depuis Mont-Saint-Hilaire. C'est là que les Patriotes furent battus, le 25 novembre 1837, par le colonel Wetherall, deux jours après une première victoire à Saint-Denis. Dans un petit parc à droite se dresse un monument à leur mémoire (notez les bas-reliefs). Au bord de l'eau, un bateau, l'*Escale,* abrite un théâtre d'été.

Saint-Denis-sur-Richelieu★

12 km. Cette prospère communauté agricole est le haut-lieu de la **victoire des Patriotes** sur le colonel Gore, le 23 novembre 1837. Au centre du **parc des Patriotes**, qui fut autrefois la place Royale puis la place du marché, le tricolore canadien flotte près d'un **monument** érigé en leur honneur. Une plaque, apposée en 1987 à l'occasion du 150e anniversaire de la Rébellion, porte ces paroles de René Lévesque : « Ils ont lutté pour la reconnaissance nationale de notre pays, pour sa liberté politique et pour l'obtention d'un système de gouvernement démocratique. »

Juste à côté, l'**église★**, construite en 1796, se distingue par ses deux gros clochers recouverts de cuivre. L'un d'eux abrite la cloche de la Liberté qui appela les Patriotes au combat. C'est le premier édifice religieux au Québec à avoir été doté d'une élévation latérale à deux étages, dont témoigne à l'extérieur une double rangée de fenêtres. Depuis 1922, une façade moderne cache la structure ancienne. Le décor intérieur en bois sculpté, attribué à Louis-Amable Quévillon, date pour l'essentiel des années 1810.

Maison nationale des Patriotes★ – *610 chemin des Patriotes (rte 133)* - ℘ *450-787-3623* - *www.mndp.qc.ca* - ♿-🅿 - *mai-sept. : mar.-dim. 10h-12h et 13h-17h ; oct. : dim. 10h-12h et 13h-17h ; nov. : mar.-vend. 10h-12h et 13h-16h ; reste de l'année : sur rendez-vous - 6 $.* Bâtie pour Jean-Baptiste Mâsse, forgeron, aubergiste et marchand, cette maison de pierre (1810) sert aujourd'hui de centre d'interprétation de la Rébellion des Patriotes (1837-1838). Des expositions et un diaporama expliquent les causes du long combat des Patriotes pour la liberté et la démocratie, et font la description des batailles de Saint-Denis, Saint-Charles et Saint-Eustache.

Saint-Ours

12 km. En 1672, cette seigneurie fut accordée à Pierre de Saint-Ours. À cet endroit de la rivière, le niveau peu élevé des eaux gênait la navigation. La construction d'une digue et d'une écluse fut entreprise, et les travaux s'achevèrent en 1849.

Lieu historique national du Canal-de-Saint-Ours – *2930 ch. des Patriotes* - ℘ *450-785-2212 durant la saison de navigation et 450-444-4888 (en tout temps)* - *www.pc.gc. ca* - ♿ - *3 $.* Inauguré en 1849, le canal de Saint-Ours fait partie du réseau qui a rendu la navigation possible entre le fleuve Saint-Laurent, la rivière Richelieu, le lac Champlain et la rivière Hudson, permettant ainsi de relier Montréal à New York. Au début du siècle, les bateaux transportaient du bois d'œuvre, du foin et des céréales aux États-Unis, et revenaient chargés de charbon, de fer, de cuivre et de matériaux de construction. Un agréable parc doté d'aires de pique-nique a été aménagé aux alentours de cette zone animée.

Construite en 1933, l'actuelle écluse mesure 103 m de long sur 14 m de large. Elle permet aux bateaux de s'élever de 1,5 m en cinq minutes. Trois kilomètres après l'écluse, un traversier relie Saint-Ours à Saint-Roch.

La pulperie de Chicoutimi (Saguenay).

Les chutes de la rivière du Loup (Rivière-du-Loup).

L'église orthodoxe russe Saint-Georges (Rouyn-Noranda).

Village historique de Val-Jalbert (Roberval).

L'histoire de Saint-Jean-sur-Richelieu

Saint-Jean connut une période de croissance et de prospérité au 19e s. En 1836, le premier chemin de fer du Canada, de la compagnie Champlain and Saint Lawrence Railroad, reliait La Prairie à Saint-Jean. Puis, sept ans plus tard, le canal de Chambly fut inauguré. Favorisée par ces deux nouvelles voies de communication, Saint-Jean devint un centre de fabrication de vaisselle, de théières, de cruches et autres articles en céramique blanche. En 1840, Moses Farrar installa à Saint-Jean une première fabrique d'articles en grès. Un autre Farrar s'attaqua au marché de la vaisselle d'hôtel et de restaurant en faïence blanche. Moses s'associa à plusieurs banquiers et, ensemble, ils créèrent en 1873 la **Saint John's Stone Chinaware Company**. Les produits de cette société et les « **Farrar** » sont maintenant des pièces de collection. L'industrie existe encore de nos jours, mais la céramique produite sert à des fins plus pratiques : tuyaux de drainage et poterie sanitaire. Crane Canada est le seul survivant des potiers industriels de cette époque.

Sorel-Tracy

18 km. Située au confluent de la rivière Richelieu et du Saint-Laurent, la ville doit son nom à Pierre de Saurel qui devint le seigneur des lieux en 1672. En 1781, le gouverneur de Québec, Sir Frederick Haldimand, octroya à Sorel une charte municipale et rebaptisa la ville William-Henry (en l'honneur du prince William Henry, futur George IV). Il établit une garnison sur les bords de la rivière pour contrer la menace d'une invasion américaine et assurer la sécurité des loyalistes installés dans la seigneurie.

Afin de loger le général von Riedesel, commandant de la garnison de l'époque, le gouvernement fit l'acquisition d'une maison de bois aujourd'hui connue sous le nom de **maison des Gouverneurs** *(90 chemin des Patriotes)*. C'est dans cette demeure que les Riedesel, d'origine allemande, introduisirent au Canada le premier arbre de Noël.

Carré royal – Créé en 1791, le Carré royal servait à l'origine de place d'armes. Aujourd'hui transformé en parc, cet agréable espace vert possède la particularité d'avoir été tracé en forme de drapeau anglais.

🔍 Il offre aux promeneurs de nombreux sentiers *(délimités par les rues du Roi, Charlotte, du Prince et George)*.

C'est à Sorel que fut établie, en 1784, la toute première mission anglicane du Canada. L'église **Christ Church** (1843 ; John Wells), de style néogothique, se dresse en face du Carré royal, dans la rue du Prince. Entre la place et les rives du fleuve *(rue du Roi)*, une série de boutiques, restaurants et cafés animés mènent au vieux marché, situé dans un bâtiment de brique jaune construit au cours des années 1940. À l'est *(rue Augusta)*, un parc au bord de l'eau, doté d'un belvédère, offre des **vues panoramiques** sur le Saint-Laurent, la marina et le complexe portuaire.

Sainte-Anne-de-Sorel

À 8 km à l'est par le chemin Sainte-Anne. L'**église Sainte-Anne** *(572 chemin du Chenal-du-Moine - ☎ 450-743-2266)*, construite en 1876, est remarquable par les 14 fresques de Suzor-Côté qui ornent la voûte et les murs de la nef. Ces superbes décorations furent réalisées par le peintre Suzor-Côté.

Croisière dans les îles de Sorel★ – *Croisières des Îles-de-Sorel, Inc -1655 chemin du Chenal-du-Moine ; suivre les panneaux indiquant le bateau le* Survenant *- ☎ 450-346-2446 et 1-800-361-6420 (sans frais) - www.croisieresilesdesorel.com - ♿-🅿 départ de Sainte-Anne-de-Sorel du 24 juin à la fête du Travail : mar.-dim. 14h et 16h - AR 1h30 - commentaire à bord - réservations souhaitées - 21,95 $ (hors taxes).*

L'excursion permet de découvrir le décor pittoresque et enchanteur des **îles de Sorel★** et, au large, d'admirer le puissant et majestueux Saint-Laurent. La croisière

Excursion en bateau

Croisières Richelieu Inc. - ☎ 450-346-2446 - www.croisieresrichelieu .com - 🅿 - départ de Saint-Jean-sur-Richelieu - r. du Quai - du 22 juin à la fête du Travail : mar.-dim. 13h30 (AR 1h30) - commentaire à bord - réservations souhaitées - 19,95 $ (hors taxes). Ce périple de 16 km remonte la rivière Richelieu. Cette agréable croisière démarre près des écluses et de l'entrée du canal de Chambly. De belles **vues** s'offrent sur Iberville, sur la rive est. On passe devant le Collège militaire royal, des marinas et de belles résidences d'été.

commence par le chenal du Moine, puis passe devant une série d'îles d'où émergent quelques maisons sur pilotis, avec leur quai individuel : les îles du Moine, de Grâce et l'île d'Embarras. Certaines, uniquement accessibles par bateau, sont un véritable paradis pour les ornithologues, chasseurs et pêcheurs.

La « gibelotte », à base de légumes et de poisson, est une spécialité des îles (*deux restaurants sur l'île d'Embarras*).

De Chambly à Hemmingford

2 *80 km par la route 223.*

Chambly★

Voir ce nom.

De Chambly, prenez la route 223 en direction du sud. Durant le trajet, suivez du regard le canal de Chambly (aires de pique-nique aménagées en bordure du canal).

Saint-Jean-sur-Richelieu

16 km au sud par la 223.

Ville natale de Félix-Gabriel Marchand, Premier ministre du Québec de 1897 à 1900, Saint-Jean se trouve sur la rive ouest de la rivière Richelieu, en vis-à-vis d'Iberville. Son histoire remonte à 1666.

À l'époque des guerres iroquoises, les Français avaient fait construire une série d'ouvrages fortifiés le long de la rivière Richelieu, dont un petit fortin sur le site actuel de Saint-Jean. Après la guerre d'Indépendance américaine, de nombreux loyalistes, fidèles à la Couronne d'Angleterre, s'établirent dans la localité qui porta quelque temps le nom de Dorchester. Elle devint un important centre de commerce avec les États américains (New York et le Vermont) entourant le lac Champlain. Aujourd'hui, la ville accueille chaque année au mois d'août le Festival de montgolfières de Saint-Jean-sur-Richelieu ; il s'agit de la plus grande manifestation en son genre au Canada.

Musée du Haut-Richelieu – *182 r. Jacques-Cartier Nord, sur la place du Marché - ☎ 450-347-0649 -* 🅿 *- mar.-sam. 11h-17h, dim. 13h-17h - 4 $.* Aménagé dans le vieil édifice du marché (1859), ce musée présente divers objets rappelant la présence amérindienne et l'histoire militaire du Haut-Richelieu et de la « vallée des Forts ». Il possède aussi une collection unique de pièces de vaisselle et de poteries portant la signature de la Saint John's Stone Chinaware Company, dont plusieurs **Saint John's Blue** datant des années 1890.

Longez la place du Marché.

Derrière l'édifice du marché se trouve, attenante, l'ancienne **caserne de pompiers** (1877), surmontée d'une petite tour.

De l'autre côté de la rue Longueuil se dresse l'**église Saint John's United**, bâtiment de brique sombre construit en 1841. Les rues avoisinantes comptent de belles maisons victoriennes. À l'angle des rues Saint-Charles et Longueuil, on remarquera le **palais de justice** (1850), de style néoclassique.

Église anglicane Saint-James – *À l'angle des rues Jacques-Cartier et Saint-Georges.* Avec sa tour blanche et son porche de style néoclassique, Saint-James fait penser à une église de la Nouvelle-Angleterre. Construite en 1816, elle dessert aujourd'hui la paroisse catholique romaine de Saint-Thomas-More ainsi que la communauté anglicane locale.

Cathédrale Saint-Jean-l'Évangéliste – Cette église possède une tour centrale en cuivre et un intérieur très travaillé. Construite entre 1828 et 1853, puis agrandie en 1866 par Victor Bourgeau, elle devint cathédrale en 1933.

Musée du Fort Saint-Jean – *Sur le terrain du campus du Fort Saint-Jean, rue Jacques-Cartier Nord - ☎ 450-358-6515 - www.museedufortsaintjean.ca - ♿- 🅿 - de fin mai à la fête du Travail : merc.-dim. 10h-17h - 4 $.* Aménagé dans l'ancien corps de garde (1850) du Fort Saint-Jean, ce musée évoque plus de 300 ans d'histoire militaire. On y découvre toutes sortes d'armes, des uniformes, et une exposition sur les différentes étapes de développement du site.

Construit par les Français en 1666 pour se défendre contre les Iroquois, le premier fort fut remplacé en 1748 par une seconde structure destinée, cette fois, à protéger la Nouvelle-France contre les Britanniques. En 1759, après la prise de Fort-Lennox, Fort Saint-Jean fut incendié par ses défenseurs français pour empêcher que les Britanniques ne s'en emparent. Il fut reconstruit en 1775 par Guy Carleton et pris par les Américains la même année, après un siège de 45 jours. Le fort devait être reconstruit une dernière fois après la Rébellion des Patriotes en 1837.

Après la visite du musée, on peut se promener sur le campus pour voir les vestiges des anciens remparts qui offrent des vues sur la rivière Richelieu.

Île aux Noix

20 km. Accès par traversier au départ de Saint-Paul-de-l'Île-aux-Noix. Voir ce nom.
Au fur et à mesure que l'on s'approche de la frontière américaine et du lac Champlain, la rivière s'élargit. Elle est ponctuée de nombreux ports de plaisance.

Blockhaus de la rivière Lacolle★

9 km - ✆ 450-246-3227 et 450-291-3166 hors saison - 🅿 *- de mi-juin à la fête du Travail : 10h-17h30 ; reste de l'année : sam.-dim. 10h-17h30.*
Ce bâtiment en bois équarri fut construit par les Britanniques en 1781 dans le cadre de leur système de défense contre les invasions américaines. Situé au bord de la rivière Lacolle, affluent de la rivière Richelieu, c'est le seul bâtiment militaire du genre subsistant au Québec. Durant la guerre de 1812, il résista à trois tentatives d'invasion. Les trous laissés par les balles y sont d'ailleurs encore visibles. Restauré par le gouvernement du Québec, l'intérieur abrite une exposition sur l'histoire militaire du blockhaus. Remarquez les meurtrières pour le tir des mousquets et les embrasures pour canons.
Continuez par la route 223 en direction du sud, et prenez à droite la route 202.

Parc Safari★★

26 km par la route 202, avant Hemmingford - ✆ *450-247-2727 - www.parcsafari.com -* ✕-♿-🅿 *- du 22 juin à la fête du Travail : 10h-20h ; de mi-mai à mi-juin et reste de sept. : lun.-vend. 10h-16h, sam.-dim. 10h-17h - 36 $ en pleine saison/21 $ hors saison.*
Ce vaste espace naturel abrite quelque 800 animaux d'Afrique, d'Eurasie et d'Amérique appartenant à 75 espèces différentes.
Le **Safari automobile** *(4 km)* permet au visiteur, vitres baissées, de photographier et de nourrir les animaux. La **Forêt enchantée** est à la fois un parc d'attractions et un jardin zoologique. Au cours de la **Promenade de la jungle**, on pourra observer les singes sur leur île, traverser l'enclos des daims et, du haut des passerelles, admirer lions, tigres et ours. Notez aussi une section réservée aux animaux domestiques.
Des spectacles donnent par ailleurs l'occasion de voir évoluer une soixantaine d'animaux savants sous l'œil attentif de comédiens-dompteurs. On peut enfin se promener à dos d'éléphant ou de poney, et goûter aux joies de la baignade dans un espace aménagé à cet effet.

Rimouski★

BAS-SAINT-LAURENT
42 240 HABITANTS
SCHÉMA : CÔTE DE CHARLEVOIX
WWW.TOURISME-RIMOUSKI.ORG OU WWW.TOURISMEBAS-ST-LAURENT.COM

Rimouski est un mot amérindien signifiant « la terre de l'orignal ». Mais il est loin le temps où la région était une vaste forêt peuplée de cervidés chassés par les Micmacs. Bâtie en bordure du Saint-Laurent et à l'embouchure de la rivière qui lui a donné son nom, la ville est aujourd'hui une métropole animée, étape idéale pour découvrir le Bas-Saint-Laurent et, plus à l'est, la Gaspésie.

- ▷ **Se repérer** – Rimouski se trouve à 312 km au nord-est de Québec par les routes 73 (pont Pierre-Laporte), 20 et 132.
- ▷ **S'informer** – Accueil touristique - 50 r. St-Germain Ouest - ✆ 418-723-2322 ou 800-746-6875 (sans frais).
- 👁 **À ne pas manquer** – Le phare de Pointe-au-Père.
- �︎ **Pour poursuivre la visite** – Rivière-du-Loup, Bas-Saint-Laurent, Gaspésie, Îles de la Madeleine (reliées par bateau).

Comprendre

Cette ville industrielle s'est développée en hémicycle à l'embouchure de la rivière Rimouski. La région était autrefois une vaste forêt où chassaient les Micmacs. Le territoire fut concédé en 1688. En 1694, il fut acquis par René Lepage, négociant français qui vint s'y établir deux ans plus tard. L'économie locale fut longtemps axée sur l'agriculture et la pêche saisonnière. Au début du 20e s., la société Price Brothers vint pratiquer la coupe du bois et construire des scieries dans la région, engendrant ainsi un essor rapide. Après un grand incendie en 1950, Rimouski fut reconstruite.

Se promener

Musée régional de Rimouski

*35 r. St-Germain Ouest - ℘ 418-724-2272 - www.museerimouski.qc.ca - ✕ (été seulement)
- ♿-🅿 - du 24 juin au 1er lun. sept. : merc.-vend. 9h30-20h, sam.-dim. 9h30-18h ; reste
de l'année : merc.-dim. 12h-17h (jeu. 21h) - 4 $.* Un édifice de pierre (1824) situé face au
Saint-Laurent accueille aujourd'hui des expositions axées sur l'art contemporain,
l'histoire locale et les sciences de la merc. Le bâtiment servit d'église paroissiale
jusqu'en 1862, puis de séminaire, de couvent et d'école primaire, avant d'acquérir sa
vocation muséologique actuelle.

Maison Lamontagne★

*À 3 km à l'est du centre-ville par la route 132. Prenez à droite le bd du Rivage et suivez les
panneaux indicateurs - ℘ 418-722-4038 - www.maisonlamontagne.com - ✕-♿-🅿 - du
21 juin à la fête du Travail : 9h-18h - 4 $.* Cette maison fut construite en deux étapes. La
partie la plus importante, en colombage pierroté, remonte à la seconde moitié du
18e s., tandis que la partie en poteaux date de 1810 environ. La maison Lamontagne
est l'un des rares exemples de construction en colombage pierroté en Amérique du
Nord, car les colons français eurent tôt fait de découvrir que ce type de construction
n'était pas adapté au rigoureux climat canadien : les pierres entre le colombage
laissaient en effet entrer et le froid et la chaleur. La demeure fut habitée jusqu'en 1959,
puis restaurée en 1981. À l'intérieur, des expositions retracent le développement de
l'architecture domestique québécoise et évoquent la vie en milieu rural au 18e s.

Canyon des Portes de l'Enfer

*1280 chemin Duchénier, par la route 232 - ℘ 418-735-6063 - www.canyonportesenfer.
qc.ca - 7,50 $.*

Amorcées par la chute du Grand-Saut, les Portes de l'Enfer s'étendent sur près de
5 km et encaissent la rivière Rimouski avec des falaises atteignant près de 90 m. Des
excursions guidées ont lieu en bateau dans le canyon. Pour descendre au niveau de
la rivière, un escalier de 300 marches conduit aux Portes de l'Enfer.

L'île Saint-Barnabé

À 3 km de la rive, juste en face du centre-ville de Rimouski s'étend l'île Saint-Barnabé.
C'est probablement Samuel de Champlain qui nomma l'île, au début du 18e s., lorsqu'il
la côtoie un 11 juin, le jour de Saint-Barnabé. Jadis habitée par un ermite, Toussaint
Cartier, dont l'histoire est auréolée de mystère, l'île est aujourd'hui le refuge de
plus de 72 espèces d'oiseaux. On peut aussi y observer des phoques gris, y marcher
(🥾 20 km de sentiers) et désormais y dormir une nuit (*rens. ℘ 418-723-2280*).

Aux alentours

Musée de la Mer et lieu historique national du Canada
du Phare-de-Pointe-au-Père★

Sortez de Rimouski par la route 132 vers l'est jusqu'à Pointe-au-Père.
*1034 r. du Phare, à Pointe-au-Père. De la route 132, prenez à gauche la rue Père-Nouvel.
Tournez ensuite à droite en direction du musée - ℘ 418-724-6214 - www.museedelamer.
qc.ca - ✕-🅿 - du 7 juin à fin août : 9h-18h, sept.-mi-oct. : 9h-17h - 9,50 $.*

Le premier niveau de la maison du gardien est consacré à l'*Empress of Ireland*, surnommé le « Titanic du Saint-Laurent », qui fit naufrage non loin des côtes, le 29 mai
1914, causant la mort de 1 012 passagers, pour la plupart des immigrants. La catastrophe fut oubliée pendant un demi-siècle. Depuis le milieu des années 1960, des
centaines d'expéditions ont permis la récupération d'une quantité d'objets, dont
un bon nombre sont exposés au musée. Une présentation multimédia fait revivre
le naufrage.

Dans le **phare** adjacent (1909), le deuxième du Canada en hauteur, une visite retrace la
vie de gardien de phare au début du 20e s. En haut des 128 marches, vous découvrirez
un beau **panorama★** du littoral.

Réserve faunique de Rimouski

*www.sepaq.com - le poste d'accueil de la réserve faunique de Rimouski est situé à 1 km
au sud de la jonction des routes 232 et 234, soit à 21 km de la route 20 à la hauteur de
Rimouski (sortie Sainte-Blandine) - poste d'accueil ouv. de mi-mai à mi-nov.*

La réserve faunique de Rimouski est réputée pour la richesse et la diversité des habitats
fauniques qu'elle recèle. De nombreux sites aménagés permettent la découverte
de l'orignal, du cerf de Virginie et du castor. Les oiseaux, dont les rapaces, y sont

faciles à observer, notamment aux lacs Rimouski et Grand Kedgwick. Parmi toutes les activités proposées (pêche, canot-camping, chasse à l'orignal, au cerf de Virginie et à l'ours noir) : l'une d'elles ravira les enfants et les gastronomes : la cueillette de fruits sauvages.

Traversier pour Forestville
Un traversier relie Rimouski à Forestville, sur la rive nord du Saint-Laurent (*CNM - Evolution - 🕿 418-125-2725 ou 1-800-973-2727 (sans frais) - 20 juin-31 août : 4 traversées par jour 10h30, 14h15, 15h45 et 17h45 - durée du trajet 55mn - carte de crédit nécessaire pour la réservation - arrivée 45mn avant le départ - AR 25 $, AS 19 $, voiture 39$*).

Rivière-du-Loup★

BAS-SAINT-LAURENT
18 586 HABITANTS
SCHÉMA : CÔTE DE CHARLEVOIX
WWW.TOURISMEBAS-ST-LAURENT.COM

Au cœur de la région du Bas-Saint-Laurent, entre Québec et la Gaspésie, Rivière-du-Loup se trouve à un carrefour géographique propice au commerce et au tourisme : un service de traversier assure la liaison avec Saint-Siméon (sur la rive nord du Saint-Laurent), dans la région de Charlevoix, tandis que la Transcanadienne conduit au sud vers le Nouveau-Brunswick.

- **Se repérer** – Rivière-du-Loup se trouve à 193 km au nord-est de la ville de Québec par la route 20 ou 132.
- **S'informer** – Accueil touristique - 189 r. Hôtel-de-Ville - 🕿 418-862-1981 ou 888-825-1981 (sans frais) - www.tourismeriviereduloup.ca.
- **À ne pas manquer** – Les chutes de la rivière du Loup.
- **Avec les enfants** – Passez une nuit sur l'île aux Lièvres.
- **Pour poursuivre la visite** – Rimouski et la région du Bas-Saint-Laurent (*voir ce nom et notamment le circuit 2*).

Comprendre

En 1673, la seigneurie de Rivière-du-Loup fut concédée à Charles-Aubert de la Chesnaye, ancêtre de l'écrivain Philippe Aubert de Gaspé. Il s'associa au sieur Charles Bazire pour tirer profit des fourrures et des pêcheries, et devint l'un des négociants les plus riches de la Nouvelle-France. Mais les deux hommes ne se préoccupaient guère de coloniser le territoire dont la population passa à peine, entre 1683 et 1765, de 4 à 68 habitants.

Avec l'acquisition de la seigneurie par Alexander Fraser en 1802, commença sa véritable expansion. Le commerce du bois, que Fraser entretenait avec l'Angleterre, permit à Rivière-du-Loup de prospérer. La région connut un nouvel essor avec la création, en 1860, d'une ligne ferroviaire reliant Rivière-du-Loup à Windsor (Cantons de l'Est). En 1887, l'arrivée du chemin de fer du Témiscouata devait par ailleurs relier la ville au Nouveau-Brunswick. Les opulentes résidences et les grands édifices publics construits à l'époque témoignent de la prospérité qui régnait à la fin du 19e s. et au début du 20e s.

Se promener

Hôtel de ville
À l'angle de la rue Lafontaine et du bd de l'Hôtel-de-Ville. Cet édifice municipal (1917) fut construit à l'emplacement d'un ancien marché public ravagé par un incendie en 1910. La tour de l'horloge, qui caractérise les hôtels de ville en territoire anglophone, constitue ici un élément architectural inhabituel.
Tournez à droite dans la rue Lafontaine. Traversez-la pour vous rendre rue de la Cour.

Loup ?
La ville possède un nom très imagé dont l'étymologie reste incertaine. Selon la première hypothèse, un navire français, le *Loup*, aurait hiverné dans cette région vers 1660, d'où l'origine du toponyme. Pour d'autres, la ville tire son nom d'un groupe d'Amérindiens, les Mahigans (ou « loups »), que Champlain aurait rencontrés sur place. À moins que la localité n'évoque par son nom les loups-marins (terme populaire désignant les phoques de la côte est du Canada) qui fréquentaient jadis les eaux à l'embouchure de la rivière…

Situé au coin de la rue Lafontaine et de la rue de la Cour, le **palais de justice**, tout de pierre de taille et de brique, fut conçu par David Ouellet en 1881. Il a fait l'objet de trois rénovations importantes.

L'**ancien bureau de poste** (1889) est un imposant édifice de brique sombre situé dans la rue Iberville *(tournez à droite à partir de la rue Lafontaine)*. Bel exemple d'architecture anglo-saxonne, il abrite un centre de services communautaires.

Suivez la rue Iberville. Continuez jusqu'à la rue du Rocher et tournez à droite.

Bibliothèque municipale

L'édifice de pierre fut construit en 1886 par David Ouellet dans le style Second Empire. Il abrita pendant près d'un siècle le couvent des sœurs du Bon-Pasteur. En 1978, après le départ de la congrégation religieuse, il fut rénové, puis transformé en bibliothèque en 1983.

Au coin, à côté du parc Blais, tourner à gauche dans la rue Lafontaine, puis retourner à l'hôtel de ville.

Musée du Bas-Saint-Laurent

300 r. Saint-Pierre - ℘ 418-862-7547 - www.mbsl.qc.ca - &- 🅿 - de déb. juin à déb. oct. : 10h-18h ; reste de l'année : merc.-dim. 13h-17h - fermé 1er janv. et 25 déc. - 5 $. L'héritage culturel et l'art contemporain sont les thèmes des diverses expositions présentées au musée. On y voit également de nombreuses œuvres d'artistes québécois.

Chutes de la rivière du Loup★

Suivez la rue Lafontaine vers le nord jusqu'à la rue Frontenac. Tournez à droite. Les chutes se trouvent deux rues plus loin. Avant de se jeter dans le Saint-Laurent, la rivière du Loup subit une dénivellation de 90 m. Huit chutes interrompent son cours sur une distance de 1 500 m. Ici, les chutes font 38 m de haut. Des marches conduisent à un belvédère d'où la vue embrasse la rivière et la ville. On voit également une **croix lumineuse** érigée sur la falaise qui surplombe la rivière.

L' île aux Lièvres et autres îles

La Société Duvetnor *(200 r. Hayward - ℘ 418-867-1660 - www.duvetnor.com - différentes formules - entre 25 et 55 $)* offre la possibilité d'admirer les cormorans à double crête, les grands hérons bleus ainsi que les guillemots noirs peuplant une réserve naturelle composée de plusieurs îles – **les Pèlerins, les îles du Pot-de-l'Eau-de-Vie et l'île aux Lièvres** – au large de Rivière-au-Loup.

Parmi toutes les activités proposées : excursions en mer et camping.

Saint-Siméon

Un traversier fait la liaison entre Rivière-du-Loup et cette ancienne communauté de bûcherons, que sépare un véritable bras de mer : à cet endroit le Saint-Laurent atteint une vingtaine de kilomètres de largeur ! Une manière originale de contempler la beauté du fleuve. *Traverse Rivière-du-Loup/Saint-Siméon - ℘ 418-862-5094 - www.traverserdl.com - 20 mars-4 janv. - AS environ 1h - AR sans débarquer 3h - AR : 17,80 $ (-5 ans gratuit).*

Aux alentours

Cabano

À 60 km au sud-est de Rivière-du-Loup par la route 185. Ce centre industriel situé sur l'autoroute transcanadienne occupe un joli **site★** près du lac Témiscouata. Jadis, le lac faisait partie d'une voie de liaison, « le grand portage », entre le Saint-Laurent et la rivière Saint-Jean. En 1839, à la suite d'une dispute avec l'État du Maine sur l'emplacement exact de la frontière, Fort Ingall fut construit pour protéger cette route.

Fort Ingall *– 2 km par la route 232 - ℘ 418-854-2375 - www.fortingall.ca - &- 🅿 - 24 juin-1er lun. sept. : 9h-17h30 ; déb. juin et reste de sept. : lun.-vend. 10h-16h - 7 $.* Entouré d'une haute palissade de pieux, ce complexe (1839-1842) logeait jadis 200 soldats. Parmi les quelques bâtiments reconstruits en troncs équarris se trouvent les casernes, le blockhaus et le logis des officiers, où sont présentées des expositions sur l'histoire de la région.

Roberval

SAGUENAY – LAC-SAINT-JEAN
10 544 HABITANTS
SCHÉMA : LAC SAINT-JEAN
WWW.VILLE.ROBERVAL.QC.CA OU WWW.TOURISMESAGUENAYLACSAINTJEAN.QC.CA

Important centre administratif situé sur la rive sud-ouest du lac Saint-Jean, Roberval marque depuis 1954 le point d'arrivée de la fameuse Traversée internationale du lac Saint-Jean. Cette course de nage libre de 32 km attire les nageurs du monde entier, chaque année au mois de juillet. En dehors de ces festivités, Roberval présente les charmes d'une station de villégiature, avec marina, promenade et vue sur le lac. Autre attrait : sa proximité avec le village historique de Val-Jalbert.

- **Se repérer** – Roberval se trouve à 259 km au nord de Québec par les routes 175 et 169.
- **S'informer** – Accueil touristique Hôtel de ville - 851 bd St-Joseph - ℘ 418-275-0202 - www.ville.roberval.qc.ca.
- **À ne pas manquer** – Le village historique de Val-Jalbert
- **Avec les enfants** – Le musée amérindien de Mashteuiatsh.
- **Pour poursuivre la visite** – Le lac Saint-Jean *(voir ce nom)*, La Tuque *(voir Mauricie)*.

Comprendre

Roberval doit son nom à Jean-François de La Rocque, sieur de Roberval, nommé lieutenant général du Canada par François Ier. Sous ses ordres, Jacques Cartier mena, en 1542, une expédition malheureuse en vue d'établir une colonie à Charlesbourg, près de Québec. La ville fut fondée en 1855. À la fin du 19e s. s'y trouvait le fameux hôtel Beemer, propriété de l'Américain Horace Jansen Beemer, roi du bois de charpente et propriétaire de deux bateaux à vapeur sur le lac. Un incendie devait détruire le somptueux manoir en 1908.

Visiter

Centre historique et aquatique de Roberval★

À 2,5 km au nord du centre-ville par le boulevard Saint-Joseph et le boulevard de la Traversée - ℘ 418-275-5550 - www.ville.roberval.qc.ca - &- **P** - juin-sept. : 10h-20h - 6 $.
Situé sur les rives du lac Saint-Jean, ce centre d'interprétation (1985) présente de façon vivante l'histoire régionale, la géographie physique et humaine, la faune et la flore du lac. Un aquarium permet d'observer plusieurs espèces de poissons tel le saumon d'eau douce ou ouananiche. Un film et une exposition retracent les grands moments de la fameuse Traversée internationale du lac Saint-Jean, tandis qu'une salle donnant l'illusion d'un sous-marin évoque l'histoire locale.

Église Notre-Dame-de-Roberval★

Bd Saint-Joseph, au coin de l'avenue Lizotte, en face de l'hôpital. Cette église, érigée en 1967, évoque par sa forme une grande tente de cuivre sur laquelle on aurait posé un clocher blanc. L'autel se trouve au centre de la pyramide que constitue l'intérieur de l'église. Les vitraux, très colorés, ont été réalisés par Guy Bruneau.

Aux alentours

Lac Saint-Jean★★

Voir ce nom.

Mashteuiatsh

À 9 km au nord de Roberval par le bd Saint-Joseph. Depuis 1856, cette réserve amérindienne accueille une population d'origine innue ou ilnue, aussi appelée montagnaise. Le visiteur y appréciera aussi bien les boutiques d'artisanat autochtone que la promenade aménagée au bord du lac. En juillet s'y tiennent les **Jeux autochtones inter-bandes**.

Musée amérindien de Mashteuiatsh – *1787 r. Amishk -* ℘ 418-275-4842 - www-museeilnu.ca - &- **P** - *de mi-mai à mi-oct. :* 9h-18h ; *reste de l'année :* lun.-vend. 9h-16h - 10 $. Le visiteur y découvrira, à travers ses expositions permanentes et temporaires, l'histoire et la culture des **Pekuakamiulnuatsh** (Montagnais de la région du lac Saint-Jean), leur vie traditionnelle, leurs coutumes, leur langue et leur place dans la société actuelle. ✎ À l'extérieur, les sentiers du jardin permettent de découvrir comment les Ilnus, peuple nomade, exploitaient au quotidien la flore locale. Une boutique propose des objets d'artisanat autochtone confectionnés dans le village même de Mashteuiatsh.

Village historique de Val-Jalbert★

À 5,5 km au sud de Roberval, par la 169. Val-Jalbert se visite à pied ou en trolleybus - ✆ 418-275-3132 ou 1-888-675-3132 (sans frais) - www.sepaq.com - △-✗-&-🅿 - mai : sam.-dim. ; 31 mai-19 juin : 10h-16h30 ; 20 juin-6 oct. : 9h30-17h - 20 $ (- 6 ans gratuit).

Émouvant vestige d'une « ville-compagnie » du début du siècle, ce village fantôme occupe un site★ de toute beauté près de la **chute Ouiatchouan**. L'importance du potentiel hydro-électrique naturel et des ressources forestières conduisirent Damase Jalbert, en 1902, à y établir une pulperie. Autour de cette dernière se développa un village qui, en 1915, acquit le statut de municipalité et dont la population, en 1926, comptait déjà 950 habitants. À la mort de Jalbert, son successeur Alfred Dubuc agrandit l'usine. En 1910, à son plus fort rendement, celle-ci produisait jusqu'à 50 t. de pâte à papier par jour. Malheureusement, la chute des prix de la pulpe causée par une diminution soudaine de la demande, et l'augmentation de la concurrence entraînèrent la fermeture du complexe industriel en 1927. Largement tributaire des activités de l'usine, la population locale se vit contrainte de quitter les lieux, et Val-Jalbert fut peu à peu déserté. Le village serait tombé dans l'oubli si des travaux de rénovation, amorcés dans les années 1970, ne lui avaient donné un second souffle de vie.

Véritable musée de plein air, ce site patrimonial offre aujourd'hui aux visiteurs toute une gamme d'activités d'interprétation.

Couvent – L'ancien couvent-école des sœurs de Notre-Dame-du-Bon-Conseil (1915) sert désormais de **centre d'interprétation**. On y verra une maquette représentant l'ensemble du site, et une projection audiovisuelle *(15mn)* relatant l'histoire du village. L'étage contient les cellules des sœurs ainsi qu'une chapelle. En face du couvent, remarquez les ruines de l'église Saint-Georges et de son presbytère.

Rue Saint-Georges – Sur l'artère principale du village trône l'ancien **hôtel** *(hébergement possible toute l'année)*. Ce dernier, rasé par un incendie en 1918, fut aussitôt reconstruit. Il abritait jadis le magasin général, et contient aujourd'hui, au rez-de-chaussée, un magasin de souvenirs. En retrait de l'hôtel, notez l'étal de boucherie du village, où l'on retrouve un herbarium et une boutique de métiers d'arts.

Secteur résidentiel – Le quartier formé par les rues Sainte-Anne, Saint-Joseph, Dubuc, Tremblay et Labrecque, et la rue Saint-Georges comptait, à l'apogée du village, jusqu'à 80 maisons de travailleurs *(la seule à être ouverte au public se trouve rue Saint-Georges, près du bureau de poste)*. Totalement désertés, ces modestes logis constituent un étonnant décor fantomatique. À l'époque de leur construction (1909-1920), ils offraient un confort insoupçonné : électricité, chauffage, eau courante, voire téléphone. La compagnie, à laquelle ils appartenaient, les louait à ses employés pour environ 10 dollars par mois (un salaire mensuel moyen ne dépassant guère 27 dollars).

Vieux moulin – Au pied de la chute s'élève l'ancienne pulperie. Une voie ferrée, dont on aperçoit encore les rails, acheminait l'importante production de pâte à papier vers les marchés extérieurs. Dans le bâtiment, une maquette explique le fonctionnement du complexe et un film *(20mn)* décrit le processus de fabrication de la pâte à papier. Plusieurs pièces d'équipement d'origine (écorceuses, turbines, meules, etc.) sont également exposées.

Chute Ouiatchouan – Un escalier *(400 marches)* ou un téléphérique *(4 $)* permettent d'accéder au sommet de cette chute de 72 m de hauteur qui, à l'époque, constituait l'unique source d'énergie locale. De là, le visiteur jouit d'une **vue★★** magnifique embrassant le lac Saint-Jean et la campagne environnante. En aval, la rivière Ouiatchouan offre un spectacle impressionnant.

Chute Maligne – *4,4 km. Comptez 1h1/2 AR.* ✎ *Le sentier se prend à partir du terrain de camping, sur la rive ouest de la rivière. Attention : descente raide.* Un agréable sentier forestier remonte la vallée de la Ouiatchouan jusqu'à l'endroit où la rivière tombe en cascades. Ici se trouvaient autrefois l'écluse et la scierie où l'on préparait les billots avant de les flotter jusqu'à l'usine en contrebas.

Lac-Bouchette

38 km au sud de Roberval par la 169, puis à droite la 155, depuis Chambord.

Cette bourgade, nichée entre les lacs Ouiatchouan et Bouchette, fut fondée en 1890. Le lac dont elle porte le nom fut baptisé en souvenir de l'ingénieur et arpenteur-géomètre Joseph Bouchette qui avait exploré la région vers 1820 pour en faire un relevé cartographique. C'est à son ermitage que la localité doit principalement sa renommée. En 1907, Elzéar Delamarre (1854-1925), supérieur du séminaire de Chicoutimi, décida de construire une chapelle et d'établir un lieu de retraite estivale à l'endroit même où il avait l'habitude de passer ses étés. Il y découvrit, en 1916, une grotte naturelle semblable à la grotte de Massabielle, à Lourdes. À sa mort, beaucoup de pèlerins venaient déjà se recueillir sur les lieux. Aujourd'hui, l'ermitage reçoit chaque année plus de 200 000 visiteurs.

Ermitage Saint-Antoine★ – 2 km à l'ouest de la route 155 - ✆ 418-348-6344 - www. st-antoine.org - ⌂-♨-♿- 🅿 - de déb. avr. à mi-oct., de mi-déc. à déb. janv. : 7h30-23h. Le site est dominé par un monastère de brique rouge érigé en 1924 par les capucins, gardiens de l'ermitage.

Construite en 1907 par l'abbé Delamarre, la **première chapelle** était consacrée à saint Antoine de Padoue. Après la découverte de la grotte, l'abbé décida de faire agrandir l'édifice et le dédia à Notre-Dame de Lourdes. Le bâtiment se distingue par son style néogothique anglais, avec des voûtes en éventail. Devenue nef latérale depuis les travaux d'agrandissement, la chapelle d'origine abrite la sépulture de l'abbé Delamarre. Sur les murs du modeste édicule, on retrouve un très bel ensemble de 23 **tableaux★** représentant la vie et les miracles de saint Antoine de Padoue ; ces toiles furent peintes entre 1908 et 1920 par Charles Huot (1855-1930).

La Chapelle mariale de style moderne (1950) adopte la forme d'une grotte. Elle se distingue par de beaux vitraux dessinés et réalisés par Guy Bruneau en 1971. On notera, au fond, un grand vitrail représentant Bernadette Soubirous à genoux au pied de Notre-Dame de Lourdes.

Aux abords de la chapelle, un escalier conduit de la chapelle mariale à la fameuse grotte. Un peu plus loin s'élève une chapelle en plein air d'où l'on découvre une vue sur le lac. À quelques pas encore se trouvent une réplique du Saint Escalier de Rome et un sentier qui conduit au chemin de Croix, composé des 14 stations.

Rouyn-Noranda

ABITIBI-TÉMISCAMINGUE
39 924 HABITANTS
WWW.TOURISME-ABITIBI-TEMISCAMINGUE.ORG

Rouyn-Noranda est la capitale régionale de l'Abitibi et la capitale nationale du cuivre ! De manière plus concrète, Rouyn-Noranda est la première productrice de cuivre du canada, d'où un profil très urbain et industriel, légèrement adouci par l'aménagement des rives du lac Osisko situé en centre-ville. Mais plus qu'une ville minière parmi d'autres, elle constitue le centre culturel de la région, grâce au Festival du cinéma international en Abitibi-Témiscamingue et à une communauté artistique dynamique. Rouyn-Noranda est également fière d'être la ville natale de Richard Dejardins, chanteur et poète célèbre.

- ▶ **Se repérer** – Rouyn-Noranda se trouve à 638 km au nord-ouest de Montréal par la route 117. Vols quotidiens d'Air Canada au départ de Montréal - ✆ 514-393-3333 - www.aircanada.ca.

- ▶ **S'informer** – Tourisme Rouyn-Noranda - ✆ 1-888-797-3195 - www.tourisme rouyn-noranda.ca.

- 👁 **À ne pas manquer** – La visite guidée et gratuite de la fonderie Horne.

- ♿ **Pour poursuivre la visite** – Amos, Val-d'Or.

Comprendre

D'importantes ressources naturelles – La colonisation de Rouyn-Noranda ne débuta vraiment qu'en 1912, avec l'arrivée de la première ligne de chemin de fer qui relia la ville à l'Ontario. Mais ce fut la découverte de la **faille de Cadillac** qui, en déclenchant une véritable ruée colonisatrice, contribua grandement au développement de la région. Riche en cuivre, or et argent, cette faille – qui traverse l'Abitibi d'ouest en est, de Rouyn-Noranda à Val-d'Or – se ramifie en d'innombrables fractures secondaires. La faille québécoise étant une section de celle qui était déjà en exploitation en Ontario (à Kirkland Lake en particulier), la région demeura longtemps tributaire de sa voisine ontarienne, plus riche en capitaux et en investisseurs. Vers les années 1950, les filons s'épuisaient rapidement, et l'activité minière se déplaça peu à peu vers le nord. Elle continue toutefois à jouer un rôle majeur dans l'économie locale. Les graves conflits syndicaux des années 1930 entraînèrent le remplacement des premiers mineurs, essentiellement recrutés en Europe de l'Est, par des Canadiens français. Mais en 1942, l'industrie de guerre attira de nombreux travailleurs dans la région, dont beaucoup d'origine étrangère.

Deux villes minières – Rouyn-Noranda emprunte son toponyme à deux anciennes localités minières aux destins fort différents. Issue d'intérêts ontariens, **Noranda** (contraction de « Nord » et « Canada ») était plutôt anglophone. Il s'agissait à l'origine d'une ville à caractère essentiellement résidentiel, entièrement administrée par la mine Noranda. D'influence plutôt francophone, la municipalité de **Rouyn** regroupait quant à elle la majorité des mineurs. Elle fut nommée en l'honneur du capitaine Jean-Baptiste de Rouyn, qui s'était illustré lors de la célèbre bataille de Sainte-Foy, près de Québec. Véritablement issue de la « ruée vers l'or » de 1923 (qui s'avéra une ruée vers le cuivre), Rouyn attira en son temps toutes sortes d'aventuriers en quête de fortune ; on l'appelait alors « la rue des plaisirs ». Elle constitue aujourd'hui le quartier des affaires de la ville.

Visiter

Maison Dumulon★

191 av. du Lac. De la route 117 (en venant de Val-d'Or), prenez à gauche l'avenue du Lac jusqu'au bord du lac Osisko, où se trouve un kiosque d'information touristique - 𝒫 819-797-7125 - www.maison-dumulon. ca - &-🅿 - du 24 juin à la fête du Travail : 8h30-17h ; reste de l'année : lun.-vend. 12h-20h - 6 $.

Premier magasin général de Rouyn et son premier bureau de poste, cette maison reconstruite évoque l'atmosphère des années 1920. Des photos et de nombreux objets, témoins de temps révolus, y retracent l'histoire de la ville. L'édifice héberge également l'office de tourisme local.

> ## Promenade dans le parc
> C'est au **parc botanique À Fleur d'Eau** *(avenues Montréal et Pinder - 𝒫 819-762 3178 - www.corpodesfetes. ca)* que les habitants de la ville aiment se rendre après dîner pour bavarder tranquillement et profiter du site. Le lac Édouard, entouré d'arbres magnifiques et de beaux aménagements paysagers, est le lieu de prédilection des canards de la région !

Dans le **parc des Pionniers**, tout à côté de la maison Dumulon, la promenade Tremoy longe le lac Osisko et mène au Centre nautique de Rouyn-Noranda.

Église orthodoxe russe Saint-Georges

201 r. Taschereau Ouest. Tournez à gauche à partir de la rue Larivière - 𝒫 819-797-7125 - www.maison-dumulon.ca - du 24 juin à la fête du Travail : 10h-12h, 13h-17h - 7 $.

Après la Seconde Guerre mondiale, une vingtaine de familles russes vinrent, comme beaucoup d'autres immigrants, s'établir à Rouyn-Noranda. En 1954, le père Ustuchenko fit donc bâtir, pour la communauté orthodoxe, cette petite église d'architecture traditionnelle dont les deux coupoles superposées représentent Dieu étreignant la terre. Un petit musée, bien documenté et plein de détails pittoresques, transporte le visiteur au cœur même d'une culture distincte.

Théâtre du Cuivre

145 r. Taschereau - 𝒫 819-797-7133 - www.ville.rouyn-noranda.qc.ca.

En 1987, ce théâtre au toit de cuivre et à l'architecture résolument moderne remporta un Félix pour la meilleure salle de spectacles de la province. On y propose divers programmes : pièces de théâtre, films et récitals. Le théâtre accueille également le Festival du cinéma international en Abitibi-Témiscamingue.

Xstrata Cuivre Fonderie Horne

1 r. Carter. La découverte de cette mine déclencha le boom minier de 1923. Grâce à des capitaux américains et canadiens, la mine, aujourd'hui convertie en fonderie, entra en production en 1927. En tout, 51 millions de tonnes de minerai à haute teneur en cuivre et en argent furent extraites de son sous-sol (rappelons que pour obtenir une simple once d'or, il faut extraire environ cinq tonnes de minerai).

Fonderie Horne – *𝒫 819-797-3195 - visite guidée (1h30) du 24 juin à déb. sept. : à 9h, 10h30, 13h30 et 15h.* On y découvre le processus de purification du cuivre, de l'extraction à l'anode, gros lingot de cuivre à 99 % pesant environ 290 kg. La visite de la maison d'Edmund Horne, premier à découvrir la mine de Noranda, se poursuit dans un wagon de chemin de fer, où l'on peut assister à la projection d'un film sur l'extraction du minerai et l'histoire de la région. Munis de bottes et de casques, les visiteurs auront ensuite l'occasion de faire un tour de la fonderie et de ses installations de surface.

Aux alentours

Angliers

En quittant Rouyn-Noranda, prenez la route 117 vers l'ouest. Juste après Arntfield, quittez la route 117 et prenez la route 101 vers le sud. À environ 5 km au sud du village de Rollet, prenez à gauche la route 391 jusqu'à Angliers. Ce paisible village charmera les amateurs de nature et de pêche. Il permet de monter à bord du **T.E. Draper** (*℘ 819-949-4431 - www3.sympatico.ca/tedraper/ - &- ▣ - du 24 juin au 1er lun. sept. : 10h-18h - 4 $*), en cale sèche sur la rive du lac des Quinze. Véritable témoin historique du flottage du bois dans la région, l'ancien remorqueur à bois fut en service de 1929 à 1979. Il suppléait jadis au chemin de fer qui longeait les rapides du Long Sault sur la rivière des Outaouais, et déposait les voyageurs à l'extrémité sud du lac Témiscamingue. Visite également possible du camp Gédéon, la reconstitution d'une exploitation forestière.

Parc national d'Aiguebelle

Le parc est situé à 50 km au nord-est de Rouyn-Noranda - 1702 rang Hudon, Mont-Brun - ℘ 819-637-7322 - www.sepaq.com - deux centres de services : celui de Mont-Brun, à 50 km (routes 117 et 101), ouv. tte l'année ; celui de Taschereau, à 78 km de Rouyn (route 111), ouv. de mi-mai à déb. sept. - 3,50 $.)

Le parc national d'Aiguebelle est un lieu exceptionnel. Vous pourrez y observer les traces du passage des glaciers, des coulées de lave et des roches vieilles de 2,7 milliards d'années, traverser une passerelle longue de 64 m suspendue à 22 m au-dessus du lac La Haie, scruter l'horizon du haut d'une tour de garde-feu ou dévaler une falaise en empruntant un escalier hélicoïdal.

Fjord du Saguenay★★★

SAGUENAY
SCHÉMA : FJORD DU SAGUENAY
WWW.ROUTEDUFJORD.COM ET WWW.SAGUENAYLACSAINTJEAN.QC.CA

En 1534, Jacques Cartier débarqua dans la région et entendit parler des fabuleuses richesses du royaume du Saguenay. Richesses illusoires… jusqu'au siècle dernier, époque à laquelle l'aménagement de la rivière à des fins hydro-électriques devait amener des revenus bien réels. Avec ses nombreuses centrales, ses papeteries et ses usines d'aluminium, le Haut-Saguenay est aujourd'hui très industrialisé. En contrepartie, le Bas-Saguenay a conservé son caractère sauvage. Depuis des années, sa beauté pure et intacte attire un grand nombre de visiteurs. Beaucoup choisissent de faire une croisière. D'autres préfèrent admirer le site en découvrant les villages des environs. Notez que deux parcs, le parc national du Saguenay et le parc marin du Saguenay-Saint-Laurent, ont été créés dans le but de préserver et de faire découvrir les rives splendides du fjord, ses falaises vertigineuses et ses fonds marins.

▷ **Se repérer** – Le fjord du Saguenay est accessible depuis Québec par la route 175 jusqu'à Chicoutimi (212 km) ou par la route 138 jusqu'à Tadoussac (216 km). La route 172 longe la rive nord du fjord, la route 170, sa rive sud.

▷ **S'informer** – Tourisme Saguenay-Lac-Saint-Jean - 455 r. Racine E, bureau 101, Saguenay - ℘ 418-543-9778 ou 877-253-8327 (sans frais) - www.saguenaylac saintjean.qc.ca.

👁 **À ne pas manquer** – Le parc national du Saguenay, avec la baie Éternité et le cap Trinité, ainsi que Tadoussac.

🕐 **Organiser son temps** – Les plus belles vues sur le fjord, vous les aurez en bateau. Croisières au départ de Chicoutimi, Baie-Éternité ou Tadoussac. Les promeneurs peuvent avoir des vues spectaculaires depuis les sentiers de randonnée sur les hauteurs de Baie-Éternité et L'Anse-St-Jean.

👶 **Pour poursuivre la visite** – La côte de Charlevoix, la Côte-Nord, Saguenay, le lac Saint-Jean, Tadoussac *(voir ces noms)*.

Comprendre

Le chemin qui marche – Le Saguenay fut pendant plus de 4 000 ans « le chemin qui marche », ou la route fluviale, pour les Premières Nations qui remontaient la rivière en canoë pour rejoindre les territoires de trappe. Lorsqu'il débarqua en ces lieux en 1534, Jacques Cartier entendit d'abord parler des formidables richesses du Royaume du Saguenay. La colonisation débuta en 1838 à l'époque où William Price créa la Société des Vingt-et-Un, vingt et un travailleurs endurcis qui quittèrent Charlevoix pour commencer une nouvelle vie dans les contrées inhabitées.

Profil du fjord – Seul émissaire du lac Saint-Jean, le Saguenay (longueur : 155 km) subit, d'Alma à Jonquière, une dénivellation d'environ 90 m. Aujourd'hui domestiquées, ses eaux puissantes ont favorisé l'essor d'une des régions les plus industrialisées de la province. Vers Saint-Fulgence, la rivière s'engage dans le fjord du Saguenay, puis se jette dans le Saint-Laurent à la hauteur de Tadoussac. Gorge profonde et majestueuse, le célèbre fjord fut creusé dans la roche précambrienne à la dernière glaciation. Lorsque la calotte glaciaire recula, la mer envahit la vallée, et aujourd'hui, la marée remonte jusqu'à Chicoutimi. Le chenal atteint, en certains endroits, 1 500 m de large, et sa profondeur moyenne est de 240 m. Les falaises rocheuses, dont la hauteur culmine à 457 m, plongent dans les eaux sombres de ce fjord, le plus méridional du monde.

Protection renforcée – Le fjord du Saguenay est doublement protégé par le **parc national du Saguenay** et le **parc marin du Saguenay-Saint-Laurent**. Le premier a pour mission la protection et la mise en valeur de la composante terrestre de ce patrimoine naturel. Le second s'attache à la protection d'une portion représentative du milieu marin du fjord et de l'estuaire du Saint-Laurent.

En voiture, de Tadoussac à L'Anse-Saint-Jean

250 km. Il y a plusieurs façons de visiter cette région : en bateau, en canoë ou en voiture. Pour ceux qui choisissent la voiture, étant donné qu'il n'existe qu'un nombre très restreint de ponts permettant la traversée du fjord, il est conseillé de partir de la rive nord à Tadoussac, de traverser le fjord à Chicoutimi et d'explorer ensuite la rive sud.

Tadoussac★★

Voir ce nom.

Suivez la route 138 Nord sur 6 km, puis prenez à gauche la route 172 et continuez sur 11 km jusqu'à Sacré-Cœur. Tournez à gauche et poursuivez sur 8 km.

L'Anse de Roche

25 km. Cette petite crique permet de bénéficier d'une très belle **vue★** sur le fjord. Le **pôle de découverte du quai de l'Anse de Roche** *(situé à 5 km de Sacré-Coeur - 346 Anse de Roche)* propose des randonnées en kayak. *Panneaux d'interprétation sur les richesses historiques de l'écosystème du fjord, aire de pique-nique et restaurant.*

Les lignes à haute tension qui traversent ici le fjord transportent l'électricité de la Manicouagan à Montréal.

Reprenez la route 172.

Baie-Sainte-Marguerite

On peut y observer les bélugas du Saint-Laurent. Ces baleines blanches y séjournent parfois plusieurs heures tout en s'activant à la surface de l'eau. L'observation se fait depuis la rive. Postés au belvédère *(anse à la Barge)*, des guides-naturalistes vous font partager les secrets du mode de vie du béluga et vous expliquent l'importance de protéger son habitat. Un arrêt à l'exposition interactive du **centre d'interprétation Le Béluga** *(de mi-mai à mi-sept. : 9h-16h ; de mi-sept. à mi-oct. : sam.-dim. 9h-16h - 3,50 $)* permet de se renseigner sur cet habitat et sur l'évolution des rapports entre les bélugas du Saint-Laurent et les hommes à travers les époques.

Sainte-Rose-du-Nord

69 km. Tournez à gauche en suivant les indications. Fondé en 1838, ce charmant village est niché dans une anse, entre deux escarpements rocheux. Du quai se découvre un **site★★** exceptionnel ; une promenade dans ce cadre panoramique vous dispensera de superbes vues sur le village et le fjord.

Parmi les attraits du village, le **musée de la Nature** *(199 r. de la Montagne - ☎ 418-675-2348 - www.musee.delanature.com - été : 9h-20h30 ; reste de l'année : 8h30-18h30 - 5 $.)* contient une étonnante collection d'objets légués par la nature (racines aux formes bizarres, champignons sauvages, loupes d'arbres insolites) et d'animaux naturalisés, soit plus de 3 000 pièces.

Rejoignez la route 172. La descente sur **Saint-Fulgence** *(28 km)* permet de profiter d'un splendide **panorama★** sur l'extrémité ouest du fjord. À environ 20 km au nord se dresse le **mont Valin** (968 m).

N'hésitez pas à rejoindre le **parc national des Monts-Valin** *(accessible par la route 172, à 17 km de St-Fulgence - 360 rang Saint-Louis, accueil Petit séjour - ☎ 418-674-1200 ou 800-665-6527 - www.sepaq.com).* Créé afin de protéger le massif du mont Valin des coupes forestières intensives, c'est aujourd'hui un paradis pour les amateurs de pêche et de canot-camping. L'hiver, l'enneigement exceptionnel transforme ce territoire en haut lieu de ski nordique et de raquette de courte ou longue randonnée.

Revenir à Saint-Fulgence.

Centre d'interprétation des battures et de réhabilitation des oiseaux (CIBRO) – *100 chemin Cap-des-Roches - ☎ 418-674-2425 - www.ville.st-fulgence.qc.ca/cibro - 25 juin-4 sept. : 8h30-18h ; 3 mai-24 juin et 4 sept.-5 nov. : 9h-16h - 7 $ (-4 ans gratuit).* Les parois rocheuses du fjord laissent la place à de grands marais à Saint-Fulgence, et une flèche littorale s'y étire sur plus de 650 m. Le centre explique ces phénomènes particuliers et vous fait découvrir la flore abondante du lieu et les 265 espèces d'oiseaux qui séjournent sur les battures. En mai la « journée de la Bernache » permet d'admirer plus de 10 000 bernaches et canards s'alimentant dans les vasières.

Continuez jusqu'à Chicoutimi par les routes 172 et 175.

Chicoutimi★

À 16 km de Saint-Fulgence. Voir Saguenay, secteur Chicoutimi.

La Baie

19 km par la route 372. Voir Saguenay, secteur La Baie.

Prenez la route 170 jusqu'à Saint-Félix-d'Otis.

Saint-Félix-d'Otis

43 km à l'est de La Baie.

Site de la Nouvelle-France – 370, Vieux-Chemin - ☎ 418-544-8027 ou 1-888-666-8027 (sans frais) - www.sitenouvellefrance.com - 10 juin-17 août : mar.-dim. 9h15-16h30 ; 21-31 août : jeu.-dim. - *départ des visites en français ttes les 30 mn - visite guidée 1h30 - spectacle équestre présenté à 11h - durée moyenne du spectacle : 1h. Informez-vous sur les forfaits : spectacle-visite-repas ou croisière-visite - 15 $. Ce village et ses environs attirent les réalisateurs de films historiques. Naguère lieu de tournage, le site vous plongera dans l'histoire de la colonisation française. Vous y découvrirez un petit village huron, un camp de Montagnais (Indiens alliés des Français) et une ancienne ferme française avec ses dépendances qui retracent les us et coutumes des Amérindiens et des premiers colons.*

Reprenez la route 170 jusqu'à Rivière-Éternité. Tournez à gauche.

Rivière-Éternité

Ce village est l'une des portes d'entrée du parc national de Saguenay *(ci-dessous)* et donne accès à l'un des secteurs du parc marin du Saguenay-Saint-Laurent.

Un superbe sentier pédestre *(25 km)* relie Rivière-Éternité à L'Anse-Saint-Jean *(terrains de camping et places en refuge).*

Parc national du Saguenay★★

☎ 418-272-1556 ou 1-800-665-6527 - www.sepaq.com △ - ✗ - 🅿 - *de fin juin au 1ᵉʳ lun. sept. : 8h-20h ; sept.-oct. et avr.-mi-juin : 8h30-16h - 3,50 $.*

En 1983, le parc du Saguenay fut créé afin de protéger les rives du fjord. D'une superficie de quelque 300 km², il s'étire de La Baie (Saguenay, *voir ce nom*) à Tadoussac sur une centaine de kilomètres. Parmi les pôles majeurs d'intérêt touristique, il faut noter la baie Sainte-Marguerite *(ci-avant)*, les dunes de Tadoussac *(voir ce nom)* et la **baie Éternité**. Cette dernière est l'une des plus belles anses du fjord, dominée par le cap Trinité et le cap Éternité.

FJORD DU SAGUENAY

Une **promenade en bateau-mouche** – Le *Cap Liberté (Croisières Marjolaine -* 📞 *418-543-7630 et 1-800-363-7248 -* 🅿 *- départ de la baie Éternité juin-oct. 9h30, 10h, 10h30, 13h30 et 15h - AR 1h - commentaire à bord - 35 $)* fournit probablement la meilleure occasion d'admirer les deux promontoires rocheux de cap Trinité et cap Éternité. L'observation des échoueries de phoques communs ainsi que la découverte de failles géologiques, de falaises vertigineuses, de chutes d'eau magnifiques et de phénomènes exceptionnels reliés à la vallée glaciaire ne sont que quelques-uns des thèmes abordés lors des excursions sur le fjord du Saguenay avec le *Cap Liberté.*

Enfin, le **centre de découverte et de services le Fjord du Saguenay - secteur Baie Éternité** *(91 r. Notre-Dame, Rivière-Éternité -* 📞 *418-272-1556 ou 1-800-665-6527 - www. parcsquebec.com -* 🍴 *- boutique nature - de mi-mai à déb. oct. : 8h-18h ; de mi-sept. à fin oct. : sam.-dim. 9h-16h),* au bout de la vallée de la rivière Éternité, explique les étapes de la formation du fjord par le biais d'une exposition interactive.

Cap Trinité★★
À 11 km de Rivière-Éternité. Le cap Trinité (518 m) doit son nom aux trois corniches qui le composent. Il se distingue par l'impressionnante statue de **Notre-Dame du Saguenay,** d'une hauteur de plus de 8 m. Perchée au sommet de la première corniche, à environ 180 m au-dessus des eaux noires du Saguenay, cette Vierge géante fut réalisée en 1881 par Louis Jobin à la demande d'un certain Charles-Napoléon Robitaille qui, ayant échappé par deux fois à la mort, avait promis à la Vierge de lui rendre honneur. Pour réaliser cette œuvre d'envergure, Jobin utilisa trois énormes blocs de pin qu'il recouvrit ensuite d'une couche de plomb. La statue fut difficile à ériger, car elle pesait plus de trois tonnes. Après de nombreuses tentatives infructueuses, on dut la démonter avant de la hisser et de la réassembler. On peut l'admirer de près en empruntant un sentier escarpé *(3,5 km ; comptez 4h aller-retour)* au départ du centre d'interprétation. Du promontoire, le **panorama★★** est superbe.
Rejoignez la route 170.

L'Anse-Saint-Jean
À 23 km de Rivière-Éternité. Tournez à gauche en suivant les indications. Ce petit village, fondé en 1828, se trouve à l'embouchure de la rivière Saint-Jean. On y admire un beau **panorama★** sur le fjord depuis le quai et la marina. On remarquera aussi, sur la rivière Saint-Jean près de l'église, le **pont du Faubourg** (1929). Il s'agit d'un pont couvert de 37 m de long. *Traversez le pont et continuez sur 5 km, puis tournez à droite.* Situé sur le seul cap accessible en voiture, le belvédère de l'Anse-de-Tabatière offre une superbe **vue** sur la région.
Rejoignez la route 170 en direction de Petit-Saguenay.

Petit-Saguenay
Le sentier Les Caps, qui longe la rivière Saguenay depuis Baie-Éternité en passant par L'Anse-St-Jean, s'arrête dans ce petit village *(au quai).* Entouré de montagnes, il offre une vue spectaculaire sur le fjord.

En bateau

Croisières panoramiques★★
Départs de Chicoutimi ou Tadoussac.
Voir Saguenay – secteur Chicoutimi et Tadoussac.

Le fjord du Saguenay.

Saguenay ★

SAGUENAY – LAC-SAINT-JEAN
143 692 HABITANTS
SCHÉMA : FJORD DU SAGUENAY
WWW.SAGUENAYLACSAINTJEAN.QC.CA OU WWW.VILLE.SAGUENAY.QC.CA

Une ville, un fjord : le slogan touristique de Saguenay résume parfaitement l'atout principal de cette nouvelle ville créée en 2002 et qui regroupe entre autres Chicoutimi, Jonquière et La Baie. La ville s'étend du lac Kénogami au Saguenay et de la rivière aux Sables jusqu'à la baie des Ha ! Ha ! Elle est au centre de deux pôles touristiques de taille : le lac Saint-Jean et le fjord du Saguenay. Une étape incontournable pour qui veut profiter des panoramas inoubliables que propose la rivière Saguenay.

▶ **Se repérer** – Saguenay se trouve au nord de Québec à 210 km sur la route 175.

▶ **S'informer** – www.villesaguenay.qc.ca - secteur La Baie - 3205 bd de la Grande-Baie Sud - ☎ 418-697-5050 ou 800-263-2243 - secteur Chicoutimi - 295 r. Racine Est - ☎ 418-698-3167 ou 800-463-6565 - Secteur Jonquière - 2665 bd du Royaume - ☎ 418-548-4004 ou 800-561-9196.

👁 **À ne pas manquer** – Une croisière sur le fjord au départ de Chicoutimi ou La Baie. L'arrivée au cap Trinité est mémorable.

🕐 **Organiser son temps** – Il y a fort à faire et à voir à Saguenay. Comptez au minimum deux jours.

👫 **Avec les enfants** – Le musée du Fjord, dans le secteur La Baie.

♿ **Pour poursuivre la visite** – Le fjord du Saguenay et le lac Saint-Jean (voir ces noms).

Chicoutimi (Saguenay)★

Métropole économique, administrative et culturelle de la région du Saguenay, siège épiscopal et site de l'un des campus de l'Université du Québec, Chicoutimi est avant tout une ville très vivante, tant d'un point de vue culturel que par l'animation de ses cafés et restaurants. On y profite par ailleurs d'un panorama★ saisissant sur les falaises arrondies creusées par le Saguenay dans sa course vers le Saint-Laurent.

Les automobilistes peuvent traverser la rivière par le **pont Dubuc**, tandis que les cyclistes et les piétons emprunteront la passerelle Sainte-Anne.

Chaque année, au mois de février, Chicoutimi fête son Carnaval-Souvenir à l'occasion duquel ses habitants, revêtus de costumes d'autrefois, recréent les activités traditionnelles de l'hiver.

Croisières★★

Croisières Marjolaine Inc. – ☎ 418-543-7630 - www.croisieremarjolaine.com - ✗ 🅿 - départ du quai situé au pied de la rue Salaberry - juin-sept. : 10h15 et 13h15 ; 7 juil.-19 août : départs supplémentaires à 8h30 et 12h30 - commentaire à bord - retour à Chicoutimi en bus - à partir de 30 $. Les croisières sur le majestueux fjord du Saguenay constituent l'une des excursions les plus spectaculaires du Québec. Le bateau descend la rivière jusqu'au charmant village de **Sainte-Rose-du-Nord,** s'arrête en contrebas de la masse rocheuse du Tableau (hauteur : 150 m), longe **Saint-Basile-du-Tableau,** l'un des plus petits villages du Québec, et pénètre dans la baie Éternité dominée par les deux hautes falaises du cap Éternité et du cap Trinité.

L'arrivée au pied du **cap Trinité** constitue le point culminant de la croisière : encastrée dans la désolation rocheuse du paysage se dresse une gigantesque statue de la Vierge. Les trois corniches qui ont donné ce nom au cap Trinité sont clairement visibles du bateau ; il arrive que des alpinistes en tentent l'ascension.

Le voyage de retour découvre des vues saisissantes de la baie des Ha ! Ha ! (voir ci-dessous La Baie), puis de Chicoutimi.

Petites histoires de Chicoutimi

Chicoutimi tire son nom du montagnais *eshko-timiou*, « au bord des eaux profondes ». À juste titre d'ailleurs, car elle se trouve au confluent des trois rivières suivantes : Saguenay, du Moulin et Chicoutimi.

Important poste de traite des fourrures dès 1676, la ville ne fut véritablement fondée qu'en 1842, date à laquelle le commerçant Peter McLeod construisit une scierie au pied des chutes de la rivière du Moulin. Son entreprise devait marquer les débuts de l'industrie forestière dans la région.

La petite maison blanche

En juillet 1996, le Saguenay reçoit plus de 200 mm de pluie. Près de 15 000 personnes sont évacuées et 3 000 résidences sont détruites ou endommagées. De nombreuses digues et barrages ont cédé. La petite maison blanche, elle, a résisté au déluge. Un parc thématique ainsi qu'une chute d'eau y sont aménagés, rappelant les inondations ! La maison se visite et expose son histoire avant et après les célèbres événements *(dans le secteur du Bassin, sur la rue Bossé - rens. au Bureau d'information touristique* 📞 *418-698-3167 ou 1-800-463-6565 - www. petitemaisonblanche.com- de fin mai à déb. sept. : 8h-20h ; 2 sept.-6 oct. : 9h-18h.*

Croix de Sainte-Anne★

Sur la rive nord du Saguenay, à 3 km du pont Dubuc. Prenez à gauche la rue Saint-Albert, à droite la rue Roussel, puis à gauche la rue de la Croix.

Dominé par une croix de 18 m de haut (1922), ce belvédère surplombant le Saguenay dévoile une **vue** superbe de Chicoutimi et de ses environs. Une première croix avait été dressée sur les lieux en 1863 par Mgr Baillargeon, afin de guider les navires remontant la rivière. Une seconde fut élevée en 1872 pour marquer l'endroit où s'était arrêté le « grand feu » de 1870, terrible incendie qui détruisit la quasi-totalité de la région du Saguenay – Lac-Saint-Jean. On distinguera, en contrebas, la ravissante façade de l'église Sainte-Anne (1901).

Le belvédère Jacques-Cartier *(à l'angle de la rue Jacques-Cartier Est et du bd Talbot)* et le belvédère Beauregard *(à l'est du belvédère Jacques-Cartier, dans le quartier de la statue Notre-Dame-du-Saguenay)* offrent également de jolies vues sur le Saguenay.

La pulperie de Chicoutimi (centre d'interprétation)★

300 r. Dubuc - 📞 *418-698-3100 ou 1-877-998-3100 (sans frais) - www.pulperie.com - ✕-♿-🅿 - du 21 juin à déb. sept. : 9h-18h ; reste de l'année : merc.-vend. 10h-16h - 10 $ (-5 ans gratuit).*

Cette ancienne usine de production de pulpe de bois occupe un **site★★** pittoresque à l'embouchure de la rivière Chicoutimi. En son temps l'un des plus importants complexes industriels du Québec, elle témoigne de l'importance de l'industrie forestière dans la région. Fondée en 1896, la Compagnie de pulpe de Chicoutimi devint, vers 1910, la première entreprise productrice de pulpe de bois « mécanique » au Canada, grâce à son directeur Alfred Dubuc. À son apogée, en 1920, elle comptait quatre moulins, un atelier de réparation, plusieurs dépendances et quelque 2 000 employés. Après l'effondrement boursier de 1929, la pulperie ferma ses portes. Ses vestiges servent aujourd'hui de décor à toutes sortes d'activités culturelles et artistiques.

Près de l'entrée, au-dessus de la gorge, remarquez le **bâtiment 1921**. Cet énorme atelier de granit rose abrite notamment un **centre d'interprétation** proposant une rétrospective audiovisuelle de la pulperie et de l'industrie du bois en général. Plus bas, au bord de la rivière, se dressent les ruines de deux moulins à papier datant de 1898 et 1912. Il subsiste un tronçon du puissant aqueduc qui les alimentait en eau. Un escalier en amont conduit à un tertre qui surplombe l'ensemble des installations. Le château d'eau fonctionne encore. René-P. LeMay (1870-1915) dressa les plans de plusieurs de ces édifices, faisant usage du granit plutôt que de la brique, traditionnellement utilisée dans la construction des bâtiments industriels. Le matériau choisi ajoute énormément au charme ambiant.

Maison Arthur-Villeneuve – *À l'intérieur du bâtiment 1921.* Amorcés en 1994, des travaux de mise en valeur patrimoniale ont conduit à la relocalisation, sur le site même de la pulperie, de la maison Arthur-Villeneuve, anciennement située au 669 rue Taché Ouest. Arthur Villeneuve (1905-1990) fut longtemps « barbier » de profession, faisant de la peinture un simple loisir. Profondément religieux, il troqua, en 1957, ses ciseaux pour des pinceaux à la suite d'un sermon sur la parabole des talents. Aujourd'hui, la renommée de ce peintre régional dépasse largement les murs de son humble demeure qu'il décora à sa façon, de peintures colorées, parfois terrifiantes.

Cathédrale Saint-François-Xavier

À l'angle des rues Racine et Bégin. Les hautes tours carrées qui flanquent la façade de pierre de cette cathédrale (1915) dominent la ville de Chicoutimi. L'édifice fut reconstruit après un incendie en 1919. À l'intérieur, on remarquera la chaire, un Christ sculpté par Médard Bourgault, le trône épiscopal de Lauréat Vallières ainsi qu'un orgue Casavant.

Village de la sécurité

200 r. Pinel, sur la rive nord du Saguenay, à 4 km du pont. Prenez à droite la rue Pasteur, encore à droite la rue Saint-Gérard, puis à gauche la rue Pinel - ℰ *418-545-6925 ou 1-888-595-6925 -* ✕-&-🅿 *- de mi-juin à mi-sept. : 9h30-17h30 ; de mi-déc. à mi-avr. : lun.-merc. 8h-21h, jeu. 8h-22h, vend.-sam. 8h-23h, dim. 8h-21h - 10 $.*

👥 Essentiellement créé pour permettre aux jeunes d'améliorer leurs connaissances en matière de sécurité, ce village à échelle réduite leur propose toutes sortes d'activités : promenade au volant d'une voiture miniature motorisée, simulation réaliste d'une collision automobile et d'un incendie à la maison, secourisme, balade en train, etc. Une tour météorologique de 30 m de haut offre une très belle vue sur la région.

Jonquière (Saguenay)

L'ancienne ville de Jonquière fut fondée en 1847 par Marguerite Belley et ses fils, qui avaient quitté le comté de Charlevoix. Ils la baptisèrent du nom du marquis de Jonquière, gouverneur de Nouvelle-France de 1749 à 1752. Le début du 20e s. fut marqué par l'arrivée de deux géants de l'industrie : la papeterie Price à Kénogami en 1912, et l'usine d'aluminium d'Alcan à Arvida en 1926, qui fit de cette localité le plus important producteur d'aluminium en Occident.

Centrale hydro-électrique de Shipshaw

1471 rte du Pont - ℰ *418-699-1547 - visite guidée (1h) - juin-août : lun.-vend. 13h30-16h30 ; fermé 24 juin - réservations requises.* Le barrage de la centrale hydro-électrique de Shipshaw fut installé en 1941. La centrale constitue un bel exemple d'Art déco industriel.

Église Notre-Dame-de-Fatima★

3635 r. Notre-Dame - accès à partir du bd du Royaume, à l'angle de la rue de Montfort - ℰ *418-542-5678 -* &-🅿. Le « tipi » est une église contemporaine (1963), d'une hauteur de 25 m, qui domine les alentours. Construite en béton blanc, elle a la forme d'une pyramide coupée verticalement en deux moitiés. L'intérieur de l'église doit sa remarquable luminosité à la présence d'une double verrière, œuvre de Guy Barbeau, qui sépare les deux moitiés de la pyramide sur toute sa hauteur.

Mont Jacob

Accès à partir de la rue Saint-Dominique par la rue du Vieux-Pont. Le mont Jacob domine la partie ouest de Jonquière et offre une superbe **vue** sur la région. Au sommet, le **Centre National d'exposition** *(4160 r. du Vieux-Pont -* ℰ *418-546-2177 -* &-🅿 *- www.centrenationalexposition.com - juil.-août : 10h-20h ; reste de l'année : lun.-vend. 10h-17h, sam.-dim. 12h-17h - fermé 24-26 déc. et 31-2 janv.)* organise toutes sortes d'événements culturels et d'activités spéciales sur les thèmes de l'art, de l'architecture et de l'histoire.

> ### Pêche à la truite
>
> Partez pour une partie de pêche à la truite tachetée, louez un bateau ou détendez-vous tout simplement au **parc de la Rivière-aux-Sables** *(2230 r. de la Rivière-aux-Sables - les Halles sont ouvertes de mi-mai à mi-oct. : 9h-21h).* Situé dans la partie la plus ancienne de Jonquière, le parc offre une aire de jeux, des halles avec boutiques, un marché et un square public : autant de façons de profiter du grand air.

Mont Fortin★

Accès à partir du boulevard du Saguenay par la rue Desjardins. Il est possible de se rendre en voiture jusqu'au sommet, lorsque le portail est ouvert. Du haut du mont Fortin se découvre un splendide **panorama** avec, d'un côté, le pont d'aluminium et le barrage de Shipshaw, et de l'autre, Kénogami et la ville de Jonquière, reconnaissable à la flèche de l'église Notre-Dame-de-Fatima.

La Baie (Saguenay)

Le centre industriel de La Baie occupe un site★ magnifique dans une anse du fjord du Saguenay, plus connue sous le nom de **baie des Ha ! Ha !** Selon certains, ce pittoresque toponyme tirerait son origine de la rue des Ha ! Ha !, passage sans issue à Paris au 17e s. Pour d'autres, les premiers explorateurs – prenant la baie pour une rivière – s'y seraient engagés ; se rendant bientôt compte de leur méprise, ils se seraient alors écriés « Ha ! Ha ! ».

En 1838, des colons arrivèrent dans la région. Ils étaient membres d'une association, la Société des Vingt-et-Un, dont le but était d'amorcer la colonisation dans la région du Saguenay–Lac-Saint-Jean. Les trois municipalités qu'ils fondèrent le long des rives de la baie, Bagotville, Port-Alfred et Grande-Baie, fusionnèrent en 1976 pour former la ville de La Baie.

Centre de transformation du bois, cette dernière s'enorgueillit aujourd'hui d'une grande papeterie, mais tire avant tout son importance de ses installations portuaires. De grands cargos en provenance des Antilles et d'Amérique du Sud apportent la bauxite nécessaire à ses usines d'aluminium et à celles de Jonquière.

L'été, on peut assister au **spectacle historique** intitulé *La Nouvelle Fabuleuse ou les aventures d'un Flo*, évoquant le passé de la région de 1603 à aujourd'hui.

Route panoramique

Juste avant que la route 372 ne plonge en direction de la Rivière-à-Mars dans la baie des Ha! Ha!, on découvre une **vue★★** imprenable sur la baie. Par temps clair, le panorama s'étend à 48 km alentour. Un peu plus loin, la route 372 rejoint la route 170 qui longe les rives de la baie, offrant de belles échappées sur une douzaine de kilomètres.

Parc Mars

À la jonction des routes 170 (r. Bagot) et 372 (bd Saint-Jean-Baptiste), prenez la rue Bagot, puis tournez à gauche dans la rue Mars. Aménagé pour les cyclistes et les piétons, ce parc au bord de l'eau dévoile un beau **panorama★** de la baie et des collines environnantes, et met en scène l'imposant trafic fluvial. Environ 200 000 t de bois et de papier, et plus de trois millions de t de bauxite transitent chaque année par le port.

Musée du Fjord

3346 bd de la Grande-Baie Sud (route 170) - ℰ 418-697-5077 ou 1-866-697-507- www.museedufjord.com - ♿-🅿 - 24 juin-fête du Travail : 9h-18h ; 4 sept.-23 juin : mar.-vend. 9h-16h30, sam.-dim. 13h-17h - 10 $ (- 5 ans gratuit).

Détruit lors du déluge de 1996, le musée du Fjord a fait peau neuve dans un élégant complexe moderne. Il présente des expositions à caractère scientifique (sur la formation du fjord, la faune et la flore aquatique, et la baie des Ha! Ha!) – historique (sur la région du Saguenay) et artistique. Des excursions sont proposées : accompagnés d'un guide, le visiteur chausse les bottes d'un scientifique et part à la découverte d'organismes qui peuplent les berges de la baie des Ha! Ha! De retour au musée, il analyse ses échantillons au microscope…

Pyramide des Ha! Ha!

Parc des Ha! Ha! - r. Monseigneur-Dufour - ℰ 418-698-3167 ou 1-800-463-6565 (sans frais). Ne manquez pas **la Pyramide des Ha! Ha!** au parc des Ha! Ha! Conçue par l'artiste Jean-Jules Soucy, cette pyramide en aluminium haute de 21 m avec une base de 24 m est couverte de 3 000 panneaux signalétiques triangulaires « Céder le passage » rouges et blancs : un jeu de mots pour rappeler que, lors du déluge qui a dévasté la région en juillet 1996, « s'aider » a permis de faire face à la catastrophe. Il est possible de monter au sommet de la pyramide.

La passe migratoire à saumons de la Rivière-à-Mars

3232 chemin St-Louis - ℰ 418-697-5093 - www.riviereamars.qc.ca - de mi-juin à mi-sept. : 8h-20h - 3 $. Située au cœur de la ville, sur une portion de la Rivière-à-Mars, la passe permet aux saumons de remonter la rivière au moment de leur migration. Grâce à l'observatoire aménagé sous le niveau de la rivière, on peut voir le saumon dans son habitat naturel et même « dans son lit ». Une expérience enrichissante pour toute la famille !

Saint-André-d'Argenteuil secteur Carillon

LAURENTIDES
3097 HABITANTS
WWW.LAURENTIDES.COM

La municipalité de Saint-André-d'Argenteuil abrite la petite ville de Carillon, située au bord de la rivière des Outaouais, à proximité des redoutables rapides du Long-Sault. Utilisé désormais presque exclusivement pour la navigation de plaisance, le canal de Carillon a été construit en 1833 pour contourner les rapides. Avec une seule écluse, il fait franchir aux bateaux qui l'empruntent une dénivellation de 20 m en une seule opération ! Le canal de Carillon est un lieu historique national du Canada.

◗ **Se repérer** – Saint-André-d'Argenteuil se trouve sur l'autoroute 344, à environ 92 km à l'ouest de Montréal. Pour rejoindre Carillon, suivez après Saint-André l'autoroute 40 (sortie 2). On peut également accéder à Carillon par traversier au départ de Pointe-Fortune, à la frontière ontarienne.

👁 **À ne pas manquer** – Le canal de Carillon.

👪 **Avec les enfants** – Le parc récréatif Carillon.

🕯 **Pour poursuivre la visite** – Montebello, Saint-Eustache.

Comprendre

Le commerce des fourrures – Le village de Carillon doit son nom à l'officier français Philippe Carrion de Fresnay. Celui-ci se rendit dans la région en 1671 pour y faire le commerce des fourrures. Intégré en 1682 à la seigneurie d'Argenteuil, concédée à Charles-Joseph d'Ailleboust, Carillon conserva sa vocation de poste de traite tout au long de la turbulente époque du commerce des fourrures. Au 19e s., l'endroit devint un poste militaire voué à la protection du système de canaux érigé afin de contourner les rapides. Plus récemment, Hydro-Québec construisit une centrale hydro-électrique pour mettre à profit l'abondante énergie de ces rapides.

Dollard des Ormeaux – Carillon doit surtout sa renommée à un acte d'héroïsme accompli sur les lieux en 1660. Depuis sa fondation en 1642, Montréal vivait sous la menace constante d'une attaque des Iroquois. En mai 1660, l'existence même de cette petite ville située à l'est de Carillon fut sauvée grâce à l'intervention d'Adam Dollard des Ormeaux (1635-1660). Celui-ci, accompagné de 17 autres Canadiens français et de 40 Hurons, repoussa pendant une semaine entière les attaques de quelque 300 guerriers iroquois. Dollard et ses compagnons périrent, mais devant tant de bravoure, les Iroquois abandonnèrent leur plan d'attaque. Le mois suivant, le premier arrivage de peaux atteignait sans incident Montréal, marquant le début d'un florissant commerce de fourrures. C'est ainsi que Dollard des Ormeaux est passé à la postérité en tant que sauveur de la colonie.

Visiter

Musée régional d'Argenteuil

Sur la route 344, à droite du quai pour le traversier - 🕿 *450-537-3861 - www.museearg. com -* 🅿 *- juin-sept. : mar.-dim. 10h30-16h30 - 3,50 $.*
Construit entre 1834 et 1837, ce beau bâtiment de pierre servit d'abord de caserne pour la protection du canal. Pendant la Rébellion des Patriotes (1837-1838), il abrita une centaine d'officiers et de soldats britanniques. Par la suite, il fut converti en hôtel. Depuis 1938, l'édifice accueille un musée consacré à l'histoire de la région. Diverses expositions y sont présentées, dont une consacrée à Dollard des Ormeaux et une autre à Sir John Abbott (1821-1893), tour à tour député fédéral du comté d'Argenteuil, puis Premier ministre du Canada de 1892 à 1893. La plupart des instruments de musique (des 18e et 19e s.), les horloges et les meubles canadiens et français furent légués au musée par des villageois.

Centrale hydro-électrique de Carillon

Accès par la route 344 - 🕿 *450-537-8624 - www.hydroquebec.com -* ♿ 🅿 *- visite guidée (1h15) 15 mai-23 juin : lun.-vend. 9h-15h ; du 24 juin à la fête du Travail : merc.-dim. 9h30-15h30.* Construite au pied des rapides du Long-Sault entre 1959 et 1964, cette centrale au fil de l'eau a une puissance installée de 654 500 kW, ce qui en fait la quinzième usine hydro-électrique du Québec. Il faut 14 turbines pour maîtriser le cours de la rivière des

Outaouais, dont le débit moyen est de 2 000 m³/s. Le barrage et le déversoir bloquent complètement la rivière. Au cours de la visite guidée, on peut voir un film *(15mn)* et se rendre dans la chambre des turbines, la salle de contrôle et sur le toit, d'où l'on aperçoit le réservoir et les lignes qui acheminent le courant électrique.

Lieu historique national du Canada du Canal-de-Carillon

450-537-3534 - www.pc.gc.ca/canalcarillon - 6 mai-13 oct. : tlj.

Longue de 60 m, l'unique **écluse** *(visites possibles ; se renseigner)* qui perce le barrage permet aux bateaux de remonter de 20 m en une seule fois. En amont, la navigation se poursuit sans obstacle jusqu'à Ottawa. La **maison du Collecteur** fut construite en pierre en 1843. Elle servait de demeure au collecteur, dont la fonction était de percevoir le droit de passage des barges et autres embarcations. Aux côtés de cette maison subsistent les vestiges de l'ancien canal et du système d'écluses remontant au siècle dernier.

Parc Carillon

450-537-7272 - www.parccarillon.ca - de mi-juin à fin août : 10h-20h. En amont de la centrale.

Longeant sur quelque 3 km les rives du réservoir, le parc offre des aires de pique-nique au bord de l'eau. On y trouve un **monument** érigé en 1960 à la mémoire de Dollard des Ormeaux et de ses compagnons : œuvre de Jacques Folch-Ribas, 18 monolithes de granit, hauts de 8 m chacun, commémorent leur vaillante bataille contre les Iroquois.

Aux alentours

Rigaud

23 km au sud de Saint-André-d'Argenteuil. Liaison par bateau à hauteur de Pointe-fortune. Puis rejoignez l'autoroute 40, sortie 9.

Cette petite ville résidentielle se trouve à la limite des provinces du Québec et de l'Ontario, au confluent de la rivière Rigaud et de la rivière des Outaouais. À l'origine, elle faisait partie de la seigneurie octroyée en 1732 à Pierre et François Rigaud, fils du sieur de Vaudreuil. En 1850, des clercs de Saint Viateur s'installèrent à Rigaud pour y fonder un établissement d'enseignement, à la demande de Mgr Ignace Bourget, évêque de Montréal. C'est ainsi que le collège Bourget devint le plus important pensionnat privé du Canada.

Lieu de pèlerinage et centre de ski, la montagne Rigaud (213 m) domine la ville.

Sanctuaire Notre-Dame-de-Lourdes★ – *20 r. Bourget. De la rue Saint-Jean-Baptiste, prenez à gauche la rue Saint-Pierre et suivez les indications -* *450-451-4631 -* - - *de déb. juin à mi-sept. - fermé j. fériés - contribution souhaitée.* Ce sanctuaire en plein air, bâti sur le versant rocheux de la montagne Rigaud, s'inspire du sanctuaire français de Lourdes, où la Vierge apparut en 1858 à la jeune paysanne Bernadette Soubirous, alors âgée de 14 ans. En 1874, le frère Ludger Pauzé, enseignant au collège Bourget, déposa une statuette de Notre-Dame de Lourdes dans une anfractuosité de la colline. Après sa mort, les visiteurs, encouragés par le père François-Xavier Chouinard, supérieur du collège dirigé par les clercs de Saint-Viateur, se multiplièrent. Comme leur nombre ne cessait d'augmenter, une statue plus grande fut placée dans un lieu plus accessible en 1887, et une petite chapelle fut alors construite. En 1954, s'ajouta une seconde chapelle, ouverte sur les côtés.

Dès son arrivée, le visiteur aperçoit la chapelle de 1954, nichée dans un écrin de verdure *(des messes y sont célébrées en été)*. Un sentier gravit la colline et permet de se rendre à la statue de la Vierge, puis à la chapelle d'origine, de forme octogonale. On y découvre un remarquable **point de vue★** sur la région environnante, la rivière des Outaouais et la rivière Rigaud. La roche rose que l'on remarque sur la colline est du grès de Potsdam.

Saint-Eustache

LAURENTIDES
42 062 HABITANTS
SCHÉMA : MONTRÉAL
WWW.VILLE.SAINT-EUSTACHE.QC.CA OU WWW.LAURENTIDES.COM

À seulement 30 minutes du centre-ville de Montréal, Saint-Eustache est située sur la rivière des Mille-Îles, au point où celle-ci quitte le lac des Deux Montagnes pour se joindre à la rivière du Chêne. Elle fut fondée en 1768 et baptisée en l'honneur du seigneur des Mille-Îles, Louis-Eustache Lambert-Dumont. En 1837, Saint-Eustache a été le théâtre d'une des plus cruelles défaites essuyées par les Patriotes. Ville aujourd'hui la plus peuplée des Laurentides, elle est aussi l'une des villes du Québec les plus connues, grâce à son passé historique.

- **Se repérer** – Saint-Eustache se trouve à environ 35 km à l'ouest de Montréal par les autoroutes 15 et 640 (sortie bd Arthur-Sauvé).
- **S'informer** – Accueil touristique - 600 r. Dubois - ℰ 450-491-4444 (sans frais) - www.ville.saint-eustache.qc.ca.
- **À ne pas manquer** – Le parc national d'Oka, son calvaire et le fameux fromage d'Oka.
- **Organiser son temps** – Saint-Eustache le matin et le parc d'Oka, l'après-midi pour une randonnée.
- **Avec les enfants** – Le parc national d'Oka.
- **Pour poursuivre la visite** – Montréal, Sainte-Agathe-des-Monts, le parc du Mont-Tremblant et la région des Laurentides dans son ensemble.

Comprendre

Les Patriotes – Le 14 décembre 1837, 150 « rebelles » francophones, dirigés par **Jean-Olivier Chénier**, affrontèrent 2 000 soldats britanniques sous les ordres du général John Colborne. Les insurgés se réfugièrent dans l'église qui fut bombardée et incendiée. Soixante-dix Patriotes périrent à cette occasion, dont Chénier lui-même. Les survivants furent emprisonnés dans la maison de Chénier, puis Colborne incendia le village durant la nuit qu'on appela par la suite « la nuit rouge ». Cet événement valut à Colborne le surnom de « vieux brûlot ».

Visiter

Église Saint-Eustache★

123 r. Saint-Louis - ℰ *450-473-3200 -* ♿ *-* 🅿 *- visite guidée (30mn) sur réservation - contribution requise.* L'imposante église, construite en 1783 et agrandie en 1831, est couronnée de deux élégants clochers. Gravement endommagée en 1837, lors de la bataille des Patriotes contre l'armée britannique, elle fut reconstruite, avec beaucoup de soin, à partir de ses ruines ; sa façade porte encore les traces de boulets de canon. L'intérieur, clair et spacieux, présente une voûte en berceau richement décorée. La qualité acoustique est telle que l'Orchestre symphonique de Montréal y a tenu des séances d'enregistrement.

À droite se trouve le presbytère et à gauche, un ancien couvent qui sert aujourd'hui d'hôtel de ville. Derrière l'église, un **agréable parc** donne sur la rivière des Mille-Îles.

Manoir de la culture et du patrimoine

235 r. Saint-Eustache. Un portique monumental domine la façade de cette belle maison victorienne (1903) qui appartient jadis à Charles-Auguste Maximilien Globensky, dernier seigneur de la rivière du Chêne. Après sa mort, deux maires de Saint-Eustache y établirent leur résidence. Le manoir devint **hôtel de ville** en 1962 et abrite maintenant une exposition permanente sur la bataille des Patriotes de 1837.

Moulin Légaré

232 r. Saint-Eustache, en face du manoir Globensky - ℰ *450-974-5400 -* ♿ *-* 🅿 *- de déb. juin à mi-oct. : lun.-dim. 10h-17h - 5 $.* Ce moulin seigneurial, situé sur la rivière du Chêne, fut l'un des rares bâtiments à être épargnés lors de la terrible « nuit rouge ». Construit en 1762, il n'a cessé de fonctionner depuis. Il tient son nom de la famille Légaré qui en assura l'exploitation de 1908 à 1978. À l'intérieur, on peut encore voir les mécanismes et l'équipement d'origine. Les visiteurs auront l'occasion d'y acheter la farine de blé et de sarrasin moulue sur place.

De la passerelle, située derrière le moulin, on aperçoit la vanne du moulin, la rivière et les clochers de l'église.

Rue Saint-Eustache

La rue principale de Saint-Eustache compte d'autres bâtiments d'intérêt historique. Construite en 1910, l'ancienne église presbytérienne *(n° 271)* abrite une galerie d'art où sont organisées des expositions temporaires. Bâtiment de brique rouge orné de pignons, la maison Plessis-Bélair *(n° 163)* a été transformée en restaurant. La maison aux larmiers remarquables *(n° 64)* date de 1832 ; elle appartenait autrefois à Hubert Globensky. Quant à l'ancienne maison Paquin *(n° 40)*, bâtie en 1889, elle abrite aujourd'hui un magasin.

Aux alentours

Parc national d'Oka

14 km par les routes 148 et 640. Entrée principale à la fin de la route 640 - 2020 chemin d'Oka - Oka - ☎ 450-479-8365 - www.parcsquebec.com et www.sepaq.com - ⛺-✗- ♿-◻ - 8h-coucher du soleil - 3,50 $. Cette étendue boisée au bord du lac des Deux Montagnes couvre une superficie de 24 km² correspondant à l'ancienne seigneurie des sulpiciens. Créé en 1962, le parc prit à l'origine le nom de Paul Sauvé, Premier ministre du Québec de 1959 à 1960, et député du comté. Il offre une belle plage ainsi qu'une superbe forêt de feuillus parcourue de sentiers *(kiosque de renseignements près de l'entrée principale)*. En été, marche à pied *(22 km de sentiers pédestres)*, en hiver, ski de fond *(50 km)*.

Abbaye cistercienne

À 3 km à l'ouest de l'intersection de l'autoroute 640 et de la route 344. Parc de stationnement après l'entrée principale, avant le Calvaire - ☎ 450-479-8361 - ♿-◻ - église ouv. tlj : 4h-20h. En 1881, les sulpiciens d'Oka firent don d'un terrain à un groupe de moines cisterciens venus de l'abbaye de Bellefontaine (France). Ceux-ci érigèrent un grand monastère, la Trappe d'Oka, et se mirent à la production agricole et fromagère. Leur fromage d'Oka devint rapidement un des fleurons de la gastronomie québécoise.

Calvaire d'Oka★

À 4 km de l'abbaye par la route 344. Sur les versants de la colline d'Oka (150 m), une série de sculptures de pierre blanchie à la chaux représentent le chemin de Croix et le Calvaire. Les quatre oratoires et les trois chapelles furent érigés entre 1740 et 1744 par le sulpicien breton Hamon Le Guen dans le but d'évangéliser la population autochtone. L'endroit offre une belle **vue** sur le parc et sur le grand lac des Deux Montagnes.
Continuez par la route 344 jusqu'à Oka.

Oka

À 1 km du Calvaire et à 21 km de Saint-Eustache. La municipalité, sise sur le bord du lac des Deux Montagnes, tire son nom d'un terme algonquin signifiant « doré », nom du poisson qui, à une certaine époque, abondait dans les eaux du lac. En 1717, les sulpiciens fondèrent une mission amérindienne pour accueillir les Iroquois, les Nipissings et les Algonquins. Il y existe toujours une réserve. Durant l'été 1990, la communauté acquit une notoriété internationale avec la « crise d'Oka », soulèvement amérindien sur le thème des revendications territoriales et séparatistes des Premières Nations du Canada.

Un traversier quitte le quai, tout près de l'église, à destination de **Hudson**, de l'autre côté du lac des Deux Montagnes.

Saint-Félicien

SAGUENAY – LAC-SAINT-JEAN
10 477 HABITANTS
SCHÉMA : LAC SAINT-JEAN
WWW.TOURISMESAGUENAYLACSAINTJEAN.QC.CA

Saint-Félicien se trouve près de la rive ouest du lac Saint-Jean, au confluent des rivières Mistassini, Ticouapé et Ashuapmushuan dont le flot tumultueux parcourt quelque 266 km, enchaînant chutes et rapides avant de rejoindre le lac. La ville est surtout connue pour son zoo, créé en 1960 par ses habitants. Les animaux y circulent librement, et ce sont les touristes qui font le tour du zoo dans des wagons grillagés ! Après la visite du zoo, détour fortement conseillé jusqu'à la réserve faunique Ashuapmushuan.

- ▶ **Se repérer** – Saint-Félicien se trouve à 285 km au nord de Québec par les routes 175 et 169.
- ▶ **S'informer** – Accueil touristique - 1209 bd Sacré-Cœur - ✆ 418-679-9888.
- ⧖ **Organiser son temps** – Achetez un « forfait deux jours » pour le zoo. Ainsi vous pourrez voir les animaux à différents moments de la journée.
- 👪 **Avec les enfants** – Le zoo, évidemment !
- ⟳ **Pour poursuivre la visite** – Lac Saint-Jean, Roberval.

Comprendre

Fondée en 1865, la ville vécut d'abord de l'agriculture et des activités forestières, puis devint dans les années 1950 la porte de la riche région minière de Chibougamau, au nord-ouest. En 1978, s'y établit un important moulin à papier, puis en 1997, une usine de cogénération. C'est ici que, le 19 mai 1870, commença un incendie connu sous le nom de grand feu, qui ravagea la rive sud du lac et les forêts jusqu'à La Baie. Des villages entiers furent détruits, et la région mit des années à s'en remettre.

Visiter

Zoo « sauvage » de Saint-Félicien★★

👪 *Centre de conservation de la biodiversité boréale – 6 km par le bd du Jardin (route 167) - ✆ 418-679-0543 - www.zoosauvage.com et www.borealie.org - ✗-♿-🅿 - juin-août : 9h-18h ; mai et déb. sept. à fin oct. : 9h-17h - 32/42 $ billet sur 2 jours.* Agréablement situé sur une île de la rivière aux Saumons, affluent de l'Ashuapmushuan, ce jardin zoologique constitue une fabuleuse introduction aux animaux de la faune canadienne (au total, plus de 950 spécimens). Caribous, wapitis, ours noirs, loups, bisons et autres évoluent en toute liberté dans le **parc des Sentiers de la nature★★** (324 ha), tandis que les visiteurs se promènent à bord de wagons grillagés. Le site leur permettra de se replonger dans l'histoire régionale grâce à ses bâtiments historiques, dont une maison de pionniers de 1875, un poste de traite, un camp montagnais et un camp de bûcherons des années 1930.

Aux alentours

Chute à l'Ours★

À la sortie du pont de Saint-Félicien, quittez la route 169 ; prenez à gauche le rang Saint-Eusèbe Nord et continuez sur 15 km. Suivez les indications menant au camping - ✆ 418-274-3411 - www.chutealours.com - ✗ - du 23 mai à mi-sept. : 8h-23h.

🚶 Un sentier pédestre *(3 km)* longe la rivière Ashuapmushuan dont les rapides emportent les eaux sur une longueur de plus de 1 500 m. Ils furent appelés « chute à l'Ours » par les premiers explorateurs qui butèrent contre cet obstacle. Parmi eux se trouvait un père jésuite, Charles Albanel, qui fut le premier Français à atteindre les rives de la baie James en 1672.

Moulin des Pionniers★

À La Doré, à 20 km de Saint-Félicien par la route 167 - 4201 r. des Peupliers - ✆ 418-256-8242 - www.moulindespionniers.qc.ca - ✗-♿-🅿 - de déb. juin à fin sept. : 10h-17h - 9 $. Ce vieux moulin occupe un joli site en bordure de la rivière aux Saumons, l'une des plus importantes aires de reproduction de la ouananiche, qui fréquente ces eaux de juillet à octobre. Construit en 1889 par Belarmain Audet, le bâtiment servait à la fois à scier le bois, à moudre le grain, à actionner la forge du maréchal-ferrant et à tailler les bardeaux. Il fonctionna commercialement jusqu'en 1977, et, aujourd'hui encore, demeure en parfait état de marche.

La vieille maison du pionnier (1904) se trouve tout à côté. Elle fut déménagée à cet endroit en 1977, et décorée de meubles d'époque. Des sentiers pédestres offrent des **vues** superbes sur la rivière aux Saumons. Sur ses rives ont été aménagés des étangs de pêche qui permettront aux intéressés d'attraper des saumons d'eau douce.

Réserve faunique Ashuapmushuan

Entrée sud à 33 km au nord-ouest de Saint-Félicien (entrée nord à 178 km), sur la route 167, direction Chibougamau (232 km de Saint-Félicien) - ☎ 418-256-3806 - www.sepaq. com - ⚠-♿-🅿 - de mi-mai à fin oct. : 7h-21h - 3,50 $.

En montagnais, son nom signifie « là où l'on guette l'orignal ». Véritable paradis de la chasse et de la pêche, cette réserve de 4 487 km² est aussi l'une des plus importantes frayères régionales pour la ouananiche, c'est-à-dire le saumon d'eau douce. Vouée à la conservation et à la mise en valeur de la faune, elle est régie par des lois assez strictes visant à protéger l'environnement naturel. La traversée du parc ne requiert aucune autorisation particulière, mais en ce qui concerne la chasse et la pêche, il est fortement recommandé de s'arrêter au poste d'accueil pour obtenir tous les renseignements et permis nécessaires.

La **rivière Ashuapmushuan** délimite un territoire comprenant plus de 1 200 plans d'eau. Longue de 266 km, elle représente l'un des affluents les plus importants du lac Saint-Jean, et servait autrefois de moyen de communication et de relais d'échange entre les Montagnais et les Cris. Porte des régions nordiques, elle constituait un segment de la route vers la baie James. À l'arrivée des Européens, le commerce des fourrures devint la principale activité. Plusieurs postes de traite, établis le long de son parcours et à son embouchure, demeurèrent en activité jusqu'au début du siècle.

Chutes de la Chaudière – *68 km, à 1h de Saint-Félicien, dans la réserve faunique Ashuapmushuan. À partir de la route 167, prenez l'embranchement au kilomètre 68 et suivez la route pendant 20 km.* Du belvédère situé près des chutes de la Chaudière, on peut apprécier la magnificence d'une forêt à végétation boréale (bouleaux, sapins, pins gris et épinettes noires).

Les Grands Jardins de Normandin

À 27 km au nord-est de Saint-Félicien (sur la route 373 puis la 169) - 1515 av. du Rocher - ☎ 418-274-1993 - www.lesgrandsjardinsdenormandin.com- 23 juin-9 sept. : 9h-18h - 12 $.

Ces jardins ont fait la réputation de Normandin. Sur plus de 55 ha, sept parterres retracent l'histoire de l'art des jardins. Jardin anglais, tapis d'orient, potager décoratif, parterre de midi ou encore jardin des herbes : tous les jardiniers, avertis ou non, seront sous le charme.

Lac Saint-Jean★★

Voir ce nom.

Route 167 pratique

La route 167 qui relie Saint-Félicien à Chibougamau et permet de rejoindre la réserve faunique Ashuapmushuan est jalonnée de téléphones d'urgence. Elle contient plusieurs postes d'observation ainsi que des aires de pique-nique. Les animaux domestiques sont formellement interdits. Plusieurs pourvoiries proposent différentes formules de chasse et de pêche, mais il faut réserver longtemps à l'avance. Location de chalets également possible sur réservation. On peut s'adonner à toutes sortes d'activités sportives à la journée, telles que la pêche, la chasse ou le canot-camping.

Lac Saint-Jean★★

SAGUENAY – LAC-SAINT-JEAN
SCHÉMA : LAC SAINT-JEAN
WWW.TOURISMESAGUENAYLACSAINTJEAN.QC.CA

C'est une mer au milieu des terres : avec ses 1 350 km², situés à l'extrémité sud de la région du Saguenay, le lac Saint-Jean impressionne ! Bordé de plages de sable, enserré par une vaste plaine verdoyante, il a peu d'effort à fournir pour attirer les amateurs de baignade et de farniente. Il se découvre en un tour de voiture le long de la route 169, avec sur la rive nord des villages moins fréquentés que sur la rive sud. Ou en un tour de vélo, pour les plus audacieux.

- **Se repérer** – Le lac Saint-Jean se trouve à 180 km au nord de Québec par les routes 175, 169 et 170, à 299 km de Trois-Rivières par les routes 55 et 155, et à 69 km de Chicoutimi par les routes 175 et 170.

- **À ne pas manquer** – Le parc de la Pointe-Taillon, le village historique de Val-Jalbert et Péribonka.

- **Organiser son temps** – Prévoir deux jours pour le tour du lac en voiture. Le tour du lac peut s'effectuer après la découverte d'une des rives du fjord du Saguenay.

- **Pour poursuivre la visite** – Le fjord du Saguenay, Saguenay, Roberval, Saint-Félicien.

Comprendre

Une fonte de glaciers – Le lac actuel ne représente qu'une faible partie du lac d'origine, créé par la fonte des glaciers il y a plus de 10 000 ans. Il reçoit de nombreux affluents, dont les rivières Péribonka, Mistassini et Ashuapmushuan, mais ne possède qu'un seul émissaire, le Saguenay. La région du lac Saint-Jean se présente sous la forme d'une cuvette dont les parois vont en s'abaissant vers le lac même. Cette morphologie particulière a entraîné la formation de cascades et de chutes aussi spectaculaires les unes que les autres. Contrairement aux régions voisines de la Mauricie et du Saguenay, les terres se prêtent fort bien à l'agriculture, mais cette vocation ne s'est affirmée que depuis l'incendie de 1870, qui déboisa une grande partie des forêts environnantes.

Le lac plat – Saint-Jean, que les Montagnais appelaient jadis *Piékouagami* (lac plat), doit son nom actuel à **Jean Dequen**, premier Français à en explorer les rives en 1647. Le commerce des pelleteries entre Français et Amérindiens, qui s'effectuait d'abord à Tadoussac, ne tarda pas à gagner la région. En 1676, un poste de traite fut établi sur les bords du lac, à l'embouchure de la Métabetchouane, à l'emplacement de la future ville de Desbiens. La construction des premières scieries et papeteries vers le milieu du 19e s., suivie au 20e s. de l'installation de centrales hydro-électriques et la construction de l'usine d'aluminium d'Alma, contribuèrent au développement de la région. Malgré cette évolution, l'agriculture est florissante et demeure, avec le tourisme, une activité fondamentale.

Une réputation – Le lac Saint-Jean est surtout réputé, parmi les pêcheurs, pour les **ouananiches** (saumons d'eau douce) qui y abondent. Il est également connu pour le **granit** qu'on trouve à ses abords, notamment à Saint-Gédéon, près d'Alma. Un grand nombre d'églises locales sont d'ailleurs faites de cette roche qui, une fois taillée, prend une couleur rosée. Parmi les produits typiques de la région, notons la gourgane (gros haricot) et les **bleuets**, si abondants sur la rive nord du lac que les habitants ont reçu le sobriquet de « bleuets ».

Un événement – La dernière semaine de juillet commence la célèbre **Traversée internationale du lac Saint-Jean** qui a lieu chaque année depuis 1955 et qui dure neuf jours. L'aller simple de Péribonka à Roberval en ligne droite fait

La véloroute des Bleuets

C'est un réseau de pistes cyclables de 256 km autour du lac Saint-Jean qui bordent de jolies plages de sable, longent d'impressionnantes rivières et traversent de belles plaines agricoles. On y découvre des petits coins de paradis accessibles uniquement par ce réseau de sentiers et de sections de route balisée. Cartes et renseignements sur les excursions sont à votre disposition à La Véloroute des Bleuets - Maison des Bâtisseurs - *1671 av. du Pont-Nord, Alma -* ✆ *418-668-2606 - www.velo-route-bleuets.qc.ca.*

M. Pire / Sépaq/Parc national de la Pointe-Taillon

La Pointe-Taillon.

Association touristique de Saguenay

Cueillette de bleuets.

C.-D. Robitaille /

Ours blanc dans le zoo de Saint-Félicien.

C.-D. Robitaille /

Trou de la Fée.

32 km et nécessite une moyenne d'environ 8h d'efforts physiques. L'aller-retour, parcouru par les plus endurants en 18h, est également inscrit au marathon. En 1990, le trajet s'est prolongé et fait désormais 40 km le long de la berge. *Renseignements ✆ 418-275-2851 - www.traversee.qc.ca.*

Le tour du lac

220 km au départ d'Alma par la route 169.

Alma

Alma se développa autour de l'île du même nom, près de la source du Saguenay, à l'est du lac Saint-Jean. Fondée en 1864, la ville fut baptisée en l'honneur de la fameuse bataille que les troupes franco-britanniques venaient de remporter en Crimée sur l'armée russe.

Maison des Bâtisseurs – *1671 av. du Pont-Nord - ✆ 418-668-2606 - www.Odysseedes Batisseurs.com/ -* 🅿 *- 14 juin-1er sept. : 9h-17h30 ; 2 sept.-30 sept. : 9h-16h30 - 10,63 $.* La Société d'histoire du Lac-Saint-Jean présente dans la maison des Bâtisseurs **l'Odyssée des Bâtisseurs**. Expositions, animations, sentiers pédestres, château d'eau d'une hauteur de 25 m avec observatoire, présentation multimédia 360° : tout est mis en œuvre pour faire comprendre au visiteur la nature et la culture du lac Saint-Jean. Des animateurs et des témoins racontent, à leur manière, les moments marquants de la construction de la **centrale hydro-électrique de l'Isle-Maligne** et ses impacts sur la société régionale. 👥 Les enfants peuvent explorer le parcours extérieur tout en s'amusant dans les « modules d'hébertisme ». *Aire de jeux pour les plus petits.*

Rue Harvey, à l'est de l'avenue du Pont se trouve l'**église Saint-Pierre**, saisissante pour son architecture ultramoderne.

Dam-en-Terre

8 km. Du centre-ville d'Alma, prenez l'av. du Pont vers le nord, et tournez à gauche dans le boulevard des Pins. Prenez à droite le chemin de la Dam-en-Terre, puis encore à droite le chemin de la Marina. Érigé au début des années 1950 pour exploiter la rivière et hausser le niveau du lac, le barrage entre l'île d'Alma et l'Isle-Maligne a permis d'augmenter la force du cours d'eau.

Installé autour de la baie en 1979, le **complexe touristique Dam-en-Terre** (*✆ 418-668-3016 - www.damenterre.qc.ca -* △-✕-🅿 *- de fin mai à mi-sept. : 8h-21h ; reste de l'année : lun.-vend. 8h-16h)* comprend un camping, une plage, des bungalows, un restaurant-théâtre, des sentiers pédestres et une marina. On peut également y louer canots, pédalos et bicyclettes. Une agréable **croisière panoramique** (*✆ 1-888-289-3016 -* ♿ *- départ de mi-juin à fin août : mar.-sam. à des heures variables - AR 2h - commentaire à bord - réservations requises)* remonte le courant le long de l'usine d'aluminium d'Alcan puis du barrage hydro-électrique de l'Isle-Maligne, avant d'approcher les rives du lac Saint-Jean, bordées de nombreux villages et chalets.

Prenez la route 169 et parcourez 25 km jusqu'à Saint-Henri-de-Taillon, puis 6 km vers le parc (suivez les indications).

Parc national de la Pointe-Taillon

31 km - ✆ 418-347-5371 ou 1-800-665-6527 - www.sepaq.com - △-✕-♿-🅿 *- ouv. tte l'année - le centre de découverte et de services du secteur Taillon : mai-oct., ceux de Sainte-Monique et Péribonka : juin-oct. - les heures d'ouverture varient selon les périodes de l'année - 3,50 $.* Zone d'alluvionnement post-glaciaire de près de 20 km de long, la Pointe-Taillon se trouve sur la rive nord du lac Saint-Jean, à l'embouchure de la rivière Péribonka. La presqu'île (92 km²) est couverte de tourbières et de forêts d'épinettes noires et de bouleaux qui, au bord de l'eau, cèdent la place à une plage de sable fin où s'ébattent canards et outardes lors de leur migration automnale.

Le parc se prête au cyclisme (*piste de 32 km*), à la marche (🐾 *sentiers pédestres*), au canotage, au kayak, au pédalo et à la planche à voile.

Reprenez la route 169 et suivez-la jusqu'à Péribonka.

Après Sainte-Monique, la route 169 franchit la Péribonka et aboutit, 4 km plus loin, à un charmant **point de vue** où l'on trouvera une aire de pique-nique.

Péribonka

À 34 km du parc de la Pointe-Taillon. Fondée en 1887 sur les bords de la rivière Péribonka, à quelques kilomètres à peine de son embouchure avec le lac Saint-Jean, cette charmante bourgade vit essentiellement de ses activités agricoles et forestières. La fougueuse rivière, dont le nom montagnais signifie « qui fait son chemin dans le sable », fait plus de 460 km de long. Deux réservoirs et trois centrales hydro-électriques ont aujourd'hui domestiqué son cours tumultueux.

En 1912, le Français **Louis Hémon** (1880-1913) passa quelques mois à Péribonka. Ce court séjour ne fut pas sans conséquences, car en 1916 était publié en œuvre posthume l'un des romans québécois les plus connus à l'étranger : *Maria Chapdelaine, récit du Canada français*. Péribonka est aujourd'hui le point de départ de la célèbre **Traversée internationale du lac Saint-Jean** à la nage, qui a lieu la dernière semaine de juillet *(voir Comprendre)*.

Musée Louis-Hémon - complexe touristique Maria-Chapdelaine – *À 5 km à l'est de Péribonka, sur la route 169 - ℘ 418-374-2177- www.museelh.destination.ca - ♿ - 🅿 - juin-sept. : 9h-17h ; reste de l'année : lun.-vend. 9h-16h - 5,50 $.* Consacré à l'œuvre de Louis Hémon et, de manière plus générale, à la mise en valeur de la littérature, ce vaste complexe muséologique possède une collection d'environ 1 400 œuvres d'art, documents et objets ethnologiques liés au monde littéraire. On peut également voir la maison historique Samuel-Bédard, où Hémon travailla comme garçon de ferme en 1912, et le fameux pavillon contemporain (1986). Ce dernier, tout en quartz, propose des expositions temporaires d'art et de littérature ainsi qu'une exposition permanente retraçant la vie de l'auteur de *Maria Chapdelaine*, de sa naissance en Bretagne jusqu'à sa mort tragique à Chapleau (Ontario).

Continuez par la route 169 jusqu'à la jonction routière (13 km). Tournez à droite et poursuivez sur 1 km.

Sainte-Jeanne-d'Arc

14 km. Ce village est situé au confluent de la Petite rivière Péribonka et de la rivière Noire. Au pied d'une chute sur la Petite rivière Péribonka se trouve le **vieux moulin** (*℘ 418-276-3166 - de mi-juin à fin août : 9h-17h - 3 $*), construit en 1907 et ouvert aux visiteurs depuis 1974, année où prirent fin ses activités. On peut y admirer l'équipement d'origine. À une certaine époque, l'énergie canalisée de la rivière faisait tourner une scierie, une fabrique de planches, un moulin à laine et une meunerie.

Reprenez la route 169.

Dolbeau-Mistassini

14 km. Fondée en 1927 avec l'installation de la fabrique de pâte à papier Domtar, Dolbeau est aujourd'hui rattachée à Mistassini avec laquelle elle partage la municipalité. Elle doit son nom au missionnaire récollet Jean Dolbeau, qui débarqua à Tadoussac en 1615.

La ville est célèbre pour son **Festival des dix jours western de Dolbeau** *(voir Événements)* qui se déroule en juillet.

La ville (« gros rocher » en langue crie) est située au confluent des rivières Mistassibi et Mistassini, non loin d'une jolie cascade. Cette dernière fut nommée **chute des Pères★** en l'honneur des trappistes d'Oka qui, en 1892, y construisirent un prieuré. En 1980, les religieux partirent s'établir plus au nord, à Saint-Eugène, mais leur fabrique se trouve toujours aux abords de l'ancien monastère, et offre aux visiteurs chocolats et autres denrées. Capitale mondiale du bleuet, Mistassini célèbre chaque année au mois d'août le **Festival du bleuet** *(voir Événements)*.

Saint-Félicien
Voir ce nom.

La route 169 passe par le village de Saint-Prime, bien connu pour ses produits laitiers, notamment son *cheddar* (fromage).

Roberval
25 km. Voir ce nom.

Tout au long du trajet de Roberval à Chambord, la route épouse les courbes du lac et laisse découvrir un magnifique **panorama**.

Val-Jalbert★
9 km. Voir Roberval.

Après Val-Jalbert, suivre la route 169 sur 2 km pour aboutir en un lieu où une **vue★** magnifique sur le lac s'offre au regard.

Chambord
9 km. Fondée en 1857, la ville s'est développée à partir de 1888 grâce à la construction d'une ligne ferroviaire qui la relie à Québec. Elle fut nommée en l'honneur d'Henri V, comte de Chambord et dernier représentant de la lignée royale des Bourbons.

Desbiens
9 km. C'est ici que le père Jean Dequen vit pour la première fois, en 1647, le lac Saint-Jean. Cinq ans plus tard, il y fonda une mission jésuite, suivie, en 1676, par l'établissement d'un poste de traite des fourrures. Le village doit son nom à Louis Desbiens, fondateur de la première papeterie en 1896.

Juste en contrebas du petit parc Jean-Dequen, un grand quai en bois constitue un endroit idéal pour observer la pêche à la ouananiche (saumon d'eau douce) et admirer le lac Saint-Jean.

Centre d'histoire et d'archéologie de la Métabetchouane – *243 r. Hébert, près du pont qui enjambe la Métabetchouane -* 418-346-5341 *- www.chamans.com -* ⚇*-* ▣ *- de fin juin à la fête du Travail : 10h-17h ; reste de l'année sur réservation - 7 $.* Consacré à l'histoire locale de l'ère amérindienne à aujourd'hui, ce centre contient la reconstitution du poste de traite au siècle dernier, et expose des marchandises de troc ainsi que des objets découverts lors de fouilles archéologiques menées dans la région. Juste à l'entrée du site, sur les rives de la Métabetchouane, une poudrière marque l'emplacement exact de l'ancien comptoir de fourrures. Notez aussi un mémorial érigé en l'honneur de Jean Dequen.

Trou de la Fée
La grotte se trouve à 6 km au sud de Desbiens. En face de l'hôtel de ville de Desbiens (925 r. Hébert), prenez la 7e Av. - 418-346-5436 *- www.cavernetroudelafee.ca -* ▣ *- de mi-juin à fin août : 9h-17h ; de fin août à fin sept. : 10h-16h ; reste de l'année sur réservation - 10 $.*

Vieille de quelque 10 000 ans, cette grotte occupe un site sauvage à flanc de montagne, à la jonction du Bouclier canadien et de la cuvette du lac Saint-Jean. Elle domine de plus de 68 m la rivière Métabetchouane dont un belvédère d'observation offre une superbe **vue** plongeante. Durant la Seconde Guerre mondiale, des déserteurs qui s'étaient réfugiés dans les parages se dirent sauvés par la fée de la grotte.

🐾 La descente de 38 m dans la caverne est impressionnante, mais très à pic ; il convient donc d'être équipé *(port de chaussures de sport recommandé ; casques de protection fournis sur place)*.

Métabetchouan-Lac-à-la-Croix
5 km. Ce village, fondé en 1861, évoque par son nom la rivière Métabetchouane (« courants qui se concentrent avant de se déverser » en langue crie). Il s'y tient, durant l'été, le célèbre **Camp musical du Lac-Saint-Jean** *(concerts en été)*.

Situé à flanc de colline, le site offre une superbe **vue** du lac.

Rejoignez Alma par la route 170 (29 km).

Saint-Jean-Port-Joli ★

CHAUDIÈRE-APPALACHES
3 363 HABITANTS
SCHÉMA : CÔTE DE CHARLEVOIX
WWW.SAINTJEANPORTJOLI.COM OU WWW.CHAUDIEREAPPALACHES.COM

Patrie d'une célèbre famille de sculpteurs, les frères Bourgault : Médard (1897-1967), André (1898-1958) et Jean-Julien (né en 1910), la petite ville de Saint-Jean-Port-Joli est devenue, au fil des ans, la capitale québécoise de la sculpture sur bois, comme l'illustrent ses innombrables galeries, boutiques et ateliers d'artisanat. Autre résident de marque, Philippe Aubert de Gaspé père (1786-1871) partit de Québec en 1824 pour s'installer ici dans l'intention d'écrire *Les Anciens Canadiens*. Ce roman, publié en 1863, allait d'ailleurs faire sa gloire.

▷ **Se repérer** – Saint-Jean-Port-Joli se trouve à 106 km au nord-est de Québec par les routes 73 (pont Pierre-Laporte) et 20 (sortie 414).

👁 **À ne pas manquer** – Le musée de la Mémoire Vivante sur le site du manoir de Philippe Aubert de Gaspé.

🕐 **Organiser son temps** – Si vous êtes de passage à Saint-Jean-Port-Joli à la fin du mois de juin, ne manquez pas l'Internationale de sculpture : deux semaines de festivités. *Rens. www.internationale-sculpture.com.*

👫 **Avec les enfants** – Le Musée maritime du Québec, à quelques kilomètres de Saint-Jean, à l'Islet-sur-Mer exactement.

👣 **Pour poursuivre la visite** – Bas-Saint-Laurent.

Visiter

Site du manoir de Philippe Aubert de Gaspé

À 5 km à l'ouest du centre-ville par la route 132. En 1909, un incendie détruisit le manoir où Philippe Aubert de Gaspé écrivit son roman, n'épargnant guère que le four à pain domanial (1764). Chaque été, des fouilles archéologiques ont lieu sur le site.

Musée de la Mémoire Vivante – 📞 418-598-3392. Sur le site même du domaine seigneurial, le manoir de Philippe Aubert Gaspé a été reconstruit selon l'allure extérieure qu'on lui connaissait au 19e s. Il abrite le musée de la Mémoire Vivante. Dédié aux témoignages et récits de vie, ce musée est également voué à l'histoire locale et à l'écrivain Philippe Aubert de Gaspé. Il expose par ailleurs les découvertes archéologiques réalisées sur le site et celles des fouilles qui s'y poursuivent.

Musée des Anciens Canadiens

À 3 km à l'ouest du centre-ville par la route 132 - 📞 *418-598-3392 -* ♿- 🅿 *- www.musee desancienscanadiens.com - 1er mai-23 juin : 9h-17h30 ; du 24 juin à la fête du Travail : 8h30-21h ; reste de sept. à oct. : 9h-17h30 - 4,50 $.* On y verra des sculptures sur bois façonnées par les meilleurs artistes de Saint-Jean-Port-Joli (dont les frères Bourgault). Le musée propose aussi une projection vidéo *(15mn)* consacrée à la sculpture sur bois, sur pierre et sur glace et, à la période estivale, des démonstrations de sculpture.

Église Saint-Jean-Baptiste

Au centre du village, 3 km après le musée des Anciens Canadiens - 📞 *418-598-3023 -* ♿- 🅿. Avec ses élégants clochers et sa toiture galbée, cet édifice constitue un pittoresque exemple d'architecture (1779). L'**intérieur** comporte plusieurs œuvres de Médard et Jean-Julien Bourgault. Le tabernacle du maître-autel, attribué à Pierre-Noël Levasseur, daterait de 1740. Il est situé dans le sanctuaire, qui fut décoré entre 1794 et 1798 par Jean Baillairgé et son fils Florent. La voûte en berceau de l'église évoque le firmament ; elle est formée de petits caissons ornés de 4 300 fleurs sculptées. Le banc seigneurial a été conservé en l'honneur du dernier seigneur de Saint-Jean-Port-Joli, Philippe Aubert de Gaspé, enterré dans la crypte de l'église. En 1987, dix-sept sculpteurs sur bois du village ont uni leurs talents pour créer une magnifique **crèche de Noël★**.

À proximité

L'Islet-sur-Mer

À 13 km au sud de Saint-Jean-Port-Joli, sur la route 132.

Bâtie sur la rive sud du Saint-Laurent, face à la pointe de l'île aux Oies, L'Islet-sur-Mer est « tournée » vers la mer, comme son nom l'indique. Depuis le 18e s., son économie repose sur son activité maritime et beaucoup d'Isletains ont répondu à l'appel de la mer, devenant capitaines, marins et bien sûr pêcheurs. Pas surprenant donc d'y trouver le Musée maritime du Québec.

Église Notre-Dame-de-Bonsecours★ – ✆ 418-247-5103 - ♿-🅿 - *24 juin-1er lun. sept. : lun.-sam. 9h-16h, dim. 11h30-16h.* Cet édifice religieux, construit en pierre des champs, fut érigé en 1768 puis agrandi en 1884, époque à laquelle on refit sa façade et ses deux clochers. Les niches de la façade contiennent les statues de saint François d'Assise *(à droite)* et saint Jean-Baptiste *(à gauche)*, œuvre d'Amable Charron qui réalisa également les corniches intérieures. L'église possède par ailleurs un maître-autel de François Baillairgé, un tabernacle de Noël Levasseur, six tableaux d'Antoine Plamondon et un chemin de Croix sculpté en 1945 par Médard Bourgault, originaire de Saint-Jean-Port-Joli.

Musée maritime du Québec – *200 m après l'église* - ✆ 418-247-5001 - www.mmq. qc.ca - ♿-🅿 - *de fin mai à fin juin et de déb. sept. à déb. oct. : 10h-17h ; de fin juin à déb. sept. : 9h-18h ; de déb. oct. à fin mai : lun.-vend. 10h-16h - 9 $.* Ce musée perpétue le souvenir du capitaine Bernier par l'appellation de son édifice principal (Pavillon J.E. Bernier). Le capitaine Joseph-Elzéar Bernier (1852-1934), navigateur originaire de L'Islet-sur-Mer, fut l'un des premiers explorateurs de l'Arctique.

Les trois salles d'expositions thématiques sont consacrées au patrimoine maritime du Saint-Laurent. On y verra notamment de magnifiques maquettes de navires, et des objets récupérés à la suite du naufrage de l'*Empress of Ireland* qui coula en 1914.

👥 Derrière le musée, le brise-glace *Ernest Lapointe*, construit en 1940 pour la flotte de la Garde-côtière canadienne, et l'hydroptère *Bras d'Or 400*, utilisé par la marine canadienne entre 1968 et 1972, sont également ouverts au public.

Vallée du Saint-Laurent

MAURICIE – CENTRE-DU-QUÉBEC – RÉGION DE QUÉBEC – CHAUDIÈRE-APPALACHES

À la hauteur de Trois-Rivières, la vallée du Saint-Laurent est une vaste plaine agricole. Elle devient plus étroite près de Québec où elle est délimitée au nord par les contreforts des Laurentides. Les rives du fleuve abritent de vieux villages, reliés les uns aux autres par d'agréables routes. En longeant le Saint-Laurent entre Trois-Rivières et Québec, sur sa rive nord pour revenir ensuite sur sa rive sud, vous suivrez en partie le chemin du Roy, première route carrossable du Québec et l'une des plus pittoresques, avec ses églises, ses moulins du 18e s. et ses belles maisons d'inspiration française. Vous apprécierez la majesté du fleuve et la sérénité de la vallée.

- ▶ **Se repérer** – La ville de Trois-Rivières, à mi-chemin entre Montréal (85 km) et Québec (80 km), sur la rive nord du Saint-Laurent, est desservie par les routes 138 et 40. Les itinéraires décrits ci-dessous couvrent la portion de la vallée du Saint-Laurent comprise entre Trois-Rivières et Québec, tant sur la rive nord que sur la rive sud.
- 👁 **À ne pas manquer** – Le vieux presbytère de Batiscan, le charmant village de Deschambault et le splendide Domaine Joly de Lotbinière.
- 🕐 **Organiser son temps** – Prévoir deux jours pour les deux itinéraires, le temps d'une longue fin de semaine.
- 🕯 **Pour poursuivre la visite** – Le Bas-Saint-Laurent et la côte de Charlevoix si vous voulez poursuivre votre découverte du Saint-Laurent.

Rive nord – de Trois-Rivières à Québec
130 km par les routes 138 et 40/440.

Trois-Rivières★★
Voir ce nom.
Repartez par la route 138.

Cap-de-la-Madeleine
6 km.
Cap-de-la-Madeleine se trouve à l'embouchure de la rivière Saint-Maurice, en face de la ville de Trois-Rivières dont elle fait dorénavant partie. La ville est surtout connue pour le sanctuaire de Notre-Dame-du-Cap, érigé en 1714 et devenu le troisième lieu de pèlerinage du Québec.

Sanctuaire Notre-Dame-du-Cap★★ – *Sur la rue Notre-Dame, à l'est de la ville. Suivez les panneaux indicateurs* - 📞 *819-374-2441* - *www.sanctuaire-ndc.ca* - ♿-🅿 - *de déb. mai à mi-oct. : 8h-21h (mi-août 22h) ; reste de l'année : 8h-17h.* Ce bel édifice octogonal fut conçu par l'architecte Adrien Dufresne. Commencé en 1955, il fut inauguré en 1964. La tour centrale s'élève à 78 m. Une statue en pierre de la Vierge (hauteur : 7 m) orne la façade. D'apparence plutôt massive, le monument révèle un élégant intérieur aux couleurs de la Vierge, bleu et or. Plus de 1 800 personnes peuvent s'asseoir sous la voûte, d'où la vue sur le maître-autel n'est obstruée par aucune colonne. Le magnifique **orgue Casavant**, construit à Saint-Hyacinthe (*voir ci-dessous*) en 1963-1965, comprend 75 registres et plus de 5 500 tuyaux. L'autel est fait de marbre d'origine italienne. L'intérieur de la basilique est renommé pour ses **superbes vitraux**, œuvre de **Jan Tillemans** (1915-1980). Ce dernier, père oblat d'origine hollandaise, les réalisa de 1956 à 1964 selon la tradition médiévale. Chacun comprend une rosace de près de 8 m de diamètre et cinq lancettes.

Petit sanctuaire et parc – Près de la basilique se trouve l'ancienne église (1717), devenue chapelle votive. Avec l'église de Saint-Pierre, sur l'île d'Orléans, ce petit monument fait partie des églises les plus anciennes du Québec. La statue miraculeuse se dresse au-dessus d'un autel de bois peint et doré. Une annexe moderne, ajoutée en 1973, incorpore quelques-unes des pierres transportées sur le pont de glace en 1879.

Le petit sanctuaire est situé dans un parc qui surplombe le fleuve. Dans la partie sud, on trouve un chemin de Croix menant à des répliques du Calvaire et du tombeau du Christ à Jérusalem. Une autre section représente les mystères du Rosaire, avec 15 statues de bronze venant de France (1906-1910).

Le petit lac et le **pont des Chapelets** commémorent le pont de glace de 1879 (*voir l'encadré sur les miracles de Cap-de-la-Madeleine*).

De l'autre côté du fleuve, sur la route de Batiscan, on aperçoit le parc industriel de Bécancour (*voir itinéraire* 2️).

Vieux presbytère de Batiscan★

24 km. À droite, avant d'arriver au village - 📞 *418-362-2051* - *www.mediat-muse.qc.ca* - ♿-🅿 - *de fin mai à fin sept. : 10h-17h - 3,50 $.* Un premier presbytère avait été construit ici par les jésuites en 1696. Pour obtenir la nomination d'un curé résident, les paroissiens remplacèrent en 1816 ce vétuste édifice par le bâtiment actuel, réutilisant pour la construction les matériaux d'origine. À l'intérieur, typique d'une maison rurale du début du 19e s., on peut voir des meubles d'époque provenant des collections du musée de la Civilisation à Québec.

Continuez jusqu'à Batiscan (2 km).

L'église de Batiscan (1866) se dresse au bord du Saint-Laurent. De là, on aperçoit, sur la rive opposée, les flèches de l'église de Saint-Pierre-les-Becquets. À la sortie du village, la route franchit la rivière Batiscan.

Au nord-est de Batiscan, à Saint-Narcisse, se trouve le **parc de la Rivière-Batiscan** (*depuis Batiscan, suivez la route 361 Nord sur 17 km et tournez à droite au chemin*

Les miracles de Cap-de-la-Madeleine

Vers le milieu du 17e s., des colons européens érigèrent sur ce site une première chapelle dédiée à Marie-Madeleine. En 1850, le père **Luc Désilets** prit en charge la paroisse et la développa, tant et si bien qu'en 1878, il fallut envisager une église plus grande. La pierre nécessaire à sa construction devant être extraite de la rive opposée du Saint-Laurent, Désilets entreprit de la faire transporter en utilisant un pont de glace. Malheureusement, le temps était, cette année-là, exceptionnellement doux, et le fleuve ne gela pas, ce qui amena le curé à faire le vœu de conserver l'église du 18e s., si un miracle permettait le transport de la pierre. Le 16 mars 1879, le temps se refroidit, et un pont de glace se forma assez longtemps pour que les paroissiens effectuent le transport de la pierre. Attribuant ce miracle à Notre-Dame du Rosaire, le père Désilets tint sa promesse et conserva l'ancienne église, y installant une statue de la Vierge offerte par un paroissien. Un second miracle se produisit lorsque le père Désilets consacra le sanctuaire, en juin 1888. La nuit de la consécration, la statue de Notre-Dame ouvrit les yeux en présence des trois hommes. Dans les années 1950, une nouvelle basilique fut édifiée. Aujourd'hui, des milliers de croyants effectuent chaque année le pèlerinage.

du Barrage. Allez jusqu'à l'extrémité du chemin du Barrage - 200 ch. du Barrage -
℘ 418-328-3599 - www.parcbatiscan.com). Le parc est situé à la rencontre de deux
formations géologiques. Les failles provoquées par cette rencontre ont créé un
relief à l'aspect spectaculaire. Parsemé de chutes, de rapides et de bassins, traversé
par la rivière Batiscan, ce parc régional propose toute une gamme d'activités
de plein air et d'activités éducatives sur l'environnement. Il abrite également
la centrale Saint-Narcisse, l'un des premiers grands ouvrages hydro-électriques
du Canada.

Sainte-Anne-de-la-Pérade

10 km depuis Batiscan.

Le village, établi sur les bords de la rivière Sainte-Anne, est réputé pour la pêche
d'hiver, dite « **pêche blanche** ». En janvier et en février, les **poulamons** ou « petits
poissons des chenaux », de la famille de la morue, quittent leurs eaux salées pour
venir évoluer en eau douce. C'est à cette époque que se constitue, sur la rivière gelée,
un « village » très animé dont les cabanes multicolores abritent des pêcheurs venus
d'un peu partout au Québec. La saison de pêche terminée, les cabanes sont remisées
au bord de l'eau.

Le musée du **Centre thématique du poulamon** (*℘ 418-325-2475 - www.
associationdespourvoyeurs.com - de fin déc. à mi-fév. : lun.-sam. 8h-22h, dim. 8h-19h;
reste de l'année : lun.-vend. 9h-16h - gratuit*) présente de manière ludique les différents
aspects de la pêche aux petits poissons des chenaux à Sainte-Anne-de-la-Pérade.
Un lieu intéressant pour les grands et les petits.

Avant de partir, remarquez l'église néogothique (1855-1859) de Sainte-Anne-de-la-
Pérade : elle a été construite sur le modèle de la basilique de Montréal.

Après **Grondines**, la route longe le Saint-Laurent. De l'autre côté du fleuve se
trouve Lotbinière. La première ligne de transport d'électricité sous-marine du
Québec passe par le tunnel construit sous le fleuve, entre Grondines et Lotbinière.
Les câbles représentent un maillon important dans la liaison de 1 487 km, entre

les sous-stations de Radisson (complexe La Grande), sur la baie James, et Sandy Pond, dans le Massachusetts.

Moulins de La Chevrotière

20 km. Après 15 km, tournez à gauche dans la rue de Chavigny - ☎ *418-286-6862 -* ♿ **P** *- du 24 juin à la fête du Travail : 10h-18h ; reste de l'année sur réservation - 3 \$*. Ces deux moulins occupent un très beau site au bord de la rivière de La Chevrotière. L'édifice le plus petit date de 1767. Le plus gros, coiffé d'un joli toit à lucarnes, fut bâti en 1802. On y découvrira toutes sortes d'expositions thématiques (environnement, histoire, peinture, sculpture, outils anciens, etc.).

Deschambault★

5 km. L'**église Saint-Joseph** (1837), qui domine la rivière, rappelle par son architecture la cathédrale anglicane de Québec. Ses deux clochers encadrent une statue de saint Joseph, attribuée à Louis Jobin (1845-1928). L'intérieur contient une nef bordée de deux larges galeries latérales. Œuvres d'une rare qualité, les statues placées dans le chœur sont dues à François et Thomas Baillairgé.

Derrière l'église, dans un charmant parc, se trouve le **vieux presbytère** (☎ *418-286-6891 - du 24 juin à la fête du Travail : 10h-18h - 3 \$).* Érigé en 1815, restauré depuis, il accueille pendant l'été diverses expositions, et on y organise des activités variées. Ancienne salle d'assemblée, la **salle des habitants** date de 1840.

Après Deschambault, la route fort agréable traverse Portneuf, puis **Cap-Santé**, dont l'église présente une jolie façade, semblable à celle de la cathédrale Notre-Dame-de-Québec. Du terrain de stationnement, derrière l'église, part le Vieux-Chemin qui longe le fleuve. Cette rue charmante faisait jadis partie du **chemin du Roy** ; elle est bordée de résidences du 18e s., d'inspiration française.

La route 138 franchit ensuite la rivière Jacques-Cartier et pénètre dans **Donnacona**. La **vue** embrasse le fleuve et les paysages du côté de Neuville.

Faites 28 km, puis prenez la route 365 vers le nord.

Pont-Rouge

Détour de 18 km aller-retour par la route 365. Ce joli village se trouve au bord de la rivière Jacques-Cartier qui s'écoule en cascades vers le Saint-Laurent. À côté du pont se dressent les quatre étages du **moulin Marcoux**, ancien moulin à farine datant de 1870. Restauré en 1974, il abrite désormais une galerie d'art, une salle d'exposition, une salle de spectacles, une boutique d'artisanat et un bistro *(ouv. juin-oct.).*
Rejoignez la route 138 et continuez sur 3 km.

Neuville

À 31 km de Deschambault. Tournez à gauche dans la rue des Érables. Anciennement nommée Pointe-aux-Trembles, la paroisse de Neuville fournit une pierre de taille de haute qualité qui fut utilisée sur les chantiers de Québec dès la fin du 17e s. De nombreux tailleurs de pierre et maîtres maçons, venus travailler dans les carrières des environs, s'établirent ici.

Rue des Érables – Le village possède un nombre impressionnant d'édifices en pierre. À première vue, les demeures de la rue des Érables – dont la maison Fiset *(no 679)* et la maison Pothier *(no 549)*, toutes deux bâties vers 1800 – semblent avoir été construites de plain-pied. Elles comptent en fait un ou deux étages, car leurs concepteurs ont su tirer parti du terrain qui descend en pente vers le fleuve. Érigé en 1835, le manoir seigneurial *(no 500)* est un bel exemple d'architecture québécoise.

Église Saint-François-de-Sales – L'église de Neuville a été construite en plusieurs étapes. Le chœur date de 1761, la nef de 1854 et la façade de 1915. Dans le sanctuaire se retrouve le baldaquin commandé par Mgr de Saint-Vallier en 1695 pour orner la chapelle de son palais épiscopal à Québec. L'évêque, à sa retraite, l'offrit à la paroisse de Neuville en 1717 en échange de blé pour les pauvres de la ville. Les quatre colonnes torsadées encadrent un tabernacle sculpté par François Baillairgé vers 1800. L'église contient aussi une vingtaine de tableaux d'**Antoine Plamondon** (1804-1895), natif de Neuville.

À l'approche de la banlieue industrielle de Québec, la route quitte les bords du Saint-Laurent et s'enfonce dans l'arrière-pays. On pourra emprunter la route 40 jusqu'à la sortie 302 pour faire un détour à **Cap-Rouge**, dont le pont de chemin de fer à chevalets (1906-1912) enjambe la rivière du même nom. C'est ici que Jacques Cartier et le sieur de Roberval tentèrent d'implanter la première colonie française en Amérique du Nord, Charlesbourg-Royal, en 1541.

Québec★★★

À 32 km à l'est de Neuville. Voir ce nom.

Rive Sud – de Québec à Trois-Rivières

[2] *137 km par la route 132.*
Franchissez le Saint-Laurent par le pont de Québec (route 175).

Pont de Québec★★

Ce pont est doté d'une travée de 549 m suspendue entre ses deux piliers principaux. Lors de sa construction, il s'agissait de l'ouvrage de type « cantilever » le plus long au monde. Le projet s'avéra un véritable cauchemar pour la compagnie de transport ferroviaire qui dirigeait les travaux : en 1907, le pont s'effondra et, en 1916, la travée centrale disparut dans le fleuve au moment de son installation. Ouvert à la circulation ferroviaire en 1917, le pont de Québec est accessible aux automobiles depuis 1929.

Tout à proximité se trouve le **pont Pierre-Laporte★**, qui fut inauguré en 1970. Il s'agit du pont suspendu le plus long du Canada (668 m).
Empruntez la première sortie pour rejoindre la route 132.

Saint-Nicolas

15 km. Tournez à droite dans la rue de l'Entente, en face du château d'eau. Construite en 1693, l'**église Saint-Nicolas** (&.- *lun.-jeu. 9h-12h et 13h30-16h30 - fermé juil.*) est dominée par un clocher dont la silhouette évoque une voilure. L'autel central, entouré de bancs, ressemble, visuellement et symboliquement, à la barre d'un navire. La lumière du jour pénètre dans l'église à la jonction du plafond suspendu et des murs, et se reflète sur le marbre et le bois de l'intérieur. À l'extérieur, le balcon offre un excellent **point de vue** sur le fleuve et sur les deux ponts qui conduisent à Québec.

Saint-Antoine-de-Tilly

15 km. Prenez à droite le chemin de Tilly. De l'église (1788), une petite route descend vers le Saint-Laurent et offre une vue qui embrasse le fleuve et Neuville, sur la rive opposée. Le vieux manoir de Tilly, érigé au début du 19e s., a été transformé en une charmante auberge de campagne.

La route traverse Sainte-Croix et permet de voir, sur l'autre rive, Donnacona et l'église de Cap-Santé.

Domaine Joly de Lotbinière

25 km. Quittez la route 132 et tournez à droite ; suivez les panneaux indicateurs pendant 3 km - 📞 *418-926-2462 - www.domainejoly.com -* ✕ *-* 🅿 *- de mi-mai à mi-oct. : 10h-17h - 13,50 $.* Ce charmant manoir, peint en blanc et doté d'un toit de bardeaux, est entouré de larges vérandas décorées par des frises de feuilles d'érable. Construit en 1840 par Julie-Christine Chartier de Lotbinière et son mari, Pierre Gustave Joly, il servit de résidence d'été. Il fut habité par leur fils, **Henry-Gustave Joly de Lotbinière** (1829-1908), Premier ministre du Québec (1878-1879), ministre du Revenu dans le cabinet de Sir Wilfrid Laurier (1896-1900) et lieutenant-gouverneur de la Colombie-Britannique (1900-1906).

Le manoir sert aujourd'hui de **centre d'interprétation** *(de mi-juin au 1er sept. : 11h-17h ; du 2 sept. à mi-oct. : sam.-dim. 11h-17h)* consacré à l'histoire de la seigneurie de Lotbinière et à son cadre naturel. Les jardins *(visite libre)* et les terres, d'où la vue s'étend jusqu'au fleuve, se prêtent au pique-nique et à d'agréables promenades.

Reprenez la route 132.

Lotbinière

À 9 km du manoir. De ce village au cœur d'une campagne paisible, on aperçoit Deschambault, de l'autre côté de la rivière.

Église Saint-Louis – La façade de cette ravissante église (1818) aux murs blancs domine une place bordée au nord par l'ancien couvent. À l'intérieur (1845 ; Thomas Baillairgé), le retable – en forme d'arc de triomphe – est surmonté de deux statues néoclassiques, la Foi et l'Espérance, elles aussi dues à Baillairgé.

Maison Chavigny de la Chevrotière – *7640 r. Marie-Victorin.* Cette demeure traditionnelle fut érigée en 1817 pour le notaire Ambroise Chavigny de la Chevrotière. Elle évoque, par sa haute toiture, le style du Régime français.

Leclercville

8 km. Le village, établi par les Acadiens, surplombe le confluent du Saint-Laurent et de la rivière du Chêne. L'église Sainte-Émmélie, toute en brique, fut érigée en 1863.

La route traverse Deschaillons et Saint-Pierre-les-Becquets.

De belles vues sur le fleuve s'offrent au regard. Sur la droite *(à 7 km de Leclercville)*, une plaque commémore l'énorme rocher (272 kg) qui aurait été placé là par Modeste Malhot (1763-1834). Ce « géant canadien » légendaire mesurait 2,24 m ; il naquit à Saint-Pierre-les-Becquets et mourut à Deschaillons.

La vallée s'élargit pour faire progressivement place à la plaine. On pénètre bientôt dans une région à la fois agricole et industrielle, marquée par la présence de la centrale nucléaire Gentilly-2, seule du genre au Québec.

Bâti en 1774, le **moulin Michel** *(675 bd Bécancour, à 35 km de Leclercville, sur la gauche -* 📞 *819-298-2882 - www.moulinmichel.qc.ca -* ✕ *-* ♿ *-* 🅿 *- du 24 juin à déb. sept. : 10h-17h ; de déb. sept. à la fête de l'Action de Grâce : sam.-dim. 10h-17h - 5 $)* donnera l'occasion de se replonger à l'époque de la Nouvelle-France tout en découvrant le savoir-faire ancestral du meunier. Depuis 1992, le moulin a repris du service, pour le plus grand plaisir du visiteur qui, à la période estivale, pourra déguster du pain de blé cuit sur place. Un petit chemin longe la colline avoisinante et mène à un belvédère d'où la **vue** embrasse le parc industriel de Bécancour et les usines de La Prade et Gentilly.

Bécancour

14 km. Cette municipalité résulte de la fusion, en 1965, de 11 villages et paroisses des environs. Aujourd'hui célèbre pour son parc industriel où se sont établies toutes sortes d'entreprises (usines d'aluminium et autres), elle correspondait autrefois à l'ancienne seigneurie de Pierre Le Gardeur de Repentigny.

Restez sur la route 132, puis prenez la route 30.

De la route, on aperçoit la basilique Notre-Dame de Cap-de-la-Madeleine ainsi que le port et les papeteries de Trois-Rivières.

Retournez à Trois-Rivières par la route 55 qui franchit le pont Laviolette (17 km).

Pont Laviolette★

Seul à relier les deux rives du Saint-Laurent entre Montréal et Québec, cet ouvrage aux courbes élégantes (longueur : 3 km) fut achevé en 1967.

Sept-Îles ★

DUPLESSIS
25 514 HABITANTS
SCHÉMA : CÔTE-NORD
WWW.VILLE.SEPT-ILES.QC.CA OU WWW.TOURISMECOTE-NORD.COM

Troisième port du Québec, après Montréal et Québec, cette ville de la Côte-Nord occupe un site de toute beauté au centre d'une vaste baie circulaire sur la rive nord du Saint-Laurent. Protégée à l'embouchure par les sept îles qui lui donnèrent son nom, la baie reste navigable en toutes saisons, ce qui permet à Sept-Îles de poursuivre à longueur d'année son activité industrielle.

- **Se repérer** – Sept-Îles se trouve à 640 km au nord-est de Québec par la route 138. Un traversier relie la ville à Rimouski, sur la rive sud du Saint-Laurent, et à Port-Menier, sur l'île d'Anticosti ; service assuré par **Relais Nordik Inc.** - avr.-déc. - réservations Sept-Îles ℘ *418-968-4707* - Rimouski ℘ *418-723-8787*. Sept-Îles possède aussi le plus grand aéroport de la Côte-Nord.

- **S'informer** – Maison du Tourisme - 1401 bd Laure Ouest - ℘ 418-962-1238 - www. ville.sept-iles.qc.ca.

- **À ne pas manquer** – Une excursion dans le parc de l'archipel des Sept-Îles.

- **Pour poursuivre la visite** – L'archipel de Mingan, l'île d'Anticosti, la Côte-Nord.

Comprendre

En 1535, Jacques Cartier avait découvert plusieurs îles rondes à l'entrée de la grande baie. Avant lui, au 15e s., Basques, Français et Espagnols étaient venus y chasser le phoque et la baleine, dont l'huile était alors fort demandée en Europe. Et bien avant eux, les Montagnais y chassaient déjà le caribou. En 1651, le père Jean Dequen fonda la mission de l'Ange-Gardien, et quelques années plus tard, le roi de France accepta l'implantation d'une série de postes de traite qui furent loués à des marchands français. Après la Conquête de la Nouvelle-France par les Anglais, ces postes furent confiés à des commerçants anglais. La Compagnie de la baie d'Hudson exerça son monopole sur la pêche, la chasse et la traite des fourrures jusqu'en 1859, puis la région fut ouverte à la colonisation. Au début du 20e s., l'industrie du papier domina les activités économiques. On construisit à Clarke-City, qui fait aujourd'hui partie de l'agglomération de Sept-Îles, un barrage hydro-électrique et une usine de pâte à papier qui ferma ses portes en 1967. Au cours de la seconde moitié du 20e s., la ville allait connaître un important essor industriel lié au transport du charbon et du minerai de fer. Son port naturel en eau profonde permet le transbordement du charbon.

Visiter

Parc du Vieux-Quai

Une promenade longe la magnifique baie de Sept-Îles. Les amateurs de fruits de mer pourront acheter et déguster crevettes et crabes, tout en marchant le long du quai. Dans les abris qui jalonnent la promenade, des artistes et artisans locaux exposent leurs œuvres.

Musée Shaputuan

290 bd des Montagnais - ℘ 418-962-4000 - www.museeshaputuan.org - lun.-jeu. 8h-16h30, vend. 9h-12h - 5 $.

Shaputuan signifie « la grande tente de rassemblement ». Ce musée consacré à la culture du peuple innu se veut à la fois un lieu de rassemblement, d'animation et de conservation de la culture des Innus. L'exposition permanente illustre leur cycle de vie traditionnel et la relation qu'ils entretiennent avec le temps, la terre et la vie.

Musée régional de la Côte-Nord

500 bd Laure - ℘ 418-968-2070 - www.mrcn.qc.ca - ♿-🅿- du 25 juin au 1er lun. sept. : 9h-17h ; reste de l'année : mar.-vend. 10h-12h et 13h-17h, sam.-dim. 13h-17h - fermé 23 déc.-6 janv. - 5 $.

Voué à la mise en valeur du patrimoine nord-côtier, ce musée d'art et d'histoire propose des expositions temporaires et une exposition permanente qui trace le portrait de la Côte-Nord, en évoquant les grandes étapes de son peuplement. Riche de pièces provenant des fouilles archéologiques réalisées sur la Côte-Nord, et d'objets amérindiens, le musée expose par ailleurs les œuvres d'artistes canadiens et étrangers.

Le Vieux-Poste

Bd des Montagnais - ☎ 418-968-2070 - www.mrcn.qc.ca - 🅿 *- 24 juin -15 août : 10h-18h -
3 $.* Reconstitué selon les plans de 1786, cet ensemble de bâtiments entourés d'une
palissade occupe un site chargé d'histoire. Témoin d'échanges entre Amérindiens et
colons français il y a plus de 300 ans, le site fut visité par Jacques Cartier, Louis Jolliet
et les marchands de la Compagnie de la baie d'Hudson. La visite permet de revivre
l'époque des pionniers en goûtant l'atmosphère d'un poste de traite d'antan et en
découvrant la richesse de la culture montagnaise.

Parc régional de l'Archipel des Sept-Îles★

Tour des îles – Des **excursions** en bateau croisière, en bateau-mouche ou en bateau
pneumatique offrent une excellente introduction à la région, à son histoire et à la
beauté naturelle de l'archipel des Sept-Îles auquel la ville doit son nom.

Le phare, qui signale l'entrée de la baie, se dresse sur l'**île du Corossol**. Celle-ci
abrite l'un des plus importants refuges d'oiseaux migrateurs au Canada. On y verra
notamment des goélands, des sternes et des macareux *(Croisières du Capitaine -
☎ 418-968-2173 et 418-965-6670 - Croisières du Petit Pingouin - ☎ 418-968-9558 et
418-962-4127 - www.geocities.com/gtocpp - départ du parc du Vieux-Quai).*

La Grande-Basque – Traversier : *Maison du tourisme de Sept-Îles - ☎ 418-962-1238 -
www.ville.sept-iles.qc.ca -* ⚠-♿-🅿 *- départ du parc du Vieux-Quai - de mi-juin à mi-
sept. : 9h-18h30. Aller simple 10-20 mn - réservations conseillées - 15 $, camping 7 $/jour
par tente - billets disponibles à la billetterie du parc du Vieux-Quai face à la marina.*

Cette île, la plus proche de la ville, est la seule qui ait été aménagée pour la randonnée
pédestre, le pique-nique et le camping. De nombreux sentiers serpentent au milieu
d'une nature aussi grandiose que variée : immenses remparts de pierre, falaises
impressionnantes et tourbière. Belles plages de sable blond sur la côte Ouest.

Excursion vers le Labrador

De Sept-Îles, vous pouvez rejoindre le Labrador par train. Vous vous arrêterez à Schefferville *(Transport ferroviaire Tshiuetin - 100 r. Retty - ☎ 418-962-5530 - départ une fois
par semaine jeu. matin - réservations souhaitées- durée du voyage : 12h. Le train traverse
le Bouclier canadien jusqu'aux abords de la toundra.*

Schefferville

Entourée de grands espaces naturels, la région de Schefferville, peu connue du Nord-
Est québécois, se prête au tourisme d'aventure : chasse au caribou, pêche, descentes
en canot et excursions en pleine nature. Les pourvoyeurs offrent un vaste choix de
terrains de chasse et lieux de pêche au nord et à l'est de Schefferville. Un réseau
routier permet l'accès à trois réserves amérindiennes : Kawawachikamach (Naskapis),
Matimekosh et Lac-John (Montagnais).

Matimekosh

Juste au nord du centre de Schefferville. Accès à pied ou en voiture par la route municipale.
Vers 1955, des Montagnais de Sept-Îles émigrèrent à Schefferville pour travailler
dans les mines. Ils s'installèrent au village de Lac-John, créé en 1960 sur les rives du
lac du même nom. Le village devint une réserve amérindienne. En 1972, la plupart
des familles de Lac-John partirent s'installer dans une nouvelle réserve au bord du
lac Pearce : Matimekosh. Un plan d'expansion prévoit d'agrandir Matimekosh en y
incorporant une partie de la ville même de Schefferville. Les Montagnais parlent
une langue algonquienne, et ont le français pour seconde langue. Ils proposent un
centre d'artisanat très actif.

Kawawachikamach

À 15 km au nord-est de Schefferville. Accès par une route non revêtue. Au milieu d'une
myriade de petits lacs, se trouve la réserve de Kawawachikamach, construite entre 1981
et 1984 pour héberger un groupe de **Naskapis**. Apparentés aux Cris et aux Montagnais, les Naskapis font, comme eux, partie de la famille linguistique algonquienne.
Peuple nomade, originaire de l'intérieur de la région de l'Ungava, ils vivaient surtout
de la chasse au caribou, dont ils suivaient la route de migration. Selon la Convention
du Nord-Est québécois, signée en 1978, les Naskapis ont abandonné leurs titres sur
les terres ancestrales et, en retour, ont obtenu des droits inaliénables sur certains
territoires et de nouveaux droits de pêche, de chasse et de trappe. Ayant choisi de
construire leur village sur les bords du lac Matemace, ils ont pu quitter la réserve de
Matimekosh, qu'ils partageaient jadis avec les Montagnais. Ils ont également participé
à la conception de leur village (d'ailleurs moderne), afin qu'il réponde à leurs besoins
et aux exigences du climat subarctique, l'un des plus rudes du Canada.

Sherbrooke★

CANTONS-DE-L'EST
147 427 HABITANTS
SCHÉMA : CANTONS DE L'EST
WWW.CANTONSDELEST.COM

Capitale industrielle et commerciale des Cantons de l'Est, Sherbrooke bénéficie d'une vie culturelle variée, renforcée par une présence universitaire active. Cette offre s'enrichit régulièrement, comme en témoigne l'ouverture du musée de la Nature et des Sciences en 2002. Mais Sherbrooke, c'est aussi la possibilité d'aller skier à la station du Mont-Bellevue sans presque quitter la ville, ou encore partir facilement découvrir les Cantons de l'Est en voiture ou à vélo.

- ▶ **Se repérer** – Sherbrooke se trouve à 150 km à l'est de Montréal par les routes 10 et 112.
- 🅿 **Se garer** – Le stationnement est interdit en ville pendant l'hiver *(nov.-avr.)* pour cause de déneigement. En été, l'heure coûte 1 $.
- 👁 **À ne pas manquer** – La gorge de la Magog.
- 🕐 **Organiser son temps** – Consacrez votre matinée aux berges du lac des Nations et réservez votre après-midi aux musées.
- 👪 **Avec les enfants** – Le parcours « Au fil des saisons » du musée de la Nature et des Sciences.
- 🕯 **Pour poursuivre la visite** – Voir aussi Magog et les Cantons de l'Est.

Comprendre

Une occupation ancienne – Les Abénaquis appelaient « grande fourche » le confluent des rivières Saint-François et Magog. C'est là, sur des versants abrupts, que s'installèrent vers 1800 les premiers colons, originaires du Vermont. Peu après, Gilbert Hyatt construisit un moulin à farine, et l'endroit devint Hyatt's Mills. En 1818, la population opta pour le nom de Sherbrooke en l'honneur de Sir John Coape Sherbrooke (1764-1830), alors gouverneur en chef de l'Amérique du Nord britannique.

Une capitale industrielle – Au cours du 19e s., Sherbrooke connut un remarquable essor industriel et devint le chef-lieu des Cantons de l'Est. Des scieries apparurent en bordure de la rivière Magog, bientôt suivies de filatures de coton et de laine. L'avènement du chemin de fer ne fit qu'accélérer le développement économique de la ville dont la population, autrefois anglophone, compte aujourd'hui plus de 94 % de francophones.

Se promener

Partez de l'office de tourisme.

Lac des Nations

🚶 Alimenté par la rivière Magog, il a récemment été aménagé de manière à offrir un vaste espace vert aux habitants. Un sentier de 3,5 km en fait le tour. Piétons, cyclistes et rollers se le partagent, en se ménageant des pauses aux aires de repos prévues à cet effet. En hiver, la ville entretient 1,3 km de sentier glacé pour les patineurs.

Rivière Magog

🚶 Un chemin de planches longe la gorge de la rivière Magog depuis le pont voisin de l'office de tourisme. En été, la promenade est particulièrement rafraîchissante. Elle passe en face de la centrale Frontenac *(changez de rive pour la visiter)*.

Centrale Frontenac – *Accès rue Frontenac -* 📞 *819-821-5757 - www.ville.sherbrooke. qc.ca - fin juil.-août : mar.-dim. 10h-17h - 4 $ (7-12 ans 1,50 $), billet combiné avec la visite de la gorge 6 $.* Il s'agit de la plus ancienne installation hydro-électrique encore en activité au Québec.

Le sentier mène au belvédère Koatek, qui a vue sur la gorge. Poursuivez jusqu'à rejoindre la rue Cliff. Remontez-la. Une fois parvenu à la rue Bank, tournez à droite, elle vous conduira à la rue Dufferin.

Centre d'interprétation de l'histoire de Sherbrooke

275 r. Dufferin - 📞 *819-821-5406 - www.ville.sherbrooke.qc.ca - été : mar.-vend. 9h-17h, w.-end 10h-17h ; reste de l'année : mar.-vend. 9h-12h, 13h-17h, w.-end 13h-17h - 6 $ (7-12 ans 2 $).*

La Société d'histoire de Sherbrooke occupe un bâtiment voisin du musée des Beaux-Arts. Elle y présente une exposition permanente sur l'histoire de la ville, depuis

Les kayakistes et les baleines se partagent le Saint-Laurent (Tadoussac).

La basilique de Sainte-Anne-de-Beaupré (Côte de Beaupré).

L'île des Moulins (Lanaudière).

Plage de Tadoussac.

l'époque amérindienne jusqu'à la fusion avec les municipalités environnantes, dont Lennoxville, en 2002. Bornes interactives.

Une exposition temporaire régulièrement renouvelée (le thé, les crèches de Noël, les ponts couverts ou l'automobile dans les Cantons de l'Est…) occupe l'étage.

Circuit dans le Vieux-Nord – Il est possible de louer un audioguide à l'accueil *(10 $)* pour suivre un itinéraire pédestre et patrimonial dans le quartier voisin du Vieux-Nord *(voir ci-après)*. L'occasion de découvrir les plus anciennes demeures de la ville.

Musée des Beaux-Arts de Sherbrooke

241 r. Dufferin - 🖉 *819-821-2115 - www.mbas.qc.ca -* ⅋- 🅿 *- juil.-août : 10h-17h ; reste de l'année : mar.-dim. 12h-17h - fermé 25-26 déc. et 1ᵉʳ-2 janv. - 7,50 $ (enf. 5 $).*

Un bâtiment historique du centre-ville accueille une intéressante collection d'art québécois (particulièrement des Cantons de l'Est). Ses réserves abritent près de 4 000 œuvres, et seule une petite partie est exposée au public, par roulement, et selon certains thèmes, tels que les paysages de la région vus au travers des œuvres de Frederick Simpson Coburn, connu pour ses tableaux d'hiver, d'Allan Edson ou encore de Marc-Aurèle Fortin. Le musée organise également une dizaine d'expositions temporaires d'artistes locaux chaque année, ainsi que de nombreuses activités didactiques.

Passez sur la rive opposée.

Hôtel de ville

145 r. Wellington. Accès interdit au public.

Construit entre 1904 et 1906 pour loger le palais de justice, l'imposant édifice, occupé par l'hôtel de ville depuis 1988, est de style Second Empire. Il domine le parc Strathcona. L'architecte Elzéar Charest a réutilisé ici les plans qu'il avait proposés lors du concours devant aboutir à la construction de l'hôtel de ville de Québec, en 1890.

Longez le bâtiment par la gauche et suivez la rue Frontenac.

Musée de la Nature et des Sciences★

225 r. Frontenac - 🖉 *819-564-3200 - www.mnes.qc.ca - du 24 juin à la fête du Travail : 10h-17h ; reste de l'année : merc.-dim. 10h-17h - fermé 25 déc. et 1ᵉʳ janv. - 7,50 $ (4-17 ans 4 $).*

Dépositaire d'environ 65 000 objets et spécimens en sciences naturelles, le musée les met en valeur au travers d'expositions permanentes ou temporaires. La plus populaire et la plus pérenne d'entre elles s'intitule « **Au fil des saisons★★** ». Il s'agit de découvrir la faune et la flore du sud du Québec en suivant un parcours joliment mis en scène. Au son du ruisseau, les animaux naturalisés (alouettes, orignaux, loups, belettes…) se succèdent, de la saison des amours au froid hivernal, avec pour chaque étape des tableaux interactifs permettant de reconnaître le chant des oiseaux ou la douceur des fourrures, des livres expliquant la construction des barrages par les castors, la vie nocturne, etc.

Autre exposition à connaître un franc succès : « Votre incroyable cerveau. » Un film interactif *(20mn)* fait entrer le public dans le cerveau d'une adolescente afin d'en illustrer le fonctionnement et les interconnexions nerveuses lorsqu'elle est confrontée à certaines situations. À terme, un film sur la rivière de Magog devrait lui succéder.

Revenez sur vos pas et remontez la rue Marquette à droite.

Le Ski-Doo

Petit garçon, **Joseph-Armand Bombardier** (1907-1964) rêvait déjà de fabriquer un véhicule adapté à la conduite sur neige. Après avoir fait un apprentissage de mécanicien, le jeune homme s'établit dans un garage voisin de la ferme paternelle, passant tous ses moments libres à la fabrication de prototypes. En 1937, il reçut son premier brevet d'invention pour son autoneige, véhicule à plusieurs places monté sur chenilles. En 1959, après avoir poursuivi ses travaux de recherche et développé plusieurs modèles de véhicules tous terrains, le brillant inventeur introduisit sur le marché son premier **Ski-Doo**. Véritablement révolutionnaire, ce produit allait non seulement transformer la vie des habitants des régions nordiques, mais lancer un nouveau sport. Aujourd'hui, Bombardier Produits Récréatifs fabrique toujours des motoneiges à **Valcourt**, et le nom de Bombardier continu d'être associé au domaine des transports terrestres et aériens.

Basilique-cathédrale Saint-Michel★

130 r. de la Cathédrale, à l'angle de la rue Marquette - ℘ *819-563-9934 - www.diosher. org - fermé 12h-14h.*

La masse imposante de cette cathédrale de style néogothique se dresse sur une colline (le plateau Marquette) au centre de Sherbrooke. Consacré en 1958, l'édifice fut construit par Louis-Napoléon Audet, architecte de la basilique de Sainte-Anne-de-Beaupré. Le grand vitrail de la façade contient un Christ crucifié (hauteur : 3 m) dû à l'artiste montréalais Cassini.

À l'intérieur, spacieux et clair, les voûtes se dressent à plus de 20 m. Les immenses vitraux, œuvre de Raphaël Lardeur et Gérard Brassard, illustrent des scènes de la Bible. À gauche de l'autel, on admire une impressionnante statue de la Vierge sculptée dans le chêne par Sylvia Daoust, artiste du 20e s.

Chapelle des Fondateurs – *À gauche, derrière le maître-autel.* La chapelle, ajoutée en 1980, est dominée par un panneau mural en émail sur cuivre, œuvre de Patricio Rivera, représentant les cinq membres fondateurs de l'Église catholique au Canada : Marie de l'Incarnation, Marguerite d'Youville, Mgr de Laval, Kateri Tekakwitha et Marguerite Bourgeoys. *Poursuivez sur la rue de la Cathédrale.*

Monument aux morts

Rue King Ouest, entre les rues Gordon et Brooks.

Œuvre du sculpteur George W. Hills, cet imposant monument se dresse au milieu de la rue King. Il fut érigé en 1926, à la mémoire des citoyens de Sherbrooke morts durant la Première Guerre mondiale. Ce point central offre une belle **vue** sur la ville et la rivière Saint-François.

Le Vieux-Nord

Le secteur au nord de la rivière Magog comprend quelques-unes des plus anciennes Industries de Sherbrooke. Ses rues sont bordées de demeures entourées de splendides jardins. On y verra d'élégantes maisons coloniales, mais aussi des maisons victoriennes illustrant les styles alors en vogue (styles italianisant, « château », Queen Anne, néogothique).

Domaine Howard

1300 bd Portland. Bâtiments fermés au public.

De superbes jardins à la française servent de cadre à la propriété du sénateur Charles Benjamin Howard (1885-1964), homme d'affaires et ancien maire de Sherbrooke. Howard fit construire un premier édifice en 1917, puis un second, quelques années plus tard, à l'intention de sa mère.

Les bâtiments abritaient autrefois les bureaux de la Société d'histoire de Sherbrooke *(logée depuis 1992 au centre d'interprétation de l'histoire de Sherbrooke, au 275 rue Dufferin).* Ils servent aujourd'hui de locaux administratifs à la Société de développement économique de la région sherbrookoise.

Excursions

Rocher Mena'Sen

À 1,5 km au nord de la ville. De la rue King Est, prenez à gauche la rue Bowen, puis encore à gauche le bd Saint-François Nord.

Une croix lumineuse se dresse sur une petite île de la rivière Saint-François, à l'emplacement d'un grand pin solitaire (*mena'sen* en abénaki) détruit par une tempête en 1913. Deux légendes se rattachent à cet arbre. Selon la première, le pin commémorerait une victoire des Abénaquis sur les Iroquois. Selon la seconde, il aurait été planté par l'amant d'une Amérindienne qui périt ici même, alors que les deux jeunes gens, en fuite, s'efforçaient de gagner Odanak.

Sanctuaire de Beauvoir

À 8 km au nord de la ville par le boulevard Saint-François Nord et le chemin Beauvoir - ℘ *819-569-2535 - www.sanctuairedebeauvoir.qc.ca -* ✕ *(été) -* ♿ *-* ◻ *- 8h-18h.*

En 1915, l'abbé Joseph-Arthur Laporte installa une statue du Christ dans les collines qui dominent, à 360 m, la rivière Saint-François. Une simple chapelle de pierre fut érigée en 1920. Aujourd'hui, de nombreux pèlerins viennent y rechercher paix et tranquillité. L'endroit offre une **vue★** magnifique sur Sherbrooke et ses environs.

Dans les bois derrière la chapelle et l'église plus récente (1945) se dresse la *Marche évangélique,* ensemble de huit **sculptures★** de pierre représentant des épisodes de la vie du Christ. Elles sont l'œuvre du sculpteur Joseph Guardo. Pendant l'été, la messe est célébrée dans une chapelle extérieure, qui peut accueillir 1 600 pèlerins.

Valcourt

42 km à l'est. Sortez de Sherbrooke, en direction de Drummondville. Rejoignez la 222.
Jusque dans les années 1930, Valcourt était un tout petit village agricole. Mais depuis l'invention de la motoneige par l'un de ses habitants, la localité est devenue célèbre et abrite une florissante entreprise d'envergure internationale, Bombardier Produits Récréatifs.

Musée J.-Armand-Bombardier★ – *1001 av. J.-A.-Bombardier - empruntez la rue Saint-Joseph. Tournez à droite dans le boulevard du Parc, puis à gauche dans l'avenue J.-A.-Bombardier. Suivez les panneaux indicateurs -* ℰ *450-532-5300 - www.museebombardier. com -* ♿-🅿 *- de déb. mai à la fête du Travail : 10h-17h ; reste de l'année : mar.-dim. 10h-17h - fermé 1ᵉʳ-2 janv. et 24-26 et 31 déc. - 7 $ (- 5 ans gratuit).*
Ce musée est un superbe hommage au fils illustre de Valcourt *(voir l'encadré ci-avant).* L'**exposition J. Armand Bombardier** et le **garage Bombardier** évoquent la vie et l'œuvre de l'inventeur.

L'**exposition internationale sur la motoneige** retrace le développement commercial de ce véhicule de 1960 à nos jours, et explique l'usage que l'on en fait dans les différentes parties du monde. Une salle est par ailleurs consacrée à des expositions temporaires axées sur les sciences et la technologie.

Centre culturel Yvonne-L. Bombardier – *1002 av. J.-A.-Bombardier -* ℰ *450-532-3033 - www.centreculturelbombardier.com -* ♿-🅿 *- lun.-sam. 10h-17h (nocturne merc. 20h30).* Soutenu par la fondation J.-Armand-Bombardier, le centre culturel Yvonne- L. Bombardier regroupe une bibliothèque et un centre d'exposition.

Sherbrooke pratique

Adresses utiles

Office de tourisme de Sherbrooke – *785 r. King Ouest -* ℰ *819-821-1919 ou 1-800-561-8331 - www.tourismesherbrooke. com.*

Visites

🖐 **Le chemin des fresques** – Ce circuit relie sept peintures murales dispersées à travers le Vieux-Sherbrooke. Chacune aborde une époque historique. *Document à l'office de tourisme.*

Tour guidé patrimonial et théâtral – Des personnages du 19ᵉ s. guident le visiteur pendant 2h30 dans Sherbrooke. *Départ du centre d'interprétation de l'histoire -* ℰ *819-820-1000 - www. tracesetsouvenances.com - de mi-juil. à fin août : w.-end 10h.*

Train touristique – Les deux voitures-restaurant de l'Orford Express relient Sherbrooke à Magog en 3h30 AR. *Départ du marché de la Gare -* ℰ *1-866-575-8081 (gratuit) - www.letrain.ca - mai-oct. : 2-3 départs par jour, se renseigner - 45 $ (enf. 35 $), avec repas à partir de 61 $ (enf. 51 $) selon l'horaire.*

Transports

Terminus de Sherbrooke – *80 r. du Dépôt -* ℰ *819-562-8899.* Les autocars Jordez (www.autocarsjordez.com) ou Limocar (www.limocar.ca) assurent les liaisons avec Montréal, Québec, Trois-Rivières et certaines villes des Cantons de l'Est.

Se loger

😊😊 **À l'Aurore boréale** – *74 bd Queen Victoria -* ℰ *819-573-0720 - www.giteet*

aubergedupassant.com/aboreale - 3 ch. 83/97 $ (TTC). Dans cette jolie maison centenaire, chaque chambre (salle de bain privée, TV, wi-fi) affiche une décoration thématique simple et colorée. Maud y a veillé. De son côté, Martin, chef cuisinier, mitonne devant les hôtes un petit-déjeuner toujours soigné et équilibré (légumes, œufs, desserts). L'accueil est chaleureux. Spa extérieur.

😊😊 **Marquis de Montcalm** – *797 r. Général-de-Montcalm -* ℰ *819-823-7773 - www.marquisdemontcalm.com - 4 ch. 119 $.* En lisière du Vieux-Nord, le quartier résidentiel historique de Sherbrooke, une maison ancienne entièrement restaurée dont les chambres cossues portent des noms très parisiens (d'Orsay, Place des Vosges, Jardin du Luxembourg…). Le petit-déjeuner en trois temps enchaîne les assiettes délicieusement garnies. Accueil et service charmants.

Se restaurer

😊 **Café Bla-Bla** – *2 r. Wellington Sud -* ℰ *819-565-1366 - lun.-merc. 11h-23h, jeu.-dim. 11h-1h - fermé 24 déc.* Depuis plus de 30 ans, on vient dans cette institution prendre une bière en toute simplicité, se régaler d'un bagel, d'un menu du jour *(potage et plat, 8,75 $)* ou bien d'un hamburger *(11,75 $).* Le soir, après le dernier service *(21h-22h),* on peut encore grignoter en buvant un verre grâce aux nachos ou aux « pique-assiettes ». Wi-fi.

😊😊 **Le bouchon** – *107 r. Frontenac -* ℰ *819-566-0876 - lebouchon.ca - lun.-vend. 11h30-14h30, 17h30-21h - fermé sam. midi, dim., et 23 déc.-7 janv. - table d'hôte (4 services) 28-45 $ en soirée.* Décor un brin design et ambiance chaleureuse accompagnent ici des classiques revisités. La betterave se marie à l'orange sanguine, le tartare se présente en trilogie le soir (bœuf, canard, thon) et les ravioles sont fourrées aux dattes et à la noix. Côté vin, Maude, la sommelière, soigne la sélection (env. 100 crus). Un bon rapport qualité-prix *(déjeuner 12-18 $)*. Vin au verre.

Faire une pause

La Brûlerie de Café – *180 r. Wellington Nord -* ☎ *819-820-1223 - 8h-23h, w.-end 9h-23h - fermé 25 déc. et 1er janv.* Voilà le repaire des étudiants de Sherbrooke. Il ne s'agit pas de faire la fête mais de réviser ses cours en buvant un thé à la menthe *(2,50 $)* ou en mangeant un panini *(4,95 $)*. L'ambiance est presque studieuse, surtout dans la deuxième salle aux murs de briques et aux sièges de cuir. Mezzanine avec ordinateurs et accès gratuit au Net contre consommation.

Que rapporter

Marché de la gare – *Rue Minto - lac des Nations - dim.-jeu. 10h-18h, vend.-sam. 9h-18h.* Six commerces animent cette ancienne gare reconvertie en marché couvert : un chocolatier, un café, un marchand de primeurs, un fromager *(voir ci-après)*, un boucher et un marchand de saucisses (porc, sanglier, autruche, etc.). À la belle saison, une vingtaine de producteurs locaux (érable, fromages, fruits et légumes) les rejoignent.

Fromagerie de la Gare – *710 r. Minto -* ☎ *819-566-4273.* Cet étal du marché de la Gare propose pas moins de 130 références de fromages québécois. Selon les saisons, on en trouve au lait cru de brebis comme l'Étoile bleue ou la tomme du Kamouraska ; au lait cru de vache tels le 14 arpents, du Saguenay, ou le Gré des champs, produit à St-Jean-sur-Richelieu.

Événement

La fête du lac des Nations – *Mi-juil. -* ☎ *819-569-5888 - www.fetedulacdes nations.com.* Pendant cinq jours, le lac est au centre d'animations diurnes (artisans, concerts, feux, etc.).

Tadoussac★★

MANICOUAGAN
850 HABITANTS
SCHÉMA : FJORD DU SAGUENAY
WWW.TADOUSSAC.COM OU WWW.TOURISMECOTE-NORD.COM

Porte d'entrée de la Côte-Nord, la petite ville de Tadoussac est devenue la capitale québécoise de l'observation des baleines. Les visiteurs viennent de plus en plus nombreux admirer les mammifères marins qui fréquentent pendant quelques mois les eaux de l'embouchure du Saguenay, riches en plancton, et les croisières « baleines garanties » se mulplient, au risque de déranger ces géants des mers. Mais Tadoussac a bien d'autres attraits. Elle occupe un merveilleux site de dunes et de falaises, au confluent du fjord du Saguenay et du Saint-Laurent. Sa baie fait ainsi partie des plus belles baies du monde. Son nom vient du montagnais *tatoushak* (monticules), qui évoque les deux vallons boisés et rocheux qui entourent l'ouest du village.

- **Se repérer** – Tadoussac se trouve à environ 216 km au nord-est de la ville de Québec par les routes 40 et 138. Un traversier la relie à Baie-Ste-Catherine (*voir Côte de Charlevoix*).
- **Se garer** – Tadoussac se visite aisément à pied. Garez votre voiture dans le stationnement du parc national du Saguenay, à proximité du quai du traversier.
- **À ne pas manquer** – Une croisière dans le fjord et bien sûr une croisière d'observation des baleines.
- **Organiser son temps** – Au mois de juin : le Festival de la chanson. Les mois de septembre et d'octobre sont une belle période d'observation : les baleines sont généralement nombreuses et très actives.
- **Pour poursuivre la visite** – Baie-Ste-Catherine, Côte-Nord, fjord du Saguenay.

Comprendre

Bien avant que Jacques Cartier n'y jette l'ancre en 1535, l'endroit était déjà un lieu d'échanges. En 1600, Pierre Chauvin y érigea le premier poste de traite de fourrures du Canada. Peu après, les jésuites y établirent une mission. En 1603, dès son premier voyage, Champlain s'arrêta à Tadoussac, qui devint un port de relâche fréquenté par tous les vaisseaux venus d'outre-Atlantique.

Prise en 1628 par les frères Kirke, aventuriers britanniques, Tadoussac retourna bientôt aux mains des Français, et fut un comptoir de fourrures jusqu'en 1839. Au 19e s., une population permanente s'y établit, et un moulin à scie y fut construit. L'avènement du bateau à vapeur, en 1853, allait favoriser le développement du tourisme dans la région. En 1866, la Tadoussac Hotel and sea Beathing Co. construit le premier Grand Hôtel au toit rouge qui devait faire sa réputation de lieu de villégiature. Pendant plus d'un siècle, Tadoussac sera un des hauts lieux du tourisme en Amérique du Nord. Depuis, cet engouement ne s'est pas démenti.

Observer les baleines

Nombreuses, les excursions se font dans divers types de bateaux. Lequel choisir ? Petit pour une sortie sportive ou gros et sécuritaire ? Assurez-vous surtout que la compagnie et ses capitaines respectent le code d'éthique relatif à l'observation des baleines (zone d'approche délimitée). Renseignez-vous aussi sur le service d'interprétation à bord. S'il est assuré par un naturaliste, c'est mieux ! L'observation des baleines peut aussi se faire depuis la côte (voir encadré ci-contre et parc national du Saguenay).

Croisières d'observation des baleines★★

Croisières AML – ☏ 800-563-4643 - www.croisieresaml.com - départ de la marina - AR 3 h - de déb. juin à mi-sept. : 9h45, 13h et 15h30 (haute saison) ; reste de l'année : téléphonez pour connaître les horaires - commentaire à bord - réservations requises - 59 $ (6-16 ans 27 $).

Croisières Dufour – ☏ 888-463-5250 ou 418-692-0220 - www.dufour.ca - ♿ - départ de la marina - AR 3 h - deux embarcations : un monocoque de 400 places (le Famille Dufour) et un zodiaque de 48 places - juin-sept. : 9h, 9h30, 13h, 13h30, 16h et 16h30 - commentaire à bord - réservations conseillées - 59 /37 $ (enf. entre 8 ans – âge minimum requis – et 16 ans). Également Croisières 2001 (voir ci-après Croisières panoramiques sur le fjord du Saguenay), la compagnie propose des croisières aux baleines.

Les mammifères marins

Chaque année en **juin**, des baleines remontent le Saint-Laurent jusqu'à l'embouchure du Saguenay. Cet endroit, où se mêlent les eaux salées du fleuve et les eaux douces du Saguenay, favorise la prolifération d'une flore et d'une faune extrêmement variées. Les petits poissons se nourrissent de plancton, fort abondant dans ces eaux, et servent à leur tour de nourriture aux baleines qui en consomment plusieurs tonnes par jour. Parmi la douzaine d'espèces les plus couramment observées, notez le **petit rorqual**, le **rorqual commun** et le **béluga** (ou baleine blanche). On peut aussi voir, de temps à autre, le **rorqual à bosse** et, plus rarement, le gigantesque **rorqual bleu** dont les dimensions en font le plus grand mammifère du monde. La moitié de ces espèces sont inscrites sur la liste des espèces en péril du Canada.

👁 Autres lieux d'observation des baleines : Baie Sainte-Catherine (♿ *Côte de Charlevoix*) ; Grandes-Bergeronnes, les Escoumins et Longue-Pointe de Mingan (♿ *Côte Nord*).

Les bateaux conduisent les observateurs au milieu du fleuve qui, à cet endroit, atteint 10 km de large. C'est ici, loin des côtes, que les baleines viennent plonger en quête de nourriture et faire surface pour respirer. On peut les repérer au puissant jet d'eau qui émane de leur évent.

Un phare de 15 m de haut, visible à près de 50 km, marque l'entrée du Saguenay. Les marées s'engouffrent dans le fjord et en ressortent à une vitesse étonnante.

Centre d'interprétation des mammifères marins

108 r. de la Cale-Sèche, près du quai - ☎ *418-235-4701 - www.gremm.org -* ♿*-* 🅿 *- de mi-juin à fin sept. : 9h-20h ; de mi-mai à mi-juin et de fin sept. à mi-oct. : 12h-17h - 8 $.*

👥 Des squelettes de baleines, un film (dont les images sont à couper le souffle !), des consoles interactives et des animateurs : tout est mis en œuvre pour vous faire connaître les mammifères marins. Une bonne introduction aux croisières d'observation. Le centre est géré par le parc marin du Saguenay – Saint-Laurent (*voir plus bas*).

Visiter

Chapelle des Indiens

169 r. du Bord-de-l'Eau - ☎ *418-235-4324 -* ♿*-* 🅿 *- de mi-juin à mi-oct. : 9h-21h - 2 $.* La plus vieille chapelle de bois du Canada fut érigée en 1747 par le missionnaire jésuite Claude-Godefroy Cocquart. Elle renferme une belle collection d'objets religieux.

🚶 Une promenade, aménagée au bord du fleuve, relie la vieille chapelle des Indiens au poste de traite de Chauvin, dominée par l'Hôtel Tadoussac (*voir le carnet pratique*) coiffé d'un long toit rouge.

Poste de traite Chauvin

157, r. du Bord-de-l'Eau - ☎ *418-235-4657 -* ♿*-* 🅿 *- de déb. juil. à déb. sept. : 9h-20h ; juin et de déb. sept. à mi-oct. : 9h-18h - 3 $.* Cette structure en billes équarries, coiffée d'un toit pentu, est une reconstitution du poste de traite érigé par Pierre Chauvin en 1600. Diverses expositions retracent l'histoire du commerce de la pelleterie entre Montagnais et Français et présentent les différentes espèces d'animaux à fourrure de la région.

Station piscicole de Tadoussac

115 r. du Bateau-Passeur - ☎ *418-235-4569 -* 🅿 *- de mi-mai à déb. sept. : 10h-18h - 3,75 $.* Ce complexe est consacré au maintien des populations de saumons dans les rivières du Québec. À la station même, on procède à la fécondation et à l'incubation des œufs, et on élève les alevins. Le visiteur aura ici l'occasion d'étudier la biologie et l'habitat du saumon, de découvrir les différentes techniques piscicoles et d'observer des saumons adultes dans les bassins d'élevage.

Les dunes de Tadoussac

Route 138 ou 172. À 4-5 km à l'est de Tadoussac par la rue des Pionniers qui devient le chemin du Moulin-à-Baude ; la Maison des Dunes est située à l'extrémité de celui-ci, au 750 chemin du Moulin-à-Baude.

Logé dans une maison de pierre (1915), le **centre de découverte de la Maison des Dunes** (☎ *418-235-4238 -* ♿*-* 🅿 *- de mi-mai à mi-juin : sam.-dim. ; de mi-juin à déb. oct. : 9h30-13h30*) fournit des explications sur la formation de ces belles terrasses marines de 30 m de haut, en bordure du Saint-Laurent. D'août à octobre, on y observera de nombreux rapaces et passereaux. Le centre sert également d'accueil et de centre d'information pour le secteur de la Baie-de-Tadoussac du **parc national du Saguenay**. Le droit d'accès au parc se retire ici *(voir ci-dessous)*.

Parc national du Saguenay★★

℘ *418-272-1556 ou 800-665-6527 - www.sepaq.com -* ⛺ *-* ✗ *-* 🅿 *- de fin juin au 1er lun. sept. : 8h-20h ; reste de sept.-oct. et avr.-mi-juin : 8h30-16h - 3,50 $.* En 1983, le parc du Saguenay fut créé afin de protéger les rives du fjord. D'une superficie de quelque 300 km², il s'étire de La Baie *(voir Saguenay)* à Tadoussac sur une centaine de kilomètres.

🐾 Le secteur de la Baie-de-Tadoussac propose plusieurs sentiers de courtes randonnées, parmi lesquels le sentier de la **pointe de l'Islet** qui renferme la baie de Tadoussac. Ce dernier mène à un **site d'observation terrestre des mammifères marins** *(départ au bout du quai fédéral de Tadoussac, 30mn)*. Et encore : sentier de la Colline-de-l'Anse-à-l'Eau *(départ au parc de stationnement du parc, route 138 à la sortie du traversier, 45mn)*.

Parc marin du Saguenay-Saint-Laurent

℘ *418-235-4703 - www.parc.marin.qc.ca.* La confluence entre l'estuaire du Saint-Laurent, le plus grand estuaire au monde, et le fjord du Saguenay engendre des phénomènes océanographiques exceptionnels, qui favorisent la diversité biologique. Créé en 1998, le parc marin a pour mission de protéger cette diversité et de faire découvrir l'héritage culturel issu de ce patrimoine naturel. L'être humain a en effet rapidement tiré profit de ces ressources marines. Des traces matérielles remontant à 8 000 ans en témoignent *(voir l'encadré sur le parc marin dans « Côte-Nord »)*.

La **maison du tourisme** *(voir carnet pratique)* de Tadoussac est l'un des carrefours d'accueil du parc. Elle vous donnera tous les renseignements utiles sur les activités proposées.

Aux alentours

Baie Sainte-Catherine★

Voir Côte de Charlevoix.

Traversier pour Baie Sainte-Catherine – *Société des traversiers du Québec -* ℘ *1-877-787-7483 - www.traversiers.gouv.qc.ca -* ♿ *- départ du quai de l'Anse-au-Portage - Aller simple 10mn - gratuit.* En service toute l'année, ce traversier constitue l'unique moyen de franchir l'embouchure du Saguenay pour les véhicules qui empruntent la route 138. Le voyage ne peut qu'impressionner, avec le fjord profond du Saguenay à droite et les eaux majestueuses du Saint-Laurent à gauche. Durant cette courte traversée, on aperçoit parfois des baleines ou autres mammifères marins.

Fjord du Saguenay★★★

Voir ce nom.

Croisières panoramiques sur le fjord du Saguenay★★ – *Croisière 2001 - 318 r. des Forgerons, Tadoussac -* ℘ *418-235-3333 et 1800-694-5489 (sans frais) - www. croisieres2001.com - de juil. à la fête du Travail 3 départs par jour : 9h15, 12h30, 15h45 ; mai, juin, sept. et oct. 2 départs par jour : 9h15 et 12h30 - 57 $ (22 $ enfant).* Pour mieux découvrir le fjord du Saguenay, ancienne vallée glaciaire profonde et large, flanquée de hautes parois rocheuses, une croisière s'impose. Diverses promenades en bateau vers l'anse de Roche et la baie Trinité-cap Éternité sont proposées *(voir également Fjord du Saguenay, et Côte du Bas-Saint-Laurent - Baie-Sainte-Catherine)*.

Tadoussac pratique

S'informer

Maison du tourisme – *197 r. des Pionniers -* ℘ *418-235-4744 ou 866-235-4744 - www.tadoussac.com.*

Se loger

⊜⊜⊜⊜ **Hôtel Tadoussac** – *165 r. du Bord-de-l'Eau -* ℘ *418-235-4421 ou 800-561-0718 - www.hoteltadoussac.com -* ✗ *-* ♿

🅿 ✗ 🕭 *- 149 ch. - 87/188 $.* Coiffé de son toit rouge rendu célèbre par le film *Hotel New-Hampshire*, l'hôtel Tadoussac transporte ses visiteurs dans le passé. Ses grandes pelouses s'étirent presque jusqu'au bord de l'eau et servent de centre d'activités de plein air. On y trouve notamment un bowling ainsi que des chaises longues idéales pour se détendre et profiter d'une belle journée d'été. La plupart des chambres, décorées avec simplicité, donnent sur le Saint-Laurent.

Trois-Rivières★★

126 323 HABITANTS
MAURICIE – BOIS-FRANC – SCHÉMA : TROIS-RIVIÈRES
WWW.TOURISMEMAURICIE.COM ET WWW.TOURISMETROISRIVIERES.COM

La capitale de la Mauricie s'élève sur la rive nord du Saint-Laurent, au confluent de la rivière Saint-Maurice. Deux îles émergent de cet affluent, à son embouchure avec le fleuve : les trois bras ainsi formés ont donné à la ville son nom imagé. Si Trois-Rivières vit encore de l'industrie papetière, dont elle a été la capitale mondiale, elle propose aujourd'hui toutes sortes de manifestations d'envergure parmi lesquelles le Festival international de la poésie ou des Biennales d'art et d'estampes contemporains. Ce dynamisme culturel en fait une étape idéale avant de partir à la découverte de la région.

- **Se repérer** – La ville de Trois-Rivières se trouve à peu près à mi-chemin entre Montréal (142 km) et Québec (130 km). Elle est connectée aux routes 40 (sortie centre-ville) et 138. Le **pont Laviolette** (1967), seul pont entre Montréal et Québec, la relie à la rive sud du Saint-Laurent. Suspendu à 46 m au-dessus du fleuve, il fait 3 km de long.

- **Se garer** – Le stationnement en ville dure au maximum 3h (à raison de 1 $/heure). Des parkings se trouvent au niveau du parc Champlain, près de la Maison de la Culture ou encore en bord de fleuve, contre le parc portuaire.

- **À ne pas manquer** – La visite de la prison et du musée de Culture populaire.

- **Organiser son temps** – On peut faire le tour des musées de la ville et profiter aussi des berges du Saint-Laurent en un week-end. Les excursions au Cap-de-la-Madeleine, à la Pointe-du-Lac ou aux Forges-Saint-Maurice impliquent de prolonger le séjour d'un jour ou deux.

- **Avec les enfants** – Le centre d'exposition sur l'industrie des pâtes et papiers, le musée québécois de Culture populaire, la vieille prison, l'île St-Quentin.

- **Pour poursuivre la visite** – Voir aussi la vallée du Saint-Laurent, la Mauricie et le lieu historique national du Canada des Forges-du-Saint-Maurice.

Comprendre

Première colonisation – En 1634, Samuel de Champlain chargea Nicolas Goupil, sieur de Laviolette (1604-v. 1660), d'établir en ces lieux un poste de traite des fourrures. Trois-Rivières devint ainsi la colonie la plus ancienne de la Nouvelle-France, après la ville de Québec. Laviolette choisit pour son fort un emplacement surélevé, dit le Platon, au-dessus du Saint-Laurent. Le transport des fourrures se faisait alors par la rivière Saint-Maurice et, à partir de 1737, par le chemin du Roy reliant la colonie à Québec.

À l'apogée de la Nouvelle-France, plusieurs grands explorateurs vécurent à Trois-Rivières, notamment Jean Nicolet et Nicolas Perrot. Les conquêtes conjointes de **Pierre Radisson** et du **sieur des Groseilliers** aboutirent à la fondation de la Compagnie de la baie d'Hudson en 1670, et le célèbre **sieur de la Vérendrye** fut le premier Européen à atteindre les montagnes Rocheuses.

La capitale du papier – Au cours des années 1850, des scieries s'établirent à Trois-Rivières, marquant ainsi les débuts de l'exploitation des ressources forestières de la vallée de la Saint-Maurice. On y construisit un port pour l'exportation du bois, et, plus tard, des installations hydro-électriques. Avec le perfectionnement des techniques de fabrication du papier à partir de fibres de bois, une grande industrie de pâte à papier et de papier vit le jour. En 1936, l'installation de silos à grains et d'usines de textile favorisa la croissance de la ville. Dès les années 1930, Trois-Rivières fut consacrée capitale mondiale de production du papier journal, titre qu'elle détient encore. En 2008, deux grandes usines de papier y étaient toujours en activité.

Avec ses cinq hangars et ses quinze réservoirs, sans compter les silos à grains, le port constitue un autre atout économique pour Trois-Rivières. 2,5 millions de tonnes transitent en moyenne chaque année par ses treize quais, accessibles toute l'année.

La capitale de la poésie – La cité industrielle bénéficie par ailleurs d'un rayonnement culturel certain. Depuis 1969, elle abrite le campus de l'**Université du Québec à Trois-Rivières** (UQTR), connu notamment pour son département de chiropratique, la formation des sages-femmes et pour son institut de recherche sur l'hydrogène. Pour le plus grand nombre, la ville a aussi beaucoup étoffé son calendrier festif (voir le carnet pratique), avec notamment un événement phare qui lui vaut aujourd'hui son nouveau titre : le Festival international de la poésie.

Une ville tournée vers le développement – Enfin, soucieuse d'améliorer la qualité de vie de ses citoyens et de ses visiteurs, l'ancienne ville papetière gère au plus près son développement en favorisant dorénavant l'environnement, comme en témoigne la réhabilitation réussie de l'île Saint-Quentin *(voir l'encadré ci-contre)*. Le projet d'un aménagement des berges du Saint-Laurent (piste cyclable, promenade riveraine, centre de foires…) devrait ajouter un nouvel attrait à une liste déjà bien remplie.

Se promener

Parcours : 2,9 km.

En 1908, un incendie détruisit et endommagea le cœur de la ville. Les quelques constructions anciennes qui subsistent ont été soigneusement restaurées.

Commencez la promenade au manoir Boucher de Niverville.

Manoir Boucher de Niverville★

168 r. Bonaventure. Accessible pendant les heures d'ouverture de la Chambre de commerce : lun.-vend. 8h30-12h, 13h30-16h30.

Ce manoir en pierre blanchie à la chaux et aux volets rouges fut construit vers 1729 par François Châtelain. Son gendre, Claude-Joseph Boucher, sieur de Niverville, donna son nom au manoir lorsqu'il en hérita en 1761. Restauré en 1971, il abrite aujourd'hui la Chambre de commerce du district de Trois-Rivières.

Dressée sur le terrain du manoir, la **statue(1)** de Maurice Duplessis (1890-1959) rappelle que ce Premier ministre du Québec (de 1936 à 1939 et de 1944 à 1959), né à Trois-Rivières, habita à quelques pas du manoir *(240 rue Bonaventure)* et fit ses études au séminaire de Trois-Rivières.

Traversez la rue Bonaventure, et marchez en direction du sud.

La renaissance d'une île

L'histoire raconte que Jacques Cartier planta une croix, le 7 octobre 1535, sur une île du St-Laurent : l'île St-Quentin. Territoire agricole jusque dans les années 1930, elle devient ensuite un site de plein air très prisé. Mais la pollution bactériologique liée à la drave sur la rivière Saint-Maurice affecte la qualité des eaux, au point que la baignade est interdite au début des années 1970. L'île sert alors de dépôt à des déchets solides. La Corporation du développement du parc de l'île St-Quentin, créée en 1982, décide sa dépollution et organise son réaménagement depuis maintenant plus de vingt ans.

Le Flambeau
Place Pierre-Boucher.

L'étonnant obélisque au centre de la place Pierre-Boucher fut érigé pour célébrer le 325e anniversaire de la ville. Boucher, sieur de Grosbois (1622-1717), fut gouverneur de Trois-Rivières en 1654, lorsque la communauté fut attaquée et presque entièrement détruite par les Iroquois. Plus tard, il fonda Boucherville.

Continuez vers le sud puis tournez à gauche dans la rue des Ursulines.

Les plus anciennes constructions de la ville à avoir échappé à l'incendie de 1908 se trouvent dans la charmante **rue des Ursulines★**.

Manoir de Tonnancour★
864 r. des Ursulines - ☏ 819-374-2355 - www.galeriedartduparc.qc.ca - de mi-janv. à mi-déc. : mar.-vend. 10h-12h, 13h30-17h, w.-end 13h-17h - gratuit (visite guidée sur réservation 2 $).

René Godefroy de Tonnancour, seigneur de Pointe-du-Lac, fit bâtir cette résidence en 1725. Le juge Pierre-Louis Deschenaux la fit reconstruire en 1795 à la suite d'un incendie. Le manoir servit tour à tour de caserne d'officiers, de presbytère et d'école. L'édifice est remarquable par son toit mansardé, assez particulier, dont le style dénote l'influence des loyalistes. Ses fondations et ses murs sont d'origine, et sont visibles sur demande, comme le grenier et sa charpente d'inspiration française.

Le bâtiment, restauré dans les années 1970, héberge aujourd'hui une galerie d'art contemporain. Elle organise une dizaine d'expositions par an en invitant des artistes tels que Valérie Guimond (2006), Marylise Goulet ou Roberto Rodriguez (2008). Le bâtiment accueille également, au même titre que d'autres sites de Trois-Rivières, la Biennale internationale d'estampes contemporaines ou la Biennale nationale de sculpture contemporaine.

Face au manoir se trouve la **place d'Armes**. Avant 1800, elle servait aux Algonquins qui y campaient lorsqu'ils venaient au fort vendre leurs fourrures. Réservée à des fins militaires de 1751 à 1815, la place est aujourd'hui un joli parc. Un canon de bronze coulé en Russie en 1828 commémore la guerre de Crimée (1853-1856).

Église anglicane Saint-James
787 r. des Ursulines - ☏ 819-378-2071 visite guidée (1h) sur RV uniquement.

Les récollets (religieux franciscains réformés) entreprirent ici la construction d'un monastère et d'une chapelle en 1693. L'ensemble fut complété en 1742. Ajoutée en 1754, l'aile adjacente est aujourd'hui intégrée à la structure. Après la Conquête, le complexe fut utilisé comme hôpital, comme palais de justice et même comme prison. Il devint un lieu de culte anglican en 1823.

En face de la chapelle, la **maison de Gannes (A)** (*n° 834*), construite en 1756 par un officier français, est la dernière construction d'inspiration française du vieux quartier. Au n° 802, notez aussi la **maison Hertel de la Fresnière (B)**, achevée en 1829.

Monastère des ursulines★
784 r. des Ursulines.

Véritable joyau du vieux quartier, ce monastère se distingue par son dôme gracieux et son grand cadran solaire mural. En 1639, des ursulines venues de Tours (France) arrivèrent au Québec, mais ne furent convoquées à Trois-Rivières qu'en 1697. Le premier monastère, achevé en 1700, fut agrandi d'une chapelle en 1714 et reconstruit après un incendie en 1752. Un second incendie ravagea les lieux en 1806, mais le style des bâtiments du Régime français fut préservé lors de la reconstruction. De 1835 à 1960, six nouveaux bâtiments furent construits. Plusieurs dizaines d'ursulines y vivent encore. Sur le cadran solaire (1860) est inscrit : Dies Sicut Umbra (les jours s'enfuient comme des ombres).

Musée des Ursulines (M[1]) - *734 r. des Ursulines - ☏ 819-375-7922 - www.musee-ursulines. qc.ca - mars-avr. : mer.-dim. 13h-17h ; mai-oct. : mar.-dim. 10h-17h ; reste de l'année sur RV - 3,50 $.* Le musée possède de belles collections (environ 15 000 pièces de céramique, orfèvrerie, livres, gravures, mobilier et arts décoratifs) qu'il met chaque année en valeur à travers des expositions thématiques. Une maquette représente le monastère tel qu'il était au 19e s. Pendant le Festival de la poésie, à l'automne, des expositions d'art temporaires sont organisées dans le réfectoire.

Chapelle★ – *Accès par le musée.* La chapelle est surmontée d'un superbe dôme (1897), œuvre des architectes Joseph et Georges Héroux. Luigi Capello y exécuta les fresques et François Normand, l'autel (début 19e s.) au-dessus duquel se trouvent des tableaux peints en 1840 par les artistes canadiens français Antoine Plamondon (*à gauche*) et Joseph Légaré (*à droite*). L'orgue date de 1840.

Traversez le Jardin des ursulines en face du monastère.

À la sortie est du parc Portuaire se trouve un **monument (2)** dédié à Pierre Gaultier de Varennes, **sieur de la Vérendrye**.

Parc Portuaire★

Cette agréable terrasse offre de belles **vues** sur le Saint-Laurent. Elle faisait jadis partie du domaine du maire Joseph-Édouard Turcotte qui en fit don à la ville en 1857 afin qu'elle soit transformée en espace public.

Centre d'exposition sur l'industrie des pâtes et papiers (C)

800 parc Portuaire. Entrez par la terrasse supérieure ou descendez les escaliers vers l'entrée principale du parc Portuaire - ☎ 819-372-4633 - www.ceipp.net - juin-sept. : 10h-18h - 4,50 $ (6-18 ans 3,50 $).

Le centre offre un aperçu de l'industrie qui donna à Trois-Rivières son titre de capitale mondiale du papier. Un parcours jalonné de maquettes, de photographies, de vidéos et d'objets mis en scène aborde tous les aspects du secteur, depuis les côtés techniques jusqu'aux volets sociaux (quartier ouvrier, clubs sportifs, vie à l'usine), en passant par le travail des bûcherons et des draveurs. On suit l'évolution de cette économie jusqu'à l'industrie forestière d'aujourd'hui.

La visite s'achève sur un petit quizz « recyclage » et par un atelier de fabrication du papier.

Continuez dans le parc Portuaire en direction de l'ouest.

Le Platon

Ce fut sur ce plateau, qui s'élevait autrefois à 35 m au-dessus du fleuve, que le sieur de Laviolette construisit son fort en 1634. Le nom de ce dernier est une déformation de « peloton ». En 1934, le **buste (3)** de Laviolette et une plaque y furent placés à l'occasion des fêtes du tricentenaire de Trois-Rivières.

Croisière panoramique★

Embarcadère au bout de la rue des Forges - ☎ 819-375-3000 - www.croisieres.qc.ca. - ✗ - Navire M/V Le Draveur Inc. - 1h30 AR avec commentaire à bord - de mi-juin au 1er lun. sept. : tlj un départ entre 13h-20h ; mai, début juin et reste de sept. : w.-end seulement - réservations requises - 22,15 $.

Cette croisière offre une **vue** sans pareille sur le port de Trois-Rivières et l'estuaire de la Saint-Maurice, avec l'île Saint-Quentin et les fumées de l'usine à papier. Elle permet également de voir le sanctuaire de Cap-de-la-Madeleine et l'imposant pont Laviolette.

La famille Harvey organise aussi des croisières à la journée ou encore en soirée sur le *M/S Jacques Cartier*.

Rue des Forges

Restaurants et boutiques bordent cette rue animée où se mêlent l'atmosphère du vieux port et celle d'une ville universitaire pleine de vie.

De la rue des Forges, tournez à droite entre l'hôtel de ville et le centre culturel, puis montez l'escalier jusqu'au parc Champlain.

Parc Champlain

Les structures de béton ultramodernes de l'**hôtel de ville** et du **centre culturel** encadrent ce square agrémenté de fontaines et d'arbres. Le centre abrite un théâtre, une bibliothèque et une galerie d'art. Construit en 1967 pour fêter le centenaire de la Confédération canadienne, cet ensemble est célèbre pour sa conception architecturale. Dans le square, on remarquera un **monument (4)** dédié à **Benjamin Sulte** (1841-1923), historien renommé du Canada français.

Cathédrale de Trois-Rivières★

362 r. Bonaventure, au bord du parc Champlain - ☎ 819-374-2409 - lun.-vend. 9h-11h30, 13h30-17h30, sam. 9h-11h, 13h30-17h15, dim. 9h30-12h, 14h-18h.

Cette cathédrale, dotée d'un clocher recouvert de cuivre, est d'inspiration gothique. Conçue par Victor Bourgeau, elle fut consacrée en 1858, mais, faute de fonds, ne se para de son clocher qu'en 1905. L'intérieur possède des **vitraux** richement colorés, dus à Guido Nincheri. Réalisés entre 1935 et 1954, ils illustrent les « litanies de Lorette » de la Vierge Marie.

À côté de la cathédrale se dresse une statue de Louis-François Laflèche, évêque de Trois-Rivières de 1870 à 1898.

Prenez le boulevard Royale. Tournez à gauche dans la rue Laviolette, et continuez sur 400 m.

Séminaire de Trois-Rivières

858 r. Laviolette.

Fondé en 1860, le séminaire Saint-Joseph fut reconstruit après avoir subi les ravages du feu en 1929. La longue structure de pierre à chaux est coiffée d'un dôme massif

L'église Saint-Christophe (Victoriaville).

Moulin La Pierre (Victoriaville).

Le monastère des ursulines (Trois-Rivières).

La forêt enchantée (Ville-Marie).

en cuivre, au-dessus de l'entrée qui, elle, est dotée de colonnes et d'une statue de saint Joseph. Épargnée par l'incendie, la chapelle *(derrière le bureau de réception)*, de style roman, est ouverte aux visiteurs. On y expose une collection d'objets religieux et des œuvres de l'artiste Jordi Bonet (1932-1979).

Le **musée Pierre-Boucher (M²)**, situé dans les galeries autour de l'entrée, présente des expositions sur le patrimoine historique, ethnographique et artistique de la région. On y verra des œuvres d'Antoine Plamondon, Roy-Audy, Berczy, mais aussi d'Ozias Leduc, Suzor-Côté, Rodolphe Duguay, Gaston Petit et Raymond Lasnier - *℘ 819-376-4459 - www.ssj.qc.ca - mar.-dim. 13h30-16h30, 19h-21h - gratuit.*

Redescendez la rue Laviolette vers la rue Hart.

L'ancien **palais de justice** se dresse à l'angle des rues Laviolette et Hart. Construit selon les plans de François Baillairgé en 1823, l'édifice fut agrandi et en partie restauré en 1913.

Continuez sur la rue Hart.

Musée québécois de Culture populaire★ (M³)

200, r. Laviolette, à l'angle des rues Hart et Laviolette - ℘ 819-372-0406 - www. culturepop.qc.ca - ✗-♿ - de mi-juin au 1ᵉʳ lun. sept. : 10h-18h ; reste de l'année : mar.-dim. 10h-17h - fermé 24-25 et 31 déc., 1ᵉʳ-2 janv. - billet combiné musée + vieille prison 12 $, billet simple 8 $ (5-17 ans 8 $ ou 5 $).

L'ancien musée des Arts et Traditions populaires, inauguré en 1996 et rebaptisé en 2003, propose dorénavant des **expositions permanentes et temporaires** destinées à faire découvrir au visiteur la culture québécoise d'hier et d'aujourd'hui. Les plus courtes durent six mois, les plus longues deux ans. Ce rythme permet d'exploiter au mieux la riche collection ethnologique qui se compose de près de 80 000 objets (outils, mobilier, textiles, jouets, etc.). Elle illustre non seulement l'art populaire québécois, mais aussi les coutumes et les mœurs de la province, les métiers traditionnels, les travaux agricoles, la vie domestique. Le musée possède également une riche collection d'archéologie amérindienne et de préhistoire européenne, soit un total de quelque 20 000 objets. Il est possible de visiter la **réserve** afin de comprendre comment l'on conserve et référencie ces précieuses collections.

👥 Le musée veille toujours à concevoir au moins une exposition pour les enfants, avec un parcours ponctué d'expériences ludiques.

Vieille prison★

Mêmes adresse et horaires que pour le musée québécois de Culture populaire. Reliée au musée par un passage couvert.

👥 Œuvre de François Baillairgé, cette imposante structure de pierre fut construite entre 1819 et 1822, et constitue le plus bel exemple de style palladien au Québec. Son plan massif, son élévation à trois étages, son portail sobre et le large fronton qui domine la façade centrale révèlent une certaine influence britannique. La toiture est surmontée de neuf souches de cheminées dénotant la recherche d'un certain confort pour les prisonniers. L'édifice cessa de fonctionner en tant qu'établissement pénitentiaire en 1986, pour cause d'insalubrité et de mauvais traitements. Son intérieur abrite aujourd'hui un centre d'interprétation de la vie carcérale. Transformées en salles d'exposition, 20 cellules présentent la vie quotidienne des détenus à travers différents thèmes : discipline, hygiène, contacts avec l'extérieur, travail, etc. La visite guidée est assurée par d'anciens détenus, qui transmettent ainsi leur expérience et font le lien avec le monde carcéral d'aujourd'hui.

Aux alentours

Île-Saint-Quentin

Trois-Rivières. Accès par le bus 2 (en été) ou en voiture (2,50 $), dir. Québec par la route 138 - ℘ 819-373-8151 - www.ile-st-quentin.com - de fin déc. à fin mars : 11h-16h30, w.-end 9h-16h30 ; mai-oct. : 9h-22h ; reste de l'année : accès libre et gratuit - 4 $ (2-12 ans 1,50 $).

👁 Les habitants de Trois-Rivières profitent toute l'année des 46 ha de l'île. Une passerelle d'interprétation de 750 m mène à la pointe nord-ouest de l'île, à travers une érablière argentée et des marécages *(période de crues, avr.-mai)* dont les eaux sont particulièrement recherchées par les brochets. Dans les arbres : le pic flamboyant, des mésanges, l'oriole du Nord… 🚶 4 km de sentiers et une piste cyclable de 3,5 km sillonnent aussi l'île. En hiver, ils se transforment en itinéraires de ski de fond ou en patinoire. L'été, la plage, les terrains de volley et de pétanque, ainsi que les jeux pour enfants, assurent une affluence constante.

Pointe-du-Lac★

À environ 20 km à l'ouest de Trois-Rivières par la route 138, au bord du lac Saint-Pierre.
En 1721, René Godefroy de Tonnancour fit construire sur la rivière Saint-Charles un **moulin seigneurial★**. Reconstruit entre 1765 et 1784, ce moulin à farine devint le sixième plus productif du Québec. On y moulut le grain jusqu'en 1965. Quant à sa scierie, elle fonctionna jusqu'en 1986. Restauré en 1978, le bâtiment abrite désormais deux expositions : l'une sur la farine (on peut encore voir le mécanisme des meules en fonte et en bois) et l'autre sur la scierie ajoutée dans les années 1940. Les machines sont encore en place et en état de marche. Le grenier accueille des expositions temporaires (robes-spectacles, peintures, armes). *819-377-1396 - www.mediat-muse.qc.ca - de fin mai à fin sept. : 10h-17h - 3,50 $.*

Tout près se trouve l'église Notre-Dame-de-la-Visitation (1882), reconnaissable à son petit clocher.

Louiseville

36 km à l'ouest de Trois-Rivières, 21 km de Pointe-du-Lac.
Église Saint-Antoine-de-Padoue - *Sur la route 138 - 819-228-2739 - & - P - 24 juin-2 sept. : 10h-16h30 ; reste de l'année sur réservation.* Cette imposante église surmontée de deux clochers fut construite en 1926. L'intérieur est décoré de fresques et de mosaïques. Le marbre beige des murs et des colonnes offre un contraste frappant avec les couleurs plus vives (rose et bleu) du marbre couvrant l'abside. De part et d'autre de l'autel principal se trouvent de très belles fresques : à gauche la *Nativité* de père Antonio Cianci, et à droite, l'*Annonciation* d'Olga Storaci Caron.

Parc des chutes Sainte-Ursule★

Depuis Louiseville, 11 km au nord-ouest par la route 348 ouest et le chemin des Chutes - 819-228-3555 - www.chutes-ste-ursule.com - ✗ - P - 9h-20h - 7 $. Au point de rencontre du bouclier laurentien et des basses terres du Saint-Laurent, la rivière Maskinongé subit une dénivellation de 270 m. En 1663, un tremblement de terre changea le cours de la rivière qui creusa cette belle gorge dans le gneiss et le granit rose. Des sentiers d'interprétation suivent la rivière et mènent au site d'une ancienne pulperie du 19e s. dont il ne reste plus que les fondations. Un pont suspendu permet d'admirer les chutes sur une hauteur de 45 pieds. Des chalets tout confort situés en plein cœur de la nature sont ouverts à la location.

Saint-Paulin

21 km au nord de Louiseville, par la 349.
Seigneurie Volant - Auberge Le Baluchon – *3550 chemin des Trembles - 819-268-2555 ou 1-800-789-5968 (sans frais) - www.baluchon.com - ✗ - P -* Visitez la Seigneurie Volant : le manoir, la forge, le moulin, la chapelle et la cabane à sucre construits pour le tournage de la célèbre série télévisée *Marguerite Volant*, une fresque historique évoquant les aventures de la Seigneurie Volant dans la Nouvelle-France du 18e s. Différentes activités sont proposées : promenade à cheval ou ski de randonnée, spa, VTT, kayak, ou en hiver, glissade, ski de fond, traîneau à chiens, sans oublier les dégustations de bières élaborées à partir d'anciennes recettes. Le restaurant soigne particulièrement sa cuisine. Une adresse idéale pour une journée clés en main.

Cap-de-la-Madeleine

Voir Vallée du Saint-Laurent.

Lieu historique national du Canada des Forges-du-Saint-Maurice★★

Voir Mauricie.

Trois-Rivières pratique

Adresse utile

Office de tourisme de Trois-Rivières – *1457 r. Notre-Dame Centre - ℘ 819-375-1122 - www.tourismetroisrivieres.com.*

Sites Internet – *www.V3R.net ; www.tourismemauricie.com.*

Visiter

👣 Des itinéraires ont été conçus pour parcourir Trois-Rivières selon trois thématiques : le patrimoine, la poésie (300 extraits de poèmes jalonnent les rues) et un rallye ludique à faire en famille. Brochures disponibles à l'office de tourisme.

Tour de peur – *Départ terrasse arrière du 1465 r. Notre-Dame Centre - juil.-déb. août : 20h30 - achat de billet à l'OT 10 $.* 1h30 de promenade nocturne à travers Trois-Rivières, pour chercher quelqu'un, quelque chose, tout en apprenant l'histoire de la ville sous un autre angle.

👁 **Carte-Musée** – Elle donne accès gratuitement à tous les musées de la ville, ainsi qu'à une place de stationnement (1 jour). En bonus, un bon valable de 5 $ à faire valoir chez les commerçants. *20 $ TTC.*

Se loger

😊😊 **Le Fleurvil** – *635 r. des Ursulines - ℘ 819-372-5195 - www.fleurvil.qc.ca - 10 ch. 80/125 $.* À deux pas du musée des Ursulines, cette maison d'hôte propose des chambres bien tenues, avec ou sans salle de bains privée. Belle vue sur le fleuve depuis le jardin, à l'arrière. Piscine pour se rafraîchir en été.

😊😊 **Le Manoir de Blois** – *197 r. Bonaventure- www.manoirdeblois.com - ℘ 819-373-1090 ou 1-800-397-5184 (gratuit) - 5 ch. 89,95/109 $.* Une maison centenaire, miraculeusement épargnée par l'incendie de 1907, des chambres confortables et soignées portant le nom d'hommes illustres, des meubles de famille un peu chinés : tout a été étudié pour recréer dans cette maison d'hôte une atmosphère d'époque. Même le petit-déjeuner, gastronomique, affiche un style soigné.

😊😊😊 **L'auberge du lac Saint-Pierre** – *10911 r. Notre-Dame Ouest (secteur Pointe-du-Lac) - C.P. 4010, succ. A - ℘ 819-377-5971 ou 1-888-377-5971 (gratuit) - www.aubergelacst-pierre.com - 30 ch. 120/196 $ - 🍽 15 $.* Le principal atout de cet hôtel excentré réside moins dans ses chambres confortables au décor suranné, que dans sa situation en bordure du lac Saint-Pierre. N'hésitez pas à demander la vue sur le Saint-Laurent. Si rien n'est disponible, vous pourrez toujours admirer le fleuve en vous promenant sur le domaine ou dans la forêt toute proche. Piscine, tennis. Sauna.

Se restaurer

😊 **Chez Danny** – *195 r. De La Sablière - après 6 km dir. Montréal par la route 138, tournez à droite sur Grande Allée, au bout, prenez à droite le chemin Ste-Marguerite, 1 km après, la deuxième à gauche - ℘ 819-370-4769 ou 1-800-407-4769 (gratuit) - www.cabanechezdany.com - mars-oct. : midi et soir ; nov.-fév. : sur réservation - menu sem. 14 $, w.-end 16,50/18,50 $.* Cette grande cabane à sucre est l'affaire des frères Néron. L'un s'affaire aux fourneaux, l'autre, Dany, en salle. Avec son équipe, il assure l'ambiance tout en veillant à ce que les assiettes ne manquent jamais de fèves au lard, d'oreilles de crisse (lard frit), de betteraves marinées, de pâté à la viande ou de crêpes au sirop d'érable. En saison, on savoure la tire sur neige à l'extérieur. Un régal ! Visite guidée de la sucrerie.

😊 **Le Sacristain** – *300 r. Bonaventure - ℘ 819-694-1344 - lun.-vend. 8h-18h - menu du jour 10,25 $.* Pour rappeler l'ancienne fonction religieuse des lieux, la décoration joue la carte de la sobriété et du verre coloré, à l'image des savoureux sandwiches et des salades croquantes servis avec le sourire. Tout est fait maison, les gâteaux aux dattes compris. À savourer avec un bon café !

😊😊 **L'essentiel** – *10 r. des Forges - ℘ 819-693-6393 - www.restaurantlessentiel.ca - table d'hôte à partir de 20 $.* Tons boisés et fer forgé caractérisent le décor feutré de ce restaurant aménagé sur trois niveaux. Dans l'assiette, des classiques (escalope de poulet, magret de canard) et des plats du terroir actualisés comme la caille farcie aux canneberges ou le médaillon de wapiti poêlé aux champignons sauvages.

Événements

Festival « Danse encore » – *Juin - ℘ 819-376-2769 - www.festival-encore.com.* Pendant une semaine, des spectacles de danse animent les scènes et les rues de Trois-Rivières.

Biennale nationale de sculpture contemporaine – *Rens. galerie d'art du Parc ℘ 819-691-0829.* De la mi-juin à la fin de l'été, plusieurs centres d'exposition de Trois-Rivières accueillent les œuvres d'artistes qui ont travaillé sur un thème donné. Prochaine édition prévue en 2010.

Biennale d'estampes contemporaines – *De mi-juin à fin août - ℘ 1-819-370-1117 (gratuit).* Plus d'une cinquantaine d'artistes de tous les continents.

Festival international de la poésie – *Oct. - ℘ 819-379-9813 - www.fiptr.com.* Ce festival réunit chaque année, pour une dizaine de jours, amateurs et professionnels de la poésie. Les poètes rencontrent leur public, les visiteurs s'initient au travers des ateliers…

Val-d'Or ★

ABITIBI-TÉMISCAMINGUE
31 123 HABITANTS
WWW.VILLE.VALDOR.QC.CA OU WWW.TOURISME-ABITIBI-TEMISCAMINGUE.ORG

Située à l'extrémité est de la faille de Cadillac, la ville naquit en 1922, lors de la ruée vers l'or provoquée par la découverte d'importants gisements aurifères à Rouyn-Noranda. Aujourd'hui encore, des mines exploitent, entre autres, l'or, le cuivre et l'argent. Et, en raison de la demande des pays émergents et de la hausse du prix des métaux depuis 2006, Val-d'Or est en plein boom minier. En été, les nombreux saloons, bars country et restaurants embrasent la rue Principale de leurs néons de couleur, qui rappellent les villes de l'Ouest des années 1950 et 1960. Grâce à la Cité de l'Or et au village minier de Bourlamaque, déclarés sites historiques en 1979, la ruée vers l'or semble bien se poursuivre à Val-d'Or !

▶ **Se repérer** – Val-d'Or se trouve à 413 km de Chibougamau par la route 113, et à 531 km de Montréal par la route 117. La compagnie aérienne Air Canada *(www.aircanada.ca)* dessert la région. Air Creebec *(www.aircreebec.ca - ℘ 819-825-8355)* propose aussi des liaisons vers la Baie-James au départ de Val-d'Or.

👁 **À ne pas manquer** – La Cité de l'Or et le village minier de Bourlamaque.

🕐 **Organiser son temps** – La visite de Val-d'Or peut se faire en une matinée, l'après-midi étant consacré à une balade dans la réserve faunique de La Vérendrye.

👫 **Avec les enfants** – Seuls les enfants de 6 ans minimum sont admis à la visite souterraine de la Cité de l'Or.

👣 **Pour poursuivre la visite** – Amos, Rouyn-Noranda.

Visiter

Village minier de Bourlamaque - Cité de l'Or
Au sud de la 3e Av. En pénétrant dans Val-d'Or, prenez la rue Saint-Jacques, juste en face du guichet d'information touristique, et grimpez-la à hauteur de la rue Perreault - ℘ 819-825-7616 ou 1-877-582-5367 (sans frais et pour les réservations) - www.citedelor. com - ♿ - visite guidée du 24 juin à la fête du travail : 9h-17h ; reste de l'année : lun.-vend. 9h-17h sur rendez-vous - 37,50 $ passeport complet incluant visite souterraine, surface et village minier, 25 $ passeport excluant le village minier, 18 $ passeport surface seulement ; billets disponibles au 90 av. Perreault ; réservations requises 24 heures à l'avance.

Rattachée à Val-d'Or en 1965, cette ancienne communauté minière rappelle, par son nom, le souvenir de François-Charles de Bourlamaque, aide de camp du général Montcalm. Le petit bourg, déclaré quartier historique en 1979, était jadis administré par la mine Lamaque, l'un des plus grands employeurs de la région de la faille de Cadillac. Le chevalement du puits de mine, l'hôpital et la maison des dirigeants sont demeurés intacts, et les solides cabanes en bois rond, où logeaient autrefois les mineurs, sont encore habitées.

La **Cité de l'Or** propose non seulement une visite commentée du village minier, mais permet aussi de voir les bâtiments de surface de la **mine Lamaque**, et de descendre à quelque 91 m sous terre, dans une authentique galerie minière.

Tour d'observation - tour Rotary
À l'angle des boulevards des Pins et Sabourin - ℘ 1-877-582-5367 - www.ville.valdor. qc.ca - ouv. tte l'année. Au beau milieu d'une forêt récréative, la tour Rotary permet d'observer de ses 18 m de hauteur, la ville et ses environs, qu'on surnomme ici le « pays aux 100 000 lacs ».

Aux alentours

Malartic
À 25 km à l'ouest de Val-d'Or par la route 117.

Cette « ville-champignon » naquit en 1922. Dans les années 1940, elle comptait à son actif sept mines d'or en opération. De la ruée vers l'or d'antan, la petite communauté industrielle a conservé quelques façades postiches *(av. Royale)* dignes d'un décor de *Far-West* façon Hollywood.

Musée minéralogique de l'Abitibi-Témiscamingue ★ – *En venant de Val-d'Or par la route 117, tourner à droite dans la rue Centrale. Le musée se trouve à l'angle de la rue de la Paix, au n° 650 - ℘ 819-757-4677 - www.museemalartic.qc.ca - ♿ ℙ - visite guidée (1h30) de déb. juin à mi-sept. : 9h-17h ; reste de l'année : lun.-vend. 9h-12h et 13h-17h,* *sam.-dim. sur rendez-vous - réservation requise 24h à l'avance - 6 $.* Les salles d'exposition de ce musée mettent à l'honneur le patrimoine naturel minéral et géologique de l'Abitibi-Témiscamingue. On y découvrira une belle collection minéralogique comprenant des spécimens de la région et du monde entier, ainsi qu'une exposition avant-gardiste permettant au visiteur de faire un voyage au cœur même de la matière.

Réserve faunique La Vérendrye

L'entrée nord de la réserve est située à 57 km au sud-est de Val-d'Or, sur la 117 - l'entrée sud de la réserve faunique se trouve à 275 km de Montréal par la route 117 et à 180 km d'Ottawa par la route 105 - ☎ 819-438-2017 - www.sepaq.com - △-✕-&-P - l'accueil nord, l'accueil sud et les accueils Le Domaine et Lac-Rapide sont ouverts de mai à sept. Les heures d'ouverture varient selon la saison - gratuit.

Cette immense réserve faunique (12 589 km^2) est la plus grande après celle des Lacs Albanel-Mistassini-et-Waconichi. Elle chevauche les deux régions touristiques de l'Abitibi-Témiscamingue au nord et de l'Outaouais.

Ses nombreux lacs et cours d'eau, qui alimentent les rivières des Outaouais et Gatineau, sont peuplés d'une centaine de variétés d'oiseaux et de poissons dont le brochet, le doré, la perche et la truite mouchetée.

Les vastes forêts de conifères qui couvrent le territoire abritent par ailleurs toutes sortes de mammifères, de l'orignal au castor en passant par le cerf, l'ours noir, le loup et le renard. Nommée en l'honneur de l'illustre explorateur des Rocheuses Pierre Gaultier de Varennes, sieur de La Vérendrye, elle fait le bonheur de tous depuis 1939.

Canoter et pêcher – Quelque 800 km de parcours agrémentés d'aires de camping sauvage et de portages sont offerts aux canoteurs. Le point de départ préféré est le lac Jean-Péré qui offre aux débutants des circuits relativement aisés. On peut louer des canots et des bateaux de pêche.

Route 117 - Une route principale, la 117 *(180 km)*, traverse la réserve en offrant de jolies vues de ses multiples lacs et ruisseaux. On remarquera tour à tour le **lac Jean-Péré**, l'un des hauts lieux du parc, le réservoir Cabonga, qui contrôle le débit de la rivière Gatineau, et le réservoir Dozois, qui régularise le cours de la rivière des Outaouais (plus loin, la route passe d'ailleurs par le barrage de cette dernière).

Victoriaville (Arthabaska)★

CENTRE-DU-QUÉBEC
40 486 HABITANTS (VICTORIAVILLE)
WWW.VILLE.VICTORIAVILLE.QC.CA ET WWW.CENTREDUQUEBEC.GOUV.QC.CA

Désormais regroupée à Victoriaville dont elle forme un secteur (au sud de l'agglomération), l'ancienne ville d'Arthabaska tire son nom de l'amérindien *ayabaskaw*, « là où il y a des joncs et des roseaux ». Elle se trouve au cœur de la région des Bois-Francs, réputée pour ses érablières, et aujourd'hui lieu de villégiature idéal pour les amoureux de la nature. Sa propre renommée, elle la doit aux personnalités qu'elle a vu naître, parmi lesquelles le Premier ministre Sir Wilfrid Laurier et le peintre Marc-Aurèle de Foy Suzor-Côté. Ses belles maisons victoriennes, notamment celles bordant la rue Laurier Ouest, sont un des vestiges du rayonnement culturel d'Arthabaska au 19e s.

- 🕨 **Se repérer** – Victoriaville se trouve à 164 km au nord-est de Montréal par les routes 20 et 161).
- 🕨 **S'informer** – Tourisme Bois-Francs - 231-A rue Notre-Dame Est, Victoriaville - ☎ 819-758-9451 ou 888 758-945 - www.tourismeboisfrancs.com.
- 👁 **À ne pas manquer** – La Maison Wilfrid-Laurier et le moulin La Pierre.
- ♺ **Pour poursuivre la visite** – Sherbrooke, la vallée du Saint-Laurent.

Comprendre

L'arrivée en 1834 du premier colon de langue française, Charles Beauchesne, marqua le début de la pénétration des Canadiens français dans la partie sud de la province, auparavant dominée par les loyalistes de langue anglaise. Les produits de l'érable occupèrent rapidement une place importante dans l'économie locale – c'est encore le cas aujourd'hui, de concert avec l'élevage de vaches laitières et l'industrie forestière. Dès l'arrivée du chemin de fer, en 1861, Victoriaville supplanta Arthabaska par son activité industrielle, mais ne diminua en rien son rayonnement culturel.

Visiter

Lieu historique national de la Maison-Wilfrid-Laurier★

819-357-8655 - www.museelaurier.com - P -&- juil.-août : lun.-vend. 10h-17h, sam.-dim. 13h-17h ; reste de l'année : mar.-vend. 9h-12h et 13h-17h, sam.-dim. 13h-17h - fermé 23 déc.-déb. janv. - 5 $ (donne droit à la visite des deux bâtiments).

Le musée Laurier se compose de deux bâtiments différents. La **maison Sir Wilfrid-Laurier** *(16 r. Laurier Ouest)* se distingue par ses corniches proéminentes, ses consoles décoratives, ses pierres d'angle et ses fenêtres en saillie. Elle fut construite en 1876 pour Sir Wilfrid Laurier, qui y vécut jusqu'à sa mort en 1919, mais de façon sporadique car après son élection au poste de Premier ministre en 1896, il passa la majeure partie de son temps à Ottawa.

Les salles du rez-de-chaussée évoquent l'époque à laquelle Laurier et son épouse, Zoé Lafontaine, étaient maîtres des lieux. La chambre à coucher, la salle à manger (lampe Tiffany) et le salon (piano à queue Kranick et Bach de 1885) reflètent le style d'ameublement alors en vogue. Divers panneaux explicatifs retracent la carrière de l'homme politique et fournissent quelques anecdotes sur sa vie privée tandis qu'à l'extérieur un **buste** sculpté porte la signature d'Alfred Laliberté. À l'étage supérieur se trouve le cabinet de travail du Premier ministre.

Construit en 1910 dans le style Second Empire, le **pavillon Hôtel des Postes** *(949 bd. Bois-Francs Sud - ℘ 819-357-2185)* propose aux visiteurs des expositions temporaires consacrées à des thèmes historiques, ethnologiques et artistiques.

Les visiteurs pourront notamment y admirer des œuvres d'artistes de renom, tirées de la collection permanente du musée Laurier. Parmi les artistes : Marc-Aurèle de Foy Suzor-Coté (1869-1937), natif d'Arthabaska, Louis-Philippe Hébert (1850-1917), figure incontournable de la sculpture monumentale du Canada au 19e s., et encore Alfred Laliberté.

Pour les enfants, n'hésitez pas à aller à la **Maison Fleury** *(18 r. Laurier - ℘ 819-357-8687)* car elle propose des expositions pour le jeune public, l'été.

Église Saint-Christophe d'Arthabaska

40 r. Laurier Ouest - ℘ 819-357-2376 - &- 9h-17h - contribution souhaitée.

Restaurée en 1997, cette charmante église de pierre de style néoroman (1873 ; J.-F. Peachy) possède un remarquable intérieur. Les 76 fresques et peintures qui en décorent la voûte furent réalisées par un artiste de Saint-Hyacinthe, J.-T. Rousseau, assisté de Suzor-Côté, jeune peintre alors débutant. Des élèves de l'illustre Louis-Philippe Hébert sculptèrent la statue de saint Christophe sur l'autel latéral gauche. On remarquera également de nombreux trompe-l'œil, rinceaux et frises d'inspiration baroque, ainsi que 43 vitraux de la compagnie Hobbs.

Mont Arthabaska

De la rue Laurier, empruntez le boulevard Bois-Francs Sud sur 1,5 km, et prenez à gauche la rue Mont-Saint-Michel.

Le parc aménagé sur 68 h offre une superbe **vue★** de Victoriaville et de la vallée de la rivière Nicolet. On distingue la tour du **collège d'Arthabaska**, dirigé par les frères du Sacré-Cœur, et les clochers des églises Saint-Christophe et Sainte-Victoire.

Le parc propose également des sentiers de vélo de montagne, des sentiers pédestres et, l'hiver, des pistes de ski de fond et de raquette. Au sommet du mont, se dresse une croix métallique de 24 m, érigée en 1928.

Sir Wilfrid Laurier

Avocat, journaliste, homme politique, Wilfrid Laurier (1841-1919) fut le premier Canadien français à occuper le poste de Premier ministre du Canada (1896-1911) et devint, à son époque, une véritable légende. Renommé pour son libéralisme pragmatique, il fut à la tête du Parti libéral canadien de 1887 à 1919, et se dévoua tant à la cause de l'unité canadienne qu'à l'indépendance du pays vis-à-vis de la Grande-Bretagne. Il était également en faveur du mouvement de colonisation de l'Ouest canadien, et encouragea le développement du chemin de fer du Grand Tronc ainsi que la création des provinces d'Alberta et de Saskatchewan. Bien que né à Saint-Lin, aujourd'hui appelé Saint-Lin-Laurentides, à 45 km au nord de Montréal, il passa une grande partie de sa vie à Arthabaska.

Aux alentours

Moulin La Pierre★

À 6 km par la rue Laurier Est, près de Saint-Norbert-d'Arthabaska - 99 chemin Laurier -
📞 819-369-9639 - ♿- 🅿 - la visite du moulin est réservée au groupe. Boutique. Aire de
pique-nique.

Situé sur la rivière Gosselin, il s'agit d'un des rares moulins à eau du Québec qui
fonctionne encore aujourd'hui. Cet édifice de trois étages, construit par un certain
Jean Goulet, date de 1845. Le visiteur peut admirer le site, se procurer de la farine
biologique et goûter aux galettes de sarrasin dans la boutique.

Église Sainte-Victoire

99 r. Notre-Dame Ouest. À environ 5 km par la route 161 - 📞 819-752-2112 - ♿ - lun.-jeu. :
8h-11h, 13h-16h.

Cette église de style néoclassique, dont le clocher principal s'élève à plus de 60 m de
haut, fut bâtie en 1897. L'**intérieur** contient une abside ornée de boiseries élaborées
ainsi qu'une nef dotée d'imposantes galeries latérales. Remarquez la voûte, décorée
de riches sculptures sur bois, et les vitraux, réalisés à Montréal en 1928. L'église abrite
par ailleurs **un orgue Casavant**.

Derrière l'église, à gauche, on découvre le presbytère, reconnaissable à son toit
mansardé et à sa petite tour.

Ville-Marie

ABITIBI-TÉMISCAMINGUE
2696 HABITANTS
WWW.TOURISME-ABITIBI-TEMISCAMINGUE.ORG

**Située dans la région de Témiscamingue, au sud-ouest de l'Abitibi, Ville-Marie est
une étape idéale pour qui souhaite découvrir le gigantesque lac Témiscamingue,
le lac des « eaux profondes » en algonquin. Fréquentée par les plaisanciers qui
naviguent sur les eaux du lac et de la rivière Outaouais, elle cache une forêt enchantée et expose le Fort-Témiscamingue qui perpétue le souvenir de la traite
des fourrures.**

- ▶ **Se repérer** – Ville-Marie se trouve à 675 km au nord-ouest de Montréal. En
  quittant Montréal, prenez la route 148 Ouest qui passe par Hull, puis la route 17
  (Ontario), à proximité de Pembroke, jusqu'à Mattawa. Après Mattawa, prenez la
  route 533 en direction du nord-ouest pour rejoindre la route 63 et parcourez-la
  jusqu'à Témiscaming (Québec). Prenez ensuite la route 101 vers le nord.

- ▶ **S'informer** – Bureau de tourisme - 1 r. Industrielle - 📞 819-629-2918 ou 800-
  808-0706 - www.ville-marie.ca et www.temiscamingue.net.

- 👁 **À ne pas manquer** – La forêt enchantée et le panorama sur le lac depuis la grotte
  Notre-Dame-de-Lourdes.

- ⏱ **Pour poursuivre la visite** – Rouyn-Noranda.

Comprendre

La région fut colonisée dès 1853 grâce à la coupe des forêts qui dégagea de vastes
terrains agricoles. En 1863, les oblats s'installèrent à la mission du Vieux Fort, au sud
de Fort Témiscamingue, mais en 1887, ils déménagèrent à la communauté de Baie
des Pères, que l'on nomma par la suite Ville-Marie. Les Sœurs Grises ne tardèrent pas
à suivre leur exemple. Depuis leur arrivée dans la région, ces deux congrégations
firent sentir leur présence évangélisatrice dans le domaine éducatif et culturel. Le
frère **Joseph Moffet** (1852-1932), de la mission du Vieux Fort, fut surnommé « le père
du Témiscamingue agricole ». Intermédiaire entre les colons et les dirigeants des
chantiers forestiers, il traita aussi avec les acheteurs de denrées agricoles établis en
Ontario, de l'autre côté du lac. En 1897, la ville se dota d'une structure administrative,
mais ce n'est qu'en 1962 qu'elle devint municipalité.

Se promener

Depuis la Grotte Notre-Dame-de-Lourdes

À l'extrémité est de la rue Notre-Dame-de-Lourdes. Ce **site★** de montagne révèle un
panorama remarquable sur le lac Témiscamingue, en contrebas. Le parc, fort agréable,

comprend aussi des aires de pique-nique, des sentiers pédestres et un chemin de Croix.

À l'angle des rues Dollard et Notre-Dame-de-Lourdes, l'**hôtel de ville**, à l'architecture néomédiévale, servit d'école d'agriculture de 1939 à 1965. Il porte le nom du grand pionnier Moffet. On y trouve aussi la salle d'exposition Augustin-Chénier.

Maison du Frère Moffet

7 r. Notre-Dame-de-Lourdes, au bord du lac - www.maisondufreremoffet.com - 819-629-3533 - - - du 21 juin à la fête du Travail : 10h-18h - 2,50 $.

Construite en « pièce sur pièce », la plus ancienne maison de la communauté (1881) abrite aujourd'hui un musée consacré au mode de vie des pionniers et à l'histoire de Ville-Marie et du Témiscamingue. En face du bâtiment, un petit parc offre de belles **vues** du lac Témiscamingue. Cette immense étendue d'eau (longueur : 103 km ; profondeur : jusqu'à 210 m) forme une partie de la frontière entre le Québec et l'Ontario.

Aux alentours

Lieu historique national du Canada du Fort-Témiscamingue★

834 chemin du Vieux-Fort, à 8 km au sud de Ville-Marie. De la route 101, tournez à droite (direction Témiscaming) - 819-629-3222 - www.pc.gc.ca - - - de déb. juin à déb. sept. : 9h-17h - 5 $. Dès 1679, les Français avaient choisi ce site pour y établir un poste de traite des fourrures, qu'ils décidèrent par la suite d'abandonner. En 1720, un second comptoir de fourrures fut construit, dont les activités devaient durer près de deux siècles. Soumis aux aléas et de la politique et du commerce, le fort changea plusieurs fois de mains, passant de la Compagnie du Nord-Ouest à sa rivale, la Compagnie de la baie d'Hudson. Cette dernière assura la gérance du poste de traite jusqu'à sa fermeture, en 1902. Aujourd'hui, quelques vestiges (cheminées et cimetières) témoignent de l'occupation du site.

Consacré au thème du commerce des pelleteries, le **centre d'interprétation** présente toutes sortes de fourrures et d'objets de traite. On y découvre aussi le travail des « Voyageurs » et le fonctionnement d'un comptoir de fourrures aux 18e et 19e s.

À l'extérieur, une immense **plage★** de sable et des aires de pique-nique et de repos viennent agrémenter les lieux.

Forêt enchantée ★ – Sur le site du fort, un sentier aménagé le long du lac Témiscamingue conduit à une curieuse forêt composée d'arbres argentés, de thuyas de l'Est et de pins rouges. Selon la légende, elle devrait son aspect féerique à une tempête de verglas qui, laissant tout un hiver les arbres courbés sous un lourd carcan de glace, leur aurait donné leurs formes si caractéristiques.

La route 101 serpente à proximité du lac Témiscamingue, qui apparaît par endroits à travers la forêt de hêtres, de chênes, d'érables, de peupliers, de pins blancs ou rouges. Quelques haltes routières, dotées d'agréables aires de pique-nique et de services, jalonnent la route.

Témiscaming

 819-627-3273 - www.temiscaming.net - la route 101 (en direction de la frontière avec l'Ontario) aboutit à ce petit village situé à 90 km au sud de Ville-Marie.

En 1917, la Riordon Company Ltd, usine de pâtes et papiers, s'installa dans cette charmante petite ville, et y développa le commerce du bois. Artère principale, la pittoresque **route Kipawa** serpente à flanc de colline jusqu'à l'extrémité sud du lac Témiscamingue, à l'embouchure de la rivière des Outaouais.

NUNAVIK★★

Patrie des Inuits du Québec, le Nunavik est « le pays où vivre » en inuktitut. Un pays où la nature est encore à l'état sauvage, intacte, dominée par des étendues incommensurables. Un pays où la splendeur des couchers de soleil et des aurores boréales est saisissante. Un pays où la jovialité des habitants offre un frappant contraste avec l'immensité des espaces arctiques. Si la technique moderne a complètement bouleversé le mode de vie des Inuits, ces derniers, au prix de nombreuses luttes, ont pu préserver leur héritage traditionnel et ont su le faire connaître. Au cours des dernières années, le Nunavik est ainsi devenu une destination touristique de choix même si elle reste très onéreuse. Ses merveilles naturelles offrent aux amateurs d'aventure, de pêche et de chasse d'inoubliables spectacles, à condition qu'ils soient très bien encadrés et parfaitement équipés pour affronter les rudes conditions de la région. Le Nunavik est couvert de neige entre octobre et juin…

> **Se repérer** – Délimité à l'ouest par la baie d'Hudson, au nord par le détroit d'Hudson et à l'est par le Labrador. Il couvre une superficie de 505 000 km², soit environ le tiers du territoire provincial, et correspond approximativement à la région autrefois connue sous le nom de « Nouveau-Québec », que l'on appelle encore aujourd'hui le Grand Nord.

> **À ne pas manquer** – Kangiqsujuaq et le cratère du Nouveau-Québec, au sein du parc national des Pingualuit, le site de Salluit, et Kuujjuaq, la capitale du Nunavik.

Caractéristiques géographiques

La région du Nunavik se distingue par la configuration géographique particulière que forme le long littoral déchiqueté de la **péninsule d'Ungava**, dont la saillie au nord prolonge la péninsule Québec-Labrador, sous-continent rattaché au Bouclier canadien précambrien. Les **14 villages modernes du Nunavik** se situent presque tous sur ce littoral maritime.

Les **monts de Povungnituk** s'étirent d'est en ouest, et traversent la moitié nord de la péninsule d'Ungava. On peut y voir le **cratère du Nouveau-Québec**, qui aurait été creusé par un météorite il y a quelque 1,4 million d'années. À l'est, les **monts Torngat**, dominés par le plus haut sommet du Québec, le **mont d'Iberville** (1 622 m), tracent la frontière entre le Québec et le Labrador.

Le territoire du Nunavik est parsemé d'une myriade de lacs et de rivières. Ces voies navigables, qui se jettent dans les baies d'Ungava et d'Hudson, permettent depuis longtemps aux Inuits de se déplacer et de pêcher. Dans les années 1950, la dépression du Labrador – faille géologique riche en minerais, partant de Kangirsuk au nord pour suivre la ligne Schefferville/Labrador-City/Gagnon au sud – est devenue un pôle de première importance pour l'extraction du minerai de fer.

Végétation – Le Nunavik présente trois zones de végétation : au nord, la **toundra arctique**, qui se distingue essentiellement par l'absence d'arbre et par la présence de lichens et de plantes herbacées rases ; au centre, la **toundra forestière**, où poussent épinettes, pins et mélèzes ; au sud, la **taïga**, constituée de forêts clairsemées d'épinettes noires et de pins gris.

La limite de végétation des arbres définissant ces espaces ondule d'Umiujaq à l'ouest à Tasiujaq, Kuujjuaq et Kangiqsualujjuaq au nord-est. Une zone de pergélisol (ou sol gelé en permanence) recouvre une bonne partie de la péninsule d'Ungava, atteignant jusqu'à 275 m de profondeur à Salluit. Des plaques discontinues de pergélisol apparaissent également dans le reste du Nunavik.

Climat – Le climat du Nunavik est inhospitalier : la saison de croissance dure moins de trois mois et le pergélisol, le sol gelé en permanence et absolument imperméable, est étendu. Il subit les influences opposées des masses continentales (froides) et de l'océan Atlantique (chaudes). L'hiver est long et froid ; l'été est généralement frais, avec des températures pouvant atteindre néanmoins 30 °C. Le printemps connaît de belles journées longues ; comme l'automne, il peut être aussi marqué par de violents orages et un temps instable. Les températures varient entre l'intérieur des terres et le littoral, et oscillent entre - 40 °C en janvier et de 10 °C à 20 °C en juillet. Les chutes de neige sont importantes (plus de 2 m) et recouvrent le sol entre octobre et juin. Certaines zones du littoral sont prises dans les glaces entre novembre et juin, ce qui limite énormément la saison de cabotage et de navigation. En raison de sa position septentrionale, le Nunavik connaît de longues journées d'été (environ 20 heures de clarté au mois de juin) et de brèves journées d'hiver (en décembre, autour de 5 heures).

Un peu d'histoire

Les premiers habitants – Population autochtone des terres arctiques, les Inuits tiennent leur nom d'un terme inuktitut signifiant « les Hommes » (*nu* : être humain ; *it* : plusieurs).

Il y a environ 9 000 ans, des chasseurs qui avaient traversé le détroit de Béring en provenance de l'Asie s'établirent sur la zone côtière de l'Alaska. Vers l'an 2000 av. J.-C., ils émigrèrent vers l'est, créant une deuxième culture qui se propagea le long de la côte du Labrador, vers le cap Dorset, au sud de l'île de Baffin. C'est aux « gens de Dorset » que l'on attribue l'**invention de l'igloo**. Vers l'an 1000 apr. J.-C., une troisième culture, connue sous le nom de « Thulé », se développa en Alaska et envahit le territoire des gens de Dorset, qui finirent par disparaître. Les Inuits actuels sont les descendants de la branche Thulé.

Peuple nomade organisé en petits groupes à structure familiale, les Inuits chassaient des mammifères marins (phoques, morses et baleines) le long de la côte et sur les îles proches du continent. Ils s'aventuraient aussi à l'intérieur des terres en suivant le cours des rivières et les lacs, pour pêcher le poisson et chasser le bœuf musqué, le caribou et le gibier d'eau. Réputés pour leur remarquable sens de l'orientation, ils étaient capables de voyager sans cartes sur de grandes distances, se déplaçant de camp en camp en traîneaux à chiens, en kayaks, en oumiaks (grands bateaux ouverts en peau de phoque) ou à pied. En hiver, ils construisaient des igloos, vivant en été dans des tentes en peaux ou des habitations en tourbe.

La rivalité ancestrale entre Inuits et Amérindiens s'intensifia avec le développement du commerce des fourrures. Utilisant les armes à feu avant les Inuits, les Algonquins (Cris, Naskapis et Innu) finirent par les chasser d'une partie de leur territoire.

L'arrivée des Européens – Après les brefs séjours des Vikings vers l'an 1000 sur la côte orientale du Canada, l'Europe oublia semble-t-il pendant plusieurs siècles l'existence du continent américain, à l'exception des Basques et des Anglais qui fréquentaient déjà les eaux poissonneuses de l'Atlantique Nord. Au 15e s., les progrès de la technique et l'espoir d'un négoce lucratif lancèrent véritablement les grands navigateurs à l'assaut des océans. Des explorateurs européens seraient alors parvenus dans l'Arctique, n'établissant pourtant que des rapports limités avec les autochtones. En 1610, le navigateur britannique Henry Hudson explora le passage du Nord-Ouest (l'immense baie au large des côtes ouest du Nunavik porte d'ailleurs son nom) et entra en contact avec des Inuits dans ce qui devint plus tard le détroit d'Hudson. En 1670, Charles II d'Angleterre concéda une charte à la **Compagnie de la baie d'Hudson** (CBH), lui octroyant le monopole de la traite des fourrures sur la Terre de Rupert. Cette dernière, qui comprenait tout le bassin de la baie d'Hudson, avait été baptisée en l'honneur du prince Rupert, cousin de Charles II. La CBH contribua grandement à l'exploration de l'immense territoire. Elle le céda en 1870 à la toute jeune Confédération canadienne, dont le désir était de créer une nation *A mari usque ad mare* (d'un océan à l'autre).

Au début des années 1810, la région accueillit des missionnaires moraviens protestants puis, entre 1880 et 1900, des expéditions scientifiques canadiennes. Au début du 20e s., la société française de fourrures **Révillon Frères** établit des comptoirs de traite dans la région. En 1936, la CBH, déjà bien implantée, réaffirma sa suprématie économique en rachetant son concurrent français. L'arrivée des marchands et des missionnaires européens transforma radicalement le mode de vie local. La présence des marchands fit évoluer la structure économique des autochtones d'un mode autarcique de chasseurs à un système de troc. Les ordres religieux – protestants puis catholiques – introduisirent les valeurs et l'éducation européennes. Les marchands et les missionnaires contribuèrent, dans une grande mesure, à l'abandon de l'existence semi-nomade des autochtones ainsi qu'au développement de villages côtiers permanents. Les baleiniers américains fréquentant le détroit d'Hudson dès 1845 introduisirent la monnaie, la carabine et les embarcations de bois chez les Inuits qui délaissèrent ainsi le harpon traditionnel et les kayaks en peau de phoque. Ces nouvelles méthodes de chasse, trop efficaces, entraînèrent la quasi-disparition des morses et des baleines, obligeant les Inuits à se tourner vers les terres pour survivre. Le dernier baleinier fut signalé en 1915.

Un siècle de changements – En 1912, l'ancienne Terre de Rupert est répartie entre le Manitoba, l'Ontario et le Québec. La frontière québécoise, préalablement établie à la rivière Eastmain, est alors avancée jusqu'au détroit d'Hudson, à 1 100 km plus au nord. Des lois fédérales confirmant la légitimité de cette nouvelle frontière comportent une clause de rachat, par la province, des terres appartenant aux autochtones de la région. Dans les années 1940, le gouvernement fédéral et provincial et les autorités militaires américaines s'établissent dans la région (Fort Chimo, aujourd'hui Kuujjuaq, et Poste-de-la-Baleine, ou Kuujjuarapik) afin de développer des projets miniers et hydroélectriques. Des villages modernes, pourvus d'écoles et d'habitations en bois, sont construits par le gouvernement canadien désireux de remplir ses obligations envers les autochtones. Entre 1950 et 1963, les groupes familiaux inuits se sédentarisent : ils quittent peu à peu leurs camps de chasse et de pêche pour les nouveaux villages.

Dans **les années 1960**, le Québec intensifie le développement des ressources hydrographiques pour la production d'électricité dans le nord. Hydro-Québec lance un vaste projet hydro-électrique concrétisé par la **Convention de la Baie-James et du Nord québécois**. Cet accord controversé, aux termes duquel les autochtones cèdent leurs droits sur la terre, marque le début d'une nouvelle période dans l'histoire sociale, économique et politique du Nunavik.

En 1975, la **région administrative de Kativik** est créée par la Convention de la Baie-James et du Nord québécois pour représenter les municipalités au nord du 55e parallèle. Les 14 villages du Nunavik se développent alors, grâce à la construction de logements, à la modernisation des aéroports, des écoles et des services de santé. Les habitants créent toutes sortes d'entreprises génératrices d'emplois dans les secteurs de la pêche, de l'exploitation minière, de la construction et de l'hôtellerie. La **Société Makivik** qui appartient à tous les signataires inuits de la Convention de

Les coopératives inuits

Depuis 1959, la communauté inuit du Québec bénéficie d'un **mouvement coopératif** très actif. Le but principal de chaque coopérative est d'unir la communauté et d'agir en tant que porte-parole de leurs intérêts. La coopérative est donc beaucoup plus qu'un simple magasin. **quatorze coopératives**, regroupées au sein de la Fédération des coopératives du Nouveau-Québec, jouent ainsi un rôle prépondérant dans le commerce régional. Chacune exploite un magasin général au niveau local et veille à la commercialisation de l'artisanat inuit, permettant ainsi à de nombreux peintres, sculpteurs et graveurs de vivre de leurs talents. Les activités des coopératives s'étendent encore aux services bancaires, bureaux de poste, télévision par câble et services Internet, à la gestion d'hôtels, d'une agence de voyage et de plusieurs camps de chasse et de pêche.

Rens. http://fcnq.netc.net/.

la Baie-James et du Nord québécois et qui régit les indemnités collectives établies par la Convention est à la tête de plusieurs filiales, dont les compagnies aériennes Air Inuit et First Air.

Le Nunavik aujourd'hui – Adoptée par un référendum organisé dans les villages inuits en 1986, l'idée de créer la région du Nunavik a reçu deux ans plus tard l'approbation gouvernementale. Ce référendum populaire a provoqué à travers le Québec une prise de conscience de l'unicité culturelle des Inuits.

Aujourd'hui, la grande majorité des Inuits vivent dans des maisons modernes préfabriquées. Ils suivent une formation scolaire et professionnelle, et certains partent étudier ou travailler hors du Nunavik. Tous les villages sont équipés de télévision, vidéo, téléphone et télécopieur. Il est également devenu plus simple et plus rapide de se déplacer grâce à toutes sortes de véhicules (canots à moteur et motoneige, par exemple).

Malgré leur implantation dans les nouveaux villages côtiers, les Inuits maintiennent leurs activités économiques traditionnelles, notamment la pêche et la chasse, et la cueillette. Ils continuent à exprimer leur culture par le biais de leur art et de leurs fêtes familiales et communautaires, et ont créé de nombreuses institutions pour préserver leur patrimoine culturel, tel l'**Institut culturel Avataq**, fondé à Inukjuak en 1980 *(voir encadré ci-après)*.

Un gouvernement du Nunavik? – Après des années d'efforts, un accord de principe sur la création d'un gouvernement du Nunavik a été signé par l'Assemblée nationale le 5 décembre 2007. Bien que seul l'accord définitif aura force de loi, la signature de cet accord constitue une étape cruciale. Cela signifie que le Québec et le Canada acceptent la réalité d'un tel gouvernement. L'accord final devra être approuvé par un vote référendaire des résidants du Nunavik.

Population – La population actuelle du Nunavik se compose de plusieurs ethnies distinctes : les **Inuits** (environ 10 000), essentiellement concentrés dans les 14 villages côtiers ; les **Amérindiens** (**Naskapis** à Kawawachikamach et **Cris** à Whapmagoostui) ; les **allochtones** (c'est-à-dire non autochtones), pour la plupart francophones, résidant surtout à Kuujjuaq, le centre administratif de la région.

Les **Inuits** du Nunavik sont géographiquement et culturellement divisés en deux zones : la zone nord et ouest (détroit et baie d'Hudson) et la zone est (baie d'Ungava) où les communautés s'apparentent plutôt à celles de la côte du Labrador. Les Inuits du Canada ont conservé leur langue (± 66 % d'entre eux parlent encore l'inuktitut), mais l'anglais et le français occupent une place importante à l'école et dans la vie publique. Depuis 1978, conformément aux dispositions de la Convention de la Baie-James et du Nord québécois, ils ont créé leur propre commission scolaire, et l'inuktitut est enseigné dans toutes les écoles.

Les liens avec les autres Inuits du Canada, du Groenland, de l'Alaska et de l'ancienne URSS se concrétisent par des échanges culturels et des activités politiques dans le cadre de la **Conférence circumpolaire** inuit, fondée en 1977 et reconnue comme organisme non gouvernemental par les Nations Unies. En 1992, les habitants des Territoires du Nord-Ouest se sont à leur tour prononcés pour la création d'une zone d'environ 2 000 000 km^2 s'étendant de la frontière provinciale Saskatchewan-Manitoba presque jusqu'au Groenland. Baptisée **Nunavut** (« notre pays » en inuktitut), cette nouvelle nation inuit a rendu aux autochtones l'administration de leurs terres ancestrales en 1999.

Côte Est

Les villages décrits dans ce chapitre apparaissent sous leur nom officiel. Leur ancien nom figure à côté entre parenthèses.

Kuujjuaq★ (Fort Chimo) - 2250 habitants

☎ *819-964-2943.* Situé sur la rive ouest de la rivière Koksoak, sur une terre plate et sablonneuse, à environ 50 km en amont de la baie d'Ungava, ce centre administratif régional est aussi le village le plus important du Nunavik. Officiellement baptisé Kuujjuaq, « la grande rivière » en inuktitut, le village était autrefois connu sous le nom de Fort Chimo. Rencontrant des Européens pour la première fois, les Inuits avaient l'habitude de leur dire « Saïmuk ! Saïmuk ! », ce qui signifie « serrons-nous la main ! », que les Européens ont transformé en « Chimo ».

Le fort initial, premier poste de traite de la Compagnie de la baie d'Hudson (CBH) dans le Nord québécois, avait été construit sur la rive opposée de la Koksoak, avant que le village ne soit transféré sur son site actuel en 1945. Les bâtiments, peints aux couleurs traditionnelles rouge et blanc, ont été déplacés pièce par pièce sur la rive ouest de la rivière *(des visites de l'ancien village de vieux-Chimo sont organisées par des guides locaux - se renseigner - village nordique de Kuujjuaq ☎ 819-964-2943).*

Kuujjuaq regroupe tous les organismes centraux : gouvernement régional, services de santé, hôpital et siège de Air Inuit. De 1942 à 1949, Kuujjuaq servit de base aux forces aériennes américaines. Aujourd'hui, ses deux grandes pistes d'atterrissage font partie du Système de Surveillance Nord, et le village joue un rôle de plaque tournante pour les transports aériens vers le Nord québécois, abritant le siège social de plusieurs compagnies de vols nolisés. Le village actuel s'est développé autour de la base militaire dans les années 1950. Kuujjuaq possède des hôtels, des restaurants, des magasins, des boutiques d'artisanat, et une banque.

Entre les années 1960 et 1980, le gouvernement provincial exploitait une ferme de bœufs musqués ; les bêtes, relâchées en 1985, vivent désormais en liberté sur le territoire du Nunavik.

Environs – Pour les amoureux de l'Arctique, les pourvoyeurs organisent des excursions autour de Kuujjuaq (pêche à l'omble et au saumon ou chasse au caribou). Un réseau routier limité *(8 km)* permet de s'avancer dans la toundra et de **longer la limite de végétation des arbres**, située non loin du village, pour se rendre dans des zones forestières, sur un plateau formé de collines ondoyantes de 80 m à 250 m d'altitude. La **rivière Koksoak** est l'une des merveilles de la région. Ses marées, en amont, offrent des paysages d'une diversité fascinante.

Kangiqsualujjuaq - 856 habitants

Ce village est situé sur la rive est de la **rivière George**, à 25 km au sud de la baie d'Ungava. Il est blotti à l'ombre d'un large affleurement de granit, dans une vallée étroite à l'extrémité nord d'une petite baie.

Autrefois George River puis Port-Nouveau-Québec, Kangiqsualujjuaq (« très grande baie » en inuktitut) est le village permanent le plus au nord-est du Nunavik. Il a été créé à l'initiative d'Inuits locaux qui, en 1959, fondèrent sur ce site la première coopérative du Nunavik (pêcherie de l'omble). Entre les années 1830 et le milieu du 20e s., la Compagnie de la baie d'Hudson exploitait un comptoir de traite au sud du village actuel. Ce dernier se dresse à l'extrême limite de la zone boisée, et dans les années 1960, une petite scierie pour la coupe du bois (épinette) fonctionnait. La région est particulièrement intéressante pour les adeptes du canot, qui peuvent descendre la rivière George, et pour les pêcheurs, qui seront ravis par l'abondance de saumons de l'Atlantique. La rivière George attire aussi l'une des plus grandes hordes de caribous du Nord québécois. Les terrains de mise bas du plus grand troupeau d'ongulés du monde se trouvent à proximité.

Il existe des camps de pourvoyeurs en amont de la rivière, près des belles **chutes Hélène** (64 km en amont). Un projet de parc national – le parc national Kuururjuaq – est en cours. Il s'étendra depuis la mer jusqu'aux sommets vertigineux qui couronnent l'extrémité nord de la péninsule Québec-Labrador. Kangiqsualujjuaq est le village qui se trouve le plus près du projet de parc.

Tasiujaq (Leaf Bay, Baie-aux-Feuilles) - 277 habitants

☎ *819-633-9924/5003.* Ce petit village, dont le nom signifie « qui ressemble à un lac » en inuktitut, est bâti sur les basses terres marécageuses bordant la baie aux Feuilles, prolongement le plus occidental de la baie d'Ungava. La baie est célèbre pour ses marées qui enregistrent la plus forte amplitude au monde (jusqu'à 17 m).

Créé dans les années 1960 sur la rive ouest de la rivière Bérard, le village s'est organisé à proximité des postes de traite établis par la Compagnie de la baie d'Hudson et Révillon Frères au début du 20ᵉ s. Plus tard, l'exploration minière entreprise dans la partie septentrionale de la dépression du Labrador a relancé l'activité économique. Le village se situe à quelques kilomètres au nord de la limite forestière, jouxtant au sud la toundra arctique. La région appartient au vaste bassin hydrographique de la rivière aux Feuilles. Plusieurs camps de pourvoyeurs organisent des pêches à l'omble et à la truite de lac et de ruisseau. Des hordes de caribous passent chaque année tout près du village, lors de leur migration automnale vers le sud.

Aupaluk - 177 habitants

℘ 819- 491-7070. La plus petite communauté du Nunavik se situe sur les rives sud de la **baie Hopes Advance**, une crique sur la côte ouest de la baie d'Ungava. Elle doit son nom (« endroit rouge » en inuktitut) à son sol ferrugineux ; car on se trouve ici aux confins nord de la dépression du Labrador, riche en minerai de fer. Le relief autour d'Aupaluk, qui est plutôt plat, est propice à la randonnée pédestre.

Aupaluk était jadis un camp de chasse traditionnel. Le village fut créé à la fin des années 1970, lorsque les Inuits de Kangirsuk et d'autres villages se réinstallèrent dans cette zone où abondaient caribous, poissons et mammifères marins. Premier village de l'Arctique canadien entièrement conçu par les Inuits, Aupaluk a été incorporé en tant que **village nordique** en 1981 et a ouvert son magasin coopératif au début des années 1980. Aucun pourvoyeur n'opère pour l'instant dans ce secteur.

Kangirsuk (Payne Bay, Bellin) - 463 habitants

℘ 819-935-4388. Sur la rive nord de la rivière Arnaud, à 13 km en amont de la baie d'Ungava, Kangirsuk (« la baie » en inuktitut) trouve son origine dans un poste de traite et une mission installés à la fin des années 1880. La Compagnie de la baie d'Hudson y ouvrit un comptoir en 1925. Les premiers services gouvernementaux furent introduits dans les années 1950, et le village se développa au cours de la décennie suivante. De nos jours, on y trouve deux magasins (Northern Store et la coopérative). Plusieurs pourvoyeurs ont ouvert des camps pour la pêche sur la péninsule d'Ungava.

Quaqtaq (Koartac) - 333 habitants

Le village de Quaqtaq (« ver intestinal » en inuktitut) se situe dans une petite vallée sur le littoral est de la baie Diana, à la saillie du cap Hopes Advance qui s'avance dans le détroit d'Hudson. Les Inuits et leurs ancêtres ayant occupé la région pendant 4 000 ans, on y retrouve de nombreux sites archéologiques.

Les ressources de la mer constituent, aujourd'hui encore, le pivot autour duquel s'organise la vie des Inuits. Entre 1930 et 1960, de nombreux comptoirs de traite ont existé dans la région de Quaqtaq. Non loin de là, une station météorologique gouvernementale est restée en activité de 1927 à 1969. Le magasin coopératif local fut établi en 1974.

Quaqtaq repose sur la toundra arctique ; il est limité au nord par un relief montagneux, et par des collines basses et rocheuses au sud et à l'est. L'été, seuls les vallées et les lieux protégés sont recouverts d'une maigre végétation : mousse, lichens, minuscules fleurs aux couleurs éclatantes et buissons de baies.

Baie Diana – Zone de chasse très réputée, la région de la baie Diana (Tuvaaluk en inuktitut) abonde en mammifères terrestres (renards arctiques, loutres, lièvres, parfois même ours polaires voyageant depuis l'île Akpatok) et marins (phoques, morses, bélugas, narvals et autres). Parmi les oiseaux, on retrouve la perdrix et le canard eider, ainsi que l'oie des neiges, l'oie du Canada et la bernache, Quaqtaq se trouvant sur leur route de migration. Parmi les poissons les plus communs, citons les truites grises, rouges et mouchetées, et l'omble arctique. Les amoureux de la nature auront aussi l'occasion d'apercevoir des bœufs musqués (la région en compte environ un millier), et peut-être même quelques légendaires harfangs des neiges ou des huards.

Kangiqsujuaq (Wakeham, Maricourt) - 591 habitants

℘ 819-338-3342. Le village de Kangiqsujuaq (« la grande baie » en inuktitut) occupe un **site★★** de toute beauté dans une vallée près de la rive sud-est de la baie Wakeham. La petite localité fut érigée à l'emplacement d'un ancien poste de traite du début du 20ᵉ s. et d'une mission oblate fondée dans les années 1930. Devenu le siège d'activités gouvernementales depuis les années 1960, Kangiqsujuaq compte aujourd'hui un magasin (Northern Store), une coopérative et deux églises.

Le village se situe à 88 km au nord-est du **cratère du Nouveau-Québec★**. Emprisonnées dans les parois de cet ancien cratère d'origine météorique, les eaux bleutées et limpides du lac circulaire suscitent l'admiration. Vraisemblablement formé il y a 1,4 million d'années, le cratère présente des dimensions impressionnantes : un diamètre de 3 km et une profondeur de 267 m. Appelé « Pingualuit » par les Inuits, il est aujourd'hui protégé par le **Parc national des Pingualuit** (*℘ 819-338-3282 - www. nunavikparks.ca*).

Au-delà du cratère, le paysage du parc est d'une planéité étonnante. Dépourvues d'arbres, ses vastes étendues se prêtent parfaitement à l'observation de la nature et de la faune, ainsi qu'à la randonnée pédestre en été et le ski de randonnée en hiver. En cette saison, les pourvoyeurs y organisent également des excursions en motoneige. Le **centre d'interprétation** situé à Kangiqsujuaq permet aux visiteurs de découvrir le milieu naturel et la culture inuit. Le parc propose plusieurs refuges pour l'hébergement.

Salluit (Saglouc, Sugluk) - 1 249 habitants

℘ 819-255-8953. Salluit est situé sur l'étroit et superbe **fjord Sugluk**, à environ 10 km du détroit d'Hudson. C'est l'un des villages les plus importants du nord du Nunavik. Salluit est réputé pour la beauté de son **site★★** dominé par des montagnes dentelées et des collines aux versants abrupts pouvant atteindre jusqu'à 500 m d'altitude.

Selon la légende, les Inuits – pensant y trouver une faune abondante pour subvenir à leurs besoins – auraient apparemment été fort déçus, d'où l'origine du nom Salluit (« les gens minces » en inuktitut). Salluit s'est développé autour d'un comptoir de traite et d'une mission établis dans la région après 1900. Les services publics ont fait leur apparition dans les années 1950. De concert avec les habitants d'Ivujivik et de Puvirnituq, 49 % des Sallumiut ont refusé de signer la Convention de la Baie-James et du Nord québécois en 1975. Ils ont formé un mouvement appelé Inuit-Tungavinga-Nunamini.

À l'est de Salluit, l'exploitation de mines d'amiante à Purtuniq (Asbestos Hills) et dans la **baie Déception** a entraîné, au début des années 1970, le développement d'activités industrielles et d'une infrastructure moderne (port et piste d'atterrissage pour les jets). L'exploitation minière, liée au transport du minerai par bateau, a été abandonnée dans les années 1980. De nos jours, des voyages de découverte de la nature permettent l'observation de morses, d'ours polaires et de caribous.

Ivujivik - 327 habitants

Village le plus au nord du Québec, Ivujivik évoque par son nom un « endroit où les glaces s'amoncellent à la fonte des glaces ». Il s'agit d'une petite localité nichée au fond d'une anse au sud de Digges Sound, près du cap Wolstenholme, dans une région montagneuse. Après 1947, les Inuits des rives avoisinantes se sont peu à peu installés dans le village établi autour de la mission catholique. Celle-ci, fondée en 1938, a fermé ses portes dans les années 1960. Peu après, les services gouvernementaux furent introduits, et la coopérative commença à fonctionner en 1967. Les Inuits de Ivujivik refusèrent de signer la Convention de la Baie-James et du Nord québécois en 1975, et se regroupèrent avec les habitants de Puvirnituq et de Salluit, au sein du mouvement dissident Inuit-Tungavingat-Nunamini. Ils administrent leurs propres écoles, sous la responsabilité d'un comité local élu.

C'est à l'**île de Digges**, au nord du village d'Ivujivik, dans le détroit d'Hudson, qu'eut lieu, en 1610, la première rencontre entre les Inuits de la péninsule Québec-Labrador et les Européens. Cet événement historique se produisit au cours de l'une des expéditions d'Henry Hudson, alors à la recherche d'un passage vers l'Asie mystérieuse. À environ 30 km au nord-est, se trouve le **cap Wolstenholme**. Ses falaises battues par les vents sont le site de nidification d'une des plus grandes colonies du monde de guillemots de Brünnich.

Côte Ouest

Akulivik (Cape Smith) - 536 habitants

℘ 819-496-2222. Le village d'Akulivik se trouve sur une presqu'île bordée au nord par un port en eau profonde et au sud, par l'embouchure de la rivière Illukotat. Il doit son nom très imagé (« le milieu du harpon » en inuktitut) à l'aspect géographique du site « entre deux baies ». Vestiges de la dernière période glaciaire, des coquillages fossilisés, réduits en miettes, ont donné au sol un aspect sablonneux caractéristique.

De 1924 à 1951, la Compagnie de la baie d'Hudson tint un poste de traite sur l'**île Smith**, tout près du littoral. Cette dernière est remarquable pour ses beautés naturelles et pour les milliers de bernaches du Canada et d'oies des neiges qui y séjournent au printemps lors de leur migration.

Paysage du Nunavik.

H. Wittenborn /

Toundra en été.

P. Dunigan / Tourisme Québec

Kuujjuarapik.

J. Lama / Publiphoto

Attelage de chiens-loups dans le Nunavik.

H. Wittenborn /

Akulivik fut construit en 1976 sur le site qui servait autrefois de campement d'été au groupe inuit Qikirtajuarmiut, « les hommes de l'île », avant que ces derniers ne partent s'établir à Puvirnituq en 1955.

Puvirnituq (Puvirnituuq) - 1 476 habitants

☏ 819-988-2751. Ce village se situe sur la rive nord de la rivière Puvirnituq, à 4 km à l'est de la baie du même nom. Le nom de Puvirnituq, « là où il y a une odeur de viande faisandée », rappelle un épisode tragique de sa courte histoire : une épidémie ravagea la colonie, tuant tous les villageois, et ne laissant aucun survivant pour enterrer les morts. Lorsque familles et amis arrivèrent des camps avoisinants au printemps, l'air était vicié par l'odeur des corps en décomposition.

Comme les autres villages du Grand Nord, Puvirnituq s'est surtout développé après l'établissement, en 1921, d'un comptoir de traite des fourrures de la Compagnie de la baie d'Hudson. Les Inuits venus y vivre après 1951 résidaient jusqu'alors dans des campements d'été près d'Akulivik, et dans des campements d'hiver sur l'île du cap Smith. En 1975, les citoyens de Puvirnituq, appuyés par ceux d'Ivujivik et par 49 % des habitants de Salluit, refusèrent de signer la Convention de la Baie-James et du Nord québécois. Cette prise de position a donné naissance, au sein de la communauté, à une forte solidarité.

Le village abrite le Centre hospitalier de la Baie-d'Hudson, hôpital moderne qui dessert les villages de la côte. L'Association de sculpteurs, créée en 1950 par le père André Steinman, missionnaire oblat d'origine française, est devenue la **Société coopérative de Puvirnituq**, l'une des plus actives en son genre au Nunavik. Elle gère un magasin de vente au détail, un hôtel ainsi que l'approvisionnement de la communauté en combustible. Plusieurs artistes locaux ont acquis une réputation internationale.

Inukjuak (Port Harrison) - 1 456 habitants

☏ 819-254-8822. Deuxième village en importance du Nunavik, Inukjuak se trouve à l'embouchure de la rivière Innuksuac, près des **îles Hopewell**. En 1909, la société française de fourrures Révillon Frères ouvrit un comptoir de traite sur le site, qui reçut alors le nom de Port Harrison. La Compagnie de la baie d'Hudson vint à son tour y établir un poste en 1920 ; elle racheta la société française en 1936, et put ainsi jouir, jusqu'en 1958, du monopole du commerce des fourrures avec les Inuits. Le village vit l'arrivée d'une mission anglicane en 1927, et huit ans plus tard, d'un service postal destiné à répondre aux besoins des populations du Grand Nord.

La vie des habitants de Inukjuak reste encore fortement liée à la pratique des activités traditionnelles. La découverte sur place d'un important gisement de stéatite ou « pierre à savon » – roche tendre couramment utilisée par les artistes inuits – a permis d'encourager la pratique de la sculpture. Les plus vieux bâtiments du village, situés près de l'hôtel de la coopérative, sont ceux de la mission anglicane, du Northern Store, du magasin de la coopérative et de l'atelier de sculpture. Les constructions les plus récentes se retrouvent le long de la route menant à l'aéroport. Sur la rive est de la rivière, on peut encore voir des vestiges de l'ancien comptoir de traite, du campement et du cimetière.

Hall d'entrée de l'école Innalik – L'école du village est un bâtiment de brique moderne dans le hall duquel une série de bas-reliefs sculptés illustrent la vie quotidienne dans une communauté traditionnelle inuit, et témoignent de l'étonnante habileté des sculpteurs.

Musée Daniel Weetaluktuk – Ce musée présente une magnifique collection d'objets d'art et d'artisanat inuits, de même que des outils, de l'équipement de chasse et de l'attirail de pêche traditionnels. Cette collection fut assemblée par un jeune archéologue inuit, Daniel Weetaluktuk (1951-1982), dont la courte carrière contribua largement aux progrès de l'anthropologie arctique.

Aux alentours – Le paysage est dominé par les douces ondulations des collines rocheuses avoisinantes. Elles offrent une **vue panoramique**★ du village et du port d'Inukjuak, de la rivière, de l'archipel des

La sculpture inuit

Les premières œuvres des Inuits étaient traditionnellement façonnées à partir de matériaux tels que les os de baleine, la ramure des caribous ou l'ivoire. Grâce aux outils en acier, la pierre est devenue l'un des matériaux de choix. Si de nombreuses sculptures inuits sont taillées dans la pierre de savon ou stéatite, la plus grande partie est taillée dans la serpentine. Il existe aussi des sculptures en basalte, en marbre, en quartz, etc. Les thèmes varient également d'une communauté à l'autre, mais l'art inuit constitue avant tout un art d'observation où les animaux, les scènes de chasse et les personnes représentent les sujets les plus fréquents. Johnny Inukpuk, originaire d'Inukjuak est un artiste de renommée internationale.

L'Institut culturel Avataq

C'est à **Inukjuak** que se trouve le siège social de l'institut culturel Avataq. Cet organisme à but non lucratif est consacré à la préservation et au développement du patrimoine linguistique et culturel des Inuits du Nunavik. Il propose toutes sortes d'activités portant notamment sur la toponymie, l'histoire, la littérature, les jeux, la musique traditionnelle et l'archéologie.

L'Institut s'efforce également de rassembler les objets de facture inuit dispersés dans les musées, et parraine la Conférence annuelle des Aînés inuits, qui a pour vocation de recueillir et préserver la tradition du savoir oral afin de le transmettre aux générations futures. Consultez leur site : *www.avataq.qc.ca*

îles Hopewell, de la baie d'Hudson et des montagnes qui s'étendent au nord. Au printemps, la banquise entre ces îles et le littoral se soulève sous l'effet des marées et des courants, créant un champ d'immenses blocs de glace hérissés. Spectaculaire !

Une **promenade** au bord de la **rivière Innuksuac**, en direction de l'aéroport, permet de découvrir de multiples variétés de fleurs sauvages adaptées au milieu arctique. Les eaux claires de la rivière qui serpente entre les roches forment, tout au long du parcours, de nombreuses cascades et petits lacs.

Umiujaq - 382 habitants

819-331-7000. Une partie des habitants de Kuujjuarapik, craignant que la réalisation du projet hydro-électrique Grande-Baleine n'entraîne de sérieux bouleversements dans leur mode de vie, se prononcèrent il y a quelques années en faveur de la création d'une communauté plus au nord. Après maintes études archéologiques, écologiques et d'aménagement du territoire, la construction du village débuta dans le courant de l'été 1985. Quelques centaines d'Inuits de Kuujjuarapik vinrent alors s'établir dans le secteur, et logèrent dans des locaux provisoires jusqu'à la fin des travaux, au début de l'année 1986.

Aujourd'hui, Umiujaq est un village plein de vie, reflet de la fierté de ses habitants. Son nom (« qui ressemble à un bateau » en inuktitut) fait référence à une colline des environs dont la forme rappelle un oumiak, grande embarcation construite en peau de phoque. La petite communauté occupe un site paisible près du lac Guillaume-Delisle (baie Richmond), avec de remarquables escarpements le long du littoral. Un bâtiment municipal abrite la station de radio, le bureau d'Air Inuit, le bureau de poste et l'hôtel de ville. Ce dernier contient un **musée** où l'on pourra voir une collection d'outils, d'ustensiles ménagers et d'objets divers découverts par les archéologues et les anciens du village lors de la réalisation des travaux de fondations. À côté du bâtiment municipal se trouvent le centre hospitalier ainsi que la coopérative, qui abrite également l'atelier de sculpture.

Des pourvoyeurs proposent des circuits organisés vers les îles situées à proximité du village, et des excursions sur la rivière Nastapoka.

Kuujjuarapik - 1 408 habitants

819-929-3360. Situé dans la baie d'Hudson, à 172 km au nord de Radisson, Kuujjuarapik était à l'origine un comptoir de traite de la Compagnie de la baie d'Hudson, fondé en 1813. Une mission anglicane s'y établit dès 1882, mais le village ne devint permanent qu'à partir de 1901. Les premiers contacts avec des missionnaires catholiques remontent à 1924. En 1908, la société française de fourrures Révillon Frères ouvrit un comptoir à l'embouchure de la Petite Rivière de la Baleine, pour commercer avec les Cris et Inuits qui vivaient le long de la côte. Dans les années 1920, le village fut déplacé à l'embouchure de la Grande Rivière de la Baleine.

Une station météorologique fut installée en 1895, mais la plupart des services publics ne firent leur apparition qu'à partir de 1949. De 1954 à 1959, Kuujjuarapik devint un important centre de communication pour le Nord québécois grâce à la construction, entre la côte atlantique et la baie d'Hudson, au nord du 55e parallèle, de la « ligne de radar Centre Canada » dont la base de commande était à Poste-de-la-Baleine. C'est à cette époque que la région connut sa plus forte expansion démographique. En 1965, les installations furent toutefois évacuées et cédées à la province du Québec.

Une communauté multiethnique – La population du village se compose d'Inuits, de Cris et d'allochtones. Le comptoir de traite et le village ont donc changé plusieurs fois de nom : Great Whale River en anglais, puis Poste-de-la-Baleine en français, Kuujjuarapik (« la petite grande rivière ») en inuktitut et Whapmagoostui (« rivière à la baleine ») en cri. Les trois dernières appellations sont officielles, particularité plutôt rare pour un village canadien.

La communauté inuit habite près de l'embouchure de la Grande Rivière de la Baleine, tandis que les Cris se sont installés plus en amont. Inuits et Cris possèdent leurs propres écoles, infirmeries et organisations municipales. L'église anglicane offre un service religieux en inuktitut comme en cri. Dans **la vieille église**, on peut voir une fresque réalisée par Eddy Weetaluktuk représentant le Christ marchant sur les eaux de la Grande Rivière de la Baleine. L'**École Asimautaq** présente une superbe collection de sculptures inuits et de peintures d'Eddy Weetaluktuk.

Le village est bordé à l'ouest par une piste d'atterrissage parallèle à la baie d'Hudson. Les bureaux du gouvernement et les résidences des allochtones sont situés près de l'aéroport, dans les anciens bâtiments de la station radar. L'Université Laval (Québec) y dirige un centre de recherche. On trouve également un bar, ouvert de midi à minuit où l'on peut boire et danser !

Aux alentours – Une vaste **plage de sable** s'étend depuis l'embouchure de la Grande Rivière de la Baleine jusqu'au côté opposé du village, où de hautes dunes offrent de beaux points de vue sur la baie d'Hudson et les alentours de Kuujjuarapik.

À environ 12 km en amont du village, on peut aller admirer sur la rivière la belle **chute Amitapanuch**, accessible en bateau l'été et en motoneige l'hiver.

Nunavik pratique

S'y rendre

Par **avion seulement** (*pour plus de détails, consultez la carte des liaisons aériennes, p. 384*). Deux compagnies principales desservent le Nunanik :

First Air (*℘ 800-267-1247 - www.firstair. com*) assure un service quotidien de Montréal à Kuujjuaq, porte d'entrée du Nunavik, et entre Kuujjuaq et Iqaluit.

Air Inuit (*℘ 800-361-2965 - www.airinuit. com*), basée à Kuujjuaq et Kuujjuarapik, relie cinq fois par semaine Montréal et Puvirnituq, avec escale à Kuujjuarapik et Inukjuak, ainsi que deux fois par semaine Montréal et Kuujjuaq.

C'est également la compagnie Air Inuit qui assure les services aériens réguliers entre les villages de la région.

Sur les côtes de l'Hudson et de l'Ungava, plusieurs compagnies de vols nolisés offrent de vous amener où vous voulez dans la région, au gré de votre horaire.

Organiser son voyage

Bien qu'en développement, l'infrastructure touristique des villages du Nunavik reste encore limitée. Pour cette raison, Il demeure impossible d'y partir à l'improviste. Il est indispensable de préparer soigneusement son voyage à l'avance et il est fortement recommandé de louer les services d'un pourvoyeur. Trois types de voyages sont généralement proposés aux particuliers comme aux groupes :

Des séjours de **chasse**. Des centaines de milliers de caribous sillonnent les contrées sauvages du Nunavik et offrent d'innombrables possibilités aux chasseurs sportifs.

Des séjours de **pêche**. Les lacs, rivières et eaux côtières du Nunavik regorgent de saumons de l'Atlantique, d'ombles chevalier, de truites de mer et de touladis. Pêche de renommée internationale.

Séjours **aventure** et **nature** avec, par exemple, le spectacle des **aurores boréales**. Du mois d'août au mois de mars, le Nunavik est la scène du fabuleux spectacle des aurores boréales. Appelées *arsaniit* en inuktitut, ces dernières décrivent dans l'immensité du ciel nocturne de grands arcs ondulés verts, pourpres et violacés. L'observation de la faune – les oiseaux, l'**ours polaire** que les Inuits appellent *nanuk* et qu'ils considèrent comme un mammifère marin, le **caribou**, le phoque, le morse, le béluga, le boeuf musqué – constitue une part importante des séjours aventure et nature.

👁 Le coût approximatif d'une semaine tous frais compris (avion, hébergement et activités de pêche, de chasse ou de découverte) est de 3 000/4 500 $ minimum par personne.

Renseignements auprès de :

Association touristique du Nunavik – C.P 779 - Kuujjuaq QC J0M 1C0 - *℘ 1-888-594-3424 - www.nunavik-tourism.com*.

Très complet, le site de l'association propose entre autres, une sélection de pourvoyeurs.

Centre d'information du Nunavik – *1204 cours du Général-de-Montcalm, Québec - ℘ 418-522-2224 - www.nunavik. ca*. Renseignements généraux et pratiques.

Pourvoyeurs

Aventures Arctiques – *Division touristique de la Fédération des coopératives du Nouveau-Québec (FCNQ) - ℘ 514-457-9371 ou 800-465-9474*. Aventures Arctiques est un organisme inuit qui se spécialise dans les services de pourvoirie de chasse et de pêche au Nunavik.

Cruise Nord expéditions – *℘ 1-416-789-3752 - www.cruisenorthexpeditions.com*. Cette compagnie propose d'explorer l'Arctique et les communautés du Nunavik à bord de bateaux spécialisés.

Kunoki – ☏ 514-233-6093 - www.kunoki. ca. Propose des séjours de paraski (ski à voile) au Nunavik (pour débutants et confirmés).

À savoir

Pêche et chasse – Conformément aux réglementations gouvernementales, chasseurs et pêcheurs sont tenus de s'équiper auprès d'un magasin agréé. La liste de ces établissements est disponible sur le site Internet de l'Association touristique du Nunavik (voir ci-dessus).

Et encore : **Association de chasse, de pêche et de piégeage** – CP 879, Kuujjuaq - Québec J0M 1C0 - ☏ 819-964-0645 - www.hfta.ca.

Sécurité – Il est recommandé de ne jamais quitter un village sans informer les personnes appropriées de tous vos déplacements (destination, itinéraire, moyen de transport et horaires). Au départ d'une randonnée ou d'une expédition, prévoir suffisamment de réserves alimentaires, des vêtements adaptés au climat, du matériel de camping et de secours.

Attentif au temps – Le temps est très changeant au Nunavik. **En été**, soleil aveuglant, vent, pluie et parfois neige sont de saison. Dans vos bagages : des sous-vêtements longs, une veste doublée, un bonnet de laine, des lunettes de soleil polarisées, de même que des lotions chasse-moustiques et des vêtements de protection contre les moustiques. Les pêcheurs doivent porter des bottes de caoutchouc au genou avec doublure de feutre. Celles-ci sont également pratiques pour la randonnée pédestre.

En hiver – Les premières précipitations neigeuses peuvent tomber dès la mi-septembre. En cette saison froide, le ciel est souvent d'azur et la température peut chuter sous les -30 °C. En quelques heures seulement, il peut arriver que le temps change du tout au tout et qu'un impétueux blizzard se lève sans crier gare : il faut toujours faire preuve de prudence et il est conseillé d'explorer les paysages couverts de neige du Nunavik en compagnie de **guides reconnus**, qui connaissent parfaitement les lieux et les soubresauts du temps.

Hébergement

Pour toute formule d'hébergement choisie, il est vivement recommandé de réserver à l'avance, l'hébergement étant limité. L'Association touristique du Nunavik (ci-contre) fournit un guide du Nunavik indiquant les solutions d'hébergement à Akulivik, Aupaluk, Inukjuak, Ivujivik, Kangiqsualujjuaq, Kangiqsujuaq, Kangirsuk, Kuujjuaq, Kuujjuarapik, Puvirnituq, Quaqtaq, Salluit et Umiujaq. Possibilités de chambres d'hôte.

Les prix des hôtels et des auberges pour une chambre double varient entre 180 et 260 $ la nuit ; les chambres ne sont pas toujours dotées d'une salle de bains privative.

Le portail du Nunavik donne les coordonnées des principaux hébergements : www.nunavik.ca/ rubrique « catégories » puis « hébergement ». Autre source de renseignements : la **Fédération des coopératives du Nord québécois** – 19950 Clark Graham - Baie d'Urfé - Québec H9X 3R8 - ☏ 514-457-9371 et pour les réservations 1-800-363-7610 - Canada- www.arcticadventures.ca.

Restauration

La plupart des restaurants servent une cuisine rapide, à l'américaine. La majorité des hôtels étant équipés de kitchenettes, les touristes préparent en général leurs propres repas. Parmi les plats locaux, on notera la **viande de caribou** et de **phoque**, le poisson (l'**omble de l'Arctique fumé**, entre autres) et… les conserves alimentaires, les fruits et légumes étant rares !

Bon à savoir – Chaque village possède au moins une coopérative où l'on peut acheter des produits de base.

Il est également possible de payer avec une carte de crédit ou de débit presque partout.

À rapporter – Un objet artisanal : une sculpture en pierre de savon, un bijou en bois de caribou, un nasak (bonnet fait à la main au crochet), des mitaines ou pualluk en peau de phoque, ornées de fourrure de renard et doublées de peau de mouton, un sipalak (vêtement de cérémonie faisant partie de la tradition inuit), un chapeau en peau de phoque…

Boutiques d'artisanat à Kuujjuarapik (sculptures), à Kuujjuaq (outre la coopérative, deux établissements, l'InnivikArts and crafts shop et Tivi Galeries qui est une véritable galerie d'art), à Kangiqsualujjuaq (vêtements).

MES ADRESSES

Nom ....

Adresse ....

Lieu .... ☎ ....

☺ ....
....
....

☹ ....
....
....
....

Nom ....

Adresse ....

Lieu .... ☎ ....

☺ ....
....
....

☹ ....
....
....
....

Nom ....

Adresse ....

Lieu .... ☎ ....

☺ ....
....
....

☹ ....
....
....
....

Nom ....

Adresse ....

Lieu .... ☎ ....

☺ ....
....
....

☹ ....
....
....
....

Nom ....

Adresse ....

Lieu .... ☎ ....

☺ ....
....
....
....

☹ ....
....
....
....

Nom ....

Adresse ....

Lieu .... ☎ ....

☺ ....
....
....
....

☹ ....
....
....
....

Nom ....

Adresse ....

Lieu .... ☎ ....

☺ ....
....
....
....

☹ ....
....
....
....

Nom ....

Adresse ....

Lieu .... ☎ ....

☺ ....
....
....
....

☹ ....
....
....
....

MES CONTACTS

Nom ....

Adresse ....

.... Ville ....

☎ .... ✆ ....

@ ....

Nom ....

Adresse ....

.... Ville ....

☎ .... ✆ ....

@ ....

Nom ....

Adresse ....

.... Ville ....

☎ .... ✆ ....

@ ....

Nom ....

Adresse ....

.... Ville ....

☎ .... ✆ ....

@ ....

Nom ....

Adresse ....

.... Ville ....

☎ .... ✆ ....

@ ....

Nom ....

Adresse ....

.... Ville ....

☎ .... ✆ ....

@ ....

Nom ....

Adresse ....

.... Ville ....

☎ .... ✆ ....

@ ....

Nom ....

Adresse ....

.... Ville ....

☎ .... ✆ ....

@ ....

Nom ....

Adresse ....

.... Ville ....

☎ .... ✆ ....

@ ....

Nom ....

Adresse ....

.... Ville ....

☎ .... ✆ ....

@ ....

Nom ....

Adresse ....

.... Ville ....

☎ .... ✆ ....

@ ....

Nom ....

Adresse ....

.... Ville ....

☎ .... ✆ ....

@ ....

MES COUPS DE CŒUR

Nom ....

Date de la visite .... Lieu ....
😊 ....
....
....
....
....

Nom ....

Date de la visite .... Lieu ....
😊 ....
....
....
....
....

Nom ....

Date de la visite .... Lieu ....
😊 ....
....
....
....
....

Nom ....

Date de la visite .... Lieu ....
😊 ....
....
....
....
....

Nom ....

Date de la visite .... Lieu ....
😊 ....
....
....
....
....

Nom ....

Date de la visite .... Lieu ....
😊 ....
....
....
....
....

Nom ....

Date de la visite .... Lieu ....

😊 ....

....

....

....

....

Nom ....

Date de la visite .... Lieu ....

😊 ....

....

....

....

....

Nom ....

Date de la visite .... Lieu ....

😊 ....

....

....

....

....

Nom ....

Date de la visite .... Lieu ....

😊 ....

....

....

....

....

Nom ....

Date de la visite .... Lieu ....

😊 ....

....

....

....

....

Nom ....

Date de la visite .... Lieu ....

😊 ....

....

....

....

....

MES DÉPENSES

date	objet	montant

date	objet	montant

MES DÉPENSES

date	objet	montant

CARTES ET PLANS

CARTES THÉMATIQUES

PLANS DE VILLES ET DE QUARTIERS

CARTES DES CIRCUITS

Chicoutimi : Villes, sites, curiosités et régions touristiques.
Hébergement : Renseignements pratiques.
Cartier, Jacques : Noms historiques ou célèbres et termes faisant l'objet d'une explication.
Les curiosités isolées (châteaux, abbayes, monts, chutes, lacs, îles...) sont répertoriées à leur nom propre.

INDEX

Téléphone Lucette

514 543 3581

adresse : 7059 rue Drolet.

Code : 1111

adresse MAJOR : "OUTREMONT"

786 bis avenue Champagneur

∅ Laurence : 514 659 1293

Franck 438 402 7616

Manufacture française des pneumatiques Michelin
Société en commandite par actions au capital de 304 000 000 EUR
Place des Carmes-Déchaux - 63000 Clermont-Ferrand (France)
R.C.S. Clermont-Fd B 855 200 507

Toute reproduction, même partielle et quel qu'en soit le support,
est interdite sans autorisation préalable de l'éditeur.

Michou Claude Franck Mathieu -
Laurence - Jamila - Faud -
Daniel . Lucette - Zaccha